金陵全書

甲編・方志類・府志

至正金陵新志（一）

（元）張鉉 修纂

南京出版社

圖書在版編目（CIP）數據

至正金陵新志/（元）張鉉修纂. —影印本. —南京
：南京出版社，2010.10
（金陵全書）
ISBN 978-7-80718-656-4

Ⅰ. ①至… Ⅱ. ①張… Ⅲ. ①南京—地方志—元代
Ⅳ. ①K295.31

中國版本圖書館CIP數據核字（2010）第202915號

書　　名　【金陵全書】（甲編・方志類・府志）
　　　　　至正金陵新志
編 著 者　（元）張　鉉　修纂
出版發行　南京出版社
　　　　　社址：南京市成賢街43號3號樓　　郵編：210018
　　　　　網址：http://www.njcbs.com
　　　　　聯系電話：025-83283871（營銷）　025-83283883（編務）
　　　　　電子信箱：njcbs1988@163.com
統　　籌　杞　勇　樊立文
責任編輯　許小彥　陸永輝　吴新婷
裝幀設計　楊曉崗
責任印製　孫偉寶
制　　版　南京新華豐制版有限公司
印　　刷　南京凱德印刷有限公司
經　　銷　全國新華書店
開　　本　889×1194毫米　1/16
印　　張　156.75
版　　次　2010年11月第1版
印　　次　2010年11月第1次印刷
書　　號　ISBN 978-7-80718-656-4
定　　價　2400.00元（全三册）

總序

南京，俗稱金陵，中國著名的四大古都之一，是國務院首批公佈的國家歷史文化名城。

南京有着六十萬年的人類活動史，近二千五百年的建城史，約一千七百年的建都史，享有『六朝古都』、『十朝都會』的美譽。南京歷史的興衰起伏在某種程度上可以説是中國歷史的一個縮影。在中華民族光輝燦爛的歷史長河中，古聖先賢在南京創造了舉世矚目、富有特色的六朝文化、南唐文化、明文化和民國文化，爲中華民族文化的傳承和發展作出了不朽貢獻。然而，由于時代的遞遷、戰争的破壞以及自然的損毁等原因，歷史上南京的輝煌成就以物質文化形態留存下來的相對較少，見諸文獻典籍的則相對較多。南京文獻内涵廣博，卷帙浩繁，版本複雜。截至一九四九年中華人民共和國成立，南京文獻留存下來的有近萬種，在全國歷史文化名城中名列前茅。以六朝《世説新語》、《文心雕龍》、《昭明文選》，唐朝《建康實録》，宋朝《景定建康志》、《六朝事迹編類》，元朝《至正金陵新志》，明朝《洪武京城圖志》、《金陵古今圖考》、《客座贅語》，清朝《康熙江寧府志》、《白下瑣言》，民國《首都計劃》、《首都志》、《金陵古蹟圖考》等爲代表的南京地方文獻，不僅是南京文化的集中體現，也是中華民族優秀傳統文化的重要組成部分。這些南京文獻，積淀貯存了歷代南京人民的經驗和智慧，翔實地反映了南京地區的社會變遷，是研究南京乃至全國政治、經濟、軍事、文化、外交和民風民俗的重要資料。

歷史上的南京文化輝煌燦爛，各類圖書典籍琳琅滿目。迄今爲止，南京文獻曾經有過三次不同程度的整理。

第一次是距今六百多年前的明朝永樂年間，明朝中央政府在南京組織整理出版了《永樂大典》。《永樂大典》正文二萬二千八百七十七卷，凡例和目録六十卷，分裝成一萬一千零九十五册，總字數約三億七千萬字。書中保存了中國上自先秦、下迄明初的各種典籍資料達七八千種，是中國古代最大的類書。

第二次是民國年間，南京通志館編印了一套《南京文獻》。《南京文獻》每月一期，從一九四七年元月至一九四九年二月共刊行了二十六期，收入南京地方文獻六十七種，包括元明清到民國各個時期的著作，其中收録的部分民國文獻今天已經成爲絶版。

第三次是二〇〇六年以來，南京出版社選取部分南京珍貴文獻，整理出版了一套《南京稀見文獻叢刊》點校本，到目前爲止，已經出版了二十四册五十種，時代上起六朝，下迄民國，在學術普及方面作出了一定的貢獻。

新中國成立六十年來，尤其是改革開放三十年來，南京的政治、經濟、文化建設飛速發展，但南京文獻的全面系統整理出版工作一直没有得到應有的重視，這與南京這座國家歷史文化名城的地位頗不相稱。據調查，目前有關南京的各類文獻主要保存在南京圖書館、南京市檔案館，以及全國各地的高等院校、科研院所、圖書館、檔案館、博物館，少數流散于民間和國外。一方面，廣大讀者要查閲這些收藏在全國各地的南京文獻殊爲不便；另一方面，許多珍貴的南京文獻隨着歲月的流逝而瀕臨損毁和失傳。南京文獻的存史、資治、教化、育人功能没有得到應有的發揮。

盛世修史（志）。在中華民族和平崛起和大力弘揚民族傳統文化、全力發展民族文化事業的大背景下，在建設『文化南京』的發展思路下，中共南京市委、南京市人民政府于二〇〇九年十二月作出決定，將南京有史以來的地方文獻進行全面系統的匯集、整理和影印出版，輯爲《金陵全書》（以下簡稱《全書》），以更好地搶救和保護鄉邦文獻，傳承民族文化，推動學術研究，促進南京文化建設；同時，也更爲有効地增加南京文獻存世途徑，提昇南京文獻地位，凸顯南京文獻價值。

爲編纂出能够代表當代最高學術水平和科技成就，又經得起時間檢驗的《全書》，我們將編纂工作分成三個階段進行。第一個階段爲調研階段，主要對南京現存文獻的種類、數量、保存現狀以及收藏地點等進行深入細緻的調研，召集專家學者多次進行學術論證和可操作性論證，撰寫出可行性調查報告，爲科學決策提供依據，此項工作主要由中共南京市委宣傳部和南京出版社組織完成。第二個階段爲啓動階段，以二〇〇九年十二月二十四日召開的『《金陵全書》編纂啓動工作會』爲標志，市委主要領導親自到會動員講話，市委宣傳部對《全書》的編纂出版工作作了明確部署。在廣泛徵求專家學者意見的基礎上，確定了《全書》的總體框架設計，確定了將《全書》列爲市委宣傳部每年要實施的重大文化工程，確定了主要參編責任單位和責任人，并分解了任務。第三個階段爲編纂出版階段，主要在全國範圍内進行資料的徵集、遴選和圖書的版式設計、複製、排版及印製工作。

爲了確保《全書》編纂出版工作的順利進行，中共南京市委、南京市人民政府成立了專門的編纂出版組織機構。其中編輯工作領導小組，由中共南京市委、市政府領導以及相關成員單位主要負責人組成；《全書》的編纂出版工作由市委宣傳部總牽頭；學術指導委員會，由蔣贊初、茅家琦、梁白泉等一批全國著名的專家學者組成，負責《全書》的學術審核和把關。

《全書》分爲方志、史料和檔案三大類。自二〇一〇年起，計劃每年出版十册以上。鑒于《全書》的整理出版工作難度較大，周期較長，在具體操作中，我們採取了分工協作的方式。市委宣傳部和南京出版社負責《全書》的總體策劃，其中方志部分，主要由南京市地方志編纂委員會辦公室承擔；史料部分，主要由南京圖書館承擔；檔案部分，主要由南京市檔案局（館）承擔。《全書》的編輯出版，得到了江蘇省文化廳、江蘇省新聞出版局、江蘇省檔案局（館）、南京大學、南京圖書館、南京市文廣新局、南京市社科聯（社科院）、南京市文聯、南京市博物館、金陵圖書館以及各區、縣委宣傳部和地方志辦公室等單位及社會各界的熱情鼓勵和大力支持，尤其是得到了中國國家圖書館和全國各地（包括港臺地區）高等院校、科研院所、圖書館、檔案館、博物館等藏書單位的鼎力相助，在此表示深深的謝意！

我們相信，在中共南京市委、南京市人民政府的長期不懈支持下，在各部門、各單位的積極配合和衆多專家學者的共同努力下，這項功在當代、利在千秋的傳世工程一定能够圓滿完成。

《金陵全書》編輯出版委員會

二〇一〇年七月

凡例

一、《金陵全書》（以下簡稱《全書》）收録的南京文獻，依内容分爲方志、史料和檔案三大類。

二、《全書》按上述三大類分爲甲、乙、丙三編，以不同的封面顏色加以區分；每編酌分細類，原則上以成書時代爲序分爲若幹册，依次編列序號。

三、《全書》收録南京文獻的範圍，以二〇一〇年南京市所轄十一區（玄武、白下、秦淮、建鄴、鼓樓、下關、浦口、六合、棲霞、雨花臺、江寧）二縣（溧水、高淳）爲限。

四、《全書》收録的南京文獻，其成書年代的下限爲一九四九年。

五、《全書》收録方志和史料，盡量選用善本爲底本。《全書》收録的檔案以學術價值和實用價值較高爲原則，一般選用延續時間較長、相對比較完整的檔案全宗。

六、《全書》收録的南京文獻底本如有殘缺、漫漶不清等情况，必要時予以配補、抽換或修描，以保證全書完整清晰；稿本、鈔本、批校本的修改、批注文字等均保留原貌。

七、《全書》收録的南京文獻，每種均撰寫提要，置于該文獻前，以便讀者了解其作者生平、主要内容、學術文化價值、編纂過程、版本源流、底本採用等情况。

八、《全書》所收文獻篇幅較大時，分爲序號相連的若幹册；篇幅較小的文獻，則將數種合編爲一册。

九、《全書》統一版式設計，大部分文獻原大影印；對于少數原版版面過大或過小的文獻，適當進行縮小或放大處理，并加以説明。

十、《全書》各册除保留文獻原有頁碼外，均新編頁碼，每册頁碼自爲起訖。

提要

《至正金陵新志》十五卷，元張鉉修纂。

元世祖至元十四年（一二七七年）升建康府爲建康路。天曆二年（一三二九年）改建康路爲集慶路，轄録事司，上元、江寧、句容三縣，溧水、溧陽二州。元代繼承宋代的修志思想與體例，集慶路曾兩次修志，即《天曆集慶續志》和《至正金陵新志》。

天曆二年，集慶路訓導戚光受江南行臺御史中丞趙世延之命，編纂《集慶續志》，以續南宋《景定建康志》。記載宋景定二年（一二六一年）至元天曆二年共六十九年間史事。元至正初年，江南行臺監察御史索元岱責成集慶路令儒學重刊《景定建康志》。集慶路總管府與集慶路儒學周關教授磋商後建議：『莫若因舊志之已成，增本朝之新創，重新綉梓印行，亦爲一代盛典。』此建議得到索元岱的批準。至正三年（一三四三年），集慶路總管府聘請張鉉主持修纂路志，張鉉對戚光《集慶續志》棄置舊例、删卻圖表頗有微辭，故不襲用《集慶續志》之名，命名《金陵新志》。張鉉字用鼎，光州（今河南潢川）人，奉元路（治西安）學古書院山長。學問老成，詞章典雅。因講學授徒數往金陵，十五年間，隨地方官員、鄉賢游覽討論，對金陵歷史有粗略的了解。當年五月初十日到局任修纂，十月十五日成書。全書共十五卷，十三册，發往本路儒學進行校正繕寫，由本學王教授與學正方自謙、訓導陳顯曾等校正。前後歷時六個月，於十一月初一繕寫成編，進呈江南諸道行御史臺。

《金陵新志》體例主要參照《景定建康志》，首爲地理圖一卷，描繪山川、郡邑形勢，并考其沿革大要，附於圖後；次爲金陵通紀一卷，略述歷代因革、古今大要；中間爲金陵世年表一卷和疆域、山川、官守、田賦、民俗、學校、兵防、祠祀、古迹、人物志十卷，『極天人之際，究典章文物之歸』；末爲摭遺、論辨二卷，『綜言行得失之微，備一書之旨』。文摭其實，事從其綱，卷各有類，有數類内容繁雜，則細分爲上、中、下卷。

《金陵新志》卷目參照《景定建康志》而略作調整，删留都録；增金陵通紀；併城闕志於古蹟志；改儒學志爲學校志；删文籍志，因兵火之後文籍『蕩無一存』，以『置經籍』一目列於學校志中，并説明『詳見前志（書籍、書版）』；改文籍志中石刻目作碑碣，録入古迹志；輯文籍志中諸國論、奏議加『建康圖』所附辨，設論辨卷；改武衛志爲兵防志；析風土志爲民俗、古迹二志；改古今人表、傳爲人物志，設世譜、列傳二目。

本志時間斷限，上限斷在周元王四年（前四七三年），越相范蠡築城長干，爲金陵建城之始，迄元至正三年，凡一千八百一十五年。詳記元至元十三年（一二七六年）至至正三年凡六十八年史事。至元十三年之前根據史傳，之後兼采戚光《集慶續志》及路、州、司、縣所報事迹，附以聞見可徵者，『信以傳信，疑以傳疑』。

《至正金陵新志》爲元代著名方志。《四庫全書總目提要》評價：『薈萃損益，本末燦然，無後來地志家附會叢雜之病。』在方志續修方面作有益嘗試，繼承中有所創新，詳今略古，詳彼略此。

《至正金陵新志》現存主要版本有元至正四年（一三四四年）集慶路儒學、溧陽州學、溧水州學、明道書院刻本；元至正四年刻，明正德十五年（一五二〇年）南京國子監重修本；清乾隆間文淵、文津、文瀾、文溯閣《四庫全書》寫本，題名『至大金陵新志』；一九四八年南京市通志館《南京文獻》鉛印本；

一九九一年十二月南京出版社校點本；二〇〇六年十二月北京圖書館出版社《中華再造善本》影印本；二〇〇九年五月四川大學出版社《宋元珍稀地方志叢刊》校點本等。《金陵全書》采用北京圖書館出版社《中華再造善本》影印本，此本據中國國家圖書館藏元至正四年集慶路儒學、溧陽州學、溧水州學、明道書院刻本影印，原書版框高二十四點二厘米，寬十七點七厘米。

周建國

金陵新志序

郡志之見於世者多矣其間名是而實非語此遺彼者比比皆是求其紀載有法序事詳審使人如身履其地而目擊其事者則百不一二見焉豈以其陵谷之變遷事文之繁縟故紀述有難詳與不然何其可觀者鮮若是哉甲申春浮光士張君鉉以其所撰金陵新志首稾見示其脩志本末畧曰首爲圖攷以著山川郡邑形勢所存次述通紀以見歷代因革古今大要中爲

表志譜傳所以極天人之際究典章文物之歸終以摭遺論辨所以綜言行得失之微倫一書之旨至其終又曰文摭其實事從其綱亦詳矣哉是年夏集慶路將以是編鋟諸梓上之臺僉曰善且以序見屬辭不獲命應之曰是編首纂固嘗見之而有以知其敘事之詳也使其中皆然豈不能使覽者如身履其地而目擊其事哉予聞張君博物洽聞而作事不苟於是編也容有始詳而終略者乎是夏四月初吉奉直大夫

江南諸道行御史臺都事索元岱序

抄錄修志文移

集慶路總管府承奉

江南諸道行御史臺劄付據監察御史索奉直呈嘗謂陵谷之在霄壤猶有變遷州郡之閱古今豈無因革倘遺文之或泯奚往跡之能明切觀景定建康志者地理有圖人物有傳溪山之勝靡不載風土之宜罔或遺可以知羣賢出處之機可以見六朝興亡之跡爰稽故實與殊廣見聞惜故板之不存幸殘編之

僅在今不印諸久必陸沉如蒙將見在全書
責付集慶路令儒學從新編輯以廣其傳不
特可備觀覽於邦人亦足以垂監戒於天下
其於風化不為無補呈乞照詳施行得此施
行間又據集慶路申據儒學申准本學周教
授關嘗謂郡有志書所以考古今之沿革政
其方策所以驗風俗之盛衰此季札過魯得
以考歷代之禮樂為喜夫子言夏殷之禮亦
以文獻不足為恨切見集慶一路舊稱三吳

都會實爲名勝之邦古今紀載山川景物之
雄忠義之士不一而足至於志書歷宋景定
年至馬裕齋方行脩輯完備舊板已經
燒毀不存而日近郡士咸光妄更舊志率意
塗竄遂使名跡埋沒無聞志士莫不惋惜今
次莫若因舊志之已成增
本朝之新創重新繡梓印行亦爲一代盛典豈
不體與然此未敢擅便申乞照詳得此申乞
照驗施行憲臺依准所言合下仰照驗委官

提調於本路儒學錢粮内支撥刊板先具委
官職名依准申臺奉此又准本路判官周奉
訓牒呈該准來牒備奉
憲臺劄付委自當職提調重刊建康志書等
事除依准外切謂古者諸侯置史以紀國政
采詩以觀民風此國有史記詩有國風之所
由也後世州郡各爲志書亦此之遺意㚷欲
述方冊之舊聞所合著
朝廷之盛治照得集慶爲江南要郡自

朝混一迨今六十八年中間
恩命之所加風化之所被
臺察之設置州郡之沿革名宦之政績人才
之賢否山川之變遷風俗之移易與夫忠臣
孝子義夫節婦俱有關於政教甚大苟不廣
其見聞攷之事實裒集成編以續前志歲月
既久漸致湮沉如蒙以禮敦請名儒赴學討
論編輯以成其書庶見
國家政化之隆

臺察紀綱之重然此牒請施行准此行據本
路儒學申准本學周教授明道書院務山長
關照得景定舊志已行刊雕在手所有續纂
新志非仗大手筆未易成就近聞陝西儒官
張用鼎名鉉學問老成詞章典雅必得其人
事能就緒然非致禮幣詣門敦請豈肯俯臨
修纂關請詳酌合用禮物以憑敦請施行准
此議備禮幣移委本路判官周泰訓周教授
務山長等親詣寓所敦請於至正三年五月

初十日到局脩纂十一月望成書計壹拾伍卷
東行點校繕寫當年十二月十二日本路師
府判劉知事王教授同於本局關領呈
臺至正四年三月內本路照得近奉
憲臺劄付為刋脩郡志事行下各州司縣儒
學院務會集耆舊儒職人等講論搜集申到
置立衙門經理田土各各事蹟移委判官周
堯親賚禮幣禮請到奉元路學古書院山長
張鉉纂成金陵新志壹拾伍卷計壹拾叁冊

發下本路儒學校正去後回據狀申本學王
教授與學正方自謙訓導陳顯曾等校正相
同如將前項新志刊板緣實在學粮錢用不
敷宜從總府從長規畫分派刊造便益申乞照
詳得此行下本路儒學與錄判王淵董行計
料板物工價參詳張山長纂撰金陵新志壹
拾叁冊儒學會集儒職校正相同誠為有補
於將來擬合刊板印行以廣其傳分派溧陽
州學刊雕五卷溧水州學明道書院各刊三

卷本路儒學刊造二卷及序文圖本照依元
料工物合用價錢於各學院錢粮內除破移
委判官師珎知事劉伯貞司吏宋謙監督併
工刊雕申覆
憲臺照驗當年五月內承奉
江南諸道行御史臺令史孔淮承行劄付該
來由爲刊雕金陵新志板物價錢共中統鈔
壹伯肆拾叁定貳拾玖兩捌錢玖分九厘送
據照磨所呈照筭相同憲臺合下仰照驗依

上施行承此

臺府提調官掾職名

江南諸道行御史臺

御史中丞董守簡資善

都事樊執敬朝散　索元岱奉直

石思讓奉議

令史艾宗勉　蔡茂正

劉孟琛　孔淮

督工校勘典吏陳以咸

集慶路總管府

府判周喆奉訓

師琢承直

知事劉伯貞

臺府官掾職名

江南諸道行御史臺

御史大夫脫歡

御史中丞卜顏　董守簡

任擇善

侍御史沙班　馮思溫

王紳

治書侍御史順昌　秦從德

經歷鳥剌沙　納速而丁

都事樊執敬

石思讓

照磨趙儀

管勾郭汝能

監察御史阿思蘭不花

脫歡

答失蠻

太平

羨堅吉歹

索元岱

默好古

燕繼祖

撒八兒禿

僧奴

木八剌

完者帖木兒

賈閭

完澤帖木兒　張思誠
王武　楊秩
張銈　王朶羅歹
李貞一　石思讓
王時可　哈海赤
壽昌　趙翱
常有恒　王永澄
丁好禮　楊惠
令史蔡茂正　賁詵

房主　趙瑄
任性善　蕭德信
劉孟琛　薩德彌實
孔淮　王鵬
也先帖木兒　李忠
梅友賢　艾宗勉
趙範　完者不花
通事伯顏
譯史阿沙　喜山

安住
知印寶柱　伯顏
宣使叚汝舟　德壽
和尚　吴謙
普顏帖木兒　僧三不花
大悲奴　月忽難
典吏張梓　吴允恭
許鎬　欒敬直
庫子劉允　郝元良

薩都剌
察院書吏順僧　陳仲信
呂嗣祖　邵處義
周宗魯　慕完
楊旭　朱明實
劉偉　闊術
張弘　武瑛
高守中　耿權道
石允中　野仙忽都魯

邵忠　程伯榮

許瑞　呂謙

苑天常

集慶路總管府

達魯花赤帖兒

總管張塔海帖木兒

同知羅里

治中廉青山

府判周垚　師稱

推官高仲禜　劉忠

經歷牛明善

知事劉伯貞

脩志本末

前奉元路學古書院山長張鉉輯

一古者九州有志尚矣書存禹貢周紀職方春秋諸侯有國史漢以来郡國有圖志圖志兼記事記言之體自山川物産民俗政教沿革廢置是非善惡災祥禍福無不當載載而上之主朝脩為通史著為經典則褒貶之義見焉金陵在禹貢為揚州歷代為都為國為州為府典章文物宜可攷徵

而陵谷變遷事文散逸自宋以來病之今志略依景定辛酉圖應合所備凡例首為圖攷以著山川郡邑形勢所存次述通紀以見歷代因革古今大要中為表志譜傳所以極天人之際究典章文物之歸終以摭遺論辨所以綜言行得失之微備一書之旨文摭其實事從其綱總為一十五卷卷各有類類例繁者析為上中下卷具次後錄如其筆削以俟君子

一金陵得名自楚威王築城石頭因山立號始見史傳而山川形勢表然爲東南重鎮則其來遠矣上古帝王有建國朝會於斯若雲陽氏之居雲陽與康丹徒接界有雲陽嶺詳見通紀夏禹之會群神茅山詳見後山川志周初太伯之國勾吳茅山古名句曲形如句己句轉爲句句容以是得名地近延陵瀨渚皆吳境也春秋楚靈王之築城瀨渚見後古迹固城下皆見史傳兩年世悠邈事難詳究今依景定志以周元王四年己巳越相范蠡築城長

于爲金陵城邑之始斷自是年表其行事迄今至正癸未凡一千八百一十五年損益舊聞附著時事首尾該涉粗爲詳備而春秋以前事蹟散見諸篇文有錯互覽者詳焉

一金陵圖志存者惟唐許嵩建康實錄宋史正志乾道志吳琚慶元志周應合景定志而刻板已亡所見卷帙類多訛缺惟景定志五十卷用史例編纂事類粲然今志用

爲準式參以諸志異同之論間附所聞於
表其後至於事文重複非關義例者本志
既已刊行不復詳載

一 古之學者左圖右書況郡國輿地之書非
圖何以審訂至順初元郡士戚光纂修續
志屏却舊例并去其圖覽者病焉今志一
依舊例以山川城邑官署古跡次第爲圖
冠於卷首而致其沿革大要各附圖左以
便觀覽

一晉之乘楚之檮杌魯之春秋皆諸侯史也乘檮杌缺亡不可復知以春秋經傳攷之諸所記載或承赴告或述見聞其事有關天下之故者雖與魯無預皆書於册若蔡鄭會鄧齊鄭如紀鷁退石隕沙麓崩郭亡之類於魯無預或非赴告亦書其非義之所存及聞見所不逮者雖本國事亦或棄而不錄若隱公元年傳舉不書之例及隱桓莊閔之春秋其詞畧傳經定哀之世多微辭之類疑此皆非聖人筆削新意史若舊草圖存斯義脩景定志者用春秋史

記法述世年二表經以帝代緯以時地又事開卷瞭然與建康實錄相爲表裏可謂良史而戚氏譏其年世徒繁封畫鮮述所作續志悉芟去之以論他郡邑可也而非所以言建康豈惟前代事蹟漫無統紀亦將使

昭代之典闇而不彰今不敢從述世年表悉依前例

一建康自至元丙子歸附至今至正癸未六

十八年典章沿革民俗得失視他郡宜多可紀而官府文案兩經燹燬故老晨星無從詢訪古云堂上遠於百里堂下遠於千里言相去益遠則見聞乖謬情志益難邊通況士民殊習朝野異趍偏辭隅論故難据依今自丙子前雜稽史傳歸附後用咸氏續志及路州司縣報至事跡附以見聞可徵者輯爲斯志信以傳信疑以傳疑所謂埤毫芒於泰山存十一於千百篇帙既

繁不無缺誤興我同志者攷訂而附益之深所願焉

一除圖攷通紀外表志諸篇各有叙叙所以爲作之意人物志析爲世譜列傳皆據前史纂其名實鉅細兼該善惡畢著傳末例有論贊不敢晉越惟范蠡傳前志用吳越春秋及史記傳文辭頗蕪類今略加潤色明李綱所以說高宗之意蠡非王者之佐也然金陵城邑總始於蠡六代建都因其遺跡故論者謂江左形勝古今一也范蠡用之佐勾踐稱

循江淮由微弱以致富强孫皓陳叔寶用之一則由强大而致覆亡易於反掌所謂無難論人在德不在險者著於序綱說見末卷奏議

一歷代以來碑銘記頌詩賦論辨樂府叙贊諸作已具周氏戚氏二志不復詳載今輯其篇第志於古跡卷中其關涉攷證者隨事附見自餘文記郡州司縣采録未完郡庠續爲編輯附於志末

一溪園先生周應合宋末名儒其脩郡志以馬制置光祖供給搜訪之勤帥憲運漕諸

府幙官論辨攷訂之助數月成書猶多訛謬鉉也曩因授徒來往是邦十五餘年雖嘗從諸縉紳先生遊覽商略得其大槩而憂患之餘學荒辭陋謬膺郡聘無能爲役於自夏五入局編纂疲瘁心思凡六閱月以仲冬朔旦繕寫成編不敢上之大史列於掌故施之承學或可資披證之萬一云。

新舊志引用古今書目

尚書今文禹貢　汲冢周書

春秋左氏傳周左丘明　春秋外傳周左丘明

史記西漢司馬遷　戰國策漢劉向

吳越春秋晉趙曄楊方　西漢書漢班固

東漢書吳謝承宋范曄劉昭　後漢紀魏荀悅

三國志晉陳壽　吳書吳韋昭

晉書唐太宗　晉陽秋晉孫盛

晉紀晉徐廣　晉記宋裴松之

漢晉春秋 晉習鑿齒
宋紀 齊王智深
齊書 陳許亨
宋書 梁沈約
齊書 梁蕭子顯
梁書陳書 陳姚察
續晉陽秋 齊檀道鸞
南北史 齊李延壽
隋書 唐魏徵
唐書 宋歐陽脩宋祁
五代史 宋歐陽脩
南唐書 宋胡恢陸游
資治通鑑 宋司馬光
通鑑綱目 宋朱熹
宋鑑長編 宋李燾
金國志
宋季三朝政要
二王本末 宋陳仲微

水經（漢桑欽撰魏酈道元注）丹陽記（齊山謙之）

京都記（齊陶季直）建康實録（唐許嵩）

金陵古迹編（宋石邁）六朝事類（宋張敦頤）

六朝事類別集（宋吳彥夔）六朝進取事類（宋王琮）

乾道建康志（宋史正志）慶元建康志（宋朱舜庸吳琚）

景定建康志（宋周應合）句曲志（宋張侃）

咸淳溧水志（宋周成之方遜）溧陽志（宋趙廓夫）

古今州郡記（梁陶弘景）帝代年曆（梁陶弘景）

風土記（晉周處）揚都賦（晉庾闡曹毗）

揚州記晉西憲　搜神記晉干寶

齊史十志齊江淹　世說宋臨川王劉義慶

吳地記齊任昉　三吳決錄齊孔逭

淮海亂離志梁蕭圓肅　梁舊事梁蕭大圜

輿地志陳顧野王　地形志隋庾季才

古今帝代記後周明克讓　區宇圖志唐姚思廉

梁實錄梁周興嗣　三十國春秋梁蕭方等

通典唐杜佑　元和郡國志唐李吉甫

方輿記古今國典歲時廣記南唐徐鍇

南唐近事 宋鄭文寶
寰宇記 宋樂史
輿地廣記 宋歐陽忞
祥符圖經
方輿勝覽 宋祝穆
山川地理圖 宋程大昌
通志 宋鄭樵
路史 宋羅泌
江表傳
吳録 唐張勃
江乘記
六朝宮苑記
丹陽尹録
苑城記
金陵六朝記
秣陵記
建康宮闕簿
江表志

唐十道四蕃志　宋朝事實

宋會要　江南野史

尚書蔡傳輯錄董鼎　乾道志宋洪遵

茅山志劉大彬張天與　集慶續志戚光

諸家文集詩集　金陵覽古詩朱存陳軒楊備馬之純

金陵百詠宋曾極陳崇　金陵故事

名臣事略蘇參政伯脩

金陵新志總目

第一卷

地理圖 攷各附圖後

金陵山川封域總圖

南臺按治三省十道圖

行臺察院公署圖 圖二共攷

舊建康府城形勢圖

集慶路治圖 録事司附

益都路萬户府鎮守地界圖

江寧縣圖

上元縣圖

句容縣圖

溧水州圖

溧陽州圖

路學新圖

臺城古蹟圖

治城圖

蔣山圖

起隋開皇己酉至宋德祐乙亥世年表

爲卷之十

起至元十三年丙子以來年表爲卷之

下

第四卷

疆域志

歷代沿革　地爲都　地爲治所

地沿僞國名　地所屬州名　地

所屬郡名　地所置僑郡名　地

所置府號　地所統縣名州名

歷代廢縣名　地所接四境　鎮

市　街巷　坊里　鋪驛　道路

橋梁　津渡

堰埭　圩岸

第十五卷

論辨

諸國論 奏議

辨孩

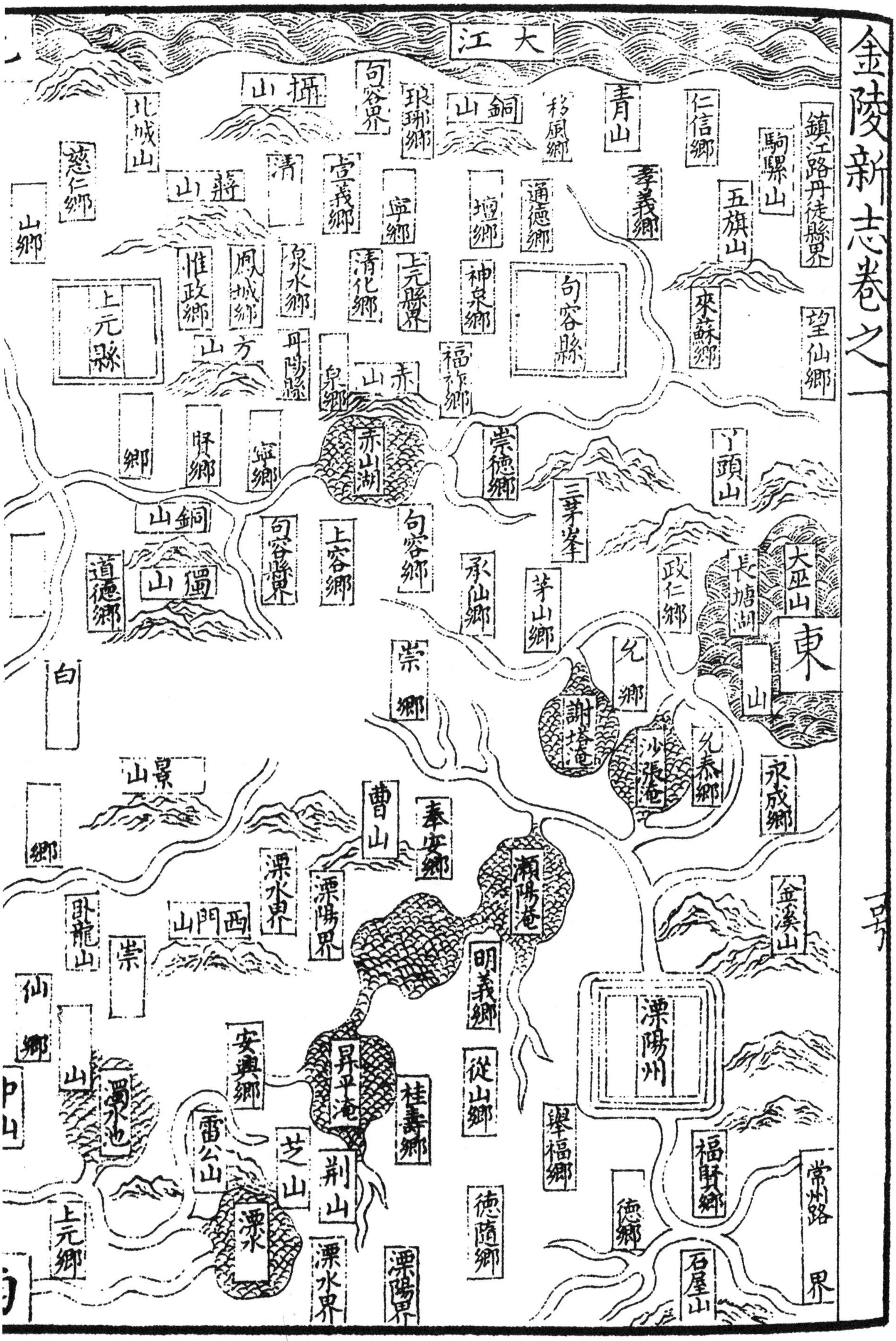
大江
句容界
攝山
北城山
琅琊鄉
銅山
移風鄉
青山
仁信鄉
鎮江路丹徒縣界
駒縣山
慈仁鄉
蔣山
清
宣義鄉
安鄉
壇鄉
通德鄉
孝義鄉
五旗山
山鄉
惟政鄉
鳳城鄉
泉水鄉
清化鄉
上元縣界
神泉鄉
句容縣
來蘇鄉
望仙鄉
上元縣
方山
丹陽縣
泉鄉
赤山
福祚鄉
鄉
賢鄉
安鄉
赤山湖
崇德鄉
丁頭山
三茅峯
銅山
句容縣界
上容鄉
句容鄉
承山鄉
茅山鄉
政仁鄉
長塘湖
大巫山
道德鄉
圌山
東
崇
鄉
白
允鄉
山
謝塘淹
沙張淹
允泰鄉
景山
曹山
奉安鄉
永成鄉
鄉
瀨陽淹
溧水界
溧陽界
西門山
金溪山
卧龍山
崇
明義鄉
仙鄉
溧陽州
安興鄉
山
昇平淹
蜀水池
從山鄉
桂壽鄉
舉福鄉
雷公山
芝山
荊山
福賢鄉
常州路界
德隨鄉
德鄉
溧水
上元鄉
溧水界
溧陽界
石屋山

金陵山川封域總

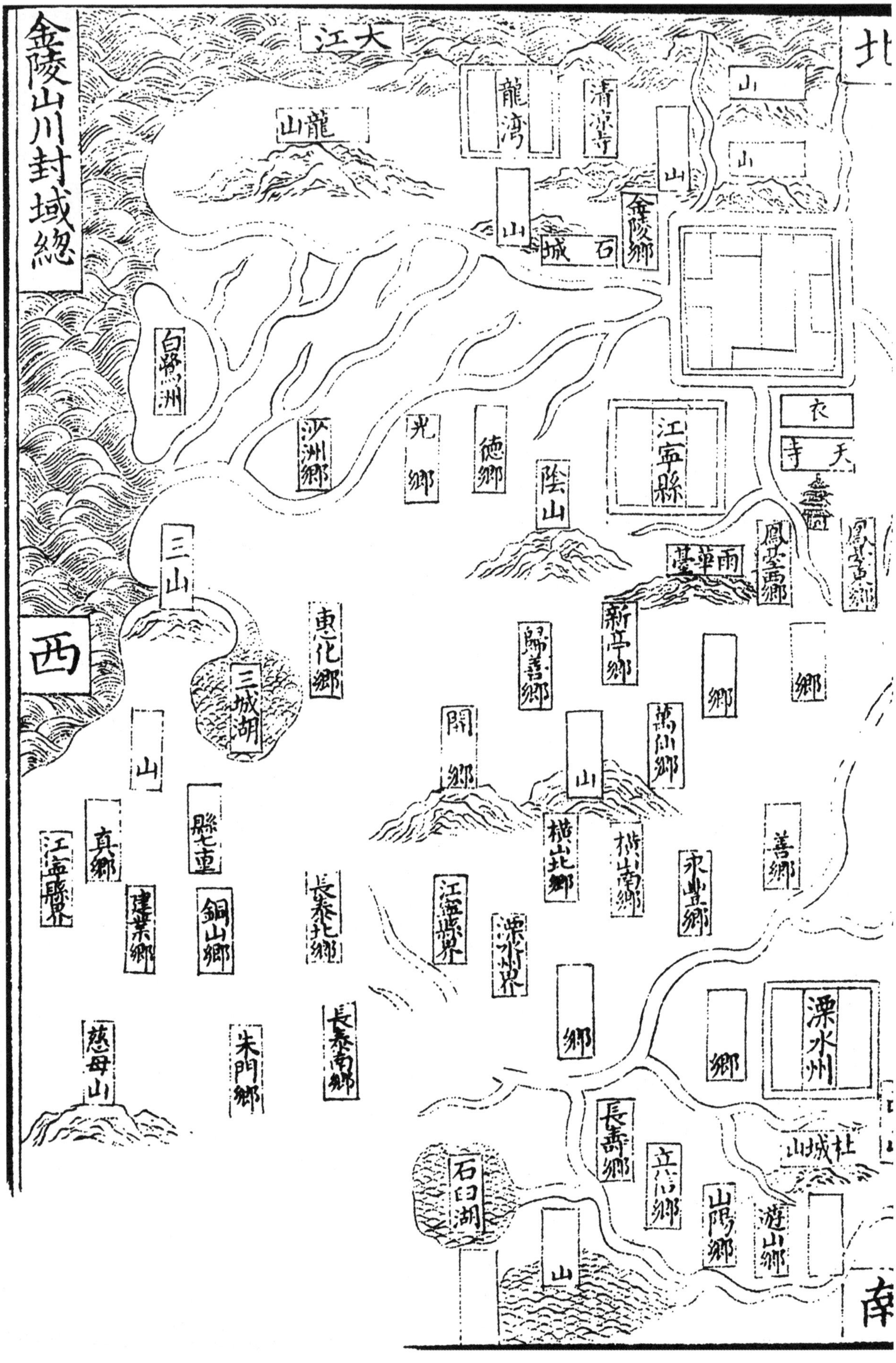
北
大江
龍山
龍灣
清涼寺
山
山
山
石城
金陵鄉
白鷺洲
沙洲鄉
光鄉
德鄉
陰山
江寧縣
衣
天寺
雨華臺
鳳臺鄉
三山
西
三城湖
東化鄉
歸善鄉
新亭鄉
鄉
鄉
開鄉
山
山
真鄉
江寧縣界
建業鄉
銅山鄉
長泰北鄉
江寧縣界
溧水州界
橫山北鄉
橫山南鄉
永豐鄉
善鄉
慈母山
朱門鄉
長泰南鄉
鄉
鄉
溧水州
長壽鄉
山陽鄉
遊山鄉
杜城山
石臼湖
山
南

金陵山川封域圖攷

輿地志云鍾山古金陵山也縣邑之名由此而立建康實録云楚威王築城石頭置邑以其地接華陽金壇之陵故號金陵秦始皇三十六年以金陵為鄣郡治故鄣屬吳興郡即今湖州路三十七年東遊還過吳從江乘渡望氣者言五百年後金陵有天子氣因鑿鍾阜斷金陵長隴以通流至今呼為秦淮乃改金陵邑為秣陵縣諸葛亮所謂鍾山龍蟠石城虎踞真帝王之宅今考故蹟左則方山

石硊山之間右則盧龍山馬鞍山之間耆老相傳以為始皇鑿斷長隴之所其秦淮經流三百餘里地勢高下屈曲自然必非人工所為或云始皇埋金玉雜寶於鍾山以厭王氣又云楚威王亦嘗埋金於此前志已力辨其非蓋古者帝王以金幣之屬禮祀山川於山則埋於川瀆則沉始皇嘗埋璧茅山沉璧於江漢光武亦埋金玉於茅山頂故謂秦楚嘗埋金玉於此則或然謂以銷厭王氣則非也

漢承三代舊制置揚州統丹陽郡所領縣邑有今淛西淛東二道及江東道之半吳晉宋齊梁陳代加分割隋立蔣州唐以隸潤州又改昇州管屬始隘於舊南唐建金陵府縣邑猶更屬不常沿革見後疆域志迨宋為江寧府改建

慶府始定有今江寧上元句容溧水溧陽之地東西二百三十五里南北四百六十里東抵鎮江東南抵常州南抵寧國西南抵太平西抵和州西北抵眞州以大江中流為界山有蔣山即鍾山金陵在府城東北茅山在句容縣夏禹嘗登以朝群臣見吳越春秋或謂在會稽繹巖山一名赭山乃丹陽郡所以得名在句容縣華山秦淮所出在句容縣東廬山嚴子陵所居在溧水州長塘湖一名洮湖在溧陽州五湖之一丹陽湖在溧水州中江九陽江禹貢載三江既入中江其一在溧陽州界皆江南道名山巨浸在郡

境中詳見後疆域山川志

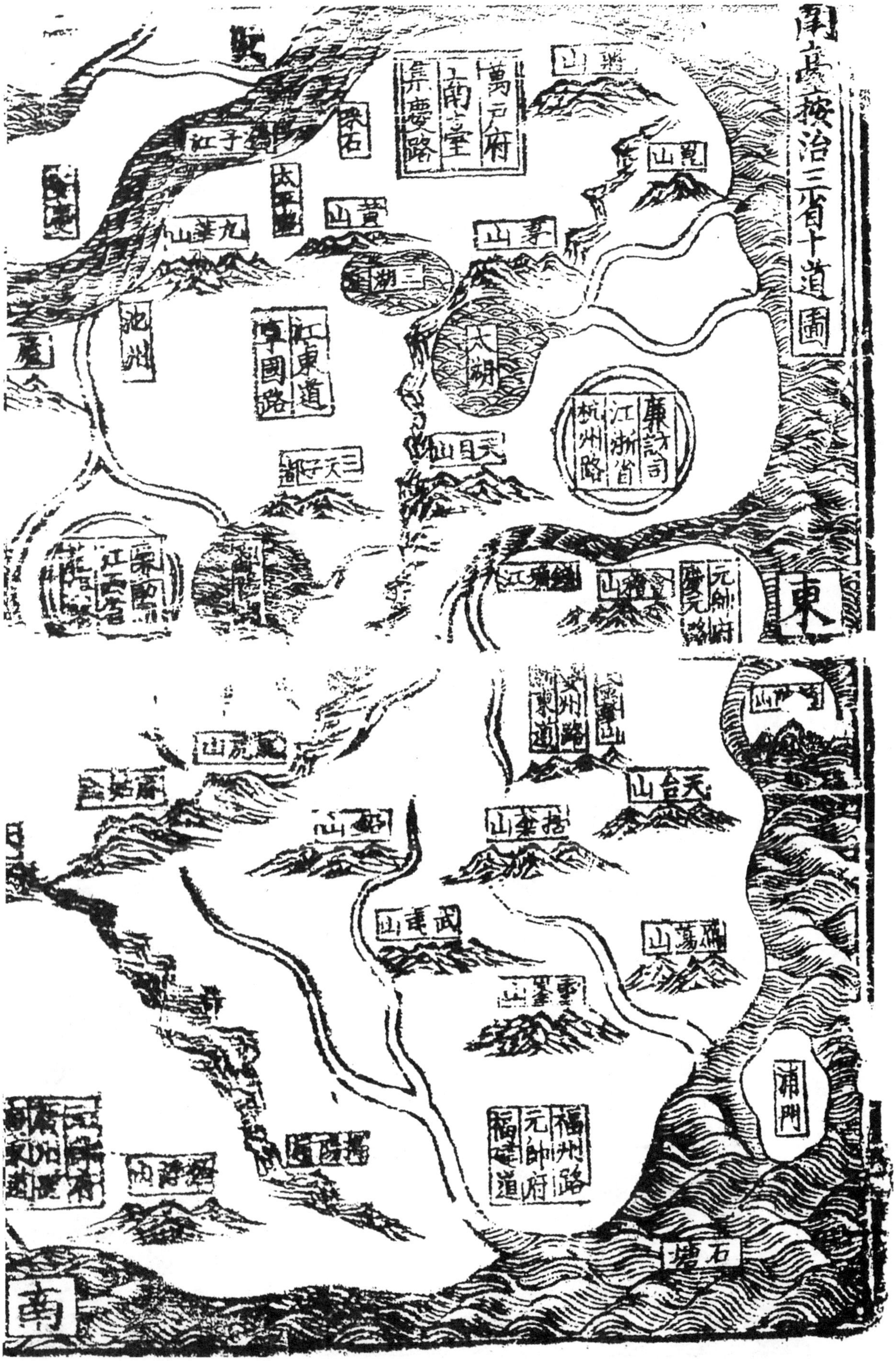
南臺按治三省十道圖
萬戶府
南臺
集慶路
揚子江
黃山
九華山
茅山
太湖
池州
江東道
寧國路
天目山
三天子都
廉訪司
江浙省
杭州路
東
元帥府
慶元路
天台山
括蒼山
武夷山
雁蕩山
福州路
元帥府
福建道
浦門
石塘
南

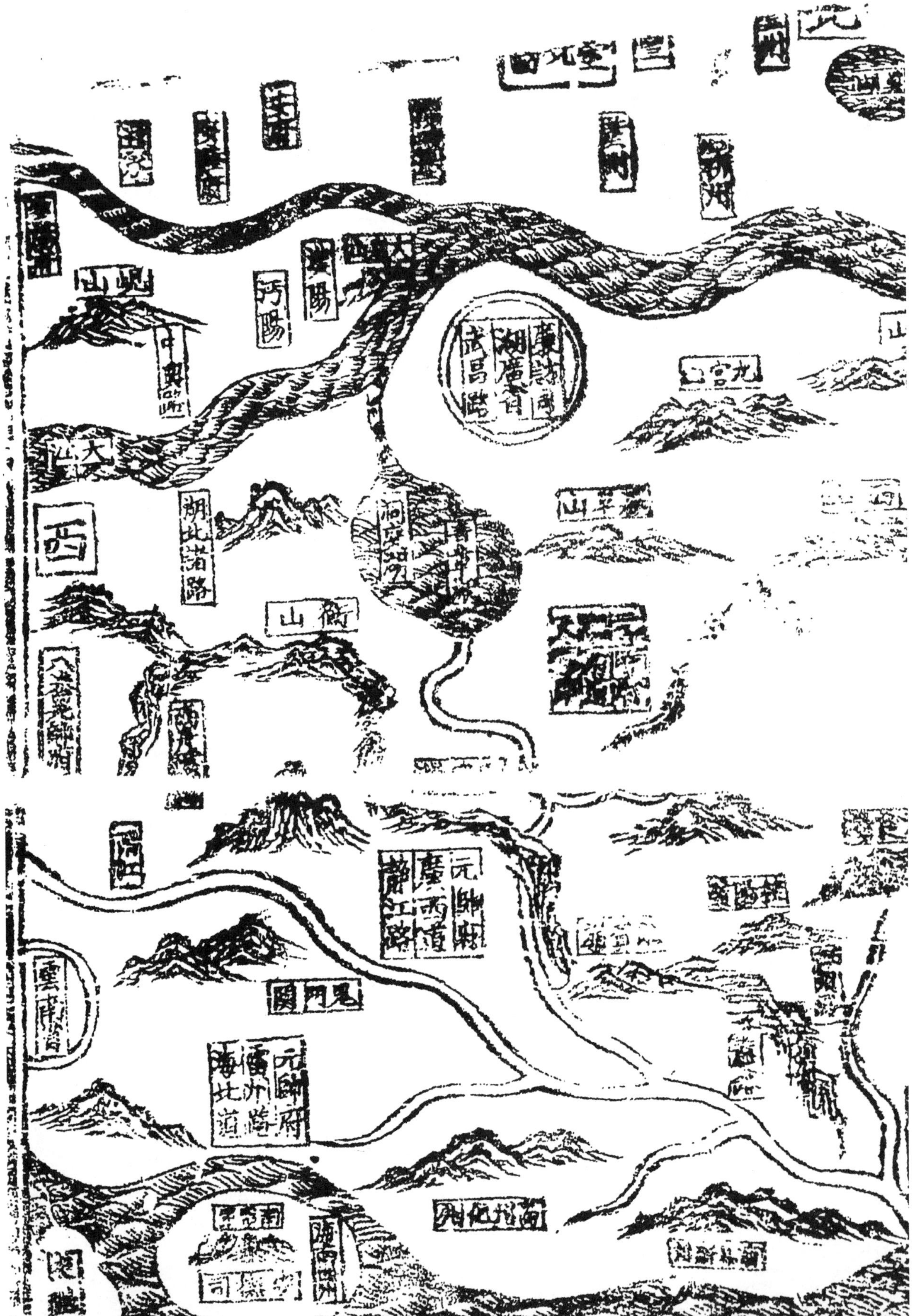
漢陽
沔陽
大江
九宮山
洞庭湖
衡山
鬼門關

南臺按治三省十道圖攷

行御史臺至元十四年御史大夫相威於揚州創立統淮東淮西山南及江南十道提刑按察司江淮諸行省各道宣慰司皆隸按治二十八年按察司改名肅政廉訪司二十九年因立河南行省以兩淮山南三道隨省徑隸御史臺而行臺遷治建康始名江南諸道行御史臺按治江浙行省（先治揚州後移杭州）江西行省（先治吉安後移龍興）湖廣行省（先治潭州後移武昌）遞年差監察御史守省照刷文

卷糾察官吏不公不法就行體覆各道廉訪司官吏贓贖江東建康道廉訪司治寧國太平池州廣德徽州饒州信州諸路及鉛山州置司寧國江南浙西道治杭州平江湖州常州鎮江建德嘉興諸路并松江府江陰州置司杭州浙東海右道按治浙東宣慰司都元帥府及婺州紹興處衢溫台慶元諸路置司婺州福建閩海道按治福建宣慰司都元帥府及福州建寧興化延平邵武泉漳汀諸路置司福州以上係江浙行省地面

江西湖東道治龍興瑞撫建昌臨江袁吉贛南安南康江州諸路及南豐州置司龍興海北廣東道按治廣東宣慰司都元帥府及廣韶南雄肇慶德慶潮州諸路南恩新封桂陽連循梅諸州置司廣州以上係江西行省地面江南湖北道治武昌興國岳常德澧辰沅靖州諸路及漢陽府置司武昌嶺北湖南道按治湖南宣慰司都元帥府及天臨衡永全武岡寶慶郴道桂陽諸路茶陵常寧耒陽三州置司天臨嶺南廣西道按治

廣西兩江宣慰司都元帥府及静江柳梧潯南寧慶遠諸路平樂府融賀桂容藤横鬱林賓諸州置司静江海北海南道按治海北宣慰司都元帥府及雷高化欽廉乾寧諸路南寧萬安吉陽軍置司雷州其八番順元宣慰司都元帥府新添葛蠻都雲定雲等處新得州軍民安撫司思州播州軍民宣撫司管轄僉竹鎮遠諸府隸西臺四川廉訪司按治左右兩江來安思明太平鎮安田州五路及沿邊溪硐州縣不屬廉訪

司以上係湖廣行省地面蓋今行臺所統得禹貢職方揚州全境西南割荆州之半在唐爲江南道而今州司縣屬轄廢之地視舊尤加廣焉唐書地理志江南道蓋古揚州南境潰丹陽會稽豫章廬江零陵桂陽等郡長沙國之牂柯江夏南郡地潤昇常蘇湖杭睦越明衢處婺溫台宣歙池洪饒吉袁信撫福建泉汀漳爲星紀分係鄂潭衡永道郴郡黔辰錦施敘獎夷播思費南溪溱爲鶉尾分爲州平十一縣二百四十七其名山衡廬茅蔣天自天台會稽四明括蒼縉雲金華大庾武夷今北陵南郡北屬山南八嶺流在者爲徼外其他州郡名改易不同

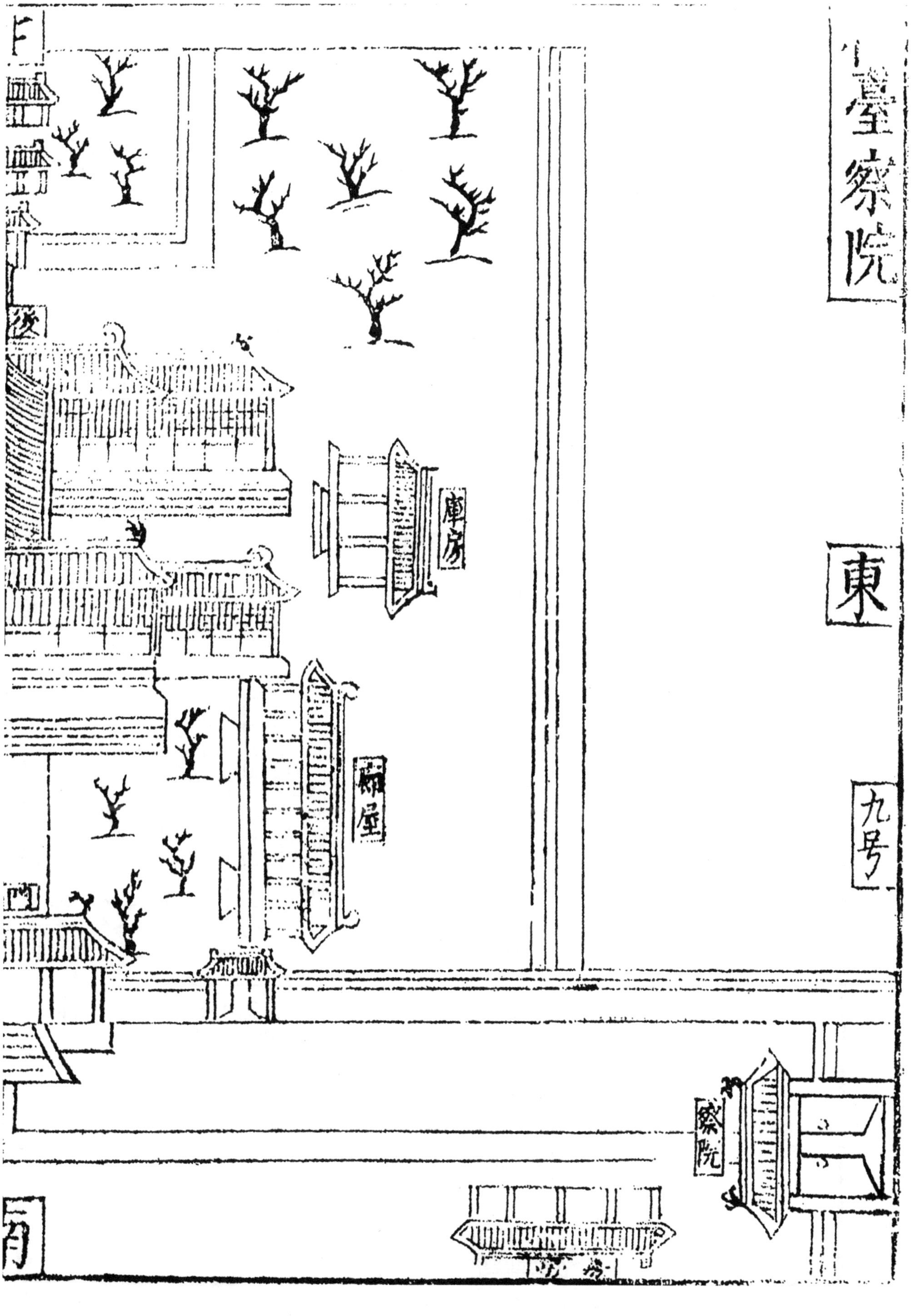
臺察院
東
九号
庫房
察院

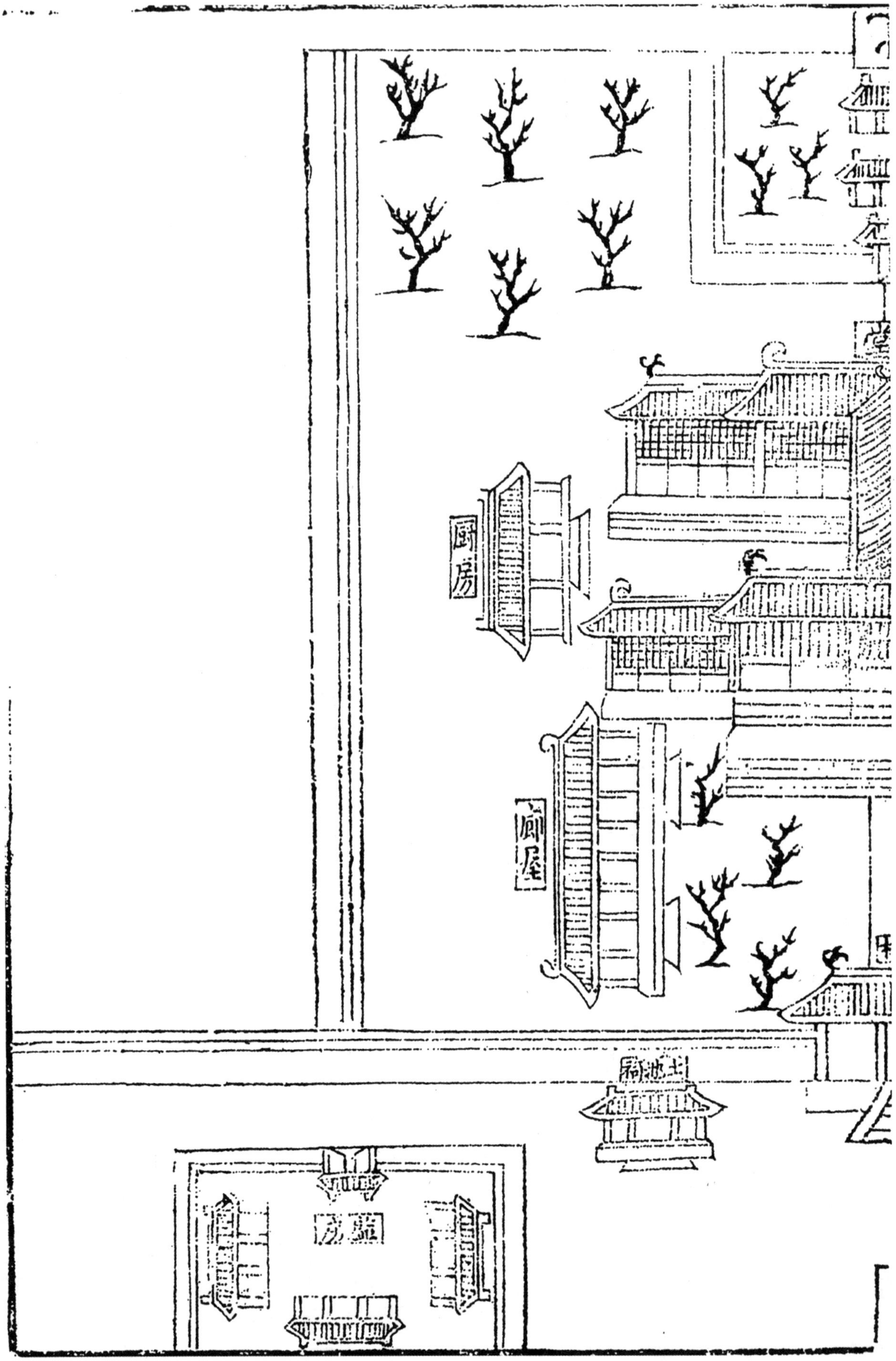
厨房
廊屋
土地祠
監房

行臺察院公署圖攷

行臺公署宋初爲轉運司在江寧府治東南府治在南唐宮城今之舊内高宗紹興三年以府治建行宮遂改轉運司衙爲建康府治凡曰行宮留守司江東安撫司沿江制置司兵馬總管都督皆知府兼之其公署創建雄盛有設廳居中左右脩廊戍石亭在設廳前儀門即戟門在戒石亭南左右列戟惟郡守出入則開府門在儀門南鼓角樓在府門左時避行宮不建譙門清心堂在設廳後忠實不欺堂在清心堂後扁乃理宗所書賜馬光祖前有二齋左曰雲瑞右曰日思静得堂在忠實不欺堂後以光祖三任知府改名

三至玉麟堂在忠實不欺堂左後瞰清溪前臨芙蓉池春雨軒在前恕齋在後有竹軒在旁靜齋在右學齋在左錦繡堂在玉麟堂左本紹興三十年樞密使王綸知府事所建初名晝錦後改今名上為忠勤樓扁皆理宗御書庭中左右植金華二石以屋覆之前為木犀臺又前為碑亭有三陂石有堂在右曰水鄉西廳在忠實不欺堂之右別有鎮青堂在府廨東北其上為鍾山樓其後為清溪道院木犀亭曰小山菊亭曰晚香牡丹亭曰錦堆芍藥亭曰駐春皆在堂左疊石成山上為亭曰一丘一壑下為金魚池亭曰真愛其南為曲水池亭曰觴詠又其西為杏花村桃李蹊亭曰種春竹亭曰深淨梅亭曰雪香海棠亭曰嫁梅皆在堂右清溪一曲環其前左有橋通水鄉名小垂虹右有橋通錦繡堂榜曰藕花多處皆郡圃也其堂之奧榜曰紬書景定修志其中故名堂之東便門通清溪道中西花園在安撫司僉廳西馬光祖改為惠民藥局

看窻二所一在西花園東南臨御街牓曰
後設爲軍裝局一在嫁梅亭後臨東虹橋安
司僉廳在西廳西北後有芙蓉堂西爲三聚
制置司僉廳在儀門東有叢勝堂君子堂南
清溪又有集思堂及便廳建康府都僉廳在
門西西廳之前通判有三廳東廳在儀門左
朝陽亭西西廳在儀門右有思政堂南廳在府外
西南僉書節度判官廳在府門內之左通判東
廳南節度推官廳在府門內右通判西廳之南
添差節度推官廳在西夾道買民屋所改觀察
推官廳在府門內左僉判廳舍南錄事參軍廳
在節推廳南司理廳有二左院在節推廳後有
式敬齋右院在西通判廳後司戶廳在府門外
東南司法廳在府西南以上並據景定志所記
與乾道志不同蓋自乾道至景定數十年間更
易多矣今集慶舊規大抵皆馬制置光祖所記
至元十二年二月左丞相淮安忠武王伯顏平

章河南王阿术於府治開省冬十月行省起離邑駐瓜州宣撫司於内治事十四年宣撫司罷就爲建康路治尋爲江東宣慰司治所至元二十二年江淮等處行樞密院即宣慰司爲院而宣慰司移治西錦綉坊大軍庫内其明年行御史臺移治建康即樞密行院置臺而密院徙於宋轉運司置院二十六年行臺徙移揚州二十九年立名江南諸道行御史臺自揚州復還建康仍以前治爲行臺今公署察院在臺右即宋制

置司西廳後至元二年重建正廳仍用忠實不欺舊扁中丞資善張公起巖作記記曰洪惟

聖元撫有方夏

世祖皇帝混一區宇建行御史臺以奠南服肇治惟揚最後移治建業綜臨憲司十道行省行院之在江表者咸屬按劾其治所即勝國安撫留守舊署縣歷歲久棟宇摧腐凛焉懼其將壓御史大夫易釋董阿圖憐戴新咨于中臺丞相駙馬都尉塔失帖穆尔繼爲大夫復以言臺議是之得請于

上乃以治書侍御史禿魯綱維是役撤舊起廢構材庀工爲堂于中複屋前連宏敞清邃爲廳于後一如堂制高朗靖深愜協有加翕翼以室以爲廳事之所燠密異政暑寒攸宜中爲長廊接棟落楹子午貫達爲經歷司于堂之左爲燕息之齋于堂之右揭以忠實不欺之扁示存舊

也或謂宜有紀述今御史大夫公剌合赤屬予記惟太微執法垂象昊穹臺諫職司準茲是[illegible]紀綱糾繆公論攸在
國朝疆域之廣度越前代聲教所暨無間遐邇
天子耳目之寄屬之憲臺南臺所控臨地曠事繁荊吳百粵迄于要荒民隱披露罔或壅遏公方材諸閻或滯汚贓私殘暴罔或蔽匿舉揚搜擿剖析釐正公道廓清紀綱振肅是則委任責成之意歛茲臺治輪奐一新衆庶所瞻于以聳動于以矜式凡蒞是者盡思稱副而無愧負也哉必也貪夫掊剝有以治之酷吏戕民有以詰之濫官敗俗有以糾之鄉人蠹政有以去之使循良者得以成其治抑屈者得以申其情困乏消得以休其力耕鑿者得以安其生長民之官一一以承流宣化為務而無虐無擾有位之士以清心潔己為先而無怠無縱吏之奮塞疲懦一一有警發振厲而無熙發具事民之林林總總一皆底德嚮風而無麗于刑斯謂能舉其職而無

不矣其或冒法作威以陷善良黨惡植私以惠報復飛謗遂非以欺罪弱彊辭矯誣以紊條格戮滅典常爵不顧貪財賄伊戚貽得而誅矣敢以斯言爲告以儆居是職者而是役之經始落成年月與夫財用之給丁官木石瓦甓匠夫之數不著著其切於風紀之大者是爲記通奉大夫江南諸道行御史臺侍御史張起巖記中議大夫江南諸道行御史臺經歷廉惠山凱雅書承德郎江南諸道行御史臺監察御史孔思立篆額　至正二年建察院及儀門兩廊曹幙鎮御制視舊有加錦綉堂忠勤樓及制置僉廳皆爲臺官廨宇左司理院爲司獄司右司理院爲永豐庫餘皆廢易不可詳考

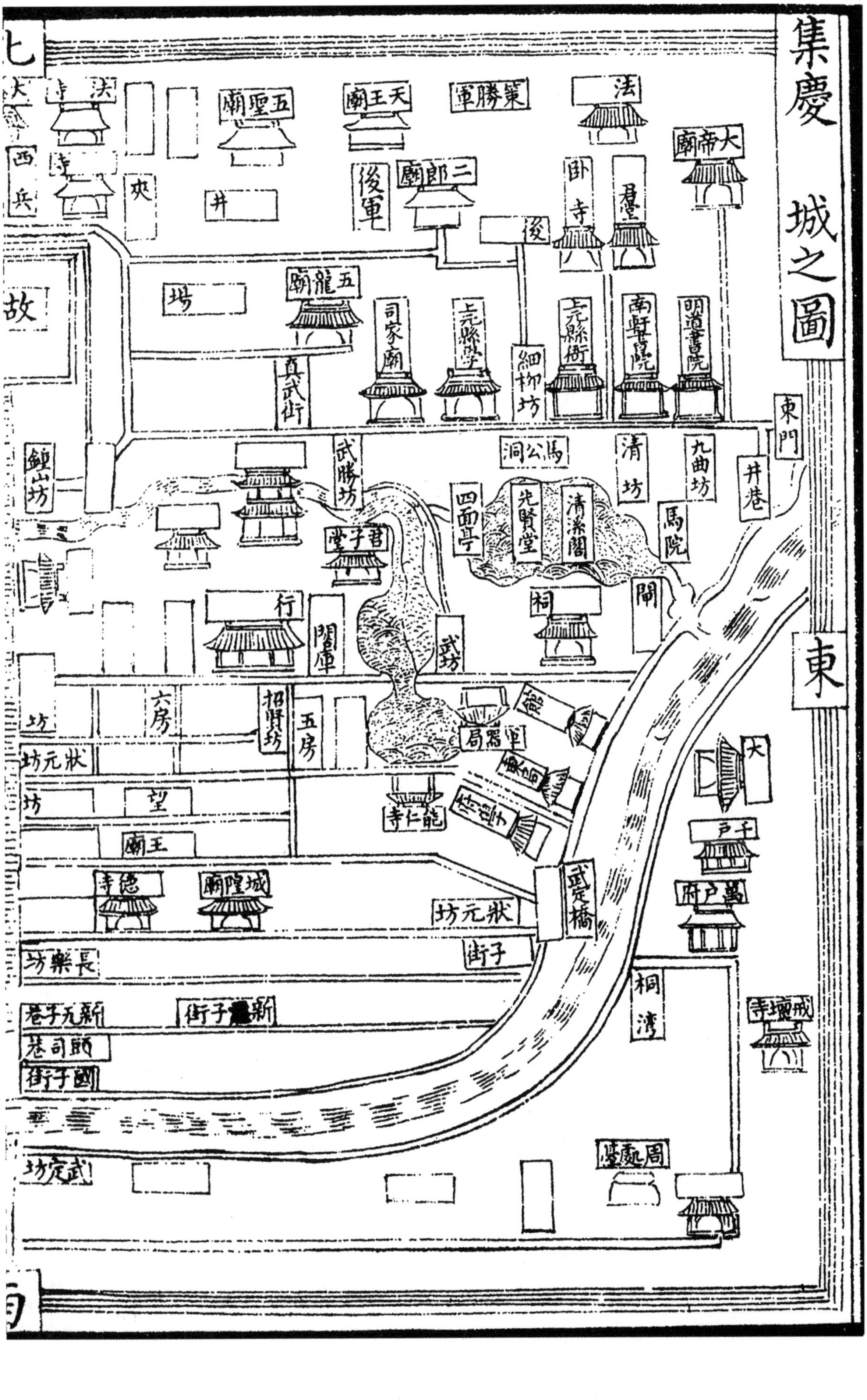
集慶城之圖
東
東門
五聖廟
天王廟
策勝軍
大帝廟
二郎廟
後軍
五龍廟
司家廟
上元縣學
細柳坊
上元縣衙
南軒書院
明道書院
真武街
武勝坊
馬公洞
清坊
九曲坊
井巷
四面亭
先賢堂
清溪閣
馬院
書子堂
鍾山坊
行
武坊
六房
招賢坊
五房
狀元坊
望
王廟
能仁寺
千户
萬户府
武定橋
城隍廟
狀元坊
街子
長樂坊
新九子巷
新豐子街
國子街
桐灣
戒壇寺
周處臺
武定坊

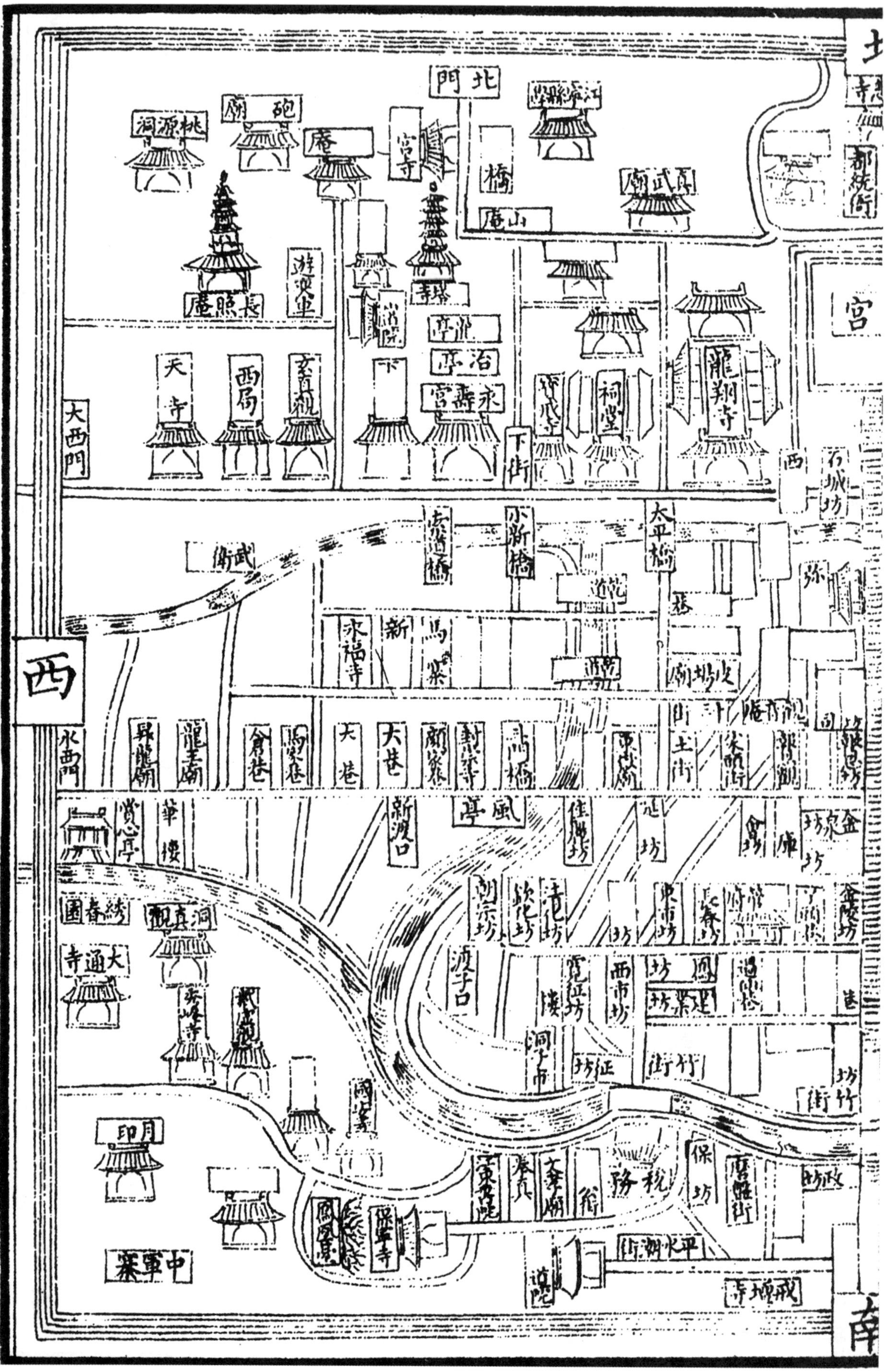
北
北門
桃源洞
砲廟
庵
宮寺
真武廟
山庵
長照庵
天寺
玄真觀
大西門
龍翔寺
祠堂
宮
下街
西
小新橋
太平橋
武衛
永福寺
新
馬
水西門
大巷
倉巷
大巷
風亭
新渡口
賞心亭
華樓
繡春園
洞真觀
大通寺
西市坊
金陵坊
月印
中軍寨
保寧寺
稅務
保坊
平水湖街
戒壇寺
竹街
南

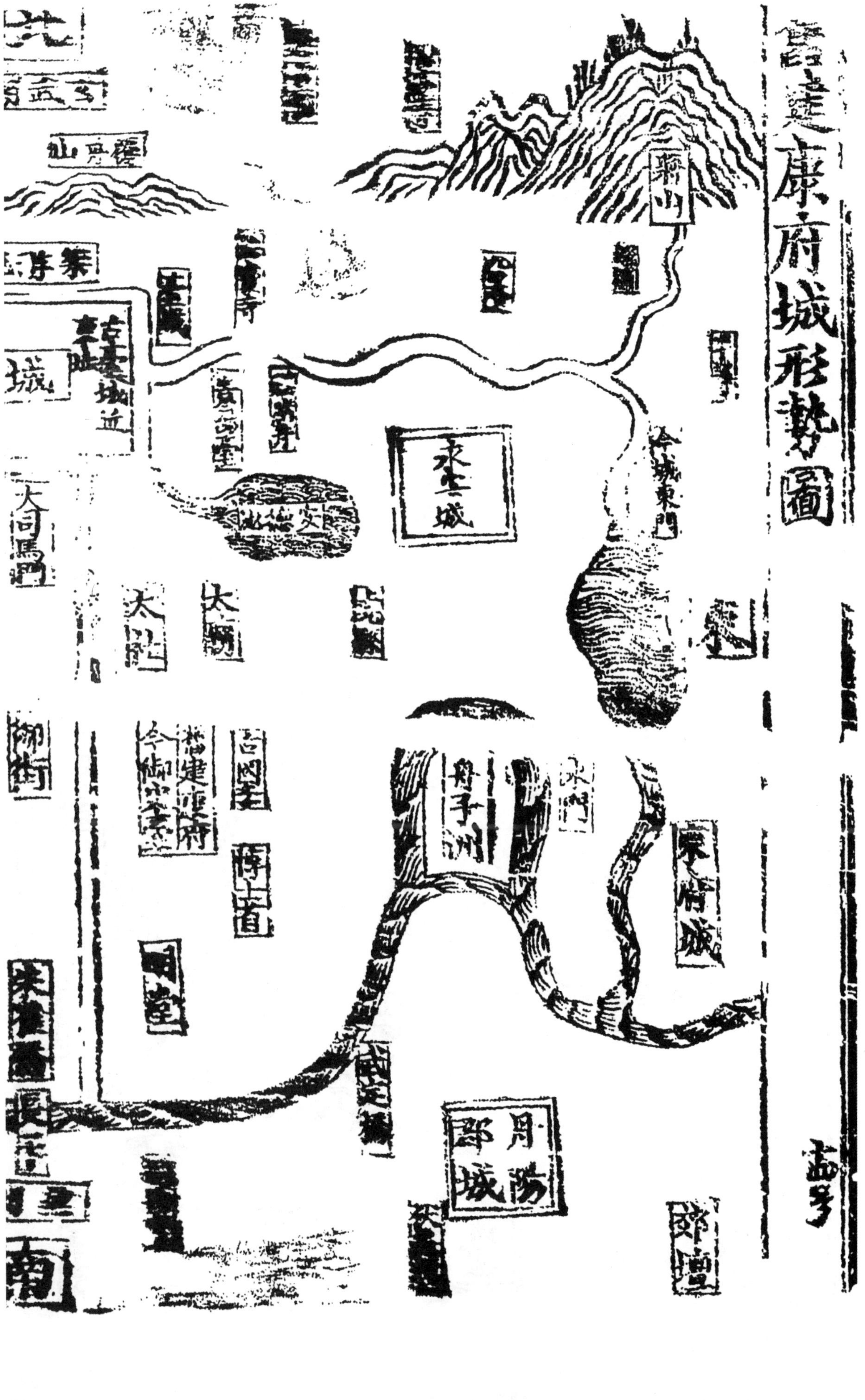
建康府城形勢圖
蔣山
今城東門
大司馬門
太社
太廟
御街
東府城
丹陽郡城
明堂
郊壇
南

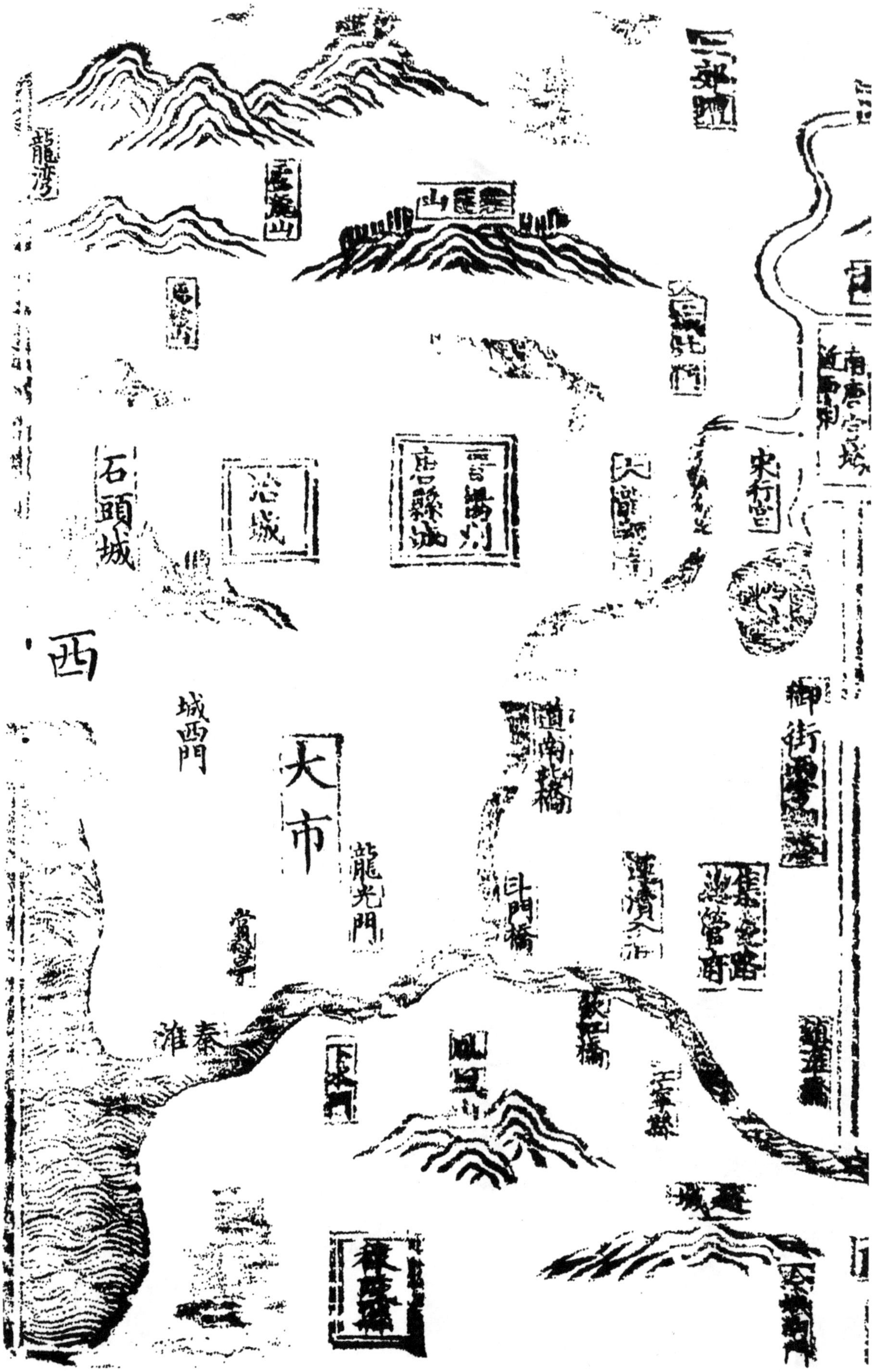
宋行宮
集慶路總管府
斗門橋
龍光門
大市
冶城
石頭城
城西門
西
秦淮
龍灣

舊建康府城形勢圖攷

建康舊府城周二十五里四十四步上闊二丈五尺下闊三丈五尺高丈五尺内卧羊城闊四丈一尺皆楊吳順義中所築也六朝舊城在北去秦淮五里故淮上皆列浮航緩急則撤航爲備孫吳沿淮立柵前史所謂柵塘是也至吳王楊溥時徐温改築稍遷近南夾淮帶江以盡地利城西隅據石頭岡阜之背有其南接長干山勢又有伏龜樓在城上東南隅宋開寶以來城

皆因舊凡八門由尊賢坊東出曰東門由鎮淮橋南出曰南門由武衛橋西出曰西門由清化市而北曰北門由武定橋泝秦淮而東曰上水門由飲虹橋沿秦淮而西出新橋亭之前曰下水門由斗門橋西出曰龍光門由崇道橋西出曰柵寨門紹興後守臣史正志修築加女牆馬光茲後濠繒集[illegible]硬樓四屋百七十許間柵寨門創硬樓七間以武臺鐵門鉄水總等濬濠遶城四千六百七十有五丈深丈有五尺闊三十丈濠之內築[illegible]牆乾道志云[illegible]寨門在城西門近南壁上城立[illegible]涌渰漬不[illegible]後置閘以泄城内水入[illegible]江俗[illegible]城內之北[illegible]為柵寨門今呼鐵牕[illegible]

宇燬宋初爲府治後既爲行宫亦始禁於南唐也詳見古迹志及後路治圖攷

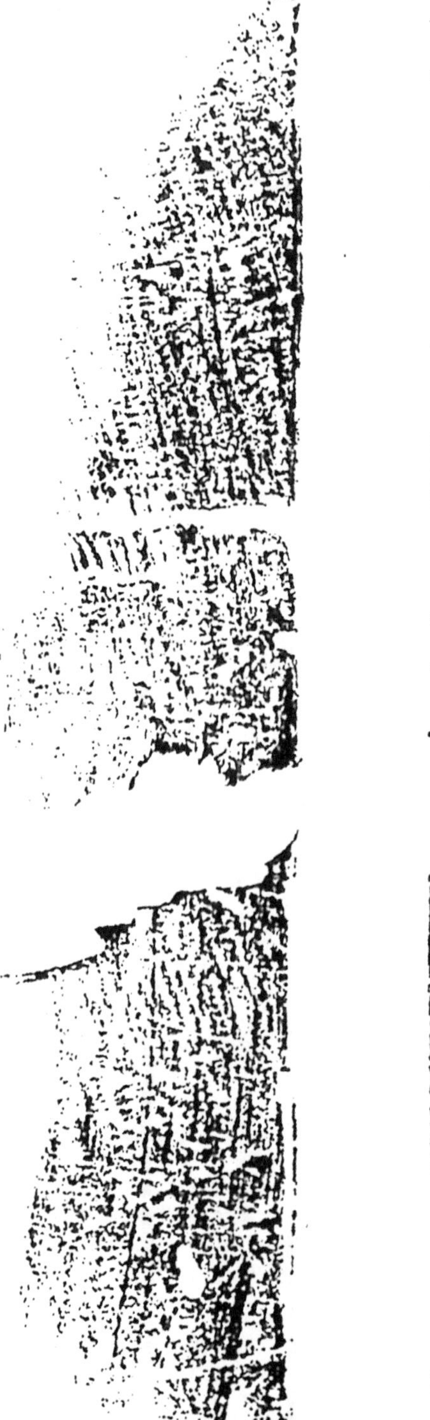

集慶路治圖攷（司屬諸衙門及新創祠宇寺觀附見）

臺察公署見前圖攷至元十二年二月立建康宣撫司就行省所居前宋府治及舊行宮直廳內置司兼管軍民十四年設江東道宣慰司改宣撫司爲建康路總管府宣撫廉希憲陞宣慰使仍兼本路達魯花赤府治就僉廳君子堂內署事至元十六年廉宣慰陞行中書省左丞不兼路事總管府始於西錦綉坊舊大軍庫內置府（今御史大夫廳舍）至元二十二年以宣慰司爲樞密

行院宣慰司遷建總管府治府遂遷徙不常亦於今上元縣治及軍器庫內置府元貞二年總管廉希哲到任請於上司以西南隅銀行街舊東南佳麗樓為府治舊為賞心樓基景定元年馬光祖改建今樓大德二年徙路治其中撤亭為廳揭堂曰公明名軒曰悅恕設鼓角樓置按牘架閣庫大德四年又迁治於舊轉運司今龍翔寺基大德十年本路治中楊翼稟欵行臺廉中丞復以佳麗樓建治與總管岳天禎等僉議興役以濟飢民重蓋廳舍堂宇又脩倉

廟示金陵水馬二驛平準行用庫東西織染兩局廣惠祠武定飲虹二橋教授游鄭良撰記天曆二年改集慶路至正二年三月一日遺漏府譙樓及兩廊架閣庫文卷一空達魯花赤帖兒總管張塔海帖木兒同知羅里府判周垚推官高仲榮劉鍾經歷崔勤知事劉伯貞協力重建門樓廊廡是冬落成仍以舊層樓爲更鼓樓在西南隅宗制置冀舊西所建在城錄事司舊迹舖營司獄司舊左司理院永豐庫舊右司理院今近建鄞坊舊財賦司貧所庫內軍器雜造局舊都作院

及雜造局都稅使司舊都稅司都錢庫平準行用庫舊東助雜庫

千路架閣庫舊廣濟倉大軍倉舊平羅倉萬戶府公廨舊遊擊軍寨龍灣軍營舊遊擊水軍寨益都新軍營舊東北隅戍司左軍寨北門軍營舊港捷寨翔鸞坊軍營舊小馬司寨養濟院

安懷院舊遊擊右軍寨教場舊御教場金陵水馬二驛舊制司二察課二察議廨宇西織染局舊侍衛馬軍司東織染局舊宋貢院江寧縣治舊縣尉司上元縣治路學明道書院二縣學各仍舊所南軒書院舊儀賓館江東書院舊呂平章宅陰陽教授司西奏隅機行街條官房舍三皇廟在舊永寧驛基址蒙古字學

舊志云臨驛路杜樓歲前臨壇臺在春門西今遷南門

外遠城後大龍翔集慶寺前將轉運司治所舊爲樞密院後爲司廉訪司剏

武昌舉司公廨又爲帝師寺保寧寺西北永壽宮

靜都陵湖今寺

慶觀又名玄妙昇龍觀舊名沖虛庵河南王宅舊總須所在城養

濟新院在乾道北橋江寧養濟新院南門外破街口其餘宮

府臺衙庵觀寺院廟宇詳見古蹟及祠祀志

正德十五年國子監刊

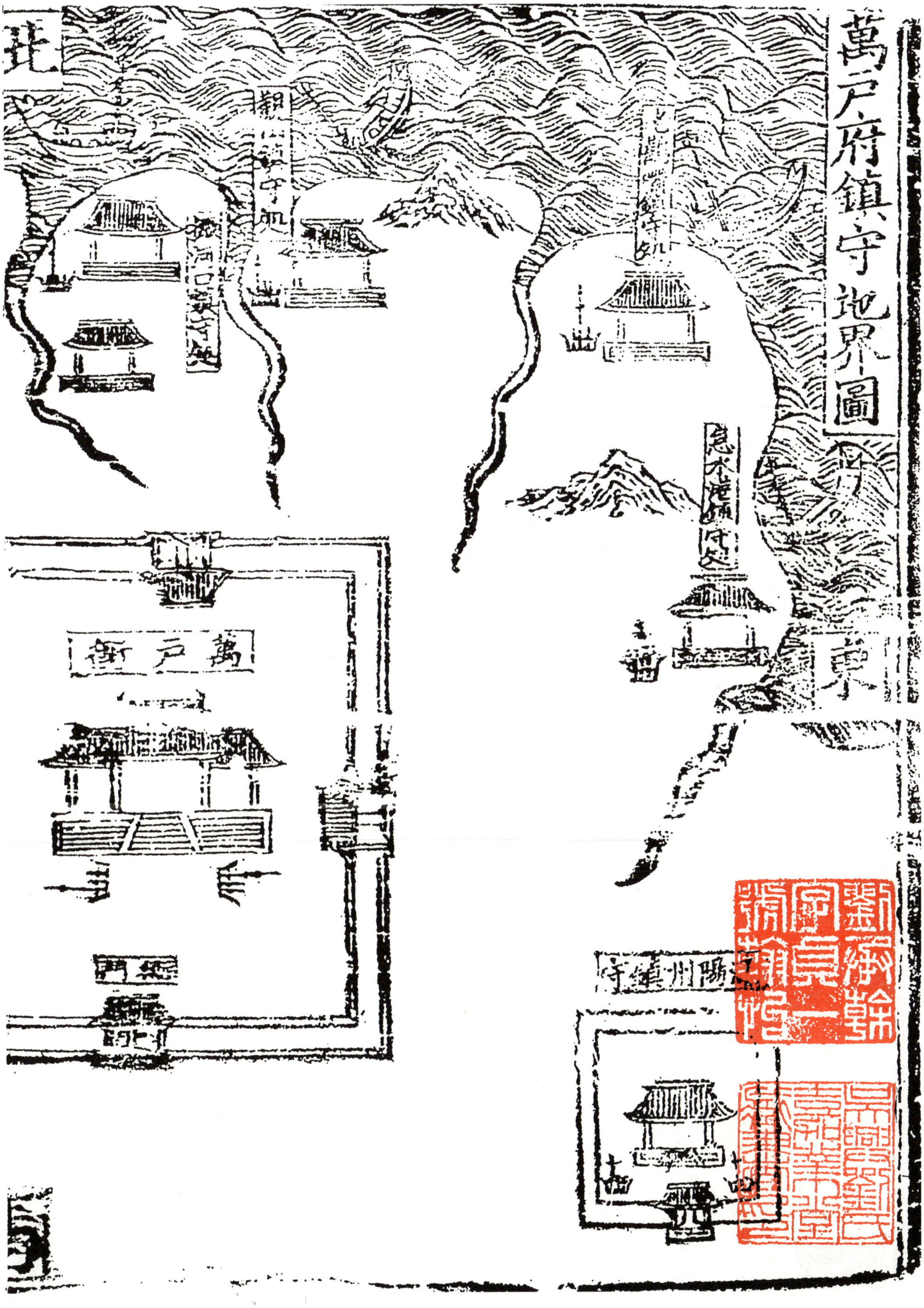
萬戶府鎮守地界圖
北
東
萬戶衙
急水港鎮守處

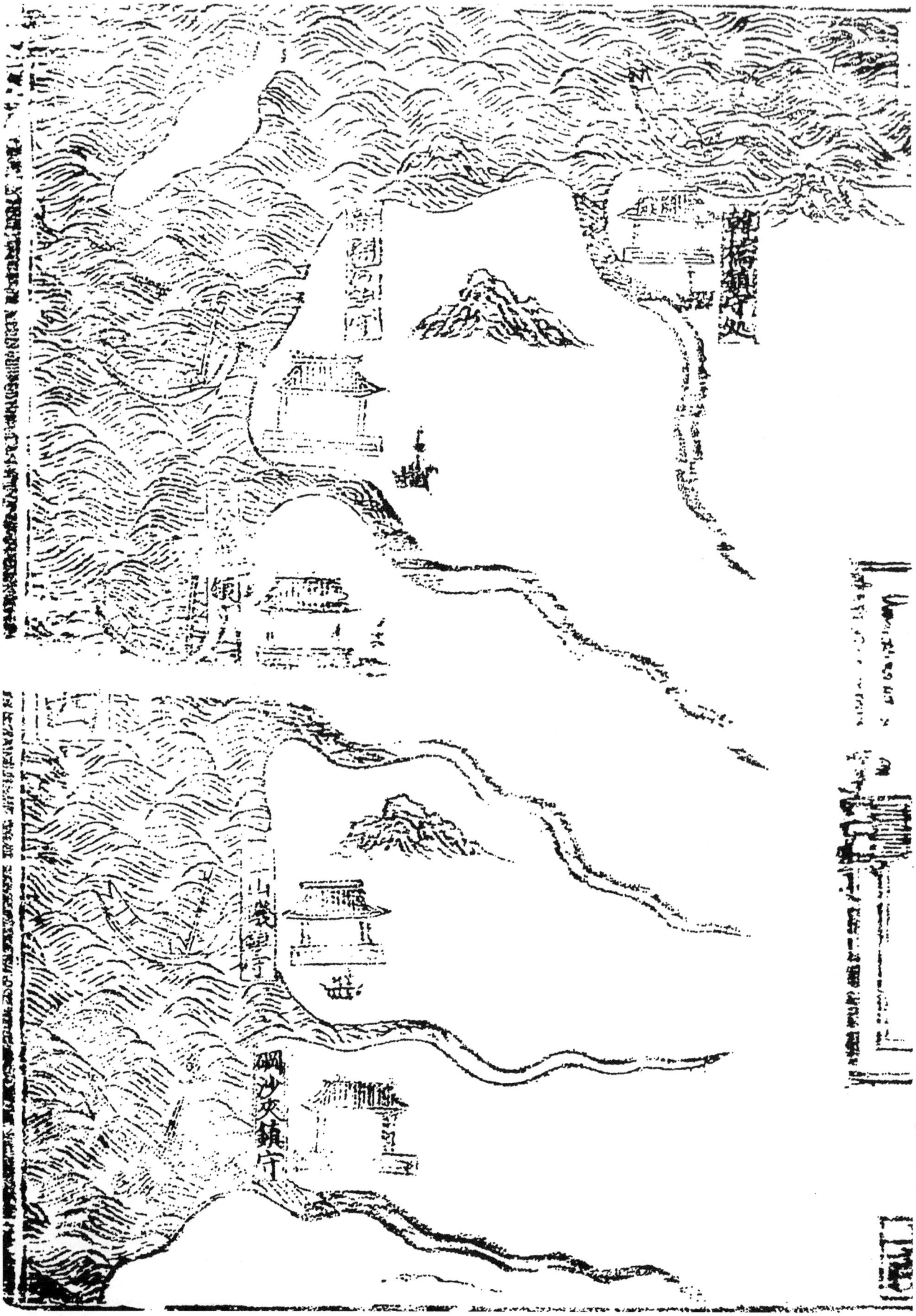
鎮守処
碙沙夾鎮守

益都新軍萬戶府鎮守地界圖攷

建康府前宋屯駐水陸馬步兵逾十五萬餘人營寨參錯府城內外於管屬沿江要害去處設八屯曰下蜀曰馬家步曰沙河曰韓橋曰王家沙曰新開河曰下三山曰江蔡淹句容溧水溧陽復各有營界巡檢下蜀東陽山前舊縣諸寨詳見後兵防志

國朝初下江南凡襄陽南伐之兵多留建康福建鎮萬戶保定張萬戶泰州孟萬戶常州宋萬

戶寧國喬萬戶統諸奕軍相繼鎮守江淮行樞密院復於河南省管下蘄黃鄧新等奕撥軍三千餘人於龍灣屯駐教習大德元年益都新軍萬戶府全奕自寧國遷鎮建康於前宋游擊軍營內置司逐年差千戶百戶鎮守溧陽等處及守把江面要害詳見後兵防志巡檢設司一十二處州捕盜司縣尉司各有弓兵巡防警捕事狀錄有曾管領

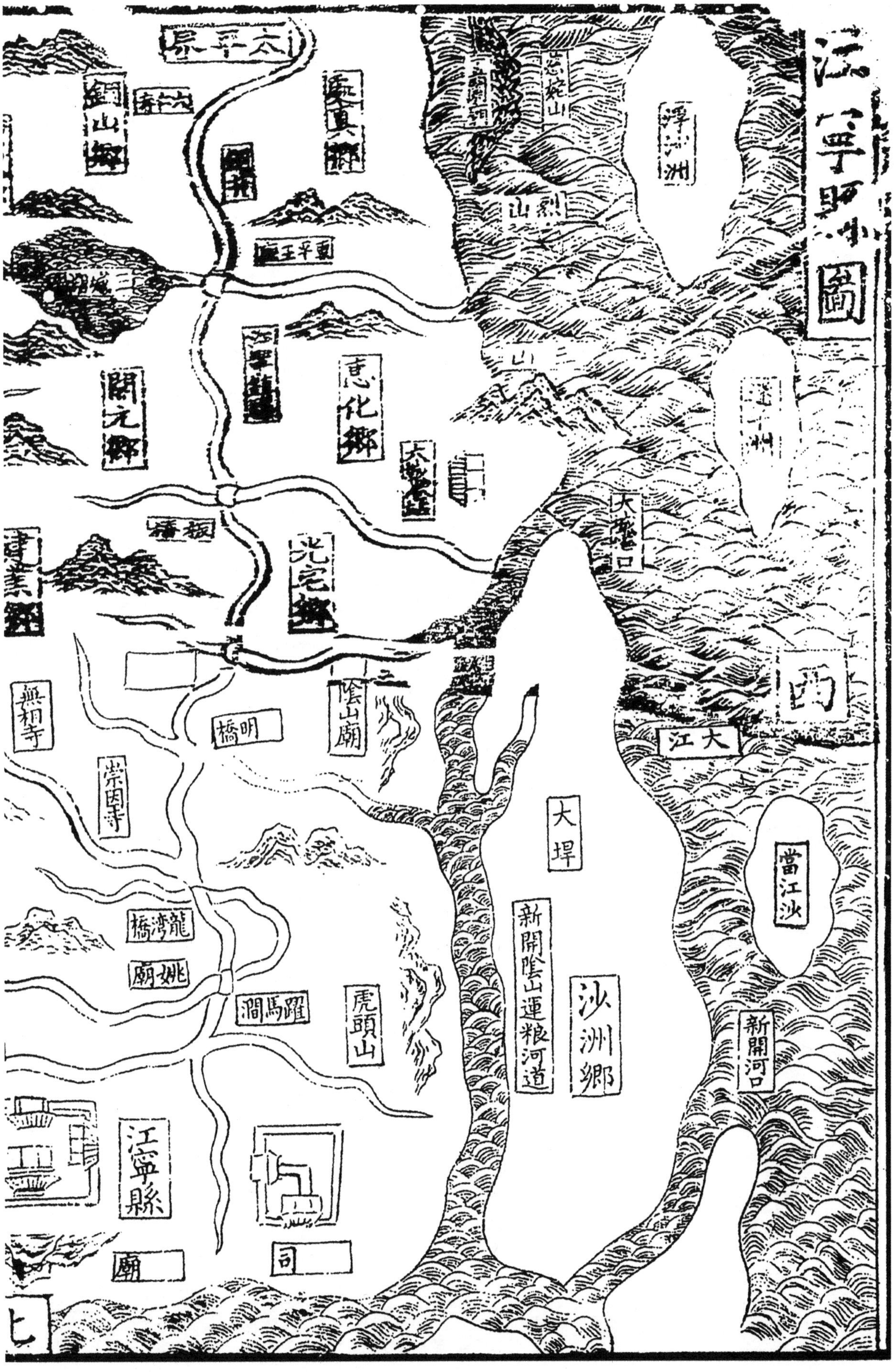

江寧縣圖
銅山鄉
浮沙洲
烈山
惠化鄉
開元鄉
板橋
光宅鄉
大勝港口
西
大江
無相寺
明橋
陰山廟
崇因寺
大埠
新開陰山運粮河道
沙洲鄉
當江沙
龍灣橋
姚廟
躍馬澗
虎頭山
新開河口
江寧縣
廟
司

南
秣陵鎮
萬善鄉
新亭鄉
安德鄉
秦淮河
土山
夾埕廟
五城渡
樓湖橋
鳳臺西鄉
鳳臺東鄉
雨華臺
宋興寺
褒忠廟
王廟
法王寺
明覺寺
朱雀橋
天禧寺
里仁坊
豐裕樓
陳二渡
烏衣巷
城南隅
菜園務鄉
上元縣界

江寧縣圖攷

江寧縣歷代沿革見後疆域志京城在今城西南七十里南臨江寧浦周六里四十步其地仍舊縣境江寧名本在上元之先今縣則南唐割上元南十九鄉所置新志以古迹爲據故以江寧居諸縣之首宋因唐舊治在今城北門壽寧寺北有縣丞廨縣衙西主簿廨丞廨東尉司南門外西街鐵臺南至元十四年城內置錄事司乃權寓縣廨於尉司建今縣治池東西八十五里南北九十八里東至上元縣界舊

以御街中分今據録事司城門爲界西至和州烏江縣界四十里以鰻鱺洲大江中流爲界南至溧水州界九十三里以烏刹橋爲界北至上元縣界五里以金陵鄉爲界所管二十三鄉八十六里湖山車府山祖堂山（皆在縣南）銅山（縣東南）鼓吹山（在縣南）龍山（縣[illegible]接當塗界）横山（接太平州界）牛頭山即天闕山（縣南山有石窟辟支佛所出山畜育大石鼓天欲雨則鳴上有宋南郊壇）大青山（縣南）陰山（縣西南）三山（西南臨大江）西北抵江東湖高亭湖劉陽湖石湖銀湖河湖三城湖皆在縣

境詳見後諸志

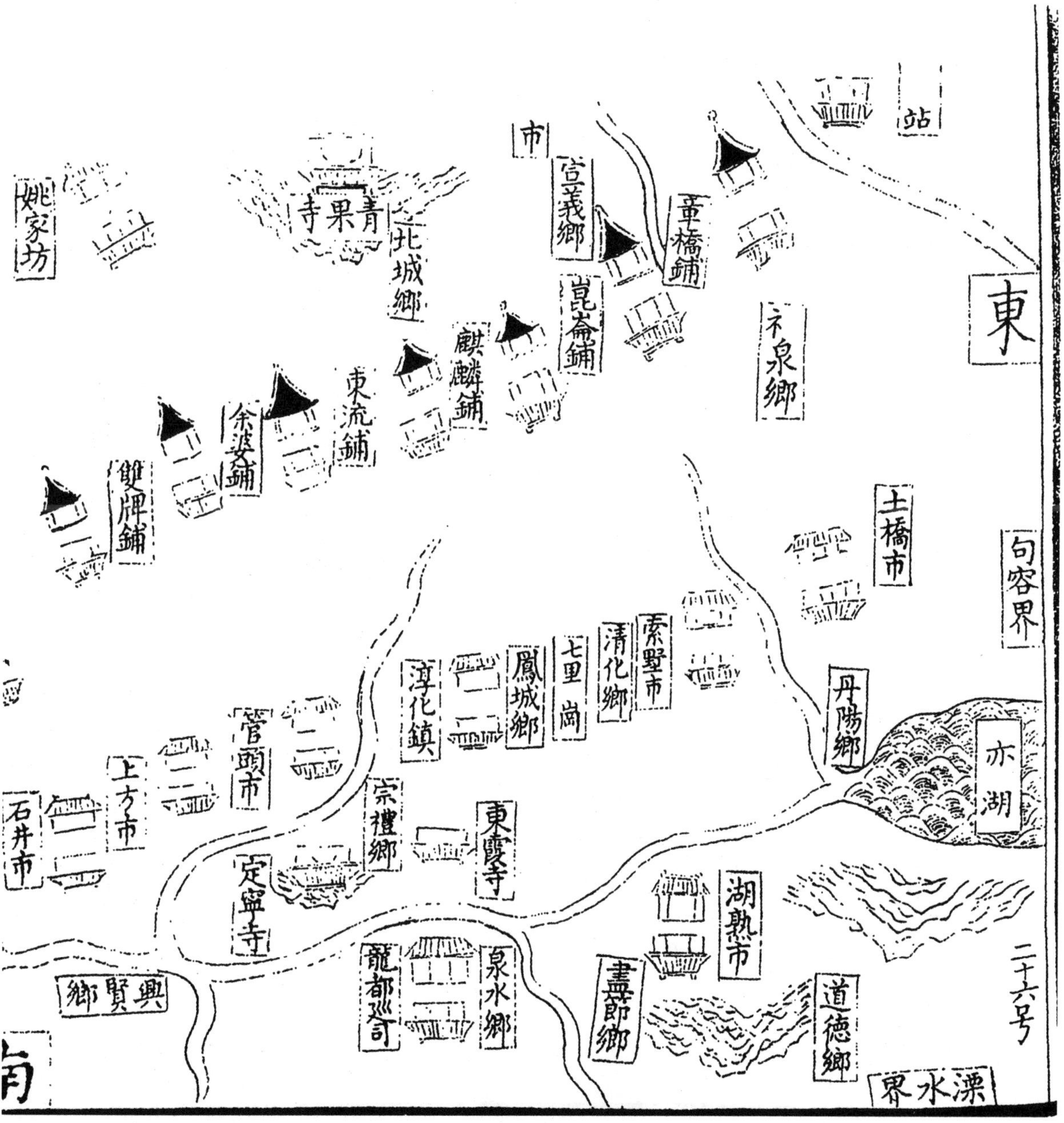
東
站
市
宜義鄉
童橋鋪
姚家坊
青果寺
北城鄉
崑崙鋪
祁泉鄉
麒麟鋪
東流鋪
余婆鋪
雙牌鋪
土橋市
句容界
索墅市
清化鄉
七里崗
鳳城鄉
淳化鎮
丹陽鄉
亦湖
管頭市
上方市
石井市
宗禮鄉
東霞寺
定寧寺
湖熟市
興賢鄉
龍都巡司
泉水鄉
道德鄉
溧水界
二十六号

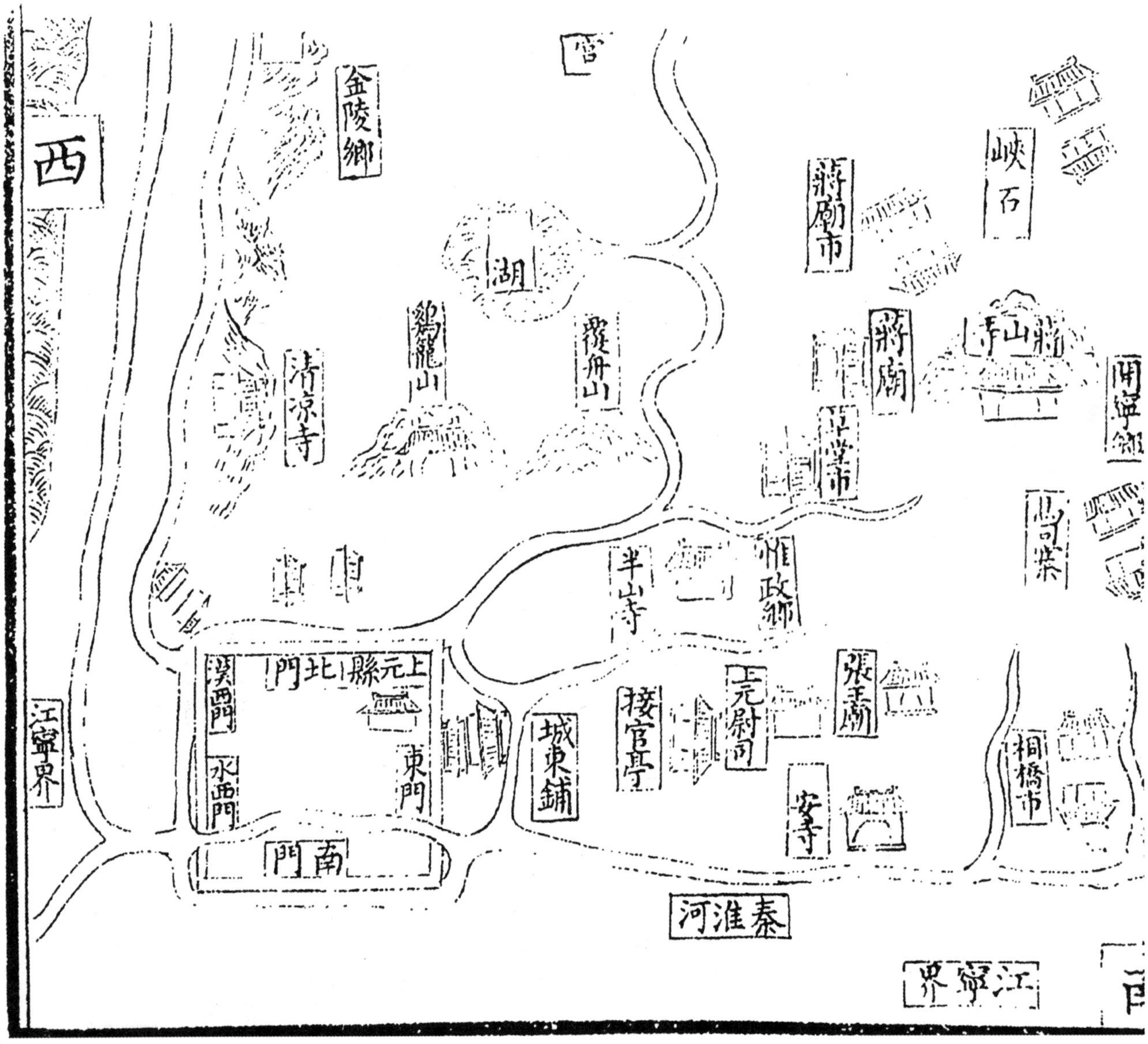
西
金陵鄉
湖
鷄籠山
覆舟山
清涼寺
蔣廟市
峽石
蔣廟
蔣山寺
半山寺
惟政鄉
上元縣
北門
東門
南門
西門
水西門
江寧界
城東鋪
接官亭
上元尉司
張王廟
安寺
相橋市
秦淮河
江寧界

上元縣圖攷

上元縣置於唐上元年間舊建康附郭止設一縣名稱數有更易爲江寧爲白石爲歸化（詳見年表）治亦屢遷最後名上元其境即今上元舊地唐治所在今永壽宮　東臨運瀆雖莫詳其所遠近尚可約知光啓中復徙於鳳臺山西宋初遷於南唐司會府在今臺城東後軍營內建炎中徙今治所歸附後因宋舊治（乾道志知縣廨舍在城東門內）有存愛堂（在西偏以明道先生曰一命之士苟存心於愛物於人必有所濟先生嘗爲上

元主簿故楄存愛二□名堂後更名存心姚希□記縣丞廨縣衙東南主簿廨
縣衙東明道書院左主簿巷內尉司縣衙東門外南路北令尉司地東西九
十五里南北八十五里東至句容縣界八十里
□周郎橋中分界西至江寧縣界舊以御街中
分令祗錄事司城門為界南至江寧縣界七十
里以永豐鄉白米湖為界北至真州六合縣界
四十九里以瓜步大江中流為界所管十八鄉
五十二里詳見疆域志石頭山在府城西蔣山府城東北盧龍
□鞍山縣西北二山閒秦鑿為二有郡船場聖妃廟至今灘內石骨相連臨沂

山縣東北攝山縣東北方山一名天印山縣東南即秦所鑿長壠之所今有直瀆接石硊山鴈門山縣東南秦淮水西北貫城中北抵大江中有玄武湖亦通秦淮皆在縣境

詳見後諸志

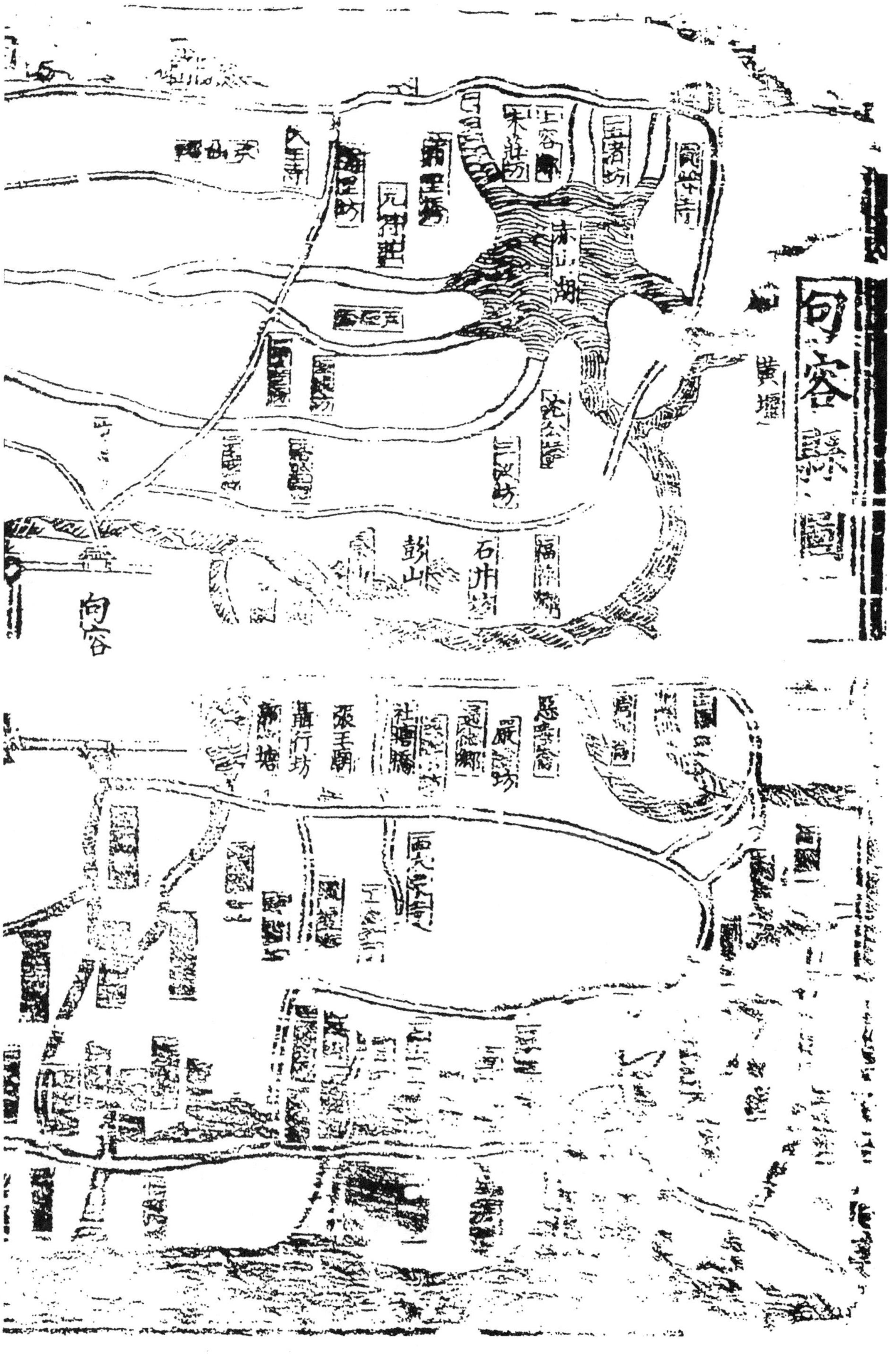
句容縣圖
赤山湖
黃塘
彭山
張王廟

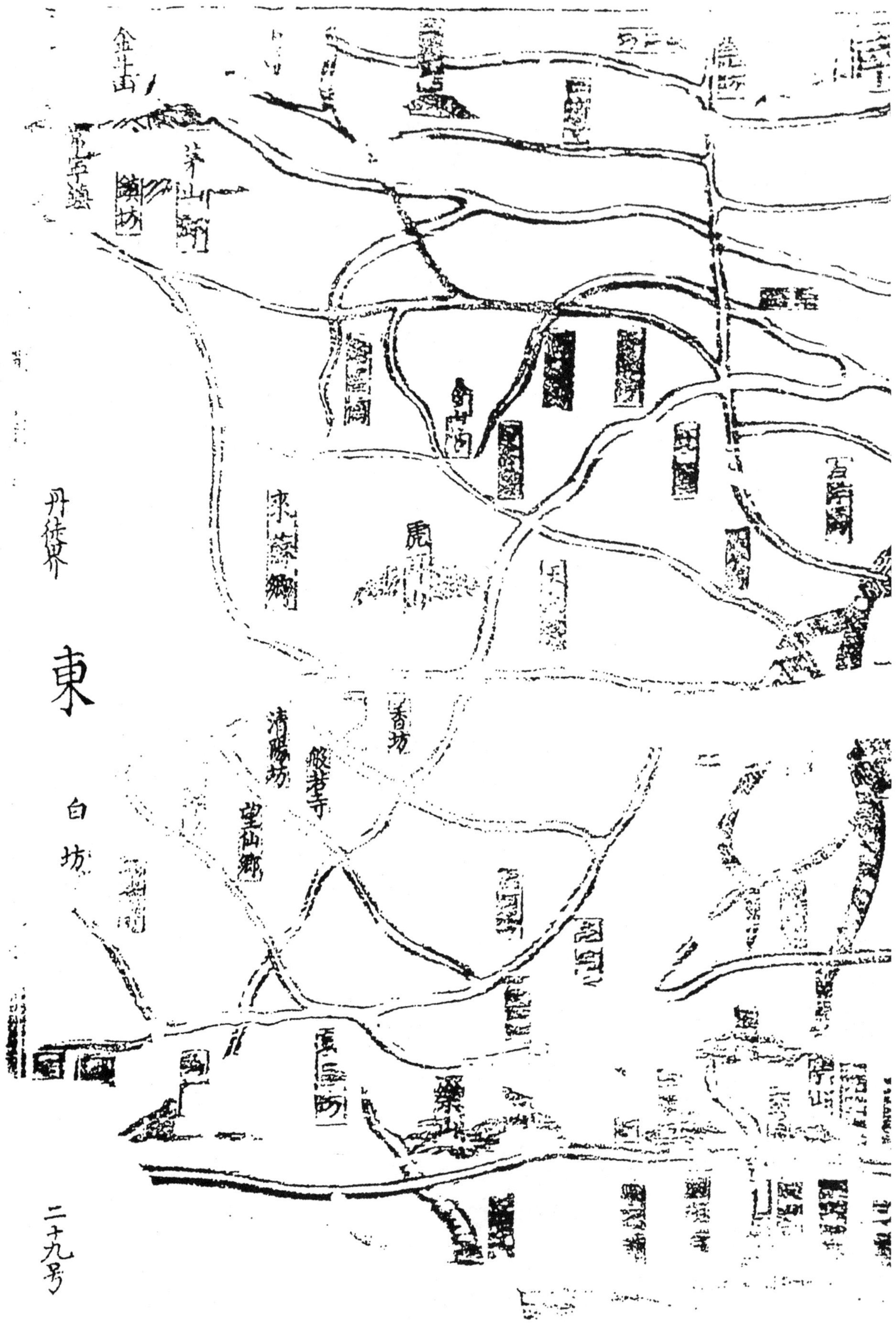
丹徒界
東
白
坊
般若寺
望仙鄉
二十九号

句容縣圖攷

句容縣自漢晉以來名稱不易今城不知所始有東西南北白羊上羊六門城周三百九十丈上闊九尺下丈二尺東西長九十丈南北八十五丈舊志以爲縣之子城今縣廨宇仍宋舊治唐天祐六年知縣有華陽道院縣志縣衙在縣城縣郚全邁造正甘嘉定間重建樓門有宣詔頒春亭琴堂華陽道院後圃有秀陰堂改名愛山又有平易堂晝簾拙逸不欺讀書林卷雨淨友皆軒齋名冰王軒琴月軒張綵有記東軒有騎省在主簿廳在縣治東有喜齋縣丞廳又在東有簡靖貞清等堂其地今併爲際留倉土地廟尉司在縣治西有宣威堂蘭菊

軒又清佐閣武二亭今廢大德十年監縣塔塔兒縣尹趙靖因前令田郁舊規改創令治尉司廨亦改創縣治東縣學城隍祠仍舊有梁昭明文孝皇帝廟在縣治東達奚將軍廟縣治東南地東西七十里南北一百二十里東至鎮江路丹徒縣界五十里以山口為界西至上元縣界二十里以周郎橋中分為界南至溧水州界六十里以丁塘村為界北至真州揚子縣界七十里以下蜀大江中流為界所管十六鄉五十八里茅山大茅中茅小茅

諸峯良常山秦望山青龍山周迴一百五十餘里在縣東南絳巖山縣西南銅山竹里山皆在縣北華山竹山吴山皆在縣界赤山湖在縣西南出絳巖山周一百二十里下通秦淮皆在縣境詳見本縣志及後山川諸志

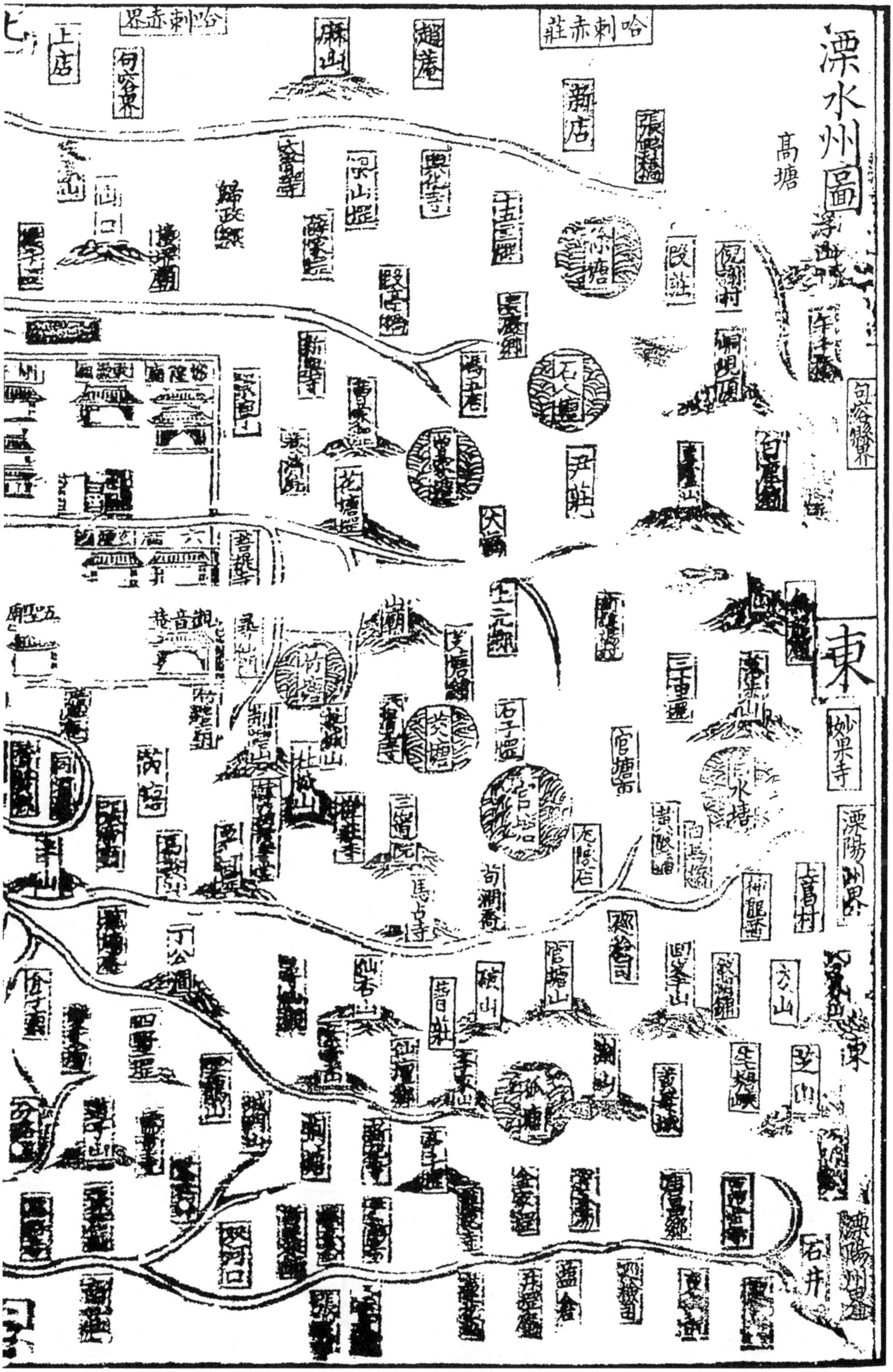
溧水州圖
高塘
哈剌赤莊
哈剌赤界
句容縣界
東
妙果寺
溧陽州界
石井

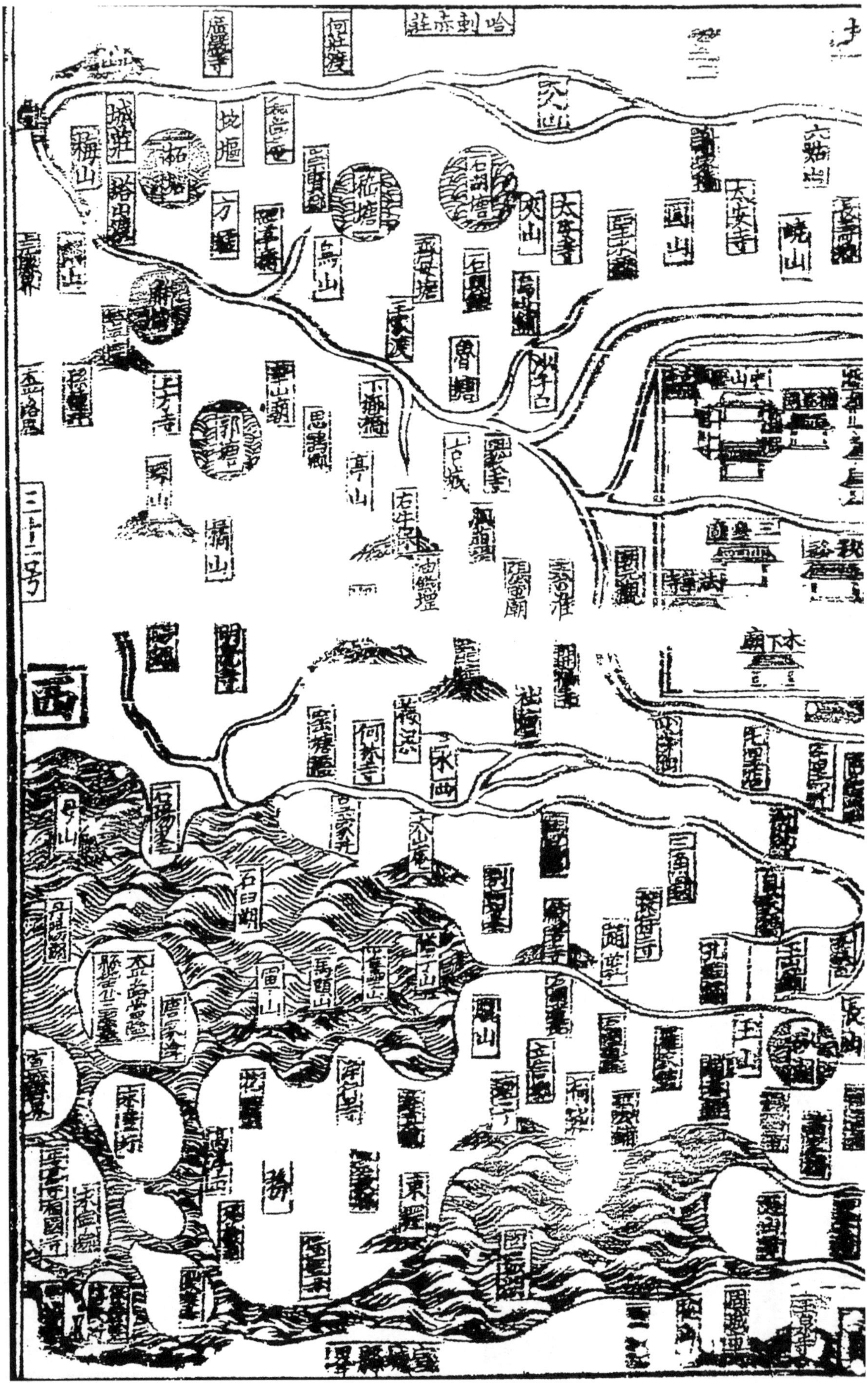
哈剌赤莊
何庄渡
城莊
梅山
方堰
烏山
太安寺
曉山
曹塘
古城
西
母山
石臼湖
馬鞍山
何林寺

溧水州圖攷

溧水州元貞以前爲縣自隋開皇十一年割溧陽縣之西置溧水縣今城疑自隋築周五里七步子城周一里一百一十四步上闊五尺下八尺縣城五門東曰愛景南永安西臨淮北望京東南尋仙縣治在秦淮北舊有鼓樓正廳東廳極高明樓蕭閑堂止靜堂君子堂東廳有校官碑及劉漫塘縣箴有行益得物二齋弦歌堂姑射亭月臺陽澗谿窈仰高三亭縣丞廳在縣北仁和坊街西廳事有山谷四民帖周羨成題名石刻有共濟堂閒靖廳松種學圃漪四軒主簿廳在縣治丙

大合千五

今爲捕盜司尉廳在惠政橋北有二亭後名雙玉廬山李公擇父爲尉時與兄野夫讀書之所二廨後有鸂鶒灘今爲中山焉驛凡舊官廨兵火皆廢不存

國初縣陞爲州元貞二年知州儀叔安重創今治後又建中正堂惠民局在州治東際留倉在幞廳南架閣庫幕廳東稅務在惠政橋南州學即舊縣學社稷壇州南三皇廟州西表宰坊宋永豐倉嶽廟州治東北城隍廟州治東劉府君張將軍承烈廣福王各有祠宇地東西八十二里一百三步南北一百五十五里三十八步東至句容縣界三十七里以浮山頂爲界西至

上元縣界三十五里以烏石橋爲界南至宣路宣城縣一百一十里以四牌岡爲界北至江寧縣界四十五里以上義山爲界所管十二鄉四十七里溧陽山州東南濁山州東南秦淮之源東廬山在州東南丹陽分界水源有三西流者入秦淮東北流者入馬沈港東南流者入丹陽湖杜城山在州南石城山在州東南亶丘山在州西石羊山鳳栖山澳洞山在州西南游子山在州南回峯山官塘山荊山仙杏山在州東南銅山在州西芝山上有李洞燕丹洞在州東南楊湖州西八十里周百九十五里中流與太平當塗縣分界此水本中五堰自常州宜興

入太湖，今已堙塞。

固城湖　州西南九十里，周百里，南北三十里，東西二十五里，環楚王故城。有水四派，湖中流與太平分界，與丹楊、石臼歸三湖相連接。

石臼湖　州西南四十里，縱五十里，衡四十里，西連丹楊湖，湖中有軍山、塔子、馬頭、崔壘四山，皆在州境。

詳見本州志及後山川諸志

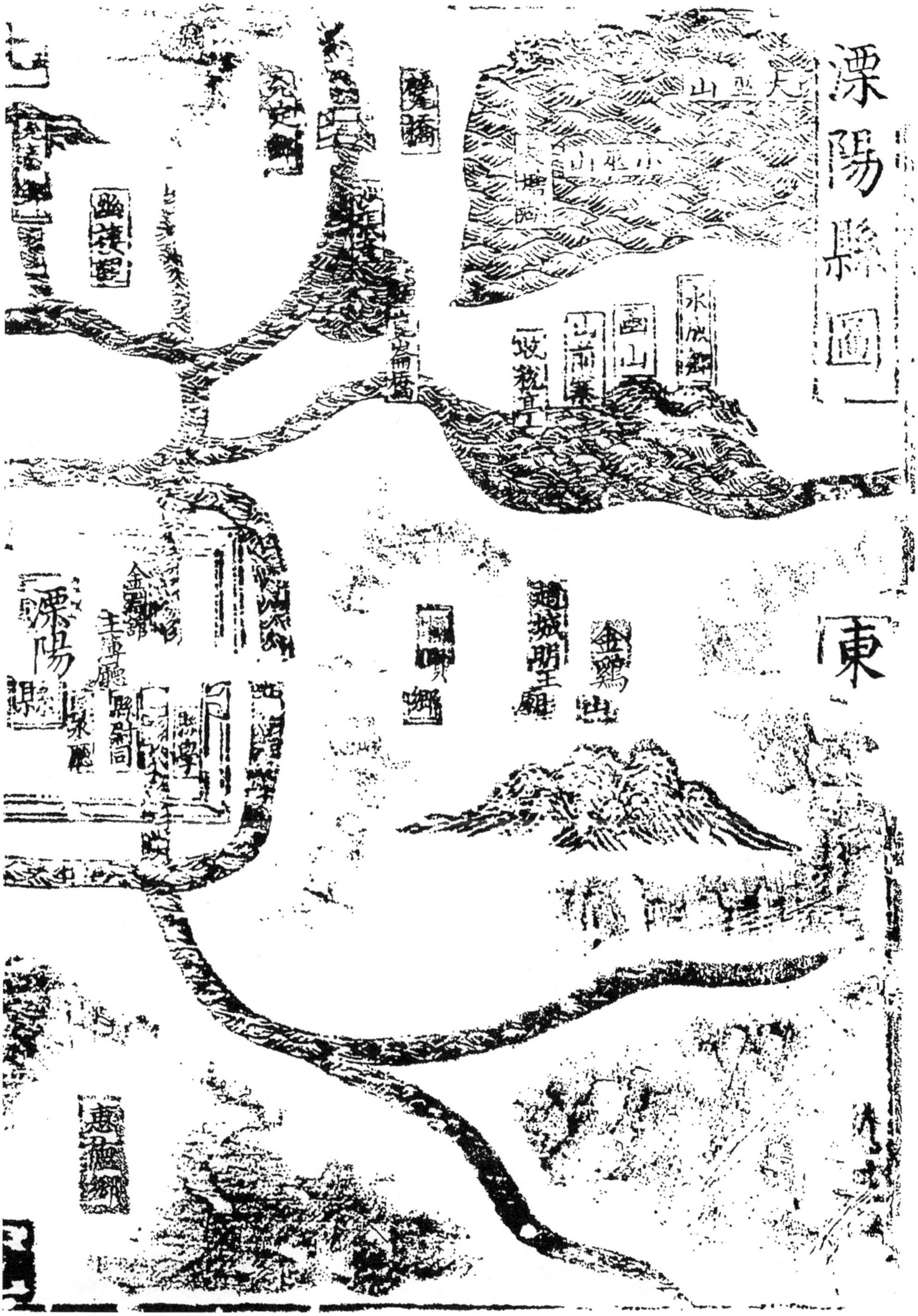
溧陽縣圖
東
金雞山
溧陽

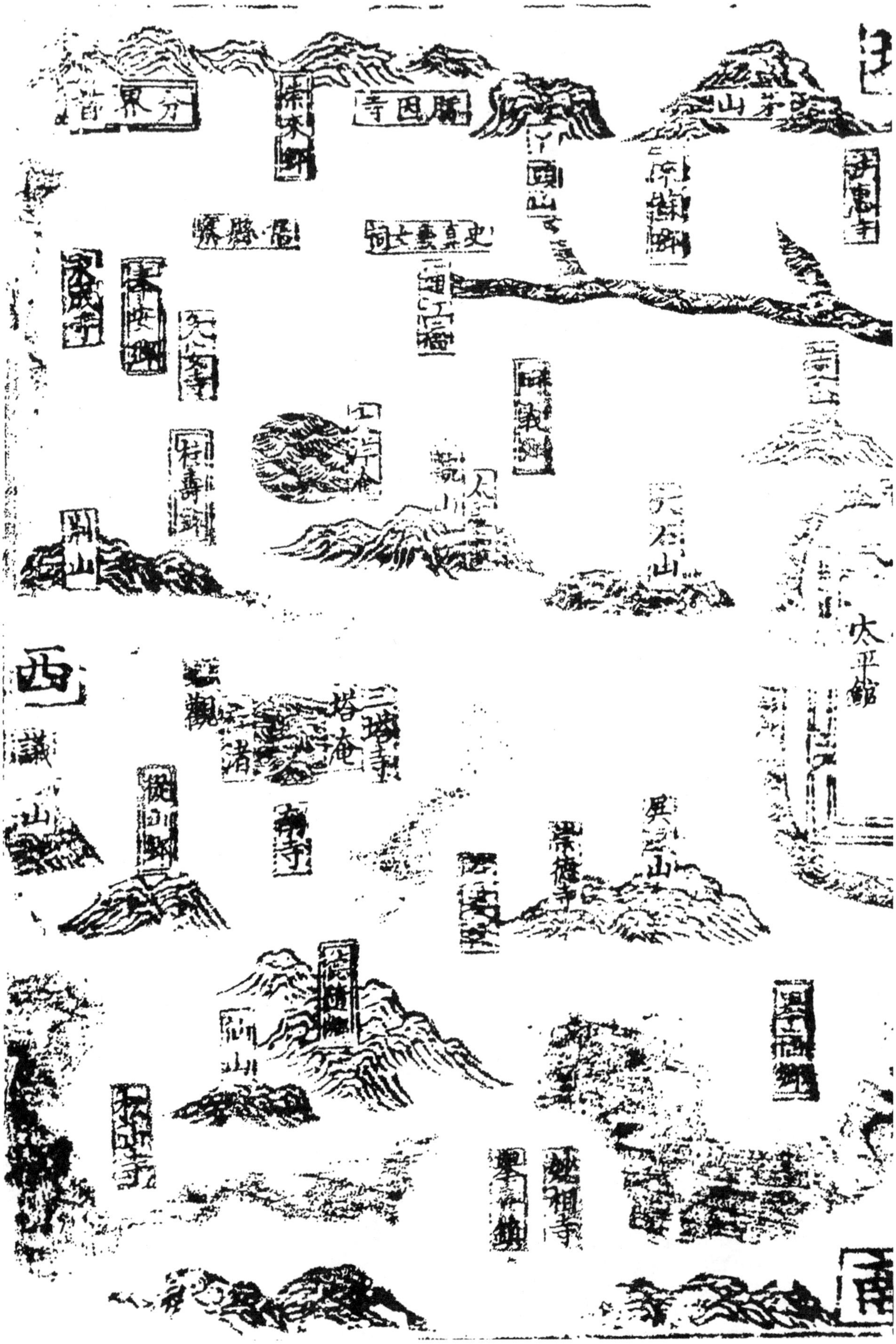
茅山
勝因寺
西
太平館
崇德寺
三塔寺
慈相寺
南

溧陽州圖攷

溧陽州歸附以前爲溧陽縣漢縣城在溧水固城唐縣城在州西北四十五里即舊縣村廵撿寨基唐天復三年移治今所南唐昇元二年築城周四里二百九十四步高一丈一尺上闊一丈下二丈八尺壕闊五丈深五尺宋建炎中展入青安草市增廣二里今周六里有餘水陸門七東曰迎春南迎夏西迎秋北迎冬西北曰青安上水門曰清暉下水門曰挹秀元貞元年陸

州州治仍守縣治在城內市心有無倦堂舊有手記亭須春亭八如齋透迤齋西齋無愧堂讀書堂清閑堂煙艇室閬風臺大圓鏡亭淥淨亭煙波亭皆知縣陸子遹李六原所創縣丞廳在州治東有來月堂今為鄞亭主簿廳在丞廳東有鳳栖軒今為蒙古字學尉司在主簿廳東有懷曜軒以孟東野謚貞曜也凡官廨損益改創皆然舊制州學即舊縣學有織染局稅務館驛捕盜司皆在州承定坊城隍廟在州登俊坊祠山真君廟在州招遠坊武烈大帝廟在東門外顯惠即史祖侯廟在永成鄉史貞義女廟在明義鄉中江橋五顯廟在州招遠坊趙城明王廟福賢鄉下橋里東嶽廟在福賢鄉下橋赤鄉將軍廟在福賢鄉晉塘茅司

徒廟在福賢鄉馬店社稷風雷雨師壇在州西門外地東西一百五十里南北一百六十里東至宜興州界一十五里以葑棣牌為界西至溧水州界八十五里以三塔墩為界南至廣德路界七十里以石屋山分流為界北至金壇縣界八十里以長塘湖港荻塽為界所管十三鄉十八里桂林山盤白山伍牙山荊山鐵冶山皆州西南龍潭山懸鼓山皆在州南鐵山銅官山皆州東南瓦屋山丫頭山皆州西先曹姥山州西北有聖姥廟呂長山州西有呂將軍廟芝山舊州西

梅福隱此

長塘湖在州北五十三里周百五十里金壇宜興二界舊名洮湖中有巫小巫山震澤一曰滆湖洮湖射湖貴湖及太湖為五湖湖並太湖之小支俱連太湖故太湖兼[illegible]五湖之名

千里湖在州東南十五里陸機云千里蓴羹未下鹽豉至今產蓴俗呼千里[illegible]漭與改縣漭相連或說千當作芊末作秣秣下即秣陵從省文耳

昇平湖在州西北十里水自溧水州五堰東流入湖連入震澤即古中江所逕有溪自建平縣來會

三塔[illegible]一名梁城湖在州西七十里周十八里西南與昇平湖相接瀨陽[illegible]西三十六里衍即溶郭兵奇訛耳西接二[illegible]北接新昌衍連永陽江蒋涪衍出州西北東[illegible]入湖今衍地多成圩田僅存一派

皆在州境詳見本州志[illegible]

山川諸志

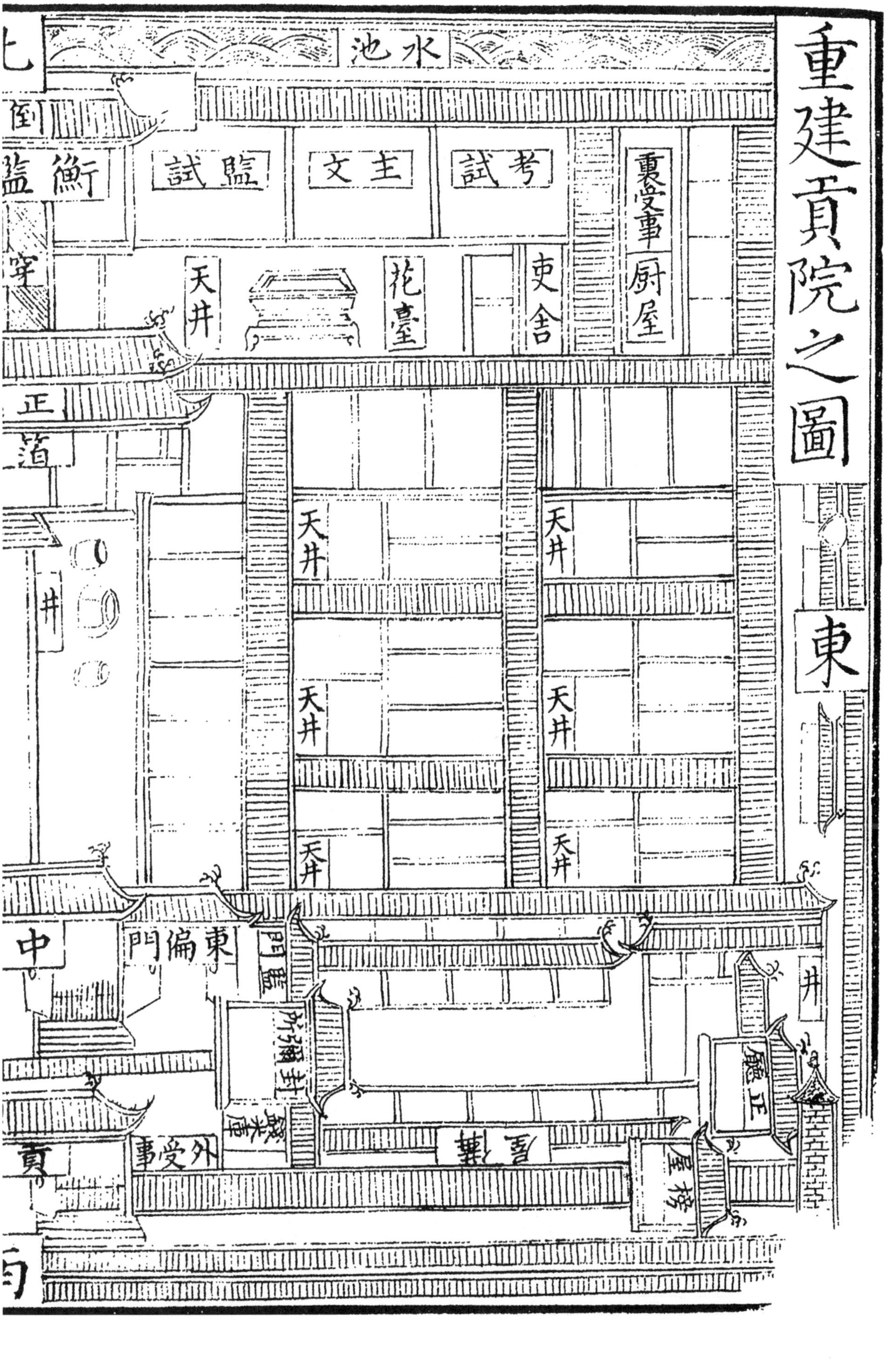
重建貢院之圖
水池
監試
主文
考試
裏受事廚屋
天井
花臺
吏舍
正
東
天井
天井
天井
天井
天井
天井
井
中
東偏門
監門
封彌所
外受事
井
貢

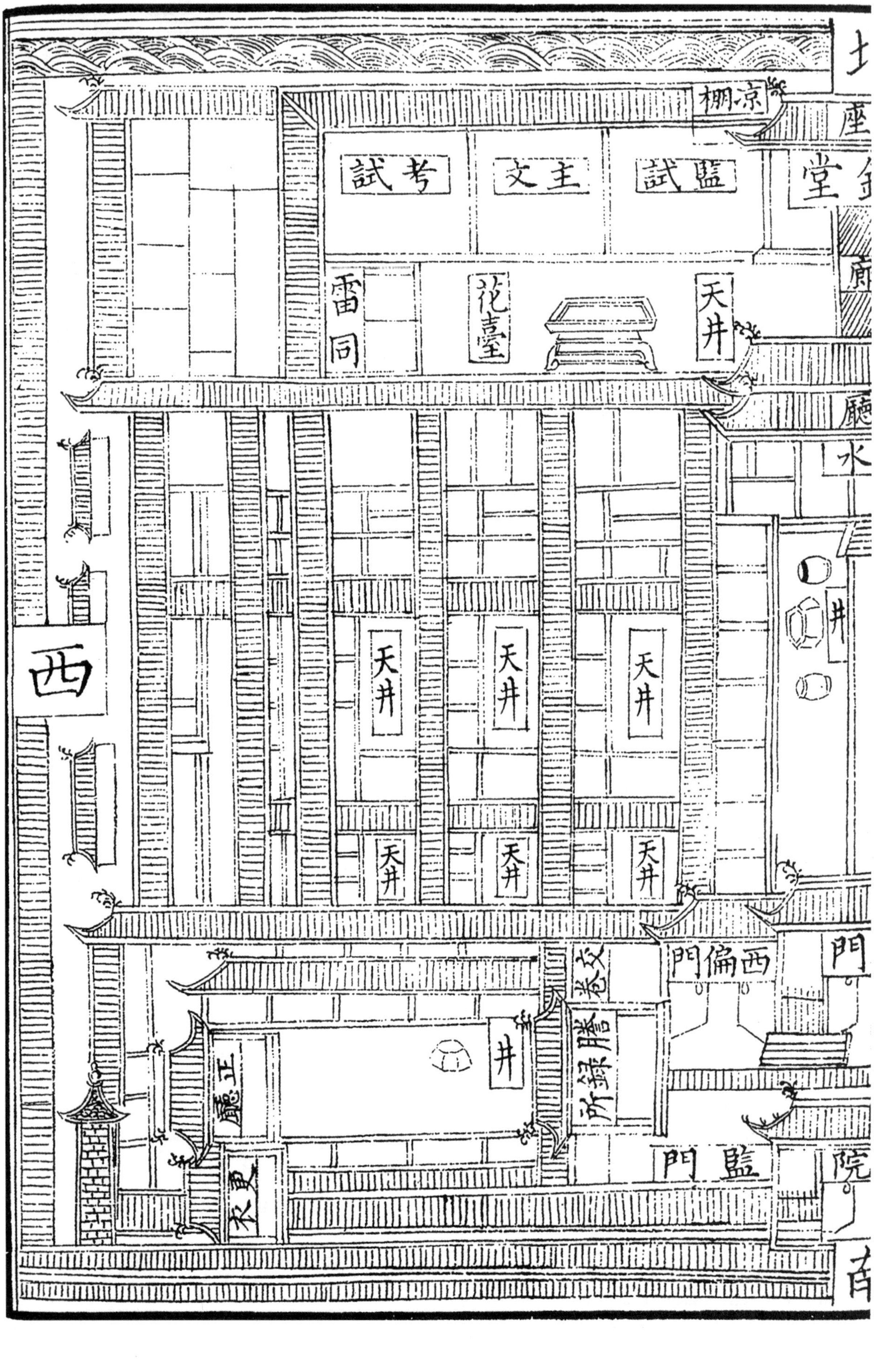
涼棚
座
堂
考試
主文
監試
雷同
花臺
天井
廳
水
井
西
天井
天井
天井
天井
天井
天井
西偏門
門
謄錄所
井
監門
院

路學新圖攷

南唐都建康濵秦淮開國子監今鎮淮橋北御街東舊比較務即其地里俗呼爲國子監巷宋雍熙中有文宣王廟在府西北三里治城故基天聖七年丞相張士遜出爲太守奏徙廟於浮橋東北建府學給田十頃賜書一監景祐中陳執中又徙于府治之東南即今學基建炎兵燬紹興九年葉夢得更造學援西京例奏增置教官一員見後年表淳熙四年劉珙重修慶元二年張杓建閣以奉御書閣下建議道堂

淳祐初年別之傑增脩學宇六年趙以夫即命
教堂更名明德增造兩廊以安從祀十年吳淵
列祠先賢增學廩創義莊寶祐中馬光祖興學
校集周濂以來名賢賛而祠之大成殿在靈星
門北戟門內從祀位在兩廊御書閣在明德堂
後講堂即今明德堂議道堂在御書閣下齋舍
東序三曰守中曰進德曰說禮西序三曰常德
曰育材曰興賢祭器庫二一在大成殿前東廊
之南一在御書閣東偏公廚在東序後射圃在

義莊倉之西有亭名繹志後改正己堂大德四
年秋八月廟學灾惟存尊經閣及二教授廳七
年總管陳元凱重建今學

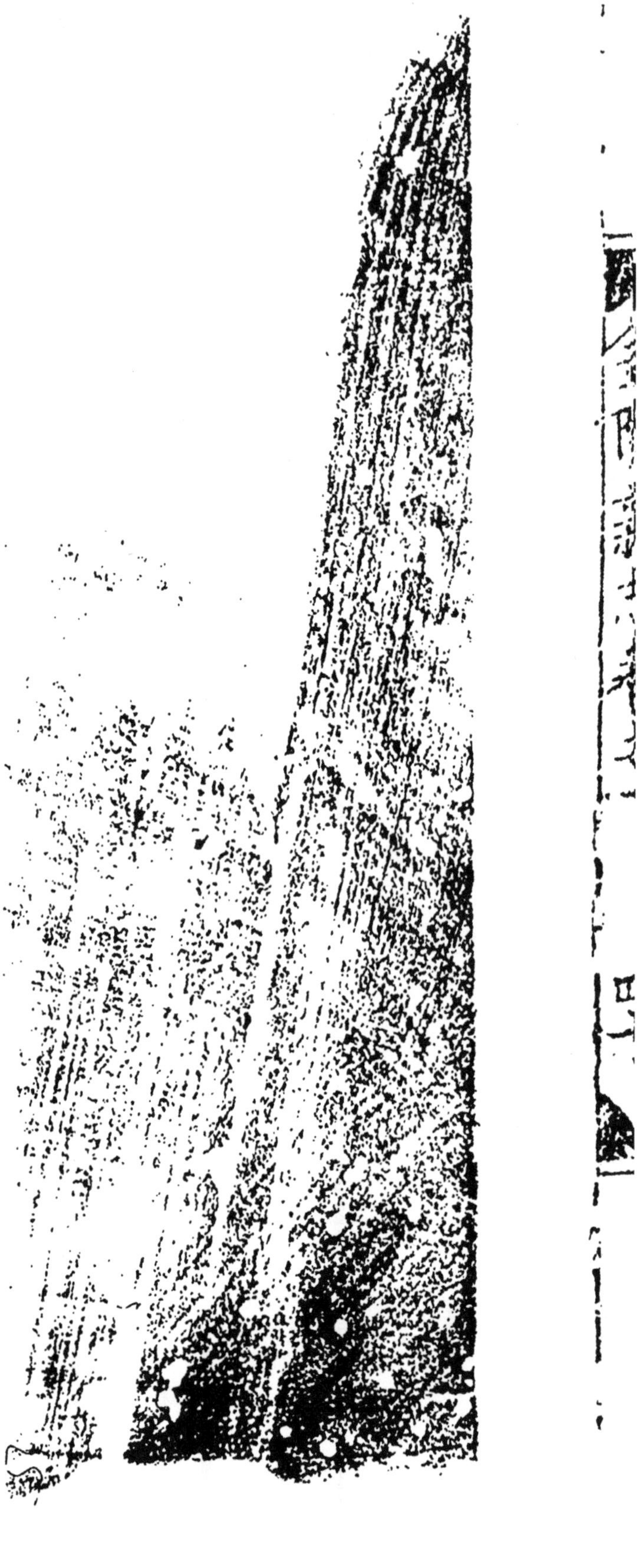

本頁原闕，現據南京圖書館藏元至正四年集慶路儒學、溧陽州學、溧水州學、明道書院刻，明正德十五年南京國子監重修本增補。

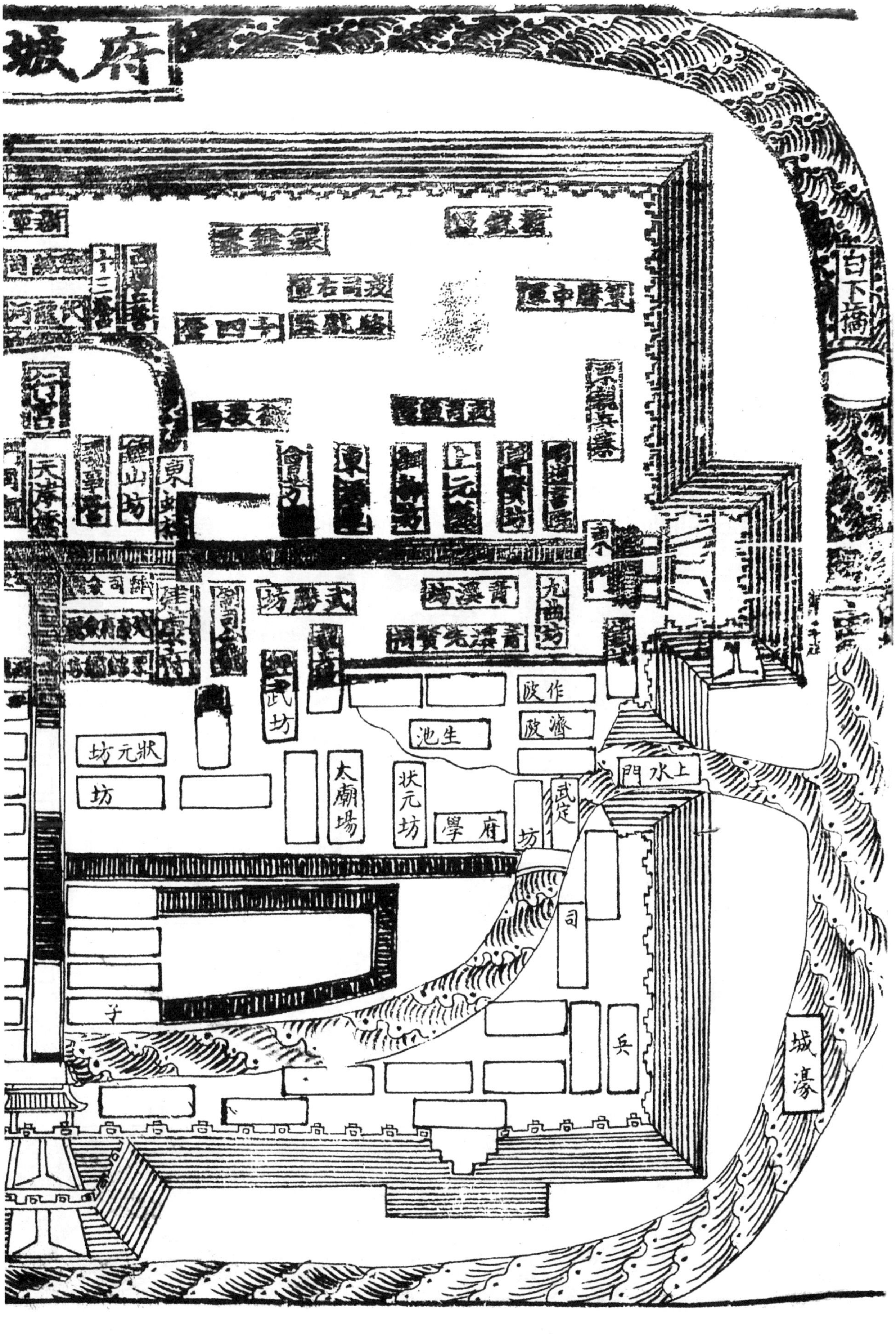

本頁原闕，現據南京圖書館藏元至正四年集慶路儒學、溧陽州學、溧水州學、明道書院刻，明正德十五年南京國子監重修本增補。

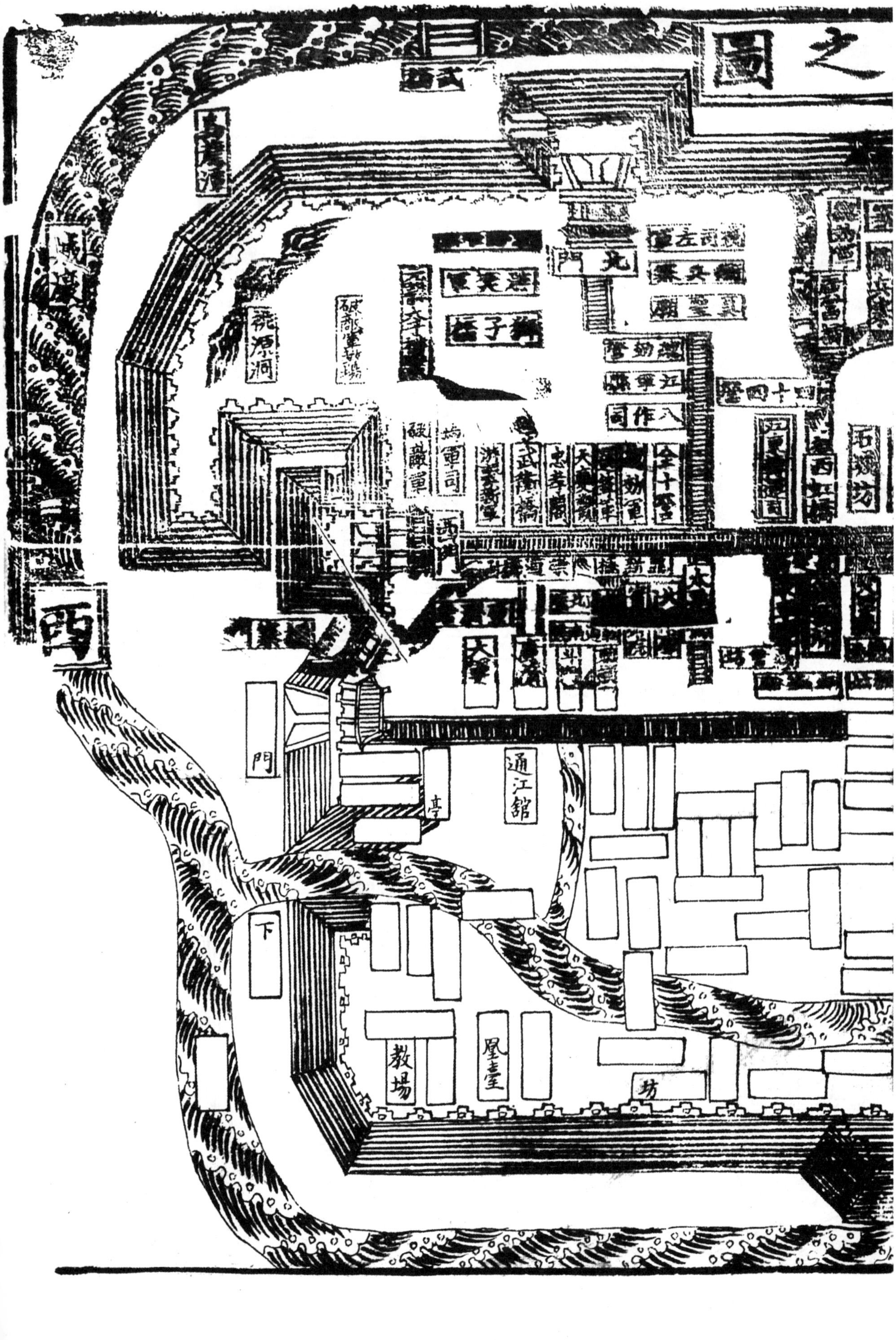

臺城古迹圖攷

古都城宮苑記吳大帝所築周廻二十里一十九步在淮水北五里黃龍元年自武昌徙都晉元帝初過江不改其舊宋齊梁陳皆都之宋世宮門外六門城設竹籬至齊高帝建元元年有發白武樽言曰門三重門竹籬穿不全上感其言改立都墻本紀建元二年立六門都墻是也其後增立爲十二門云

臺城一曰苑城本吳後苑城晉成帝咸和中新

宮成名建康宮即晉所謂臺城也在上元縣東北五里周八里濠闊五丈深七尺今胭脂井南至高陽樓基二里即古臺城之地盡爲軍營及居民蔬圃實録注苑城即建康宮城吳之後苑地一名建平園又云臺城南正中大司馬門南對宣陽門相去二里宣陽即苑城門則臺城在苑城內明矣宮苑記云古臺城即建康宮城本吳後苑城晉成和中修繕爲宮輿地志云都城南正中宣陽門對苑城門其南直朱雀門正北面宮城無別門乃知苑城即宮城在都城內近北明矣臺城南面開四門北面二門東西面各一門宮城內有兩重宮牆周廻五百七十八丈南面開二門北面二門東西面各一門第三重宮牆南面一門東西面各一門又云同泰寺與臺城隔路今法寶寺及圓寂寺即古同

泰寺基故法寶亦名臺城隍以比考之法寶
寺之南蓋古臺城也晉書成帝時蘇峻作亂
焚燒宮室溫嶠以下咸議遷都惟王導固爭不
許咸和五年作新宮始繕苑城六年遷于新宮
即此城也唐史張雄使別將趙暉據上元號
其寺欲治臺城爲府與此城唐末尚存至楊吳
時改築而
城遂廢矣

古都城門晉書成帝作新宮繕苑城脩六門實錄
注云六門都城門也晉初但有陵陽門後改爲
廣陽門內有右尚方世謂尚方門次正中曰宣
陽門本吳所開對苑城門世謂之白門晉爲宣
陽門門三道上起重樓懸楣上刻木爲龍虎相
對皆繡桷藻井南對朱雀門相去五里餘次最
東曰開陽門宋元嘉二十五年改開陽曰津陽
東面最南曰清明門門三道對今相宮巷門東
出青溪橋巷尚書下舍此門內正東曰建春

門後改爲建陽門門三道正西曰西明門門三道東對建春門即宮城大司馬門前橫街也正北面即宮城無別門又按宮苑記凡十有二門南面最西曰陵陽門後改爲廣陽門正門曰宣陽門次東曰開陽門後改爲津陽門門三道直北對端門最東曰清明門直北對延熹門當二宮中大路東面最南曰東陽門直青溪橋巷即今湘宮寺門路最北曰建春門陳改爲建陽門西對西明門即臺城前衛街北面最東曰延熹門南直對清明門當二宮中大路次西曰廣莫門門三道陳改名北捷門北直對樂遊苑南門次西曰玄武門門三道齊改名宣平門北直趨玄武湖大路最西曰大夏門南直對廣陽門北對歸善寺門西面最北曰西明門直對建陽門即大司馬門前橫街是最南曰閶闔門西直對東陽門詳考宮苑記陵陽宣陽開陽三門與實錄所嚮皆同唯清明門在兩面最東而實錄乃在東面最南今以宮苑記北對延熹門證之即

實録誤矣又負録云□東曰建春正西曰西明
宮苑記乃在東西□之最北其最南又有栗陽
閶闔二門蓋實録都城止六門而宮苑記之門
乃十有二宋紀獨載元嘉二十五年新作閶闔
廣莫二門其餘延□□玄武大夏東陽四門不見
建立之始實録元□□二十五年四月新作閶闔
廣莫等門改先廣□□口承明然則比六門皆同
府作史略之爾然□□西二門相對實録宮苑記
皆云大司馬門前□□街則知東西舊止二門各
正所嚮後又增立□□敞以南北別之也又挟
宋元凶劭作亂閉□六門於門內鑿塹立柵齊
建元中始立六門□牆梁侯景齊江章顯也六
門皆止言六門而□元凶劭傳又云同逆先屯閶
闔門外臧質從廣□門入乃知六門為正門後
所立六門皆便門□迭故史不載閶闔廣莫等門
作於元嘉二十五□元凶劭之亂乃三十年云
古建康宮門晉成帝咸和七年新宮成名曰建

康宮開五門南面二門東西北各一門宋文帝元嘉二十年於臺城東西開萬春千秋二門陳宣帝大建二年改為雲龍神武二門按建康實錄注南面二門正中曰大司馬[illegible]世所謂章門拜章者伏於此門待報南對宣[illegible]陽門相去二里夾道開御溝植槐柳世或名為[illegible]閶門近東曰閶闔門後改為南掖門門一道世[illegible]門之天門南直蘭宮西大路出都城開陽門其[illegible]西平昌門則上有爵絡世謂之冠爵門南對[illegible]南掖門宋永初中改宮城北平昌門為旗黃門[illegible]至元嘉二十五年改先處黃門曰承明門又云[illegible]南面端門夾門南大掖在兩壁之南並三丈八[illegible]八闌用閒開城門日中晡時及晚並擊以為節[illegible]從又擊之以情更宮苑記南掖門宋改閶闔門陳改端門東西二門表之實錄[illegible]不可見可見者惟南面一門與北面一門而已又

掖宮城記晉成帝脩新宮南面開四門最西[illegible]
門掖門門三道一重冲正中曰大司馬門門
道起三重樓真對宣陽門次東曰南掖門守[illegible]
閶闔門陳改端門南直對津陽門北對應門最
東曰東掖門門一道南直對蘭臺路東面正中
曰東華門門三道晉本名東掖門宋改萬春門
梁改東華門北面最東曰承明門門三重本晉
平昌門南直對東掖門東掖疑即南掖最西曰
大通門上重西面正中曰西華門晉本名西掖
門宋改千秋門梁改西華門凡八門比建康實
錄所載多五門梁天監十年初作宮城門三重
樓及開二道又按宮苑記建康宮城內有兩重
宮牆南面開二門西曰衛門隱不見南西掖門
東曰應門晉改名止車門南直對端門即晉南
掖門也東面正中曰雲龍門北面正中曰鳳掖
門近西曰鸞掖門西面正中曰神武門凡六門
第三重宮牆東直對牆南面正門曰太陽晉本
名端門宋改為南[illegible]華門東面正中曰萬春門

直東對雲龍門西出對千秋門西面正中曰千秋門西對神武門東出對萬春門凡三門建康實錄皆不載以宮殿證之雲龍門是二重宮牆東面門對第三重宮牆萬春門神武門是第一重宮牆西面門對第三重宮牆千秋門東西相望按[illegible]可攷是以想見臺城門闕之盛然晉成帝時已有雲龍門蘇峻作亂羊曼為前將軍率[illegible]文武守此門是也[illegible]上[illegible][illegible]諸門攷證詳見古迹志

冶城圖攷

冶城金陵有古冶城本吳冶鑄之地世說叙錄云丹楊冶城去宮三里晉元帝太興初以王導疾久方士戴洋云君本命在申而申地有冶金火相爍不利遂移冶城於石頭城東以其地為西園晉成帝幸司徒府游觀西園徐廣謂之冶城園是也孝武帝太元十五年於城中立寺以冶城為名安帝元興三年以寺為苑廣起樓榭飛閣複道延屬宮城金陵故事王導疾遷冶於縣東七里六朝有東西冶每遇警急出二冶囚徒又有東冶亭晉太元七年置於縣東八里為士大夫餞別之所疑導疾時以古冶迁東西為二故王荊公詩云欲望鍾山岑因知冶城路北謂東冶城也金陵故事又有南冶六所少府一司徒二楊州二鎮軍一晉史庾公權重足傾王公庾公在石頭王公在

冶城坐大風揚塵王公以扇拂塵曰元規塵汙人梁紹泰元年陳霸先使合州刺史徐度立柵於冶城齊徐嗣徽等攻冶城柵霸先將精甲自西明門出擊之嗣徽大敗

楊吳於冶城建紫極宮宋改天慶觀今為大元興永壽宮

慶元志天慶觀本唐紫極宮紫極宮新建司命真君殿徐鉉記續事始曰宋廢國學置總明觀疑自是以來道家者流擬之以名其所居也陳忻金陵集載當臨狀咸郭祥正同游紫極宮竹軒觀王相國舊題蘋子瞻書子由詩祥正和之有老鶴唳風之句寫之壁間未竟有白鶴數十翔舞北極壇上徘徊而去東坡有題天慶觀蘇師房詩景定志太中祥符間嘗賜額曰祥符宫至元歸附初文丞相天祥鄧侍郎光薦嘗宿留觀中有詩後改玄玅觀至順二年特改今額詳見後祠祀志

内有郭文舉書臺

天慶太一殿即此臺基晉書郭又字文舉

王導築臺於冶城以處之文學嘗丟操虎鯁人問之文舉曰人無殺虎之心虎無害人之意詳見本傳

謝安墩 謝灵運撰征賦視冶城而北屬懷文獻之悠揚李白有登金陵冶城西北謝安墩詩序云此墩即晉太傅謝安與右軍王羲之同登超然有高世之志于時營園其上故作是詩有曰冶城訪古迹猶有謝安墩平覽周地險高標絕人喧想像東山姿緬懷右軍言白鷺映春洲青龍見朝墩地古雲物在臺傾禾黍繁我來酌酒波於此樹名園城東半山寺後別有謝公墩見後康樂坊注

晉卞忠貞公墓側有忠孝亭今為祠堂 在永壽宮西壼與二子同殁蘇峻之難其墓在冶城南唐于此建忠貞亭穿地得斷碑徐鍇為之識宋慶曆三年葉清臣取父為忠臣子為孝子之言改名忠孝元祐八年曾肇即亭為堂繪壼像其中列諸祀典而為之記建炎間堂廢紹興八年葉夢得即亭南為廟請

額曰忠烈像公及二子昣盱以孫侍中紹配食於左紹興十五年晁謙之復為亭胡銓撰記乾道四年史正志與轉運判官韓元吉新之取曾公所為記重刻之石立于亭左嘉定四年留守黄度修廟以紹於公為先輩配以劉超鍾雅堂上為治城樓後姚希得復加修葺以公之夫人裴氏與范滂母同祠于後堂至元歸附後樓廢祠存至正二年以監察御史許儒林言重建祠宇

晋有西州城與東府城相望臺城居中寰宇記東府城中有揚州刺史廨而揚州在府西故人號東府西州舊天慶觀東有西州橋即城所置

治城在西州城內西南今東府城蕩無遺跡而治城在今永壽宮所宮之東北抵舊江寧縣治西州城遺跡尚可攷也

金壇縣界
溧陽州界
溧水州界

金壇縣界
楊山
鹿跡洞
小茅山
釣魚臺
北
雷平山
清真觀
沙泉
廟
白雲峰
王晨觀
鳳門泉
伏龍
許長史
陽谷
福地
句容縣界

茅山圖攷

茅山在句容縣東南四十五里周迴一百五十里初名句曲山像其形也茅君得道更名曰茅山三十六洞天之數第八曰金壇華陽之天此山是也史記禹封泰山禪會稽晉灼曰本名茅山吳越春秋云禹巡天下登茅山以朝羣臣更名茅山爲會稽小曰苗山茅山記曰大茅山獨高處黑帝命東海神埋大銅鼎於山頂深八尺上有盤石鎮之黑帝即顓頊也文曰秦始皇帝三十七年遊會稽還登句曲北垂山埋白璧一雙深七尺李斯篆刻文云始皇聖德平章江山巡狩蒼川勒銘素璧文曰玉葬地皇三年七月遣使者章當賫金白玉銅鍾五口賜三茅君光武建武七年三月遣使者吳倫賫黃

太元十五

金五十斤玉帛獻三茅君於山頂有埋金處上有聚石又曰中茅山獨高處司命君埋西胡王門丹砂六千斤深二丈上有盤石鎮之其山左右泉流下皆小赤色飲之延年益壽左真人就司命君乞得一十二斤以合九華丹山頂石壇石案香爐今存今三陽百姓多長壽者蓋太陽北陽朱陽三村耳茅君內傳勾曲山秦時華陽之天漢宣帝時三茅君居之遂名茅山內有積金山因以金爲壇號同時名其源澤爲曲水之穴秦時名勾金之壇似巳字故以勾曲名焉眞誥曰金陵向容之句曲洞爲第八洞天又曰句曲地肺土良水清可以度世種民是處五穴不干又曰金陵者洞虛之膏腴句曲之地肺履之者萬知之者無一按茅山志茅濛字初成華之陽人也隱華山脩道秦始皇三十一年白日上昇是時有民謠曰神仙得者茅初成駕龍上昇入大清時下玄洲戲赤城繼世而往在我盈始聖聞之問故老答曰此仙謠也於是有尋仙之

意濛之玄孫盈得道於金陵句曲山上升爲東嶽上卿司命真君太元真人居赤城時來句曲弟茅固茅衷皆得道於此邦人改句曲爲茅君山洞天福地記福地七十二地肺爲第一即金陵是也金陵之地水至即浮故比之於肺抱朴内篇別有地肺山乃王屋山又商山亦名地肺今以内傳爲正

山中有大茅峯山頂有聖祐觀奉大茅君真應真君峯北華陽洞之東有崇禧萬壽宮東南有崇壽華陽二觀

中茅峯山頂有德祐觀奉中茅君妙應真君西有昇元觀舊名白鶴廟與祠宇宮相隣清真觀亦名大羅源

小茅峯山頂有仁祐觀奉小茅君神應真君與德祐聖祐二觀皆延祐二年定額

抱朴峯大茅峯北

白雲峯中茅峯西有白雲崇禧觀

五雲峯小茅峯側有五雲觀

積金峯大茅中茅二峯間陶隱居弘景所住有元符萬寧宮華陽宮天聖觀栖真觀

疊三峯大茅

東南有藏真觀華蓋峰在崇禧觀東南四平山大茅西南俗稱方上良常小茅山以北岳華姥山大茅崇禧宮西[illegible]岡山小茅岑王北有乾元觀龍

尾山大茅東東方山東連几山伏龍山在柳汧之間有抱元觀雷平山伏龍山東有玉晨觀方隅山雷平山東北有燕洞宮秦望山良常山東北丁公山積金山西有茅陽觀自大茅山南後羅山

竹山吳山連峯疊嶂達于吳興天目諸山許邁所謂洞庭西門潛通五嶽洞庭即今太湖陶弘景亦云三茅山東通王屋西達峨嵋湘南接羅浮北連岱嶽朱文公謂岷山之脉由衡山南出而東度大

庾嶺者包彭蠡之源而北盡乎建康然則茅山形勢實與西蜀岷山峨嵋相爲首尾蔣山金陵特其脉之盡者其爲揚州之鎮山爲江南之名藩會府豈不宜哉詳見後而則志

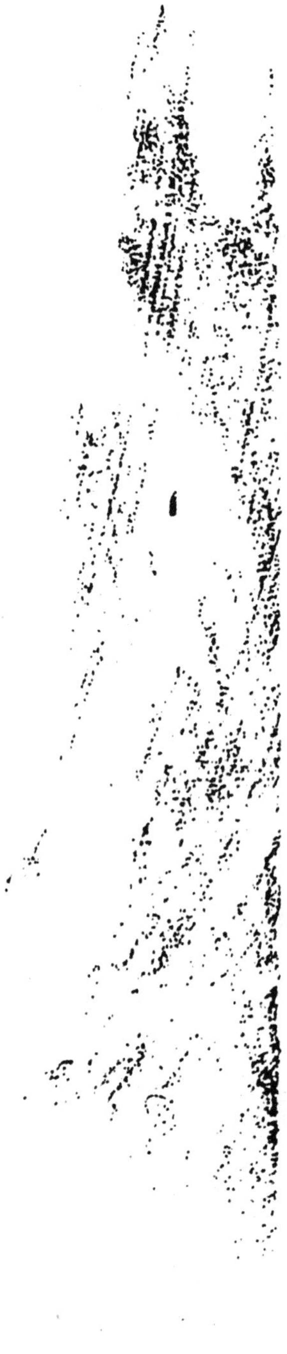

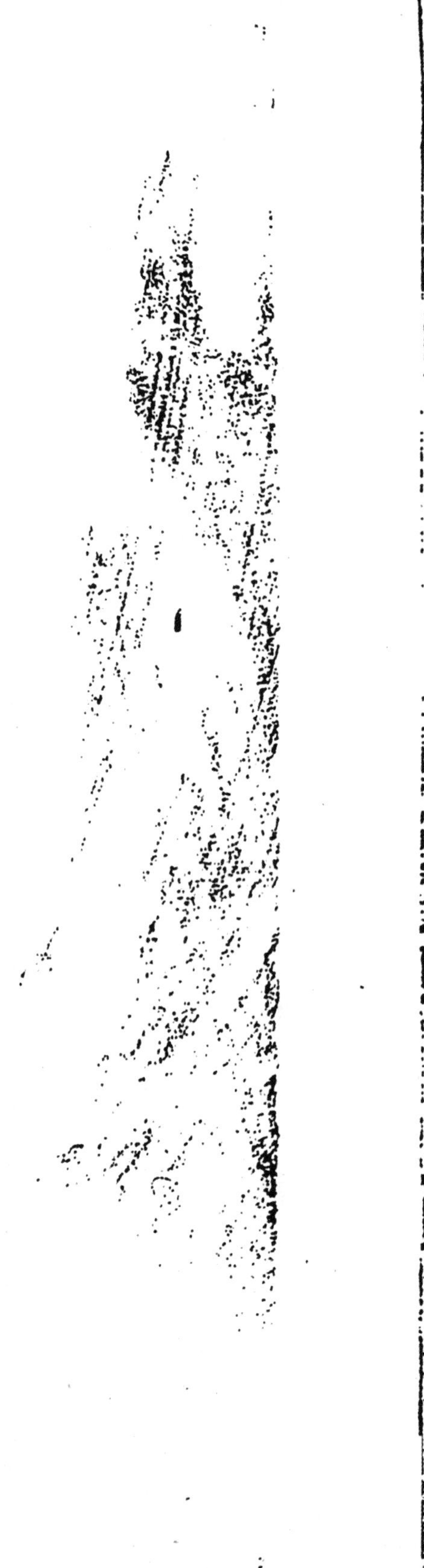

蔣山圖攷

鍾山一名蔣山在城東北一十五里周迴六十里高一百五十八丈東連青龍山西接青溪南有鍾浦下入秦淮北接雉亭山漢末有秣陵尉蔣子文逐盜死事于此吳大帝爲立廟封曰蔣侯大帝祖諱鍾因改曰蔣山唐地理志江南道其名山衡廬茅蔣輿地志古金陵山也縣邑之名由此而立金陵地記云秦始皇時望氣者云金陵有天子氣乃埋金玉雜寶於鍾山又云蔣山本少林木東晉令刺史罷還種松百株宋時諸州刺史罷職還者栽松三千株下至郡守各有差山之最高峯北有五頂

樹乃椓木也庾闡揚都賦元帝渡江望氣者云蔣山之上紫氣時時晨見宋散騎常侍劉勔經始鍾嶺之南以爲棲息聚石蓄水朝士雅素者多從容之游又雷次宗元嘉中開館雞籠山文帝爲築室於鍾山西巖下謂之招隱館齊周顒於鍾山西造草堂寺以處僧慧約寺即顒所居梁武帝於鍾山西置大愛敬寺江表上已多游於此侯景反邵陵王綸率西豐公大春等馬步三萬發自京口直據鍾山景黨大駭具舟欲逃阮孝緒因母疾用藥須得生人葠舊傳鍾山所出孝緒躬歷幽險累日不獲忽一白鹿導前行至一所不見就求之果得陳大寶元年齊軍潛至鍾山龍尾進至幙府山唐大曆中處士韋渠牟亦隱於此號遺名子顔真卿題其所隱之堂曰遺名先生三教會宗堂

山內舊有定林庵

宋王荆公安石舊讀書於此米元章榜曰昭文齋李伯時寫荆公真像於壁楊次公爲之贊霜筠雪竹二庵皆在蔣山寺左褱

宇記云自梁以前立佛寺七十所今山南有太

平興國禪寺梁武帝天監十三年以定林寺前岡獨龍阜葬誌公永定公主以湯沐之資造浮圖五級於其上前記云塔名玩珠取龍玩珠之義十四年即塔前建開善寺今寺乃其地也唐乾符中改爲寶公院南唐昇元中徐德裕重修後主又改爲開善道場宋太平興國五年改賜今額慶曆二年葉清臣奏爲十方禪院王荊公安石爲相退居鍾山爲師守者多其門人寺宇益增大後屢經火泰定二年正月再燬今重建特盛有翰林學士虞集撰記詳見祠祀志

新建大崇禧萬壽寺泰定四年潛邸剏建近有望江亭御史中丞趙世延撰記詳見祠祀志

其山峯秀者有屛風嶺巧石青松幽邃如畫在古明慶寺前

山之東入功德水在悟眞庵後梅摯記云梁天監中有

胡僧萬錫山中乏水時有龐眉叟謂曰余山龍也知師渴飲措之無難俄而一泓沸出後西僧繼至云本域中八池已失其一自梁道杜以來嘗取給御府云飲之可以愈疾延峭八功德水後半嶺間宋太守葉清臣字道卿嘗游其間因以其字名嵒寶公塔西二里有洗鉢池興國寺西有道光泉熙寧八年僧道光所鑿得名在梁靈曜寺前其深五尺宋熙泉近宋熙寺基之左今蔣山興國寺日用此泉其東山顛有定心石下臨峭壁寺西百餘步有白蓮庵庵前有白蓮池乃榮禪師退居之所北高峯絕頂有一人泉僅容一勺多挹之不竭桂嶺六朝事類云在山南明慶寺後楊梅峴栽松峴皆以其樹得名猿驚鶴怨二谷好事者所加道家八洞

天之外有三十六洞天其一朱湖洞天在鍾山又有太子巖梁昭明太子嘗讀書於此又名昭明書臺今為七佛菴一人泉在其東梁侍中周捨立靜壇與道士塢相對武帝問其壇如何對曰風不鳴條雲無膚寸鹿巾黃帔甚多白簡朱衣罕至因名靜壇道士塢在古明慶寺前與八功德水相近則靜壇當在其處乾道志壇在鍾山南嵓上慶元志梁天監十三年築西靜壇於鍾山下事迹曰道士塢在明慶寺前有記道觀即陳宣帝禮玄靖臧兢處在寶公塔東桃花塢在寶公塔西北舊有桃花甚盛今不復存矣茱萸塢在蔣山南平坡中舊有茱萸園宋道士陸脩靜此餌茱萸於此皆山之勝處也

抄白

長生天氣力裏

大福廕護助裏

皇帝聖旨行中書省行御史臺行宣政院官人

每根底宣慰司廉訪司官人每根底軍

官每根底軍人每根底管城子達魯

花赤官人每根底來往的使臣每根底

衆百姓每根底衆和尚每根底

宣諭的

聖旨

成吉思皇帝

月闊台皇帝

薛禪皇帝

完者篤皇帝

曲律皇帝

普顏篤皇帝

格堅皇帝

忽禿都皇帝

札牙篤皇帝
亦憐真班皇帝
聖旨裏和尚每也里可溫先生每教不揀甚麽
差發休當者告
天祝
壽者麽道有來如今依在先底
聖旨條例裏不揀甚麽差發休當者告
天與
咱每祝壽者麽道
札牙篤皇帝爲報
祖宗教萬民得濟的上頭集慶路裏起盖了大
龍翔集慶寺教廣智全悟大禪師笑隱
長老做住持交付了選有本事的好和
尚住坐依着百丈清規條例裏交海會
雲堂裏坐禪旃檀林裏早晚念經者依
著
釋迦牟尼佛的体例行者祝
壽者麽道

咱每這大龍翔集慶寺江南田地裏有的五山
教這寺在五山之上者這寺裏首座藏
主等頭首委付來的和尚每提調的官
人每依着五山体例裏各路分裏有的
寺院裏住持可資次裏住持委付者不
揀是誰休將别箇和尚說好這寺裏休
分付者麽道
聖旨行了有来至今他每五山寺不曾定体麽
道聽得来如今笑隠長老根底加與釋
教宗主的名分兼領五山寺者今後這
寺裏住持於五山寺本宗派住時長老
内選揀委付者
札牙篤皇帝潛邸時分坐地的房子裏蓋來的
寺院比别箇寺不同奉
聖旨官錢内這寺裏與來做常住的田土税粮
休納者雜泛差發休當者麽道不揀甚
麽勾當依着
札牙篤皇帝已了的

聖旨定例行者執把的
聖旨與了也這寺家房舍裏使臣每休安下者
鋪馬祗應休與者休斷公事者俗人每
休爭競者但屬這寺裏的田土碾磨店
鋪解典庫浴堂人口頭疋河泊船隻蘆
蕩等不揀甚麼他每的不揀是誰休奪
要者休倚氣力者這寺裏雖常住其間
廉訪司有司添氣力成就者休沮壞者
這般
宣諭了呵別了的人每有罪過者這廣智
全悟大禪師釋教宗主笑隱長老等和
尚每有
聖旨麼道不干礙自己的勾當做主呵沒體例
的勾當行呵他每更不怕那
聖旨
至元元年閏十二月十五日
大都有時分寫來

抄白
至正元年閏五月初六日本路奉
江淛等處行中書省劄付准
中書省咨禮部呈承奉
中書省判送至元六年十月十二日
奏過事内一件脫歡平章文書裏說有父阿
剌罕
世祖皇帝時分與伯顔丞相等統領蒙古兵馬
征討亡宋既而歸還復平阿里不哥并河
西叛賊阿籃歹兒等屢立奇功名上頭賜
與曹南王名分来如蒙照依伯顔丞相例
於集慶路起蓋祠堂麽道與文書的上頭
交禮部官與太常禮儀院官一同定擬呵
曹南王阿剌罕與淮安河南二王一体有
功立祠堂的說有依部家定擬来的行呵
怎生奏呵奉
聖旨那般者欽此覆奉
都堂鈞旨連送禮部議得中書省脫歡平

章父曹南王阿剌罕開國功臣建立祠堂
致祀既太常禮儀院撿照集議明白即與
淮安忠武王事係一体合依本院所擬欽
依於集慶路官為起盖祠堂所擬供祭田
土比依前例量擬减半於本路係官田内
撥賜一十頃以酬勲節如蒙准呈宜從都
省詳酌
聞奏相應具呈照詳得此至正元年二月初
八日也可怯薛第二日
興聖殿裏後寢殿東耳房裏有時分速古兒
赤蠻子必闍赤沙剌班院使云都赤不顔
帖木兒殿中哈麻給事中帖木兒不花等
有来衆省官每商量了别兒怯不花平章
阿魯叅政蒙古必闍赤哈剌帖木兒等
奏過事内一件昨前脱歡平章父曹南王阿
剌罕根底起盖祠堂者麽道有
聖旨来交禮部定擬呵與淮安忠武王事係一
体如今教集慶路官不以是何係官錢内

起盖與祠堂於本路官田地内撥賜與一十頃的説有依部家定擬来的行呵怎生奏呵奉
聖旨那般者欽此除外都省咨請照驗欽依施行准此省府仰欽依不以是何錢内先儘官有見在委官從省計料合用木物工程具實開坐申省奉此行下録事司計料木物工程委自録事判官伯顔察兒提調相視丈量得正北隅柴街寳戒寺側係官空地一十五畝一分四厘於本路係官錢内放支官錢收買木物委自本路判官周垚上元縣達魯花赤　懷提調人匠起盖祠堂殿宇廊房山門後堂裝塑完備春秋戊日致祭餘見後年表及祠祀志

金陵新志卷之二

金陵通紀

禹貢淮海惟揚州禹別九州由夏迄周雖嘗更爲十二而揚州無所易其地北拠淮南距海職方氏東南曰揚州在天官爲星紀之次其星斗牽牛婺女史記斗江湖牽牛婺女揚州又曰甲乙四海之外不占丙丁江淮海岱隋書揚州爲淮海之地在天官自斗十二度至須女七度爲星紀於辰在丑吳越得其分野晉書引春秋元命包云牽牛流爲揚州分爲越國立爲揚山以爲江南之氣勁厥性輕揚亦曰州界多水水波揚也於古則荒服之國戰國時其地爲楚分今按此專言荒服非也夏殷之制畿甸之外有比服要服荒服相去各千里夏都安邑殷都亳五遷末遷朝歌揚州亦爲要服之國

大五十三

其川三江其浸五湖職方解曰三江以爲險五湖以爲浸史記索隱曰地理志北江從會稽毗陵縣北東入海中江從丹陽蕪湖縣東北至會稽陽羨縣東入海南江從會稽吳縣南東入海故禹貢有北江中江也五湖者郭璞江賦註云具區洮滆彭蠡青草洞庭又云太湖周五百里故曰五湖今洮湖在溧陽與太湖通金陵蓋當其會焉金陵東南拠山西北距江阻淮當江淮湖海之交會故潮汐再至其山茅蔣朱文公云岷山之脉其一支爲衡山者盡於九江之西其一支又南而東度桂嶺者則包湘源而北經潭袁之境以盡於廬阜其一支又南而東度大庾嶺者則包彭蠡之源以北盡乎建康其一支則又東包浙江之源北其首以盡會稽南其尾以盡乎閩粵唐地理志江南道名山衡廬茅蔣今按山勢自廣德溧陽而下由茅而蔣二其山蓋金陵鎮山也茅蔣名見後山川志

國爲吴而占在斗其建都邑休祥之祲見于辰極晉書冊陽郡入斗十六度通典曰在天官於斗則吴之分野史記泰伯之奔荆蠻自號勾吴索隱荆者楚之舊號蠻者南夷之名地在楚越之界故稱荆蠻晉書歲鎮在斗牛吴越之福義熙十四年彗出天津入大微經北斗絡紫微明年有星孛于太微西藩劉裕尋篡晉三代以前帝王有都之者不可攷矣路史循蜚紀大敦巫常閒有雲陽氏是爲陽帝著迹於馮翊之甘泉而冊徒有雲陽嶺盖冗處之世董覽吴地記云曲阿秦時曰雲陽嶺太史言東南有天子氣始皇發赭徒三千鑿雲陽之北岡曲之因曰曲阿吴岑昏鑿冊徒至雲陽杜野小辛閒而陳勳屯田鑿句容中道至雲陽西城則所謂破岡瀆也十道志言雲陽氏古之仙人遁甲開山圖以爲雲陽先生之墟可以長往可以隱處又云陽石山中

有神龍池黃帝時雲陽先生養龍于此爲歷代豢龍之處水旱不時祀之中有神書鐵券玉石之記今茅山有龍池古仙人多游其中豈非即雲陽氏之居乎唐杜佑以丹陽爲古雲陽其説近是羅泌謂在長沙茶陵又謂陽石山在絳北以山川形勢言之非也黃帝後少昊亦曰雲陽氏

周元王四年當魯哀公之二十三年越句踐滅吴命范蠡城而居之稱伯江淮今越城是也勾踐滅吴命蠡城金陵之長干此會齊晉諸侯于徐州致貢于王賜之胙而命爲伯東諸侯畢賀號稱伯王後七代一百四十三年無疆立而與齊楚爭強爲楚所滅

楚人敗越城石頭曰金陵邑時楚地東極于海周顯王三十六年楚王熊商敗越王無疆盡取吴故地乃因山立號置金陵邑今石頭城是事見吴越春秋建康實録又云地接華

陽金壇之陵故號金陵或云威王及秦始皇皆以此地有王氣埋金鎮之故名金陵恐非見末卷金陵辨秦人并六國以楚金陵地爲鄣郡改金陵曰秣陵又鑿鍾阜斷長隴以泄其氣史記秦始皇二十五年滅楚明年分天下爲三十六郡置守尉監始以金陵爲鄣郡治故鄣三十七年東遊還過吳從江乘渡實録及前志云望氣者言五百年後金陵有天子氣因鑿鍾阜斷金陵長壠以通流至今呼爲秦淮乃改金陵邑爲秣陵縣今江寧縣城東南六十里秣陵橋東北故城是也漢初以封楚王韓信荊王劉賈吳王劉濞皆大國也武帝以江都地封廣陵王胥其策文曰大江之南五湖之間則金陵亦在其境晉書漢景帝四年封皇子

非爲江都王并得鄣會稽郡而不得豫章武帝改江都曰廣陵封子胥爲王而以屬徐州今按史記載胥册文曰於戲小子胥受兹赤社朕承祖考維稽古建尔國家封于南土世爲漢藩輔古人有言大江之南五湖之間其人輕心揚州保疆三代要服不及以政於戲悉尔心戰戰兢兢乃惠乃順毋侗好佚毋迩宵人維法維則書云臣不作威不作福靡有後羞於戲保國艾民可不敬與王其戒之後胥果與楚王謀反祝詛自殺國除然自元封二年改鄣郡爲丹陽以隷揚州其屬有秣陵江乘諸縣訖後漢無所更易漢書武帝元封二年始置郡刺史廢鄣郡置丹陽郡郡屬揚州統縣十七江乘秣陵故鄣句容溧陽隷焉王莽改爲宣亭郡東漢以丹陽郡統十六城移治宛陵而揚州不改孫權據有江東築城石頭改秣陵爲

建鄴用張紘諸葛亮之言自武昌徙都之西敗蜀北拒曹操號令行乎交廣自秦始皇三十七年辛卯東巡至吳王孫權元年庚子四百二十年前志吳侯孫策府在建鄴建安十三年孫權分丹陽郡立新都郡十六年權自京口徙治秣陵十七年城楚金陵邑地號石頭改秣陵爲建鄴張紘曰金陵地勢岡阜連石頭秦始皇以有王者都邑之氣故掘斷連岡改名秣陵今處所具存地有其氣天之所命宜爲都邑諸葛亮亦曰鍾阜龍蟠石城虎踞真帝王之宅權黃龍元年自武昌徙都建業交趾嶺南牧守皆吳署置吳亡晉改建康元帝渡江脩揚州府城爲都晉武帝太康元年平吳廢建鄴爲秣陵後析爲二縣愍帝諱業改建康自始皇三十七年辛卯至元帝以永嘉丁卯渡江五百一十七年王敦創築揚州城所謂西

州城者其東北府舍即吳大初宮址石氷所造元帝因脩爲宮城時衣冠禮樂萃於江左天下望爲正統苻堅欲伐晉其臣諫以晉爲正統所在齊高歡之言亦然其盛也有天下三分之二并涼幽燕奉晉正朔餘三十年海島諸夷皆常朝貢其戰勝攻取苻堅以數十萬衆敗於淝水涼州張軌燕慕容廆父子事晉歷元明成康穆五帝皆奉正朔燕僭號而張氏終爲晉臣孝武帝太元八年苻堅大舉兵入寇謝石謝玄桓伊等大破之於淝水收復河南北諸郡劉裕削平內難遂滅燕芟秦收其彝器悉送建康與拓跋氏以河爲境其勢蹙是爭戰恒在兖豫之郊祖逖守雍丘石勒畏之逖

卒而河南陷于後趙桓温破姚襄取洛陽未幾
陷于燕并青兖冀失之謝玄破苻堅晉末□取
河南北諸郡桓玄之亂復爲姚秦所陷安帝元
興三年劉裕誅桓玄義熙五年裕滅南燕取青
兖之地十三年滅後秦擒姚泓復取河南關陝
宋興魏人南侵疆土日蹙元嘉中文帝北伐無
功自是河北河南皆入於魏 宋齊梁陳仍□舊都號京輦神
皋者幾三百年而合于隋 齊書揚州京輦神皋郭璞言江東分王三
百年後與中國合按晉元帝永嘉元年丁卯自
下邳移鎮建鄴大興元年戊寅即帝位至隋開
皇九年己酉凡二百七十二年而天下混一 隋文帝平陳□其城郭
以石頭爲蔣州既改州爲郡復名丹楊 唐書隋以州爲
郡依漢制置太守以司隸刺史揔統治末年以
江都爲揚州置總管府以句容屬焉 句容 揚州

之名專於江都始此沈法興李子通輔公祏皆嘗竊之爲〔〕唐高祖武德元年吳興太守沈法興據江表隋〔〕餘〔〕君自稱江南道大總管置百官三年李子通攻敗之〔〕陷毗陵等郡皆降子通唐以和州總管東南道行臺尚書令楚王杜伏威爲使持節總管江淮以南諸軍事揚州刺史子通拒之大敗江南之地盡入於伏威伏威徙居丹陽六年伏威入朝而輔公祏據[illegible]稱帝置百官爲趙郡王孝恭李靖所滅唐初置行臺尚書省丹楊以總征伐〔〕廢行臺爲揚州大都督徙治江北武德七年以趙郡王孝恭爲東南道行臺右僕射尋廢行臺爲揚州大都督李靖爲長史八年襄邑王神符自丹陽徙州府及居民於江北太宗分天下爲十道以古揚州南境及荊州之半爲江

南唐江寧當直郡又改昇州肅宗至德二載以潤州江寧縣置江寧郡乾元元年改昇州地理志曰江南道蓋古揚州南境漢丹陽會稽豫章廬江零陵桂陽等郡長沙國及牂柯江夏南郡地潤昇常蘇湖杭睦越明衢處婺溫台宣歙池洪饒吉袁信撫福建泉汀漳為星紀分岳鄂潭衡永道郴邵黔辰綿施敘獎夷播思費南溪溱為鶉尾分為州五十一縣二百四十七其名山衡廬茅蔣天目天台會稽四明括蒼縉雲金華大庾武夷

末年封楊行密吳王昇為其地徐溫擅吳改昇州為金陵府大其城下昭宗天復二年封揚行密一[illegible]行密破馮弘鐸取昇州[illegible]右十四年徐溫以金陵形勢戰艦所聚官以淮南行軍副使領昇州刺史命假子知誥往治之武義二年改金陵府楊溥順義元年金陵城成乾貞二年知誥廣金陵城二十里安今

[illegible]

城遺址是也溫假子知誥篡吳建國號唐改金陵爲江寧府復爲都者三十九年而降于宋吳天祚二年石晉天福元年也知誥以大臣吳以爲西都尋改爲江寧府建國號唐復姓李更名昇三主三十九年宋開寶八年曹彬定江南宋滅南唐復爲昇州尋陞江寧府建康軍節度仁宗由昇王爲太子暨即位以昇爲大國不以封諸皇子其守臣恒以宰執近臣爲之宋天禧二年封壽春郡王爲昇王嘉祐四年翰林學士胡宿言陛下建國於昇宜進昇爲大國無得封從之張士遜王安石咸以宰相判江寧府南渡後其選尤重高宗南渡建康府即府治爲行宮設留守以守臣兼

之刑人撫制置總領轉運提領御前馬步軍諸司皆治于此江東淮西諸郡咸聽節制（宋建炎三年改建康府紹興二年以府治為行宮遷府治於行宮之東南隅今臺署是也又江東安撫司沿江制置司淮西總領所江東轉運司江淮提領所江淮都督府御前馬步軍諸司皆治于此詳見後官守志）至元乙亥春大兵初下江南即建康府治開省設建康宣撫司江東建康道提刑按察司又設江東道宣慰司江淮等處行樞密院皆於建康開府（至元十二年乙亥春二月宋相賈似道兵潰於丁家洲太平州守臣孟之縉迎降沿江制置知建康府事趙溍聞兵至棄城遁淮西總領所官黄衎恭轉運等官相繼潰

道馬步軍副總管沿江都統權司徐王榮及翁
都統帥軍民僧道詣太平州納款行省遣呂文
煥及招討參都按察副使熊寬甫賫榜文撫諭
軍民初十七日伯顏丞相阿朮平章等官
領兵入城於是府治正衙堂開省調兵立建
康宣撫司以萬户廉希愿招討參都孟之縉行
江東宣撫司事招納降附至元十三年置江東
宣慰司希愿及參知政事阿剌罕亳州萬户張
弘範皆管兼宣慰使亦於府治置司明年又設
江東道提刑按察司於前宋馬步司置司後徙
轉運司至元二十二年移行樞密院建康總攝
江淮等處出征軍馬即爲宣慰司治所今臺治是也
宣撫司尋改爲建康路總管府隸宣慰司以
達江浙行省其提刑按察司亦改名肅政廉訪司以
避行臺遷治寧國路而江南諸道行御史臺由

揚州三進卒治建康至元十四年改立建康路總管府仍以麻希愍兼本路總管府達魯花赤親管司縣隸宣慰司行御史臺本年始於揚州揚州立按治江淮諸道二十一年移杭州二十二年春議遷江州夏再還杭州是秋移江東按察司治宣州而行臺自杭州移治建康二十六年臺自建康再移揚州按察司還建康二十八年改肅政廉訪司二十九年以兩淮山南三道隸中臺而行臺還治建康始名江南諸道行御史臺江東廉訪司仍移寧國路寧國即宣城改名詳見後官守志天下大定蒙古漢軍分翼鎮守益都新軍萬戶府[illegible]國移鎮本路行樞密院及江東宣慰司相繼併省至元二十九年湖廣平章達剌罕等累言軍民分政不便三十一年□丞相淮安忠武王言罷行樞密院大德元年□益都新軍萬户

特立[illegible]

府今寧國移鎮本路三年
二月例革江東宣慰司行御史臺統按三省
十道其地即唐之江南道浙江漢以南西接牂
柯夜郎南極朱崖海隅暨際之地文官武臣星
羅鱗次皆行臺總其綱紀而黜陟之二行省江
淛治杭州
路江西治龍興路湖廣治武昌路十道肅政廉
訪司本名按察司至元二十八年更今名江東
建康道治寧國江西湖東道治龍興江南淛西
道治杭州淛東海右道治婺州江南湖北道治
武昌嶺北湖南道治天臨海北廣東道治廣州
嶺南廣西道治靜江福建閩海道治福州海北
海南道
治雷州觀古牂牁之任優矣而建康路以至順
元年例改集慶路今統二州一縣一司比京畿

例與陝西之奉元路皆徑隸行御史臺按治監察御史歲一再以行所屬州縣觀省風俗糾其違闕異於他郡集慶路統溧陽溧水二州江寧上元句容三縣錄事司治府城中其沿革見後官守志

論曰秦漢以來稱帝王之都有三曰長安曰洛陽曰金陵其地皆阻山帶河有商邑翼翼之規其經營卜宅也咸自以爲金城湯池歷禩無窮而俄然爲墟此豈非在德不在險之効哉孟子曰天時不如地利地利不如人和又曰三代之

得天下也以仁其失天下也以不仁察其興壞之端有足慨者關以今廣輪疆理較禹貢職方揚州之域地或犬牙臨制

聖人晝野設官有深意焉乃本其所以得爲都者論著之而疆理析置官守沿革各具其篇云

金陵新志卷第三

金陵表總叙

春秋表年以首事然所見異辭所聞異辭所傳聞異辭金陵古稱鉅藩居之者或左纛帝制抗衡中夏跡其君臣言行疆域離合豈若他郡國邈然無預於勝敗之數者哉今仍前志自周元王以來譜而著之經以歷代緯以天時地域官守政事攈其嘗爲都邑史可徵者爲年表不爲都邑徒藩鎮郡縣則爲世表自趙宋以來雖不

爲都而文獻有足徵則亦爲年表詳畧因時疑信視史總一千八百一十五年具其終始俾覽者有所綜稽焉而天文地理人事之紀著矣作

金陵世年表

金陵表卷三之上

起周元王己巳至漢獻帝己亥爲世表起吳大帝庚子至陳後主禎明己酉爲年表

周 秦 西漢 東漢

周姬姬都豐鎬洛陽秦嬴姓都長安西漢劉氏都長安東漢都洛陽其行事不係建康而史記建康之事亦甚簡畧故叙爲世表

天時	地域	官守	政事
周元王 名仁	地本屬吳有國城在溧水四年始屬越	三年十一月越滅吳四年命勾踐爲伯	越用范蠡謀遂有吳地將圖楚稱伯江淮乃築城于長干里今秦淮南一里半蠡越城是
四年壬申			
末年丙子			
貞定王 名介		闕與文	
元年癸酉			

		末年庚子		
考王 名嵬	元年辛丑	末年乙卯	[illegible]立	
威烈王 名午	元年丙辰	末年己卯	[illegible]立	
安王 名驕	元年庚辰	末年乙巳	[illegible]立	翳薨葬句容大橫山下
烈王 名喜			之[illegible]立	

元年丙午 末年壬子	顯王 名扁 元年癸丑 末年庚子	慎靚王 名定 元年辛丑 末年丙午	赧王 名延 元年丁未 末年乙巳
	三十六年地屬楚始置金陵邑		
	無疆立 熊商滅之 卒子熊槐立		熊橫立 卒子熊完立
	三十五年楚子熊商敗越三十六年盡取故吳地置金陵邑令石頭城即其所也是年蘇秦合從爲從約長		楚王槐會秦武關不返而太子橫立遷都于陳收東地兵復西取江南十五邑完封黃歇爲春申君遷都鉅陽滅魯秦莊襄王二年癸丑歇徙

周 赧

係戰國分爭

吳

秦 始皇 名政

元年乙卯

末年辛卯

二十五年始以金陵爲鄣郡改金陵邑爲秣陵縣

熊悍立 負芻立 秦滅楚始置鄣守

二世 名胡亥

元年壬辰

末年甲午

西漢 高祖 名邦

元年乙未

末年丙午

以丹陽會稽豫章三郡封吳秣陵屬丹陽郡

楚王韓信 荆王劉賈 吳王劉濞

六年楚去陳徙郢壽春二十四年秦王翦滅楚虜負芻二十七年始皇東遊自江乘渡江望氣者言五百年後金陵有天子氣因鑿鍾阜斷金陵長隴以通流後呼爲秦淮

項梁起兵江東立楚懷王孫心

項羽破秦兵殺子嬰自稱西楚霸伯王都彭城尋弒義帝江中

上患吳俗輕悍無壯王以填之諸子少立兄子濞爲吳王

帝	地屬	王	事
惠帝 名盈 元年丁未 末年癸丑			
吕后 名雉 元年甲寅 末年辛酉			
文帝 名恒 元年壬戌 末年甲申			濞失藩臣之禮是時鼂錯言吳可削帝不忍
景帝 名啓 元年乙酉 末年庚子	地屬江都王國	江都王劉非	濞約諸侯同舉兵誅鼂錯周亞夫擊破之濞敗走越城走丹徒竇太后不許發兵後汝南王非年十五上書請擊吳既破吳徙非王吳故地國號江都

武帝 名徹

元年辛丑

末年甲午

元封二年廢鄣郡置丹陽郡屬揚州統縣十二江乘秣陵故鄣句容溧陽隸焉

劉建非之子元朔二年嗣元狩二年自殺國除六年以其地[illegible][illegible]陵王胥[illegible][illegible]封句容侯劉敢封丹陽侯劉纏封秣陵侯劉胥行封湖熟侯始置部刺史

昭帝 名弗陵

元年乙未

末年丁未

宣帝

刺史黃霸

何武

宋畸舉霸賢良夏侯勝又薦之擢揚州刺史三歲以高第爲[illegible]

名詢
元年戊申
末年壬申

元帝
名奭
元年癸酉
末年戊子

成帝
名驁
元年己丑
末年甲寅

川太守秩比二千石何武射策甲科爲郎由諫議大夫遷揚州刺史州中清平行部必先即學官見諸生試其詞■問以得失然後入傳舍出記問墾田頃畝五穀美惡已迺見二千石以爲常所居無赫赫名去後常見思

梅福上書言王氏　師丹請限民名田不行

哀帝
名欣
元年乙卯
末年庚申
平帝
名衎
元年辛酉
末年乙丑
孺子王莽
元年丙寅
末年癸未
更始
元年甲申

章帝 名炟 元年丙子	明帝 名莊 元年戊午 末年乙亥		東漢 光武 名秀 元年乙酉 末年丁巳
			丹陽郡統十六城移治宛陵溧陽故鄣秣陵句容江乘湖熟隸焉而揚州不改
	刺史 張禹		郡太守 李忠 任光 州牧 鮑永
	永平八年張禹拜揚州刺史歷行郡邑深幽之處莫不畢到親錄囚徒民皆喜悅 是年佛法始入中國		建武六年以忠爲丹陽太守忠以丹陽越俗不好學禮儀表爲起學校習禮容春秋鄉飲選用明經郡中向慕任光爲丹陽太守墾田增多三歲間流民占著五萬餘口鮑永爲揚州牧時南土尚多寇暴永誅還橫鎮撫其餘百姓安之時行什一之稅詔定三十而稅一

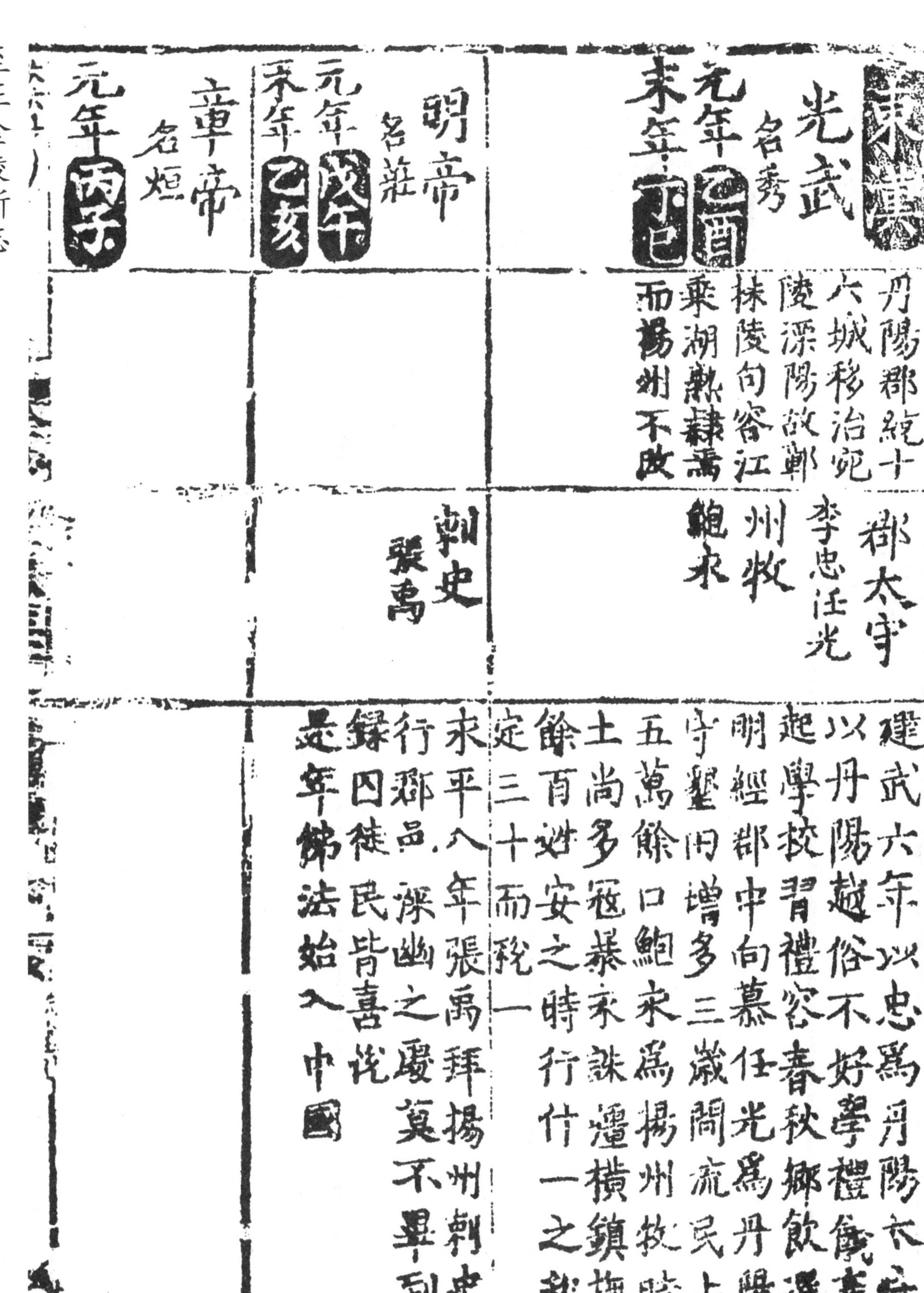

年戊子		
和帝 名肇		
永元元年己丑		
元興元年乙巳		
殤帝 名隆 一		
元年丙午		
安帝 名祜		
永初元年丁未		
[illegible]年乙丑 丹陽山崩		
順帝 名保	刺史 尹耀	

元年丙寅 末年甲申	冲帝 名[illegible] 元年乙酉	質帝 名纘 元年丙戌	桓帝 名志 元年丁亥 末年丁未	靈帝 名宏 元年戊申
				剌史劉繇太守周尚
			政出閹官	吳郡人孫堅助州郡討許生平區星封烏程侯歛天下田畝取十錢又令牧守收錢助修宮闕

末年丁酉

官擅權禁錮黨人所在盜起

獻帝
名協
元年庚午
末年己亥
魏王曹丕篡
位奉帝爲山
陽公

天下三分
蜀漢先主
昭烈皇帝
劉備即帝
位以諸葛
亮爲丞相

吳侯孫策府吳侯孫策至袁術表策舅吳景爲丹陽太守
在建業建安弟權代之吳劉繇逐之策領衆濟江大破繇
十三年孫權景爲郡太守於曲阿　建安二十四年秋權
分丹陽郡立州刺史劉繇西征關羽拜呂範爲建武將軍
新都郡十六逐之繇敗景領丹陽太守封宛陵侯鎮建業
年權自京口復爲太守孫　二十六年十月曹丕代漢稱
徙治秣陵十翊代之都督魏改元黃初而權猶稱建安
七年城楚金陵覽殺翊權諸葛亮告權曰鍾阜龍盤石城
陵邑地號石使呂範爲太虎踞真帝王之宅乃徙郡建業
頭改秣陵爲守鎮建業
建業二十六
年置丹陽郡
理於建業

太祖太皇帝姓孫氏諱權字仲謀吳郡富春人武之後也祖鍾父堅堅生容貌奇異仕漢為破虜將軍長沙太守靈帝末董卓作亂堅自長沙舉兵破卓長驅入洛得漢傳國璽文曰受命于天既壽永昌堅生四子策權翊匡策為吳侯臨終以後事付弟權曰舉江東之衆決機於兩陣之間與天下爭衡卿不如我舉賢任能各盡其心以保江東我不如卿權既統事以周瑜程普呂範為爪牙曾肅諸葛瑾步隲陸遜為腹心招延英俊分部諸將鎮撫山越討不從命初堅娶錢塘吳氏孕策夢月入懷孕權又夢日入懷以告堅堅曰日月陰陽之精極貴之象吾子孫其興乎其後權破曹操軍於赤壁敗蜀先主秭歸又破操軍濡須塢就武昌大赦改元黃武後七年即帝位追尊父堅為武烈皇帝兄策為長沙桓王立子登為皇太子傳四主六十年都建業按許嵩撰建康實録自吳大帝至陳後主首尾合四百年行事甚詳蓋建鄴既為帝都政令所出理須紀載但為帝紀則全類國史今依前志凡都此者悉為年表南唐偏國短世事在五代者附世表入宋以來附年表宋事接於見聞而史可徵悉為年表詳見總叙

太祖
獻帝建安[illegible]
[illegible]已禪魏[illegible]
[illegible]魏已改元
惟江東猶用
漢正朔至是
年十一月始
即吳王位列
年[illegible]改元
黃武在位五
十一年改元
凡五

丹陽郡
仍漢舊

元年[illegible]
治建業

漢章武元年
夏五月[illegible]
[illegible]于[illegible]鄴

詔揚州置牧先是王両征關羽呂範督扶州
以丹陽太守以下孫海轉以溧陽懷安寧國
呂範為揚州為奉邑是年進州牧
牧以征東將
軍高瑞領丹
陽太守

黃武元年壬寅			魏責吳任子不得使曹休等來伐徐盛等以舟師拒之休敗退
二年癸卯是年蜀先主崩太子禪立	丹陽郡自建業徙治蕪湖領縣十九		
五月甘露降于曲河			
三年甲辰十月晦日蝕			魏主丕來伐徐盛爲疑城丕臨江而還獲其輜車羽蓋
四年乙巳七月孫遣達襲不遇還			衆望張昭爲相不用以顧雍爲丞相雍不許江邊諸將擅襲
五年丙午			陸遜奏所在無穀令諸將廣農畝王報善自率子弟親受田耕

是年魏文帝殂太子叡立七月黃龍鳳凰見

六年[illegible]

七年[illegible]

黃龍元年[illegible]即帝位工[illegible]

[illegible]鳳也

九月自武昌遷都建業十月城建業太初宮居之即長沙王故府

範拜大司馬改封南昌侯命下而薨

又以便宜奏施德緩刑寬賦息調之令與諸葛瑾同損益科條行之

周魴詐降以誘曹休陸遜大破休于夾石遏呂範墓祭以太牢

正月即帝位立壇南郊柴燎告天禮畢旋武昌宮陞太極殿大赦改元六月立壇城北與蜀使盟約滅魏中分天下時童謡云帝飲建業水不食武昌魚寧還建業死不就武昌居[illegible]以陸遜爲上將軍輔太子留守[illegible]太初宮其都城周二十[illegible]一[illegible]二

九非

二年庚戌

三年辛亥

夏五月建業言野蚕成繭大如鳥卵由拳生野稻詔改由拳爲禾興縣　冬十月始平言嘉禾生　大赦改明年爲嘉禾元年

[illegible]年壬子

夏皇太子登自武昌歸建業

二年癸丑

句驪王獻馬百疋賜物還馬

蜀丞相諸葛亮伐魏吳圍魏新城不克

三年甲寅

九月朔隕霜傷穀

四年乙卯

八月雨雹又隕霜

[illegible]

五年丙辰自去冬不雨至于五月冬十月彗星見于東方

六年丁巳

赤烏元年戊午八月麒麟見武昌

二月己未赤烏二年魏明帝崩太子芳立

春鑄大錢一當五百詔吏民輸銅計直設鑄錢監

赤烏麟集前殿大赦改明年爲赤烏元年

更鑄大錢一當千

城沙羨

三年庚申

四年辛酉 正月大雪平地三尺

五年壬戌 四月旱 海鹽言黃龍見

六年癸亥 騶虞見新都

詔勸治農桑時不得役事 始治城郭起樓寨塹發渠以備非常 冬十一月詔開倉賑給貧民 十二月使左臺侍御史鄭儉監鑿城南自秦淮北抵倉城名運瀆

五月太子登卒 冬鑿東渠名清溪通城北塹湖溝

正月立子和為皇太子大赦

七年 [illegible] 秋[illegible]不生蛇 [illegible]陵

詔曰督將亡殺其妻子是使妻去夫子弃父也甚傷義教自今勿殺之

八年 乙丑 五月震宮門 及南津大橋 溧陵縣洪水 損二百餘家

立方山埭

作屯田發屯兵三萬鑿破岡瀆立方山埭

百姓不便大錢詔鎔爲器

九年 丙寅 四月甘露降武昌宮

適南宮改作太初宮移武昌材瓦爲之引見康居僧會立建初寺在大內立壇求舍利慶爲僊[illegible]者葛玄立洞玄觀於方山

十年 [illegible]

十一年 戊辰

四月雨雹

三月太初宮成

十二年 己巳

寶鼎出臨平湖

十三年 庚午

五月熒惑入南斗日至夜七月犯魁第二宿而東八月丹陽句容諸山崩洪水溢

作堂邑塗塘

冬以讒廢太子和為庶人遷於故鄣大臣以切諫坐誅者十餘人○立子亮為皇太子○遣軍十萬作堂邑塗塘以淹北道十二月以神書大赦改明年為大元元年

大元元年辛未

八月大風江海溢平地水八尺拔樹三千株石碑磋動吳城兩門飛落

廢帝

諱亮大帝少子在位六年廢為會稽王

以將軍王印綬迎臨海羅陽縣神王衣至建業為立第于蒼龍門外　夏四月帝殂太子亮立　太傅諸葛恪輔政　秋七月葬太皇帝于蔣陵今鍾山之陽　冬恪築東興堤兩城魏胡遵諸葛誕等來攻恪與戰大破之二
武昌端門災

加諸葛恪都督中外諸軍事荊揚二州牧丞相陽都侯　十一月以大將軍左司馬李衡為丹陽太守

夏諸葛恪率衆二十萬伐魏圍新城不剋　冬十月大饗公卿孫峻殺恪於殿內投于石子岡　交阯稗草化為稻此草妖也昔三苗亡而五穀變

建興元年壬申
九月桃李開
十二月大風
雷雨星孛于
牛斗
二年癸酉
陽羨黑山石
自立大旱
五鳳元年甲戌
二年乙亥
太平元

孫儀林恂等謀殺大將軍峻不
克而死　魏司馬師廢其君芳
立高貴鄉公髦

□□□太 年丙子 九月壬辰太白犯南斗

二年丁丑

景帝 諱休大帝子 年二十六年

安元年戊寅

有風□□□五

□□□□□□□

正月新作太廟　孫峻夢諸葛恪擊之病卒表弟偏將軍綝輔政將軍呂據等伐魏至江北聞綝代峻大怒驃衛將軍滕胤爲丞相引軍還討綝不克皆見殺大赦　帝嘗出中書省視先帝故事詰問左右曰先帝數有特記今大將軍關事但令我書可耶左右懼無以答　發兵援魏將諸葛誕敗還

帝惡綝專恣與全紀全尚劉承謀誅綝事泄綝以兵襲宮取全尚殺劉承於蒼龍門奪帝璽降封會稽王尚書桓彝死之迎琅琊王休即位以綝爲丞相大將軍荊州牧　帝與丁奉張布謀因戊辰臘會執綝斬之大赦　初置五經博士一人助教三人

二年己卯

三年庚辰 西陵赤烏見

四年辛巳 大雨水溢白龍見布川

五年壬午

魏賈充成濟弑其君髦立常道鄉公璜操之孫也

使五官中郎將薛珝聘蜀求焉還帝問蜀政得失珝對曰蜀主闇而不知其過臣下容身以求免罪入朝不聞正言經野民皆菜色臣聞燕雀處堂子母相樂自以為安也突決棟焚而燕雀怙然不知禍之將至其是之謂乎帝聞之憮然

黜廢帝亮為侯官侯鴆殺之

使都尉嚴密作浦里塘開丹陽湖田

得大鼎於建德縣

吳人陳焦死埋六月更生穿土而出

立子𩅦為皇太子大赦

[illegible]千五
七月黃龍見
八月大風震
雷白虎門北
樓火
六年癸未
十月癸未朔
頭小城西南
災青龍白燕
赤雀相繼見
于長沙諸郡

後主
諱皓大帝孫
在位十七年
元興元年
甲申
甘露元年
乙酉

分吳郡丹陽等九縣為吳興郡治烏程
丁固諸葛靚留守建業

是年魏鄧艾兵入蜀後主劉禪
出降國亡

八月景帝姐兄子烏程侯皓立
殺丞相濮陽興及侍中張布

七月殺朱皇后于苑中　十一
月從步闡言徙都武昌留御史

帝徙武昌

帝還建業

大夫丁固右將軍諸葛靚鎮建業

是年晉司馬昭卒子炎嗣位十二月受魏禪封魏主璜爲陳留王魏亡

冬永安山賊施但等劫永安侯謙爲主取太子和陵上鼓吹曲蓋比入建業困覩華衆逆討於九里汀之牛屯殺謙初望氣者云荊州有天子氣破揚州而建業宮不利故後主上武昌而但等果反後主聞但平使百餘精甲鼓譟入建業殺謙妻子號曰天子遣荊州兵來破揚州賊以厭其氣　十月帝還建業

夏起新宮于太初之東二千石以下皆自入山督伐木又壞諸營地大開苑囿起土山作樓觀

[illegible]皇西[illegible]元[illegible]

加飾殊王制以奇名營殿堂號曰清廟十二月新宮成周五百丈署曰昭明宮開臨滄觀之門正殿曰赤烏後主孫皓之以法駕迎文帝神于明陵齋宿祭于金城門外

立子瑾為皇太子

章安侯奮以訛言見殺

春後主載太后以下六宮嬪妾千餘人濟自牛渚陸道西上呼云青蓋入洛陽以從天命行至華里遇大雪道壞兵士皆寒凍

鳳凰元年壬辰

不堪曰若遇敵便倒
進諫皆不納泉觀令
乃還

二年癸巳

步闡叛降魏陸抗討
彥作鐵鎖橫江中

尚書僕射高陵侯韋曜
下獄死

三年甲午
大赦

大司馬陸抗卒

天冊元年乙未

掘地得銀長一尺廣三分
年月字因改元

天璽元年丙申
吳郡言臨平湖自漢末草

晉羊祜請伐吳杜預張華

擁壅塞今更除平古老相傳云此湖塞天下亂此湖開天下平又明達得石函函中有小石青白色長四寸廣二寸餘刻上作皇帝字於是改元大赦俄而晉平吳孫盛以爲元皇中興之符

天紀元年

[illegible]

□修武將□歷日甚

建業有鬼目草生工人黃耈家
又有買菜生工人吳平家東觀
按圖名鬼目為之草買菜為平
慮草遂以瑞封耈為侍芝郎平
為平慮郎是夏合浦部曲將郭
馬反殺廣州刺史自稱交廣二
州刺史安南將軍初有讖云吳
之敗兵起南裔亡吳者公孫也
後主聞之自文武職位有姓公
孫者皆徙廣州不令停江濱遣
張悌陶濬陶璜等東西進兵討
郭馬冬十月晉兵來伐陶璜自
武昌舉渾明年吳亡後主乃大
帝孫皓應公孫之讖

司馬氏受魏禪都洛陽是爲西晉自武帝炎至愍帝業
四主五十二年而中宗元皇帝睿即位於建康遂都焉
是爲東晉元帝乃宣帝懿曾孫琅琊恭王覲之子嗣父爲王
永嘉元年爲安東將軍都督揚州江南諸軍事假節鎮建業
建興戊戌受愍帝詔即晉王位改元建武明年愍帝凶聞至
始即帝位改元太興合兩晉論之自泰始元年至太康元年
凡十有六年而吳始平自太康元年至建武元年凡三十九
年而西晉改爲東晉都建康自元帝建武至恭帝元熙十一
王一百三年而禪于劉裕元熙以後事繫於宋太康以前事
繫於吳故建康晉表始太康訖元熙合一百四十二年總曰
晉表

世祖太康元年

平吳發建業
復爲秣陵縣地屋爲州陽
江乘合縣東太
南北界度長
塗橋古州口

先是益州刺史王濬上疏言晧
晧荒淫凶逆宜速征伐若一旦
晧死更立賢主則彊敵也臣作
船七年日有朽敗臣年七十死
亡無日三者一乖則難圖也會

[illegible]
年[illegible]國亡
自天下三分至此
凡六十一年
而天下一統
凡二十七年
[illegible]

王渾表孫皓欲攻北上邊戍征南將軍杜預又表言自秋已來討賊之形頗露今若中止孫皓或怖而生計徙都武昌更修江南諸城遷其居民城不可攻野無所掠則計無所及張華勸帝許之乃以華為度支尚書量計運漕大舉伐吳鎮東將軍王渾出江西建威將軍王戎出武昌平南將軍胡奮出夏口鎮南大將軍杜預出江陵龍驤將軍王濬巴東監軍唐彬下巴蜀東西凡二十餘萬命賈充為使持節假黃鉞大都督以冠軍將軍楊濟副之正月王渾出橫江攻吳鎮戍所向皆克二月戊午王濬唐彬破丹陽監盛紀擊殺吳水軍都督陸景杜預克江陵諸郡望風送印

綏將遂羣帥方畧直造建業吳
主聞濬等南下使丞相張悌督
丹陽太守沈瑩護軍孫震副軍
師諸葛靚帥衆三萬渡江逆戰
至牛渚沈瑩曰晉治水軍於蜀
久矣恐不能禦宜蓄衆力以待
其來悌曰吳之將亡非今日也
及今渡江猶可決戰坐待敵至
君臣俱降無復一人死難者不
亦辱乎三月悌等濟江圍渾部
將成陽都尉張喬於楊荷喬[illegible]
請降諸葛靚欲屠之悌不從曰
之而進與揚州刺史周浚結陳
相對沈瑩帥丹陽銳卒刀楯五
千三衝不動晉因其亂而乘之
張喬自後夾擊大敗吳[illegible]於[illegible]
[illegible]諸葛靚帥數百人[illegible]
悌不肯去[illegible]言與[illegible]

傳小初詔書使王濬下建平受
杜預節度至建業受王渾節度
濬既破武昌乘勝徑趨建業吴
人大懼吴主之嬖臣岑昏傾險
諛佞好興工役為衆患殿中親
近數百人請於吴主屠之時王
渾王濬及琅琊王伷皆臨近境
伷濟自三山遣周浚張喬等再
破吴軍於板橋沈瑩孫震皆死
吴主用薛瑩胡冲計分遣使者
奉書請降壬寅濬戎卒八萬方
舟百里鼓譟入石頭吴主皓面
縛輿櫬詣軍門降濬解縛焚櫬
延請相見癸亥伷會諸軍入鄴
城也太初宫收其圖籍克州四
郡四十三詔賜孫皓爵歸命侯
大赦改元大酺五日遣使者分
詣荆揚撫慰吴牧守皆不更易

二年　辛丑

太康二年，分丹陽之十一縣爲宣城郡，理宛陵；又分丹陽立毗陵郡，而丹陽移治建業，統縣十一：建業、江寧、永世、溧陽、江乘、句容、秣陵、湖熟，隸爲揚州。先分南北，南治建業，屬吳；北治壽春，屬晉。晉既平吳，移壽春之揚州併治

周浚爲揚州刺史

除其苛政，悉從簡易，吳人大悅。

詔選吳宮女五千人入宮。是歲

周浚移鎮秣陵，吳民之未服者

婁爲寇亂，浚皆討平之，賓禮故

老，搜求俊義，威惠並行，吳人悅

服

三年壬寅	四年癸卯 揚州大水	五年甲辰	六年乙巳 慕容廆入寇還西
建業由吳揚州之南北合爲一統郡十八分秦淮北爲建業南爲秣陵秣陵縣仍在秦故治而建業縣治在故都城宣陽門内古御街東			
	歸命侯孫皓卒		

七年丙午		
八年丁未		
九年戊申		
十年己酉	濮陽王允爲淮南王都督揚江二州諸軍事	
四月帝崩太子衷立		
惠帝 名衷		
永熙元年庚戌		賈后幽楊太后於金墉城殺汝南王亮及楚王瑋而用張華裴頠王戎晉政日亂
元康元年辛亥 又改永平		
二年壬子	七月分荆揚十郡爲江州	

三年癸丑

四年甲寅 慕容廆徙居大棘

五年乙卯 拓跋國分爲三 武庫火 揚州大水

六年丙辰 拓跋猗㐌畧地西北歸者三十餘國

七年丁巳

八年戊午 流民李特入蜀 揚州大水

九年己未	永康元年庚申 中台星拆	永寧元年辛酉 趙王倫篡位以帝爲太上皇齊王冏等起兵誅倫帝反正	大安元年壬戌 京師亂	二年癸亥 成都王穎河
		郗隆爲揚州刺史 王邃鎮石頭		陳徽爲揚州刺史
	賈后殺太子遹趙王倫以兵入宮殺后及張華等倫自加九錫	齊王冏討趙王倫移檄征鎮刺史郗隆以兄子鑒及諸子在洛陽疑未決停檄不下將士憤怒參軍王邃領石頭將士爭往歸之奉邃攻隆隆父子皆死傳首於冏	有石浮來建業入秦淮泝登岸二百餘步百姓咸曰石來明年石冰入揚州	張昌黨石冰寇揚州敗刺史陳徽諸郡盡沒臨淮人封雲

顗被擒間與長沙王乂相攻表劉淵發五部兵赴難淵遣建鄴離石即漢王位

永興元年甲子

東海王越殺長沙王乂成都王穎奉帝幸鄴

顧祕都督揚州九郡諸軍事

劉機爲揚州刺史

王曠爲丹陽太守

寇徐州以應冰於是荊江揚徐五州之境多爲冰所據七月議郎周玘長沙王矩起兵東推前吳興太守顧祕都督州九郡諸軍事傳檄州縣殺所署將吏於是前侍御史賀循廣陵華譚丹陽葛洪甘卓皆起兵應祕冰遣其將羌毒帥兵數萬拒玘玘擊斬之冰退趨壽春征東將軍劉準遣廣陵度支陳敏擊之

二月陳敏與石冰戰數十合所向皆捷遂與周玘合攻冰於建康三月冰北走投封雲雲司馬張統斬冰及雲以降揚徐二州平朝廷以敏爲廣陵相

二年 乙丑 河間王顒廢帝居東海王越起兵討之

陳敏據建業自號揚州刺史假稱榮爲丹楊內史

陳敏既克石氷自謂勇畧無敵有割據江東之志以長去藏司空東海王越起敏爲右將軍請東歸收兵遂據歷陽叛吳王常侍甘卓棄官東歸敏爲子景娶卓女使卓假稱皇太弟令拜敏揚州刺史使弟恢及別將錢端等畧江州諸郡江州刺史應邈揚州刺史劉機丹陽太守王曠皆棄官走敏遂據有江東以顧榮爲右將軍賀循爲丹陽內史周玘爲安豐太守凡江東豪傑名士咸加收禮爲將軍郡守者四十餘人或有老疾就加秩命循詐狂疾得免乃以榮爲丹陽內史玘亦稱疾不之郡敏命僚佐推己爲都督江東諸軍事大司馬楚公加九錫

光熙元年丙寅

越奉帝還洛

李雄稱帝於蜀

懷帝名熾

永嘉元年丁卯

琅邪王睿自下邳移鎮建業因吳舊都城修而居之以太初宮為府舍

置江寧縣在今縣城南七十里南臨瀕水其水源出太平當塗縣下溪村西流入江名江寧

七月己未以琅邪王睿為安東將軍都督揚州江南諸軍事假節鎮建鄴

東海王越以王敦為揚州刺史琅邪王睿召為安東軍諮祭酒避左將軍

敏刑政無章顧榮等憂之使郯征東大將軍劉準發兵臨江已為內應準遣揚州刺史劉機等出歷陽討敏敏使弟昶屯烏江宏屯牛渚昶司馬錢廣與周玘同郡人也玘使廣殺昶勒兵屯朱雀橋南敏遣甘卓討廣卓詐稱疾迎女斷橋收船南岸與玘榮及紀瞻共攻敏敏自帥萬餘人討卓軍人隔水語敏眾曰本所以戮力陳公者正以顧丹陽周安豐耳今皆異矣汝等何為敏眾狐疑未決榮以白羽扇麾

之衆潰敗單騎北走追獲斬于建業夷三族　九月琅琊王睿至建業以安東司馬王導爲謀主推心親信每事咨焉睿名論素輕吳人不附居久之士大夫莫有至者導患之會睿出觀禊乘肩轝具威儀導與兄敦及諸名勝皆騎從紀瞻顧榮等見之驚異拜於道左導曰顧榮賀循此土之望宜引之以結人心於是睿躬造循榮二人皆應命以循爲吳國內史榮爲軍司加散騎常侍又以紀瞻爲軍祭酒卞壼爲從事周玘爲倉曹屬琅琊劉超爲舍人張闓及孔衍爲參軍導勸睿謙以接士儉以足用以清靜爲政撫循新舊故江東歸心焉

二年戊辰

時軍旅不息學校頹廢王導上書曰風化之本在於正人倫人倫之正存乎設庠序今戎虜扇熾國恥未雪忠臣義夫扼腕拊心苟禮義膠固淳風漸著則化之所感者深而德之所被者大使帝典闕而復補王綱弛而更張揖讓而服四夷得乎其道豈難也哉請興復道教擇朝之子弟入學選明博修禮之士爲之師王納之

三年己巳

劉聰石勒攻洛陽

四年庚午

五年辛未

懷帝蒙塵于平陽

王導遷丹陽太守陳國拜軍司[illegible][illegible][illegible]

夏六月劉曜寇洛陽京師淪陷懷帝蒙塵於平陽司空荀藩移

陽

□將軍揚州刺史監江南諸軍事

書天下推瑯琊王爲盟主時海內大亂獨江東差安中國士民避亂者多渡江而南王導勸睿收其賢俊與之共事辟掾屬百六人謂之百六掾桓彝避亂過江見王導退曰向見管夷吾無復憂矣諸名士登新亭周顗中坐歎曰風景不殊舉目有江河之異相視流涕王導愀然變色曰當共戮力王室克復神州何至作楚囚對泣耶衆收淚謝之石勒築壘葛陂課農造舟將攻建鄴琅琊王睿大集江南之衆以紀瞻爲揚威將軍督諸軍討之勒師次壽陽勒退河北

六年壬申

秦王鄴入長安賈疋等奉爲太子建行臺秋七月歲鎮熒惑太白聚牛斗

愍帝 名鄴	詔改建業爲建康		
建興元年癸酉 漢劉聰弑懷帝		五月壬辰以琅琊王睿爲左丞相都督諸軍事	以琅琊王爲左丞相遣殿中都尉劉蜀詔王以時進軍與乘輿會際中原睿辭以方平定江東未暇北伐
二年甲戌 日隕 三日並出西方			
三年乙亥		二月丙子以琅琊王睿爲丞相大都督中外諸軍事	周勰以其父玘遺言謀作亂從吳興功曹徐馥殺太守袁琇馥等伏誅
四年丙子 劉曜陷長安遷帝于平陽			丞相睿聞長安不守出師露次躬擐甲冑移檄四方剋日北征以漕運稽期斬督運令史淳于伯 時玉冊見於臨安白玉麒麟神璽出於江寧其文曰長壽

元帝、名睿字景文宣帝曾孫琅琊武王仙之孫恭王覲之子

建武元年

揚州畢

大興元

丹陽太守改爲尹

爲年江寧縣名始見是歲實錄注云永嘉中所置

二月辛巳宋哲至建康稱受愍帝詔令睿統攝萬機睿出次素服舉哀西陽王羕及郡僚勸進王流涕曰孤罪人也不能雪天下之恥因欷歔不止令私奴命駕將返國紀瞻王導入見王陳利害避臣請依魏日故事爲晉王許之辛卯即晉王位承制大赦改元建武初備百官立宗廟社稷司空并州刺史劉琨幽州刺史左賢王渤海公段匹磾等一百八十人遣長史溫嶠來上表勸進征南軍司戴邈上疏請立太學從之

三月癸丑愍帝凶問至斬縗居廬百官請上尊號王不許使殷

年戊寅　四月己巳朔日蝕六月旱十一月乙卯日夜出高三丈劉聰死國亂劉粲僭號靳準殺粲石勒稱趙王

二年己卯

三年庚辰　以琅琊國人二月州木冰附過江者立

中將軍王敦續徽去御座紀瞻叱訶曰帝座上應列宿敢動者斬丙辰王即皇帝位大赦改元文武增位二等　立王太子紹爲皇太子以賀循爲太子太傅周顗爲少傅庾亮爲中書郎涼州牧張寔遣牙門蔡忠奉表詣建康　以王導爲驃騎大將軍開府儀同三司禁招魂葬

帝令群臣議郊祀尚書令刁協以爲宜須還洛司徒荀組等曰漢獻都許即行郊祀何必洛邑帝從之立郊丘於建康之地在宮城南十五里辛卯帝親祀南郊以未有北郊并地祇合祭之大赦肅慎貢楛矢石砮

三月裴嶷至建康盛稱慕容廆之威德遣使聘廆於北將軍平

三月癸[illegible]日中有黑子

懷德縣統丹陽郡

州刺史以周顗爲尚書右僕射七月詔瑯琊國人隨在此者近有千戶立爲懷德縣統丹陽郡求復爲湯沐邑是歲創北湖築長堤以壅北山之水東自覆舟山西至宣武城六里餘

四年辛巳

二月癸亥日

闕

永昌元年壬午

周札都督石頭諸軍事

正月王敦舉兵於武昌罪狀劉隗沈充亦起兵吳興以應敦敦至蕪湖又上表帝大怒詔曰王敦憑恃寵靈敢肆狂逆方朕太甲欲見幽囚是可忍也孰不可忍今親率六軍以誅大逆有誅敦者封五千戶侯徵戴淵劉隗入衛建康隗見勸帝盡誅

王氏帝不許司空導帥從弟中領軍邃左衛將軍廙侍中侃彬及宗族二十餘人每旦詣臺請罪呼周顗顗直入不顧既見言導忠誠申請甚至帝命還導朝服召見之導稽首曰逆臣賊子何代無之不意今者近出臣族帝跣執其手曰茂弘方以百里之命寄卿是何言耶三月以導爲前鋒大都督以戴淵爲驃騎將軍周顗爲尚書左僕射周札爲右將軍都督石頭諸軍事使劉隗軍金城札守石頭敦至札開門納之敦據石頭嘆曰吾不復爲盛德事矣帝命刁協劉隗戴淵王導周顗郭逸等三道出戰大敗太子紹欲自帥將士決戰中庶子溫嶠抽劍斬鞅乃止

導辭揚州刺史遷司徒輔政

敦擁兵不朝放士卒劫掠公省奔散帝遣使謂敦曰公若不忘本朝於此息兵則天下尚可共安如其不然朕當歸瑯琊以避賢路協隗既敗入宮見帝於太極東除帝令避禍協行至江乘爲人所殺隗奔後趙　大赦以敦爲丞相都督中外諸軍録尚書事江州牧封武昌郡公讓不受敦大會百官問温嶠曰皇太子以何德稱聲色俱厲嶠曰鉤深致遠蓋非淺局所量以禮觀之可謂孝矣敦議遂沮遣鄧岳收周顗戴淵殺於石頭南門之外帝使王彬勞敦敦以西陽王羕爲太宰加王導尚書令王廙爲荊州刺史改易百官及諸軍鎮轉徙黜罷者以百數　夏四

明帝

元帝長子名紹字道畿

太寧元年癸未

正月赤烏見黃霧四塞

三月丙戌隕霜殺草秋七月丙子朔雷太極殿柱

王敦自領揚州牧

敦以王含都督揚州江西諸軍事

月敦還武昌徵兗州刺史郗鑒爲尚書帝憂憤成疾閏十一月己丑崩司空王導受遺詔輔政庚寅太子紹即皇帝位

二月庚戌葬元帝於建平陵王敦謀篡位諷朝廷徵己夏四月加敦黃鉞班劍奏事不名入朝不趨劍履上殿敦移鎮姑熟屯于湖以王導爲司徒自領揚州牧六月立庾氏爲皇后以庾亮爲中書監帝畏敦之逼以都鑒爲兗州刺史都督揚州江西諸軍事敦忌之表鑒爲尚書令鑒還臺遂與帝謀討敦敦從含爲征東將軍都督揚州江西諸軍事舒爲荊州刺史監荊州沔南諸軍事彬爲江州刺史

王敦表溫嶠爲丹楊尹司徒王導領揚州刺史嶠以都督與左將軍卞壼守石頭護將軍應詹都督朱雀橋南諸軍事桓彝以萬業

敦疾甚矯詔拜子應爲武衛將軍以自副以下含爲驃騎大將軍開府儀同三司錢鳳謂敦曰脫有不諱便當以後事付應耶敦曰應年少豈堪大事我死之後釋兵歸朝保全門戶上計也退還武昌貢獻不廢中計也及吾尚存頓衆東下下計也鳳曰公之下計乃上策也遂與沈充定謀作亂

初帝親任溫嶠敦惡之請嶠爲左司馬嶠繆爲恭敬綜其府事深結錢鳳會丹楊尹缺嶠謂敦如鳳鳳亦推嶠六月敦表嶠爲丹楊尹使覘伺朝廷嶠至盡以敦逆謀告帝又與庾亮共畫攻討之策詔加司徒導大都督領揚州刺史以溫嶠都督東安北

縣男爲丹陽尹

部諸軍事與右將軍卞壼守石頭應詹爲護軍將軍都督前鋒及朱雀橋南諸軍事都督行衛將軍都督從駕諸軍事召臨淮太守蘇峻兗州刺史劉遐及徐州刺史王邃豫州刺史祖約廣陵太守陶瞻等入衛京師導聞敦疾篤帥子弟發哀衆以爲信咸有奮志騰詔下敦府列敦罪惡敦見詔甚怒而病轉篤將舉兵使郭璞筮之璞曰無成敦斬璞使錢鳳鄧岳周撫等帥衆向京師以王含爲元帥秋七月壬申朔含等水陸軍五萬奄至江寧南岸人情恟懼溫嶠移屯水北燒朱雀桁以挫其鋒帝帥諸軍出屯南皇堂癸酉夜募壯士遣將軍段秀曹澤等帥甲卒千

人渡水掩其未備亚旦戰于越城大破之斬其前鋒將何康敦聞含敗大怒作勢而起困乏復卧謂其舅羊鑒曰我死應便即位教尋卒沈充衆萬餘與王含軍合從竹格渚渡淮護軍將軍應詹建威將軍趙胤等拒戰不利充鳳至宣陽門拔柵將戰劉遐蘇峻自南塘横擊大破之赴水死者三千人遐又破沈充于清溪含等燒營夜遁帝還宮大赦命庾亮蘇峻等追沈充于吳興温嶠督劉遐等追王含錢鳳于江寧含奔荆州王舒遣軍迎之沈含父子于江周光斬錢鳳詣闕自贖沈充走失道故將吳儒殺之傳首建康有司發王敦墓出尸跽而斬之與沈充首同

三年乙酉

縣于南椼

閏八月壬午帝不豫召太宰西陽王羕司徒王導尚書令卞壼車騎將軍郗鑒護軍將軍庾亮丹陽尹溫嶠等並受遺詔輔政戊子帝崩于太極東堂己亥太子衍即皇帝位

成帝

諱衍字世根明帝長子

咸和元年丙戌

五月大水六月至十一月不雨大旱

阮孚爲丹陽尹以太后臨朝政出舅族求出爲廣州刺史

羊曼代孚爲丹陽尹

嶠改江州刺史

正月丁亥朔大赦改元文武各進位二等京師百里內復一年租庚亮用事任法裁物八月以丹陽尹溫嶠都督江州諸軍事江州刺史鎮武昌尚書僕射王舒爲會稽內史使右衞將軍趙衞收南頓王宗殺之免太宰西陽王羕降封弋陽縣王宗帝近屬羕先帝保傅亮一旦翦黜愈失遠近之心十一月後趙石聰攻壽春祖約請救朝廷不爲出

二年丁亥
五月甲申朔
日蝕

以會稽内史
王舒行揚州
刺史事

兵驄遂進寇逡遒阜陵殺掠五千餘人建康大震詔加司徒導大司馬假黄鉞都督中外諸軍事蘇峻遣其將韓晃擊驄走之導解大司馬冬十月赦京師百里内五歲以下刑大閲于南郊

庚亮以蘇峻在歷陽終爲禍亂下詔徵峻爲大司農以弟逸代領部曲峻上表乞補青州界一荒郡以展鷹犬之用不許任讓匡術勸峻反遂不應命峻知祖約怨朝廷乃遣參軍徐會推崇約請共討亮約大喜十一月約遣兄子沛内史渙婿淮南太守許柳以兵會峻尚書左丞孔坦司徒司馬陶回言於王導請及峻未至急斷阜陵守江西當利諸口導然之亮不從峻襲陷姑

三年戊子

後趙石勒殺劉曜僭號改元

築白石壘

蘇峻矯詔以許柳爲丹陽尹
郗鑒都督揚州八郡諸軍事

龕屯于湖彭城王雄章武王休叛奔峻京師戒嚴假庾亮節都督征討諸軍事以趙胤爲歷陽太守使左將軍司馬流據慈湖

春正月韓晃襲司馬流于慈湖流素懦怯兵敗而死峻帥祖渙許柳等衆二萬人濟自橫江登牛渚軍于陵口臺兵禦之屢敗陶回謂庾亮曰峻知石頭有重戍不敢直下必向小丹陽南道步來宜伏兵邀之可以一戰擒也亮不從峻果自小丹陽來迷失道夜行無復部分亮乃悔之朝士多遣家人入東避難左衛將軍劉超獨挈妻孥入居宮內詔以卞壼都督大桁東諸軍事與侍中鍾雅帥郭默趙胤等軍及峻戰于西陵壼等大敗峻攻

青溪柵因風縱火燒臺省及諸營寺署一時蕩盡壼帥左右苦戰而死二子眕盱隨父後亦赴敵而死丹陽尹羊曼黄門侍郎周導廬江太守陶瞻皆戰死庚亮帥衆陳于宣陽門内未及成列士衆皆棄甲走亮與弟條翼及郭默趙胤俱奔尋陽峻兵入臺城侍中褚翼抱帝登太極前殿王導及光禄大夫陸曄荀崧尚書張闓共登御床擁衛劉超鍾雅褚翼侍立左右太常孔愉朝服守宗廟時百官奔散殿省蕭然峻兵既入叱褚翼令下翼呵之曰蘇冠軍來覲至尊軍人豈得侵逼由是峻兵不敢上殿突入後宫太后左右侍人皆見掠奪驅役百官光禄勲王彬皆

被擄楚令負擔登蔣山哀號之
聲震動內外峻稱詔大赦惟庾
亮兄弟不在原例以王導有德
望使以本官居己之右祖約爲
侍中太尉尚書令峻自爲驃騎
將軍錄尚書事許柳爲丹陽尹
馬雄爲左衛將軍祖渙爲驍騎
將軍復以羕爲西陽王太宰錄
尚書事峻南屯于湖夏四月溫
嶠庾亮推陶侃爲盟主起兵討
峻　五月侃至尋陽遂與亮嶠
同趣建康戎卒四萬旌旗七百
餘里鉦鼓之聲震於遠近峻聞
西方兵起逼遷帝於石頭帝哀
泣升車以倉屋爲宮劉超鍾雅
荀崧華恒荀邃丁潭侍從不離
帝側峻使左光祿大夫陸曄守
留臺匡術守苑城會稽內史王

舒使庚水將兵一萬西渡浙江於是吳興太守虞潭吳國內史蔡謨前義興太守顧衆等皆舉兵應之峻聞東方兵起遣其將管商拒之潭等與戰互有勝負侃嶠軍于茄子浦峻遣米萬斛饋約毛寶襲取之斬獲萬計陶侃表王舒監浙東軍事虞潭監浙西軍事郗鑒都督揚州八郡諸軍事令舒潭皆受鑒節度侃等舟師至蔡洲侃屯查浦嶠屯沙門浦諸軍即欲決戰侃曰賊衆方盛難與爭鋒當以歲月智計破之鑒將李根請築白石壘從之遣庾亮以二千人守白石又令郗鑒郭默還據京口立大業曲阿庱亭三壘以分峻兵勢毛寶大破祖渙亭於東關峻腹

四年

[illegible]

以諸葛為丹陽尹

心路永匡術賈寧聞約敗勸說盡誅司徒導等更擱腹心峻猶敬導不許導誘永皆奔石頭寶燒峻句容湖熟積聚峻軍乏食峻將張健韓晃等急攻大業陶侃將救之長史殷羨曰吾兵不習步戰不如急攻石頭大業自解侃督水軍向石頭庾亮溫嶠趙胤帥步兵萬人從白石南上峻將八千人逆戰乘醉突陣不得入馬躓侃部將投之以矛斬首臠割之焚其骨峻司馬任讓等共立峻弟逸為主閉城自守溫嶠立行臺布告遠近凡故吏二千石以下皆令赴臺三旬雲集韓晃聞峻死引兵赴石頭

時兵火之後民物凋殘議欲棄衆亡京邑遷安正月陸曄及弟

天裂西北有聲如雷

玄說巨衍以充處歸順百官皆赴之祚曄督宮城軍事劉超鍾雅與建康令管旆等謀奉帝出赴西軍事泄蘇逸遣任讓將兵入宮收超雅殺之超從趙甘苗擊祚約於歷陽約奔後趙蘇逸蘇碩韓晃併力攻臺城焚太極東堂及祕閣二月丙戌諸軍攻石頭建威長史滕含擊蘇逸大破之追斬逸蘇碩帥驍勇數百渡淮而戰溫嶠擊斬之含部將曹據抱帝奔溫嶠船群臣見帝頓首號泣請罪殺西陽王羕彭城王雄大赦張健自延陵將入吳興將軍王允之與戰大破之健復與韓晃馬雄等輕軍西趨故鄣郗鑒遣李閎追及於平陵山皆斬之是時宮闕灰燼以建平

五年庚寅

天下大飢

大水

闔爲宫温嶠欲迁都豫章三吳之豪請都會稽司徒導曰孫仲謀劉玄德俱言建康王者之宅古之帝王不以豐儉移都今宜鎮之以靜群情自安由是不徙

選論平蘇峻功以陶侃爲侍中太尉封長沙郡公加都督交廣寧州諸軍事郗鑒爲侍中司空南昌縣公温嶠爲驃騎將軍開府儀同三司加散騎常侍始安郡公陸曄進爵江寧公自餘賜爵侯伯子男甚衆庾亮乞閭門投竄山海優詔不許出爲都督豫州揚州之江西宣城諸軍事豫州刺史領宣城内史鎮蕪湖

夏四月始安公温嶠卒

郭默殺江州刺史劉胤陶侃討誅之

作新宫始繕苑城修六

六年辛卯 三月壬戌朔日食

七年壬辰

八年癸巳 五月有星隕于肥鄉數一 麒麟騶虞見於遼東

庾冰爲揚州刺史都督揚豫兗三州軍事

門 駕幸司徒王導宅置酒大會下車入門先拜 庾亮表獻嘉橘一蔕十二實

錢塘民猳豕產兩子皆人面如胡人其身猶豕

正月大赦 陶侃遣桓宣攻石勒剋樊城李陽拔新野襄陽新宮成署曰建康宮亦名顯陽宮開五門南面二門東西北各一門十二月帝遷于新宮

正月辛亥朔朝萬國于新宮四夷州次大赦天下趙求石勒遣使來修好詔焚其幣以束帛徵高士郭文舉於苑舍焉太[illegible]是歲作北郊于覆舟山之陽[illegible]度一如南郊

九年甲午 [illegible]殺其吾自立 隕石于涼州

加張駿爲大將軍 太尉都督隴西諸 六月侍中

二

咸康元年乙未 秋七月白虹貫日 十月乙未朔日蝕 大旱

何充爲丹陽尹

正月帝加元服大赦改元 二月帝親臨釋奠 幸司徒王導府 趙王虎南遊有游騎十餘至歷陽太守袁耽表上之不言多少朝廷震懼加司徒導大司馬假黃鉞都督征討諸軍事分命諸將救歷陽及戍慈湖牛渚蕪湖既聞趙騎去解嚴

二年丙申 彗見于奎

二月立皇后杜氏大赦 更作朱雀門新立朱雀浮航航對朱雀門南渡淮水亦名朱雀橋

三年丁酉 [illegible]地生毛

詔立太學於淮水南唐縣城東南七里丹陽城東南

四年戊戌

石虎以兵十州之地

僑置魏郡廣川高陽堂邑諸郡并所統縣並合京邑以處流寓

以司徒導爲太傅都督中外諸軍事郗鑒爲太尉庾亮爲司空六月以導爲丞相罷司徒官併入丞相府

五年己亥

何充爲護軍將軍殷浩爲丹陽尹庾亮爲揚州刺史固辭不拜以庾冰爲揚州刺史參錄尚書事

正月太尉庾亮欲開復中原以武昌太守陳囂爲梁州刺史趣漢中遣將軍李松攻漢巴郡江陽執漢荆州刺史李閎巴郡太守黃植送建康亮上疏欲移鎮石城遣諸軍羅布江沔爲伐趙之規帝下其議太常蔡謨以爲時有否泰道有屈伸苟不計強弱而輕動則亡不終日爲今之計莫若養威以俟時朝議多與謨同乃詔亮不聽移鎮秋七月庚申始興文獻公王導薨徵庾亮爲丞相揚州刺史錄尚書事

亮固辭以何充為護軍將軍亮弟會稽內史冰為中書監揚州刺史參錄尚書事復改丞相為司徒司空庾亮領之侍中太尉南昌公郗鑒薨是時始用磚壘宮城而創搆樓觀

六年庚子

四月戊辰有星孛于太極

先是以江乘置南東海南琅琊南東平南蘭陵等郡屬南徐州是年分江乘縣西界置臨沂縣與懷德陽郡費即丘同隸南琅琊

正月都亭文康侯庾亮卒以何充為中書令　陸玩為侍中司空　三月大赦　依中興故事朔望聽政于東堂

七年辛丑

二月甲子朔[illegible]

慕容皝遣使求假燕王章璽許之　詔實編戶王公已下皆正土

日有蝕之

八年壬寅
正月己未朔
日蝕

康帝
諱岳成帝母
弟

建元元
年癸卯

二年甲辰

水出爲江州
刺史何充爲
都督揚豫徐
州之琅琊諸
軍事領揚州
刺史錄尚書
事

斷白籍　秋八月引見群臣射
宴於延賢堂

正月大赦　夏五月乙卯帝不
豫庾冰何充及武陵王晞會稽
王昱尚書令諸葛恢並受顧命
癸巳崩甲午弟琅琊王岳即皇
帝位

詔琅琊國及府吏進位各有差
庾冰變求出外　以冰都督荊
江寧益梁交廣七州刺史以琅
琊內史桓溫都督青徐兗三州
諸軍事徐州刺史徵江州刺史
褚裒爲衛將軍領中書令　立
皇后褚氏

九月戊戌帝崩于式乾殿　何
充以遺旨奉太子聃即位　褚
皇后立延興寺在運瀆西岸　何
充立建福寺

穆帝諱聃字彭祖康帝長子 永和元年乙巳	二年丙午 四月己酉朔日蝕十二月枉矢自東南流于西北其長半天	三年丁未 夏四月地震
	充卒褚裒以中軍將軍爲揚州刺史	冬十二月以侍中劉惔爲丹陽尹
皇太后設白紗帷於太極殿抱帝臨軒○以會稽王昱爲撫軍大將軍錄尚書六條事○都亭肅侯庾冀卒 慕容皝始不用晉年號	正月大赦○都鄉文穆侯何充卒以蔡謨領司徒與會稽王昱同輔政十一月桓溫帥益州刺史周撫南郡太守譙王無忌伐漢	桓溫軍至青衣漢主勢大發兵遣昝堅等自山陽趣合水諸將欲設伏以待晉兵堅不從三月溫遇李權三戰三捷軍於成[illegible]之十里勢悉衆出戰溫大破[illegible]

四年戊申

五年己酉

□虎死劉大
□□月甘露
降崇平陵玄
宮前殿

六年庚戌

閏月□□
見于方氏帥
蒲洪來降

七年辛亥

苻□□七仲

乘勝長驅至成都勢與□面□
請軍門溫解縛焚櫬送勢及宗
室十餘人於建康
進安西大將軍桓溫爲征西
將軍
正月大赦○五月假慕容儁
將軍幽平二州牧大單于燕王

獄七月濤水入石頭溺死數
人九月　陽太陽二陵

來降　時聞
赫百虎穫麟
正月[illegible]日
有蝕之

八年壬子
秦苻健僭號
正月[illegible]日
蝕乙巳雨木
冰

九年癸丑
燕慕容皝之
子儁都薊置
百官
地震有聲如
雷

十年甲寅

浩免為庶
王述為揚州
刺史

臨于太極殿二日遣兼太常
趙拔修復山陵

以武陵王晞為太宰殷浩北伐
以安西將軍謝尚北中郎將荀
羨等為督統進屯壽春十月謝
尚自枋頭得傳國璽送至[illegible]
六璽百僚畢賀

浩連年北伐師徒屢敗桓溫因
朝野之怨上疏免浩為庶人徙
東陽之信安

月桓溫統步騎四萬伐秦大
敗苻健苻萇於藍田進至灞上

□十一年

四月隕霜地震

□十二年

冬十月□朔日蝕

五月江西流民郭敞等千餘人執陳留內史劉仕降姚襄建康震駭以吏部尚書周閔爲中軍將軍屯中堂豫州刺史謝尚自歷陽還衛京師七月桓溫還自伐秦帝遣侍中黃門勞溫于襄陽

桓溫請移都洛陽不許拜溫征討大都督督司冀二州諸軍事以討姚襄溫遣督護高武據魯陽輔國將軍戴施屯河上自勒大軍繼進襄拒伊水戰大敗死者數千人襄奔洛陽溫南故[illegible]

升平元年丁巳

正月丁丑隕石于槐里數一

二年戊午

五月大水有星孛于天船冬十一月雷地震

三年己未

涼州城東池中有火

極殿前詔遣兼司空散騎常侍車灌等持節如洛陽修五陵帝及群臣皆服緦臨於太極殿三日

正月帝加元服大赦改元太后徙居崇德宮三月帝親釋奠于中堂立皇后何氏

司徒昱歸政帝不許　欲飛督王饒獻鴆鳥帝怒鞭饒二百使焚鳥於四達之衢　慕容儁盡陷河北之地

四年庚申
八月辛丑朔
日蝕既冬十
月天狗流于
西南
五年辛酉
四月大水八
月己卯夜天
裂廣數丈有
聲如雷

哀帝
諱丕成帝長
子

隆和元年

鳳凰將九雛再見于豐城衆鳥
隨之

二月南掖門馬足陷地得銅鍾
一有二四字五月丁巳帝崩于
顯陽殿庚申琅琊王丕即帝位
葬穆帝于永平陵在幕府山之
陽晉十一帝陵孝宗起墳周四
十步高一丈六尺
帝時何皇后彭城王吾造寺
尚造謝寺改名興教

正月大赦改元減田稅柘溫上
疏請遷都洛陽又議移洛陽鍾
虡王述謂方當蕩平區宇旋軫
旧京不應先事鍾虡所止

年[illegible] 三月[illegible]朔日蝕 十二月[illegible]朔日蝕			
興寧元年癸亥 夏四月揚州地震湖瀆溢 秋八月有星孛于角亢入天			二月大赦改元加桓温侍中大司馬都督中外諸軍錄尚書事假黃鉞涼州牧張天錫遣司[illegible]綸騫奉章詣建康九月大司馬温北伐
二年甲子 燕慕容恪陷洛陽河南諸城		五月加大司馬温揚州牧錄尚書事	二月[illegible][illegible]二月帝以藥發不能親萬機褚太后臨朝攝政[illegible]太司馬温入朝至赭圻詔止之温固讓內錄遙領揚州牧移鎮官於淮水北以南岸地施僧慧力造瓦棺寺

三年乙丑				正月大司馬溫移鎮姑孰帝崩于西堂皇太后詔以琅邪王奕承大統是月即位大赦葬哀帝于安平陵徙會稽王昱復爲琅邪王
海西公 廢帝哀帝母 太和元年丙寅 四月旱				梁州刺史司馬勳反討誅之加司徒昱丞相錄尚書事入朝不趨讚拜不名劍履上殿涼州揚樹生松張天錫將亡之徵
二年丁卯				
三年戊辰 三月丁巳朔日蝕四月癸巳雨雹大風折木				加大司馬溫殊禮位諸侯王上有神降于鄴自稱湘女聲與人接不見其形

四年己巳

冬十月火星西流有聲如雷

劉波鎮石頭

大司馬溫請與徐兗二州刺史郗愔江州刺史桓沖豫州刺史袁真伐燕夏四月溫帥步騎五萬自兗州伐燕至金鄉燕慕容厲逆戰大敗暐復遣樂安王臧統諸軍拒溫溫不能抗乃遣使求救于秦秦九月溫兵大敗于襄邑溫收散卒屯山陽深恥喪敗歸罪袁真奏免爲庶人真忿據壽春降燕丞相昱與大司馬溫會于涂中以謀後舉

五年庚午

秦滅燕

秋七月癸酉朔日蝕

袁真死陳郡太守朱輔立真子瑾　溫自廣陵帥衆二萬討之敗燕秦救兵[illegible]壽陽禽瑾等皆

簡文皇帝

諱昱元帝少子

溫恃其才略位望陰蓄不臣之志嘗撫枕歎曰男子不能流芳百世亦當遺臭萬年十一月帝

咸安元年辛未六月大水十二月[illegible]熒惑逆行入太微

二年壬申正月[illegible]歲星犯鎮在須女六月太白晝見是歲大旱

廣陵將還姑孰屯于白石諷褚太后廢立己酉宣太后令廢帝爲東海王帝著白帢單衣步下西堂乘犢車出神武門迎會稽王昱即帝位改元温出次中堂分兵屯衛戊午大赦詔進温丞相大司馬留京師輔政温固辭廢帝時王坦之造臨秦安樂二寺

徙海西公於吳縣西柴里庾希弟邈與故青州刺史武沈之子遵聚衆夜入京口城詐稱受海西公密旨誅大司馬温建康震擾内外戒嚴遣東海内史周少孫討斬之四月甲寅帝不豫急召温入輔辭不至己未立子昌明爲皇太子遺詔大司馬温依周公居攝故事是日帝崩太

武帝諱曜字昌明簡文帝第三子

寧康元年癸酉

三月丙午月掩心大星又犯南斗第五星有彗星出于尾箕長十餘丈經太微垣東井自四月始見至秋冬不滅

以侍中王坦之爲中書令領丹陽尹桓沖爲揚州刺史

子即位大赦葬簡文帝于高平陵　帝立波提寺

正月大赦改元大司馬溫來朝詔吏部尚書謝安侍中王坦之迎于新亭是時人情恂懼云欲誅王謝國移晉室坦之流汗沾衣倒執手版安從容坐定謂溫曰安聞諸侯有道守在四夷明公何須壁後置人耶溫笑曰正自不能不爾遂命徹兵權語移日而罷溫有疾還始熟三月詔除丹陽竹格等四航稅秋七月南郡宣武公桓溫薨褚太后復臨朝攝政以王彪之爲尚書令謝安爲僕射領吏部共掌朝政是歲南郡州陵女唐氏漸化爲丈夫

小四丁廿四

二年甲戌
二月丙戌彗星見于氐九月丁丑有星孛于天市

三年乙亥
冬十月癸酉朔日蝕十二月甲申神虎門災

太元元年丙子
夏五月癸丑地震十一月[illegible]朔日蝕
涼州張天錫降秦

以沖務鎮京口謝安領揚州刺史

正月大赦

五月大赦　中書令藍田侯王坦之卒　桓沖以謝安素有重望以揚州讓之甲寅詔以沖都督徐豫兗青揚五州諸軍事徐州刺史鎮京口以安領揚州刺

二月帝釋奠于中堂

正月帝加元服大赦改元

二年丁丑 閏三月甲申地震暴風折木發屋揚沙石

以安都督五州諸軍事

以尚書僕射謝安為司徒安讓不拜加侍中都督揚豫徐兗青五州諸軍事散騎常侍王彪之卒

桓沖鎮上明謝玄鎮廣陵

玄以劉牢之等為前鋒號北府兵敵人畏之

三年戊寅 六月熒惑守羽林七月乙酉老人星見南方

作新宮帝移居會稽王邸秋七月新宮成內外殿宇大小三千五百間

秦苻丕寇襄陽

四年己卯 六月[illegible]暴風揚沙石上 十二月己酉朔日蝕大旱

八月以王蘊為丹陽尹蘊自以國姻不欲在內從出為都督浙江東五郡諸軍事

正月詔建平等七郡 苻丕陷襄陽

十五年[illegible] [illegible]月大旱六 [illegible][illegible]震合 [illegible]四[illegible]往兼 [illegible]二人		尋會稽內史 [illegible]衛將軍丹陽尹 尹	拜謝安衛將軍開府儀同三司 以會稽王道子為司徒固讓不 拜
[illegible]年[illegible] [illegible]月[illegible]州 [illegible]十月[illegible] [illegible]有奔星東 南經翼軫聲 如雷無麥禾 [illegible]饑			帝崇奉佛法立精舍於殿內引 諸沙門居之以尚書謝石為僕 射衛將軍謝安習水軍於石頭
二年[illegible] 冬十一月太 白晝見[illegible]			東夷五國來貢方物

八年癸未

二月黄霧四塞四月甲子太白晝見在參

秦大亂慕容垂慕容冲等叛秦

王恭代嘉爲丹陽尹

秋九月符堅大舉兵入寇衆號百萬詔衛將軍謝安爲征討大都督安乃假弟石爲都督舉冠軍將軍謝玄西中郎將桓伊輔國將軍謝琰總戎八萬拒秦軍於淮南是時秦兵既盛都下震恐桓冲遣精鋭三千人援京師安固却之玄既渡江使廣陵相劉牢之領鋭卒五千直指洛澗大破秦軍斬梁成及弟雲擒王顯慕容暠等乙亥玄琰與桓伊等涉肥水鼓譟決戰大破秦軍於肥南臨東斬符融堅中流矢衆大潰詔安勞旋師于金城以謝石爲尚書令初開酒禁增民稅米口五石

	晉孝武	
年	九年[illegible] 十月[illegible] 亥日蝕	十年乙酉 秦姚萇弑其主堅符丕立魏六祖拓跋珪燕王改元秋七月老人星見大旱并泉皆竭十二月太白犯歲星大飢
	謝安大都督揚州等十五州諸軍事	以琅琊王道子領揚州刺史都督中外諸軍事
	以謝安爲太保　帝謁建平等[illegible]四陵加太保謝安爲大都督揚江荊司豫徐兗青冀幽并梁益雍涼十五州諸軍事中書侍郎車胤上疏議立明堂辟雍　經略中原	謝石以學校陵遲上疏請興復國學於太廟之南謝安與會稽王道子有隙會秦符堅爲慕容冲姚萇所逼遣使求救詔安幸衆救秦帝自行西池宴餞安出鎮廣陵之步丘築壘曰新城居之[illegible]幾有疾求還八月丁酉建昌[illegible]靖公謝安薨以道子領揚州[illegible]史錄尚書都督中外諸軍事謝石爲衛將軍

丙戌
徙至毗陵慕容永慕容垂並稱帝
二月戊申太白晝見在東井

十二年
丁亥
正月壬子暴風發屋折木
二月熒惑入月十月太白晝見於南斗

十三年
戊子
六月旱閏六月大[illegible]

道子進相揚州

大赦　聘處士戴逵　封孔靖之為奉聖亭侯奉宣尼祀立宣尼廟在丹陽郡城偶路東南
八月立子德宗為皇太子大赦天下增文武位二等大酺五日賜百官布帛各有差

尚書令謝石散騎常侍會稽內史謝玄皆卒

月戊辰天狗先下有聲如雷冬十二月戊子濤水入石頭毀大航殺人乙未大風晝晦悲賢堂災壬申螽斯百堂客館驃騎庫皆災

十四年己丑

七月旱[illegible]雷震宣陽門四柱災冬十一月癸巳地震大水

道子移揚州理於東第

上溺於酒色委政道子時國寶爲尚書令

十五年 庚寅 二月己酉朔地震東北有聲如雷七月甲申有星孛于北河經太微三台文昌入北斗色白長十餘丈至後月戊戌入紫微乃滅八月京師地震

十六年 辛卯 正月壬辰鵲聚太極殿東鴟吻

八五三

道子恃寵驕恣帝不能平以王
恭都督青兗幽并冀五州諸軍
事兗青二州刺史鎮京口三月
大赦以王國寶爲中書令兼中
領軍王珣爲尚書右僕射

詔徐廣校秘閣四部見書凡三
萬六千卷改築太廟　以王珣
爲僕射謝琰爲右僕射

十七年壬辰九月丁卯朔月蝕六月癸卯京師地震甲寅濤水入石頭賊大舫七月丁丑太白晝見旱

十八年癸巳正月癸卯朔地震大水七月旱有客星犯尾中如自[illegible]丙戌

十九年

月大赦新張東宮徙左衛[illegible]皇子德文為琅邪王徙道子會稽王

諡文宣太后蘭於太廟[illegible]皇太妃李氏為皇太后[illegible]

甲午 慕容垂滅西燕秦姚興殺苻登

二十年乙未 三月庚辰朔日蝕七月太白晝見太微九月有蓬星如粉絮東南行歷女虛至哭星十一月己卯暴風氷合

二十一年丙申

丹陽尹王雅領少傅

會稽王道子進位太傅揚州牧

訓宮

皇太子出就東宮秋七月長星見帝惡之於華林園舉酒祝之曰長星勸汝一杯酒自古何有萬歲天子耶

以望蔡公謝琰爲尚書左僕射起清暑殿於華林園新作永安宮 帝嗜酒流連外人罕得進

[illegible]五十三

三月太白晝見于羽林四月[illegible]大雨雹秋八月歲星犯哭星

安帝

諱德宗烈宗長子

隆安元年丁酉

二年戊戌

燕慕容德

[illegible]興長城夏

[illegible]山石鼓鳴

領軍將軍王國寶加後將軍丹陽尹

江績加輔國將軍丹陽尹

丹陽尹王愷發京邑數萬人據石頭以

見張貴人弒帝於清暑殿晝寢左右云因魘暴崩太子即位大赦會稽王道子進位太傅揚州牧假黃鉞內外衆事動靜咨之葬帝于隆平陵

正月帝加元服改元以左僕射王珣爲尚書令領軍將軍王國寶爲僕射領選道子恐以東宮兵配國寶使領之四月兗州刺史王恭豫州刺史庾楷等舉兵以討王國寶王緒爲名道子闇懦欲求休息賜國寶死斬緒於市恭罷兵還京口

秋七月恭楷及荆州刺史殷仲堪廣州刺史桓玄南蠻校尉楊佺期後舉兵反加會稽王道子假黃鉞以世子元顯爲征討都督遣衛將軍王珣右將軍謝琰

聲如金鼓

倫桓玄以劉牢之都督揚州等諸軍事

將兵討王恭熙王尚之將兵討庾楷大破楷于牛渚楷奔桓玄玄敗官軍於白石與佺期進至横江尚之潰走道子以中堂元顯守石頭王珣守北郊謝琰追宣陽門恭兵次竹里元顯以[illegible]利啗恭司馬劉牢之牢之降[illegible]衆潰獲之斬于倪塘以牢之[illegible]都督兗青冀幽并徐揚州晉陵諸軍事代恭殷而佺期玄至石頭仲堪至蕪湖牢之帥北府之衆馳赴京師軍于新亭佺期學見之失色回軍蔡洲朝廷未知西軍虛實內外憂逼於是以玄為江州刺史召都恢為尚書以佺期代恢為都督梁雍秦三州諸軍事雍州刺史黜殷仲堪為廣州刺史仲堪大怒趣玄佺期

二年己亥

以會稽世子元顯爲揚州刺史尋進領軍將軍

進軍玄等乃俱不受朝命上疏求誅劉牢之及譙王尚之朝廷還仲堪荆州優詔慰諭仲堪等乃受詔十一月以琅琊王德文爲衛將軍開府儀同三司元顯爲中領軍王雅爲尚書左僕射

正月大赦道子有疾元顯諷朝廷解道子司徒揚州牧以琅琊王德文爲司徒　妖賊孫恩陷會稽殺内史王凝之衆數十萬自稱征東將軍表道子元顯之罪請誅之自帝即位以來内外乖異朝政所行惟二吳而已及恩作亂八郡皆爲恩有恩黨亦有啓伏建康者人情危懼於是内外戒嚴加道子黄鉞元顯領中軍將軍徐州刺史謝琰兼督吳興義興軍事以討恩琰牢

四年庚子三月彗見于太微六月庚辰朔日蝕九月癸丑地震十二月戊寅星孛于天津

五年辛丑三月衆星西流經牽牛歷紫微太微癸亥大角星散搖五色大飢

惟折玄都督揚豫等八部諸軍事元顯加開府儀同三司都督揚豫等十六州諸軍事

司馬恢之爲丹陽尹

進至義興遣劉裕拒戰破恩恩逃入海島桓玄襲江陵殺仲堪急以揚佺期赴戰俱爲玄所殺大激遣桓文都督八州及揚豫八部諸軍事領江州刺史孫恩寇餘姚殺會稽內史謝琰以元顯爲開府儀同三司都督揚豫徐兗青幽冀并荊江司雍梁益交廣十六州諸軍事領徐州刺史

六月孫恩浮海奄至丹徒戰士十餘萬建康震駭內外戒嚴百官入居省內冠軍將軍高素等守石頭輔國將軍劉襲柵斷淮口丹揚尹司馬恢之戍南岸冠軍將軍桓謙等備白石左衛將軍王嘏等屯中堂劉牢之使劉裕自海鹽入援裕倍道兼行與

元興元年壬寅

十月客星色白如粉絮在太微西至複

桓玄爲揚州牧都督中外諸軍事總百揆

恩俱至冊徒恩帥衆敍譟登蒜山裕帥所領奔擊大破之恩狼狽僅得還船然猶恃其衆復整兵徑向京師道子無他謀唯日禱蔣侯廟譙三尚之帥精銳馳至經屯積弩堂恩樓船高大遡風不得疾行數日乃至白石既而知尚之在建康牢之已還至新洲不敢進浮海北走詔以劉裕爲下邳太守擊恩桓玄自謂有晉國三分之二數使人上已符瑞欲以惑衆

正月下詔罪狀桓玄以尚書令元顯爲驃騎大將軍征討大都督都督十八州諸軍事加黃鉞建牙于東府以鎮北將軍劉牢之爲前鋒都督前將軍譙王尚之爲後部大赦改元內外戒嚴

犯太微天
下大亂

加會稽王道子太傅桓玄留桓
脩守江陵抗表罪狀元顯舉兵
東下敗王師于姑孰劉牢之軍
潰敬遣子敬宣詣玄降元顯還
屯國子學軍中相驚言玄已至
南桁皆潰玄遣太傅從事中
郎毛泰收元顯送新亭玄入
京師稱詔解嚴以玄總百揆都
督中外諸軍丞相録尚書事揚
州牧領徐荆江三州刺史假黃
鉞會稽王道子徙安成郡斬元
顯及東海王彦璋譙王尚之庾
楷張法順毛泰等於建康市以
劉牢之爲會稽內史牢之自縊
死大赦改元大亨玄讓丞相改
授太尉都督中外諸軍事揚州
牧領豫州刺史出屯姑孰使御
史杜林酖道子殺之

二年癸卯四月癸巳朔日蝕十一月丁丑熒惑犯東上相乙巳月掩軒轅第二星		册玄爲相國封楚王加九錫
三年甲辰癸巳熒惑逆行犯太微甲寅夜濤入石頭漂毀大航	桓玄築別苑于冶城	桓玄加桓謙揚州刺史征討都督

正月册命玄爲相國總百揆封十郡爲楚王加九錫十一月詔楚王玄行天子禮樂卞範之爲禪詔使臨川王寶逼帝書之帝臨軒遣兼太保領司徒王謐奉璽綬禪位于楚帝出居永安宮遷太廟神主於琅琊國百官詣姑孰勸進十二月庚寅朔玄築壇于九井山北即帝位封帝爲平固王玄入建康宮登御座而床忽陷群下失色殷仲文曰將由聖德深厚地不能載玄大悅納桓溫神主于太廟

二月帝在尋陽建威將軍劉裕帥劉毅何無忌孟昶檀憑之等起義兵于丹徒斬徐州刺史桓脩丁巳裕帥二州之衆千七百人軍竹里移檄遠近聲言益

返正於尋陽玄召侍官入衛加
拍謙征討都督假仲文爲徐兗
二州刺史謙等請亟遣擊裕玄
曰彼兵鋭甚計出萬死若蹉跌
則彼氣成而吾事失矣不如屯
大衆於覆舟山下謙等固請擊
之乃遣頓丘太守吳甫之右衛
將軍皇甫敷相繼北上三月戊
戌朔裕軍與吳甫之遇於江乘
裕手執長刀大呼衝之衆披靡
即斬甫之進至羅洛橋皇甫敷
帥數千人逆戰裕又斬之玄聞
二將死大懼使桓謙何澹之屯
東陵卞範之屯覆舟山西衆合
二萬裕進至覆舟山將士皆殊
死戰無不一當百呼聲動天地
謙等大潰玄將其子昇及子濬
出南掖門趨石頭與仲文等浮

江南走裕屯石頭城立留臺輿桓溫神主于宣陽門外造晉新主納于太廟遣諸將追玄尚書王嘏帥百官奉迎乘輿臧熹入宮收圖書器物封閉府庫丁巳裕還鎮東府玄至尋陽郭昶之給以器用兵刀逼帝西上丙戌以武陵王遵承制總百官行事加侍中大將軍大赦何無忌大破玄將何澹之于桑落洲送宗廟主祏還京師玄復挾帝東下劉毅何無忌劉道規等與玄戰于崢嶸洲乘風縱火盡銳爭先玄衆大潰挾帝單舸西走荊州別駕王康産奉帝入南郡府舍書浩斬玄於枚回洲東璵返正於江陵傳送玄首梟於大桁

義熙元年乙巳 秋七月庚辰太白晝見於翼軫	二年丙午 三年丁未 六月甲戌熒惑犯辰星在翼二月戊戌朔日蝕 四年戊申 十一月雷大風拔樹
何無忌爲右將軍督揚州等五郡軍事	劉裕爲揚州刺史
正月帝在江陵大赦改元唯桓氏不原二月何無忌破桓振等奉帝東還建康以瑯琊王德文爲大司馬武陵王遵爲太保劉裕爲侍中車騎將軍都督中外諸軍事劉毅爲左將軍何無忌爲右將軍督豫州揚州五郡軍事裕還鎮京口帝餞于中堂	誅東陽太守殷仲文及弟叔文三人 陶潛爲彭澤令棄官去 以瑯琊王德文領司徒徵劉裕爲侍中車騎將軍開府儀同三司揚州刺史錄尚書事自丹徒

五年己酉

三月己亥大雪下地數尺

六月震太廟

十二月乙巳太白犯虛危

六年庚戌

六月丙寅震太廟鴟吻

裕北伐固辭太尉

入居東府輔政

正月大赦以劉毅爲衛將軍開府儀同三司三月裕表伐南燕建牙戒嚴帝餞裕於西堂

二月裕克廣固獲慕容超誅王公以下五千餘人送超詣建康斬之徐道覆聞裕北伐勸盧循襲建康循從之自始興寇長沙順流東下何無忌自尋陽引兵拒諸興道覆遇于豫章會暴風飄無忌所乘小艦向東岸賊以大艦過之衆奔潰無忌握節而死都中震駭夏四月裕至建康青州刺史諸葛長民等入衛劉毅帥舟師二萬發姑孰五月循

與毅戰于桑落洲毅兵大敗孟昶等欲奉乘輿過江裕不聽循至淮口中外戒嚴琅琊王德文都督宮城諸軍事屯中皇堂裕屯石頭謂將佐曰賊若於新亭直進其鋒不可當宜且避之若廻泊西岸此成禽耳道覆請於新亭至白石焚舟而上數道攻裕循不從裕登石頭城望循引向新亭顧左右失色既而廻泊蔡洲乃悔裕伐樹柵石頭淮口脩治越城築查浦藥園廷尉三壘皆以兵守之循伏兵南岸使老弱乘舟向白石聲言悉衆自白石步上裕留參軍沈林子徐赤特戍南岸斷查浦戒令堅守裕及劉毅諸葛長民北出拒之循焚查浦進至張侯橋徐赤特

七年辛亥

郗僧施爲丹陽尹

大敗，單舸奔淮北。林子等援柵力戰，循乃退。引精兵大上至丹陽郡，裕率諸軍馳還石頭，斬赤特，出陳于南塘，循退還尋陽。六月，以裕爲太尉、中書監，加黃鉞。裕受黃鉞，餘固辭。大治水軍，遣孫處、沈田子自海道襲番禺。冬十月，裕帥劉藩、檀韶、劉敬宣等南擊盧循，大破循于左里。循收散卒數千人奔番禺。裕還建業

劉裕進大將軍。劉藩帥諸將追循，斬徐道覆于始興。二月，裕始受太尉、中書監。以劉穆之爲太尉司馬。交州刺史杜慧度敗循于石碕，循衆大潰，投水，斬首送建康。

八年壬子	九年癸丑	十年甲寅
二月山陰地陷有聲如雷　八月月犯泣星		九月丁巳朔日蝕
	移秣陵於鬪場栢社之地	城東府
劉穆之爲丹陽尹　劉裕加太傅揚州牧固辭		
以孔靖爲尚書右僕射裕以詔書罪狀劉毅與弟藩及謝混共謀不軌收藩混賜死裕帥諸軍發建康以參軍王鎮惡爲前驅十月至江陵殺毅絳口洲是歲於石頭東城内起高樓加累入於雲霄飛堞帶於積水署曰入漢樓	盜開下壺墓詔給錢十萬修復之裕自江陵東還潛入東府民壯士拉殺諸葛長民輿尸付廷尉九月再命太尉裕爲太傅揚州牧固辭	

十一年 乙卯

秋七月辛亥晦日蝕七八京師大水壞太廟

以高陽內史劉鍾領石頭鎮戍屯冶亭三命劉裕加太傅揚州牧又固辭

裕討司馬休之詔加裕黃鉞荊州刺史大赦以劉穆之兼右僕射事三月裕率諸軍濟江休之軍潰有群盜數百夜襲冶亭京師震駭劉鍾討平之詔加裕太傅揚州牧劍履上殿入朝不趨贊拜不名固辭太傅州牧其餘受命大赦以劉穆之為尚書左僕射

十二年 丙辰

十二月裕求九錫詔裕為相國總百揆揚州牧封十郡為宋公備九錫辭不受

加裕兗州刺史中外大都督戒嚴伐後秦冬十月剋洛陽

十三年 丁巳

正月甲戌朔

正月裕引水軍發彭城三月破秦將姚紹于潼關七月裕率檀道濟王鎮惡入關別遣鎮惡率

日蝕

十四年 **戊午**

十二月彗出天津入太微經北斗絡紫微十餘日滅

恭帝

讓德文安帝母弟

六月裕爲相國揚州牧宋公九錫之命

洋斷汧河入渭滅秦收其彛器帥姚泓于建康帝詔進宋公爵爲王增封十郡辭不受劉穆之卒裕聞之哀慟留子義真及王鎮惡沐田子等守長安十二月裕發長安自洛入河開汴渠以歸

十月入敕裕以彭城解嚴琅琊王德文先歸建康裕以讖云昌明之後尚有二帝乃使王韶之縊帝而立德文十二月大赦是年冬赫連勃勃破長安劉義真逃歸

正月改元詔裕入朝進爵爲王裕辭

葬安帝于休平陵 秋七月裕

少帝四百九十四

元熙元年己未

有星孛于太微西藩十一月丁亥朔日蝕十二月己卯太史奏黑龍四見于東方

受進爵之命移鎮壽陽[illegible]九月裕自解揚州牧是歲省揚州府禁防參軍移秣陵縣於其地在宮城南七里一百步小長干巷內

宋

高祖武皇帝姓劉氏諱裕字德輿彭城綏輿里人漢楚元王交二十一世孫晉哀帝興寧元年癸亥六月壬寅夜生神光照室是夕甘露降于墓樹産後而皇妣趙氏殂帝長雄傑有大度事繼母以孝聞嘗遊京口竹林寺獨卧講堂上有五色龍章皇考墓在丹徒秦史所謂曲阿丹徒間有天子氣特有孔恭者善占墓謂帝曰非常地也由是益自負隆安中平孫恩有功桓玄篡位帝隨桓脩入朝玄妻劉氏謂玄曰劉德輿龍行虎步視瞻不凡宜早爲其所玄曰方欲北清中原非劉裕莫足使若關隴平然後思其宜裕還丹徒因遂糾會同謀者擒桓脩斬以徇率二州之衆千七百人舉義破皇甫敷桓謙等玄輕舟南逸王謐推帝爲使持節都督徐兖青冀幽并八州諸軍事鎮軍將軍徐州刺史鎮石頭天子至自江陵進侍中車騎將軍都督中外諸軍事爲揚州刺史録尚書事加北青冀二州刺史太尉中書監授黃鉞平南燕破盧循進大將軍揚州牧給班劍二十人滅姚秦還建康封宋公備九錫明年進爵爲王增封十郡元熙一年正月天子遣使奉册禪位帝奉表陳讓太史令駱達奏曰自晉義熙元年太白晝見經天凡七占曰太白經天民更主異姓興義熙

七年五虹見於東方占曰五虹見天子黜聖人出十三年鎮星入太微有立王從主之兆元熙元年冬有黑龍四登于天易傳曰冬龍見天子亡社稷大人受命吳州道人釋法稱告其弟子曰嵩神言江東有劉將軍漢家苗裔當受天命吾以璧三十二鎮金一餅與之劉氏卜世之數也於是群公卿士固請乃從之大赦改元初光武立社于南陽漢末其樹死劉備有蜀應之而興及晉末年舊根復萌至是而茂盛自永初庚申至昇明戊午八王五十八年而禪位于齊

高祖永初元年庚申

以秣陵故縣屬秣陵王宮丹楊尹領縣八建康秣陵丹楊江寧永世溧陽湖熟句容其陽都費即丘三縣並割臨沂郡

廬陵王義真爲揚州刺史

丁亥四月晉恭帝召宋王入輔六月至建康傅亮諷帝禪位具詔草呈帝使書之帝欣然操筆謂左右曰桓玄之時晉氏已無天下重爲劉公所延將二十載今日之事本所甘心遂書赤紙爲詔遜于琅琊第百官拜辭秘書監徐廣流涕哀慟丁卯王爲壇於南郊即帝位□自石頭備法駕

建康爲土費縣治宮城之北即懷德縣隸南琅琊郡

入建康宮臨太極殿[illegible]長子[illegible]爲零陵王優崇之禮皆倣晉初故事即宮于秣陵縣以司空道憐爲太尉立子義符爲皇太子詔晉安帝諸陵悉置守衛

二年辛酉

義真爲司徒中書令徐羨之以尚書令爲揚州刺史

大赦以揚州刺史廬陵王義真爲司徒中書令傅亮爲尚書僕射詔所在淫祠自蔣子文以下皆除之帝聽訟華林園九月晉零陵王崩臨于朝堂三日葬晉恭帝于冲平陵

三年壬戌

正月羨之進司空刺史如故六月壬申以侍中謝方明爲丹揚尹

三月上不豫大赦五月疾甚大尉長沙王道憐司空徐羨之尚書僕射傅亮領軍將軍謝晦護軍將軍檀道濟等同受顧命癸亥帝殂于西殿太子即位葬武皇帝于初寧陵

營陽王

諱義符武帝長子

景平元年

冬十月有星孛于天市逕貫攝提向大角仲月在尾季月歸天倉而後滅

文帝

諱義隆武帝第三子

元嘉元

有僑立廣川郡四郡以其民併建康

八月戊戌羨之進司徒甲辰皇弟竟陵王義宣爲左將軍鎮石頭

正月大赦改元祀南郊

營陽王自即位後滋爲淫虐諸大臣皆不自安由是有廢立意

夏四月羨之召檀道濟王弘入朝以廢立之謀告之謝晦聚將士於府內又使中書舍人邢安泰潘盛爲內應時帝於華林園爲列肆親自沽賣又與左右引船爲樂夕遊天淵池即龍舟而

年甲子

正月癸巳朔日蝕　大旱

二年乙丑

泰有江鷗百許頭集太極

寢乙酉詔曰道濟引兵居前羨之繼其後入自雲龍門進璽二侍者傷帝指扶出東閤收璽綬群臣拜辭衛送還太子宮稱皇太后令數帝過惡廢為營陽王以宜都王義隆纂承大統遷營陽王於吳尋弑之傅亮率行臺百官奉法駕迎宜都王于江陵八月丙申至建康丁酉謁初寧陵還止中堂百官奉璽綬乃即位御太極殿大赦改元以謝晦為荊州刺史徐羨之進位司徒王弘進位司空傅亮加開府儀同三司晦進號衛將軍道濟進號征北將軍是歲置竹林寺

徐羨之傅亮上表歸政祀南郊大赦二月策秀才于中堂置清園寺

小四十八
熙寧六月丙
[illegible]民所大風
山水渦出五
文發屍人
三年[illegible]
閏三月大風
析木太白晝
見、

召王敬爲侍
中司徒錄尚
書事揚州刺
史

正月下詔暴羨之傅亮殺營陽
廬陵之罪命有司誅之遣到彥
之檀道濟討謝晦晦自江陵東
下至江口到彥之至彭城洲晦
使中兵參軍孔延秀攻將軍蕭
欣于彭城破之又攻洲口柵陷
之道濟既至與彥之軍合晦惶
懼無計軍一時皆潰晦夜還江
陵携其弟遯等七騎北走至安
陸延頭爲戍主光順之所執檻
送建康於是誅晦皭遯及其兄
弟之子并同黨孔延秀周超等
帝還建康徵謝靈運爲秘書監
顔延之爲中書侍郎夏五月以

四年丁卯 六月癸卯朔日蝕 丙辰青黑虹見東西經天 十一月辛未甘露降初寧陵

五年戊辰 正月庚午朔風京師大水 五月己巳太白經天 六月庚戌都下大

檀道濟為征南大將軍開府儀同三司江州刺史到彥之為南豫州刺史上臨延賢堂聽訟

祀南郊二月帝如丹徒謁京陵宴丹徒宮帝鄉父老咸與是月京師疾疫使使巡給醫藥無家者賜以棺斂置永豐寺本一名長樂寺以延陵有之改焉

閱武于北郊

[illegible]天大熱七月[illegible]大風穴月癸酉夜有黑氣如流星出奎婁旋羽林	六年乙巳 五月壬辰朔日蝕七月大風折木十一月[illegible]日蝕不盡如鉤星盡見	七年丙午 二月[illegible]雪[illegible]雷十月[illegible][illegible]西北有赤
		十月以竟陵王義宣爲南徐州刺史鎮戍石頭
	正月祀南郊召彭城王義康爲侍中司徒録尚書事平北將軍南徐州刺史入知朝政立子劭爲太子夏四月以尚書左僕射王敬弘爲尚書令臨川王義慶爲左僕射吏部尚書江夷爲右僕射	三月遣右將軍到彥之安北將軍王仲德兗州刺史竺靈秀等率兵北伐魏復河北以長沙王義欣監征討諸事彥之仲德軍

氣中黑如旌旗十二月丙戌太白晝見己亥夜京師火延太廟北垣

衆皆下獄免官箕靈秀坐無軍誅

八年辛未

二月大雪四月乙亥太白晝見獲白雀于左衛府七月庚戌夜白虹見于東方十二月庚寅雷

省琅邪郡之即丘入陽都

八月甲辰以臨川王義慶爲中書令丹陽尹

檀道濟帥師救滑臺　六月大赦天下

九年壬申

六月戊寅司徒南徐州刺

三月衛將軍王弘進位太保加中書監征南大將軍檀道濟進

四月癸酉太白晝見乙未雨雹傷斗馬馬獸

十年癸酉

十一年甲戌

十二年乙亥 正月乙未朔日蝕四月癸亥夜京師地震十月壬子太白晝見

史彭城王義康以領揚州刺史

何尚之為丹陽尹

位司空七月以領軍將軍殷景仁為尚書僕射太子詹事劉湛為領軍將軍

正月大赦

禊飲於樂遊園 置竹園寺

正月大赦 祀南郊 燕王馮弘遣使請建康稱藩奉貢四月加殷景仁中書令中護軍即家為府遷護軍府于西掖門外彭城王義康欲以劉斌為丹陽尹上不許乃以何尚之為之立宅南郭外聚生徒謂之南學

十三年 丙子

正月上有疾不朝會司徒義康用劉湛計殺檀道濟并其子十有一人 錢樂鑄渾天儀

十四年 丁丑

鳳凰見

王淮之領吏部尚書爲丹楊尹

正月大赦 鳳凰見民王顗家園中改其地名鳳凰里

十五年 戊寅

二月京師木連理冬十月[illegible]流星出太白入紫微有聲如雷十一月[illegible]朔日蝕

省南琅邪郡之費縣併入建康臨沂

王鎣爲左光祿大夫開府儀同三司丹揚尹

新作東宫 召處士雷次宗至建康爲開館於雞籠山聚徒教授

十六年丁卯

五月癸卯太白經天八月戊申太白晝見

十七年戊辰

二月己巳夜黑氣經天四月戊午朔日蝕六月□酉太白晝見十一月□酉朔□□甘露降于樂

閣武□比郊　太子劭加元服

大赦　置上定林寺

十月義康爲江州刺史出鎮豫章徵義恭爲侍中都督揚南徐兗三州司徒錄尚書事領太子太傅中成以殷景仁爲揚州刺史尚書僕射太子

太子劭請京口拜京陵上以司徒彭城王義康嫌隙已著慮成禍亂收劉湛誅之義康上遜位詔以爲江州刺史江夏□義恭爲司徒錄尚書事殷景仁卒

十八年 辛巳

二月庚辰雨雹五月甲申甘露降臨川王園七月壬辰夜天有光通照

十九年 壬午

二月野蠶成繭三月癸未太白晝見五

詹事十二月以始興王濬為揚州刺史

正月甲辰以彭城王義康都督江交廣三州軍事前龍驤參軍巴東扶令育詣闕上書引漢蓋諫孝文遷淮南王事帝怒收付建康獄賜死通使于魏

三月帝親臨儒學召處士雷次宗侍講賜諸生帛四月上以疾愈大赦柔然遣使詣建康

七月京師大水
八月[illegible]晦
日食九月[illegible]
[illegible]有星在
氐斗間爲彗
入文昌貫五
車掃畢拂天
河經天苑至
冬乃滅

二十年
癸未

六月徐陝縣
自[illegible]十一
月[illegible]六白
[illegible]

二十一

起徐湛之本
職丹陽尹

正月郊開萬春千秋等門　闕
武帝祀郊封子誕爲廣陵王

正月帝耕籍田大赦二月江夏
王義恭進位太尉領司徒封子

年甲申 三月甲戌太白經天六月京師霧雨七月甘露降樂遊苑十月丙子雷上[illegible]	二十二年乙酉 六月甲午太白晝見冬籍田 癸亥嘉禾
	以趙伯符爲丹陽尹
宏爲建平王江夏王義恭領太尉 常侍高齊十六州	正月詔頒元嘉曆 封子禕爲東海王昶爲義陽王太子劭釋奠于國學武陵王駿遣沈慶之討平諸蠻徙萬餘口於建康以荊州刺史衡陽王義季爲征北大將軍開府儀同三司南兗州刺史上餞義季于武帳岡太子詹事范曄散騎常侍孔熙先等謀反伏誅免侍中彭城王義康爲庶人初江左二郊無樂宗廟雖有登歌亦無二舞是歲南郊

三十一年甲申

二十三年丙戌

六月癸未朔日蝕嘉禾秀于華林園甘露降于長寧陵

始設登歌冬浚淮起湖熟田千餘頃西去城八十里

夏四月大赦九月上臨試諸生于國學賜學官帛有差　是歲堰玄武湖于樂遊苑北與景陽山于華林園

二十四年丁亥

二月京師木連理三月甘露降景陽山六月京師疾疫大水

劉秀之再爲建康令有政績

正月大赦天下文武賜位一等蠲秣陵令年田租十一月封子渾爲汝陰王

二十五年戊子
閏二月辛亥雨雹四月丁卯太白經天丁丑青龍見于玄武湖南五月戊戌黑龍見玄武湖八月華林園嘉禾秀

徐湛之為丹陽尹

閏二月大蒐于宣武場夏四月新作閶闔廣莫等門改先廣莫門曰承明開陽曰津陽八月封子彧為淮陽王以何尚之為尚書左僕射領軍將軍車駕幸[illegible][illegible]經劉穆之墓詔使致祭

二十六年己丑
十月癸卯孛見太微

正月祀南郊二月上如丹徒謁京陵

二十七年

太子劭出鎮石頭總統水軍二月魏主自將攻懸瓠不克秋七月遣寧朔將軍王玄謨帥[illegible]

年表

軍濮之守石
頭耆城

慶之中担將水軍入河戍寶五
方回經造許洛武陵王駿南陽
王鑠各勒所部東西齊舉太尉
江夏王義恭出次彭城爲衆軍
節度伐魏玄謨進圍滑臺九月
魏主引兵南救滑臺衆號百萬
玄謨退走薛安都等尅陝城魏
兵六潰上以玄謨敗退召還魏
主至瓜步壞民廬舍伐葦爲筏
聲言欲渡江建康震懼民皆荷
擔而立內外戒嚴命領軍將軍
劉遵考將□□守津要遊邏上
接于湖下 蔡洲東艦列營周
亘江濱自采石至于暨陽六七
百里吏部尚書江湛兼領軍事
處置悉以委焉上登石頭城有
憂色曰檀道濟若在豈使胡馬
至此又登幕府山觀望形勢

二十八年辛卯

三月大旱四月都下疾疫辛卯彗見于卯五月壬午彗見太微中對帝座彗星起畢昴入太微掃帝座端門滅翼軫

二十九年壬辰

二月乙未雷且雪三月壬

…之爲僕射

…軍將軍事

冬…月乙…

…刺史

…紹素

魏主及王公首魏主鑿瓜步

遣使求和請婚

正月魏主自瓜步掠居民焚廬舍而去豫彰城王義康死降太尉義恭爲驃騎將軍開府儀同三司武陵王駿爲北中郎將上如瓜步五月還宮拜初寧陵以尚書左僕射何尚之爲尚書令以吏部尚書江湛爲侍中

二月封子休仁爲建安王三月上聞魏世祖殂遣撫軍將軍蕭思話督張永等向碻磝魯爽等出許洛臧質趣潼關伐魏秋

午大風拔樹都下災熒惑逆行守氐自十一月霖雨連雪陽光罕曜十二月戊申黃霧四塞

三十年癸巳

二月甲子帝爲太子劭所弒

正月乙未朔有青黑氣從東南來西北映宮上大風飛霰且雷秋七

正月戊□□以南譙王義宣爲司徒□州刺史

七月張永等至碻磝攻累旬不拔思話命諸軍皆退屯歷城十二月以江夏王義恭爲大將軍南徐州刺史錄尚書事

太子劭始興王濬與嚴道育等祝咀事發帝欲廢劭賜濬死潘淑妃告濬濬馳告劭劭乃謀爲逆初帝置東宮實甲萬人劭性黠而剛猛將作亂每夜饗將士或親行酒二月甲子宮門未開劭以朱衣加戎服與蕭斌同載衛從如常入朝之儀從萬春門入以僞詔示門衛曰受敕有所討令後隊速來張超之等數十人至雲龍門及齋閣拔刃徑

□朔日

小四月大

南平王鑠□□
石頭

三月壬□太子劭以□□爲丹陽尹壬子六月劭以褚湛之爲丹陽尹□石頭戍事

上合殿帝夜與徐湛之屏人語至旦燭猶未滅直衞兵未起帝見劭之入舉几捍之五指皆落遂弒之并殺徐湛之江湛顧嘏左細仗主卜天與疾呼左右出戰手射劭於東堂幾中不敵而死劭使人殺潘淑妃及太祖親信左右數十人召始興王濬使帥衆屯中堂詐爲太祖詔召大將軍義恭尚書令何尚之併召百官至者纔數十人劭遽即位大赦改元太初密與沈慶之手書令殺武陵王駿慶之以書示王王求入內與訣慶之曰下官受先帝厚恩今日之事惟力是視殿下何見疑之深王起再拜曰國家安危全在將軍慶之即令勒兵旬日之間內外整辦

譙王義宣及臧質皆不受劭命起兵應慰駿劭聞四方兵起憂懼戒嚴悉召下番將吏遷秦淮南岸居民於北岸聚諸王大臣於城內夏四月癸卯柳元景統薛安都等十二軍發湓口元景以舟艦不堅憚於水戰乃倍道兼行至江寧步上使薛安都帥鐵騎曜兵淮上戊午武陵王駿至南洲降者相屬癸亥元景潛至新亭依山爲壘劭使蕭斌統步軍褚湛之統水軍與魯秀等精兵合萬人攻新亭壘劭自登朱雀門督戰數合劭兵少卻元景開壘鼓譟乘之劭衆大潰墜淮死者甚衆劭更率餘衆自來攻壘元景復大破之劭僅以身免己巳武陵王即皇帝位是日劭

五月戊戌以
蕭思話爲中
書令丹陽尹

帝臨新亭太子劭之大赦五月
癸酉臧質兵至新亭隨王誕遣
參軍劉季之將兵與顧彬之俱
向建康劭遣殿中將軍燕欽等
拒之遇於曲阿奔牛塘欽大敗
劭於是緣淮樹栅自守又決破
岡方山埭以絕東軍魯秀募勇
士攻大航克之輔國將軍朱脩
之克東府丙子諸軍克臺城各
由諸門入會于殿庭劭穿西垣
入武庫井中隊副高禽執之送
軍門斬劭幷四子于牙下濬率
左右南走遇江夏王義恭于越
城勸與俱歸於道斬之及其三
子劭濬父子首並梟大航暴尸
於市甲午帝謁初寧長寧陵以
南平王鑠爲司空建平王宏爲
尚書左僕射蕭思話爲中書令

孝武帝諱駿文帝第三子也

孝建元年甲午

二月己巳有流星大如月西行七月辛酉朔日蝕十月熒惑犯進賢星十一月甘露降長寧陵

二年乙未

分會稽東陽新安永嘉臨海五郡爲東揚州

以義宣爲中書監都督揚豫二州丞相錄尚書六條事揚州刺史

以太傅義恭領揚州刺史

丹陽尹

正月祀南郊改元大赦以尚書令何尚之爲左光祿大夫護軍將軍以左衛將軍顏竣爲吏部尚書領驍騎將軍立子子業爲皇太子二月丞相荊襄二州刺史南郡王義宣與臧質魯爽徐遺寶舉兵反自號建平元年內外戒嚴四月丙戌左將軍薛安都等大破魯爽於小峴斬之五月甲辰義宣至蕪湖臧質遏梁山輔國將軍王玄謨帥衆與質大戰質敗走武昌斬首傳京師朱脩之入江陵殺義宣并誅其子十六人及同黨竺超民等罷南蠻校尉遷其營於建康

湘州刺史劉遵考爲尚書右僕射六月大赦以弟休祐爲山陽

[illegible]休茂為海陵王休業為鄱陽
[illegible]詔祀郊廟初設備樂九月
閱武于宣武塲以建平王宏為
尚書令

三年丙申
七月熒惑守南斗四月戊戌太白犯輿鬼八月甲午太白入心

以尚書左僕射劉遵考為丹陽尹七月以子尚為揚州刺史九月遵考為尚書右僕射右將軍顏竣為丹陽尹

正月立皇弟休範為順陽王休若為巴陵王大赦上以熒惑守南斗廢西州舊館使子尚移治東城以厭之太傅義恭進位太宰領司徒二月[illegible]策孝秀于東堂初制朔望臨西堂接群臣受奏事聽訟于華林園

大明元年丁酉
五月壬子紫氣出景陽樓

以竣為東揚州刺史劉秀之為丹陽尹

正月改元大赦三初令大臣加班劍者不得入宮城門四月京師疾疫改景陽樓為慶雲樓

大十八

嘗生狀如短廻薄
又之戊午嘉
禾一株五莖
生清暑殿鴟
吻中

二年戊戌
四月辛丑地
震七月己酉
太白入東井

三年己亥
正月四方生
赤黃氣三月
土守牽牛九
月朔日□□□
蝕

罷揚州以淛
江西立王畿
以淛江東爲
揚州

豫章王子尚
爲揚州刺史
加都督

二月以金紫光祿大夫褚湛之
爲尚書左僕射四月立子子綏
爲安陸王

五月司空竟陵王誕殺兗州刺
史垣閬據廣陵城反內外戒嚴
以車騎大將軍開府儀同
沈慶之爲南兗州刺史帥師北
伐豫州刺史宗慤徐州刺史劉
道隆並引軍來會帝御六師出
宣武堂七月己巳慶之克廣陵
城□誕□求□之上出宣陽

四年庚子
五月月入太微六月太白犯斧
四月癸卯以南琅邪郡隸王畿
五年辛丑
十月熒惑入……
……流九月……
……蝕十一……
省南琅邪郡王僧朗為尹
之陽郡縣併陽尹
入臨沂江乘

藪之右皆呼萬歲命屬廣陵慶之請自五尺以下全之聚其首於石頭南岸為京觀大赦九月築上林苑於玄武湖北初晉人築南郊壇於巳位徐爰以為非禮徙於牛頭山西直宮城之午位帝又命尚書左丞荀萬秋造五路依金根車加羽葆蓋

正月祀南郊耕籍田大赦立子子勛為晉安王子房為尋陽王子頊為歷陽王子鸞為襄陽王復置大司農官

二月閱武于玄武湖西以西陽王子尚為豫章王詔經始明堂直作大殿於丙巳之地制如太廟夏五月王僧朗表獻蔣陵里所生嘉禾立子子仁為永嘉王

[illegible]十[illegible]月[illegible]甘露降新安王第

六年[illegible]二月月犯左角戊午甘露降於京師三月丙午青雀見華林園秋七月[illegible]地震有聲如雷

七年癸卯四月大風折初寧陵華表

以王畿之內部屬南徐州

九月乙未以丹陽尹王僧朗為右僕射

子真為始安王九月幸琅琊郡訊獄仍築馳道南自閶闔抵大航北自承天門抵玄武湖

正月上初祀五帝於明堂大赦策孝秀于中堂揚州秀才顧法秀對制上覽之嫉其諒也投策於地三月立子子元為邵陵王新作朱雀門十月葬殷貴妃於龍山鑿岡通道數十里民不堪役江南葬埋之盛未之有也

正月詔於玄武湖大閱水軍幷巡江右講武校獵二月西巡濟江立行宮於歷陽蠼石消大赦八月詔太官徹膳大赦天下親幸秣陵訊囚立子子孟為淮南王子產為臨賀王以新安王子鸞為司空上校獵始親百姓有

今年甲辰 四月雨雹六月流星大如斛赤色光照人面尾長一丈隨參北出東行直下經東井通南河後十月太白晝見

十二月壬辰復以王畿諸郡爲揚州

加柳元景開府儀同三司領丹揚尹以豫章王子尚爲司徒揚州刺史

寬厄悉帶皆听函陳自江寧縣南登山及陵望臺甲子館行宮于南豫州城十一月登白紵山使使祭桓溫毛璩等墓置守塚三十戶訊溧陽獄因於行所習水軍于梁山十二月如歷陽大赦立雙闕於梁山

正月以徐州刺史新安王子鸞領司徒宗祀于明堂五月太宰義恭領太尉庚申上殂于玉燭殿遺詔太宰義恭驃騎將軍柳元景始興公沈慶之參決政事是日太子即位復以太宰義恭錄尚書事罷南北二馳道及孝建以來所改制度還依元嘉葬孝武帝於景寧陵在今上元縣南四十里巖山之陽 九月以尚書右僕射劉遵考爲特進右

光祿大夫是歲三吳大旱米有價無糴所富人貫珠玉相交抱死以道路建康秣陵兩縣爲薄粥賑之

廢帝

諱子業孝武長子先改元永光尋改景和十一月被弑

二月甲申月入南斗六月庚午熒惑入東井七月丁酉有星入紫微經北極十一月丁未太白犯哭星

秋七月罷東揚州以石頭城爲長樂宮東府城爲未央宮甲戌以北邸爲建章宮南第爲長楊宮

六月壬午加顏師伯爲丹陽尹八月甲戌以揚州刺史豫章王子尚領尚書令

正月改元永光大赦以丹陽尹顏師伯爲尚書左僕射吏部尚書王彧爲右僕射太宰義恭與柳元景顏師伯密謀廢帝立義恭沈慶之發其事帝自帥羽林討義恭殺之并殺元景師伯改元景和文武進位二等八月以始興公沈慶之爲侍中太尉慶之固辭徵王玄謨爲領軍將軍九月帝如姑孰賜新安王子鸞死徐州刺史義陽王昶聞江夏王誅舉兵帝聞喜曰自我即位未嘗戒嚴令人悒悒親聞天師來棄家載愛妾出彭城北門

明帝

諱彧文帝第十一子十一月自湘東王立改元

泰始元年乙巳

十二月癸亥以建安王休仁爲司徒尚書令揚州刺史

奔後魏寧朔將軍何邁謀廢帝立晋安王子勛事泄誅吏部尚書蔡興宗青州刺史沈文秀說沈慶之廢帝慶之不從及帝誅何邁量慶之必諫先閉清溪諸橋以絶之遣慶之從子攸之賜藥慶之不肯飲攸之以被揜殺之時年八十帝畏忌諸父恐其在外爲患皆聚之建康拘於殿内毆捶陵曳無復人理十一月太史奏湘東有天子氣將南巡以厭之戊午夕向華林後堂日射鬼主衣壽寂之姜產懷刀以入帝驚引弓射寂之不中寂之乃刃帝而死時年十七宣令宿衛曰湘東王受太皇太后令除狂主今已平定休仁就秘書省見湘東王彧即稱臣引升西堂

二年丙午

登御座召見諸大臣宣太皇太后令數廢帝罪惡命湘東王纂承皇極賜豫章王子尚及會稽公主死丙寅湘東王即位大赦改元徙臨賀王子産為南平王晉熈王子輿為廬陵王以尚書右僕射王景文為尚書左僕射鑄鵝眼綖環錢

正月晉安王子勛稱帝于尋陽年號義嘉徐州刺史薛安都申令孫司州刺史龐孟虬豫州刺史殷琰青州刺史沈文秀冀州刺史崔道固湘州刺史何慧文廣州刺史表盎益州刺史蕭慧開梁州刺史柳元怙並起兵應子勛四方貢計皆歸尋陽朝廷所保惟丹陽淮南數郡其間諸

縣■■有應子勛者帝親御六軍於■與堂兗州刺史殷孝祖委妻子於■兵帥文武二千人還建康時內外憂危咸欲奔散孝祖忽至人情大安進孝祖號撫軍將軍假節督前鋒諸軍事遣向虎檻以吏部尚書蔡興宗為右僕射吳興太守蕭道成東討平晉陵曲赦江南五郡建武將軍吳喜率諸軍破賊於吳興同從皆伏誅三月殷孝祖敗於赭圻死之以沈攸之代為南討前鋒八月己酉司徒建安王休仁帥衆軍大破子勛兵斬偽尚書僕射袁顗進討江郢荊襄雍五州平之子勛及安陵王子綏臨海王子頊邵陵王子元並賜死解嚴大赦以車騎將軍江州刺

三年癸未

正月庚午都下大雨雪

史王玄謨為左光祿大夫開府儀同三司鎮軍將軍十月立子昱為太子永嘉王子仁興安王子眞淮南王子孟南平王子産廬陵王子與松滋王子房並賜死十二月立子延年為新安王

四月立桂陽王休範子德嗣為廬江王立侍中劉韞子銑為南豊王以奉廬江昭王南豊哀王祀五月以太子詹事袁粲為尚書右僕射以中領軍沈攸之行南兗州刺史帥衆北侵以皇后六宮雜衣千領金釵千枚賜北伐將士改新安王延年為始平王立建安王休仁子伯仁為江夏王蕭道成戍淮陰收養豪傑

四年戊申
五月[illegible]赦
雨雹于宮十
月癸酉朔日
蝕

正月祀南郊從東[illegible]
廬江王山陽王休祐[illegible]
七月庚午上備法駕[illegible]敀
南徐兗豫四州

五年己酉
冬十月乙卯
朔日蝕

十二月戊戌
司徒建安王
休仁解揚州
己未以桂陽
王休範為揚
州刺史袁粲
加中書令丹
揚尹

正月耕籍田大赦賜力田爵一
級立晉平王休祐子宣曜為南
平王長沙王纂子延之為始平
王

六年庚戌

六月癸卯以
江州刺史王
景文為尚書
左僕射揚州
刺史

正月初制間二年一祭南郊間
一年一祭明堂二月大赦立子
燮為晉熙王以王景文為尚書
左僕射袁粲為右僕射立總明
觀祭酒一人儒玄文史學士各

十八立子贊爲武陵王

二月征西將軍荊州刺史巴陵王休若進號征西將軍及征南大將軍江州刺史桂陽王休範並開府儀同三司　晉平剌王休祐貪虐無度不使之鎮從上於岩山射雉遣壽寂之等拉殺之五月鴆司徒建安王休仁以袁粲爲尚書令褚彦回爲右僕射　七月巴陵哀王休若至建康賜死徵蕭道成入朝拜散騎常侍太子左衛率　八月上子準爲安成王　上以故第爲湘宮寺備極壯麗欲造十級浮圖乃分爲二新安太守巢尚之罷郡入見上曰卿至湘宮寺未此是我大功德用錢不少散騎常侍虞愿侍側曰此是百姓賣兒

泰豫元年壬子

正月丁巳巨人蹟見西池氷上

蒼梧王

四月乙巳以安成王準爲揚州刺史

貼婦錢所爲若佛有知當慈悲嗟愍罪高浮圖何功德之有上怒願趣出

正月上以疾久不平改元皇太子會四方朝賀者於東宮并受貢計　遣使齎藥賜王景文死景文名或避帝諱以字行　四月己亥上大漸以江州刺史桂陽王休範爲司空尚書右僕射詔淵勔與尚書令袁粲荆州刺史蔡興宗郢州刺史沈攸之並受顧命又以蕭道成爲右衛將軍領衛尉與袁粲共掌機事是夕上殂太子即位　樂安宣穆公蔡興宗卒　以郢州刺史劉秉爲尚書右僕射

正月改元大赦　顧憲之爲建康令號曰神明權要請託長吏

賁殘穢法直繩無所阿撓

諱昱明帝長子

元徽元年癸丑

八月都下旱

十二月癸卯朔日蝕

二年甲寅

九月丁酉以劉秉爲丹陽尹

夏五月壬午江州刺史桂陽王休範舉兵反以書與諸執政稱楊運長王道隆蠱惑先帝使建安巴陵二王無罪被戮望執錄二豎以謝冤魂朝廷震駭蕭道成曰今應變之術不宜遠出宜頓新亭白下堅守宮城東府石頭以待賊至千里孤軍糧不得自然瓦解我頓新亭以當其鋒征北守白下領軍屯宣陽門

爲諸軍節度諸貴要坐殿中不須臾出我自破賊必矣即日內外戒嚴道成將前鋒兵出屯新亭張永屯白下前兗州刺史沈懷明戍石頭袁粲褚淵入衛殿省蕭道成至新亭治城壘未畢休範前軍已至新林道成率衆拒擊休範白服乘肩輿登城南臨滄觀以數千人自衛屯騎校尉黃回越騎校尉張敬兒出城放仗大呼稱降休範喜置於左右敬兒奪休範防身刀斬首遣陳靈寶送臺休範將士不之知其將杜黑騾攻新亭甚急蕭惠朗率敢死士數十人突入東門至射堂下道成上馬帥麾下搏戰惠朗乃退丁文豪破臺軍於皂莢橋直至朱雀桁南杜黑騾

撿新亭北趣朱雀桁石將軍王道隆將羽林精兵在朱雀門內急召劉勔於石頭勔度桁南戰而死黑騾等乘勝度淮道隆棄眾走還臺黑騾兵追殺之中外大震白下石頭之眾皆潰張永沉懷明逃還宮中宮中傳新亭亦陷黑騾經進至杜姥宅中書舍人孫千齡開承明門出降宮省恇擾蕭道成遣陳顯達張敬兒等將兵自石頭濟淮從承明門入衛大破黑騾於杜姥宅丙申又破黑騾等於宣陽門斬黑騾及文豪進克東府餘黨悉平以道成為中領軍兗州刺史留衛建業七月立弟友為邵陵王以尚書令袁粲為中書監領司徒加褚淵尚書令十一月帝

三年乙卯

[illegible]

四年丙辰

九月車騎將軍揚州刺史安成王準進號驃騎大將軍開府儀同三司

加元服大赦立弟翽爲江夏王贊爲武陵王

正月祀南郊明堂　袁粲褚淵皆固讓新官復以粲爲尚書令加護軍將軍褚淵中書監

正月耕藉田大赦　加道成尚書左僕射劉秉中書令　楊運長阮佃夫等忌建平王景素景素謀自全之計遣人往來建業要結將軍黃回曹欣之等七月垣祗祖帥數百人自建康奔京口勸景素速入戊子景素據京口起兵遣將軍黃回等將水軍討之又命南豫州刺史段佛榮爲都統道成知回有異志故使佛榮等與之偕行道成屯玄武湖蕭賾鎮東府諸軍發京口擒景素斬之并其三子垣祗祖等

皆伏誅　立弟翽爲南陽王嵩
爲新興王禧爲建始王以給事
黃門侍郎阮佃夫爲南豫州刺
史留鎮京師　十月以吏部尚
書王僧虔爲尚書右僕射

廢帝
蒼梧王明帝第長子
昇明元年丁巳

七月丙申以晉安王燮爲揚州刺史
十二月乙亥以吏部尚書王奐爲丹陽尹以中書監袁粲鎮石頭

夏四月甲戌豫州刺史阮佃夫
步兵校尉申伯宗等謀廢立事
泄伏誅　帝忌蕭道成威名嘗
自磨鋋曰明日殺蕭道成陳太
妃罵之乃止道成憂懼與王敬
則陰結帝左右楊玉夫楊萬年
陳奉伯等謀伺間　七月戊子
帝乘露車與左右於臺岡賭跳
仍從青園尼寺晚至新安寺偷
狗就曇度道人煮之飲酒醉還
仁壽殿令楊玉夫伺織女度河
曰見當報我不見將殺汝玉夫
伺帝熟寢與楊萬年取帝防身

刃劍之陳奉伯袖其首稱教中門詣王敬則敬則馳詣領軍府叩門大呼道成入殿以太后令數蒼梧王罪惡安成王準即帝位以道成為司空錄尚書事驃騎將軍袁粲遷中書監褚淵加開府儀同三司劉秉遷尚書令加中領軍以尚書右僕射王僧虔為僕射詔袁粲鎮石頭蕭道成固讓司徒以為驃騎大將軍開府儀同三司荊州刺史沈攸之舉兵貽道成書曰少帝昏狂宜共諸公密議共白太后下令廢之柰何交結左右親行弒逆子孟孔明遺訓果如此乎足下既有賊宋之心吾寧敢捐包胥之節朝廷恟懼道成入守朝堂內外纂嚴以黃回為郢州刺史

督諸軍討收之王蘊袁粲劉秉密謀誅道成粲以其謀告褚淵淵即以告道成遣蘇烈薛淵將兵助粲守石頭又以驍騎將軍王敬則爲直閤與卜伯興共典禁兵粲等本期壬申夜發其晚劉秉載婦人盡室先奔石頭由是事泄王敬則至中書收蘊殺之又殺伯興蘇烈等并力攻粲自亥至丑粲父子俱死百姓哀之爲謡曰可憐石頭城寧爲袁粲死不作褚淵生劉秉父子走至額檐湖斬之以王僧虔爲左僕射王延之爲右僕射尚書左丞江謐建議假蕭道成黄鉞[illegible]之道成出頓新亭

二年戊午

三月乙未日蝕

九月乙酉朔日蝕

以揚州刺史□□□王□為□徒還道成鎮揚州牧

二月己酉朔百官戎□□□□攸之盡銳攻郢城柳世隆乘□屢破之張敬兒襲江陵攸之敗走□其子文和走至華容界皆□斬首送建康丙子解嚴□□□□為尚書右僕射蕭□為中領軍王僧虔為尚書令右僕射王延之為左僕射加道成都督南徐等十六州諸軍事兼領□褚淵為中書監司空道成以黃回終為亂召入東府殺之以蕭嶷為領軍將軍　九月詔進道成假黃鉞大都督中外諸軍事太傅領揚州牧劍履上殿入朝不趨贊拜不名辭□□太尉驃騎大將軍錄尚書事徐州刺史如故

三年己未

三月癸酉朔日蝕

四月禪位于齊

改新安曰欽
領丹陽會稽
吳郡吳興淮
南宣城東陽
臨海永嘉新
安十郡

三月道成加相國總百揆封十
郡爲齊公加九錫其境內以
石頭爲世子宮以王儉爲尚書
右僕射領吏部夏四月進爵爲
王增封十郡并加殊禮辛卯下
詔禪位于齊帝當臨軒不肯出
藏于佛蓋之下王敬則勒兵曰
官先取司馬家亦如此是日百
僚陪位侍中謝朏當辭璽綬陽
爲不知曰有何公事遂朝服步
出東掖門登車還宅乃以王儉
爲侍中解璽綬禮畢帝出乾象
邸褚淵等奉璽綬詣齊宮勸進

齊

太祖姓蕭諱道成字紹伯漢相國何二十四代孫宋元嘉四年丁卯歲生姿表英異龍顙鍾聲鱗文遍體年十二入都從雷次宗學於雞籠山仕宋有功累遷自建康令至南兖刺史冠軍將軍明帝常嫌太祖非人臣相且民間流言蕭姓當為天子愈以為疑蒼梧王兇暴猜忌欲加大禍陳太妃罵之曰蕭道成有功於國今若害之後誰為汝著力耶乃止未幾太祖殺蒼梧王立順帝進太尉都督十六州諸軍事揚州牧位相國總百揆封十郡為齊公加九錫未幾進爵為王宋帝禪位依魏晉故事即位改元七主二十年而禪位于梁

六

祖高帝

建元元年己未

二月地震建陽門二月癸

朔日蝕

十月

臨川王暎為揚州刺史

夏四月甲午王即皇帝位于南郊遂宮大赦改元奉宋順帝為汝陰王築宮丹陽置兵衛之以

二年庚申　九月甲午日蝕

十二月豫章王嶷爲揚州刺史　南郡王長懋鎭石頭

褚淵爲中書令陳顯達爲中護
軍李安民爲中領軍衛士救沙
陵王而以疾聞不罪不賞宋宗
室無少長皆死封子鈞爲衡陽
王立子賾爲皇太子帝以建康
居民舛雜多姦盜欲立符伍以
相檢括右僕射王儉諫曰京師
之地四方輻湊必也持符於事
既煩理或不曠謝安所謂不爾
何以爲京師乃止

正月大赦以司空褚淵爲司徒
尚書右僕射王儉爲左僕射淵
辭不拜　祀南郊　魏隴西公
琛等攻硤馬頭詔内外纂嚴發
兵拒魏　改籬門爲都牆　十
二月以褚淵爲司徒
詔公卿上封進讜言　封子鏘
爲江夏王　六月大赦

壬戌

正月詔置學生二百人　中書令張緒爲國子祭酒　三月庚申以司空褚淵尚書左僕射王儉受遺詔輔太子　壬戌　上殂于臨光殿　太子即位　大赦　以褚淵録尚書事　王儉爲侍中尚書令　車騎將軍張敬兒開府儀同三司　王奐爲尚書左僕射　豫章王嶷爲太尉　葬太祖于泰安陵　立南郡王長懋爲皇太子　褚淵卒　以國哀罷國子學　王僧虔爲左光禄大夫開府儀同三司

武帝

咸康六年　長

李安仁爲司隸　尹惡尚書左僕射

正月祀南郊　大赦改元　以太尉豫章王嶷爲太子太傅　殺車騎將軍張敬兒并其四子　王儉[illegible]驃騎將軍參掌選事

永明元年癸亥　二月熒惑入太微十二月[illegible]寅日蝕

二年甲子

王儉領丹陽尹

正月以竟陵王子良爲護軍將軍兼司徒柳世隆爲尚書左僕射　冬十月以南徐州刺史長沙王晃爲中書監車駕幸清溪舊宮設金石樂在位者賦詩習玄武湖

三年乙丑

詔以新吳侯景先爲丹陽尹

正月祀南郊大赦　詔復立國學釋奠先師用上公禮二月祭北郊　先是置總明觀以集學士亦謂之東觀上以國學既立省總明觀夏十月乙亥省總明觀詔王儉[illegible]宅開學士

			館以捴明四部書充之詔儉以家爲府八月幸中堂聽訟
四年丙寅			正月耕籍田禮畢幸閱武堂
五年丁卯		嶷進大司馬儉加開府儀同三司	以豫章王嶷爲大司馬竟陵王子良爲司徒臨川王暎衞將軍王儉中軍將軍王敬則並加開府儀同三司　三月幸芳林園禊飲九月九日登商飈館
六年戊辰		王晏爲丹陽尹	正月聽覽京師二百里内獄囚　立冬初臨太極殿讀時令以尚書僕射王奐爲領軍將軍
七年己巳			正月祀南郊大赦王儉卒以尚書左僕射柳世隆爲尚書令王奐爲左僕射六月上如琅琊城
八年庚午　六月大雷而		鄱陽王鏘爲丹陽尹	晏爲丹陽尹召王僧孺補功曹使撰東宮新記　秋七月大赦　荊州刺史巴東王子響赴建康

有黃光鏡天照地狀如金色十月桃李再花				縊殺之
九年辛未				正月祀南郊上夢太祖謂宋氏諸帝常在太廟從我求食可別爲吾致祠乃命豫章王妃庾氏四時祠二帝二后於清溪故宅牲牢服章皆用家人禮
十年壬申 都下大水			五月以竟陵王子良爲揚州刺史徐孝嗣爲丹陽尹	都下大水竟陵王子良開倉賑救貧病不能立者於第北立廨收養給衣及藥正月以子良爲尚書令子良開西邸招文學十月上殷祭太廟
十一年癸酉 七月月入太微				正月以驃騎將軍王敬則爲司空　初上於石頭造露車三千乘欲步道取彭城魏諜知之會公卿議南伐上以右衞將軍崔

鬱林王
諱昭業武帝
太孫改元隆

閏四月戊辰
西昌侯鸞為
揚州刺史

正月改元隆昌大赦　西昌侯
鸞將謀廢立引前鎮西諮議參
軍蕭衍與同謀徵垣歷生為太
子左衛率卞白龍為游擊將軍

書景爲豫州刺史備之文惠
太子長懋薨夏四月甲午立南
郡王昭業爲皇太孫七月上
不豫徙御延昌殿乘輿始登階
而殿屋鳴咤上惡之竟陵王
子良日侍醫藥王融謀立子良
下獄伏誅俄而上殂西昌侯鸞
奉太孫登殿遺詔子良善相毗
輔政事無大小悉與鸞參決
九月世祖梓宮下渚帝於端門
內奉辭轀輬車未出端門亟稱
疾還內奏胡伎鞞鐸之聲響震
內外葬武皇帝於景安陵廟號
世祖

昌四月故弑

把南郡廢帝自山陵之後即與
左右微服遊走市里世祖聚錢
上庫至億萬齋庫亦出三億金
銀帛不可勝計即位未朞歲
所用垂盡黨數諫爭不從四月
竟陵文宣王子良以憂卒鸞以
弑之告王晏及徐孝嗣從之壬
辰鸞引兵入雲龍門晏孝嗣及
蕭坦之陳顯達王廣之沈文季
皆隨其後帝在壽昌殿聞外有
變猶密爲手敕呼蕭諶而諶
引兵入壽昌閣帝出延德殿行
至西弄諶弑之輿尸出殯徐龍
駒宅葬以王禮癸巳以太后令
追廢帝爲鬱林王迎立新安王
昭文以鸞爲驃騎大將軍錄尚
書事揚州刺史宣城郡公大赦
改元延興　八月以司空王敬

海陵王
諱昭文鬱林
王弟自新安
王迎立改元
延興十月廢

明帝
諱鸞始安貞
王之子弒鬱
林王廢海陵
王而即位號
高宗十月改
[illegible]

十月丁酉鸞
以陽州牧都
督中外諸軍
事進爵爲王

十月癸酉
以始安王遙
光爲揚州刺
史

則爲太尉

鄱陽王鏘爲司徒車騎大將軍陳顯達爲司空尚書左僕射王晏爲尚書令九月鸞遣兵誅司徒鄱陽王鏘及隨王子隆謝粲等江州刺史晉安王子懋起兵鸞遣中護軍王玄邈討殺之冬十月鸞爲太傅領大將軍揚州牧都督中外諸軍事加殊禮進爵爲王殺桂陽王鑠衡陽王鈞江夏王鋒建安王子真巴陵王子倫　太皇太后令曰嗣主沖幼庶政多昧早嬰疾弗克負荷太傅宣城王胤體宣皇鍾慈太祖宜入承寶命帝可降封海陵王癸亥高宗即皇帝位改元以王敬則爲大司馬陳顯達爲太尉王晏加驃騎大將軍

元

建武元年甲戌

五月甲戌朔日蝕

二年乙亥

三年丙子

四年[illegible]

孝嗣加中軍大將軍蕭諶為領軍將軍立子寶義為晉安王寶玄為江夏王寶源為廬陵王寶寅為建安王寶融為南郡王寶攸為南平王立子寶卷為太子詐稱海陵恭王有疾遣御師瞻視因而殞之

上遊華林園與蕭諶及尚書令王晏宴壽歡坐罷留諶遣左右數諶罪殺之殺西陽王子明南海王子罕邵陵王子貞以右衛將軍蕭坦之為領軍將軍詔晉諸陵增置守衛

正月大赦召王晏于華林園誅之以左僕射徐孝嗣為尚書令

五年 永泰元 戊寅

東昏侯 諱寶卷字智藏高宗第二子

永元元

巴陵王寶義爲都督揚州刺史

秋八月以左將軍蕭坦之爲尚書右僕射丹陽尹

正月大赦加徐孝嗣開府儀同三司殺河東王鉉等十王[illegible]太祖世祖及世宗諸子[illegible]夏四月改元大司馬會稽太守王敬則舉兵反又帥實甲萬人過浙江張瓌遣兵拒敬則於松江聞鼓聲一時散走敬則次左興盛劉山陽二壘胡松引騎兵突其後敬則軍大敗斬之傳首建康秋七月己酉上殂于正福殿太子即位葬明帝于興安陵

正月大赦改元祀南郊三月加始安王遙光開府儀同三司帝自即位寄腹心於江祏兄弟祏欲廢帝立遙光劉暄發祏謀帝命袁之曠收祏并弟祀皆死憲遙光不自安欲遷爲司徒

使還第召入諭旨遙光悉收集
二州部曲以討劉暄爲名夜遣
數百人破東冶出囚於尚方取
仗又召驍騎將軍垣歷生丙
辰詔曲赦建康中外戒嚴徐孝
嗣以下屯衛宮城蕭坦之帥臺
軍討遙光屯湘宮寺左興盛屯
東籬門鎮軍司馬曹虎屯青溪
大橋衆軍圍東城三面燒司徒
府　垣歷生出戰因棄稍降曹
虎斬之其晚臺軍以火箭燒東
北角樓城潰遙光反拒齋閤扶
匐牀下軍人於暗中牽出斬之
以徐孝嗣爲司空加沈文季鎮
軍將軍侍中僕射劉暄爲領軍
將軍曹虎爲散騎常侍右衛
將軍蕭坦之剛狠而專茹法珍
等譖劉暄有異志帝疑曹虎

王寶義
以司徒爲揚
州刺史

將且利其財皆殺之　以頻誅
大臣大赦　徐孝嗣沈文季沈
昭畧謀因帝出遊廢立事泄帝
召入華林省賜以藥酒皆死
十一月丙辰陳顯達舉兵尋陽
與朝貴書數帝罪惡　以崔慧
景爲平南將軍督衆軍擊顯達
後軍將軍胡松帥水軍據梁山
左衛將軍左興盛督前鋒軍屯
杜姥宅顯達敗胡松於采石
甲申軍於新林左興盛帥諸軍
拒之顯達潛軍夜渡以數千人
登落星岡新亭諸軍聞之犇還
宮城大駭閉門設守顯達與臺
軍戰再合顯達大勝手殺數人
馬矟折退走騎官趙譚刺顯達
墜馬斬之

二年庚辰

十二月甲寅

太白及辰星俱見西方

十二月蕭衍豫州刺史裴叔業降魏魏以彭為中書監大城王勰為司徒鎮壽陽二月帝司馬錄尚書遣崔慧景將水軍討壽陽慧景事驃騎大將軍廣陵會諸軍主曰幼主昏狂軍揚州刺史朝廷壞亂危而不扶責在今日建安郡公欲與諸君共建大功可乎衆皆響應廣陵司馬崔恭祖開門納之慧景停廣陵二日收衆渡江向建康臺遣驍騎將軍張佛護等六將據竹里為數城與慧景合戰臺軍飢困斬佛護徐元稱降　乙卯遣中領軍王瑩督衆軍據湖頭築壘上帶蔣山西巖實甲數萬慧景至查硎竹塘人萬副兒說曰今平路皆為臺軍所斷不可議進唯宜從蔣山龍尾上出其不意耳慧景從之分遣千餘人魚貫緣山自西巖夜

下戲中臨城中臺軍驚恐即時奔散帝遣左興盛帥臺內王萬人拒慧景於北籬門望風退走慧景入樂遊苑崔恭祖帥輕騎千餘突入北掖門宮門皆閉慧景帥衆圍之於是東府石頭白下新亭皆潰左興盛逃淮渚荻舫中慧景擒殺之號蘭臺府署爲戰場稱宣德太后令廢帝爲吳王欲立巴陵王昭冑猶豫不決時蕭懿將兵在小峴帝遣使密告之懿即帥胡松李居士數千人自采石濟江頓越城臺中稱慶慧景遣崔覺將精兵數千人渡南岸與懿軍戰數合覺大敗赴淮死者二千餘人是四月癸酉慧景將腹心數人潛去至蠏浦爲漁人所斬以頭納鰌

中興元年 辛巳

張稷鎮石頭

誅建康江夏王寶玄伏誅主子六歲八月甲辰夜後宮火時帝尚未還宮內人不得出延者相枕死二千餘間帝乃大起芳樂玉壽等諸殿窮極綺麗役者自夜達曉猶不副速冬十月帝賜蕭懿藥於省中懿死雍州刺史蕭衍起兵襄陽以南康王寶融教纂嚴赦囚徒施惠澤頒賞格　夏侯亶自建康亡歸江陵稱奉宣德太后令南康王宜纂承皇祚方俟清宮未即大號可封十郡爲宣城王相國荊州牧加黃鉞選百官西中郎府南康國如故

正月東昏疾以晉安王寶義爲司徒建安王寶寅爲車騎將軍開府儀同三司二月乙巳南康

三月廢帝爲涪陵王立南康王寶融是爲和帝十二月蕭衍弑涪陵王以太后令追廢爲東昏侯明年夏四月和帝禪位于梁齊亡

王即帝位于江陵以蕭穎冑爲尚書令蕭衍爲左僕射加征東大將軍都督征討諸軍事假黃鉞衍命諸軍自郢州即日上道東昏侯以光祿大夫張瓌鎮石頭太子左率李居士總督西討諸軍事屯新亭　九月蕭衍前軍至蕪湖遣曹景宗進軍江寧丙辰李居士自新亭選精騎一千至江寧景宗奮擊破之乘勝至皂莢橋於是王茂鄧元起呂僧珍進據赤鼻邏新亭城主江道林引兵出戰被擒衍至新林命王茂據越城鄧元起據道士墩陳伯之據籬門呂僧珍據白板橋李居士請於東昏侯燒南岸邑屋以開戰場十月甲戌東昏侯遣征虜將軍王珍國軍主

[illegible]荒[illegible]精兵十萬餘人陳於
[illegible]蓉初[illegible]宮王寶孫持戶扉
嗇督戰切罵諸將將軍席豪發
憤突陣死曹景宗等將士皆殊
死戰東昏侯軍大潰衍長驅至
宣陽門陳伯之屯西明門寧
朔將軍徐元瑜以東府城降張
稷棄石頭衍命諸軍攻六門東
昏燒門內營署宮府驅逼士民
悉入宮城閉門自守軍事悉委
一[illegible]四張稷[illegible]下一[illegible]
國稷引兵入殿御刀豐勇之爲
內應東昏在含德殿聞兵入趨
出北戶欲還後宮門已閉宦者
黃泰平刀傷其膝仆地張齊斬
之以黃油裹首使范雲送諸石
頭衍使張弘策先入清宮封府
庫圖籍以宣德太后令追廢涪

陵王爲東昏侯以衍爲中書監大司馬録尚書事驃騎大將軍揚州刺史建安郡公依晉武陵王遵於制故事衍入閣武堂以護國將軍蕭宏爲中護軍

梁

高祖武皇帝姓蕭名衍字叔達與齊同相國何之後考順之字之繡預佐命封臨湘侯累至領軍將軍丹陽內史高祖以宋大明元年丁酉歲生於秣陵縣同夏里三橋宅妣張氏常夢抱日已而有孕生帝帝生有異光兩體駢骨頂上隆起日角龍顔重嶽虎頭舌文爲八字項有浮光身映日縱影爲兒童能蹈空而行有文在左手曰武及長博學多通有文武才幹起家巴陵參軍遷王儉府東閤祭酒一見異之竟陵王子良開西邸招文學之士高祖與焉累拜黄門侍郎與蕭諶等定策封建陽侯敗魏軍於雍州進使持節雍梁南北秦四州軍事雍州刺史東昏侯立入要擅權長兄懿自益州刺史還朝被害是日建牙引軍下沔南康王寶融即帝位于江陵改中興元年以高祖爲左僕射假黄鉞八月命衆軍圍臺城張稷王亦國斬東昏侯送首收嬖黨王咺之已下四

目子臨刑

十八人誅之入屯閲武堂下詔一切滛刑濫罰賦役並原放明年齊和帝自江陵還建康下詔遜加封爵三月丙辰禪位于梁百官上表勸進太史令蔣道秀陳天文符讖六十四條乃即位改元自天監壬午至太平丙子四主五十五年而禪于陳

武帝天監元年壬午正月乙酉月甘露降於茅山隱居陶弘景呈讖

臨川王宏爲揚州刺史加都督

正月齊和帝遣兼侍中席闡文等慰勞建康進大司馬衍都督中外諸軍事劍履上殿贊拜不名初衍與范雲沈約任昉同在竟陵王西邸意好款密至是引雲爲大司馬諮議參軍領録事約爲驃騎司馬昉爲記室參軍與參謀議甲寅詔進大司馬位相國總百揆揚州牧封十郡爲梁公備九錫置梁百司去録尚書之號驃騎大將軍如故南兗隊主陳文興於城內鑿井得鎮

麒麟玉璧水精環各二枚又鳳
凰見建康將祠下里宣德皇后
稱災符瑞歸于相府詔增封
十郡進爵爲王赦國內及府州
所統殊死以下三月和帝至姑
孰下詔禪位兼太保尚書令王
亮等奉璽綬詣梁宮丙寅梁王
即帝位于南郊大赦改元奉和
帝爲巴陵王宮于姑孰以中書
監王亮爲尚書令相國左長史
王瑩爲中書監吏部尚書沈約
爲尚書僕射兼侍中范雲爲散
騎常侍吏部尚書詔凡後宮樂
府諸婦女一皆放遣戊辰巴陵
王殂一詔有司依周漢故事議
贖刑以謝沐縣公寶義爲巴陵
王奉齊祀齊南康侯子恪及弟
子範嘗因事入見上從容語曰

我初平建康人皆勸我除去鄮輩以一物心熱於時依而行之誰謂不可正以江左以來代謝之際必相屠滅感傷和氣所以國祚不長又齊梁雖云革命事異前世我與卿兄弟耳詔公車府謗木肺石傍各置一函若肉食莫言欲有横議投謗木函若有功勞才器寃沈莫達者投肺石函上身服浣濯之衣常膳惟以菜蔬簡吏務選廉平河南褚渭居建康素薄行仕宦不得志知陳伯之擁强兵在江州遂投伯之伯之舉兵反使王茂為征南將軍江州刺史討平之伯之與渭俱奔魏秋八月命尚書刪定郎蔡法度損益王植之集注舊律為梁律仍令上亮王

二年癸未

特進光祿大夫王份監丹陽尹

瑩沈約范雲等九人同議立
子統爲太子　是歲江東大旱
米斗五千民多餓死　初立長
干寺　益州刺史劉季連不受
命遣鄧元起攻之進圍成都

成都城中升米三千人相食劉
季連肉袒請罪鄧元起送季連
詣建康入東掖門數步一稽顙
上笑曰卿欲慕劉備而曾不及
公孫述豈無臥龍之臣耶赦爲
庶人　蔡法度上梁律二十卷
令三十卷科四十卷詔班行之
五月范雲卒衆謂沈約宜當樞
管上以約輕易不如徐勉乃以
勉及右衛將軍周捨同參國政
扶南龜茲中天竺國各遣使貢
方物　交州進鸚鵡能歌不納

三年甲申 疾疫			大舉兵伐魏魏營國學時舉業大盛州舉茂異郡貢孝廉
四年乙酉 五月建康縣定陰里生嘉禾莖十二穗 十二月天清朗西南有電光聞雷聲著三		詔宏都督諸軍鎮東將軍沈約爲丹陽尹	正月詔置五經博士各一人廣開學宇招納後進於是以賀瑒暢及明山賓沈峻嚴植之補博士各主一館館有數百生徒給其餼廩其射策通明者除爲吏分遣博士祭酒到州郡立學祀南郊大赦 初立孔子廟十月大舉兵伐魏以揚州刺史臨川王宏都督北討諸軍事王公以下各上國租田穀助軍是歲人穰米斛三十錢 初置慈業寺
五年丙戌 三月丙寅朔日蝕			正月封子綱爲晉安王 始豐獲八日龜一 置淨居寺 大赦

六年丁亥 七月甲子太白晝見八月戊戌大風折木京師大水濤入御道七尺	七年戊子	八年己丑
建安王偉為揚州刺史		
月有象入京師置左右驍衛左右遊擊將軍建安王偉為揚州刺史沈約為尚書左僕射八月大赦改閱武堂為德陽堂聽訟堂為議賢堂初為光宅寺帝捨宅造寺於小莊嚴寺造無量壽佛像長一丈八尺鑄銅不足給功德銅三千斤　曹景宗韋叡大敗魏師於鍾離	詔吏部尚書徐勉定百官凡一百九號　四月皇太子納妃大赦　六月復建修二陵周迴五里改陵監為陵令　初置涅槃寺	正月祀南郊大赦　魏專尚釋氏遠近承風共有一萬三千餘寺

国子監刊

九年庚寅

新作緣淮塘
北岸起石頭
迄東治南岸
起後湖灘門
迄三橋

三月己丑车國學親臨講席賜
祭酒以下帛有差詔皇太子以
及王侯之子年可從師者皆入
學初置本業寺在蔣山里

十年辛卯

六月嘉蓮生
一莖二花於
樂遊苑九月
丙申天西北
隆隆有聲赤
氣下至地十
二月山車見
於臨城

約如特進遷
小軍將軍滄
陽尹

正月祀南郊大赦　尚書左僕
射張稷出為青冀二州刺史
祀明堂　上親臨九族預士有
祀非孤法申之百姓有罪則按
之如法嘗因郊祀有秣陵老人
遮車駕言曰陛下為法急於庶
民緩於權貴非長久之道誠能
反是天下幸甚上於是寬之初
作宮城門三重及開二道初
置解脫寺帝為宣德皇后造在
坡清里內

十一年 壬辰
二月蜀秀成

十二年 癸巳

約卒
武陵王紀爲揚州刺史

十三年 甲午
天星見

正月祀南郊大赦　詔掩骼埋胔　新作六極殿改爲十三間
六月新作太廟增基九尺　紀爲刺史詔曰貞白儉素是其清也臨時能讓是其廉也知法不犯是其慎也庶事無留是其勤也紀特爲帝愛故先作揚州牧
二月耕籍田孝悌力田賜爵一級大赦宋齊籍田皆用三月至是始用二月及致齋先農五年
綸爲邵陵王繹爲湘東王紀爲武陵王　堰淮水以灌壽陽
爲寶誌造勸善寺

十四年 乙未
魏宣武帝恪殂太子詡立

十五年 丙申
六月朔日蝕

十六年 丁酉

開府儀同三司王茂爲丹陽尹

安成王秀免吳平侯景加侍中領太尉揚州刺史

詔景以安東將軍臨揚州置佐史即宅爲府

正月皇太子於太極殿冠赦天下賜爲父後者爵一級 祀南郊是冬寒甚浮山堰上卒死者什七八 魏胡太后作永寧寺飾以珠玉錦繡

冬十一月交州刺史李畟斬反者李宗孝傳首建康 景在州尤稱明斷符教嚴整有田舍老媪訴得符還至縣縣吏未即發媪語曰蕭監州符如火汝手何敢留之其爲人所畏敬如此

正月祀南郊詔尤貧家勿收今年三調恤理寃獄并賑孤老鰥寡不能自存者 二月耕籍田赦罪人勑太醫不得以生類爲藥郊廟牲牷皆代以麵其山川諸祀則否時朝野諠譁以爲宗廟去牲乃是不復血食帝不從

十七年 戊戌

十八年 己亥 七月□□光 大星見

普通元

臨川王宏遷太尉候爲揚

冬詔以宗廟猶用脯脩更議以餅代脯其餘盡用蔬果起至敬殿景陽臺置七廟座每月中一薦設淨饌

二月大赦臨川王宏妾弟法壽殺人匿府中上勅宏出之即日伏罪上幸光宅寺有盜伏於驃騎航上將行心動乃於朱雀航過事發稱爲宏所使上泣謂曰曰汝何爲者我非不能爲漢文帝念汝愚耳

正月祀南郊 大赦天下初置惠日寺

正月改元大赦扶南高麗及□南國各遣使貢獻

[illegible]
正月[illegible]日蝕七月淮江漫三瀆溢漲九月[illegible]夜有日見於東方光爛如火
二年[illegible]
三年[illegible]
五月[illegible]朔日蝕

[illegible]交侍中如故

正月祀南郊 詔置孤獨國建康收養窮民 大赦二月祀明堂改作南北郊 徙籍田於東郊外十五里 琬琰殿火延後宮二千餘間
五月大赦 詔公卿百寮各封事連帥郡國舉賢良方正[illegible]言之士 婆利白提國遣使獻[illegible]信[illegible]

年癸卯 十一月癸未朔日蝕

五年甲辰 六月乙酉龍鬬于南阿陂西行至建陵所過樹木皆折地開數十丈

六年乙巳

七年丙午

[illegible]淵藻爲宣毅將軍監揚

正月祀南郊大赦祀明堂二月耕籍田議罷銅錢始鑄鐵錢狼牙脩國遣使貢獻

征北將軍元樹率衆侵魏置衆造寺散騎常侍朱异始掌機密軍旅謀議方鎮改易朝儀詔敕皆典之

正月祀南郊大赦上幸白下城履行六軍頓所召元法僧及元略還建康法僧驅彭城吏民萬餘人南渡

正月大赦詔在外郡縣各舉所知凡是清廉咸須聞薦十一月大赦河南高麗林邑滑國並遣

大通元年丁未

州事

使貢獻　玄宰帝曰孔休源才識通敏實應此選乃授宣惠將軍監揚州事神州都會簿領殷繁休源剖斷如流勞無私謁晝決辭訟夜覽墳籍每車駕巡幸常以軍國事委之時人名爲兼天子　魏葛榮作亂稱帝國號齊

正月祀南郊詔流亡者復其宅業蠲役五年尤貧者勿令出今年三調孝悌力田賜爵一級初同泰寺寺在宮後別開一門名大通門對寺之南門晨夕幸寺講議辛未上幸寺捨身甲戌還宮大赦改元林邑師子國高麗等國各遣使貢獻置國[illegible][illegible][illegible]

[illegible]

魏主子攸立

中大通元年己酉

震擊大航華表焚尽六月都下疫甚

休源加金紫光祿大夫

二月築寒山堰四月魏尒朱榮發其君殺胡太后國大亂北海臨淮汝南諸王並割地來奔徐州郢州北青州南荊州皆以地來降

正月祀南郊大赦祀明堂六月都下疫甚帝於重雲殿為萬姓設救苦齋以身為禱九月上幸同泰寺設四部無遮大會釋御服持法衣行清淨大捨以便省為房素牀瓦器乘小車私人執役升講堂法座為四部大衆開涅槃經題群臣以錢一億奉贖皇帝三請乃許又設四部無遮大會道俗五萬餘人會畢御金輅還宮御太極殿大赦改元盤盤蠕蠕國並遣使朝貢初置禪巖寺追將軍陳慶之送元顥

二年庚戌
魏主恭立尋
爲高歡所廢

三年辛亥
魏高歡復立
安定王朗尋
廢恭弑之立
孝文帝之孫
脩魏自太祖
丙戌立國凡
十二主一百
四十九年而
分東西

入洛陽尋爲尒朱榮所弑

幸同泰寺　林邑扶南遣使貢
獻　魏尒朱兆弑其君子攸高
歡起兵討之

正月祀南郊大赦二月祀明堂
四月太子統薨太子自加元服
上即使省録朝政百司奏事填
委太子辯析詐謬秋毫必睹但
令改正不加按劾平恕仁孝許
見後傳中太子葬其母丁貴嬪
遣人求墓地之吉者或賂宦者
俞三副求賣地上命市之葬畢
有道士云此地不利長子乃爲
蠟鵝及諸物埋於墓側宮監鮑
邈之魏雅初有寵於太子邈之
晚見踈密啓上云雅爲太子厭
禱上遣人檢掘果得鵝物大驚

四年壬辰

七月甲辰

通 ……

……州刺史 綸爲 ……

綸 二月封諸王嫡子爲王邵陵王

綸有罪免爲庶人立太子綱之

長子大器爲宣城王 十月詔制

將窮其事徐……而止

道士太子終身慚憤不能自

及卒朝野惋愕建康男女奔

宮門號泣道路上徹其長子立

容公歡衛其前事卒不立立

子母弟晉安王綱爲皇太子

赦賜爲父後者爵一級及恩

文武精勤並加之封華容

歡枝江公譽曲阿公詧並爲

久之鮑邈之坐誘略人罪不一

死太子綱追思昭明之寃揮

誅之 宗族有服屬者並賜

沐食鄉亭侯遠近爲差

備國遣使貢獻 十月幸同泰

寺講涅槃經

置文館
官孝經助教一人生十人尋通
上所釋孝經義　高麗遣使朝
貢

五年[illegible]
正月[illegible]京
師地震[illegible]
彗星見五月
京師大水
西魏孝武帝
入長安

何敬容為丹
陽尹

正月祀南郊忽聞異香三陵風
至及行事奏樂拜畢有神光圓
照壇上五色食頃乃滅六藏
祀明堂　二月上幸同泰寺講
般若經會者數萬人　南波斯
盤盤遣使朝貢　初置法寶寺

六年[illegible]
夏四月[illegible]
日蝕十二月
西南有雷聲
止地

以臨賀郡王
正德為丹陽
尹尋出為南
兗州刺史

二月耕籍田大赦百濟遣使貢
方物　四月將置元慶和寺聚緣
魏

大同元

正月大赦改元二月祀明堂耕
籍田高麗丹丹滑波斯等國朝貢

年乙卯 十月黄塵如雪

二年丙辰 十一月雨塵如雪攪之盈掬是月都下地生白毛長二尺

三年丁巳

上幸同泰寺鑄銀像[illegible]初置黄陀寺萬福尼寺本願尼寺巖西觀

正月詔求讜言及令文武宮舉士上為文帝作皇基寺命有司求良材曲阿弘氏自湘州買巨材東下南津校尉孟少卿誣為劫殺之没其材以為寺 二月耕籍田江于四上封事極言政治得失詔曰古人有言屋漏在上知之在下朕有過失不能自覺尚書可加檢括詳啓十月詔大學成東魏 幸同泰寺設無碍大齋魏遣使來和許之 初置慈恩寺普化比成福興善業寒林等寺

正月祀南郊大赦二月耕籍田東魏遣兼散騎常侍李諧來聘

四月壬寅大雨灰黃色冬地大震年飢	四年戊午 正月辛酉朔日蝕	五年己未
		丹陽尹何敬容爲尚書令
詣至建康上引見與語應對所流諧等出上謂左右曰朕今日遇勍敵卿輩常言北間全無人物此等何自而來 四月朱雀門災修長干寺阿育王塔出佛爪髮舍利二年寺設無礙會大赦 使散騎常侍張皋報聘東魏	二月耕籍田 東魏遣鄭伯猷來聘 七月東冶徒李豫之得如來舍利大赦 遣散騎常侍劉孝儀聘東魏 八月詔淮南十二州飢饉逋租宿債勿收 閏武於樂遊苑 國子助教黃侃上禮記疏義五千卷置洞靈觀	御史中丞參禮儀事賀琛奏南北二郊及籍田往還並宜御輦不復乘輅詔從之祀宗廟仍乘

	帝輦祀南郊　扶南獻生犀 魏人來聘侍中柳豹聘于魏[illegible] 是時都下訛言天子取人肝以 飼天狗大小相驚日晚閉門持 刀杖數月乃止
六年庚申 閏五月丁丑 朔日蝕始興 生嘉禾一莖 十七穗	二月耕籍田　河南王遣使獻 馬及方物求經論十四條并請 制所定涅槃經般若經金光明 經講疏一百三卷東魏來聘大 赦
七年辛酉	正月祀南郊大赦　祀明堂二 月耕籍田　宮城西立士林館 延集學者　宮昌蠕蠕各遣使 貢方物　百濟王求涅槃經疏 及醫工畫師毛詩博士並許之
八年壬戌	安成郡劉敬躬反改元永漢置 官屬進逼豫章江州刺史湘東

九年癸亥

正月丙申地震生毛

十年甲子

十一月大雪二尺

敬容坐事免官

王繹遣司馬王僧辯討斬之

罷所在女丁役　陳霸先平交州反者

自新亭鑿渠通新林浦置江潭苑未成而侯景亂

上謁建寧陵使太子守宮城陵上有紫雲覆久而乃散帝望陵流涕所沾草木變色陵旁先有枯泉是時流水香潔帝哭於脩陵又於皇基寺設法會賜蘭陵老少位各一階所經縣邑放今年租調因賦還舊鄉詩二幸京口城北固樓更名北顧幸回賓亭宴鄉里故老及所經近縣迎侯者少長數千人各賚錢二千東魏遣魏季景來聘

十一年 乙□

華林閣震

中大同元年 丙寅

二月曲阿縣建陵隧口石辟邪起舞有大虵鬬隧中其一被傷奔走又有蟲食陵樹葉俱盡

四月戊戌同泰寺浮圖災

六月□□大

東魏遣李獎來聘震華林閣光嚴殿帝自毀拜謝上天衆□乃止置□道寺□□寺詔有罪者復聽入贖散騎常侍賀琛啓陳四事上惡其觸實大怒

東魏遷蔡邕所書石經于鄴三月大赦上幸同泰寺講三慧經捨身為奴皇太子已下群臣出錢億萬奉贖解講大赦改元是夜同泰寺浮圖災上曰此魔也道高魔盛行善障生更起十二層浮圖將成值侯景亂而止詔從今犯罪非大逆父母祖父毋不坐以岳陽王詧為雍州刺史上捨詧兄弟而立綱內常愧之詧兄弟亦懷不平詧以朝多秕政襄陽形勢之地梁業所基乃折節下士招募勇敢延納

有聲如雷及
風水相薄之
音

太清元
年丁卯
正月朔日蝕
不盡如鈎二
月白虹貫日

規諫沂部稱治　渴盤陀國貢
方物

正月祀南郊大赦　祀明堂二
月耕籍田東魏司徒濮陽公侯
景以河南十三州地來降以景
為大將軍封河南王大行臺承
制如鄧禹故事平西諮議周弘
正善占候前此謂人曰國家數
年後當有兵起及聞納景曰亂
階在此矣三月上幸同泰寺講
三慧經捨身如大通故事司州
刺史羊鴉仁等率兵應接侯景
四月群臣以億萬奉贖衆默許
百辟詣鳳莊門上表帝三答皆
稱頓首服袞冕還宮幸太極殿
如初即位之禮大赦改元東魏
遣李系來聘　神馬出太子獻

二年戊辰
正月晦兩月
相承如鉤見
西方

寶馬頌置幽巖寺立儀香巖寺
正月交州刺史楊瞟司馬陳霸
先破平獠洞斬李賁五月乙
遣建康令謝挺徐陵聘東魏
侯景爲東魏慕容紹宗所敗奔
壽陽聞朝廷與東魏和親遂結
臨賀王正德自壽陽反以誅佞
臣朱异等爲名上以邵陵王綸
持節董督衆軍討景景攻歷陽
太守莊鐵以城降因說景曰國
家承平歲久人不習戰宜速襲
建康可兵不血刃而成大功上
聞景臨江問策於羊侃侃請以
二千人急據采石使邵陵王襲
取壽陽使景進不得前退失巢
穴烏合之衆自然瓦解朱异曰
景必無渡江之志遂寢其議己
酉景自橫江濟有馬數百匹兵

月天裂於
北長十丈
文光出
聲如

朔

八千人是夕朝廷始命威嚴景
分兵襲姑孰朝廷猶不知正德
之情命屯朱雀門寧國公大臨
屯新亭大府卿常熙屯六門大繕
脩宮城爲備景至慈湖建康大
駭赦東西冶尚方鎧署及建康
繫囚以大器都督城內諸軍事
羊侃副之西豐公大春守石頭
謝禧元貞守白下常熙柳津等
守宮城諸門及朝堂　景至板
橋遣徐思玉來求見實欲觀城
中虛實　辛亥景至朱雀桁正
德帥衆於張侯橋迎景景乘勝
至闕下彭文粲等以石頭降景
景兵旛旗皆黑繞城既匝百道
俱攻縱火燒大司馬東西華門
羊侃鑿門孔下水沃火景作木
驢攻城城上投石碎之又作尖

十二月戊申天西北裂有
光如火

頭木驢侃作雉尾炬焚之景殺
侃子驁示侃侃曰我傾宗報主
猶恨不足豈計一子卒早殺之
十一月戊午朔臨賀王正德即
帝位於儀賢堂下詔稱普通○
太子請上巡城至大司馬門城
上聞譟聲皆鼓噪流涕衆心粗
安景初至建康謂朝夕可拔及
屢攻不克人心離沮縱士卒奪
民米及金帛子女米一石直七
八萬錢邵陵王綸入援京師趨
伯超曰若從黃城大路必與賊
遇不如徑指鍾山突據廣莫門
圍解必矣綸從之夜行失道迂
二千餘里○庚辰旦營于蔣山
景見之大駭欲走分三道攻綸
綸與戰破之○乙酉綸進軍玄
武湖側與景對陳至暮景約明

日會戰綸許之安南侯駿見景
軍退以爲走即與壯士逐之景
旋軍擊之駿敗走乘勝擊綸諸
軍皆潰綸收餘兵千餘人入天
保寺景焚寺綸奔朱方衡州刺
史韋粲司州刺史柳仲禮入援
湘東王繹將銳卒三萬發江陵
仲禮夜入粲營部分衆軍旦日
會戰諸將各有據守令粲頓青
塘粲以青塘當石頭中路賊必
爭頗憚之仲禮曰青塘要地非
兄不可若疑兵少當更遣軍相
助乃使劉叔胤助之

三年己巳

三月壬戌火守心癸酉太白晝見

王固封莫口亭侯爲丹陽尹

正月丁巳柳仲禮自新亭徙營
大府會大霧韋粲軍迷失道比
及青塘夜已過半立柵未合景
望見帥銳卒攻粲粲與子弟俱
戰死仲禮往救與景戰于青塘

大破之仲禮謝將及景而賊將支伯仁自後斫仲禮中肩馬陷于淖騎郭山石救之得免○初臺城之閉也公卿以食爲念男女貴賤並出負米得四十萬斛而不備薪芻魚鹽至是壞尚書省以爲薪撤薦飼馬軍士無暖或煮鎧熏鼠捕雀食之御甘露廚有乾苔味酸鹹分給戰士○侯景衆亦飢抄掠無所獲東城有米可支一年景𠫊求和運東城米入石頭於是決放石闕前水百道攻城晝夜不息三月丁卯宮城陷景遣王偉入文德殿啓稱爲姦佞所蔽領衆入朝驚動聖躬今詣闕待罪上問景何在可召來景入見於太極東堂二神色不變問勞景景不敢仰

視後至永福省見太子亦無懼容景退謂王僧貴曰吾嘗跨鞍對陣矢刃交下而意氣安緩了無怖心今見蕭公使人自慴豈非天威難犯吾不可以再見之乃矯詔大赦自加大都督中外諸軍録尚書事建康士民逃難四出上外爲侯景所制内懷不平所求多不遂志飲膳亦爲所節憂憤成疾五月丙辰上卧淨居殿口苦索蜜不得再曰荷荷遂殂年八十六辛巳發高祖喪升梓宮於太極殿是日太子即帝位大赦景出屯朝堂分兵守衛

簡文帝

名綱字世纘武帝太子

西陽王大鈞

爲丹楊尹

正月大赦改元○侯景遣任約等帥衆二萬攻諸藩又遣侯子鑒帥舟師八千自帥步兵一萬

大寶元年庚午

東魏相高洋廢其主善見自立國號齊

[illegible]

二年辛未

歷陽旭之以于監爲衛尉
史鐵廣陵景還建康納下安
陽公主甚愛之請上禊宴於
遊苑暢飲三日還宮景與公
主共據御牀南面並坐群臣文
武列坐侍宴○進景位相國封
二十郡爲漢王加殊禮○景自
加宇宙大將軍都督六合諸軍
事以詔文呈上上驚曰將軍乃
有宇宙之號乎○侯景弒祖入
避齋行臺宇衛師衆度淮斬
之燒其艘首爲不當闕隄平○
景自帥衆討楊白華于宣城句
擊力竭而降

大劍富武三月征約告急景自帥衆西上
寧王以威爲閣月景發建康自石頭至新林
丹陽尹[illegible]遇舳艫相接至西陽與徐文盛夾
齊
江築壘文盛擊破之景遣還建

焉○王僧辯督衆軍討景陳霸先帥所部會之屯于巴丘西軍之食霸先分粮三十萬資之初景既尅建康常言吳兒怯弱須拓定中原然後爲帝自巴陵敗歸猛將多死恐不能久存王偉說曰自古移鼎必須廢立景從之乃使謝答仁爲詔書使呂季畧賫入逼帝書之廢帝爲晉安王出居永福省迎豫章王棟即帝位殺王侯在建康者二十餘人使彭雋王偉纂弑太宗十一月加景九錫置百官己丑棟禪位于景景即帝位于南郊其黨數萬皆吹脣鼓譟上殿大赦改元太始封棟爲淮陰王謝答仁李慶緒攻建德擒元頵李占送建康景截其手足以徇經日乃

元帝
諱繹武帝第七子即位江陵改元

承聖元年 壬申

侯景收
南平王恪
揚州刺史

死

正月湘東王繹命王僧辯等擊侯景　諸軍發尋陽舳艫數百里陳霸先帥士三萬舟艦五千自南江出湓口會僧辯於白茅灣築壇歃血共讀盟文流涕慷慨景聞之甚懼下詔赦湘東王繹王僧辯之罪衆咸笑之三月丁丑僧辯至姑孰侯子鑒以步騎萬人挑戰又以鵃䑠千艘載戰士僧辯麾細船少却而以大艦斷其歸路大敗之子鑒僅以身免走還建康景大懼涕下覆面引衾而卧良久歎曰誤殺乃公僧辯督諸軍至張公洲乘潮入淮進至禪靈寺前景召石頭津主張賓使引淮中舴艋及海艦以石縋之塞淮口緣淮

王僧辯為揚州刺史

城自石頭至朱雀街十餘里樓堞相接僧辯問計於霸先霸先曰前柳仲禮以十萬兵隔水而坐韋粲在清溪竟不渡岸賊登高望之表裏俱盡故能覆我師今圍石頭須渡北岸　壬午霸先於石頭西落星山築柵衆軍次連八城直出石頭西北景恐西州路絕自帥侯子鑒等亦於石頭東北築五城以遏大路丁亥王僧辯進軍招提寺北景帥衆萬餘人鐵騎八百餘陳於西州之西霸先命諸將分處置兵景衝將軍王僧志陳僧志小縮霸先遣將軍徐度將弩手二千橫截其後景兵却霸先與王琳杜龕等以鐵騎乘之僧辯以大軍繼進景兵敗退據其柵壘

幝畧開石頭城降僧辯入據之景與霸先殊死戰景帥百餘騎衝陳不動衆遂大潰景以皮囊盛其江東所生之子掛之鞍後與房世貴等百餘騎東走就謝荅仁於吳杜崱入據臺城是夜軍士遺火焚大極殿及東西堂寶器羽儀輦輅無遺　戊子僧辯逆太宗梓宮升朝堂帥百官哭踊如禮命侯瑱追景及於松江進擊敗之擒彭儁田遷房世貴蔡壽樂王伯醜瑱生剖儁腹乃斬之景與腹心數千人單舸走推墮二子於水中初景納羊侃之女為小妻其兄鵾為庫直都督待之甚厚景下海欲向蒙山鵾拔刀叱海師向京口因請景曰吾等為王効力多矣今至

此終無所成欲就王乞頭以取
富貴景未及答白刃交下景走
入艇中鯤以矟刺殺之右僕射
索超世在別船以景命召而執
之南徐州刺史徐嗣徽斬超世
以鹽納景腹中送其尸建康王
僧辯傳首江陵截足使謝葳蕤
送于齊暴尸於市士民爭取食
之并骨皆盡溧陽公主亦預食
焉湘東王下令解嚴　以南平
王恪為揚州刺史王僧辯為司
徒鎮衛將軍封長寧公陳霸先
為征虜將軍開府儀同三司長
城縣侯恪卒以僧辯為揚州刺
史公鄉藩鎮數勸進於湘東王
十一月丙子即皇帝位於江陵
改元大赦

還建業
臣識不

三年甲戌

正月僧辯發建康陳霸先代爲揚州刺史鎮建康九月詔霸先復還京口以僧辯復爲揚州刺史鎮建康

陳霸先復爲揚州刺史鎮建康

丁詔將還建康御史中[illegible]致諫曰建業王氣已盡[illegible]陽一江若有不虞悔無[illegible]晉右僕射王褒曰今百姓未見輿駕入建康謂是列國諸王願早從四海之望上令群臣議朱買臣曰建業舊都山陵所在荊鎮邊疆非王者之宅願勿疑以致後悔上以建康彫殘備江陵全盛從褧等議、齊郭元建治水軍於合淝將襲建康上詔僧辯鎮姑孰遣侯瑱等築壘東關以待齊師　閏月丁丑瑱與元建等戰於東關齊師大敗

以王僧辯爲太尉車騎大將軍陳霸先爲司空九月魏遣兵五萬入寇江陵十月徵僧辯爲大都督荊州刺史命霸先徙鎮揚

敬皇帝
諱方智元帝
第九子
紹泰元
年乙亥
十二月乙卯
太白出東方
西魏相宇文
覺廢其主廓
自立國號周

州十一月江陵城陷帝爲魏人
所殺王僧辯陳霸先共奉江州
刺史晉安王方智爲太宰承制
正月梁王詧即皇帝位於江陵
改元大定二月齊主使殿中尚
書邢子才馳傳請建康與王僧
辯書納貞陽侯淵明三月淵明
至東關斬裴之横俘數千人僧
辯大懼出屯姑孰謀納淵明
五月癸卯淵明入建康望朱雀
門而哭道逆者以哭對　丙午
即皇帝位改元天成　以晉安
王爲皇太子王僧辯爲大司馬
陳霸先爲侍中初僧辯納淵
明霸先遣使苦争僧辯不從霸
先竊歎曰武帝子孫甚多惟孝
元能復讎雪恥其子孫何罪而
忽廢之吾與王公並處託孤之

地而王公一旦改圖外依隣國何所爲乎會有告齊師大舉至壽春將入寇者僧辯遣記室江旰告霸先使爲之備霸先留旰舉兵襲僧辯使徐度侯安都帥水軍趨石頭霸先帥馬步自江乘羅落會之侯安都至石頭北弃舟登岸軍人捧之投女垣內霸先兵亦自南門入僧辯與子頠帥左右數十人苦戰不敵就執是夜霸先縊殺僧辯父子布告中外列僧辯罪狀　貞陽侯遜位出就邸　冬十月己酉晉安王即皇帝位大赦改元中外文武賜位一等加霸先尚書令都督中外諸軍事車騎將軍揚南徐二州刺史　譙秦二州刺史徐嗣徽王僧辯之甥也僧

戰死霸先東討義興嗣徽乘虛將精兵五千襲建康入據石頭遊騎至闕下安都閉門藏旗幟示之以弱及夕嗣徽收兵還石頭安都夜爲戰備將旦嗣徽又至安都帥甲士三百開東西掖門出戰大破之嗣徽奔還石頭不敢復逼臺城十一月霸先使徐度立柵於冶城齊將柳達摩頓湖墅應嗣徽以米三萬石馬千疋潛渡據石頭霸先命侯安都夜襲湖墅燒齊船千餘艘令周鐵虎斷齊運輸嗣徽攻冶城柵霸先將精甲自西明門出擊之嗣徽大敗十一月霸先對冶城立航悉渡衆軍攻其水南一柵縱火燒柵煙塵漲天齊人敗走達摩等入保石頭霸先絕其

汲路城中無水水一合貿米一升米一升貿絹一疋或炒米食之達摩謂其衆曰我在北聞謠言云不頭擣兩襠擣青復擣黃昔侯景着青已倒於此矣今吾徒衣黃豈不是謠言驗乎○庚申達摩請和霸先爲許之與盟約任其將士南北辛酉霸先陳兵石頭門送齊人歸北收馬仗船米不可勝計齊主誅達摩江寧令陳嗣黃門侍郎曹朗據姑孰反霸先命侯安都討平之○

太平元年丙子

九月龍見於御路自太社至于象魏

霸先又爲揚州刺史尋爲揚州牧

正月大赦其與任約徐嗣徽同謀者一無所問○霸先遣江旰說嗣徽南歸嗣徽執旰送齊○二月嗣徽約襲采石執刺史張懷鈞送于齊三月詔雜用古今錢齊遣蕭軌庫狄伏連堯難宗

東方老等與約嗣徽合兵十萬入寇出柵口向梁山霸先帳內盪主黃叢逆擊破之齊師退保蕪湖霸先遣沈泰等就侯安都共據梁山禦之五月丙申齊軍至秣陵故城霸先遣周文育屯方山徐慶屯馬牧○齊人跨淮立橋柵度兵夜至方山嗣徽等列艦於青墩至七磯斷周文育歸路文育鼓譟而發嗣徽等不能制斬其驍將鮑砰癸卯齊兵自方山進及倪塘游騎至臺建康震駭帝總禁兵出頓長樂寺侯安都與嗣徽等戰於耕壇南帥十二騎突其陳破之擒乞伏無勞六月甲辰齊兵潛至鍾山安都與齊將王敬寶戰於龍尾丁未齊師至幕府山霸先遣錢

明將北軍出江乘邀擊齊人糧運盡獲其船米齊軍乏食殺馬驢食之庚戌齊兵踰鍾山霸先與衆軍分頓樂遊苑東及覆舟山北斷其衝要壬子齊軍至玄武湖西北據北郊壇霸先引軍自覆舟山東移於南郊與齊人相對會大雨平地水丈餘齊軍晝夜坐立泥中足指皆爛懸鬲以爨而臺中及潮溝北路燥梁軍每得番易時四方壅隔糧運不至霸先將戰調市人得麥飯分給軍士會陳蒨饋米二千斛鴨千頭伯先炊飯煮鴨未明蓐食比曉霸先帥麾下出莫府山安都謂部將蕭摩訶曰卿驍勇有名千聞不如一見摩訶曰今日令公見之及戰安都墜馬齊

人圖之摩訶單騎大呼直衝齊
軍齊軍披靡安都乃急霸先與
吳明徹等衆軍首尾齊舉縱兵
大戰安都自白下引兵橫出其
後齊師大潰死者不可勝計擒
徐嗣徽及弟嗣宗斬以徇追奔
至于臨沂其江乘攝山鍾山等
諸軍相次克捷虜蕭軌東方老
王敬寶等將帥四十六之軍士
得竄至江者自盧龍縛筏以濟
中江而溺流尸至京口翳水彌
岸唯任約王僧愔得免衆軍出
南兖州燒齊艦大赦解嚴斬齊
將蕭軌等　九月改元大赦以
陳霸先爲丞相錄尚書事鎮衛
大將軍揚州牧義興公
三月周文育送歐陽頠于建康
丞相霸先於頠有舊悉釋而厚

十月禪位于
陳

侍之四月鑄四柱錢一當二十
壬辰改柱錢一當十丙申復閉
細錢齊遣使請和八月進霸先
爲太傅加黃鉞殊禮贊拜不名
九月進爲相國總百揆封十郡
爲陳公九錫陳國置百司

陳

高祖姓陳諱霸先字興國吳興長城下若里人漢太丘長寔之後名達者永嘉初爲長城令悅其山水家焉嘗謂所親曰此地山川秀麗當有王者興焉二百年後我子孫必鍾斯運高祖即達之十一世孫也少倜儻有大志好史籍讀書明緯候孤虛遁甲不事產業身長七尺五寸日角龍顔垂手過膝嘗夜夢天開數丈有朱衣四人捧日出於口中驚覺腹內猶熱初仕鄉爲里正後逃義興蕭映鎮廣州奏爲參軍令招集士馬大破賊軍梁高祖遣使圖其形貌入觀之討李賁定交趾拜高要太守侯景作亂高祖厚結豪傑侯安都張偲等率衆進屯南康令贛州也遣使詣江陵稟節度於湘東王繹遷南江州刺史封長成侯大寶二年王僧辯督衆討侯景師次湓城高祖往會授都督會稽東陽新安臨海永嘉

五郡諸軍事平東將軍東揚州刺史侯景平拜司空領南徐州刺史元帝爲魏軍所殺高祖與僧辯共迎立晉安王方智北齊送貞陽侯蕭淵明歸主梁祀僧辯從之既帝爲皇太子高祖苦諫不從攻僧辯殺之廢貞陽侯復奉方智爲帝進高祖中外諸軍事加班劒鼓吹明年進位丞相揚州刺史加相國封陳公備九錫尋進爵爲王加二十郡冕十有二旒建天子旌旗出警入蹕乘金根車駕六馬備副車置旄頭雲罕樂入佾設鍾簴宮懸未幾帝禪位于陳高祖即皇帝位自永定丁丑至禎明己酉五主三十三年而併于隋

高祖永定元年丁丑

王冲領太子少傅加特進左光禄大夫領丹陽尹

十月辛未梁敬帝禪位于陳命太保王通太尉長史王暢奉皇帝璽綬受終之禮一依唐虞故事乙亥王即皇帝位于南郊柴燎告天還臨太極前殿大赦改元詔百官文武進位有差奉敬帝爲江陰王居晉陵太后爲太妃皇后爲妃以給事黃門侍郎蔡景歷爲秘書監兼中書通事

年 戊寅

舍人是時政事皆由中書省置二十一局各當尚書諸曹掌國機要尚書惟聽受而已 幸鍾山詞將帝廟出佛牙於杜姥宅設無遮大會帝親出闕前膜拜置刪定郎治律令

正月王琳引兵下至盆城求援於齊請納梁永嘉王莊是月上祀南北郊大赦祀明堂 四月享太廟 使人害梁敬帝立武林侯諮之子季卿爲江陰王 請幸大莊嚴寺捨身群臣上表請還宮 六月詔司空侯瑱徐度等討王琳 新作太極殿欠一柱忽有樟木大十八圍長四丈五尺自流泊陶家後渚監軍鄒子度以聞詔取木以構 八月臨川王蒨西討上幸冶城寺送之

三年己卯正月丁酉大雪五月丙辰朔日蝕六月癸丑熒惑在心

袁樞爲吏部尚書丹楊尹

王琳請還湘州詔追衆軍還建康幸華嚴寺設無碍大會捨乘輿法駕群臣備禮迎還宮

正月大極殿前有龍蹟見廣州有僊人見於羅浮山小石樓長三丈通身潔白衣服麗楚周文育周迪黄法氍共討余公颺豫章內史熊曇朗引兵會之公颺降送建康曇朗殺文育而幷其軍　有司奏舊儀御前殿合服朱紗袍衮冕自今爲準扶南遣使貢方物周文育喪至帝素服哭于朝堂哀慟因發疾六月丁酉建太宰尚書左僕射王通以疾告太廟太宰中書令謝哲告太社及南北郊賜尚書令沈衆死丙午上崩於璿璣殿上臨戎制勝英謀獨運性儉素常

膳不過數品私宴用瓦器飦盤後宮無珠翠之飾不設女樂時子昌在長安內無嫡嗣朝無重臣惟杜稜典宿衛兵在建康章皇后召稜及蔡景歷入宮中定議秘不發喪急召臨川王蒨於南皖適侯安都軍還遂俱至建康安都與群臣定議奉王嗣位王謙讓不敢當皇后以昌故未肯下令安都曰今四方未定何暇及遠臨川有大功於天下須共立之今日之事後應者斬即按劍上殿白皇后出璽又手解蒨髮推就喪次遷大行于太極殿西階皇后乃下令以蒨纂承大統是日即皇帝位大赦八月甲申葬武皇帝於萬安陵今城東南三十里彰城驛側廟號高

文帝 諱蒨昭烈王長子

天嘉元年 庚辰

二月 辛卯 老人星見

以永脩縣侯巖爲丹陽尹

祖立子伯宗爲太子沈妃爲皇后十月王琳奉梁永嘉王莊出屯濡須口齊揚州道行臺慕容儼帥衆臨江爲之聲援詔侯瑱侯安都及徐度將兵禦之安州刺史吳明徹夜襲湓城琳遣巴陵太守任忠擊破之因引兵東下

正月大赦改元賜鰥寡孤獨孝悌力田粟各五斛發使宣勞四方 辛酉祀南郊辛未祀北郊

二月琳帥衆舟東下去蕪湖十里而泊齊劉伯球慕容子會將鐵騎屯西岸爲之聲勢瑱軍亦屯蕪湖丙申令軍中晨炊蓐食將西南風急琳自謂得天助引兵直趣建康瑱等徐躡其後西南風翻爲瑱用琳擲火炬皆反

燒其船墳發焫以擊琳艣[illegible]艾
斗攻冒蒙衝小船鎔鐵洒之[illegible]
軍大敗軍士溺死者十二三餘
皆棄船登岸所殺殆盡齊步騎
在西岸者自相蹂踐陷蘆荻泥
潮中擒劉伯球慕容子會琳乘
舴艋冒陳走至盆城與妻妾左
右十餘人奔齊○詔衣冠士族
將帥戰兵陷王琳黨中者皆赦
之隨材銓叙○三月江州刺史
周迪造斬熊曇朗於新淦虜男
女萬餘口宗黨無少長皆棄市
是月驃騎將軍湘州牧衡陽王
昌薨於魯山江中謚獻王立第
七子伯信為衡陽王奉獻王祀
五月侯安都父文捍為始興內
史卒官上迎其母還建康母固
求停鄉里為置東衡州以文都

二年辛巳
四月丙子朔
日蝕十月甲
午朔蝕

始興王伯茂
爲揚州刺史

從弟曉爲刺史安都子秘曉九
歲以爲始興内史並令侍養六
月詔葬梁元帝於江寧車旗禮
章悉用梁典○八月詔非兵器
及國容所須金銀珠玉衣服雜
玩悉皆禁斷○詔自今孟春訖
于夏首大辟事已款者宜且申
停
正月高麗倭國及百濟並遣使
貢方物大赦十二月太子中庶
子虞荔御史中丞孔奐以國用
不足奏立煮海鹽賦及榷酤之
科從之初高祖以帝女豊安公
主妻留異之子貞臣徵異爲南
徐州刺史遣其長史王澌入朝
澌每言朝廷虛弱異信之與王
琳潛通琳敗異以兵戍下淮詔
司空南徐州刺史侯安都討之

三年辛酉

元八月戊辰朔日蝕

正月辛亥祀南郊二月辛酉祀北郊徵江州刺史周迪鎮湓城又徵其子入朝顧望不至獨豫章太守周敷先入朝進安西將軍給鼓吹賜女妓金帛令還豫章迪以敷出巳下不平陰與留異相結遣兵襲敷數戰破之又遣兵襲湓城監江州事華皎遣兵逆擊破之上以閩州刺史陳寶應之父為光祿大夫子女皆受封命編入屬籍而寶應以留異女為妻陰與異合虞荔弟寄流寓閩中荔思之成疾上為徵之寶應留不遣　梁末喪亂鐵錢不行民間和周鵞眼錢甲子改鑄五銖錢一當鵞眼之十　三月安成王頊自周還建康詔以為中書監中衛將軍頊妃柳

氏多子叔寶猶在穰城復遣毛
喜如周請周人歸之以安右
將軍吳明徹爲江州刺史督黃
法氍周敷討周迪大赦留
異始謂臺軍必自錢塘上既而
侯安都步由諸暨出永康異大
驚奔桃枝嶺安都因山勢爲堰
會水漲安都引船入堰起樓艦
與異城等發拍碎其樓堞異與
其子忠臣奔晉安依陳寶應安
都虜其妻子盡收鎧仗而還遣
使聘齊　十月詔以軍旅費廣
百姓空虛凡供乘輿飲食衣服
宮中調度至於百司並從省約
侯安都恃功驕橫聚文武之士
千人部下將帥多不遵法度侍
宴酒酣或箕踞傾倚嘗陪樂遊
園禊飲謂上曰何如作臨川王

白晝見六月**丁未**夜白虹兩道出北斗間重雲殿災

五年**甲申**

二月**庚寅**朔日蝕四月太白歲星合在奎中八月**丁**

時上不應再三言之上曰此雖天命抑亦明公之力宴訖啓當供帳水飾欲載妻妾於御堂宴飲上雖許之意甚不懌重雲殿災安都帶甲而入上惡之用爲江吳二州刺史六月帝引安都宴於嘉德殿又集其部下將帥會于朝堂坐上收安都囚于嘉德西省下詔暴其罪惡賜死宥其妻子資給其喪　七月乙未皇太子納妃朱氏在位文武賜帛有差　是歲初祭始興昭烈王於建康用天子禮

正月辛巳祀北郊　陳寶應建安晉安二郡水陸爲柵以拒章昭達昭達與戰不利因據上流命軍伐木爲筏施拍其上會大雨江漲昭達放筏衝寶應水

亥朔日蝕

六年乙酉七月辛巳朔日蝕癸未大風自西南至繞廣百餘步激壞靈臺候館

柵盡壞之又出兵攻其步軍方合戰將軍余孝頃自海道適至併力乘之寶應大敗追擒之并擒留異及族黨送建康斬之異子貞臣以尚主得免上聞虞寄嘗諫寶應命昭達禮遣詣建康既見勞之曰管寧無恙以爲衡陽王掌書記

正月皇太子加元服王公已下賜各有差以安成王頊爲司空頊以帝弟之重勢傾朝野御史中丞徐陵彈之上見陵章嚴嚴肅爲斂容正坐頊在殿上侍立仰視上流汗失色陵遣御史引頊下殿上爲之免頊侍中中書監朝廷肅然　周人來聘七月甲申儀賢堂前架無故自壞都督程靈洗自鄱陽別道擊周

天康元年丙戌

正月己卯日蝕

尚書令安成王頊爲揚州刺史

遁逃數旬還下鄣山中臨川太守駱牙斬之傳首建康

正月周迪小戰師衄其衆來降

丙子大赦改元三月以安成王頊爲尚書令上不豫臺閣衆事並令尚書僕射到仲舉五兵尚書孔奐共決之太子伯宗柔弱上憂其不能守位謂頊曰吾欲遵太伯之事頊拜伏泣涕固辭上又謂仲舉奐等曰今三方鼎峙四海事重宜須長君卿等須遵此意孔奐流涕對曰太子春秋鼎盛聖德日躋安成王介弟之尊足爲周旦若有廢立之心臣愚不敢聞詔上曰古之遺直復見於卿乃以奐爲太子詹事

四月癸酉帝崩于有覺殿太子即位大赦 六月丙寅葬文皇

廢帝
諱伯宗文帝嫡子

光大元年丁亥
正月癸酉朔日蝕　十一月戊戌朔日蝕

帝于永寧陵進號世祖　十一月享太廟　周遣使來弔

正月乙亥大赦改元　辛卯祀南郊大赦　南豫州刺史余孝頃坐謀反誅　齊遣散騎常侍司馬恐之來聘　湘州刺史華皎反潛引周兵爲援以丹陽尹吳明徹爲湘州刺史帥舟師三萬趣郢州淳于量帥舟師五萬繼之共襲皎　六月以司空徐度爲車騎將軍總督建康諸軍步道趣湘州皎遣使誘章昭達昭達執送建康又誘程靈洗靈洗斬之　梁以皎爲司空遣王操將兵二萬會之周權景宣將水軍元定將陸軍衛公直總之與皎俱下戰于沌口皎等大敗與戴僧朔單舸奔江陵擒元定送建

二年[illegible]四月[illegible]太白晝見六月丁卯彗星見十一月[illegible]朔日蝕

安成王頊進位太傅領司徒揚州牧

康皎黨四十餘人並伏誅正月安成王頊進位太傅領司徒揚州牧加殊禮劍履上殿入朝不趨贊拜不名以淳于量爲中軍大將軍　安成王獻王璽一紐新羅林邑　狼牙脩國並遣使朝貢特安成王與僕射到仲舉中書舍人劉師知等常在禁中參決庶務而安成王爲揚州刺史左右甲仗三百人入尚書省　十一月師知仲舉陰說帝矯太后令詔安成可還東府經治州務安成將出毛喜馳入止之曰王今出外便受制於它人譬如曹爽願作富家翁不可得也請覆之安成乃稱疾召師知留與語遣喜入白太后太后曰今伯宗年幼政事並委二郎此

宣帝
諱頊世祖母弟始興昭烈王第二子

太建元年

長沙王叔堅爲丹陽尹

非我意喜出報安成安成因陳知付廷尉獄賜死自是大小政事皆決於安成乃諷慈訓太后廢帝爲淮海王遷之藩邸

正月甲午安成王即皇帝位改元大赦進文武位一等復太后尊號曰太皇太后沈氏爲文皇后立妃柳氏爲皇后世子叔寶爲太子子叔陵爲始興王奉昭烈王祀　乙未謁太廟　使御史出四方觀省風俗　辛丑祀南郊戊午享太廟二月耕籍田歐陽紇在廣州十餘年威惠著於百越自華皎之叛帝心疑之徵爲左衛將軍紇懼其部下多勸之反遂舉兵攻衛州詔遣車騎將軍章昭達討紇　享太廟

二年[illegible]

四月[illegible]太白晝見

十月[illegible]朔日蝕

二年[illegible]

四月[illegible]朔日蝕

正月丙午享太廟歐陽紇召陳春太守馮僕至南海誘與同反僕遣使告其母冼夫人母曰我爲忠貞經今兩世不能惜汝負國遂發兵帥酋長迎章昭達昭達倍道兼行至始興紇聞昭達奄至不知所爲出頓江口多聚沙石盛以竹籠置于水柵之外昭達令軍人銜刀潛行水中以斫籠篾皆解因縱大艦隨流突之紇衆大敗擒紇斬於建康市

三月丙申皇太后崩於紫極殿祔葬萬安陵

閏月上謁太廟

齊遣使來聘

十月乙酉享太廟

正月以尚書右僕射徐陵爲左僕射

辛酉祀南郊

辛未祀北郊

二月辛巳祀明堂耕籍田

四年壬辰
三月[illegible]朔日蝕八月[illegible]景雲見九月[illegible]朔日蝕十一月[illegible]夜大震

大赦齊遣使來聘丹丹天竺盤盤等國貢方物周使納言鄭詡來聘八月太子釋奠於太學
十月甲申享太廟

正月以尚書僕射徐陵為左僕射中書監王勱為右僕射庚午享太廟　二月乙酉封子叔卿為建安王遣使如周周使杜杲來聘上謂曰若欲合從圖齊宜以樊鄧見與對曰合從圖齊豈弊邑之利必須城鎮宜待得之於齊先索漢南使臣不敢聞命　九月大赦　詔徐度杜稜程靈洗等配食武帝廟庭韋昭達配食文帝廟庭十月周遣小匠師楊勰等來聘乙酉享太廟

五年 癸巳

十二月夜有白氣如虹自北斗貫紫微宮

九月壬辰晦夜明

正月以吏部尚書沈君理為左僕射齊遣崔象來聘辛亥祀南郊甲午享太廟二月辛丑祀明堂三月詔吳明徹都督征討諸軍事裴忌監軍事統衆十萬伐齊明徹出秦郡都督黃法𣰰出歷陽齊遣軍救歷陽法𣰰擊破之又遣尉破胡長孫洪略救秦州蕭摩訶破之破胡走洪略戰死五月克梁城陽平郡皆降徐槾克廬江城歷陽窘蹙乞降法𣰰急攻克之詔法𣰰徙鎮歷陽治明堂十月吳明徹攻壽陽堰淝水灌城城中多病腫泄死者十六七乙巳拔之擒王琳王貴顯盧潛等送建康梟首朱雀航

六年 甲午

正月大赦江右淮北諸州壬午享太廟周人來聘二月耕籍

二月[illegible]朔
十[illegible]四月[illegible]
[illegible]九
十[illegible]
二月[illegible]朔
日蝕九月甘
露王降樂遊
苑十二月[illegible]
[illegible]朔日蝕

田六月尚書右僕射周弘正李
十月周遣御正弘農楊尚希禮
部盧愷來聘

正月辛未祀南郊左衛將軍樊
毅克潼州城辛巳祀北郊四
月甲午享太廟　監豫州陳桃
根獻青牛詔遣還民又表上織
成羅文錦被各二百首詔於雲
龍門外焚之詔將亡死王事者
即日舉哀改作雲龍神虎二門
周遣使來聘　閏月車騎大將
軍吳明徹將兵擊齊彭城敗齊
兵於呂梁丁未幸樂遊苑採甘
露宴群臣於覆舟山上立甘露
寺十一月南康郡獻瑞鍾一口
殷不害自周還優詔拜司農卿
尋遷光祿大夫

[illegible]年[illegible]
三月庚辰西南紫雲見六月[illegible]朔日蝕

正月以開府儀同三司吳明徹爲司空四月己未享太廟尚書左僕射王瑒卒太子叔寶欲以左戶部尚書江總爲詹事吏部尚書孔奐曰江有潘陸之華而無園綺之實輔弼儲宮竊有所難部官尚書王廓世有懿德識性敦敏可以居之太子固争卒以總爲詹事總與太子爲長夜之飲養良娣陳氏爲女太子亟微行遊總家上怒免總官九月以子叔彪爲淮南王叔齊叔文皆爲郡王

九年丁酉
七月大風雨震萬安陵華表癸卯震死

正月辛卯祭北郊　二月耕籍田上聞周人滅齊欲爭徐兖詔吳明徹督諸軍伐周　新作東宮成太子徙居之

…寺重門一女子死十一月[illegible]晦日蝕

十年戊戌

六月大雨震天皇寺刹柱嚴寺露盤重陽閣東樓千秋門内槐樹鴻臚寺府門

秋八月改秦郡為義州十月罷義州及南琅琊彭城二郡立建興郡領建康同夏為山江乘臨沂湖熟等六縣屬揚州

始興王叔陵為揚州刺史

正月吳明徹圍周彭城戰敗為周人所執憂憤而卒三月命淳于量為大都督揔水陸諸軍事以備周大赦 九月乙巳立方明壇於婁湖以揚州刺史始興王叔陵為王官伯臨盟百官上幸婁湖誓衆分遣大使以盟誓班下四方上下相警戒 十月戊子以尚書左僕射陸繕為尚書僕射

五月辛卯

十一年己亥

五月龍見于

叔陵為六郡督揔水步遺軍尋丁所生母彭氏憂去

二月癸亥耕籍田 初用大貨六銖錢 三月詔淮北義人率戶口歸國者建其本屬舊名置立郡縣即隸近州賦給田宅

州來寧
學甄逸安

上閱武於大壯觀命任忠
辦十萬陳於玄武湖陣景
鎮五百出依淤江振旅而
華內史南康王方泰在郡
驗錄富人徵求財貨上閱
秦當從啓補毋疾不行而
社民間淫人妻爲有司所
大怒下獄免官削爵土尋
一　九月周遣梁士彥等寇
仍遣杜杲薛舒來聘　以
諾爲尚書左僕射十一月至
八赦詔淳于量爲上流水軍
管樊毅都督比計諸軍事任
郡督比計前軍事師步騎趨
牛秦郡武毅將軍蕭摩訶帥
衝慈歷陽十一月南比兗晉
三州及盱眙山陽陽平馬頭秦
歷陽沛北譙南梁等九郡民並

十二年

庚子

六月大風吹折象門中[illegible]九月天雨[illegible]有聲如風木相激無虎方十二月[illegible]日蝕

後還江南閤之聚兼北徐州
是江北之地盡沒于周遣辛
將軍沈恪電威將軍裴子烈
南徐州開遠將軍徐道奴鎮
口前信州刺史楊寶安鎮白

月以任忠爲南豫州刺史會
江軍防禦五月以尚書右僕
晉安王伯恭爲僕射八月周
州總管司馬消難以所統九
鎮之地來降詔以消難爲
都督司空隋公給鼓吹女樂
卽庚申詔任忠帥衆趣歷陽
忠紀趣南兗州消難爲大都
小陸諸軍事庚午淳于陵克
江郡癸酉魯廣達克周之郭
城丙子淳于陵克臨州城丁
將王延貴帥衆援歷陽壬

十三年
辛丑
九月癸亥夜
大風從西南
來發屋拔樹
大雨雹十二
月癸巳三星
見西一昭

新安王伯固
爲新蔡揚州
刺史

邀擊破之擒延肖送建康詔
夏中允早傳震戴内爲甚其丹
陽吳興晉陵建興義興東海信
義陳留江陵等十郡并謝暑即
年田租禄秩並各原半

以晉安王伯恭爲尚書左僕射
袁憲爲右僕射二月耕籍田三
月隋以上開府儀同三司賀若
弼爲吳州揔管鎮廣陵和州刺
史韓擒虎爲廬州總管鎮廬江
隋主有并吞江南之志問將帥
於高熲熲薦二人故置於南邊
使潜經畧以上柱國長孫覽元
景山並爲行軍元帥發兵入寇
命顥節度諸軍七月徵士馬樞
辛樞寓居京口梁邵陵王綸爲
徐州刺史引爲學士後隱茅山
陳天嘉元年徵爲度支尚書辭

十四年壬寅

四月自楚至于荆州江水色赤如血八月丁酉天赤紅火九月夜天東北有聲如雷飛漸移西北乙卯太白晝見

義陽王爲丹陽

不應命有道覺論行於世十一月隋遣無數騎侍郎鄭撝來聘

正月己酉上不豫始興王叔陵陰有異志甲寅上殂叔陵抽剉藥刀斫傷太子中項母柳后來救又斫后數下乳媼吳氏自後掣其肘太子乃得免長沙王叔堅持叔陵叔陵脫走出雲龍門馳車還東府召左右斷清溪道赦東城囚以充戰士又遣人往新林追其所部兵仍自披甲登城西門募百姓及諸王將帥莫有至者惟新安王伯固單馬應之叔堅白柳后遣左右司馬申以太子命召右衛將軍蕭摩訶帥馬步數百趣東府屯城西門叔陵惶恐送鼓吹與摩訶謂之曰事捷必以公爲台鼎摩訶紿

之曰須王心膂節將自來方識
聽命叔陵遣所親戴溫譚騏驎
詣摩訶執以送臺斬其首徇東
城叔陵自知不濟入内沈其妃
張氏及寵妾七人于井帥步騎
數百自航欲趣新林乘隋行至
白楊路為臺軍所邀陳伸華斬
其首伯固為亂軍所殺諸子宥
為庶人帝遺詔廢事務從儉約
金銀之飾不以入壙冥器皆令
用瓦帝卒有恢弘之度時國步
初艱創痍未復淮南之地並入
于齊帝志復舊境而強弱懸絶
及周滅齊乘勝而舉略地江際
自此懷懼而力修城隍為扞
禦之備獲銘曰二百年後當有
叛人修吾破城者時莫測所從
云丁巳太子即皇帝位大赦尊

後主 諱叔寶宣帝嫡子

至德元年癸卯

長沙王叔堅進驃騎將軍開府儀同三司揚州刺史尋遷司空將軍刺史如故

岳陽王叔昭

正月壬寅大赦改元　初上病創啟無大小皆決於長沙王叔堅權傾朝廷尚書孔範中書舍人施文慶構之於上出爲江州刺史　立子深爲始安王遣兼散騎常侍賀徹等聘于隋四月郢州城主張子機遣使請降于

皇后爲皇太后帝病創卧承香殿太后居栢梁殿百司衆務皆決於太后帝創愈乃歸政焉隋開府儀同三司鄧孝儒攻龍山鎮將軍陸綸以舟師救之敗績湞口饒山洸爲守將皆棄城走遣使請和於隋歸其胡墅隋高熲奏禮不伐喪遂班師立子永康公胤爲皇太子六月隋遣使來弔七月設無礙會於太極殿捨身及乘輿服御大赦

二月己巳朔日蝕八月丙寅朔日蝕九月丙戌天東南有聲如雷霆十二月戊辰夜天開自西北至東南其內青黃雜色隆隆若雷聲

爲丹陽尹太子深封始安王爲揚州刺史以南琅琊彭城二郡太守南平王嶷及會稽王莊爲揚州刺史

隋隋主以和好不納隋遣兼散騎常侍薛舒兼通直散騎常侍王劭來聘長沙王叔堅出爲江州復留爲司空實奪之權十一月遣散騎常侍周墳通直散騎常侍袁彥聘于隋帝聞隋主狀貌異人使彥畫像而歸帝見大駭曰吾不欲見此人亟命屏之十二月隋遣曹令則魏澹來聘司空長沙王叔堅既失恩乃爲厭媚求福或告其事帝因于西省將殺之叔堅曰臣本無他心旣狎天寵罹當萬死臣死之日必見叔陵願宣明詔責之於泉下帝赦之免官而已頡利國遣使朝貢

二年甲辰

岳陽王叔慎爲丹陽尹

正月命遣八使巡省風俗以吏部尚書江總爲僕射秋七月遣

正月甲子日蝕

散騎常侍謝泉等聘于隋將軍夏侯苗請降于隋隋主以通和不納皇太子加元服在位文武賜帛有差孝悌力田爲父後者爵一級鰥寡孤獨不能自存者穀五石冬十二月隋主遣散騎常侍薛道衡等來聘戒道衡當識朕意勿以言辭相折是歲上於光昭殿前起臨春結綺望僊三閣各高數十丈連延數十間其窗牖壁帶縣欄檻皆以沈檀爲之飾以金玉珠翠其下積石爲山引水爲池雜植奇花異卉上自居臨春閣張貴妃居結綺閣龔孔二貴嬪居望僊閣並複道交相往來又有王李二美人張薛二淑媛袁昭儀何婕妤江脩容並有寵遞遊其上以宮人

有文學者袁大捨等爲女學士
僕射江總雖爲宰輔不親政事
與孔範等文士十餘人侍上遊
宴後庭無復尊卑之序謂之狎
客賦詩互相贈答采其尤艷麗
者被以新聲其曲有玉樹後庭
花臨春樂等大略皆美張貴妃孔貴嬪
之容色君臣酣飲自夕達旦□□
貴妃名麗華本兵家女年十歲
龔侍兒已見而悅之得幸生太
子深上怠於政事百司啓奏並
因宦者蔡脫兒李善度進請
隱囊置張妃於膝上共決之宦
寺恩遇縱横不法於是孔範之
權薰灼四方大臣從風諂附上言
闕遺矣每有惡事必曲爲文飾
稱爲有諫者輒以罪斥中書舍
人施文慶以明閑吏職大見親

至正乙巳
二月卒
致 八月
老人

辛巳爲池容卿陽惠朗爲壽寧
慧異等奇末能以陽惠朗壽六
年令憂慧景爲尚書金倉郡令
入纂就無厭士民嗟悉客卿戀
舉之歲入過於當路董古哉二
基以文變爲知人轉相設升界
數譚普五十人孔範自謂文武
新能舉朝莫及從容白上曰朕
節起自行伍亡入敵耳深見寵
憲豈其所知上以問文慶文慶
以爲然司爲田爲賞之自是將
帥微有過失即奪其兵奪任惡
部曲以配範及蔡徵由是文武
解体以致覆滅
豊州刺史章大寶在州貪縱朝
廷以太僕卿李暈代之大寶襲
殺暈舉兵反攻建安不剋衆潰
逃入山爲追兵所獲夷三族亡

四年丙午

禎明元年丁未

割揚州吳郡置吳州割錢塘縣為郡屬

以蕭巖為東揚州刺史

月遣散騎常侍王話等聘于隋隋使李若等來聘丑地傅縡事上東宮累遷至中書通事舍人負才使氣施文慶沈客卿共譖受高麗使金下獄縡獄中上書指陳帝荒淫云恐東南王氣自斯而盡殺之十一月詔脩孔子廟畢良于寺大赦高麗百濟使來朝貢

夏四月遣周磻等聘于隋五月立子莊為會稽王秋八月隋遣散騎常侍裴豪等來聘九月幸玄武湖閱武宴群臣賦詩十月以江總為尚書令謝伷為尚書右僕射

正月戊寅大赦改元二月遣兼散騎常侍王琬等聘于隋四月隋遣兼散騎常侍楊同等來聘

正月乙未地震五月乙亥朔日蝕

焉

十一月甲午隋主如馮翊親祠故社內史令李德林以其不從隋主自同州敕書追之與議伐陳之計初隋受禪以來與陳鄰好甚篤書稱姓名頓首帝答之益驕末曰想彼統內如宜此宇宙清泰隋主不說以示朝臣上柱國楊素以為主辱臣死再拜請罪隋主問取陳之策於高熲對曰江南水田早熟量彼收穫之時聲言掩襲彼必屯兵守禦我便解甲再三如此必以為常猶豫之頃我乃濟又江南薄積非地窖因風縱火焚之不出數年自可財力俱盡隋用其策陳人始困於是楊素賀若弼[illegible]勵崔仲方等爭獻平江南之[illegible]及受蕭巖等降隋主益忿譯高

二年戊申

煩曰我為民父母豈可限一衣帶水而不拯乎命大作戰船楊素在永安造大艦名曰五牙上起樓五層高百餘尺左右前後置六拍竿並高五十尺容戰士八百人次曰黃龍置兵百人自餘平乘舴艋等各有差時江南妖異特眾臨平湖草久塞忽然自開帝惡之乃自賣於佛寺為奴以厭之又於建康造太皇寺起七級浮圖未畢火從中起焚之吳興章華好學善屬文朝臣以其素無伐閱競排詆之除大市令不得志乃上書極諫末云如不改絃易張臣見麋鹿復遊於姑蘇帝大怒斬之

正月立子恮為東陽王恬為錢塘王遣散騎常侍袁雅等聘于

保大十二年夏四月群鼠無數自蔡洲岸入石頭緣淮至于青塘兩岸數日自死隨流入江三月甲午東石鑄鐵有物赤色如火六數升自己墜所隆隆有聲如雷鑄鐵飛出牆外燒人家[illegible]大風自西北激江水入石頭秦淮泛溢漂船舫又

隋又遣周羅睺將兵屯峽口侵着峽州三月隋遣散騎常侍程尚賢等來聘戊寅隋下詔出師璽書暴帝二十惡散寫三十萬紙遍諭江外震舟山蔣山松柏冬冬月常出禾禮後乃以為甘露之瑞俗呼為雀餳又有神人自稱老子遊於都下與人言而不見形言吉凶多驗後主夢黃衣圍城有血霑階至臥床頭而火起又有狐入床下捕之不見五月廢太子胤為吳興王立始安王深為太子帝初欲以深為嗣嘗從容言之蔡徵順旨稱贊袁憲厲色折之曰皇太子國家儲副億兆宅心卿是何人輕言廢立帝卒從徵議又欲廢沈后立張貴妃國亡不果冬十月帝

船下有聲云明年亂視之得嬰兒三尺無頭又蔣山衆烏鼓翼拊膺曰奈何帝又府城無故自壞又青龍出建陽門朱雀航亦震地生白黑毛又大風吹朱雀號

遣王琬詣善心聘于隋請還不聽隋以出師有事于太廟命晉王廣秦王俊清河公楊素皆爲行軍元帥廣出六合俊出襄陽素出永安劉仁恩出江陵王世積出蘄春韓擒虎出廬州賀若弼出廣陵弘農燕榮出東海凡總管九十兵五十一萬八千皆受晉王節度以高熲爲晉王元帥長史王韶爲司馬軍中事皆決於熲謂薛道衡曰今茲大舉江東必可克乎曰克之嘗聞郭璞有言江東分王三百年復與中國合今者之勢事在不疑又建康戍邏有隋軍相繼奏聞施文慶沈客卿並抑而不言及隋軍臨江諸防戍船艦悉還都下江中無一兵後主聞隋軍至曰

王氣在此齊兵三來周之再至皆並摧沒彼何爲者耶孔範曰長江天塹虜軍豈能飛度耶邊將欲作功勞妄言事急臣每患官卑虜若渡江臣定作太尉公矣或妄言北軍馬死範曰此是我馬何爲而死帝笑以爲然故不爲深備奏伎縱酒賦詩不輟明年國亡

金陵表卷三之中

起隋開皇己酉至周顯德己未
表宋建隆庚申至德祐乙亥爲年表

隋唐五代

隋唐都長安五代都汴梁正統而舊志繫以南唐行事今姑從之

	隋文帝
天時	姓楊諱堅弘農華陰人周大象二年封隋王明年受周禪開皇九年滅陳遂爲正統九年己酉末年甲子天下戶口踰八百九十萬
地域	九年平陳建康城邑宮室並蕩耕墾於石頭城置蔣州廢丹陽郡併秣陵建康同夏三縣之江寧
官守	郭衍爲蔣州刺史王韶鎮石頭
政事	開皇九年正月乙丑朔陳主朝會羣臣大霧四塞入人鼻皆辛酸陳主昏睡至晡時乃寤是日賀若弼自廣陵韓擒虎自采石濟江庚午弼拔京口執刺史黃恪擒虎進攻姑孰拔之執樊巡弼擒虎軍南北並進諸戍望風盡走弼分兵斷曲阿之衝而入陳主命豫章王叔英屯朝堂蕭摩訶屯樂遊苑樊毅屯耆闍寺魯廣達屯白土岡之東晉王廣遣杜彥與韓擒虎步騎貳萬屯

新蔡陳主晝夜啼泣臺內處分一以委施文慶文慶既知諸將疾己恐其有功啓請率皆不行弼兵京口摩訶請兵逆戰不許弼至鍾山摩訶又請乘壘塹未堅出兵掩襲又不許任忠請固守臺城緣淮立柵分兵斷江路無令彼信得通陳主又不從明日歘然曰兵久不決令人腹煩可呼蕭郎〻〻一出擊之任忠叩頭苦請勿戰孔範又奏請作一決當爲言勒石燕然陳主從之摩訶曰從來行陳爲國爲身今日之事兼爲妻子陳主遍於摩訶妻摩訶初無戰意唯廣達力戰備師退走者數四弼引兵趣孔範兵暫交即走諸軍[illegible]潰[illegible]

王言敗狀出降擒虎於石子引擒虎直入朱雀門陳人欲戰忠軍之曰老夫尚降諸君何事衆皆散走袁憲請正衣冠御前殿依梁武帝見侯景故事陳主不從曰吾自有計從後堂景陽殿將投于井憲苦留夏侯公韻以身蔽井陳主與爭久之乃得入既而軍人窺井呼之不應欲下石乃聞叫聲以繩引之與張貴妃孔貴嬪同束而上沈后居處如常太子深閉閣而坐宗室王侯在建康者百餘人陳主恐其爲變皆召入屯朝堂及臺城失守祖師出降弼乘勝至樂遊苑魯廣達督餘兵苦戰會日暮乃解甲面臺城再拜慟哭遂就擒弼夜燒北掖門入聞擒虎已

得後主呼視之叔寶恐向開其拜嚮謂曰小國之君當大國之卿拜乃禮也入朝不失作歸命侯無勞恐懼高熲先入建康晉王廣使騶詣熲令留張麗華熲曰昔太公蒙面以斬妲己今豈可留麗華乃斬之於清溪廣變色曰昔人云無德不報我必有以報高公由是恨熲丙戌晉王廣入建康斬施文慶沈客卿陽慧朗徐析暨慧於石闕下以其昔為民害王頒僧辯之子也夜發陳高祖陵焚骨取灰投水而飲之晉王廣以聞上命赦之詔陳方武宣三陵各給五戶看守晉王廣命叔寶手書招上江諸將諸將大臨三日放甲降得州三十郡一百縣四百詔建康

城邑並平蕩耕墾於石頭城置蔣州晉王廣班師留王韶鎮石頭委以後事三月己巳陳叔寶與其王公百司發建康詣長安帝御廣陽門觀引陳叔寶及太子諸王二十八人司空司馬消難以下至尚書郎二百餘人宣詔勞之賜封長城侯文武皆隨才擢用陳境之内給復十年餘州免其年租賦江表自東晉以來刑法疏緩世族陵駕寒門平陳之後牧民者盡更變之蘇威又作五教使民無長幼誦之士民嗟怨民間復訛言隋欲徙之入關遠近驚駭於是越州高智慧蔣山李稜等舉兵反自稱大都督陳之故境大抵皆反大者有衆數萬小者亦數千執縣令

義寧元年丁丑	恭帝 諱侑 十四年戊寅	煬帝 諱廣 元年乙丑	
		大業初置丹陽郡有蔣州領縣三江寧當塗溧水	
			以蔣州刺史郭衍爲洪州總管
			抽其腸或臠其肉食之曰更能使儂誦五教邪詔以楊素爲行軍總管討之智慧等敗餘黨散入海島或守溪洞素分遣將水陸追捕後斬智慧於泉州餘黨悉降十一年春正月以平陳所得古器多爲妖變悉命毀之十八年夏四月以蔣州刺史郭衍爲洪州總管

越王

諸侯

皇泰一年

戊寅

唐高祖

姓李名淵受

隋禪

元年戊寅

末年丙戌

武德二年置
揚州東南道
行臺尚書省
三年以江寧
溧水二縣置
揚州析置丹
陽溧陽安業
三縣更江寧
曰歸化以句
容延陵二縣
置茅州
六年復爲揚
州又以延陵

杜伏威爲揚
州刺史總管
江淮以南羣
亭東南道行
臺尚書令封
吳王賜姓李
氏
伏威入朝輔
公祏爲揚州
刺史
趙郡王孝恭
由東南道行
臺爲揚州大

武德元年煬帝在江都荒淫益
甚見中原已亂欲都丹陽保據
江東命群臣廷議之虞世基等
皆以爲善右侯衛大將軍李才
極陳不可請還長安李桐客曰
江東卑濕土地險狹內奉萬乘
外給三軍民不堪命恐亦將散
亂耳御史劾桐客毀謗朝政於
是公卿皆阿意言江東民望幸
已久陛下過江撫而臨之此大
禹之事乃命治丹陽宮將徙都
之時從駕多謀叛歸而宇文化
及司馬德戡裴虔通帥賊弑帝

句容隸之省安業入歸化更歸化曰金陵七年平輔公祏更名蔣州置金陵縣屬東南道行臺九年廢都督徙治江都更金陵曰白下延陵句容隸潤州丹陽溧水溧陽隸宣州

都督李靖爲府長史襄邑王神符檢校揚州五都督

武康沈法興爲吳興太守聞化及弑逆舉兵攻毗陵餘杭丹陽皆下之擄江表十餘郡自稱江南道大總管承制置百官時杜伏威據歷陽陳稜據江都李子通據海陵俱有窺江表之心三年六月以和州總管東南行臺尚書令楚王伏威爲使持節總管江淮以南諸軍事揚州刺史是歲子通即僞位於江都國號吳度江攻法興取京口法興遣其僕射蔣元超拒之戰於庾亭元超敗死法興棄毗陵奔吳郡於是丹陽毗陵等郡皆降子通杜伏威遣行臺左僕射輔公將卒數千攻子通以將軍闞稜王雄誕爲之副公祏度江攻丹陽克之進屯溧水子通帥衆文

爲拒之公祐簡精兵千人躡其乃爲前鋒使千人踵其後[illegible]進託又以其屬數百人夜出擊之四鼓縱火子通大敗江南之地盡入於伏威伏威徙居丹陽六年七月淮南道行臺輔公祐反初伏威與公祐相友善公祐年長伏威兄事之軍中畏敬與伏威等伏威忌之乃署其養子闞稜爲左將軍王雄誕爲右將軍潛奪其兵權公祐知之怏怏不平與左遊僊陽學道辟穀以自晦及伏威入朝留公祐守丹陽乃詐稱伏威貽書令其起兵殺雄誕[illegible][illegible]帝丹陽國號宋脩陳故宮居之署置百官以左遊僊爲兵已尚書越州總管乙丑詔來[illegible]行臺僕射趙郡王孝恭以

舟師趣江州，李靖以交廣之衆趣宣州，黃君漢出譙亳，李世勣出淮泗以討公祐。李孝恭將發，與諸將宴集，命取水，忽變為血，在坐皆失色。孝恭曰：此公祐授首之徵也。七年，孝恭擊公祐別將於樅陽，攻鵲頭鎮，拔之。三月戊戌，孝恭趣丹陽。先是公祐遣其將馮慧亮、陳當世將舟師三萬屯博望山，陳正通、徐紹宗將步騎二萬屯青林山，仍於梁山連鐵鎖以斷江路，築却月城，延袤十餘里。孝恭帥李靖、李世勣等進師，慧亮等堅壁不戰。李靖曰：公祐精兵雖在此水陸二軍，然所自將亦爲不少，今博望諸栅尚不能拔，公祐保據石頭，豈易取哉。進攻丹陽，旬月不下，慧亮

太宗
世民

貞觀七年更白下曰江寧縣

等歸書後腹背受敵此危道也孝恭以羸兵攻賊壘而勒精兵結陣以待攻壘者不勝而走賊出兵追之行數里遇大軍與戰大破之公祏大懼棄城東走欲就左遊僊於會稽至句容從兵能屬者纔五百人至武康爲野人所攻西門君儀戰死執公祏送丹陽梟首分捕餘黨悉誅之江南平以孝恭爲東南道行臺右僕射尋廢行臺爲揚州大都督請爲府長史八年十二月以襄邑王神符檢校揚州大都督始自丹陽徙州府及居民於江北

元年丁亥
末年己酉

高宗
治
元年庚戌
末年癸丑

則天后
名明空
元年甲申
末年甲辰

光宅元年時諸武用事唐宗室人人自危眉州刺史李敬業貶柳州司馬弟盩厔令敬猷免官盩厔尉魏思溫被黜會於揚州各自以失職謀作亂以匡復爲辭使其黨監察御史薛仲璋求奉使江都令雍州人韋超詣仲璋告變云揚州刺史陳敬之謀反仲璋收敬之繫獄敬業乘傳而至矯稱揚州司馬來之官云

奉密旨以高州酋長馮子猷謀反發兵討之於是開府庫賜因徒工匠數百授以甲斬敵之於繫所録事參軍孫震行拒之亦斬以徇僚吏無敢動者遂起一州之兵復曰嗣聖元年敬業自稱匡復府上將領揚州大都督旬日間得勝兵十餘萬則天以李孝逸將兵三十萬討敬業魏思溫説敬業曰明公以匡復為辭宜帥大衆鼓行而進直指洛陽則天下知公志在勤王四面響應矣薛仲璋曰金陵有王氣且大江天險足以為固不如先取常潤為定霸之基然後北向以圖中原進無不利退有所歸此良策也思溫曰山東豪傑以武氏專制憤惋不平聞公舉事

中宗 顯
元年乙巳
末年乙酉

肅宗 亨
元年[illegible]
末年[illegible]

昔蒸麥飯爲粮仲勑爲兵以俟
南軍之△不乘此勢以立大功
乃更蓄縮欲自謀巢穴遠近聞
之其誰不解體敬業不從攻潤
州執刺史李思文聞李孝逸將
至進擊之孝逸因風縱火敬業
大敗其將王那相斬敬業首來
降揚楚潤三州平

玄宗 隆基 元年壬子 末年乙未

開元四年二月二十六日升江寧縣爲望縣

林洋爲丹陽郡太守

肅宗 璵 元年丙申 末年壬寅

至德二載正月十六日以潤州江寧縣置江寧郡 乾元元年改爲昇州 置浙江西道節度兼江寧軍使領昇潤宣歙饒江蘇常杭湖十州治昇州後尋徙治蘇州 乾元二年設

至德元載顏真卿封丹陽縣子 乾元元年以昇州刺史韋黃裳爲浙江西道節度使兼江寧軍使領昇潤等十州治昇州 乾元二年顏真卿拜浙西節度使治昇州旋召還爲刑

上皇以制命諸子分總天下節制永王璘領四道節度使璘子襄城王瑒有勇力好兵薛鏐等爲謀主以爲今天下大亂惟南方完富宜據金陵保有江表如東晉故事上聞之敕璘歸覲璘不從上召高適與之謀適陳江東利害且言璘必敗之狀十二月以高適來瑱與江東節度使韋陟共圖璘甲辰璘擅引舟師東巡沿江而下軍容甚盛吳郡太守兼江南東路采訪使李希言平牒璘詰之璘分兵遣將襲

浙江西道觀部侍郎侯令
察處置都團儀爲浙西節
練守捉及本度使昇州刺
道營田使更史
領丹陽軍使令儀兼城走
上元元年劉展以養昌群
展陷昇州領昇州刺史
上元二年浙宗厚爲丹陽
江西道觀察軍使
使徙治宣州
罷領昇州
寶應元年四
月十五日發
昇洲

之至德二載二月璘敗死其黨
薛鏐等皆伏誅乾元二年顏真
卿拜浙西節度使劉展將反真
卿豫飭戰備都統李峘以爲生
事非短真卿召還爲刑部侍郎
上元元年十一月宋州刺史劉
展領淮西節度副使將有讖言
曰手執金刀起東方節度使王
仲昇使邢延恩入奏展倔強不
受命姓名應謠讖請除展江淮
都統代李峘俟其釋兵赴鎮執
之上從之以展爲都統淮南東
江南西浙西三道節度使展疑
曰事苟不欺印節可先得延恩
馳詣廣陵解峘印節以授展展
得印節乃上表謝延恩知展已
得其情還廣陵與李峘鄧景山
發兵拒之移檄州縣言展反展

儇音喧

亦言峘及峘引兵度江襲潤州刺史韋儇浙西節度使使令儀屯京口以景山屯徐城展倍道先期至使人問景山曰此何兵也景山不應展使其將孫待封張法雷擊之景山衆潰與延恩奔壽州展入廣陵李峘闢北固爲兵場插木以塞江口展軍於白沙設疑兵於瓜洲多張火鼓若將趨北固者如是累日峘悉銳兵守京口展乃自上流濟襲下蜀峘軍潰奔宣城展陷潤州昇州軍士萬五千人謀應展攻金陵不克而遁從令儀懼以後事授兵馬使姜昌群棄城走昌群與其將宗犀詣展降丙申展陷昇州初上命平盧都知兵馬使田神功將所部精兵三千屯

伏誅鄧景山既敗敕神功討展展聞之有懼色自廣陵將兵八千拒之選精兵二千度淮擊神功於都梁山展敗走至天長以五百騎據橋拒戰又敗展亡度江神功入廣陵及楚州大掠城中地穿掘畧遍二年正月神功先遣范知新將四千人自白沙濟趣下蜀鄧景山等將千人自海陵濟東趣常州神功與邢延恩將三千人軍於瓜洲壬子濟江展將步騎萬餘陳於蒜山神功以舟載兵趣金山會大風不得度還軍瓜洲而范知新已至下蜀展擊之不勝將軍賈隱林射展中目而仆遂斬之餘黨皆平平盧兵大掠十餘日

代宗 豫

元年癸卯

末年乙未

大曆十二年浙江西道觀察使罷領丹陽軍使

德宗 适

元年庚申

末年甲申

十四年合浙江東西道置都團練觀察使建中元年分浙江東西道都團練觀察為二道二年合浙江東西二道觀察置節度使治潤州尋賜號鎮海軍節度使節度使韓滉

韓滉為浙江東西節度使興元元年以杜黃裳為江淮宣慰副使

建中四年浙江東西節度使韓滉聞朱泚作亂閉關梁禁馬牛出境築石頭城穿井近百所繕館第數十塢壁起建康抵京峴樓雉相屬以備車駕度江且自固也上疑之以問李泌對曰滉公忠清儉自車駕在外滉貢獻不絕且鎮撫江東十五州盜賊不起滉之力也所以修石頭城者滉見中原板蕩謂陛下將有永嘉之行為迎扈之備耳此乃人臣忠篤之慮奈何以為罪邪滉性剛嚴不附權貴故多謗毀

[illegible]下臯爲考功員外郎不敢歸[illegible]以[illegible]語沸騰故臣請以百[illegible]況[illegible]中米斗千錢倉[illegible]竭[illegible]臯令混速運[illegible]車令韓臯[illegible]衣諭以鄉父[illegible]其所以釋然有[illegible]無粮歸語鄉不復信[illegible]感泣即自父宜速[illegible]臯至[illegible]臯留五日臨水濱發米百萬冒風濤而遣之既而陳少游聞混貢米亦獻二十萬碩

順宗 誦

憲宗 年 純

李錡遣兵治石頭城

李錡爲節度使

元和二年夏蜀既平藩鎮惕息鎮海節度使李錡不自安求入

元年丙戌
末年庚子

朝上許之遣中使慰勞錡實無行意遂謀反先是錡選腹心五人爲蘇常湖杭睦五州鎮將各有兵數千伺察刺史動靜至是錡各使殺其刺史遣牙將庾伯良將兵三千治石頭城尋執伏誅

穆宗 恒
元年辛丑
末年甲辰

長慶二年竇易直爲浙西觀察使三年李德裕爲浙西觀察使

敬宗 湛
元年乙巳
末年丙午

文宗 昂
元年丁未
末年庚申

太和八年李德裕爲浙西觀察使漳王傅母杜仲陽坐宋申錫事放歸金陵詔德裕存處之會德裕已離浙西牒留後李蟾使如詔旨至是左丞王璠戶部侍郎李漢奏德裕厚賂仲陽陰結漳王圖爲不軌路隋曰德裕不至此果如所言臣亦應得罪言者稍息夏四月以德裕爲賓客分司

武宗 炎
元年辛酉
末年丙寅

會昌四年十一月升句容縣爲望縣

宣宗 忱
元年丁卯

末年己卯	懿宗 漼 元年庚辰 末年癸巳	僖宗 儇 元年甲午 末年戊申	昭宗 曄 元年己酉 末年甲子
		光啓三年復以上元句容溧水溧陽四縣置昇州	
			大順元年張雄爲昇州刺史景福二年馮弘鐸爲昇州刺史兼武寧軍節度使天復二年封
			景福元年楊行密破孫儒復入揚州自此有國於淮南奄據金陵天復二年封行密吳王武寧節度使馮弘鐸介居宣揚之間自恃樓船之強不事兩道寧國節度使田頵欲圖之募弘鐸工人造戰艦工人辭以無堅木頵

頵音氳

楊行密爲吳王行密以李神福爲昇州刺史三年行密以神福爲淮南行軍司馬秦裴爲昇州刺史宋義改洪鄂制置使

曰篤爲之吾止須一用兵弘鐸將馮暉顏建說弘鐸先擊頵弘鐸從之帥衆南上聲言攻洪州頵帥舟師逆戰于葛山大破之弘鐸收餘衆沿江將入海行密恐其爲後患遣使犒軍乘輕舟迎之衆兵感悅署弘鐸淮南節度副使館給甚厚行密以李神福爲昇州刺史三年行密承制以昇州刺史李神福爲淮南行軍司馬鄂岳行營招討使將兵擊杜洪田頵襲昇州得神福妻子遣使謂曰公見機與公分地而王不然妻子無遺神福曰吾以卒伍事吳王今爲上將義不以妻子易其志頵有老母不顧而反三綱且不知烏足與言手斬使者而進與頵將王建戰因

景宗
祝
元年乙丑
末年丙寅

晟裴之達大敗又戰于皖口裴僅以身免顒自將水軍逆戰神福曰賊棄城而來此天亡也臨江堅壁不戰使告行密遣臺濛王茂章引兵斷其歸路顒爲濛所敗奔還宣城濛攻剋之行密以神福爲寧國節度使神福以杜洪未平固讓不拜天祐三年揚渥以昇州刺史秦裴爲西南行營都招討使將兵擊鍾匡時於江西後扶洪州虜匡時等五千人以歸楊渥自兼鎮南節度使以裴爲洪州制置使

五代

梁太祖

姓朱名晃

元年丁卯

末年甲戌

開平元年以楊行密子渥爲弘農王子隆演世襲位乾化二年徐温等推隆演爲吳王温自領昇州刺史留廣陵以養子知誥爲防遏樓船副使治昇州知誥以功遷昇州刺史温爲鎮海軍節度使

開平三年三月徐温以金陵形勢戰艦所聚以假子元從指揮使知誥爲昇州防遏兼樓船副使往治之宣州觀察使李遇乃忠武王舊將有大功以温自牙將秉政不平對使者有慭辭乾化二年温以淮南節度副使王壇爲宣州制置使數遇不入朝之罪遣都指揮柴再用將昇潤池歙兵納壇于宣州踰月不克李遇少子爲淮南牙將温執至城下示之其子啼號求生遇不忍開門請降温使再用斬之夷其族徐知誥以功遷昇州刺史知誥事温甚謹安於勞辱時諸州長吏多武夫專以軍旅爲務不恤民事知誥在昇州獨選用廉吏修明政教招延四方士大

宋 帝

名項

元年乙亥

六年壬午

磨滅之

貞明五年楊隆演即吳國王位置百官僭用天子禮改元武義龍德元年楊溥襲位改元順義

小五、四七二

夫傾家貲無所愛洪州進士宋齊丘好縱横之術謁知誥奇之辟爲推官與判官王令謀參軍王翃專主謀議以牙吏馬仁裕周宗曹悰爲腹心

元年吳以鎮海節度使徐溫爲管內水陸馬步諸軍都指揮使兩浙都招討使守侍中齊國公鎮潤州以昇潤常宣歙池六州爲巡屬軍國庶政參決如故知誥留廣陵秉

貞明二年吳昇州刺史徐知誥治城市府舍甚盛五月徐溫行部至昇州愛其繁富潤州司馬陳彥謙勸溫徙鎮海軍治所於昇州溫從之徙知誥爲潤州團練使知誥求宣州溫不許知誥不樂宋齊丘密言於知誥曰三郎驕縱敗在朝夕潤州去廣陵隔一水耳此天授也知誥悅即之官三郎謂溫長子知訓也溫以陳彥謙爲鎮海節度判官溫但舉大綱細務悉委彥謙江淮稱治四年徐知訓爲副都統朱

六十

政

瑾所殺徐温入朝疑諸將皆預瑾之謀欲大行誅戮知誥與嚴可求具陳知訓過惡所以致禍之由温稍解責知訓將佐不能匡救皆抵罪温還鎮金陵總吴朝大綱自餘庶政皆決於知誥吴劉信攻虔州不能剋使人説譚全播取質納賂而還温大怒杖信使者授其子英彦兵三千曰汝父據上游之地將十倍之衆不能下一城是反也汝可以此兵往與父同反又使昇州牙内指揮使朱景瑜與之俱信聞温言大懼引兵還擊虔州先鋒始至虔兵皆潰譚全播奔雩都追執之嚴可求屢勸温以次子知詢代知誥知吴政知誥與駱知祥謀出可求爲楚州刺史温

唐莊宗
諱李名存勗

元年癸未

求既受命至金陵見溫說曰先
建吳國以繫民望溫大悅復留
可求參總庶政知誥知可求不
可去以女妻其子續六年吳王
見徐溫父子專政遂成寢疾五
月溫自金陵入朝議當為嗣者
或希溫意言曰蜀先主謂武侯
嗣子不才君宜自取溫正色曰
吾果有意取之當在誅張顥之
初豈存今日使楊氏無男有女
亦當立之敢長言者斬十一月
吳金陵城成陳彥謙上費用之
籍徐溫曰吾既任公不復會計
悉焚之
同光元年吳人有告壽州團練
使鍾泰章侵市官馬者知誥遣
滁州刺史王稔巡霍丘因代之
以泰章為饒州刺史徐溫召至

末年

明帝 名璟

元年

末年

天成二年楊溥改元

乾貞二年改

大和六年改

元年八月徐知誥廣金陵城二十里且營宮城以備吳王遷都不果

徐溫卒吳以知誥爲鎮海寧國節度使鎮金陵總録朝政如溫故事

金陵使陳彥謙謂之者三皆不對或問秦章何以不自辨秦章曰吾在揚州號稱壯士壽州步騎不下五千苟有他志豈單騎能代之乎我義不負國黜爲縣令亦行况刺史乎何爲自辨以彰朝廷之失二年吳王如白沙觀樓船更命白沙曰迎鑾鎮徐溫自金陵來朝

天成二年十月吳徐溫卒初溫子知詢以其兄知誥非徐氏子數請代之嚴可求徐玠亦屢勸焉陳夫人曰知誥自我家貧賤時養之柰何富貴而棄之可求等言不已溫欲勸吳王稱帝遣知詢奉表勸進因留代知誥政知誥草表求洪州節度[illegible]旦上之是夕凶問至乃止知[illegible]

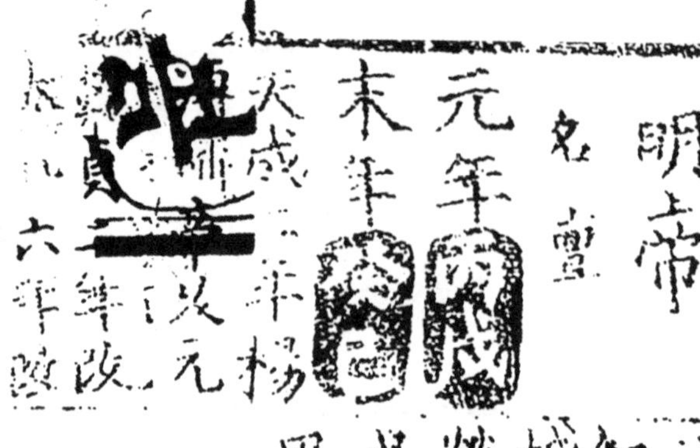

天祚

[illegible]歸金陵二年十一月知誥表稱輔政歲久請歸老金陵乃以其子景通爲司徒同平章事留江都輔政三年知誥作禮賢院於府舍聚圖書延士大夫與孫晟及海陵陳覺談議時事四年宋齊丘勸知誥徙吴主都金陵知誥乃營宫城於金陵九月知誥以國中水火屢爲灾曰兵民困苦吾安可獨樂悉縱遣侍妓取樂器焚之宋齊丘事吴守貟外郎上策勸農桑曰徵民税宜虚擡時價以折紬綿及蠲課調于時朝議喧然謂齊丘此策虧損官錢不少阻之齊丘貽書知誥卽荅曰此勸農上策也行之自是江淮不十年間野無閑田桑無隙地

潞王
從珂
元年[illegible]
末年[illegible]
晉滅之
二月[illegible]金陵大火[illegible]又大火吳大和中徐知誥典金陵鍾山之陽積飛蝗尺餘厚有數千僧白晝聚瘞燔之盡

吳以徐景遷為節度副大使十月加中書令徐知誥尚父太師大丞相大元帥封齊王備殊禮以昇潤宣池歙常江饒信海十州為齊國知誥辭尚父丞相殊禮

清泰元年知誥別治私第於金陵慶府舍以待吳王具人多不欲遷都者都押衙周宗言於知誥曰主上西遷公復須東行不惟勞費甚大且違衆心吳主遣宋齊丘知金陵諭知誥罷遷都先是知誥久有傳禪之志以吳主無失德恐衆心不悅欲待嗣君齊丘亦以為然一旦知誥臨鏡鑷白髭曰國家安而吾老矣奈何周宗知其意請如江都微以傳禪諷吳主且告齊丘齊丘以宗先已心疾之遣使馳諫以為天時人事未可請斬宗以謝吳主乃黜宗為池州副使七月知誥召齊丘還金陵以為諸道都統判官加司空於事皆無所關預齊丘屢請退居知誥以南

閩結之十月加知誥太丞兼尚父嗣齊王九錫辭不受十一月知誥召其子景通還金陵爲鎮海寧國節度副大使以次子景遷爲左僕射參知政事留江都輔政二年吳加徐景遷同平章事知誥令尚書郎陳覺輔之謂覺曰吾少年時與宋子嵩論議好相詰難子嵩携衣笥望秦淮門欲去者數矣吾常戒門者止之今老矣猶未徧達時事凡景遷年少當國故屈吾子以輔之耳布衣錢亮寓居金陵唐李天祐中嘗謂人曰金陵王氣復興當有申生子應運於此建都後吳帝命徐知誥與郡亮謁之退謂左右曰建業之地復興帝都即郡使是也徐溫聞徙知誥它

晉高祖石敬塘

元年丙申

末年壬寅

天福二年即吳天祚三年楊溥禪位于徐知誥遷據金陵自此有國江南知誥本姓李氏徐溫養之以爲子

吳天福元年唐以齊王還詔齊王徐知誥爲昇揚二州誥置百官以安金陵府爲西都知誥改金陵爲江寧府于成曰宮城廳堂曰殿陪建太廟社稷

部廣修廨署濶布城池以厭之亮又曰此乃修道之主也溫亡知誥受禪於金陵建帝都改元昇即戊申生也封亮爲霸國先生

天福元年十二月知誥以鎮南節度使太尉中書令李德誠德勝節度使兼中書令周本位望隆重欲使之帥衆推戴本曰我受先王大恩自徐溫父子用事恨不能救楊氏之危又使我爲此可乎其子弘祚強之不得已帥諸將表陳知誥功德請行冊命又詣金陵勸進宋齊丘謂德誠之子建勲曰尊公太祖元勲今日掃地矣於是吳宮多妖異主曰吳祚其終乎左右曰此乃天意非人事也二年春正月吳

連冒徐姓旣受吳禪明年復姓李氏更名昪國號唐改元昪元六年李景襲位改元保大唐昪元六年歲

壬寅十一月

丁丑溧水縣天興寺桑樹生木人

太子璉納齊王知誥女爲妃知誥以左右司馬宋齊丘徐游爲左右丞相馬步判官周宗內樞判官黟人周廷玉爲內樞使副餘百官皆如吳朝之制置騎兵八軍步兵九軍二月戊子吳主使宜陽王璪如西都冊命齊王王受冊赦境內冊王妃曰后更名誥立子景通爲王太子固辭不受吳王令謀老病或勸之致仕令謀曰齊王大事未畢吾何敢自安疾亟力勸徐誥受禪是月吳主下詔禪位于齊李德誠等復詣金陵帥百官勸進宋齊丘不署表冬十有一月甲申齊王誥即皇帝位于金陵大赦改元昪元國號唐遣右丞相玠奉冊詣吳主稱受禪老臣誥謹拜

稽首上皇帝尊號曰高尚思玄
引古讓皇宮室乘輿服御皆如
故正朔徽章服色悉從吳制唐
主宴群臣於天泉閣李德誠曰
陛下應天順人推宋齊丘不樂
因出齊丘上德識勸進書唐主
熟書不視曰予爲三十年舊交
必不相負丙申以吳張延翰張
居詠宋建勲並同平章事加齊
丘大司徒齊丘雖爲左丞相不
預政事心愠懟聞制詞云布衣
之交抗聲云臣爲布衣時陛下
爲刺史今日爲天子可不用老
臣矣還家請罪唐主手詔謝之
亦不改命久之齊丘不知所出
乃更上書請遷讓皇於他州竟
遠矣太子璟駮其書唐主不從
二年五月改潤州牙城爲丹楊

宮以李建勳爲迎奉使徙讓皇
居丹揚宮或有獻毒酒方於唐
唐主曰犯吾法自有常刑安用
此爲群臣爭請改封州縣名
玠曰咸非急務不可從唐主然
之唐人附卿趙可封請唐主復
姓李立唐宗廟十一月吳讓皇
卒唐主廢朝二十七日追謚曰
睿皇帝四年唐江王徐知證等
累表請立宗廟唐主許之又請
上尊號以爲虛美且非古遂不
受不以外戚輔政宦者不得預
事皆他國所不及己卯唐主爲
李氏考妣發哀與皇后斬衰居
廬寢初喪禮朝夕臨凡五十四
日詔國事委齊王璟詳決惟軍
務以聞庚寅唐主更名昪詔百
官議二祚合享禮辛巳祀南郊

癸未大赦唐主將立齊王璟爲太子固辭乃以爲諸道兵馬大元帥判六軍諸衞守太尉録尚書事昇揚二州牧丕年唐倉吏歲終獻羨餘萬石唐主曰出納有數苟非掊民刻軍安得羨餘却之十月壬寅大赦詔中外奏章無得言睿聖犯者以不敬論術士孫智求以四星聚斗分野有災勸唐主巡東都庚戌唐主發金陵至江都欲遂居之以求東漕運不給乃還唐主性節儉常躡蒲屨盥頮用鐵盎暑則寢於青葛帷左右使令惟老醜宮人服飾粗略死國事者雖卜卒皆給禄三年分遣使者按行民田以肥瘠定其税民稱平允自是江淮調兵興役及他賦斂皆

以稅錢爲率至今用之唐主勤
於聽政以夜繼晝還自江都不
復宴樂頗傷躁急内侍王紹顏
上書以爲今春以來羣臣獲罪
者衆中外疑懼唐主手詔釋其
所以然令紹顏告諭中外七年
宋齊丘固求豫政事唐主聽入
中書視事數月親吏夏昌圖盜
官錢三千緡齊丘判貸其死唐
主大怒斬昌圖齊丘稱疾請罷
從之齊丘既罷省事不復朝謁
唐主遣壽王景勞問許鎮洪州
始入朝侍宴酒酣齊丘曰陛下
中興臣之力也柰何忘之唐主
怒曰公以游客干朕今爲三公
亦足矣乃與人言朕烏喙如勾
踐難與共安樂有之乎齊丘曰
臣實有此言臣爲游客時陛下

齊王
重貴
元年癸卯
末年丙午
契丹滅晉漢
代之唐主李
景襲位改元
保大

金陵尹燕王
景遂爲諸道
兵馬元帥

乃偏裨耳今日發兵可矣明日
唐主手詔謝之曰朕之福性予
嵩所知少相親老相怨可乎丙
午以齊丘爲鎮南節度使唐主
自爲吳相興利除害變更舊法
甚多及即位命法官尚書删定
爲昇元條三十卷行之問運三
年藏閣

天福八年唐宣城王景達剛毅
開爽烈祖愛之屢欲以爲嗣宋
齊丘亟稱其才唐主以齊王璟
年長而止璟以是怨齊丘唐主
幼子景遏母种氏有寵璟母宋
皇后稀得進見唐主如璟宮遇
璟親調樂器大怒誚讓數日种
氏乘閒言景遏雖幼而慧可以
爲嗣唐主怒曰子有過父訓之
常事也國家大計女子何得預

知即命嫁之唐主嘗夢吞靈丹旦而方士史守沖獻丹方餌之浸成躁急群臣奏事往往暴怒然或有辨中理者亦斂容謝而從之給事中常夢錫言陳覺馮延巳魏岑皆佞邪小人不宜侍東宮司門郎中蕭儼表稱陳覺姦回亂政唐主頗感寤未及去會疽發背秘不令人知庚午疾亟齊王璟入侍唐主謂璟曰吾餌金石始欲益壽乃更傷生汝宜戒之是夕殂秘不發喪下制以齊王監國大赦孫晟恐馮延巳等用事欲稱遺詔令太后臨朝稱制李貽業以為詐晟懼而止唐元宗即位大赦改元保大以齊王為太保兼中書令周宗為侍中唐主以為先朝舊勳故

順人望及爲相政事皆自決之馮延巳延魯魏岑踐齊邱舊僚皆依附陳覺與查文徽更相汲引侵蠹政事唐人謂覺等爲五鬼唐主緣烈祖意以天雄節度使兼中書令金陵尹燕王景遂爲諸道兵馬元帥徙封齊王宣告中外約以傳位景遂固辭不許景遂自誓必不敢爲嗣更其字曰退身冬十月唐主還洪州營屯都虞候嚴恩將兵討張遇賢以通事舍人金陵邊鎬爲監軍鎬用虔州人白昌裕爲謀主擊遇賢屢破之遇賢禱於神神不復言其徒大懼昌裕勸鎬伐木開道出其營後襲之執遇賢斬於金陵市唐侍中周宗年老恭謹自守齊丘百計傾之宗泣

訴於唐主唐主由是薄齊丘出爲鎮海軍節度使齊丘忿懟表乞歸九華山唐主知其詐從之賜號九華先生封青陽公食一縣租稅齊丘治大第於青陽服御將吏皆如王公而憤邑尤甚唐主於宮中作高樓召侍臣觀之衆皆歎羨蕭儼曰恨樓下無井唐主問其故對曰以此不及景陽樓耳唐主怒貶舒州觀察使二年八月唐兵圍建州既久建人離心丁亥唐先鋒橋道使上元王建封先登遂克建州閩主延政降十月王延政至金陵唐主以爲羽林大將軍斬楊思恭以謝建人十二月唐齊王府屬謝仲宣言於景達曰宋齊丘先帝布衣之交今棄之草萊不

厭衆心害主乃詔景達自至青陽召之三年正月以齊丘爲太傅兼中書令奉朝請不預政事以昭武節度使李建勳爲右僕射與中書侍郎嚴續同平章事初唐主置宣政院於禁中以翰林學士給事中常夢錫領之專典機密與中書侍郎嚴續皆忠直無私唐主謂夢錫曰大臣惟嚴續中立然無才恐不勝其黨宜左右之未幾夢錫罷宣政院續亦出爲池州觀察使後主驕於浮圖氏嘗有二人繼踵而諫二人獲徒三年一人獲流罪歙州汪渙上書云臣今第三諫也若以前諫得罪比之臣合於流上加等至死臣是以將一命納在昌朝臣聞梁武帝至事

漢高祖 劉暠 元年丁未 末年戊申 隱帝 承祐 元年己酉 二年庚戌 周滅之		
佛也刺血寫經散髮與僧踐捨身爲寺奴出膝禮和尚及終延餓死臺城今陛下事佛雖未見有此臣恐他日猶不得如梁武臺城之事後主覽書曰此敢死之士擢以照文館校書郎	天福十二年唐主以太傅兼中書令宋齊丘爲鎮南節度使又以羽林大將軍王延政爲安化節度使鄱陽王鎮饒州	乾祐二年唐後主復進用魏岑吏部郎會稽鍾謨尚書員外郎李德明始以辯慧得幸參預國政二人皆恃恩輕躁雖不與岑爲黨而國人皆惡之

周太祖 郭威

元年[illegible]

叁年[illegible]

二年，建康吏

楚廬舍營署

[illegible]月乃讫

順元年，唐百官共賀湖南平。
居郎馬遠曰：我乘楚亂取之
甚易，觀諸將之才，恐守之甚難。
唐主自即位以來，未嘗親祠
郊廟，嘗曰：俟天下一家，然後告
謝。一舉取楚，謂諸國指麾可定。
魏岑侍宴，言臣少遊元城，樂其
風土，俟陛下定中原，乞魏博節
度使。唐主許之，岑趨下拜謝。其
主驕臣佞如此。初，蒙城鎮將
成師朗將部兵降唐，唐主以其
兵為奉節都，從邊鎬平湖南。唐
悉收湖南金帛珍玩倉粟之屬，
及王舟艦亭館花果之美者，皆
徙於金陵。遣楊繼勳收湖南租
賦，繼勳等務為苛刻。行營糧料
使王紹顔減士卒糧賜，奉節指
揮使孫朗、曹進怨。二年正月，

庚申夜帥其徒作亂邊鎬出兵格鬬朗斬關奔朗州王逵問朗欲復取湖南可乎朗曰朗在金陵數年備見其政事朝無賢臣軍無良將忠佞無別賞罰不當朗請爲公先驅取湖南如拾芥耳逵悅　唐司徒致仕李建勳卒戒家人曰時事如此吾得良死幸矣勿封土立碑聽人耕種於上免爲它日開發之標及江南亡諸貴人冢無不發者惟建勳冢莫知其處　唐江西觀察使楚王馬希萼入朝唐主留之後數年卒於金陵謚曰恭孝　五年草澤邵棠上言近游淮上聞周主恭儉增修德政吾兵新破於潭朗恐其有南征之意宜爲之備　大旱井泉涸淮水可

世宗榮

元年甲寅

二年乙卯

涉餓民渡淮而北者相繼保大十一年境內旱民大飢死者大半下令郡縣煮粥賑之飢民食者皆死城內外傍水際積尸數不可行　保大中給事中唐鎬改易巾𢃼低巾短柄官常士庶舉效之袁州隱士易元象曰低巾短柄國家不祥之兆明年周世宗度淮國主稱臣

顯德二年唐以嚴續爲門下侍郎同平章事十一月乙未周李穀王彥超韓令坤等十二將伐唐唐人聞周兵至而懼劉仁贍神氣自若部分守禦無異平日衆情稍安唐主以劉彥貞將兵二萬趣壽州同平章事皇甫暉爲應援使姚鳳爲應援都監

兵參萬心定遂召鎮南節度使宋齊丘還金陵謀國難以殺崇義爲吏部尚書知樞密院柴母者吳將柴再用之妻克宏之母保大中周師北入越入東侵命將師拒之踟躕未決母上表曰妾長男克宏堪任指使樞密李徵古奏曰此人雖良將子素無聲望請勿用母又上表曰臣妾故夫再用佐吳立大勳妾見克宏舉止動靜有父風用之必能集事如不勝任甘受族誅嗣主召克宏詢之克宏曰周師北入尚隔長江馬鞭雖長未能及腹臣請舉兵先掃越人然後北安淮甸嗣主然之授以萬衆翌日出兵嗣主勅曰司天監奏出兵利丙門及出兵克宏取他門之

出勑駙騎讓之對曰南門鬻火
臣本姓柴火能焚柴兵家所忌
是以不敢至此陵大敗越人斬
馘獻俘不可紀數嗣主復授克
宏衆北渡長江未及淮壖中途
而卒或曰徼古以前言之失忌
而毓之　唐主兵屢敗懼亡乃
遣翰林學士鍾謨工部侍郎文
理院學士李德明奉表稱臣獻
御服茶藥金銀器繒錦牛酒謨
德明素辯口世宗知其欲游說
盛陳甲兵而見之曰爾主自謂
唐室苗裔宜知禮義異於他國
與朕止隔一水未嘗遣一介修
好惟泛海通契丹捨華事夷禮
義安在且汝欲說我令罷兵耶
我非六國愚主豈汝口舌所能
移可歸語汝主亟來見朕再拜

謝過則無事矣不然朕欲往觀金陵城借府庫以勞軍汝君豈得無悔乎讓德明震栗不敢一言宋太祖奏唐天長制置使耿謙降獲芻粮二十餘萬韓令坤攻泰州拔之刺史方訥奔金陵唐主遣使求救於契丹何繼筠獲而獻之唐主復以右僕射孫晟爲司空遣奉表入見獻金銀器羅綺　李德明言於周請歸白唐主獻江北之地許之賜唐主　詔又賜其將相書使熟議而衆　宋齊丘等因譖德明賣國求利斬德明于市　唐齊王景達將兵貳萬自瓜步濟江距六合二十餘里設柵不進諸將擊之宋太祖曰吾衆不滿二千若往擊之則彼見我寡不如俟

其來而擊之破之必矣居敬曰唐出兵趣六合大祖奮擊大破之殺獲近五千餘衆尚萬餘奔渡江爭舟溺死者甚衆於是唐之精兵盡矣　唐駕部員外郎宋元囧奏事論用兵方畧唐主以爲能命將兵復江北諸州四年唐壽州陷劉仁贍死之齊王景達及陳覺戰敗奔歸金陵惟靜江指揮使陳德誠全軍而還　十一月李重進破唐濠州南關城又攻拔其羊馬城城中震恐本州團練使郭廷謂上表言臣家在江南請先遣使詣金陵禀命然後出降帝許之使者還知唐不能救命錄事參軍李延鄒草降表延鄒責以忠義擲筆曰大丈夫終不負國爲叛臣

恭帝
宗訓世宗
即位百餘
日禪位于宋
宋太祖趙匡胤
唐主李景改
元交泰又改
中興宋初去
帝號改稱江
南國主

作降表毛謂新之學濠州廬
五年周取淮南淮廬舒蘄黃末
下唐主遣陳覺奉表獻江北四
州歲輸貢物於是江北悉平得
州十四縣六十唐主遣馮延已
獻銀絹錢茶穀共百萬以犒兵
庚戌敕淮南節度使楊行密故
昇州節度使徐溫等墓並量給
守戶　唐主避周諱更名景下
令去帝號稱國主凡天子儀制
皆有降損去年號用周正朔唐
主內附未嘗遣使至其國五月
己酉始命馮延魯鍾謨使于唐
賜以御衣玉帶錦綺及犒軍帛十
萬并欽天曆　唐主以金陵去
周纔隔一水洪州險固居上游
集群臣議徙都之　七月始鑄
當十大錢文曰永通泉貨又鑄

當二錢文曰唐國通寶與開元錢並行　是歲周世宗殂太子宗訓立命趙太祖匡胤北伐至陳橋兵變擁還汴梁宗訓禪位

宋初都汴梁徽欽二帝北狩高宗南渡建都杭州建康爲行都通三百一十七年皆爲年表

宋太祖趙氏名匡胤

建隆元年庚申

正月癸卯日下復有一日黑光相盪……以周禪定……藏用戊……大德三天下

正月周命太祖出師拒契丹將士擁還汴梁即皇帝位封周主崇訓爲鄭王　三月唐李景進賀登極絹二萬匹銀一萬兩長春節御服金帶金器一千兩銀器五千兩綾羅錦綺一千匹　七月貢乘輿服御物又貢賀平澤潞金銀羅綺　十一月上征李重進景遣犒師復遣子從鎰置宴上使諸軍習戰艦於迎鑾鎮景懼甚小臣杜著僞作商人來歸彭澤令薛良坐事責池州文學亦來奔上命斬著於下蜀市配良隸廬州牙校景少兵然終以憂翦遂決遷都之討

二年 辛酉

三月景使賀長春節還通事舍人王守正使江南為遷都也是月景遷南都城邑迫隘欲詔議者艱寄唐鎬發病卒 六月景殂於南都七月以喪歸金陵子從嘉即位改名煜句容尉張泌上書陳十事煜嘉納擢監察御史八月徐邈奉其主景遺表來上遣馮謐求貢金器二千兩銀器二萬兩綾羅繒綵三萬匹仍上表具陳襲位之意上優詔答之遣鞍轡軍使梁從義如江南吊祭賜絹三千匹 十月唐主以皇太后山陵遣韓熙載田霖來助葬 命王仁贍使江南以煜新立申慶賜也 煜以南都留守韓王從善爲司徒兼侍中諸道兵馬副元帥鄧王從鎰爲司

三年壬戌 夏大旱

乾德元年癸亥

守南都留守令諸司無職事者四品至九品日二貫待制內殿各上封事三兩條有才高位下者私喜其言得達而迄莫施仁衆遂失望十二月煜追尊其父為皇帝廟號元宗

四月乙未詔奉使江南者毋得將其所用錢過江北雖通職貢然亦增修戰備 七月煜遣翟如璧謝賜生辰國信貢金器二千兩銀器一萬兩錦綺綾羅一萬匹 禁火葬

十一月煜貢賀南郊禮銀一萬兩絹一萬匹賀冊尊號絹萬匹

取荊南及湖南 作嘉量頒天下 女真入貢蠲登州沙門島居租賦令專治舟船受所貢馬匹 郊祀大赦改元

二年甲子
夏大旱

三年乙丑

四年丙寅

二月煜貢助改葬安葬銀一萬兩綾絹各萬匹別貢銀二萬兩金器龍鳳茶酒器數百事十一月煜妻周氏卒遣作坊副使魏平弔祭

二月滅蜀　煜貢長春節御衣二襲金酒器千兩錦綺羅穀各千匹銀器五千兩十四日又貢賀收復西川銀五萬兩絹五萬匹十月煜母鍾氏卒遣染院副使李光圖充弔祭使

七月煜上言占城國使入貢道出臣國遺臣犀角一株牙二株乳白龍腦三十兩蒼龍腦十片乳香千斤沉香三千斤煎香七十斤石亭脂五十斤白檀百斤紫礦五十斤荳蔻二萬顆龍腦二十斤檳榔五十斤蕉花簟四[illegible]

	五年丁卯 三月五星聚奎六月戊午朔日蝕	開寶元戊辰	二年己巳
城孤班古縵二段闍婆禮[illegible]國古縵一段闍婆沙鶵古縵一段繡古縵一段繡水織布五段沙鶵錦繡古縵一段以其物來上詔還之煜以邸院稍乏供將茶二十萬斤納於建安軍詔給價錢		二月煜請依乾德四年例納茶給錢從之十一月郊祀大赦改元	六月煜以車駕北征使弟從謙來貢茶藥器幣

三年庚午

四月[illegible]朔日蝕

四年辛未

五年壬申

乙月[illegible]朔日蝕

十一月煜遣弟鄭王從善爲郊禋來朝貢始去唐號改印文爲江南國印賜詔乞呼名從之先是煜以銀五萬兩遺丞相趙普普告于上上曰此不可不受當使之勿測及從善入覲常賜外密賚白金如遺普數江南君臣聞之服上偉度

滅南漢

二月上旣平廣南欲經理江南因從善入貢留之煜大懼是月始損制度下令稱教改中書門下爲左右內史府尚書省爲司會府御史臺爲司憲府翰林爲修文館樞密院爲光政院從善

六年癸酉

七年甲戌

二月庚辰朔日蝕

爲楚國公從鎰爲江國公從謙爲鄂國公宮殿悉去鴟吻閏二月以李從善爲泰寧節度使賜第京師二使從善致書風煜歸朝煜不從但增歲貢而已南都留守林仁肇有威名朝廷忌之用計間煜遂殺仁肇

上命有司造大第號禮賢宅以待李煜及錢俶先來朝者賜之相繼遣梁迥李穆使江南諭旨煜辭疾不至乃命曹彬及潘美伐江南彬等入辭上謂彬曰南方之事一以委卿切勿暴略生民務廣威信使自歸順不須急擊也且以匣劍授彬曰副將而下不用命者斬之潘美等皆失

色十月九日煌進絹二十萬匹茶二十萬斤買宴絹萬匹錢五千貫御衣金帶金銀器用數百事聞將舉兵故有是獻十三日又貢銀五萬兩絹萬匹以王師傳其城懼而來告　閏十月丁卯郴敗江南二萬餘衆於采石磯擒楊收孫震等獲戰馬三百餘匹江南無戰馬朝廷每年賜百匹至是驅爲前鋒郴守濬自荊南以大艦并黄黑船跨江爲浮梁試於石牌口　十一月詔移采石磯纜三日而成不差尺寸初江南人樊若水舉進士不第上書言事不報乃釣魚采石江上以繩度江廣狹詣闕陳取江南策上令學士院召試賜及第如若水之策造大艦爲浮梁

八年乙亥 六月彗星出柳長數丈七月癸未朔日蝕

以江寧府爲昇州以蕪湖繁昌廣德三縣隸宣州以青陽銅陵二縣隸池州

楊克遜十一月知昇州軍事兼管當江南州水陸轉運使

以濟師至是用之王師如履平地煜初聞之謂兒戲耳乃遣杜彥華督水軍萬人杜真領步軍萬人逆王師彬等敗之於新林寨獲樓船戰艦三十餘艘十二月又敗江南軍五千餘人於白鷺洲金陵始下令戒嚴

初江南後主即位夢華陸武德殿御床意甚惡之及金陵之陷補闕楊克遜知昇州首坐此府正月彬又敗江南軍於新林港口斬首三千級獲船六十餘艘吳越王錢俶拔常州利城寨敗江南軍田欽祚敗江南萬餘衆於溧水斬都統李雄等十七人初李景之割江也雄爲江南義軍首領拒周有功歷袁汀二州刺史至是爲統軍使戒諸子曰

吾必死國難尔曹勉之是役也雖父子八人偕死非同行者亦殁於他陳曹彬敗其衆數千人於白鷺洲拔昇州關城江南軍千餘人溺水守陴者遁入城三月又敗其衆於江中生擒五百人四月又敗之於秦淮北六月又敗其軍二萬餘衆於昇州城下奪戰艦數十艘十一月彬等進攻金陵初次秦淮江南水陸軍十餘萬背城而陣時江舟將來具潘美曰豈限此一衣帶水邪率所部先濟江南兵大敗煜復出兵泝流奪采石浮梁炎旗擊破之擒其將七人王師入境國主日於後苑引僧道誦經講易神衛統軍都指揮使皇甫繼勲年少專任兵事初無効死意但

欲國主速降而口不敢發後國主自出巡城見王師滿野始大懼遂殺繼勳自此兵機處分皆自澄心堂出張洎等實專之也朱令贇自湖口擁衆入援號十萬順流而下將焚采石浮梁王明率所部屯獨樹口遣其子馳入奏且請增造戰船上曰此非救急之策也令贇朝夕至金陵之圍解矣乃密使令明於州浦間多立長木若帆檣之狀令贇望見疑有伏卽稍逗留時江水淺涸不利行舟令贇獨乘大航建大將旌旗至皖口步軍都指揮使劉遇急擊之令贇縱火拒戰會北風甚火反及之其衆大潰擒令贇等金陵獨恃此援於是孤城愈危蹙矣　王師初起

江南以京口要害當得良將以劉澄舊事藩邸國主尤親任之乃擢爲潤州留後澄至鎮與闕志吳越兵初至營壘未成左右請出兵攻之澄不從聞金陵圍急遂以城降潤州平外圍愈急遣徐鉉入貢求緩兵大臣言鉉博學有才辯宜有以待之上笑曰第去非尔所知既而鉉至言煜以小事大如子事父其說甚數百言上徐曰尔謂父子者爲兩家可乎鉉不能對鉉還尋復入奏言江南無罪辭氣益厲上怒按劍謂鉉曰不須多言江南亦有何罪但天下一家卧榻之側豈可容他人鼾睡乎鉉皇恐而退於是曹彬等列三寨攻城潘美居其北以圖來上上視之

指北寨謂使者曰此宜深溝自固江南人必夜出兵來寇尓亟去語曹彬併力速成之不然將爲所乘矣彬承命自督丁夫掘塹塹成江南人果夜出兵襲北寨彬等縱其至徐擊之皆殲焉王師圍金陵自春徂冬勢愈窮蹙上因使者諭彬以勿傷城中人苦猶困鬬李煜一門切毋加害於是彬每緩攻累遣人告煜曰某月某日城必破宜早爲之所一日彬忽稱疾諸將問疾彬曰諸公若共信誓破城日不妄殺一人則彬之病愈矣諸將遂焚香約誓彬稱疾愈十一月二十七日城陷彬整軍至宫城煜奉表納降與其群臣迎拜於門彬慰安之中嚴禁暴之令士大

九年丙子 十月太祖崩 弟仁義立更 名炅廟號太 宗十二月改	
置江寧府上 元縣 都監寨	

夫皆賴彬保全府庫委轉運使按籍一無所問及還舟中皆圖籍衣衾而已捷書至群臣入賀上泣謂左右曰宇縣分割民受其禍攻城之際必有橫罹鋒刃者此實可哀也即詔出米十萬碩賑城中飢民大赦江南僞署文武官釐務者並仍舊令呂龜祥詣金陵 籍煜圖書赴闕下得六萬餘卷 九月以行營都監内客省使丁德裕爲常潤等州經畧廵檢使

正月辛未曹彬遣郭守文奉露布以江南國主李煜及父子官屬四十五人來獻有司議獻俘之禮如鑑鋹上曰煜甞奉正朔非鋹比也乃封煜爲違命侯而録用其子弟大臣召見徐鉉責

太平興國二年

以不早勸煜歸朝聲色是厲鉉對曰臣爲江南大臣而國滅亡罪固當死不當問其他上曰忠臣也事我如事李氏賜坐慰撫之又責張洎曰汝教李煜不降使至今日因出帛書示之乃王師圍城洎所草召江上救兵蠟彈書也洎頓首請死曰書實臣之所爲犬吠非其主此其一尔它尚多今何死臣之分也上奇之謂曰卿有膽朕不罪卿今事我無替□之忠也詔諸軍虜得人口七歲已上官給絹人五匹收贖并六七歲已下兒女並給付本主毋得隱藏李繼隆善馳驛日走四五百里征江南嘗往來覘兵勢太祖謂曰昇州平符捷書來當厚賞汝繼隆奏

二年丁丑
十一月己亥朔日有蝕之
既
三年戊寅
四年己卯
五年庚辰

二月克遜赴
闕賈黃中以
禮部員外郎
知州事
五月賈黃中除
祭劉諾劉保
□巡□人部郎
□知州事十

曰金陵破在旦夕臣在途中遇
大風天地晦暝城破之兆也書
曰捷書至太祖召謂曰果如所
料　除莊宅使　夏四月郊祀大
赦　取蔣山大鐘置太平興國
寺即唐興龍寺
江南轉運使樊若水言於昇州
出銅處置官鑄錢即改鑄鐵錢
爲農器以給流民之歸附者置
江南榷茶場仍嚴茶鹽禁
吳越王錢俶入朝獻所屬州郡
北漢平
賈黃中知昇州府舍有一室封
記甚全黃中至州啓之得李氏
珠寶數十櫃皆未著于籍者即
表上之上曰非黃中則亡國之

六年辛巳 五月六旱九月乙未朔日蝕十二月朔日蝕

七年壬午 三月癸巳朔日蝕十二月戊午朔日蝕

八年癸未 二月戊午朔日蝕

月保勳赴臨貪汙法害人矣籍錢三十萬

韓遂以樞密副承旨知州事

大赦 冬十一月郊大赦

昇人刁衎上疏請禁淫刑上從之

上謂張齊賢曰江左初平民間不便事一一條奏齊賢曰舊以錢為幣今欲用銅錢最便上曰漢時吳王即山鑄錢江南多出銅為[illegible]經營之初李氏歲鑄六

太宗			萬貫自克復增冶匠然歲不過七萬貫 二月詔先禁江南諸州民家私蓄弓劍甲鎧違者論其罪
雍熙元年甲申		三月遂[illegible]照尚書比部員外郎直史館許驤知州事	求遺書 羣臣請封禪以火災罷遣使諸路察獄 十一月郊大赦
二年乙酉 十二月庚子朔日蝕		七月驤為江南轉運副使 九月尚書水部郎中源護知州事	禁增置寺觀 夏四月遣使賑江南饑
三年丙戌 六月戊戌朔日蝕			
四年丁亥			

端拱元年戊子		七月護改知福州九月屯田郎中雷有終知州事	親耕籍田　詔諸路賑饑
二年己丑　七月彗星出東井凡三十餘日九月鎮星熒惑入南斗			下詔罪己寬恤邊郡　群臣上尊號帝詔却去之宰相呂蒙正等固請上曰如皇帝二字亦不可無稱此起自秦始皇後代因之不改朕欲止稱王以諸子封王有所妨碍朕志先定勿煩確奏夏旱遣使分道决獄是夕雨
淳化元年庚寅		正月有終改知廣州以侍御史靈文正知州事	賜諸路印本九經令長吏與衆官共閱之
二年辛卯　閏二月未朔日蝕三月		三月文正改知越州以榷易使常州刺	交阯言契丹以兵隔其朝貢之路請擊之詔不許

湖州、
詔以旱蝗欲
日蝕是日雨
三年壬辰
一月[illegible]朔
日蝕[illegible]五
月旱六月黑
風晝晦
四年癸巳
二月己未朔
日蝕八月丙
辰朔日蝕九
月大水
五年甲午置上[illegible]
十一月戊寅
朔日蝕
化[illegible]
縣溧

史陳欽祚知
州事
十月命雷有終割江淮兩浙茶
鹽
正月辛卯郊　江浙淮陝比歲
旱蝗遣使分路巡撫詔令有未
便者條奏

六月欽祚赴江寧人秦傳序以開州監軍死
闕尚書虞部事其子奭泝峽求其尸至夔船
郎中高象先覆舟死世以父死於忠子死於
知州事十二孝奏至上嗟惻久之錄傳序[illegible]
月象先赴闕子煦為殿直賜錢十萬　京[illegible]

至道元年乙未

兵部員外郎郭異知州事

江淅大飢羣盜持杖刼人家藏粟止誅為首　高麗請伐契丹詔却之自是不復入貢

二年丙申

三月異改知越州四月李偉以西京作坊使知州事

九月詔給江寧府每月係省酒三石限僧尼額

三年丁酉

二月太宗崩太子恒即位廟號真宗

十二月偉改知洪州

令遣內臣為諸路轉運司承受公事以察州郡刑政官吏治迹更次入奏

咸平元年戊戌

三月宋璽以西京左藏庫使知州事

除昇州今年秋稅旱故也

璽赴闕十月以西京左藏庫使張繼恭

上謂宰相曰天下物宜民間利害惟轉運使得以周知當令更互赴闕朕將延見詢問

二月埜出瑩至比五月戊[illegible]朔日蝕十月丙戌朔日蝕

知州事

二年己亥

九月庚辰朔日蝕

六月繼[illegible]卒十一月丙戌部

八月以[illegible]事中呂祐[illegible]知州事

三年庚子

三月戊寅朔日蝕

江湖都巡檢使楊允恭卒于昇州賜錢二十萬絹百匹又以錢二十萬帛五十匹給其家江浙飢令昊侯嶠邢昺詢民病告

四年辛丑

以建武度觀察劉知信

五年壬寅 七月甲午朔日蝕			
六年癸卯 十一月有星孛於井鬼			
景德元年甲辰 六月旱人多暍死		九月召知信州事直史館馬亮赴闕以尚書兵部員外郎知州事	正月朔大赦 契丹入寇寇準決親征之議王欽若宋言於上請幸金陵上以問準準曰誰為陛下畫此策者罪可斬也乃止後上駐蹕韋城群臣復有以金陵之謀告上宜且避虜鋒者上又問準準曰虜寇迫近四方危急陛下惟可進尺不可退寸若回輦數步則萬衆瓦解虜乘其勢金陵亦不可得而至矣
二年乙巳	改陶吳鎮為金陵鎮	十月亮加工部郎中	亮務求人瘼揚州風俗失意相肆徙徙乘風縱火亮大譏惡少

八月有星孛于紫微

于城東北乃唐德昌宮故地後庭鉛粉存焉亮次裒文得衆二百餘斤號爲之鎭鉛百萬以備供帳

正月大赦

三年庚子

京師地震

置秣陵鎮于江寧縣

正月置常平倉

四年辛丑

五月丙申朔日食

八月亮赴闕以禮部尚書張詠知州事

上以詠公直有時望再任益部著聲績不當莅小郡令中書召問將委以青社或真定使自擇辭不就又問金陵欣然請行

大中祥符元年戊申

正月天書降

六月天書又降太山

四月朔天書降大內

四月天書降大內上旦等五上表請封禪從之

作玉清昭應宮大赦

謁先聖廟加謚曰玄聖文宣王尋以聖祖諱改玄聖爲至聖

夏四月昇州火遣使賑卹之自封禪之後士大夫爭奏符瑞獻賛頌者立獨言江淮旱及金陵大火是天所以戒驕矜也而中外多上雲霧草木之瑞此何足爲治道言哉入内供奉官鄭志誠自茅山使還言昇州見黃雀飛救日往往從空而墜又聞空中若水聲上曰是何異常而州不以言也因出書示王旦曰此皆民勞之兆張詠在彼吾無慮矣戒中多火詠廉得不逞之人潜肆燔爇者斬之由是遂絕四月詔抽昇州雜犯配軍揀選移配淮南州軍有少壯堪披帶者即部送赴闕當議近上軍分安排如不願量移及赴闕者聽

五月二十八日召輔臣於崇政

殿北廡觀芳山池中所養龍作觀龍歌俟送於茅山池中命諸州置天慶觀 詔許曲阜先聖廟立學賜應天府書院額追封孔門弟子

三年庚戌

昇州民以詠秩滿願借留即授工部尚書令再任仍賜詔褒獎給昇州公用錢歲千貫舊制五百貫時詠知州故優之 八月六日以昇州亢旱天災遣內侍撫問軍民犒設將校耆老及無禱名山大川神祇有益於民者

四年辛亥

八月張詠罷江南東路安撫使兼提舉兵甲巡檢捉賊公事知州以安撫使始

殿直范延貴押兵過金陵詠問公汝來曾見好官否延貴以萍鄉邑宰張希顏對 詠曰何以言之延貴曰自入縣境橋道完田野闢市無賭博更鼓分明以是知其必善政也詠大笑曰希顏

五年壬子

八月丙申朔日蝕

九月詠赴闕以樞密直學士尚書工部侍郎薛映知州事

固善矣天使亦好官員也即日同薦於朝希顏後爲發運使延貴閤門祗候皆爲能吏五月詠言當州水陸要衝多有兇惡之輩放火爲盜累犯惡蹟者請並許刺配充軍詔葺江寧府太平興國寺及寶誌塔殿八月帝將祀汾陰屬江淮不稔令諸路各帶安撫使乃命知昇州張詠兼江南東路安撫使出手札諭詠等轄下州軍雖不係災傷去處亦常安撫無令惰農扇搖迸移

大赦

詠上言臣守忝六曹祠部乃本行司局而例申中公狀似未合宜望自今尚書丞郎知州者除申省外其本行曹局止案檢從之詠頭瘍甚御下急峻賓僚少不

六年癸丑

如意動加詆訾通判成悅爲吏勤幹嘗以法規正無所阿順詠不禮焉人頗少之詠累求分務西路壬寅命工部侍郎集賢院學士薛映代之映至昇州言官有牛賦民出租牛死不得蠲上覽奏瞿然曰此豈朝廷所知邪遂詔諸州條上悉蠲之上覽昇州奏謂輔臣曰當時吊伐彼方所以持久者蓋太祖約束曹彬不許殺人故也映乃唐中書令元超八世孫好學該博典藩府其治嚴明吏不敢欺每五鼓冠帶黎明據案決事寒暑無一日異　遣知制誥陳堯咨致告加寶誌謚曰真覺大師　作五嶽觀

七年甲寅			大赦詔模刻天書奉安王清、跋五嶽觀爲會靈宮　作元、作元皇、觀
八年乙卯六月己酉朔日蝕		十月暎改差知揚州以尚書工部侍郎馮亮知州事　再至	亮言往歲有同年戴求赴官嶺表謂臣曰苟不生還以遺孤爲託未幾永卒訪得其子繞數歲收育於家既長妻以幼女頃賜釋褐振其遺緒上嘉亮之信義以戴國祥試將作監主簿上王皇歷號大赦　淮浙飢
九年丙辰		十月亮知揚州十一月保信軍節度使丁謂知洲事	詔定七、十二公國號以言假故吳人追封丹陽公
天禧元年丁巳	置常寧鎮隸句容縣		二月十一日謂言城北後湖旱紐租五百五十餘貫乞特與減放從之　改長干寺爲天禧寺號塔曰聖感　八月十五日詔

昇州將山太平興國寺歲度僧
二人給米百石
恭謝南郊大赦

二年戊午
六月彗出北斗

以昇州爲江寧府建康軍節度治上元江寧二縣

二月三日以皇子壽春郡王行江寧尹充建康軍節度管内觀察處置等使封昇王八月十三日群臣三上表請立昇王爲皇太子

三年己未
三月[illegible]朔
日蝕天書降
乾祐山

五月請赴闕
九月以少府監薛顏知府事

四年庚申
四月大風晝
晦

五年辛酉
七月甲戌朔
日蝕

十月顏赴闕
以尚書右丞
集賢學士馬
亮知府事
三至

初亮將代去夢吉上乞生育
辭曰吾上毛生剃不得當再往
至是果移知江寧府邑吾相慶

乾興元年壬戌
二月真宗崩
太子禎即位
廟號仁宗

天聖元
年癸亥

正月京尚知
廬州二月以
刑部尚書王
欽若知府事
八月欽若赴

六月欽若言溧水縣有采砂已
崇人采掘進呈淨燒試水銀一
百一十三斤見在三等朱砂四
百八十七斤未敢起發上京今

府事

……加王……知宰相馮拯薦太白有僊相欽若

翻閲八月……兼並無朱砂苗脉詔更不乘栗

意取上所作飛帛書王欽若三

寶冒湯藥合中口宣召之欽若

公戡剛始命從知潤州王隨代

鈔茶驗在江寧歲大飢時轉運

使移檄發常平倉米計口日給

隨置不聽曰民飢由兼并閉糴

以邀高價耳乃大出官粟而私

價遂平它郡計口以糶者不能

自足賑多流死 憂士侯遺於

茅山營書院教授生徒積十餘

年自營糧食隨衆欲於茅山齋

糧莊田內量給二頃充書院贍

用從之 十一月禁淮南郡巫

置益州交子務此用交會之始

郊祀

三年乙丑

八月隨赴闕授給事中權知審刑院九月以尚書刑部侍郎李迪知府事

江寧府童子夏錫幼能為文召試賜出身

四年丙寅

十月甲戌朔日蝕

五年丁卯

七月迪以疾知兗州以工部尚書集賢院學士馬亮知府事

鑿義井于城南天禧寺側十一月癸丑郊亮累上表求致政歸老特授守太子少保致仕仍支全俸及加一子官就差知廬州合肥縣事詔降聖旨如將來亮要上京本

六年戊辰

二月大風晝晦三月丙申朔日蝕有星

流于西南大
如平聲如雷
自北流于西
南光燭殿廷
尾長數丈久
之散爲蒼白
雲

七年己巳
八月朔報
日蝕

八年庚午

州借人船漆送朝野榮之

亮守太平以
保致仕歸廬
州四月六日
平章事張士
遜除刑部尚
書出知府事

初曹利用得罪士遜常爲辨其
事太后怒帝以士遜東宮舊臣
乃進秩知江寧府　四月太愁
禁溺寺觀　罷職田詔以其租
送官計所直給之

九月四日召
士遜赴闕十
月二十六日
以給事中滕
涉知府事

十一月郊

九年辛未

涉卒

詔江寧府知府自令與三司判官轉運使副使一等差遣

明道元年壬申

江淮旱

四月以光祿卿李允元知府事

改元大赦 以上元縣吳嗣復爲館閣校勘仍詔館閣校勘自今須召試毋得陳乞 江淮旱災官發廩米爲糜以哺流民江寧府觀察推官元絳躬自給視飢病者數萬皆得以濟府上其事召見除秘書省著作佐郎

二年癸酉

二月有星孛于東北 六月甲戌朔日蝕

四月允元就差充淮南江浙荊湖都大制置發運使 尚書左丞參知政事晏殊罷爲禮部尚書知江寧府

舊制集賢院學士在京師始給實俸於是若谷以集賢院學士知江寧府而自請之壬辰詔在外者亦給實俸遂著爲令 賑江淮飢

景祐元年甲戌
[illegible]學子張
[illegible]

不至二年改正
州八月十二
日給事中李
若谷知州事

四月二十六
日若谷赴闕
二十九日尚
書刑部員外
郎充天章閣
待制陳執中
知府事

四月二十三日若谷言乾元節
當年進奉銀一千兩綃一千匹
伏緣當府不產銀以是配買累
歲災傷人民貧困已將省庫見
管土產紬絹二千匹上進候豐
総依舊買銀進詔令後買銀並
依市價不得虧損人民以星
變大赦

二年乙亥

十二月二十
一日執中移
知揚州

郊以太祖定配太宗真宗迭配

三年丙子

二月樞密直
學士尚書工
部侍郎張若

九月定子爲嫁母心喪解官法

四年丁亥七月有星數百西南流至壁東其光燭地黑氣長丈餘出畢宿下	谷知府事	詔非藩鎮不立學知潁州蔡齊乞立學從之　十二月京師并代華州地震或泉湧火出如黑沙狀連年不止
寶元元年戊寅正月有衆星西北流勢歘犯南斗		十一月若台以水旱爲憂詔諸州旬上雨雪　赴闕名諫議狀　十一月郊　西夏趙元昊大夫職京知發兵反尋僭號改元大慶
二年己卯		
康定元年庚辰正月丙戌朔日蝕黑風晝		四月二十七日京守江寧天資仁厚不忍以法繩下而吏人化服亦不忍欺以事禁以軍中郎謝知其去既久閭巷猶思之　待制金陵師衞像

晦

慶曆元年[illegible]

京師雨藥

三月二十六日簡改知揚州八月龍圖閣直學士起居舍人葉清臣知府事

後義倉 [illegible]

二年[illegible]

四月七日清臣赴闕十八日右諫議大夫劉沆知府事九月十二日沆除龍圖閣直學士移知潭州十二月十二日右諫議大夫楊

中嚴儲蓄求自宮掖始

三年癸未

十一月五星出東方占云中國大安河北雨赤雪

清蘇頌知江寧縣建業承李氏後版籍賦與皆無法制頌每因治詐旁閱鄰里丁產多寡悉得其詳一日召鄉老吏定戶籍民有自占不實者必曰汝家尚有某丁某產何不自言相顧而驚無敢隱者一縣以爲神明

四年甲申

告知府事

湖南蠻賊初動差知昇州劉沆
授龍圖閣學士令亨了蠻事諫
官歐陽脩言沆守方面不可動
諫官余靖言昇州開寶寺塔爲
天火所燒五行之占本是災變
朝廷宜戒懼以荅天意尋聞遣
人於塔基掘到舊瘞舍利內廷
看畢送至本寺許令士庶燒香
瞻禮道路傳言謂舍利在內廷
光怪臣恐巧佞之人因作推異
昔梁武帝造長干塔時舍利亦
嘗有光及臺城之敗何能致福
視此可以爲戒　十一月壬午
邾

五年乙酉

四月丁亥朔
日蝕

十月朔告半
十一月十五
日右諫議

六年丙戌

有流星出營室南大如杯京師大震雨雹五月壬申朔日蝕

夫充集賢學士李守中知府事

州人邵必被差爲編修唐書官必言史出衆手非是辛辭之

十二月郊

七年丁亥

二月二十二日有赴闕以龍圖閣直學士右諫議大夫張奎知府事

八年戊子

正月壬午江寧府治火府官懼有變閉門不救一府盡焚惟存一使廳乃唐玉燭殿上怒甚又以諫官言江寧上始封之地守臣視火不謹府寺悉焚宜擇材臣繕治之進張奎爲諫議大夫[illegible]府事至則鳩材料工府居[illegible][illegible]

皇祐元年己丑正月甲午朔日蝕二月彗出虛是年南方有異氣如破船如敗山又中夜有白氣亘天其首若鋒刃如血汚色

四月十七日奎赴闕以端明殿學士兼龍圖閣學士給事中張方平知府事

鉏姦植良恩刑並施不踰年江表稱治

二年庚寅

十一月方平移知杭州

三年辛卯

到[illegible][illegible]三日詔江寧府帶提轄本路兵甲盜賊公事兼是禁兵

右諫議大夫

皇[illegible][illegible]

知[illegible]府事[illegible]
提轄李[illegible]兵
甲

四年壬辰

四月於是闕二十二日劉沆以天章閣待制知府事

上謂輔臣曰頃江南歲飢貸種粮數十萬斛且屢經停閣而轉運司督索不已如聞民貧不能盡償非遣使安撫遠方無由上達其蠲之

五年癸巳

十月丙申朔日蝕畢[illegible]

狄青征儂智高　十一月郊

至和元年甲午

四月甲午朔日蝕

十月二十三日還轉戶部郎中就差知廣州九月十二日龍圖閣直學士工部侍郎向傳式

二年乙未

知州事

二月庚子殿中侍御史趙抃論宰臣陳執中言朝廷差除動守規範執中賞罰在手率意卷舒如劉湜自江寧府移知廣州家屬煙瘴重難之地而湜被命遠行待制之職仍舊及向傳式自南京移知江寧府既是優安近便之任乃轉傳式龍圖閣直學士此執中悖繆宜罷免者也

嘉祐元年丙申

八月庚戌朔日蝕

九月十八日傳式赴闕龍圖閣直學士刑部郎中包拯知府事十二月二十日拯赴闕授左司郎中知開

正月大赦

二年丁酉

封府
二月二日尚書工部郎中龍圖閣待制王琪知府事

十月二十二日審官院勸會江寧府等是京府及要藩使部鈐轄分領州鎮其差遣並令後並以知州資序人差充任滿無公私過犯候到闕與陞一等名次從之

三年戊戌

八月乙亥朔日蝕

八月填除知制誥就陵知蘇州九月以龍圖閣直學士吏部郎中梅摯知府事

淮南江浙荆湖發運使許元初爲發運判官久之爲副使既久爲正使上謂執政曰發運使總領六路八十一州宜得其人以久任之今元累上章求解不若獎勸以盡其材乃特賜元進士出身除侍御史復兼前任

四年己亥

正月日蝕用牲祭社

翰林學士胡宿言陛下建國於昇猶次列國非所以

詔江寧府置江南東路兵馬鈐轄十二月摯改右諫

二月弛茶禁　程顥主上元簿攝邑事均田塞限及民之政爲多賦龍圻竿數民之意亦備詳

	重始封之地宜進昇爲大國毋得封從之	議大夫移知河中府見本傳
五年庚子正月大星隕東南如雷		二月三日工部郎中知制誥王琪知府事再至四月移知陳州六月右正言充龍圖閣待制馮京知府事四月九日京改翰林侍讀學士
六年辛丑六月朔日蝕		
七年壬寅		二月二十四日司農卿魏琰知府事六

	八年癸亥 三月仁宗崩太子曙即位廟號英宗	治平元年甲辰 雨土著再
月二十九日琰趣闕右司員外郎直史館郭申錫知府事十月十三日申錫改禮部郎中擢知潞州左諫議大夫王贄知府事		四月十六日給事中天章閣待制彭思永知府事

二年乙巳
春大風晝晦
十月雨水冰

十月十九日
思永赴闕爲
御史中丞

三年丙午
三月有星見
西方庚申夜
見于室孛大
如月長七尺
許[illegible]昏見
于昴如太白
長丈有五尺
千年亭下罩
如月廿五日
後九月[illegible]
朔日蝕

二月十七日
右諫議大夫
呂溱知府事
十一月二十
七日溱赴闕
尚書禮部郎
中集賢殿修
撰龔鼎臣知
府事

禁銷金　詔三歲一貢舉　召
僉書江寧節度判官孫昌齡爲
殿中侍御史　立潁王頊爲皇
太子大赦　是歲契丹國改號
大遼

四年丁未
正月英宗崩
太子頊即位

二月十六日
鼎臣改戶部
郎中五月二

詔民間私造寺觀賜名壽聖　上
謂輔臣曰王安石歷先帝朝召
不赴果病邪有要邪曾公亮對

廟號神宗正月朔大風霾

十八日赴闕尚書工部郎中知制誥王安石知府事十月二十三日安石赴闕孫思恭知府事

曰安石文學器業宜膺大用累召不起必以疾病不敢欺罔吳奎曰安石向任糾察刑獄爭刑名不當有含擇罪不肯入謝意以為韓琦抑己故不肯入朝公亮曰安石真輔相才奎所言熒惑聖聽奎口臣嘗與安石同領群牧備見其臨事迂闊用之必紊紀綱公亮熒惑聖聽非臣也七年秋奎垂言之詔安石知江寧府眾謂安石必辭及詔到即詣府視事或曰公亮力薦安石蓋欲以傾韓琦安石既受命知江寧上將復召用之嘗謂吳奎曰安石真翰林學士也奎曰安石文行實高事恐迂闊上弗喜於是卒召用之孫思恭上書[illegible]地震由小人盛出知江寧府

熙寧元年戊申

正月甲戌朔日蝕

二年己酉

地震

三年庚戌

十月雨木冰

四月二十八日以龍圖閣直學士左諫議大夫吳中復知府事

五月十九日中復移知真定府八月二十日以尚書兵部員外郎知制誥錢公輔知府事

十月三日詔選差禁軍一二百人駐劄江寧府龍安港增撥船三兩隻修巡檢廨宇止絕鹽賊

中復至江寧府時屬部郵兵苦巡轄者苛刻輒共拘縛鞭之反獄具乃不應死中復以便宜戮其首餘悉配流奏著下令

王安石參知政事　七日朕思祖宗百戰得天下今以一生靈付一庸人常痛心　兵者

行青苗法　置常平官

上批監察御史裏行王子韶外要守正之名內懷朋姦之實所

上章疏與同奏事前後反覆不
一落職　知江寧府上元縣立
保甲法　十月二十一日詔江
寧府織羅務自來差內侍監當
自今並三班差人上語輔臣曰
以課利場務不欲令少年官者
典閑故有是詔　十一月九日
詔江寧府錄事參軍係繫難去
處令後　左職官知縣及奏舉縣
令人充
詔差役弊民其罷之更出直募
人充役令人戶等第輸免役錢

四年辛亥

公輔移知揚州六月八日以尚書工部郎中充集賢殿修撰沈起知府事

五年壬子

二月二十三日尚書兵部
閏七月分京東武衛軍權駐府
江寧府議者以東南兵籍寡少

六年癸丑

四月甲戌朔

日蝕

七年甲寅

八年乙卯

五月雨木冰

雨土及黃毛

員外郎直史館付尭俞知府事

多以盜賊爲言故遣戍焉 行

市易法

二月十九日尭俞移知河陽四月十八日以右諫議大夫沈立知府事

詔諸路各置教授

六月十五日立移知宣州觀文殿大學士特進吏部尚書王安石知府事再至

安石出知府事詔出入如二府儀制朝會綴中書門下班依舊提舉修撰經義 賜江寧府常平米五萬碩修水利 十一月郊

三月一日安石赴闕拜同中書門下平

初安石薦韓絳及吕惠卿代己惠卿既得相忌安石復入逆閉其途凡可以害安石者無所不

八月庚寅朔

丁亥彗出軫

年

丙辰

章事昭文宮大學士六月以祠部郎中直史館葉均知府事、

十一月內起嗣以左僕射門下侍郎平章事昭文館大學士王安石罷政判府事尋爲集禧觀使

用其言惠卿數與絳忤絳乘間白上復相安石上從之翌日遣御藥院劉有方齎詔召安石安石不辭倍道赴闕行戶馬法大赦求直言安石之再入也多稱病求去及子雱死力請解機務上亦滋厭安石所以爲故又出判江寧安石懇辭正月以本官領宮觀上遣內侍梁從政齎詔獎諭須視事乃還從政以留建康累月安石請不已許以使相爲集禧觀使又累辭使相乃以本官爲觀文殿大學士領觀使復放歸田里王安國爲大理寺丞江寧府監當命下而安國病死矣　初安石夫人之弟吳生者說安石卜金陵寓止佛寺與太守葉均忤轉運

毛流判官李宗勝州遣二皐達吴生吴生齊安石家適中使至擁閙安仁圍司首以此奏於是禁毛李皆罷而以呂嘉問為軍又除王安上提點江東刑獄悉治所於金陵

天下保籍義保甲民兵合七百一十八萬有奇河大決北流斷絶 十一月甲戌郊

十月四日尚書司封郎中直龍圖閣元積中知府事十一月六日積中移知洪州十二月一日司封員外郎直昭文館呂嘉問知府事

元豐元年戊午

六月癸卯朔日蝕太史言驗之不食有火星裂于内階東南有光燭地大星出瓠瓜聲如雷

二年己未

南上

九月十六日嘉問移知潤州十月十五日尚書都官員外郎孫昌齡知府事

五月二十七日呂嘉移知潤州七月十九日以太常少卿直龍圖閣元積中知府事　居至

三年庚申
[illegible]出太微垣
十一月己丑
朔日蝕

六月二十三
日積中得請
提舉杭州洞
霄宮八月十
七日尚書刑
部郎中充天
章閣待制孫
堪知府事蕭
月二十三日
赴闕十月初
七日龍圖閣
直學士朝請
大夫充集賢
殿修撰劉庠
知府事

知諫院舒亶言中書檢正官張
商英與臣手簡并以其婿王潙
之所業示臣臣職在言路事涉
干請不敢隱默詔商英落館閣
校勘監江寧府江寧縣私初亶
爲縣尉坐手殺人停廢累年商
英爲御史言其才可用乃得改
官至是反陷商英士論惡之
蘇軾謫居黃州後移汝州過金
陵見安石甚歡軾曰大兵大獄
漢唐滅亡之兆祖宗以仁厚治
天下正欲革此今西方用兵連
年不解東南數起大獄公獨無
一言以救之乎安石舉手兩指
示軾曰二事皆惠卿所啓安石
在外安敢言軾曰固也然在朝
則言在外則不言事君之常禮
耳上所以待公者非常禮公所

以事上者豈可以常禮乎安石厲聲曰安石須説又曰由在安石口入在子瞻耳

四年辛酉十一月癸未朔日蝕		
五年壬戌雨土四月壬[illegible]朔日蝕	三月十日太中大夫龍圖閣待制陳繹知府事	發運司言江東轉運司去冬並不計置糴納粮乞取問判官郟亶詔轉運司專以經理財用供辦歲計為職令亶擴施如此宜令發運司選官劾罪先是亶數上書獻均稅圖上以亶不修職事專務求奇希功又欲罷繼故因劾之
六年癸亥四月雨土九月[illegible]朔日	六月二十日繹移知建昌軍八月五日	陳繹免除名勒停追太中大夫落龍圖閣待制知建昌軍子承務郎彥輔衝替繹坐前作木觀

續		以龍圖閣直學士太中大夫王益柔知府事六月移知應天府	音像　公使庫擅像私用乳香買羊麫價為絹二十八匹彥輔坐役禁軍織木綿非例受公使庫饋送而報上不實也
七年甲子		九月二日端明殿學士中大夫王安禮知府事	集禧觀使王安石請以所居江寧府上元縣園屋為僧寺賜報寧為額
八年乙丑　三月神宗崩太子煦立廟號哲宗		四月安禮遷太中大夫五月改資政殿學士	上聞王安石貧命中使甘師顏賜金五十兩安石即以金施之定林僧舍師顏因不敢受常例回具奏之上諭御藥院牒江寧府取師顏常例　大赦
元祐元年丙寅		十二月七日安禮移知揚州十八日龍圖閣待制蔡	六月罷吳華江東轉運判官先是判官三員華晉齊諶而劉拯尚在任有詔止除一員　司馬光爲左僕射奏罷青苗錢

卞知府事

二年丁卯

三年戊辰

禁進酒金
安石既病聞吏報司馬光拜相
安石悵然曰司馬十二作相矣
令姪防取其日録焚去防以他
書代焚後朝廷因蔡卞請下江
寧府王防家取日録以進蓋卞
方作史仍假日録減落事實文
致姦僞盡改元祐所修神宗正
史安石在金陵聞朝廷變其法
夷然不以爲意及聞罷役法愕
然曰亦罷至此乎

四年己巳
晝有流星出
東北

正月十一日
卞移知撫州
四月朔以朝
奉大夫集賢
殿修撰林希
知府事五[illegible]

江寧府司理參軍鄧州州學教
授周種上書請以王安石配享
神宗正言劉安世翰林學士蘇
軾劾罷之　立縣令課績法

五年庚午
六年辛未
五月己未朔日蝕

十三日希赴闕六月以龍圖閣待制熊本知府事

二月十三日本赴闕四月二十一日在朝議大夫直龍圖閣謝麟知府事七月三日麟赴闕八月十一日左朝奉大夫充天章閣待制黃履知府事

二月仁元縣修漢秣陵尉蔣子文祠賜額忠烈

七年甲申	八年癸酉	紹聖元年甲戌 二月[illegible]朔日蝕雲[illegible]不辨
四月八日傳知鄧州十日五日左朝奉大夫[illegible]龍圖閣待制陸佃知府事	二月八日佃丁艱憂四月二十八日左朝散大夫寶文閣待制曾肇知府事	二月八日肇改知瀛州
冕霍衍積道		

二年乙亥

天章閣待制左司郎中張商英主盖漸事盡
何正臣知府謫蔡差監江寧府稅務
事自正臣始
凡知府事皆
兼江南東路
兵馬鈐轄

三年丙子

資政殿學士呂惠卿知府事
六月庚申從敕令所言江寧府上元縣並行詔禁法

龍圖待制陳知府事
九月一日江寧府奉詔遣茅山道士劉混康請闕大赦求直言

四年丁丑

六月癸未朔日蝕火入鬼與彗出氐斜指天市垣光芒三尺餘掃巴星未幾犯宦者後犯帝座

元符元年戊寅
地震

王旊王斿進狀言父安國冤抑詔元祐指揮更不施行並令改正王斿差監江寧府粮院■秦傳國寶出咸陽改元十一月甲子郊

二年己卯

朝奉郎直秘閣呂升卿知府事

三年庚辰
正月哲宗崩弟佶即位廟號徽宗

葉濤除集賢殿修撰知府事七月蔡卞授資政殿學士知府事十一月蔡京授端明殿學士知府事皆不至官下尋落職提舉杭州

侍御史陳次升等論蔡京蔡卞交結近習蹤跡詭祕自除邊帥即懷怨望力丐宮祠偃蹇不行顯正典刑以警在位

建中靖國元年辛巳

正月朔有流星光燭地自西南入尾抵距星是夕有赤氣起東北方亘西方中出白氣二將散復有黑氣侵紫四月辛亥朔日蝕

崇寧元年壬午

洞霄

鄧洵武以直秘閣知府事

女真阿骨打立

陳彬甫以直秘閣知府事

二年癸未 [illegible]

[illegible]子韶[illegible]

降授宣德郎[illegible]跋淨相院頒天寧萬壽禪寺

朱彥知府事

三年甲申 十月雨雹

顯謨閣待制王漢之知府

六月二十九日臨川爲江寧府

進士[illegible]其鵠經行爲御闕所推

事

四年乙酉 二月雨雹

徽猷閣待制

詔乘驛赴闕 丙戌[illegible]

除勳知府事

五年丙戌 正月彗出西方竟天

正月[illegible]靜以

求直言大赦

徽猷閣待制

知府事姚祐

以顯謨閣待

制知府事

大觀元年丁亥 十二月壬子朔日蝕乾寧軍黃河清八

詔移知清州

曾孝蘊以集

賢修撰知府

事

御筆東南久安兵寡勢弱人輕易搖或遇水旱巨盜竊發當謹不虞之戒江南東路江寧府控山臨海大水阻隔山川鞏固逾不可近屢經割據昔人守之久不能下可以江寧府爲帥府

二十五年戊子正月庚戌朔日蝕

二十六年己丑六月至十月江淮大旱冬甘露降尚書省

盧航以龍圖閣待制知府事

姚燧以徽猷閣待制知府事七月移知宣州曾孝彥以集賢修撰知府事

十月詔修句容茅山元符觀[illegible]洞真人祠加號大茅君盈太元妙道沖虛真君中茅君固定錄[illegible]道沖靜真君小茅君衷三官保命微妙沖惠真君元符萬寧宮神祠封護聖侯廟萬寧宮二[illegible]祠封靈祐護侯廟溧陽州史崇祠賜額顯惠廟

[illegible]十二月六日詔江東轉運使家[illegible]駿正大辭特轉一官減四年磨勘

[illegible]部言尚書大選合曉示親民[illegible]凡五十處見在部待次親民[illegible]二百四人詔將兩浙湖州江[illegible]江寧府管界總撥今後並差[illegible]使臣仍曾見任人年滿闕十[illegible]月十五日尚書省言知江寧府[illegible]孝奏江寧府言夏秋相繼

歲旱民間高田一例不熟已差
官撿放向去必大關食决三流
[illegible][illegible]除已出糶常平米數及依條
[illegible][illegible]置賑濟外契勸民間種田每
[illegible][illegible]於收成之時存留準備春種
[illegible][illegible]處既旱飢不足以充口食欽
[illegible][illegible]常平司見在諸色錢諸司封
[illegible][illegible]鏹椿將收糴稻種候將來春
[illegible][illegible][illegible]糶與力田之人不惟抑無
[illegible][illegible]摩激高價之弊庶使被灾下
[illegible][illegible][illegible]歲價騰踊之患或人戶無
[illegible][illegible]趁糶有情願借貸之人仍許
[illegible][illegible]司里典從戶田畝稅數多寡
[illegible][illegible]實並依常平斂散之法候秋
[illegible][illegible]先次代納糶錢稍寬民間關
[illegible][illegible]之憂訊依所奏疾速施行
[illegible][illegible]舉群徽貴米自下羅三百
[illegible][illegible]者半斛歲附三百匹

四年庚寅

有星孛于中宫長數丈始出王良造父間遂歷閣道逆行入紫宫幾遍掃垣内外座已退復又進掃帝座者再前後二十餘日乃滅

有星如月徐徐南行而落光照人物與月無異

政和元年辛卯

四年孝序知潭州薛昂以資政殿學士知府事

十月八日詔江南路走馬承受分往洪州江寧府兩處駐劄緣去遼遠州有被受朝省文字不能互知自今後應有文字並雙封降付兩處照會廢免關報留滯

二月禁然頂煉臂自毀者

求直言大赦

二年壬辰	八月昂移知西京 昂在府刑不加峻而頑猾屏息 發具舉外戶不閉
三年癸巳	吳斌以直龍圖閣知府事 江寧府言王雱止一女生三歲 而雱卒及長適通直郎吕安中 生一女而安中卒年方二十七 歲歸宗守義無能奪其志者乞 朝廷特加封號以爲天下錄婦 女之勸從之
四年甲午	盧航以龍圖閣待制知府事
五年乙未	
六年丙申	蔡嶷以龍圖閣直學士知府事
七年丁酉	十二月嶷以翰林學士承旨赴召

八年戊戌

五月壬戌朔日蝕

女真阿骨打稱帝

宣和元年己亥

四月丙申朔日蝕一分五鼓西北有赤氣數十道亘天貫紫宮北斗仰視星皆若簷鋒紗搖裂有聲久聞以白黑二氣自西北綫入

十二月朔改元大赦

俞栗以述古殿學士知府事

王漢之以顯謨閣直學士知府事再至

盜發青溪橫潰四出焚掠江東起漢之知府事其經畫敉寇[illegible]詞字畫當時皆號第一[illegible]

時許

東北延及東南其聲不絕迨曉乃止

二年庚寅

十月戊辰朔日蝕

三年辛丑

八日有青忽青黑無光其中淘淘而動若鎔金而瀉如狀日旁奪然正知水波周回旋轉將莫而稍止黑氣出洛陽

十月二十三日詔獄者江寧縣添差兵官人數

睦州妖賊方臘反正月十九日詔金陵乃喉襟之要當占據江寧守把鎮江次議討賊將王禀已守揚子江口劉鎮守金陵童貫次鎮江賊已陷崇德縣又陷寧國府旌德縣劉延慶部守金陵劉鎮移廣德軍楊可世建宣州合兵討擊五月六日臣僚言睦賊猖獗大兵奉行天討已見平靖處班師之後餘孽尚在詔江寧府帶安撫使閏五月八日宣撫司奏江浙被賊曾經焚

四年壬寅

五年癸卯
八月辛巳朔
日蝕十月丙
本求
金太宗吳乞
買立

漢之除延慶十二月郊
殿學士
廬蔣以徽猷 四月十一日江南東西路置提
閣待制知江 舉萬壽宮於江寧府置司
學

去處並合增修城池無則創築
詔修江寧府城壁仍招置彫[illegible]
人兵三百人專一修浚不得別
無他役又奏睦賊既平民方還
業不非屯戍兵鎮遏無以潛消亂
萌今措置已於江南東路留戍
兵六七千九百六十人分在江寧
府等處其軍並隸本路宣撫司
統轄訓練

六年甲辰
七年乙巳
十二月徽宗
傳位太子桓
廟號欽宗
三月朔雨雹

安撫知潮州

九月二十二日言長吉請罷五湖
田盛太湖三湖爲圩田及言疏
鑿太湖河爲不切之務詔從之
閏月直學士御筆王安石廟相辞
無□立法度弟安國安上安禮
赤□青啟過先帝今其家聞趙
特可特推恩二房見居長人與
除初等職名王襟王稅並陰書
敘閣

靖康元
年丙午
十二月欽宗
與上皇及六
宮皇族北狩
丙辰□□□

曾孝序以龍
圖閣學士知
府事四月移
知青州五月
宇文粹中以
寶文閣學士

十一月金人入寇兩浙□□□
管

翼張丙戌彗
出紫微垣東
北長數丈拂
帝座掃文昌
大風敗檣雪
霧霾見有白
氣出太微垣
庚申日出如
血

宋建炎元
年丁未
欽宗之弟構
即位廟號高
宗
正月辛亥朔
大風霾異六
西北陰雲中
五行二上

宇文粹中仍
知府事轉運
使李擢權
府事五月以
寶文閣直學
士朝散大夫
翁彥國知府
事兼[illegible]安
撫馬步軍

宰相李綱議以建康爲東都命
守臣葉夢得治宮室積糧以
備巡幸衛尉少卿衛膚敏言建
康實吾舊都外連江淮內控湖
海爲東南要會中書舍人劉珏
亦言金陵天險前據大江可以
固守若是宰相而下皆望幸東
南之議李綱請置沿江制府以

有如火光戊子夜日氣昏斗酉風霾日色薄而有暈大風吹石折木

都總管府經歷甯哲篤是江寧府帶本路安
制使七月彥監使没以爲叛衆部總管兼治
國致仕八月江寧府照磨六十四德叛執知府守
起復朝散大夫中設官吏會經制司屬官
夫秘閣修撰鮑賜遷饒數王兵亡于至城下
道明識知府德等乃受□安孛綱行次江寧
事仍兼江南興漕臣李孺遂集諸首惡五十
東路經制使人其衆千餘令常平提舉王彬
部起行在溧陽縣辛起應周德
知縣楊邦乂捕賊之事聞遷本
府通判　五月大赦改元詔一江
寧府修建景靈宫諸帝共作一
殿諸后共作一殿　令知江寧
府翁彥國修城繕治宫室給權
鈔十萬貫彥國具劄子以爲不
足用有指撥兩浙淮南鹽錢四
十萬貫付之爲五十萬貫且令
其因陋就簡不事華壯　上一日

三年 戊申			

[illegible]宣諭彥國修城騷擾蓋彥國
使籍民諭修城磚數百萬其人
踰慶吉南安諸郡率千錢致兩
磚他費類此細奏曰創修宮室
一新城池集事之初其勢不得
無擾莫若明降指揮令其搬移
神霄宮及常司廨宇一切拆舊
修蓋城壁亦因舊增葺使彼有
所執守則費用省而騷擾之患
自息乃命尚書省劄下既而復
批出責降　八月二十六日蔡
前都指揮使兼京城副留守郭
仲荀護衛隆祐太后前去江寧
詔東南安撫經制等使及發運
監司州軍官並聽仲荀節制
每縣添武尉一員
六月詔疏決建康繫囚雜犯死
罪已下減一等杖以下釋之

戶部尚書葉夢得請上南渡阻
江為險以備不虞又請以重臣
為宣總使一　吾金陵總江浙之
師以備退保　羣盜張遇號一
窩蜂入鎮江屯金山寺及揚子
橋詔呂頤浩率江淮制置使劉
光世兩浙制置使王淵等圖之
頤浩單騎入賊營遇等皆出迎
淮劉麥不至乃主謀不降者顧
浩斷其足釘於揚子橋上餘黨
怖而釋甲　十一月二十六日
詔江東路武臣提刑於江寧府
置司

三年己酉
四月上發臨
安幸建康
閏八月上發
建康駐蹕浙西

詔改江寧為
建康府

二月明誠移金人入寇上渡揚子江至鎮江
知湖州三月府顧中書侍郎朱勝非曰今經
呂頤浩以中陞杭州北中諸事暫留鎮置
大夫同僉書東定即來呂頤浩充江浙制置
樞密院事知使劉光世為行在五軍制置使

□□熊江南 兕鎮江府控扼江口撥□□
□□安撫制 制江南東路軍馬兼江寧□□
置□四月起 三月一日命簽書樞密院事□□
發□王拜尚 頤浩領建康府事　是月□□□
書□□兼顯 劉正彥爲逆請太后垂簾聽□
謨□直學士 上爲太上睿聖仁孝皇帝居□
輯前郎建南 宮太子魏國公旉改元明受
六□府事六 大赦天下乙酉頤浩交府事于
月以太中大 亥赦書至江寧之人情恟恟時□
夫工部侍郎 浩之子撫追之人賁蠟彈告變田
湯東野知府 午頤浩自江寧起兵乙未次丹
事□閏八月袁 陽與劉光世會壬寅至平江府
野改除提舉 與張浚會乙巳勤王之師五萬
應副六宮事 發二十江府二兗徹杭州集保□
務以朝請郎 選器械備城門塞河道守臣東
徽猷閣待制 花之爲不爲行丁未文武百官
胡舜陟□務府 赴睿聖宮迎請復辟　四月戊
事□欽□制 申朔上御朝復建炎年號除二

置使燉此以貢淮南兩路制置使勤王之師右僕射杜充至此關二充開湧金門遁去幸差江淮宣撫交以頤浩為右僕射中書侍郎使知府事十上發杭州幸江寧府駐蹕神霄月顯謨閣直宮御筆改江寧府為建康府親學士朝請郎書御製中和詩賜張浚日顧問陳邦光知府藏勾踐焦思先呂身率壹白高事風動君子屬意種蠡臣　五月凡日頤浩奏曰陛下駐蹕江寧改為建康雖已付本府施行緣諸路未盡知行幸所歸欲乞撲勸親筆旗使知陛下進幸中原以副恢復之意從之其親筆今建康府收掌　六月以久雨不止召郎官以上赴都堂詢缺政手詔以四事自責　立皇子敷為皇太子　秋太子得疾方寥宮人誤觸金香鼎仆地有聲大

子應時鸞搐不止上命斬宮人于廡下以頃太子薨年三歲殯於建康城中鐵塔寺法堂西偏之小室七月韓世忠軍遂執苗傅劉正彥苗翊磔于建康市梟其首韓世忠進檢校少保武勝昭慶軍節度使賞平苗劉之功賜忠勇二字表其旗幟裏封和國夫人給內中俸　鄉貢進士李時雨上書言乞擇宗室之賢者一人以係屬四海建炎以來言儲嗣者自時雨始杜充棄京師之建康岳飛說之曰中原之地尺寸不可棄況宗廟社稷在京師陵寢在河南尤非他地比不聽遂從之建康　上諭宰臣曰張守入對言不如留杜充建康不可過江嚴語曰臣與李

綱周望韓世忠義本自如此上曰善遂決吳越之行於是命諸將分守沿江防淮之議遂格頤浩張浚薦充除右僕射尋命兼江淮宣撫領行營之衆數萬節制諸將上遂發建康如浙西詔諸路送納綱運物色除見發并糧斛赴建康府戶部送納外其餘金銀絹帛並赴行在送納十月建康府都總管司言乞於東陽鎮添置巡檢一員撥軍捍禦從之　十一月金人六寨合與李成寇烏江縣杜充在建康閉門不出岳飛和寢閣諫曰大敵近在淮南睥睨長江覬覦之勢莫甚此時公乃不省兵事若金陵失守公能復高枕於此乎充竟不出虜由馬家渡渡江

遣飛等十七人將兵一萬姻虜敵大將王璞以衆數萬先遁諸將皆潰去獨飛力戰飛洒血厲聲曰建康江左形勢之地使胡虜盜據何以爲國今日之事有死無二輙出此門者斬辭色慷慨士皆感泣虜犯溧陽飛遣人夜半馳至縣殺獲五百餘人擒女真漢兒并僞同知溧陽縣事渤海大師李撒八等一十二人及千戶留哥是月虜陷建康杜充既率麾下降兀朮總領李棁守臣陳邦光並降通判楊邦乂不從判血書衣裾曰寧爲趙氏鬼不作他邦臣見兀朮大罵虜怒剖腹取其心尋賜廟額曰襃忠謚忠襄贈詔閣事見本傳中車駕幸建康復加贈賜曰顯真

卿畀我忠臣且錄其後況爲朕
殉節乎宣教郎趙壘之以前任
上元縣丞金人侵犯迎敵陣亡
與子恩澤一資下罪己詔　是
年置榷貨務都茶場于建康

四年庚戌

五月壬子赤
氣亘天

五月淞江分
三路置安撫
大使以建康
饒信徽太平
廣德隸建康
府路置司池
州以呂頤浩
爲大使詔二
品以上即除
大使八月以
正議大夫徽
猷閣待制權
嘗知府事遂

正月中丞趙鼎言請遣使賫王
璵進軍宣州周望分兵戍廣德
仍責燬不察應杜充之罪俾立
功自贖并趣劉光世邀擊使賊
知江左軍衆歸路稍艱必有退
軍之漸如尚占蘄安建康則乘
蒼黃之期於克復而後已時或
傳金人在處康爲度夏計故鼎
有是言　四月金人焚建康掠
民虜財物欲自靜安渡宣化
去兀术屯六合輜重自瓜步
口舟艫相銜至六合不絕岳飛
敗之于靜安　五月兀术復越

江東兵馬鈐轄節制管內軍馬省安撫營田使都總管九□月江東西路安撫復置於建康府

建康飛設伏於牛頭山上待之夜令百人衣黑衣混虜中擾其虜自相攻益邏卒於營外飛令壯士銜枚伺而擒之初十日兀朮次龍灣飛以騎三百步卒二千馳至南門新城為營遂戰大破兀朮之衆斬首三千餘級獲萬戶千戶二十餘人獻俘行在所上詔問所俘人得二聖音問感動久之飛奏曰建康為國家形勢要害之地宜選兵固守比張浚欲使臣守鄱陽備虜之入擾江東西者臣以為虜若渡江必先二浙江東西地僻亦恐重兵斷其歸路非所向也乞益兵守淮拱護腹心上嘉納賜金帶鞍馬　韓世忠與兀朮相持于黃天蕩兀朮見世忠整

服色沮求假道甚恭世忠曰是不難但迎還兩宮復舊疆土歸報明主足相全也兀朮既爲世忠所扼欲自建康謀北歸不得去或教於蘆場地鑿大渠二十餘里上接江口出世忠之上又傍治城西南隅鑿渠成出舟世忠大驚金人悉趨建康世忠尾擊敗之終不得濟乃揭榜募人獻策有教其以火箭破海舟者明日引舟出江其疾如飛天霽無風海舟不能動賊以火箭射海艑篷世忠兵亂兀朮遂遁

沿江分三路置安撫大使一置司池州以建康饒宣徽太平廣德隷之建康本帥府議者以鎮江近而江州遠乃移置大帥於池州

紹興元年[illegible]
二月己卯日
日有黑子彗
星見彗出胃

六月初四日 正月大赦改元工部侍郎韓肖
嵘提擧臨安 胄言國以兵爲強兵以食爲本
府洞霄宮中 宜理淮南以修農事則轉輸可
散大夫直寶 省遂命屯田員外郎置局建康
文閣張續知 行屯田之法于兩淮上在會稽
府事十一月 大饗明堂詔虜破州縣暴骨之
續移饒州資 未歛者官爲募僧道收瘞夢得
政殿學士左 出羨穀二百斛錢三百萬募近
中大夫葉夢 城五寺二十人於城四隅高原
得知府事兼 隙地爲穴得全体四千六百八
江南東路安 十有七斷折殘毀不可計者又
撫大使馬步 七八萬 夢得奏京東州郡食
軍都總管兼 桑柘不熟二浙商賈轉販收息
充壽春府滁 數倍朝廷方議收復必將與天
濠廬和無爲 下爲一家京東雖見屬僞境然
軍宣撫使 皆吾民不可因其飢寒而遂閉
之有旨開禁 夢得於大兵之
後營理學校延集諸生得軍國

二年 壬子

餘緍六百萬以授學官使列六經于學　詔江東西路依舊以昇洪爲帥府

閏四月夢得知壽春府陳辦貳於劉豫蕪用提舉臨安府紹興阜昌年號知濠州寇宏本洞霄宮端明群盜與僞宿州守胡斌通夢得殿學士朝奉使附之斌宏皆聽命因與之錦郎李光知府袍銀絹既而豫將王彥充攻壽事兼江東安春夢得遣統兵官王冠等擊之撫使仍兼六豫衆遁去遂復光州夢得言淮郡宣撫使十西久苦兵革人心厭亂漸思復月初六日光業如滁州百姓已屢乞除知州提舉台州崇其餘可見欲依淮東例除提點道觀十二月刑獄一員申舉政事招誘流亡端明殿學士以安輯之復業之民或量借官朝奉大夫趙本勸之耕種數月之間必有成鼎知府事兼効　吳表臣言大江之南上自江東安撫使荆鄂下至常潤其要緊處不過

劉光世爲江東西宣撫使置司建康	亡渡下流如建康之宣化鎮之介步當擇官兵修器械其餘非經捷處畧爲之防足矣詔以付沿江帥守　無爲軍守臣王彥恢言建康古都用武之地欲保建康必內以大江爲控扼外以淮甸爲藩籬必置兵食以贍國費大江以南千里浩渺若欲控扼非戰艦不可大江以北萬里坦途欲遏長驅非戰車不可舒廬滁和良疇萬頃欲措置兵食非營田不可又言江面自建康至姑孰一百八十里其險可守者六江寧鎮磵沙夾采石大信蕪湖繁昌　四月六日戶部尚書章誼言迪功郎洪敦前監建康府在城稅務一任比增四十六萬餘貫合該磨勘三十三

年詔流散特與改次等合入官
仍須行諸路　李光乞行宮比
臨安增剏後殿上曰但令如州
治足矣必欲事事相稱則土木之
後傷財害民何所不至趙鼎始
至建康視事時孟庾韓世忠皆
駐軍府中多招安強寇鼎爲二
府素有剛正之風庾世忠加禮
敬而軍爾然民旣安堵商旅通
行焉　十一月十八日門下省
言建康府江南北岸荒田甚廣
詔令孟庾韓世忠措置兵馬營
屯田計　劉光世置背嵬親隨
軍皆鷙勇絕倫一以當百自
出己意造剋敵弓斗力雄勁射
鐵馬一發應弦而倒

三年癸丑
秋七月大旱
三月趙鼎移
知洪州五月
正月八日詔戶部侍郎姚舜明
前往建康府等一總應干郡縣

降授右朝請郎徽猷閣待制歐陽懋知府事八月差朝請郎徽猷閣待制沈晦知府事九月初八日提舉台州崇道觀十二月初一日左朝奉郎直龍圖閣呂祉知府事主管江東安撫司公事

府錢物粮斛仍於都督府選差有風力諳曉錢穀屬官四員充粮料院審計司監官都督府管下官兵等封幇勘請給並經由戶部粮審院依條封幇勘支給建康府榷貨務都茶場亦仰辨明提領議令江東漕臣月樁錢十萬緡以酒稅上供經制等錢應副其後江浙湖南皆有之大爲民害　劉光世言軍馬移駐建康府防秋是時别無激賞錢物先奉詔支銀一萬兩江東路空名度牒一百道詔令戶部支絹三千疋專充激賞　沈晦罷以臣僚言江南帥府其任不輕晦知婺州日事多輕率故有是命　以劉光世爲江東宣撫使池州置司

四年[illegible]十一月呂祉
歸

汪藻言自東晉以來累朝皆治金陵當時中原爲五胡所據以江南北僑立州郡納其流亡之人比金人入寇多驅兩河人民列之行陣彼以數百年祖宗涵養之恩一旦與我爲敵豈其本心特妻子父兄爲其以死脅之出於不得已而然耳今年建康鎮江爲韓世忠岳飛所招遣歸者無慮萬人其情可見臣以爲莫若因此時用六朝僑寓法分浙西諸縣以兩河州郡名之如金壇權謂之南相州相人皆就居焉其他類比　正月十七[illegible]呂祉言乞自紹興四年以後應拋荒田土如人戶請佃開耕已就功力未及二年雖元主復業且令見佃人耕作俟及二年方

得交還餘並依見行條法六
月二日建康府獲金賊一名取
問係涿州人上曰此吾民也釋
之　七月十九日呂祉言建康
府舊存水軍指揮廢罷年深望
量行支降見錢三五萬措置造
船措置三指揮以五千人爲額
從之　十月韓世忠在承州以
援兵未至退保鎮江時劉光世
軍馬家渡張俊軍采石遂詔光
世以所部兵援世忠且令俊移
軍建康於是光世進屯太平州
世忠復統兵過揚州拒賊　十
一月上問宰執江上控扼之討
如何胡松年曰臣到鎮江建康
備見兩軍將士奮勵必能立勳
十二月二十二日詔車駕進發
令諫院船次後省泊從司諫趙

乘請也先是降詔進發建康故
有是命

五年乙卯
正月朔日蝕

二月呂祉除檢正諸房文字三月左中奉大夫直秘閣葉宗諤知府事兼主管安撫司公事張俊為江東宣撫使置司建康尋加少保

詔前宰執條上攻守策趙鼎言今鑾輿未復舊都莫如權宜於建康駐蹕控引二浙襟帶江湖運漕財穀無不便利願與二三大臣熟議之
是歲金主吳乞買死阿骨歹孫亶立
蒙國在女真之北在唐為蒙兀部亦號蒙骨始起兵攻金

六年丙辰
五月金星犯畢

六月張浚言東南形勢莫重於建康實為中興根本且使人主居此則北望中原常懷憤惕不敢自暇自逸而臨安僻居一隅內則易生安肆外則不足以號

召遠近係中原之心遂遣表請聖
駕秋冬臨幸時浚在江上會諸
大將議事命韓世忠屯承楚以
圖淮陽劉光世屯盧州以招北
軍張俊練兵建康爲進屯盱眙
之計楊沂中領精兵爲後後翼
岳飛進屯襄陽以窺中原於是
國威大振暨自江上歸又力陳
建康之行爲不可緩朝論不同
上獨從其計。趙鼎奏得張浚
書云建康日納盈其臧上曰浚
路所安商賈旅心往來鼎曰亦
須久不變法上曰法既可信自
然悠久蓋自立對當法二年不
變故比之常歲增羨　十月劉
猊以衆數萬欲犯建康楊沂中
至藕塘與猊遇還摧鋒軍統制
吳錫以勁騎五千突其軍賊兵

七年丁巳

二月癸巳朔日蝕

三月癸亥上至建康

四月宗諤除福建路轉運使二十二日右朝請大夫直龍圖閣張澂知府事兼主管安撫司公事

亂所中縱火軍乘之賊衆大敗獎相伯以司農少卿提領江淮營田公事置司建康擢王中孚爲屯田員外郎爲之副官給牛種無存流移歲中收穀三十萬斛有奇　十二月二十八日詔建康府發上等田十頃賜王稟家以稟向在太原竭忠盡節訪聞其子三人流落故有是命

正月一日詔曰朕惟兩宮北狩之久痛切于中而道君皇帝春秋益高念無以見勤誠之意可令入內內侍省差官一員前去建康府元符萬壽宮修建祈福道場三晝夜務令嚴潔庶稱朕心　初二日中書門下省言將來車駕幸建康沿路合用錢糧並係隨軍轉運職事經由州縣

不得以行幸爲名因而擾又
詔營繕行宮不得華侈仍禁六
諸具知禀聞奏　上次建康召
胡安國赴行在安國上所纂春
秋傳上甚重之　初十日詔江
南東路安撫司幹辦公事王湬
獻六朝進取事類與陞擢差遣
李綱奏云車駕以仲春去吳越
而幸建康漸爲北伐之計志慮
規模可謂宏遠願益廣聖志勿
以去冬驟勝而自怠勿以目前
粗定而自安則中興不難致矣
綱又奏沿江諸軍近多火災竊
見軍馬屯聚去處多以茅竹葦
蘆之屬盡蓋房舍以省功力今
車駕駐幸建康千乘萬騎理當
旋置營房屯駐將士庶幾火不
能作人得安堵　四月張浚奏

兩既沾足又即晴霽於蠶麥無妨上曰朕宮中亦養蠶兩落許欲知民間蠶熟與否又曰朕聞祖宗時禁中有打麥殿今後園有水田亦令人引水灌畦種稻不惟務農重穀亦王政所先亦欲知稼穡艱難耳　葉宗諤言車駕到府衙本府應文武官朝獻從之　楊邦乂建炎死事本府建廟上甫至首詔守臣增廣修蓋　岳飛入見歷宣撫使因邑駕至建康以劉光世所統王德酈瓊等兵五萬餘隷飛辰後引兵還建康入對告上曰劉光世罷軍政閑居臣有營仍六真上不樂　六月十九日三省言建康府乞放免建炎元年至紹興元年未起左藏庫錢帛從

之
詔翰林院差官分視府境
内外居民之病者其用藥令戶
部藥局應副如有死亡貧乏令
本府給錢助葬　又　督府請修建
康城期會迫促　又　以軍儲不足
夏稅正絹每疋折錢八緡灃言
行宮甫畢不宜復興大役民力
已困折變何以堪之詔罷蔡戡
而折帛減二千後以爲例　張
浚自當國引呂祉爲援復用韓
進爲淮南漕進倅建康日劉光
世待之不以禮又嘗爲其屬劉
覲所辱積此二忿故力建議罷
光世軍遂以祉代爲宣撫判官
後祉爲酈瓊所殺以軍降僞齊
光世之兵叛後但有韓張岳三
軍鎮江軍韓氏部曲建康軍張
氏部曲鄂州軍岳氏部曲東南

八年戊午

二月上自建康如臨安遂都焉

彗出西方

二月初四日澄移知臨安府端明殿學士左通議大夫章誼知府事兼安撫大使兼行宮留守司公事安撫兼留守司叅此六月二十六日提舉江州太平觀同月資政殿學士左中大夫葉夢得知府事兼江南東路制置大

惟以潤昇鄂三軍爲根本

正月十一日上諭輔臣曰將來幸浙西建康諸宮屋宇及百官廨舍皆令有司照管它時復幸免更營造以傷民力趙鼎奏令建康府拘收且言金人若以大河之南歸我當駐蹕建康上曰羣臣上殿多論建康可都蒲晉謂當擇險要之地勾龍如淵謂當修德而不在險以二人較之如淵爲勝矣　上將還臨安張守謂建康自六朝爲帝王都江流險闊氣象雄偉且據會要以經理中原每對必爲上言之及將下詔東歸與趙鼎議于都省不合遂罷召張俊至宮中諭之曰朕來日東去卿在此無與民爭利勿興土木之工俊悚息承

使兼留守

命後凡遠無碑面再三美惡
日此事非難但鄰難之際一
從僞燕錢少紆民力朕爲人主
雖以金王爲脩亦無不可若如
此非特一時士大夫之論不以
爲然後世以朕爲何如主也
二月四日宰執呈欲付呂頤浩
建康留守而頤浩以疾辭趙鼎
奏曰頤浩之政長於彈壓建康
之民願其來上曰繁劇之地固
以彈壓爲先若不動聲氣使百
姓陰受賜小人却不知也詔
建康府已除行宮留守合行事
件依西京留守司體例施行
三月二十日詔自建康復幸浙
西經由州縣應辦人戶虧欠紹
興六年以前稅賦並與除放
旁待奏措置存恤河南官吏軍

九年

十年

民脱身南來事件　夢得以公府羡錢二百萬繕售經史諸書肄紬書閣以藏之而著其數於有司

正月大赦　建康府學在州之東南隅自羅兵火蕩然僅存夢得因舊址徹而新之為屋百二十五間闢門南向以面秦淮既又作小學于大門之東且援西京例奏增教官一員　四月二十六日詔建康府永豐圩田撥賜韓世忠　夢得重建學尚書令卞壺祠賜額忠烈　改天寧萬壽寺額曰報恩光孝為追崇徽宗道場

溧水縣令李朔正有政績上謂秦檜曰近時縣令以政績被薦往往別除差遣不若與之職[illegible]

十一年 辛酉 七月旱

十一月初十日夢得除觀文殿學士再至

因任庶久則民安其政乃召對遷一官賜五品服遣還 府城居民遺漏延燒府治自外門至府宅皆焚毀惟軍資庫及大軍庫無損 十二月八日都茶場言昨建康務場分差官吏前去真州給賣鈔引令真州客到稀少而建康務場繁冗監官人少乞依舊併歸建康從之

十一正月兀朮犯壽春府命宣撫劉錡統所部兵二萬人渡江禦之時淮西宣撫使張俊已至行在亟令向建康壬戌劉錡至柘皐適與虜會錡與諸軍合擊之 俊大軍繼至虜大敗遂復廬州至初夢得團結沿江民兵數萬至是呼集分據江津遣其子模領數千人守馬家渡虜果使吾殺

將酈瓊輕兵來犯覺有備乃去
二月巳未劉光世張俊劉錡諸
將捷書繼至軍聲大振夢得奏
自用兵以來未有此舉詔獎之
三月癸丑俊渡江歸建康時俊
兵八萬皆強壯精銳爲諸軍之
冠號鐵山軍初上謂大臣曰中
外議論紛然以虜逼江爲憂殊
不知今日之勢與建炎不同今
韓世忠屯淮東劉錡屯淮西岳
飛屯上流張俊方自建康進兵
前渡虜窺江則我兵乘其後令
雖虛鎮江一路以檄呼虜渡江
亦不敢來其後卒如上所料
建康屯西兵歲費錢八百萬緡
米八十萬斛權貨務所入不足
以贍至是禁旅與諸道之師皆
至夢得兼領四路漕計軍用不

去故諸將得悉力以戰由是□□
諸將既能兵乃置三□
湖湖以劇臣爲之皆帶專一措
發御前軍馬文字准西江東運
馬錢粮所置于建康吳彦璋以
太府少卿兼總領官

十二年 壬戌

十一月二十二日夢得移知福州

十三年 癸亥

十二月癸未朔日蝕

正月十一日少傅鎮潼軍節度使信安郡王孟忠厚判建康府事兼江東安撫制置大使

詔委運司下州縣搜訪遺書
十一月庚申合祭天地於南郊
時已定都臨安

十四年

二月二十日忠厚移知紹

江浙福建水命賑之

三 六十一

興府資政殿大學士降授左通議大夫張守知府事兼江東安撫制置大使

十五年 乙丑

四月彗出東方 六月乙亥朔日蝕

正月守致仕 四月十一日敷文閣直學士右朝奉大夫晁謙之知府事兼江東安撫使

正月戶部侍郎王鈇言被台差置兩浙經界竊見戶部員外郎李朝正昨任溧水縣日曾措置均稅簡易不擾至今並無詞訴乞同共措置從之 四月大赦 七月二十九日戶部言建康府民戶見欠官錢六萬餘貫欲下總領所蠲免從之 十月三日晁謙之言本府每歲合起上供米一十五萬石自經火兵至紹興五年總起一十一萬碩後緣轉運副使黃敦書謂起二萬四

十六年 丙寅

十二月彗出西南

千餘石公私費力欲乞蠲免從之

親耕籍田詔守令自今每歲之春出郊勸農　五月以御書石經本頒府學

十七年 丁卯

十一月辛卯朔日蝕

六月二十四日詔右從政郎建康司户張咨甫除名勒停永不收叙送循州編管仍籍没家財以前權湖州西安鎮税坐贓法當死貸之是歲金與蒙國議和蒙國自稱祖元皇帝

十八年 戊辰

五月初四日蕭之罷二十日徽猷閣學士左太中大夫鄭滋知府事

二月六日參知政事段拂落職宮觀興國軍居住以臣僚言建炎間建康通判楊邦乂伏節死義而拂鄙倖事皆不知耻何以勵居政府遂有是命[illegible]是譏之與樹非交通書問又嘗爲王庶

十九年 己亥

甘露降溧陽縣

三月癸未朔日蝕

辟客得旨放罷

二十一日四月三十日溧陽縣言甘露降

按試仕四月詔付史館七月俞俊言江東路

十三日歎史也駐天軍轉運判官鄭倫年才

閣奏學七人術精敏究心宣力乞令再任從

中書天命錄之

江府事十一

十一月鄭

月初二日癸

知縣興化州

二月初八日

拜中奉大夫

直秘閣王駒

知府李主管

鹽司公事

二十年 庚子

八月二日建康府選鋒軍使臣

張璜除名勒停送饒州編管以

毆擊百姓馬阜章以身死法當

絞特貸之

二十一年辛未

十二月十六日詔入內東頭供奉官武翼郎吳曇除名以曇已管行宮大內匙鑰虛作容人中貴花木盜錢入已法當絞特貸之　置諸州惠民局除柴米稅

二十二年壬申

二月二十二日胸移知宣州四月二十日資政殿學士左朝奉夫楊愿知府事十一月二十八日致仕

二十三年癸酉

二月二十一日右朝散郎王循友知府事兼主管安

二十四年甲戌
正月地震五月癸丑朔日蝕

撫州公事
四月初二日循友罷五月十三日敕文閣直學士右宣教大夫除名送雷州編管貶知府某

詔支充任斷配牢臣秦檜族大檜衙之黨與獄循友特貸死免籍沒家財送藤州安置男流追兩官除名勒停弟循訓追四官

二十五年乙亥
五月丁未朔日蝕

十一月二十一日貶湯易知平江府封秦檜建康郡王

秦熺言湯易王會見知平江府乞與宋貶兩易其任庶得相聚照顧家屬從之　左僕射秦檜言衰病交侵乞許臣同男熺致仕士孫塤堪改差在外宮觀檜進封建康郡王子少傅熺為少師並致仕塤並進職提舉江州太平興國宮上久知檜欲危社而未發至是首勸熺致仕餘黨以次竄逐天下欣仰英斷焉　十一月卒

二十六年丙子
月有星晝
七月彗出
銀

二月寶文閣
學士左
大夫張
府事

二十七年丁丑

秦檜壽薨上首以壽帥鄉部壽至
金陵積歲負內庫錢帛鉅萬惹
奏免之池有義子與父爭訟守
昏繫囚連年不決壽諮詢移廷尉
黜其守居二年政成化洽 詔
川馬分隸江上諸軍鎮江建康
各七百五十四

二十八年戊寅
二月辛酉朔
日蝕六月有
星晝隕

黃石在南外宗教日以書抵秦
檜論建議事不能用授建康
府教授明年壽起關石又以書
言之壽然之對言儲貳尤力適契
上意遂付典禮 十一月郊

二十九年己卯
大雪雨雹

三十年庚辰
七月丁丑朔日蝕八月丙午朔日蝕十月壬戌日中無雲而雷

閏六月十六日詔建康鎮江府起發水跌勞費人力今截日止住津發 燕以法律進其居守也御撒史世羅帖無敢可否民有刃傷征桑者按蹤死吏當其主故發獄已具察罹蕭之敏抗執不書初六日總已而薦之改秩朱熹孫子也禁室武夷山以講學上聞其名召之不至

詔寬租賦殿中侍御史杜華老言逆虜背盟輕肆猖獗願乘此諸將報捷之時駐蹕建康可以審度事勢指授方略爲諸將聲援一舉而殲敵必矣 四月上七日詔先降指揮戶部歲於鎮江建康各椿一百萬石訪聞已有借兌可令借撥補還 六月賜城隍黑龍神廟額曰孚澤賜

三十一年辛巳

正月甲戌朔日蝕丁丑雷癸亥夜風雷雨雪六月彗出角上至建康府

三月四日仲通罷二十日資政殿大學士左太中大夫王綸知府事八月十三日綸致仕十月二十三日以資政殿學士左中大夫六張燾知府事燾至十一月初四日金虜起行在十二斥十一日詔

句容縣茅山天聖觀龍神祠額曰廣濟 陳俊卿言職田折價而增直者計贓請禁之

四月朝廷聞金人決欲毀盟令王權戍建康李顯忠戍池陽劉錡戍鎮江壁建康都統王權棄廬州去兵屯東采石選鋒軍統制姚興者獨以所部三千人戰死于尉子橋葉義閫以元帥督視軍馬舍人虞允文參贊軍事十一月我問至建康有旨以李顯忠代王權命乞之馳至池州趣顯忠交藩軍事時知府事張燾[illegible]府纓十餘日夜滉下二鼓燾方就寢乞文扣門求見甚急曰此何等時而公欲安寢乎燾曰吾來人情洶洶縣不鎮之以靜其不安久文曰之

進觀文殿大學士和國公張浚判府事兼行宮留守專一措置兩淮事務兼措置淮東西建康鎮江府江池州軍馬

遣諜者言虜以明日渡江約晨炊玉麟堂公何以爲策曰當以死守留鑰遑恤其他允文將至采石路聞葛王已立海陵爲内變所撓屯軍雞籠山用間人諜諜臣議將自采石濟江築壇刑白馬祭天亮登高臺張黄蓋被金甲據胡床而坐諸將已爲遁計允文召統制張振等語曰虜萬一得濟汝輩亦何之今不如死中求生朝廷已別選將統此軍矣衆尚爲諜允文曰李顯忠否曰得人矣今既有所主請爲舍人一戰允文即與張等謀整步騎陣于江岸而以海鰍及戰船載兵駐中流擘之布陣始畢風色大作逆亮自執小紅旗麾舟自楊林口尾尾相銜而

出虜始謂采石無兵見張等舟大驚欲退不可金人所用舟底如箱遇風不能動盡死于江中不死者亮皆殺之怒其舟淺不能出也允文與捷聞夜半復布陣待敵亮既不得濟乃下詔書以招王權允文答曰臨王權望風退舍使汝臨張至此朝廷已將王權重寘典憲今統兵乃李世輔也汝豈不知其名若能瓜洲我固有以相待毋虛言見休但備一戰以決雌雄可也亮得書大怒遂焚宮人所乘龍鳳事斬造舟者二人於是始有瓜洲之議　樞密行府留建康先是有知數者詣行府上書云以太乙局考之虜酋不煩資斧以冬至前當有蕭墻之憂人皆未以

爲然十一月丙申天重陰有使
臣胡賦者能爲天文占行府屬
官洪邁曰昨日四鼓濃雲塞空
而東北　乃虜死之祥也未幾報
亮爲殺　敗張浚判建康府浚
被命即行　至池聞亮被殺然餘
衆二萬猶屯和州李顯忠在沙
上浚渡江往勞一軍見浚以爲
從天而下驩呼增氣虜謀報恐
與道去顯忠乘銳追之多所俘
獲上至建康浚迎見道左衛士
見浚無不以手加額　葉義問
言比虜寇進逼江上與鎮江建
康太平諸郡纔隔一水先報虜
人謀開第二港河欲徑衝舟徒
施工累日一夕大風沙漲截斷
不得渡以爲水府陰佑之峻加
帝號仍令建康守臣擇地建廟

三十二年壬午二月癸卯上發建康如臨安六月秀王偁之子眘受禪廟號孝宗正月戊辰朔日蝕是春淮水溢中有赤氣如凝血七月戊申地震大風拔木	修築建康府城	六月二十日浚入對七月八日浚特授少傅進封魏國公八月二十日左朝散大夫試中書舍人宣撫判官兼陳俊卿權知府事兼安撫使行宮留守

遂增封八字王建廟建康賜額口佑德　詔建康府特許添辟通判一員從浚請也

正月壬申上在建康府先是殿中侍御史吳芾言大駕宜留建康以繫中原之望有詔侍從臺諫同議駐蹕利害芾謂建康可以控帶襄漢經理淮甸若臨安則西北之勢不能相接不從遂定回鑾之議時以欽宗祔廟暫還芾又言聞虜使將至彼欲視吾虛實不如受禮建康俟其出境然後還臨安未晚亦不報　詔建康選鋒軍統領姚興特贈觀察使本寨立廟賜額旌忠故復淮西日別建廟于戰沒處　主將還臨安軍務未有所付張浚判建康府衆望屬之及除揚

存中爲江淮荆襄宣撫使中外大失望給事中金安節權中書舍人劉珙言不可疏入上怒未幾存中還行在以浚兼之浚出將入相三十年素爲士卒所畏愛至是總軍政皆樂爲用十五日上元知縣李闢之言本縣所管金陵鍾山慈仁三鄉實隣大江田疇化爲水面二稅歷掛版籍乞除放從之浚奏體訪東北今歲蝗虫大作米價踴貴虜政名爲寬大實行苛刻百姓莫不思變乞多撥錢米付臣措置招徠北人人心既歸虜勢自屈又奏云朝議欲絕歸正之人臣日夜思念至熟南渡以來良將精兵多歸正人三十餘年捍禦血戰國勢以安今一旦絕之此

隆興元年癸未

三月雨雹六月庚申朔日蝕七月太白晝見旱蝗

張浚除樞密使仍都督江淮軍馬俊卿改督府參贊軍事知府事俊卿力辭府事乃除禮部侍郎參贊如故五月十六日立朝散大夫直徽猷閣

令一下中原之人以吾有棄絕之意必盡失其心矣　十二月十二日權府事陳俊卿言歲額合起內藏庫上供絹一十萬五百一疋內一半本色一半折錢數內椿閣絹一萬三千八百餘匹無從催理詔免徵

先是上召俊卿及浚子栻赴行在所浚請臨幸建康以動中原之心用師淮堧進舟山東以遣爲吳璘之援上見俊卿等問浚動靜飲食顏貌曰朕倚魏公如長城不容浮言搖動　三月十六日詔建康府榷貨務都茶場監官分差粮料院幷建康府教授等闕椿留充薦舉并陞擢及試中人　六月詔武節大夫建

陳之茂知府事兼主管安撫司公事浚以宿州師失利貶官陞宣撫使八月復都督十一月赴行在

康府前軍統領官王珙特與八資恩澤以浚言珙至宿州深入賊營鏖戰而死仍立廟賜額曰忠節　二十五日戶部言內外不住添屯軍馬合用糧斛除發淮西總領所浦濱樁積一百萬石數外餘並起建康府太平池州安頓　十一月浚赴召上書聖主得賢臣頌賜之　申禁銷金鋪翠

二年甲申

二月雨雹六月甲寅朔日蝕七月江東浙西水雨雹

置柵石頭城以處北人之來降者

三月七日之茂召赴行在左承議郎敷文閣待制張孝祥知府事十月十二日罷十一月十一日右朝散

上聞有虜師命建康都統制王彥渡江屯昭關而三衙大軍屯江池戎帥相繼皆出又命湯思退都督江淮軍馬思退不行命楊存中同都督軍馬及事急復以王彥為督視又以為同都督張浚始議以四月進幸建康又

大夫直徽猷閣呂擢知府事兼主管安撫司公事

言當詔王之望等還思退與其黨寀謀陷浚俄詔浚復如淮視師　夏詔石頭城置柵以處比人之降者賜名忠毅拜降將蕭琦爲都統制命建康都統王彥以北軍千人與之　十月十八日淮西總領楊倓奏爲父存中除同都督江淮軍馬見在建康置司委有妨嫌乞回避詔特免

乾道元年乙酉

三月雨雹大雪

修築建康府城

二月一日擢罷以端明殿學士左通議大夫汪澈知府事九月十二日召赴行在十月九日左朝請郎直寶文閣王佐

正月辛亥朔郊郊祀多用冬至冬至近晦改用正月　先是張孝祥奏秦淮之水流入府城分爲兩派正河自鎮淮新橋直注大江其一爲清溪自天津橋出柵寨門亦入于江緣淮柵寨地近爲有力者所得遂禁斷清溪水口剗爲花圃以爲遊人翫賞之地每水源暴至則泛濫城內

知府事

居民被害若訪古而求使清溪直通大江則建康亦無水患詔注澈指定以聞後澈言欲於西關依異將河道通柵門入江從之　澈言建康城池頹塞計工約用錢二十萬貫已於六月以來興工補築不出年歲可以完竟其他如鶴臺安頭等續次措置從之　三月令沿邊措置屯田尋命建康都統兼提舉措置屯田守臣黃營屯田使　九月詔故太尉蕭摶妻榮國夫人耶律氏遠來孀孤令得請給令建康府按月支破　十一月十九日勤政進呈建康府言蘆場泒撥撥賦今年七月指揮令今秋拘催而九月指揮於來秋起催上曰只依九月指揮庶寬民力

十二月十四日詔[illegible][illegible]造[illegible][illegible]
三百二十[illegible][illegible]會二十萬貫[illegible]
榷貨務差官管押前[illegible]交納[illegible]
淮西總領請也

七月二十日佐改知平江府八月六日徽猷閣直學士朝請大夫陳之茂知府事九月二十四日致仕十一月七日右中大夫敷文閣待制方滋知府事

正月建康都統劉源繳納諸軍事故人衣身二萬本有奇樞密都承旨龍大淵言於朝進源官二等　三衙江上四川大軍新額總四十一萬八千建康五萬錢糧衣賜計二百緡可養一兵是歲書錢已八千餘萬緡五月二十八日淮西總領揚倓言乞將江東安撫司建康府并都統司酒庫並撥付淮西總所其賣到價錢除本外合得息錢並撥還諸司從之　上元縣令李允升在任日盜支官錢入己法當絞特貸命追毀出身以來

文字決脊刺面配惠州牢城仍籍沒家財守臣王佐不能舉劾縱之升尋醫而去追兩官勒停建昌軍居住　十二月十六日詔建康府置醬酒庫依舊撥蕭鷓巴軍管幹收息錢充犒賞用

三年丁亥

九月二日詔召赴行在二十四日左朝奉郎充集英殿修撰史正志知府事兼沿江水軍制置使兼提舉學事

八月二十三日上宣諭宰執曰史正志條具到舟師利害其間亦有可行者蔣芾奏曰陛下將來要差大臣出使不若先遣正志上曰便差知建康府仍差沿江制置使自建康至鄂渚舟師並令總之　十月十八日令鎮江建康都統司各招強壯諳會水軍五百人

四年戊子

六月二十二日正志轉朝散郎

二月十日史正志言乞將所樁見錢十萬貫增造一車十二槳四百料戰船從之　上志以[illegible]

二年壬辰

□□朔旧□

六月二十六日正志除□文閣待制

□大□省貢院重建新□學貢□
□一水亭稼放生池於清溪
清溪閣

二月四日詔令殿前馬步軍司官差統制一員前去建康府同江東部漕於本府近便寬閑去處踏逐牧放馬五千匹并牧馬官兵寨壓地段措置修蓋所有永豐圩收到稻穀令淮西總領所措管 復監司避本貫法令分上下半年巡按所部 正志重修鎮淮橋飲虹橋上為大屋數十楹極其壯麗 十一月御札獎諭 正志職務振舉遣中使賜金帶 溧水人伊小乙割肝療母疾縣令陳嘉善旌其里曰表孝

六年庚寅

二月二十二閏五月詔江東轉運司將建康
日正志改知府實被水縣分人戶令年身丁
成都府三月錢笠與放免不得巧作名色仍
一日朝請大舊科取　十一月九日詔建康
夫祕閣修撰府添置行宮酒庫一所息錢聽
庚琢知府事候御前支用　十一月郊

七年辛卯

三月初十日虞允文爲相移馬司屯于建康
琢改除太府詔建康府都統李舜舉將廬州
卿淮東總領軍酒庫移于建康　十二月十
六月二十三二日洪遵言蕪湖知縣呂昭問
日端明殿學以和糴爲名禁止米斛不得下
士左中大夫河詔昭問降一官放罷
洪遵知府事
七月四日赴
行在奏事十
八日除資政
殿學士四府

八年壬辰	九年癸巳 夏五月朔日蝕十一月朔日蝕	淳熙元年甲午 十一月甲申日蝕
	十二月二十七日遷提舉臨安府洞霄宮	正月二十六日敷文閣學士左朝散大夫荣衛知府事提舉學事兼管內勸農營田使守臣以勸農營田繫銜始此後做此二月召赴行在五月
七月二十四日詔建康府繳千五百延並與放免令戶部以沙田蘆塲錢撥還		

二年乙未

九月彗出西方

十一日朝議大夫充龍圖閣待制胡元質知府事六月四日召赴行在奏事七月除敷文閣直學士西府十二月十一日召赴行在三月二十一日資政殿大學士中大夫劉珙知府事

劉珙至府會歲大旱首奏倚閣三等戶夏税分遣官吏行田蠲租又奏禁上流税米過糴遏者劾治得商米三萬斛貸貧椿管及總司錢遣官糴米又得四萬九千斛又奏禁州縣毋得督舊逋借常平米以付坊戶闔境數十萬人無一人捐瘠流徙上嘉其

三年丙申	三月庚午朔日食四月雨雹	八月十七日珙轉太中大夫	珙重修府學立明道先生祠晦庵先生記之續賜書褒諭官民爲立生祠
四年丁酉	正月雨雹九月丁酉朔日食	五月十一日珙除觀文殿學士再任	執政擬進除目云劉珙屢守建康已及二年可除觀文殿學士上曰以及二年而除職非用人之体乃改云居守建康績効顯著可特除觀文殿學士令再任
五年戊戌	雨土者三雨雹者再八月旱	七月珙致仕十月十六日特進觀文殿大學士陳俊卿判府[illegible]	弛沿江漁禁
六年己亥			
七年庚子		七月二日俊卿除少保	

八年壬辰

三月二日後卿除醴泉觀使進封申國公四月十三日端明殿學士中大夫范成大知府事

戍大開府金陵適歲旱招練商賈揞閣耳銳請于上得軍儲二十萬石振飢民舍額十七萬斛是年纔三之二而五邑受粟總四萬五千四百餘戶無流徙者

九年甲寅

十一月初二日成大特授太中大夫

寇談宗漢去城二十里趙江縣徐玉編靜江大將軍成大皆捕誅之在鎮二年以餘財代輸丁戶秋苗及丁錢一半

十年癸卯

十一月朔日

八月三十日成大除資政殿學士提舉臨安府洞霄宮九月二十日端明殿學士正奉大夫

詔經理也田良臣奏上元縣打并塞地五百餘頃不得還湖泄水可以修築詞對

十一年 甲辰 正月雨土者廂府境大水	十二年 乙巳 二月雨雹五月地震	十三年 丙午 閏七月雨雹八月乙亥日月五星聚軫
錢良臣知府事	三月十七日良臣授資政殿學士	
詔賑䘏建康之被水者始立養濟院	御札戒飭建康都統閻仲 十一月郊	詔以沒官田產入常平 三月移釆石水軍二千五百人屯靖安鎮

十四年丁未 高宗崩六月旱

十五年戊申 六月雨雹八月甲午朔日蝕

八月良臣提舉臨安府洞霄宮八月三十日朝散大夫敷文閣待制江東安撫使章森知府事

十月大赦

陳亮上萬言書畧曰秦檜以誤國二十餘年而天下之氣索然無餘陛下有削平宇内之志又二十餘年而天下之士始知所向高宗皇帝春秋既尊陛下不欲大舉以驚動慈顔今已祔廟天下之英雄豪傑仰首而觀陛下之舉動天下不可以坐取也兵不可以常勝也驅馳運動又非年高德尊者之所宜也東宫居曰監國行曰撫軍此肅宗命廣平王故事陛下循以屬可行則當先經理建業而後總之動

十六年己酉

二月孝宗傳位太子惇尊孝宗爲壽皇

二月辛酉朔日蝕

紹興元年庚戌

二年辛亥

五月一日轉朝請大

九月二十二日森轉朝議大夫除顯謨閣待制再任

正月森改知江陵府二月煥以閣直學士通議大夫江東安撫使

今歲未爲北伐之舉而天下震動即位之志庶少伸矣

廂禁軍營舊皆茅屋森至易爲瓦屋數千間號曰新營有詔獎諭

十一月壬申郊風雨大至上震懼感疾

三年丁亥
四年戊子
五年甲寅

余端禮知府事

三月端禮召赴行在七月顯謨閣學士通奉大夫江東安撫使鄭僑知府事十二月授正議大夫

正月二十三日僑除吏部尚書固辭改除龍圖閣學士依舊知府事七月二十五日仍除吏部尚書

孝宗崩光宗疾甚立子擴爲帝尊光宗爲太上皇大元兵防金實王之辯攻金

端禮以貢院湫隘修而廣之

慶元元年乙卯
正月丙辰白虹貫日三月丙戌朔日蝕庚寅太白經天七月太白經天十一月雨土

二年丙辰
正月戊子雷

三年丁巳
四月雨土旱雨雹十一月雷十二月雨土

正月二十二日寶文閣學士太中大夫江東安撫使張杓知府事

建府學御書閣議道堂稍重葺與禮儀備典籍增餼廩修其門親兵寨士二百八十七楹置廣惠倉、修貽養令

二月杓除龍圖閣學士知隆興府五月二十日以資政殿學士中大夫江東安撫

十一月[illegible]

四年戊午
八月白氣亘天九月壬寅太白晝見癸卯太白經天

五年己未
正月庚午雪癸酉白氣亘天八月癸亥白氣亘天

[illegible]
使趙[illegible]遷知
府事

一月二十日
彥[illegible]除資政
殿大學士以
所乞與宮觀
十二月二十
七日華文閣
學士中大夫
江東安撫使
錢象祖知府
事

十一月象祖溧陽人史君賢利以療母疾
除徽猷閣學
士提舉江州
太平興國宮

六年庚申
正月四日雨土乙酉雪六月丙午太白經天九月雨土十月太白晝見
大元兵破上都園和龍

嘉泰元年辛酉

二年壬戌
正月[illegible]雷四月雨雹五月甲辰朔日蝕七月木雨十二月日中
大九二

閏二月四日鎮安軍節度使開府儀同三司江東安撫使吳琚知府事

正月七日詔再任二月二十三日除授少保十月十四日致仕十二月二十日徽猷閣學士

郡人張參舜庸編金陵事迹二十餘年乃獻之府遂修爲建康續志二百二十板

句容增科和買久爲民害邑令趙時侃白于府琚請府將歲出萬三千緡爲之代輸凡免人戶和買絹二千十九疋綿一萬二千六千兩

有黑子

三年癸亥正月雪四尺己亥潤日蝕七月白虹貫日九月大風十一月大風

四年甲子五月乙亥大風癸未日有黑子辛卯雷壬辰雨雹二月有赤氣亘天

朝議大夫江南東路安撫使李沐知府事

三月沐除寶文閣學士宮觀四月五日敷文閣學士通議大夫江東安撫使丘崈知府事

十一月甲戌詔南郊加祀感生帝太乙、廡星宋星赦天下

[illegible]德元年乙丑正月雨霾二月雪三月太白晝見四月[illegible]日中有黑子乙卯大風九月大風

二年丙寅六元太祖皇帝即位正月雪雷雨雪二月久雨九月雷

四月雷除寶文閣學士兼修六月六日除刑部尚書江淮宣撫使二十二日朝請大夫寶謨閣待制江東安撫使兼知府事

重修鎮淮飲虹二橋

二十二年[illegible]

二月[illegible]

[illegible]

十一日兼[illegible]江制置使

二月適除[illegible]文閣待制[illegible]兼江淮制置使專一措置[illegible]邑田七月[illegible]赴行在九日[illegible]朝散大夫寶謨閣待制江東安撫使徐誼知府事兼沿江淮制置使專一措置屯田九月十八日兔兼制置使依舊知府事十一月陞[illegible]

適陳措置屯田請置沿江堡塢并團結淮西山水寨四十七處各爲圖冊以獻于朝以建康鎮江三務場徑隸提領所

嘉定元年戊辰

正月雪四月雨雹五月太白經天變九月大風

知隆興府十二月十六日資政殿學士通奉大夫江東安撫使丘崈知府事

正月五日崈除江淮制置大使兼知府事六月召赴行在八月十四日觀文殿學士金紫光祿大夫江東安撫使何澹知府事兼江淮制置大使

二年己巳 □月大風熒惑入太微垣三月雨雹四月蝗

三年庚午 正月雨土雷□月己巳朔日蝕八月大風拔木

四年辛未

六月二十九日除丁母憂八月二十三日龍圖閣學士通奉大夫江南東路安撫使攝轄知府事九月十三日致仕

正月二十七日朝請大夫龍圖閣待制江東安撫使黃度知府兼江淮制置使

六月十六日詔除寶謨閣

大旱蝗為災八月冊皇太子九月合祭天地於明堂赦天下

受陛辭日賜金帶時建康旱蝗民飢蓋佐度乃盡發帑廩振活百餘萬口蠲夏稅二十餘萬賊侵城東南立就擒而横山羣山賊皆奔散悉奏赦之竟力萬狀畫像立祠

度於城南北建養濟二院屋百間院各度一僧掌之所養貧民

月太白晝見九月雷十一月己酉朔日蝕 大朝建號	五年壬申九月太白晝見十一月雷 大元兵圍燕京	六年癸酉二月太白晝見
直學士十二月六日磨勘轉朝議大夫	十月五日度除權禮部尚書兼侍讀	正月十日中奉大夫寶文閣待制江東安撫使劉榘知府事兼江淮制置使十四日轉中大夫
次五百人爲額春夏則稍汰去每歲用米一千五百斛錢二千緡	建治城樓忠孝堂於卞壼墓側作晉元帝廟并祀其臣王導而下三十六人十一月祀圜丘 大赦天下	大元圍燕京自冬至春破河北九十餘郡

七年甲戌
五月太白經天九月壬戌朔日蝕太白晝見雷
金宣宗遷都汴

十月二十八日渠轉太中大夫

八年乙亥
二月雨土雨
淅江東旱蝗
大元破燕京

七月六日渠除權工部尚書兼太子詹事九月十日致仕十一月十日朝請大夫右文殿修撰主管江南東路安撫司公事兼主管江淮制置司

渠從上元主簿危和之請於簿廳東建明道先生祠立精舍運使真德秀助金三十萬粟二千斛渠去李大東繼成之是年江東旱蝗運使真德秀合本道義倉及轉般米數十萬斛賑贍開東門外新河因役以飽飢民立范忠宣公純仁祠于曹司

六月初七日本路安撫轉運奏江寧縣城南民戶因淳熙五年增科家業營運錢起認和買綿

九年丙子
二月甲申朔日蝕
五月太白晝見
西山地震黎洲山崩

十年丁丑
正月丙午大風拔樹
二月地震雷
六月太白晝見經天

公事李大東
知府事

正月六日大
東召赴行在

二月十五日
寶謨閣學士
中大夫江淮
制置使兼
安撫使李珏
知府事七月
二十五日轉
太中大夫

鏽錢三千七百餘貫民夾東園
已除豁從之七月創置唐灣
水軍二千五百人九月赦

真德秀始創漕司貢院于清溪
之西

經開濬行宮後古洣珠河以通漕
霖漲晃承主者大業救乃止

十一年 戊寅

二月白虹貫日五月蚩尤旗見其長竟天十一月大風

十二年 己卯

二月太白晝見三月太白晝見六月太白晝見

正月三日□
進封開國侯
四月二十四
日丁丑學士
月十日帝拜
大夫顯謨閣
待制江東安
撫使李大東
再知府事九
月十六除寶
文閣待制

余人入寇號百萬圍滁州急廷
徵趙葵及王好生督兵援之果
絕城入敵營以納城外被逐之
民數十萬果營理二矢力拯
指授守禦得宜城屹不動敵卒
嘉其建議者五人焚攻具而去
九月祀明堂赦天下

十三年	十四年	十五年	
十三年庚辰三月雨土九月太白晝見十一月大風	十四年辛巳三月長星見五月甲申朔日蝕大水	十五年壬午五月太白晝見九月雷大	火廿
江制置使仍知府事	十月大東轉中大夫	四月大東以上玉寶賞轉太中大夫進封開國伯七月除華文閣	
溧陽縣令陸子遹革積年差役和買之弊民皆德之	淮西總領商立鄭介公俠祠于清涼讀書處也 十一月安兩水軍爲一統領各一員 九月明	嶸請于朝建平正倉于廣濟倉之左秋冬糴米貯之春夏糶之取價平則正之義	

雨雹彗見太白又晝見大元兵自回鶻滅西夏

十六年癸未二月雨土九月庚子朔日蝕十二月雷

直學士九月十日除顯謨閣直學士特轉一官差提舉鳳翔府上清太平宮十月十六日朝議大夫煥章閣待制沿江制置使江東安撫使余嵘知府事

十七年 甲申	寶慶元年 乙酉
八月寧宗崩皇姪貴誠即位後更名昀廟號理宗太祖十四世孫 六月太白晝見經天	
十一月二十五日嶸除顯謨閣待制特轉一官	正月嶸致仕朝議大夫直煥章閣江東轉運副使丘壽邁暫兼權沿江制置司江東安撫司建康府職事
賜嶸金帶 十一月三十日寄劄行下建康府係沿江重鎮合行增屯兵馬以壯聲勢令制司招刺步軍三千人馬軍三百人騎以防江軍爲額並聽沿江制司節制	

小三之十九 二年丙戌	三年丁亥	紹定元年戊子	
		正月太白經天雨雹	
十一月二十九日壽邁除司農少卿	二月初五日壽邁赴闕中奉大夫寶章閣待制沿江制置使江東安撫使趙善湘知府事	四月善湘轉中大夫六月轉太中大夫十月轉通議大夫除龍圖閣待制兼江東運使	
壽邁職事修舉進職再任	創制置司僉廳	時李全叛善湘募効用軍一千四百五十五人以益其備	

二年己丑

三年庚寅

三月雨土

四年辛卯

大元太宗皇帝即位

正月善湘除煥章閣直學士十一月除煥章閣學士沿江制置大使餘仍舊

二月善湘以慶壽恩轉通奉大夫進天水郡開國侯五月除兵部尚書仍任十二月轉宣奉大夫除江淮安撫制置大使餘仍舊

善湘增放後湖田租遂爲額

二月賜詔獎諭

五年壬辰
二月太白經天
六元遣使過參議夾攻金

正月一日善湘除端明殿學士與執政恩例仍舊任陸留守九月除資政殿學士轉光祿大夫仍舊任進封郡公

十二月賜詔奬諭

六年癸巳

二月善湘奉御筆帶職入奏續奉御筆依前資政殿學士提舉萬壽宮巳月十日朝議大夫試大理卿江東安撫使燕

正月賜袞翰奬諭并賜金器香茶疋段二月賜牙簡金帶魚袋繡鞍馬未幾奉御筆帶職入奏尋予祠

濵襄陽帥孟珙太尉江海等會大兵圍蔡州

端平元年甲午
大元滅金

二年乙未
天狗[illegible]墜淮
[illegible]聲如雷
爲碎石色
[illegible]
[illegible]元鈔數中
[illegible]戶計

松江制置使
李壽朋知府
事十二月十
六日起行在

十月十一日
朝請大夫除
工部侍郎沿
江制置使兼
江東安撫使
陳韡知府事

建康府奏請以行闕之重比臨
安府恩例特增解額兩名洪
咨夔奏金亡而有興者

正月九日韡
被旨帶職入
奏說四任閏
七月十日除
權工部尚書
依舊任十月
二十八日除
權刑部尚書

三年丙申

大元分封諸王

嘉熙元年丁酉

大元親征回回國歸附

加制置大使累辭依所乞

三月十八日辭特轉兩官除煥章閣學士依舊沿江制置使兼淮西制置使餘仍舊

十二月十五日辭出師江北戰而死者甚衆遂於覆舟山龍光寺側立義塚二所收而葬之度僧二人掌其事給田百二十畝爲時享佛粟之費　兩淮土民因北兵連年侵擾避地諸沙是年制司差官撫卹招募涅刺充民兵制効軍分十部置制領將佐

府學置房廊始立貢士庫　四月辭請于朝取發福建兩浙江西湖南諸郡土牢拘鎖人揀選強壯面刺雙旗立名被敵軍臨安大火燒居民五十三萬家　辭斬殿司崔福

二年戊戌

正月初八日朝請大夫寶章閣待制沿江制置使江東安撫使別之傑知府事六月十一日除工部侍郎十一月二十九日轉朝議大夫

三年己亥

十月虹見風雹為灾

大元招諭高麗

三月三日之傑除權兵部尚書兼督府參軍事

四年庚子

正月京師地震旱蝗白氣

三月二十六日之傑權脊府職事六月

星變下詔罪己得多科取於民

詔賦稅米麥

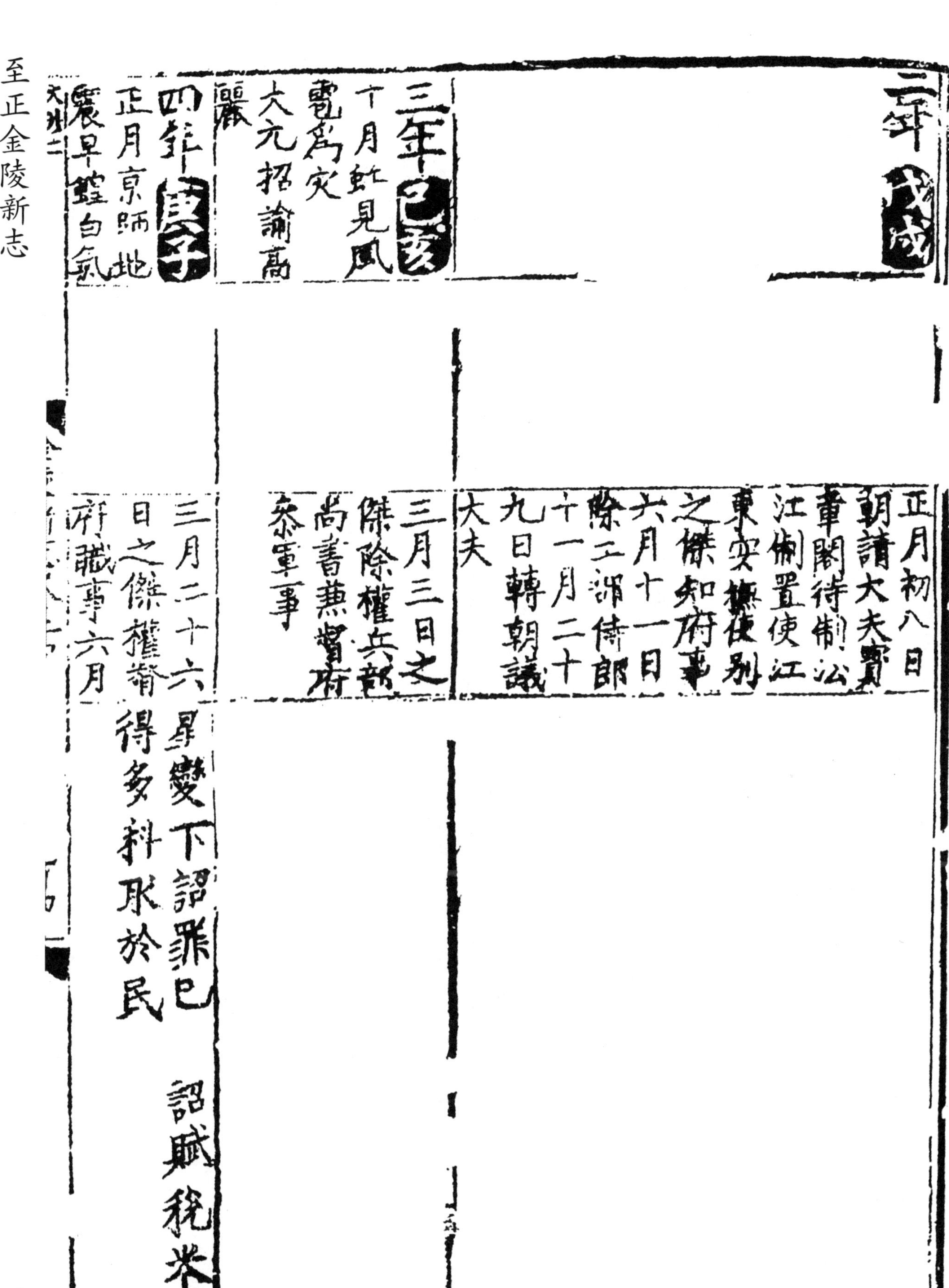

[illegible]

二十八日除寶謨閣學士十一月十九日督府罷特受中奉大夫

淳祐元年辛丑

三月十一日之傑除兵部尚書兼淮西制置使和州無為安慶府三郡屯田使尋除端明殿學士

之傑兼淮西制置置司采石辭安豐閫賜詔獎諭賜金器幣進職端殿

修府學

二年壬寅

正月一日之傑被旨帶職入奏二月四日除僉書樞密院事四月

楊林堡去和州二十里前後將卒往往宿留此地未即赴敵彔至相其形勢知不必守罷其戍兩淮流民多寓沙上果調舟載諸

三年癸卯

十八日華文閣學士宣奉大夫公江制置使江東安撫使兼鄉制和州無爲安慶府三郡屯田使杜杲知府事

正月十五日杲除敷文閣學士

環議民得奠枕　九月敵圍儀眞於北山治攻具陳公塘放濠水眞揚聲援不通杲練兵治砲敵行西上命子庶及總管聶誠提銳卒八千入城中父老大喜敵望見名旗曰此安豐廬州杜制置邪比曉悉遁去杲遣將追之敵大敗杲進職子庶差知眞州杲謂庶曰隣閫見眞不可守推以昇汝汾榆之邦當從萬一有警吾親提兵援汝

四月初六日以杲應援眞州敵騎退遁遣行宮鑰司內侍鄧喬年傳旨賜杲御僊花金帶及牙簡香茶纈羅等　天禧寺後南軒乃張宣公讀書之地總所爲搉酤之場杲止之乃翔祠于黔田宅祀事　增府學養士

田望貢士莊并及淮士閣蒼稅糧新租二萬八千餘石先時受納官斛米定豬各取三十措爲糜費泉榜諭不得收過二措民樂輸焉

四年甲辰

三月十三日泉除刑部尚書四月十二日朝奉大夫集英殿修撰淞江制置使兼江東安撫使兼和州無爲安慶制置田董槐知府事

五年乙巳

四月初六日槐特暫兼權淮西總領二槐職事修舉特轉一官　八月密劄下本府招軍以榮勝爲名

六年丙午

大元定宗皇帝即位

七年丁未

十八日特轉朝散大夫五月二十一日召赴行在六月二十七日中奉大夫寶章待制■江制置使江東安撫使兼和州無爲軍安慶府屯田使趙以夫知府事分為六軍每軍五千人其右軍中軍屯駐建康府令守臣節制

四月十二日以夫修府學更命教堂名曰明

以夫除華文德閣待制閏四月轉中大夫

四月二十二日以夫除寶

敵以重兵犯淮泗㷀視師江上廣親兵教埸建堂扁曰指授

章閣直學士一郎馬鞍山下古鐵冶溝旁置
知平江府兼翰鑄兵[illegible]給旗榜招募兩淮
淮浙發運使業強壯二千五百三十一人
六月初九日精銳庫
通奉大夫樞
密使燕參知
政事督視江
淮京西湖北
軍馬江東安
撫使趙葵知
府事

八年戊申

二月癸未捷御筆奬諭
器幣帛㭍茶特轉三官
以明堂禮成特賜金器
茶加食邑[illegible]累奏乞將督
不許[illegible]田事所史宅之
理沙田以來究相計
十三百五十八畝

十年庚寅

大元……

二月駙馬撒……金紫光祿大夫右丞相燕樞密使趙府結局閻辭丞相不拜二十二日端明殿學士大中大夫浙江制置使江東安撫使兼節制和州無爲寗安慶府三郡屯田使吳淵知府事

丟官團結兩淮稅戶逐亂盜江南者充半年留令於金山莊閩寓北駐　正月癸將元學銀絹官告既牒差官解還朝廷除石丞相閻辭不拜　初陳韡建閫湖南招沿江諸沙　一帶強壯淮民自隨至是撥隸沿江制丨立爲親兵左右部嘗至千人

五月增除資政殿學士帶舊職仍與執政恩例進封

五月御筆吳淵資政殿學士仍與執政恩例　府學增先賢祠撥後湖田七千　百餘畝創義

十八

金陵使

莊立規式支助貧士之吉凶不贍者　明道書院闢毀於火因更創之　黃薦序增廣宗稍程課士題者　張賜明道書院四大字爲額

十一年　辛卯

大二　憲宗皇帝即位

五月淵特轉通奉大夫十月以明禮恩進爵爲公

五月御筆吳淵在任以來興利除害具有條理所列二十五事窮心於士民兵者甚至忠勤体國良用歎嘉可特轉兩官建錦繡堂於府治[illegible]三亡爲忠勤樓建鎮青堂於郡圃上爲錦山樓宸翰賜淵錦繡堂忠勤樓六字

十二年　[illegible]

正月淵除資政殿大學士知福州福建安撫使當月改知平江府

總領陳綺建翠微亭於石頭城山頂

寶祐元年癸丑		
淮浙發運使以陞除論龍一月寶章閣直學士通奉大夫沿江制置使江東安撫使節制和州無爲安慶府三郡屯田使王埜知府事	六月埜除煥章閣直學士職任依舊	六月二十八日埜除禮部尚書八月初四日寶文閣直學士通議大夫沿江制
二年甲寅		
蜀雨血		

天十四

[illegible]

二十二年乙酉

三月南土

置使江東安撫使節制和州無為安慶三郡屯田使丘岳知府事九月轉通奉大夫

六月十一日岳除龍圖閣直學士職任依舊七月初一日致仕八月二十二日寶章閣直學士太中大夫沿江制置使江東安撫使節制和州無為安慶三郡屯田使[illegible]

光任以到任例册并儲整公用器皿見錢等二十萬支犒軍民減沙租課額三分之一蠲閣元年夏税折帛錢備秋苗米草以寬民力

四年丙辰

民元鈔數逐
東戶計

祖知府事十
月初四燕捉
領江淮茶鹽
六

四月二十二
日光祖除煥
章閣直學士
依舊任六月
二十七日特
轉通議大夫

劍招御前遊擊軍三千餘人遊
擊水軍二千人　創遊擊軍寨
屋三千餘間於武定橋東始
立賦例支給錢絹酒米以助諸
軍之婚嫁者女年十四以上及
寡婦之無依者皆爲擇壻議嫁
增給諸軍鹽米著爲例　措置
軍器東修軍器添造戰船　歲
撥安慶府修城錢三十萬貫
立賞格招募水藝精強之人
以遠麾一十一隘分爲上中下
三等罰一會數委官措視支犒
罷諸酒坊書函青冊類錢一十
三萬五千貫　除秋苗斛面令

人戶自槩 倚閣二年夏稅幷
帛錢絹絲綿

五年[illegible]

十月虹見

正月一日皇
祖除奎章閣
學士依舊任
六月二十一
日特轉通奉
大夫十二月
十四日除刑
部尚書依舊
任

重建府治堂宇中爲堂七間揭
以翰忠實不欺之堂六大字
蠲減溧陽溧水兩縣酒息額錢
歲免積欠 重建飲虹鎮淮二
橋 甃御街自天津橋達于南
門 給借百姓錢本營運兩月
後還其本不取息 蠲除上元
江寧二縣欺隱稅額 發粟捐
金賑濟小民 禁止城內私開
賭頭監當罪人者勸令日下改
業 措置居養院以處無告之
民 創安樂廬以拯道途疾患
之無所歸者 免王家洲諸務
稅 重建新亭 舊時基爲
三十三所 冬大雪捐己錢三
十萬賑軍民 倚閣二稅

戊午

開慶元年己未

[illegible]丙土
入元憲宗皇
帝山頭

二月四日光祖除端明殿學士京湖制置大使知江陵府趙與簒以觀文殿學士光祿大夫沿江制置大使兼江東安撫使知府事

三月馬光祖除資政殿學士沿江制置大使江東安撫使再知府事十月趙葵爲樞密使江東西宣撫榮懸六使兵

與簒奏以建康以下江面分爲三節自老鸛觜至芳輪隘爲上流隸鎮江自趙家洑至灣河隘爲中流隸敵浦自[illegible]巢不黃魚縣界下流隸許浦每隘邏卒百人船十隻又選三將各統千兵往來循視聯絡聲勢從之鎮淮橋燬於火重建之務平江府新招軍三千人號建康府

自光祖之易鎮也江東皆思之再至民大悅仍用前例以例冊錢號文二十萬貫給犒初鑄沿江制置大使印置禮尚庫于府治右凡隣閭諸司之譜皆入焉掌以屬吏取禮尚從來之莫劉遊擊新軍寨屋三千餘間於西門內合前後招萬二千

信州

四百餘人置都統制 募土豪
尉士材力出衆之人爲義士軍
良家二 置安樂秀醫蔡新軍
之疾患者 九月乙巳大元兵
自黄州界渡蘄黄洲建康聞報
命調陳萬郭俊舟師三千人赴
洪光祖拜疏自請巡視江面至
丑州被旨進司江州又調劉權
癸未遇龍舟師三千七百人赴鄂
十一月辛丑有旨以中流江面
畢壓令回池州丁酉得旨依舊
沿江大使兼江西安撫大使知
江州巳亥進發至江州界有旨
依舊任遂回司閏月乙亥至建
康十二月大兵入興壽江面寢
動光祖復之淮司池州 劉造大
攻戮兵増造軍器軍衣及戰艦
七百餘艘繼自津發應副上流

景定元年庚申三月大元世祖皇帝即位五月改元中統大赦三月白氣亘天	浚城壕創柵寨門甕城	四月以江面肅清陸光祖資政殿大學士依舊任[redacted]五月光祖兼總領淮西江東軍馬錢粮	正月興工浚城壕四千十五丈有奇築羊馬墻數[redacted]創柵寨門甕城[redacted]增河溢[redacted]光祖就池州行司戰具調張勝等舟師三千五人與夏貴會于上流又調四千五百人應援江西未幾賈似道乘蘋草坪之勝繞出江上值大兵北歸陳萬蘇才張勝等並超除都統制餘皆不次陞差[redacted]三月光祖還建康有詔獎諭進大資政賜金器幣帛　築宜城爲新安慶府[redacted]奏以巢縣創鎮巢軍辟置軍使[redacted]建都作院于清溪之南[redacted]清溪建先賢祠自吳太伯而下列位四十有一各有讚[redacted]浚清溪增堂館亭榭三十餘所[redacted]築堤飛橋[redacted]重建賞亭

及白鷺亭其前臨水作亭扁曰折柳爲餞之所後爲館扁曰横江以待四方之賓客■龍回易庫爲通江館■創東南佳麗樓■重建公使酒庫■增創安樂南廳於安樂坊■樞密院指揮將鎮江府江陰軍平江府嘉興府一帶江面并諸戎司防江水步軍並令沿江制司節制調遣遂創置擺鋪措置下流江防至下海■蠲前政所出營運官錢逋負一百餘萬■■減諸坊酒額■肆義阡四所■蠲無爲軍等處魚利錢■重建東冶亭知稼亭望岑亭于半山寺側■是歲賈似道入相行打筭法令建康制置使馬光祖打筭江西閫趙葵錢粮諸帥皆受監錢之害

行[redacted]
七月[redacted]月
紀斗
大元下章玉
以道奉行鈔
法

三年戊

正月光祖特
轉光祿大夫
五月陸觀文
殿學士依舊
任十月五日
奉御筆召赴
行在是月姚
希得除[redacted]文
閣直學士通
議大夫沿江
制置使江東
安撫使主管
行宮留守司
[redacted]事知府事
八月姚希得
除寶章閣學

累及妻子由是大失將士之心
御札獎諭築宜城特轉兩官周
辭不允[redacted]上元縣惟政鄉獻瑞
麥建瑞麥亭于東冶亭之旁[redacted]
朝[redacted]括吳淵吳潛圩田之在府
境者以租入隸總領所[redacted]上元
縣始建學[redacted]安撫司幹官周應
合修纂建康志五十卷目錄一
卷首尾一千六百一十八版三
月開局七月成書八月進于朝
有詔獎諭[redacted]十一月十三日姚
希得開闢以到任例册錢銀支
犒軍民[redacted]賑濟貧民[redacted]倚閣句
容溧水溧陽三縣苗稅[redacted]造多
槳戰船并修舊戰船[redacted]至節濟
丙丁戶貧民[redacted]雪寒濟貧民[redacted]
兩湘行限田法收買官田[redacted]
月修諸城門[redacted]六月修行宮[redacted]

四年癸亥
大元號上都為開平府

士職任仍舊
十一月時暫
燕權淮西總
領

增創轉般倉□蠲減營運官錢
遞負□倚閣可容上元溧水三
縣苗稅□造辦內軍器庫鐵甲
創買戰馬□蠲和州水退米一
萬五千餘石□創建蜀三神祠
于清溪之側□蠲收九郡諸縣
牛皮觔角□冬寒擬米平價賑
糶□至節濟貧民□歲節濟貧
民□溧水縣經界民田□

三月初四日
希得以淮西
總領職事交
割與吳革當
月除刑部尚
書依舊任當
月二十八日
燕淮西總領
十一
日

修社壇□修府學□修明道書
院立純公後□江寧縣始建學
造水哨馬船□修東南兩嶽廟
修姚顯王王將軍謝將軍廟
修江寧鄉□建洞神宮于三
祠之左□創造萬人軍器招
江新軍六千二百八十人
小二十九□給錢修
心五百九十餘所

五年甲子
十月理宗崩
福王之子禥
即位廟號度
宗
二月雨土七
月[illegible]彗出
柳芒角燭天
長十數丈自
四更從東方
見日高方斂
如是者月餘
大元都燕京
改至元元年

成進鄭狀闕
國伯加食邑
三百户

江寧溧水三縣酉稅 余節次
貧民 錢減營運息錢 上戶
江寧兩縣經界民田 廬州六
守劉整叛降北獻策圍襄陽

正月姚希得
申乞免淮
西總領二月
二日奉旨依
二十日交割
與江東運副
陸景思三月
六日希得奉
御筆召赴行
在二十四日
奏御筆除兵
部尚書兼侍
讀是月六日
三省同奉御
筆馬光祖依

春丐劄給貧民錢 重建吳晉
二帝廟 修卞將軍廟 修養
濟院 濟丙丁戶貧民 修造
戰船 光祖再任民請大挑
分招寧江軍創先鋒馬寨 創
船寨屋 修創衣甲軍器 造
和州無為軍屯田倉 省罷添
差總營路鈐正副將共二十員
謝枋得校文宣城及建康漕闈
發策十問言權奸誤國趙氏必
亡忤賈似道貶興國軍 造全
錢見錢關子以一準十八界會
子之三用印宛然一貫字物價

咸淳元年 乙丑

舊職除沿江制置大使江東安撫大使兼行宮留守兼知府事十二月十一日奉御筆特轉金紫光祿大夫加食邑四百戶食實封一百戶

八月馬光祖辭兼總領二十二日奉旨陳蘊亨戶部郎官淮西總領九月二十五日交割

創建四郭哨樓官亭各有官兵舍及祠宇名東曰迎暉西曰致爽南曰來薰北曰拱極 創新庵于清溪上為屋三十間後累石為崇山亭其顛曰最高山後建堂三所其前曰澗[illegible]其[illegible]曰觀心其後曰近民 放減下[illegible]

二年丙寅

畝税七萬緡代納五縣人户
夏税一創及幼局收養遺棄嬰
孺重建長干橋秋八月以
兵哨安慶無爲光祖以十五日
戒嚴九月十六日班師御翰林
諭糶平糶倉又創助糴廣
耿其息助糴再創船寨于龍
灣增明道書院養士錢月五
百貫修行宫養種園爲堂四
爲亭三爲臺一是歲光祀二
牲羈不免

十二月淮寇
創以鎮巢遊
軍改作節制
和州安慶府
無爲鎮巢宣
四郡屯田使
禁衛

正月光祖又丐祠不免招填
關額軍兵改築砲藥庫于清
溪初黄榜指揮輸納折帛錢
關中半民頻以見錢爲錢元年
已後民欲全納關會本府代輸
見錢二年亦如之共官省見錢
二十萬六千貫修四義所分命

三年丁卯

六月六日三省同奉御筆馬光祖除參知政事尋且辭免再奉御筆依前觀文殿學士依舊任

土元江寧簿尉董之西益地二十餘畝東又爲庵三間各築牆以防蹂躪　修府學　修廣濟倉更名廣儲　創制司倉于廣儲倉之左　夏五月大雨水遣官濟飢民　秋八月丙戌北兵犯蘄黄迫舒滁沿江諸郡　月光祖四乞休致奉旨不允不得更有陳請

重建貢院于清溪之南一華軒祠撥田四十畝有寺人金甫舉杜采所撥百畝並爲修葺費　創小學歲撥米一百石爲養廩助　創抵清館于龍灣　差官徙江西造船　六月光祖除參政辭不允　七月蠲減河稅務歲額商稅錢二分每萬九千

四年戊辰
閏正月大風
雷雨十一月朔
日蝕

五年己巳
大元張行[illegible]
至寧
常州路判官

二月二日三
省同奉御筆
以馬光祖分閫
累年備宣勞
績特轉一官
令再任光祖
三具奏辭免
二月伏準尚
書省劄子備
奉旨依已降
詔不允不得
再有陳請

三月二十四
日三省同奉
御筆馬光祖
除同知樞密院
事兼參知政

六百七十貫錢會[illegible]劉
劉儀賓館因前志舊名

正月劉助釋西廣前者東京
以西別之二月光祖辭免特
官府任詔不允劉南軒書院
于古長千三月重民病變
次免夏稅市利錢九月代輸
下戶秋苗十月依文思院斛
舊式鑄銅斛受納秋苗丝兵
圍襄陽汪立信以書抵賈似道
隊三策不聽歸金陵

正月禮高年劉王至堂劉
野航于玉麟堂後臺劉燕為
重建嶽廟三月北兵犯東淮
民流賈上分遣官屬賑之

六年庚午 六月立尚書六部 江南大旱

七年辛未 大元建國號 興蒙古學 江南大饑

吉吳甚除寶文閣直學士沿江制置使江東安撫使兼督行宮留守同簽書知府事

書舍人淮沿江制置使知府事

上試進士賜張鎮孫以下及第出身有差宋朝廷試始於開寶癸酉終於咸淳辛未歷試之日天必開霽是歲大雨加注天不霽以象示之而已

八年壬申

五月張順張貴自漢江上流赴援襄樊力戰至襄陽城下順死之貴復出求援轉戰至櫃門關敗死北兵據峴山築城臨襄陽擒唐都統於萬山舟中

九年癸酉

大元詔諭呂文煥

江南地震白毛臨安尤多

四月黃萬石赴召除侍郎趙溍爲沿江制置使知府事

大元兵斷漢水浮橋樊城絕援而陷牛皐范天順張漢英率所部兵巷戰死之行省遣唐都統以褐諭呂文煥遂以城降淮西閫夏貴以襄陽宋之首正陽宋之犀唇亡齒寒早乞備禦李庭芝迎合賈似道意以正陽特一小堡何勞夏貴親臨具申朝廷照會賈怒曰都是捕子巾壞了天下由是雜体

十年甲戌

正月己卯朔

大元同知樞密院事伯顏拜中書左丞相總襄陽兵來代面奉

求新有氣如
虹蜺自東門
江中起横貫
一邑須臾變
作綿紋狀遍
盖四門臨安
大水天目山
崩
三月度宗崩
太子㬎即位
年四歲
六元還至相
周顛會來伐
宗

旨諭以曹彬不嗜殺人故一舉
而定江南汝其今体朕心古法
彬事毋使吾赤子横罹鋒刃丞
相史命馳至襄陽諸軍纂嚴禡
師啓行　九月大兵自襄樊沿
漢江而下用宋降人爲向導呂
文煥等舟師出襄陽劉整等騎
兵出淮泗行樞密院兵出正陽
萬戶武顯等前鋒襲郢州發都
統趙文義破沙洋新城守將邊
居誼率所部力戰死之復州安
撫翟貴以城降至漢口阻守兵
眾涉蕪口出江夏貴率漢鄂舟
師夜襲北營不勉戰于陽邏堡
宋師敗績守將王都統戰死鄂
州都統程鵬飛血戰以撫樓敗
權守張晏然降　賈似道議出

德祐元年乙亥

六月庚申朔日蝕既時天地晦暝咫尺不辨人雞鶩歸巢如暮夜日[illegible]至[illegible]其明始復自淮

二月左丞相伯顏平章政事阿术開省建康夏五月丞相伯顏入覲陞中書右丞相平章阿术陞左丞相權昭毅大將軍上萬戶權

二月建康歸附設建康宣撫司萬燕希恩兼宣撫使王榮充同建康府事東路宣撫副使五月徐榮隨丞

師分兵九路會合遣侍郎趙溍屯兵金陵十二月溍與諮議官總軍巡江二十四日遇夏貴單舸走淮西曰二公何不回建康老夫今回廬州去也北兵勢不可當建康乃降將家鄉當防之軍人聞夏言已有逃歸建康為亂者溍回府悉置典刑

大元兵自去冬順流而下沿江諸將多呂氏部曲姻婭相繼降附黃州陳奕蘄州管景謨南康軍葉閶江州錢真孫安慶范文虎皆以城降安慶通判夏椅服藥死江上大擾[illegible]正月二日制直趙溍離府於龍灣置司二十二日賈似道督諸軍過建康二月二日詔令孫虎臣充寧遠軍

以西北天色州朗其日夏貴攻復無爲和州城堡

行中書省事阿剌罕中奉大夫行中書省叅知政事十月左丞相阿术統兵圍揚州右丞相伯顏同行樞密院進兵常州海道叅政阿剌罕自溧陽廣德進兵臨安明年二月宋 江淮行省治揚州

覬授驃[illegible]上將軍[illegible]兩處招[illegible]宋右丞相陳宜中都督江淮軍馬建府臨安以端明殿大學士[illegible]立信爲沿江制置使江安撫招討使時建康歸附立信於高郵

衛節度使趙溍以沿江制置充督湖府參謀軍事二十日似道師至使燕湖屯下家洲遣承宣使宋京阮思聰督府計議官東元嘉相繼詣大軍乞和不從二十二日鳴鑼退師衆大潰于珠金砂似道奔揚州饒州守臣唐震死於州治池州守將張林先已約降軍至出迎權守趙昴發具冠當大書十六字詩曰君不可負臣不可降夫妻俱死節義成雙與其妻雍氏俱縊死揚州都統姜才大戰揚子橋敗績二十四日行省入太平州守臣孟之縉迎降就除宣撫使沿江制置使趙溍棄建康府城取行宮公帑金帛與諮議官李應龍制置司機宜丘應甲遁歸京口淮西總兵

伯恭通判袁某等相□皆遣
爲步軍都統徐王榮翁都統掌
印權制置司事遣人於太平納
欵大兵自二月十二日巳於南
城外雨華臺下寨二十七日丞
相伯顔平章阿木右丞張惠參
政吕文煥麥入丁郎中孟祺等
官入城於建康府署玉麟堂開
省大饗將士遣哨騎四出招降
州縣命土萬戶蕭希愿招討使
都燕建建康宣撫使徐王榮同
知建康府事充宣撫副使發下
安民榜文招諭句容溧水溧陽
民以次降附知句容縣葛秉
敗自繫於獄被殺邑人
率衆迎降授本處總管知和
聶某前充計議官不署降書
阿术平章鼓殺江東轉運判

嬬音須

濡音如

[redacted]趙淮即趙范之子起兵溧陽
徐王榮戰宜興界敗績張世
傑孫虎臣趙溍督舟師與行省
行院大戰敗于金山世傑等[redacted]
免鎮江守臣洪起畏寧國府守
臣趙與可皆遁行樞密院阿答
海參政董文炳駐劄鎮江徽州
降常州守臣趙[redacted]鑒知江陰州
趙嬬道皆遁臨安戒嚴[redacted]右丞
相章鑑而下數十人皆遁平江
守臣潛説友遁通判胡玉以城
降安吉知州趙與立亦降張濡
守獨松關殺奉使尚書廉希賢
侍郎嚴忠範計議官宋德秀等
議事官張羽奉使亦爲平江守
臣陳謙亭所殺平江常州復爲
宋守是夏行省駐兵建康江東
大疫居民乏食丞相開倉賑饑

發醫起病人心大悅有旨
詔時方暑熾不利行師俟秋涼
舉丞相上奏曰百年逋寇已誅
其餘風馳電掣取之恐後少示
遲囬奔播江海遺患留悔矣
上謂使者曰詔亦丞相朕不
從中制也七月上萬戶阿剌罕
權行省事署置司縣官丞相借
參政呂文煥員外郎石天麟入
覲 上都進中書右丞相阿术
左丞相權省阿剌罕陞參知政
事十月右丞相駙至鎮江置行
樞密院阿荅海董文炳俱以行
中書省官署院事分軍三道並
進參政阿剌罕節四萬戶與魯
赤等蒙古漢軍步騎十餘萬爲
右軍出建康道參政董文炳帥
萬戶張弘範部督范文虎等爲

左軍出海道丞相暨左丞阿荅海右丞張惠參政呂文煥等爲中軍出常州道皆會臨安參政右軍與宋師戰屢敗之破東壩寨拔溧陽建平二縣廣德軍守臣令狐槩先以印授北師望塵下拜又拔西安長興開獨松關獲知府張濡裨將祝亮等數十人濡後爲廉奉使宗族磔於杭州董參政左軍降江陰權守李世脩以海統制官張瑄以海船數百艘迎降丞相大軍用王良臣爲鄉導驅南軍爲前鋒圍常州招之不從文天祥遣江西將尹玉等來救戰於五牧敗績麻士龍死之張全部舟師觀望不進而降尹玉與良臣戰殺數千人復救殘兵五百與北兵相持

又二夕手殺七八十人遂死焉下無一降者十一月常州穀盡城陷劉師勇突圍出奔平江知州姚訔通判陳炤死於州治將軍王安節力戰被執不屈死之行省又遣降兵[illegible][illegible][illegible]張彥斬於鎮江下平江安吉十二月大軍至高亭山丞相陳宜中遣使納降謝太后詔南北講和命文天祥罷兵柳譯奉降表至高[illegible]郵嵇家莊爲嵇聳所殺是歲荊湖鼎澧常德壽昌及江西龍興瑞州撫州建昌相繼皆降撫州都統密祐迎敵就擒嚼舌罵聲不絕而死賈似道貶漳州爲監押鄭虎臣所殺湖南安撫李芾與大兵戰於醴陵得捷守城攻之不克　行省在建康府治即

令臺治宣撫司於舊内直廳及
制司僉廳君子堂内置司江寧
上元句容溧水當設達魯花赤
縣尹主簿縣尉等官受行中書
省劄付勾當明年江南平撥

金陵表卷三之下

起至元丙子以累爲年表

天時

大元

至元十三年丙子

二月一日辰時日中黑光磨盪食頃復明

地域

官守

政事

正月十一日徐王榮同新野奕千戶陳翼以兵七百人招安溧陽縣擒趙四知府即趙淮送瓜洲行省不屈死之淮二妾給監守者焚其屍骸骨並投水死是月丞相伯顏進兵高亭山請執政軍前議事文天祥請行陳宜中夜遁天祥同賈餘慶吳堅等至鎮江渡瓜洲得間逃去二月乙卯北使請三宮北還過真州苗再成奪駕不剋抵揚州已過去而姜才領兵要戰不知乃諸將之遏北者五月丙申見

世祖皇帝於上都行宮謝太后

降封壽春郡夫人全太后爲尼於正智寺少帝降封瀛國公宋亡丞相伯顔入覲留參政董文炳鎮臨安經畧閩越江左繁阜滋久金玉錦綺珍異奇古之玩在所充溢丞相一不褂目宋降將錢真孫以趙氏二宗女獻立叱去之先時民謠云江南若破百鴈來過莫有喻其意者及丞相下江南始知其讖阿里海牙右丞等軍破宋潭州守臣李芾死之江西諸州郡聞兵至皆降丞相遣兵徇浙東知嚴州方回知處州梁信及衢婺等州並降夏貴給元帥昂吉兒遣使閒道馳入燕京獻淮西諸郡李庭之除右相棄揚州引兵至海州阿朮丞相追及斬之朱煥以[illegible]

州城降宋都統姜才死之真州守臣苗再成敗死泰州守將孫良臣降通州繼陷宋廣王益王入海廣王立於福州改元景炎文天祥拜右丞相開督南劍秋詔書節該兵革之際無辜之人殞墜鋒鏑宜建道場崇修佛事大赦天下犯死罪者減死流遠江寧縣達魯花赤吳德以南城外越城之側設縣尉衙改立縣治十一月參政阿剌罕及招討王世強等舟師至福州王積翁爲內應王剛中以城降董右丞軍至福安縣趙與擇拒戰敗績死之興化知軍陳文龍不降被執泉州蒲壽庚漳州黄佺惠州文璧皆降景炎帝遯廣州

十四年

江南行御史臺於揚州命相威爲御史大夫鎮治江浙江西湖廣河南四省十三道提刑按察司。改溧陽縣爲溧州設江東建康道提刑按察司江東道宣慰司皆治建康罷宣撫司改立建康路總管府管録事司江寧上元句容溧水四縣

行省參知政事阿剌罕亳州萬户張弘範兼江東宣慰使蘇湖招討使徐王榮就帶已降虎符受建康路總管兼府尹

大兵敗文天祥兵于贛獲天祥妻子元帥唆都援福州破興化軍車裂守臣陳瓚以徇屠其城潮州守臣馬發堅守不下乃與西省呂師夔軍合攻破廣州張鎮孫敗死 亳州萬户張弘範拜江東宣慰使開府建康時民新脱鋒鏑公撫安之朞月境内稱治行宣慰使阿剌罕入覲陞資善大夫行中書省左丞行江東宣慰司事 罷建康宣撫司立建康路總管府廉宣撫陞本道宣慰使兼本路總管府達魯花赤徐王榮充本路總管兼府尹是年四月設路治又設宣課提舉司平準行用交鈔庫宣慰司在今臺治按察司在宋馬帥衙即今西織染局路治在

求都錢庫即今大夫衙内

十五年戊寅

改溧州爲溧陽府

江東宣慰司

官阿答海右
丞王參政家
里合思夏左
丞張參政范
左丞陳左丞
宣慰使張弘
範拜蒙古漢
軍都元帥
宣慰使達魯
花赤廉希憲
遷行中書省
左丞

正月張弘範入覲請討二王拜蒙古漢軍都元帥賜錦衣玉帶寶劍名甲面諭曰劍汝副也不用命者以此處之弘範薦李恒爲己貳從之至揚州發水陸師二萬分道南征三月陳宜中奉景炎帝由海道回廣州唆都元帥破潮州守臣馬發死之屠其城四月景炎帝薨衛王即位于硇川改元祥興時有黃龍升天　十一月大兵至潮州執宋相文天祥　宣慰司官削去元帶相銜華罷茶運司隸宣慰司管領罷行大司農司以營田司隸宣慰司漕運司隸行省　十二月行中書省左丞阿剌罕入覲

十六年 己卯

改溧陽府為溧陽路管溧陽縣并在城錄事司

正月元帥張弘範會江西行省左丞李恒兵攻崖山二月宋祖陳宜中往占城乞師是月宋師大敗丞相陸秀夫抱衛王赴海死張世傑奉楊太后以小舟奔遇風溺死二廣州郡皆歸附宋初有讖云一汴二杭三閩四廣至是果終于廣　宣慰使阿剌罕陞資德大夫行中書省右丞仍宣慰江東　宣慰使廉希愿會江西行省兵捕都昌冦平之

十七年 庚辰

六月授時曆成明年頒行天下設東西織染二局局使二員局副一員隸資政院管領

十八年 辛巳

三月二日中順大夫李秉任本路總管代張正榮

右丞阿剌罕入覲拜光祿大夫中書左丞相行中書省事統兵征日本行次明州而薨山東淮提舉獻言設立

十九年 壬午

淘金總管府於花林市下置司管轄提領所八處僉撥濠水司谷民户五千充淘金户計有田者免糧貧者鬻賣家産無户周歲認辦二錢二分官吏掊取苛急甚爲民害

掊音裒

十二月宋丞相文天祥死於京師先是天祥爲元帥張弘範所執遣右鎮撫等管押北行過建康乃弘範治所與禮部侍郎鄧光薦宿留驛中數日集有大變觀所作詩時已有必死報稷之志云

詔民户今年差發三分免一合處立養濟院收養鰥寡孤獨老篤殘疾不能自存之人商稅三十分取一

二十年癸未

二十一年甲申

九月行御史臺移治杭州

正月六日上尊號大赦　置溧陽州織染局織造進呈段匹一千八百二十段

二十二年乙酉

三月行御史臺移治江州　夏再移杭州　江淮等處行樞密院開府建康

丞相阿荅海　同知樞密院事　呂師聖[illegible]果　宣慰使

丞相阿荅海同知樞密院事既調江淮等處軍馬於前宋建康府治內開院宣慰司移治大軍庫內

詔江淮以南百姓典賣親子以給衣食深可哀愍仰所在官司驗元典賣價值官爲出錢收贖完聚村社農民造醋並免收課

江南田主所收佃客租課十分免一　十二月令江淮以南長流魚貨聽從民便採捕食用

二十三年丙戌

八月行御史臺移治建康路江東按察司移治宣州

傅羅歡行御史大夫　李仲信任本路總管

司不得拘禁　呂文煥平章[illegible]仕以其子師聖爲江東宣慰設句容縣生帛局造衣綿大營句容武毅王土土哈以樞密留使攝欽察親軍都指揮使發選康廬州饒州等處合剌赤戶計長官于溧水州

二十四年丁亥

四月初四日資善大夫阿剌帖木兒行御史大夫

閏二月行至元寶鈔　罷淘金總管府改立建康等處淘金提舉司淘金戶添課

二十五年戊子

三月二十五日中奉大夫明谷占行御史大夫平章史躑任樞密副使、嘉議大夫阿

正月二十一日大赦

詔選高行僧三十員開講于江南諸郡改天禧寺爲元興天禧慈恩旌忠教寺命纂城僧德冠開講賜號佛光大師　立財賦提舉司隷徽政院管

		哥蘭不花任本路總管	皇太后位下江淮等處財賦總管 黄泰錫權司事
二十六年己丑	七月行御史臺尋移治揚州	八思不花、朱清、帖木兒、王剛中任本道宣慰使，黄頭、東公濟同知宣慰司事	
二十七年庚寅	行御史臺陞正二品	哈木任本道宣慰使	江南抄數戶計　九月大赦
二十八年辛卯	罷溧陽路依舊爲縣	阿昔帖木兒任本路達魯花赤，不憐吉歹同知樞密院事，張珪樞密院副使	詔老人年八十以上免一子雜役，使之侍奉。南方儒人有德行文章政事可取者，各路歲舉一人，量才録用　封五嶽四瀆　五月二十三日改按察司曰肅

二十九　壬辰

三月行御史臺自揚州再移建康撥淮東淮西山南三道廉訪司直隸御史臺南臺統治江浙江西湖廣三省十道肅政廉訪司行樞密院移治鎮江

中奉大夫百家奴任本路總管

改廉訪司　設行宣政院

宣慰使朱清建言金課擾民革罷淘金提舉司併入金銀銅冶轉運司管領清吳人宋末聚衆海上受捕得免國初開海道漕運與張瑄叅政同有勞績任至宣慰興利除害後其家以罪籍沒

三十年　癸巳

宋廷秀任本路總管尋罷亦只兒感本道宣慰使

行樞密院於江北河南行省管下蘄黄鄧新揚州高郵真滁杭等處萬戶府撥軍二千餘名於龍灣教習聽益都新軍萬戶府提調　十月二十二日大赦

三十一年甲午

四月十四日成宗皇帝登極

行樞密院例革

四月十七日資德大夫囊家歹行御史

大赦

詔腹裏江南軍站民匠諸色户計合納丁地税粮十分免三係官一切逋欠並與免徵逃亡人户差税即與除豁毋令見户包納當耕作時不急之役一切停罷毋致妨農公吏人等必須差遣者不得輒令下鄉議行貢舉之法無學田去處量撥荒閑地土給贍生徒鰥寡孤獨每名給米一石綿一匹曾旌表門閭者與免本户雜泛夫役六月

詔江淮以南至元三十一年夏税特免一半已納到官者准充下年數目

元貞元

陞溧陽溧水二縣爲中州

七月

詔令後職官任滿考其殿最爲効爲最者陞職事不勝者黜

二年丙申

大夫閏四月六日榮祿大夫阿老瓦丁左行御史大夫蒙古將解□本路達魯花赤

路有儒知吏事吏通經術性行修謹者各路薦舉廉訪司試選每道歲貢二人省臺委官立法考試中式錄用　宣慰司呈省照廉訪司乞以安民爲本理財爲末將金戶放罷

秋中議大夫紹興路總管廉希哲任本路總管即前宣慰使左丞希賢之弟

大德元年丁酉

五月行臺加稱江南諸道行御史臺

朝請大夫要束木任本路達魯花赤

一月二十己日改元大赦詔鰥寡孤獨常例外各給布絹益都新軍萬戶府自寧國路移鎮建康

二年戊戌

三月二十一日榮祿大夫徹里右行御史大夫

二月欽奉
聖旨準省臺所言除免建康路金額五十定淘金戶計併入元籍當差革罷金銀銅冶轉運司徽饒池信四路所辦金課隸宣慰司管辦士民立碑頌德

三年己亥 溧陽大旱

二月十一日例革江東宣慰司建康路直隸江浙等處行中書省

正月奉使至路問民疾苦江南等處夏稅十分免三 江寧縣尹傑定王蒙修築堤圩以政績聞任滿受建德路推官選除江南行臺監察御史 置惠民藥局擇良醫主管

四年庚子 旱冬十二月大雪踰尺冰寒兼旬野獸餓死

獨吉禮任東路總管

秋八月儒學災惟存尊經閣及東西二教授廳 十一月詔孤老幼疾不能自存者每名給中統鈔二十兩江南租稅普免一分諸處重刑結案犯徒者減一半杖罪以下釋免

大一十六

五年辛丑

七月一日大風江潮泛漲損禾溺人

詔各路風水災重去處并發税粮並行除免缺食之家計口賑濟諸處罪囚廉訪分司審理輕者決之寃者辯之滯者料之疑不能决者申臺呈省詳讞在江南者經由行臺永爲定例小吏犯贓除斷罪外並罷不叙重建廟學郡人王進德建明德堂本路獲犯界賣酒都省議得既有决罪追罰定例其酒擬合給主 朝省行下本路旌表節婦王阿楊門閭 十一月申奉省劄行下鍾山鄉開後湖河道

六年壬寅

二月三日大赦

詔江淮以南夏税全免鄉村人户散辦課程及在前年分民間應欠差税盡行免徵

	七年癸卯	八年甲辰
	八月六日太原平陽地震溧陽水旱相仍	
	蜀人陳元凱任本路總管	五月十五日資善大夫阿里馬行臺御史大夫
	三月十六日詔定贓罪條例爲十二章及增給朝官月俸外任公田祿米等朝省行下旌表溧水州義士湯大有五世同居江寧縣主簿梅鼎有政績取充江南行臺令史 奉使至路鰥寡孤獨除常例外給中統鈔一十貫被災去處有好義之家能出己財周給貧乏者旌用	正月詔釋笞罪以下江南佃戶松租十分減二及開禁金銀聽民買賣定民間聘財等第官吏喪制僧道出家若丁力數々差役不缺及有昆仲侍養父母者赴元籍官司陳告給據方許簪剃違者斷罪歸俗田宅民訟在元貞元年正月以前革撥句

九年乙巳

侯[illegible]任本路總管以事斷黜

二月二十五日以地震星變肆赦江浙以南租稅均免二分在前年分拖欠差稅課程並行蠲免年八十以上存侍丁一名九十以上二名並免本身雜役鰥寡孤獨除常例外之給鈔一十貫欽任官員止有一子承蔭免歸侍子幼家貧者給半俸終其身年七十以上精力未衰者録用　六月以建儲詔年八十以上賜帛一匹九十以上二匹親年七十以上無侍

容縣民樊淵乙亥兵火負母陳逃難茅山歸附後還鄉里奉養于孫貧之中江東憲司辟充書吏能甘清苦母歿還家時未定憂制憲司累行起復固辭不就是年部擬以孝廉表其門閭

十年 丙午

懷遠大將軍岳天禎任本路總管

十一年 丁未 五月二十一日武宗皇帝登極 旱民飢殍死

行御史臺陞從一品

丁近侍遷除在外兩任五品以下[illegible]歲一貢罪囚淹禁五年以上疑不能決者釋之流竄者量移近裏 冬十月新學成

五月 詔所在蒙古儒學教官用功講習作養以後進有錢粮去處有司毋得干預侵借管軍官吏私債歲月雖多不過一本一利民間私債准此

五月大赦 詔江南路分夏稅免五分秋粮免三分已納到官者作下年數被災去處山場湖泊課程停罷聽民從便採取係籍儒戶雜泛差役蠲免 九月十六日加號先聖大成至聖文宣王祀以太牢 旌表孀居節婦周氏及溧陽[illegible]

至大元年戊申
凱烈

五月二十八日榮祿大夫大徹赤行御史大夫
昭武大將軍

黵音亘

民饑疫死者相枕藉官爲賑濟　七月
詔曾經賑濟人户至大元年差發夏税並行蠲免　十一月二十五日以成中都建開寧路都

節婦樊氏門閭復其家　是歲建康大饑官廪不繼行御史中丞廉遵安本路總管岳天禎治中揭曼勸諭富户出鈔二萬錠賑濟活飢民四十一萬三千有奇況是米價騰湧牙儈旁緣爲姦天禎杖其尤無藝者召商旅飲之酒以義諭之估值乃平民得以濟　十一月
詔諸人舉放錢債每貫月利三分止還一本一利倒換文契多取者嚴行治罪孝悌力田之人申明旌賞

二年乙酉

溧水麥秀三岐

哥兒迷失任
本路達魯花赤
總管王都中天禧
本年於任

總管府大赦

三月
詔被災百姓江淮夏稅及至大
二年正月以前民間逋欠差稅
課程並行蠲免鰥寡孤獨每名
給鈔一十五貫內外大小職官
及自正月以前入役者普覃散
官一等　九月行中書省改名
行尚書省儒人免差人民轉徙
復業者除差稅三年田野遺骸
官爲埋瘞　諸州司縣親民正
官以九年爲滿考功黜陟　用
至大銀鈔十月
詔鑄大元通寶錢及至大通寶

三年庚戌

小錢　大赦　中政院十一月
二十七日
奏准設立建康等處財賦提舉
司五品衙門管領建康路録事
司溧陽州常州路宜興州無錫
州晋陵武進縣鎮江路金壇縣
揚州路録事司真州揚子縣通
州静海縣崇明州太平路繁昌
縣寧國路南陵縣徽州路祈門
縣淮安路清河縣總計八路一
十五州司縣斷没朱張錢粮
句容縣尹趙靖到任首建學校
上司常歲科紅花力辭以非土
産獲免民至今德之
正月行使歷代舊錢二月
詔每社設立社長一名推舉年
高有德通曉農事者充不得差

四年辛亥

三月十八日

仁宗皇帝登極

占別管餘事　十月以

上開賞赦杖罪以下民間負欠差稅課程並行蠲免民間雜役先儘游食之民次及工賈末伎諸教民官犯公罪輕者許罰贖

鎮江人堵潤字濟川任本路錄事聽訟明允判決無滯城內稱治

正月五日以上年郊祀大赦江南夏稅免三分民間負欠錢糧並行免徵其侵欺盜用失陷短少已有文案者亦行除免路府州縣名山大川聖帝明王忠臣烈士凡有祀典者各具事蹟申聞次第加封主者先行致祭廟宇損壞官爲修葺開國以來勳臣功臣所封分邑有司立祠以時致祭　三月十八日大赦

罷市舶提舉司諸人毋得申獻寶貨民間銷金織金金箔並行禁止年九十以上帛二匹緜䌽孤獨人給至元鈔五貫　四月禁使新舊錢及至大銀鈔　罷僧道衙門　旌表溧陽州節婦張氏門閭

皇慶元年壬子

正議大夫抄都任平路遷魯花赤正議大夫七十八任本路總管

十月二十九日以大赦　旌表節婦楊母李氏及句容縣節婦曹母王氏門閭　諸王入覲詔贈學地上貢士莊田諸人毋得侵奪廟宇損壞蓆即修完無學田去處係官地內摽撥各路總管府主領敦勸廉訪司宣明勉勵

二年癸丑

九月二十九日開府儀同三司塔失海牙

詔許文正公從祀先聖廟庭　旌表溧陽州節婦余氏門閭十月十八日

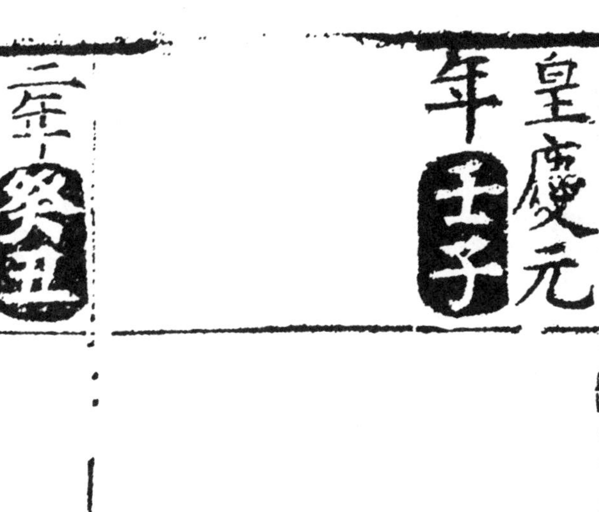

延祐元年甲寅

二年乙卯

行御史大夫

[illegible]月二十八日榮祿大夫阿老瓦丁行御史大夫捐敵之子

詔行科舉以經義取士

正月二十二日改元大赦百姓負欠係官錢糧並行除免十一月經理江西江浙湖廣田糧江浙行省准都省咨劉景芳陳言官民交通事行下照勘亡宋大小官舍地基白蓮堂數目約量修理新官並仰於官舍住坐不許借賃百姓房屋　句容縣尹謝淵治有異政

三月奉使宣撫問民疾苦　四月二十八日

聖旨試驗陰陽人　十一月星變大赦河南江浙江西三省經理自實田土合該租稅與免二年江淮夏稅免三分鰥寡孤獨給鈔一十貫民間拖欠差發稅糧並行除免

三年丙辰

四年丁巳

詔定貴賤服色制　句容縣移
風鄉孔聖村住人王榮五世同
居荒年賑濟賴以存活者一百
五戶捨棺殯葬八十七人卒年
八十三葬日崙山震響鄉里稱
爲孝義所感本縣以聞江浙省
行下旌表門閭　初行臺大夫
用哈必赤百餘人皆軍籍無賴
特勢擾民有司官至遭捶曳是
年大夫至罷不用市里稱慶
詔路府州縣教官專意訓誨務
要藝精行成以備試用隸籍在
學儒人毋得非理科役煩擾教
官才德弗稱侵漁學廩者覈實
黜罷　七月
聖旨禁非法用刑
閏正月

五年戊子

涞音用

十一月二十八日榮祿大夫伯顏行御史大夫

詔江淮夏稅普免三分八月溧水州劉沭江浙省鄉試第二十名十二月太醫院
奏依儒學科舉例試驗醫人

十一月監察御史糾言句容縣豪民王訓白身受六都等處打捕鷹房民匠總管王熙白身受中瑞司丞唐興宗元是江西行省理問所令史受龔康財賍提舉都省
奏過令行臺照勘追奪其餘各投下虛揑詐冒限一月出首免罪隱匿不首者許諸人陳告賞鈔一百定於犯人名下追給
勑令強盜悔過陳首與免本罪捕獲徒伴依例給賞獲強盜三人與一官五人以上應捕人與一官捕盜官陞一等爰分彼此

六年己未
正月朔日蝕

總管針
佴意一

者失羅
改茅山崇禧觀爲崇禧萬壽宮
四月上中州設醫學教授句容縣民俱貴三妻陶姜袁夫服內嫁唐起華爲妻杖六十七下離異與男同居守服　江寧縣尉魏居仁上元縣尉張義并監不法解任別敘

七年庚申
正月朔日蝕
三月十一日英宗皇帝登極

二月二十八日崇祿大夫脫歡答剌罕行御史大夫

三月十一日大赦
詔江淮夏稅並免三分差發稅糧延祐七年以前徵理未足之數並行蠲免　四月部省奏稅糧一斗上添答二升　八月溧陽州人李士良行省試第六名　十一月改元
詔水旱相仍至治元年丁地稅糧天下普免二分包銀減五分
監察御史廉訪司官每員歲舉

至治元年辛酉		
六月二十六日榮祿大夫脫脫行御史大夫		

可任守令者二人歷次年三月
以裏申臺呈省其有隱居行義
才德高邁深明治道不求聞達
者錄用復行封贈之制除軍站
外不以是何戶計一体當差
監察御史言建康等路流民擾
害官民部擬委官分揀每起不
過三十人官爲應副行糧轉發
本鄉　建
帝師寺於保寧寺北

二月會試李士良第一十三名
殿試第三甲二十七名受將仕
郎餘姚州判官　郡人王霖翊
立江東書院行省設山長起
蓋廣運倉於龍灣山前計廒四
十座屋二百間省設監支納大
使路設倉副收受江西湖廣二
省并饒州路本路州縣官民財

二年壬辰

任居敬任本路總管

賦等粮逐年都漕運萬戶府就倉裝運下海　禁治江淮以南廟祝師巫妄稱太保總管扇惑人衆

華罷財賦提舉司併入有司管領　旌表溧水州節婦薩法禮門曰貞節故追贈容國公帖木兒不花之妻阿魯忽都之母也　十一月詔江淮包銀與免一年佃種官田租額十分爲率與免二分

三年癸巳

九月四日登極赦

二月十五日榮祿大夫伯顏行御史大夫

八月郡人李紳江浙省鄉試第二十七名　九月五日大赦　十二月改元　詔江淮以南粉科包銀爲民爲甚自泰定元年爲始倚免三年諸處商稅課程以延祐七年實辦爲額經理虛增之數即仰除

詔鰥寡孤獨除養濟外布一匹年及八十加帛一匹九十以上
二匹

泰定元年甲子

十一月二十二日榮祿大夫天祖嘉頤利行御史大夫

開正月初一日詔減鹽價每引中統鈔二十五貫江淮通商包銀並行革撥旌表溧水州高年許桂時年已一百一歲　是年潛邸至建康

二年乙丑

紙音世

四月三日光祿大夫多禮智行御史大夫　卜伸任本路達魯花赤　太中大夫必實溫沙班任本路總管

正月蔣山太平興國寺災必失溫沙班東平人毋嘗病失明親爲舐之而愈前任累有政績暇日於儒學明德堂會集士民諸色人等各以本業所當爲者勸諭閭者悅服閭巷貧民有子不能倫束循從師者皆令入學自以己俸爲買書紙筆墨與師行禮其他興利除害甚衆踰年

三年丙寅 溧陽大水

四年丁卯 溧陽蝗

天曆元年戊辰 泰定五年三月改致和九月十三日登極赦改天曆元年

中順大夫那懷任本路總管

彭闊任本路達魯花赤

十月六日光祿大夫阿思蘭海牙行御史大夫

有不悅者以目疾謝病免

那懷中順建言開浚陰山運粮河道尋以動工例禁罷役 句容縣尹程恭勤於撫字修學校聘師儒興利除害闢縣治之後廢址植桑萬株民趨效之蔚有成績

潛邸建大崇禧萬壽寺於蔣山太平興國寺後十一月落成 八月四日各省科買軍需大擾建康路得中旨優免 九月十三日大赦天下

復立松江府免海

二年己巳

十月二十日改建康路為集慶路

中順大夫迷沙任本路達魯花赤嘉議大夫咬住任本路總管

比民食鹽錢　治書侍御史察迭哈散分臺江陵鎮遏有功本路申防送流民事刑部議得聚衆多寡各各罪名遍行禁治太醫院奏旨召行臺醫張廷玉馮昌大等詔郎潛邸建大龍翔集慶寺命僧大訢住持受太中大夫廣智全悟大禪師釋教宗主兼領五山事　是歲旱荒勸率上户賑濟　旌表城西節婦周氏門閭郷人李樾江淛鄉試第十六名設集慶萬壽營繕都司四品衙門設達魯花赤大使副使所屬有財用所田賦提領所俱隸龍翔寺掌管錢糧修造撥行臺贓罰錢買田入寺　賜璽書護道

至順元年庚午
民飢疫死

二年辛未

四月二十二日光祿大夫阿思蘭海牙行御史大夫。嘉議大夫脫歡任本路達魯花赤。郭思貞自北臺任本路總管

林真覺慧感慈應普濟聖師遣使者賜金銀楮幣。十一月詔三日改建康路為集慶路，所管州縣除米糧係大數目外，其餘貢獻撥隸皇后位下

李擬第三甲，賜同進士出身，受將仕郎、饒州路鄱陽縣丞

復立江淮提舉司，隸照功萬戶府

改元，赦天下

募富民納粟補官

奎章閣纂修皇朝經世大典，江浙省行下取勘李懷

句容武毅王土土哈追封昇王

詔改玄妙觀為大元興永壽宮，冶亭為飛龍亭

溧水州節婦薩法禮以子阿魯忽都任治書

三年壬申
十月　日
皇帝登極

元統元年癸酉
六月二日
今上皇帝登極
秋

二月七日光祿大夫脫歡行御史大夫

十一月二日榮祿大夫易釋迦阿行御史大夫

御史追封容國夫人
十月大赦天下　加封宣聖考妣齊國公曰啓聖王魯國太夫人曰啓聖王夫人鄆并官氏大成至聖文宣王夫人加兗國復聖公鄒國宗聖公沂國述聖公鄒國亞聖公追封二程子河南伯爲豫國公伊陽伯爲雒國公
刻
制書於中外廟學
旌表城居節婦吳氏門閭復其家　六月初八日大赦天下江淮以南夏稅免二分曹聽濟考免三分鰥寡孤獨除養濟者給鈔一十貫老人年八十以上存侍丁一人九十以上侍丁二人並免本身雜泛差爲定例

元統二年甲戌
江寧秋旱

三月，獲劇盜秦淮舟中。先是，顧灝盜王僉二、曹福四等，於沿江上下剽掠，上自漢陽，下至采石、真州、南京，被害不可勝數。及是，為漢陽弓兵襲至秦淮江口，軍民官兵會捕，獲曹福四等四十四名，并賊屬船隻、器仗、贓物，餘黨散走。
免儒戶差發。舉有德行學行、闡明者充教官。
營繕都司脩葺

至元元年[illegible]
江寧秋旱

閏十二月十二日，憲臺移准
[illegible]書省關准御史臺咨
聞三司若大奏准新並行臺規模視舊有加
帖木兒行御龍科舉
江淮財賦提舉司併
[illegible]夫夫
等

[illegible]

二年（壬午）[illegible]

二月[illegible]溧水[illegible]

[illegible]

三年[illegible]

十一月六日銀青榮祿大夫[illegible]諸行御史大夫

通議大夫完者禿任本路總管

句容縣主帛局改造絲料斂勅資政院交納　嚴盜賊禁用肉刑　推官能鼎賢河陰人任內平反錄事司囚吳住哥崔保僻上元縣囚劉文端江寧縣囚張茂才四人并問强盜王念二等得實內外臺監察御史累薦省部擬減一資

四月拘刷馬疋　盜發河南廣東剏平之　龍翔寺財用所田賦提領所例革併入平江善農提舉司管領　溧水知州李衡言本縣站戶消乏乞於溧陽州貸補從之

完者禿通議復請疏浚陰山運糧河道　旌表江寧縣孝子傅霖門閭　各路設船戶提舉司驛[illegible]給引收評　[illegible]

五年己卯
秋九月大雨

六年庚辰

至正元年辛巳

閏五月二日
光祿大夫脫
歡行御史大
夫
嘉興六大帖

濬故道東接清溪西逾栅寨門
至清涼寺下會秦淮河三上元
縣委官修砌陵官亭向東驛路

旌表節婦馬氏門閭　霍入失
等監殺河南省臣淮東移文警
備　設常平倉於舊廣儲倉所
上元縣撈浚龍光河自弄子橋
經石頭城下至馬鞍山入里有
餘用夫一千六百名

三月十八日赦天下
詔旨排
上意者厘革船戶提舉司兼商
門皆罷

都省奏奉
聖旨改曹南王阿剌罕祠於集
慶仍撥賜官田二十頃令祠在
錄事司西北隅樂街寶戒寺側
春秋戊日致祭詳見祠祀志

二年

見任本路達魯花赤中議大夫張塔海帖木兒見任本路總管

復立都水庸田使司，專管河渠水利，於平江路置司。省臺官慰司官添支祿米。復行科舉取士法。革罷義豊提舉司，以所管龍翔寺田粮歸屬本寺。

本路判官周堯委詣陰山運瀆河相視，上至官庄鋪，下至毛公渡，中分新舊兩河。先言新河泛近民田，地勢低下，開之有妨農務；蔣東保山係是舊河，開挑有益無害，計用工二十一萬八百，申部水庸田司講究。監察御史許儒林建言東建下忠貞公祠宇。天禧寺醫僧祿善治療疽，以所得資憑砌長干橋抵上門環街二百七十丈。三月日，總管府治遺漏，延燒譙樓廨宇，各屋文卷悉爲煨燼……

三年□
秋八月蝗□

賴門樓房屋三十餘間□□□
江西南隅層樓　四月一日□
州路大火燒燬行省卷宗皆盡
令各路抄會上之　新益察院
及行臺門廡

四月都水庸田司以本路言開
濬後湖河道令掾吏官相視上
至鍾山鄉珍珠橋下接金陵龍
灣大江通一十七里是歲冬十
月本路委官提調江寧上元二
縣興工并陰山河道同時開浚
本路奉
憲臺劄付更刊景定郡志委官
提調并禮請名儒纂修新志
醫學教授張汝諧乞修蓋三皇
廟學申奉
行省劄付計料修理□行省准
都省咨

奏准修遼金宋三史行下本路
官提調購求實錄野史傳記
碑文行實許諸人赴官呈獻給
價

金陵新志卷之四

疆域志總敘

史稱黃帝時萬諸侯而神靈之封居七千神靈之封者山川之守足以紀綱天下者也又稱禹會諸侯塗山執玉帛者萬國降殺及周見於書者猶千八百國焉夫聖人體國經野封建功德豈任其私智強爲分畫者哉星有分野之殊而地有山川之限民生其間異稟殊俗於是俾胙土命氏者世守之以藩王國大小相維上下相

持以爲長久故曰配天秦分天下爲三十六郡郡設守尉監而縣邑各有所隸非古制矣漢魏相承無大革易晉都江左始僑置中原州郡以居其民由宋齊梁陳而下何郡縣更易析置之繁也金陵在周爲吳兼越自范蠡築城長干楚威王繼城石頭歷代分割或都或否迄趙宋之亡爲都者八爲治所者十有一爲國者六爲州者五爲府者三爲郡十有四而僑置者九爲縣十有九廢併者十僑寓者四屬於府者五我

此隋平陳廢丹楊郡立蔣州於石頭大業初復置丹楊郡唐武德二年爲揚州東南道行臺尚書省七年復蔣州罷行臺爲楊州大都督府九年揚州徙治江都以其地屬潤州正觀七年復爲揚州治所至德二載析置江寧郡乾元元年改昇州兼置浙西節度使上元二年州廢爲上元縣大順元年復置昇州天祐二年揚吳大城昇州建大都督府武義二年改爲金陵府天祚三年封徐知誥齊王建西都改江寧府晉天福

二年知誥僭位復姓李更名昪國號唐宋開寶八年唐滅復爲昇州天禧二年陞江寧府建康軍節度建炎三年改建康府紹興七年駐蹕明年置行宫留守至元十二年

聖朝初下江南於建康置江東路宣撫司十四年更立建康路總管府至順元年改集慶路所管除録事司治府城中溧水溧陽由縣陞州餘因舊名無所更易

地爲都

孫吳建都四世凡六十年東晉建都十一世凡一百三年南宋建都八世凡五十八年南齊建都七世凡二十三年蕭梁建都四世凡五十五年南陳建都五世凡三十三年李唐建都三世凡三十九年宋南渡爲行都七世凡一百三十九年吳志張紘謂孫權曰秣陵楚威王所置名爲金陵地勢岡阜連石頭昔秦始皇東遊會稽經此縣望氣者云金陵地形有王者都邑之氣故掘斷連岡因名秣陵今處所具存地有其氣天之所命宜爲都邑權善其議未能從也後劉備東宿秣陵因觀地形亦勸權都之權曰智者意同遂都焉又獻帝春秋劉備至京謂孫權曰吳去此數百里即有警急赴救爲難將軍

有意屯京乎權曰秣陵有小江百餘里可以安大船吾方理水軍當移據之備曰蕪湖近濡須亦佳權曰吾欲圖徐州宜近下也諸葛亮亦曰鍾阜龍盤石城虎踞真帝王之宅晉温嶠議遷都豫章三吳之豪請都會稽二論紛然王導曰古之金陵舊爲帝里孫仲謀劉玄德皆言王者之宅由是不行六朝事迹云南朝建都之地不過建康京口豫章江陵武昌數處其疆弱利害前世論之詳矣吳孫策以會稽爲根本大帝嗣立稍遷京口其後又嘗住公安又嘗都武昌蓋往來其間因時制宜不得不爾及江南已定遂還建鄴保有荆揚而與魏蜀抗衡其宏規遠略晉宋而下不能易也故蕭繹捨建鄴而守江陵梁遂以亡李嗣主捨建鄴而遷洪府南唐遂不能以立王導斷然折會稽豫章之論而以建鄴爲根本自晉而下三百年之基業導之力也今按孫皓議遷都武昌陸凱上疏曰武昌土地危險非王都安國養民之處船泊則沉漂陵居則

峻危渠[redacted]帝臨荊峽二十年情所安戀不欲歸建鄴故府臣僚皆楚人並欲都江陵周弘正諫曰士大夫言聖王所都本無定處若黔首未見入建鄴便謂猶列國諸王今日副百姓心不可不歸建鄴南唐嗣主用唐鎬計遷豫章而王都官舍軍壘十不容一二自公卿下至軍士莫不思歸導之言驗矣

宋留都有録見前志

地爲治所

越築城治長干里楚置金陵邑治石頭秦改爲秣陵縣治後漢分揚州置吳郡治建鄴建安十六年孫權自京口徙治秣陵明年又城石頭改秣陵爲建鄴吳既克關羽都武昌以呂範領丹

楊太守治建鄴永安中分溧陽以北六縣爲丹揚郡仍治建鄴【晉】武帝平吳以爲丹楊郡及揚州刺史治太康三年分淮水北爲建鄴南爲秣陵更置江寧縣【宋】孝武以揚州爲王畿尋復舊爲都見前此不重述【隋】平陳廢丹楊郡置蔣州治石頭唐武德二年爲揚州東南道行臺置尚書省八年爲揚州大都督府貞觀七年復爲揚州治所至德二載改爲江寧郡治所乾元以後改爲昇州治所仍置節鎮寰宇記云天寶末明皇以金陵自古雄據之地祿山方亂不可

以縣統之仍置昇州加節制上元二年復廢爲上元縣光啓三年還爲昇州治所仍置節鎮天祐二年吳王楊行密大城昇州建大都督府其子溥改爲金陵府治石晉天福二年建西都改爲江寧府治李昇僭位號南唐因即居之至宋初平江南置昇州治天禧二年改爲江寧府治建炎三年改爲建康府治紹興二年以府治建行宮而遷府治於行宮之東南隅江東安撫司沿江制置司淮西總領所江東轉運司江淮提領所江淮都

督府皆治建康

國初嘗於制司府治開行省置宣撫司管轄江東諸路尋改立建康路總管府别設江東建康道提刑按察司江東道宣慰使司江淮等處行樞密院尋皆遷革獨江南諸道行御史臺自至元二十九年由揚州再遷于此即前宋建康府治大其規制而總管府與録事司上元江寧縣治分置城内外云

地所屬國名

吴國在周屬吴太伯之國有固城在溧陽溧水兩縣之間即吴所築也夫差爲越所滅至漢高祖時以丹陽會稽豫章三郡五十三城立兄子濞爲吴王景帝時國除東漢末以其地封孫策爲吴侯弟權襲之曹操封爲吴王三國鼎峙吴亦稱帝因都焉詳見爲都

越國越本夏少康之後封於會稽周元王四年用范蠡計滅吴盡有其地築城于此以謀吞楚詳見越城致貢於周元王賜胙命爲伯越兵横行江

淮號霸王後七世爲楚所滅

楚國周成王時初封熊繹于丹陽乃在荆州非此所謂丹楊也其後國寖疆地寖廣至威王時滅越盡有吴越之地置金陵邑於石頭詳見山阜秦滅楚以此地置鄣郡詳見所屬郡及懷王末項羽自稱楚至漢高帝時封韓信於楚鄣郡屬焉六年廢別封楚王交非此地

荆國漢高帝六年羣臣請以故東陽郡鄣郡吴郡立劉賈爲荆王是年黥布反失國

江都國漢景帝既誅吴王濞徙汝南王劉非爲江都王治故吴國至其子建國除後以其地封廣陵王胥又分置郡

昇國宋天禧二年封壽春郡王爲昇王後即位爲仁宗嘉祐四年翰林學士胡宿言陛下建國於昇猶次列國非所以重始封之地宜進昇爲大國無得封從之宋會要大國二十有四昇其一也

地所屬州名

揚州禹貢北距淮東南據海皆揚州之域唐虞置揚州牧至漢武帝初置揚州刺史後漢因之分揚州之半置吳郡治建鄴後以封孫氏晉太康元年平吳徙治建鄴惠帝元康初有司奏揚州疆土曠遠統理尤難於是割七郡置江州元帝渡江都揚州統丹楊吳郡宋孝武分浙江東五郡爲東揚州治會稽而揚州仍領丹楊等十五郡大明三年以揚州所統六郡爲王畿以東揚州爲揚州八年復舊景和元年罷東揚州隋

徙揚州治江都置大都督府以句容延陵曲阿等縣屬焉大業中廢唐武德二年河間王孝恭平輔公祏以江寧溧水用楊溧陽安業復置爲東南行臺尚書省治江寧七年廢尋復爲大都督府領上元金陵句容冊楊溧水溧陽九六郡時未置上元縣欠考九年徙治江都正觀七年復舊至德中復治江都秦觀揚州集序云漢刺史無常治後之稱揚州者指其所治而已

義州 晉元帝置陳大建元年廢爲建興郡領建

安同夏烏山江乘臨沂湖熟九六縣（戚氏志陳大建十年立義州江北尋廢以爲此無義州俟考）

蔣州 隋平陳廢丹楊郡於石頭立蔣州唐武德二年廢七年復置於金陵縣尋廢

昇州 唐乾元元年以江寧郡改置昇州顏真卿嘗以昇州刺史兼淛西節度使上元二年廢光啓三年復置天祐二年楊吳封徐温齊公大城昇州武義二年改金陵府宋開寶八年復置天禧二年改爲江寧府

常州唐初置領琅邪金山縣後廢武德三年以句容延陵復置七年廢

地所屬郡名

故鄣郡秦置漢元封二年更名丹楊郡吳永安中以蕪湖以南十三縣復爲故鄣治宛陵

丹楊郡漢置治宛陵志云領宛陵於潛江乘春穀秣陵故鄣句容涇丹楊石城湖熟陵陽蕪湖黟溧陽歙宣城九十七縣後漢因之建安十三年孫權分爲新都郡二十六年權始置丹楊郡

自宛陵治建鄴領縣十九永安中分置故鄣郡丹陽所領惟溧陽以北六縣晉太康元年改建鄴復爲秣陵宋齊間分丹楊立毗陵郡丹楊所領惟建康秣陵丹楊江寧永世溧陽湖熟句容八縣隋平陳廢大業初復置領江寧溧水以當塗來屬割延陵句容等縣屬江都唐初廢爲州天寶元年復置領丹徒丹楊延陵句容江寧金壇凡六縣至德二載析置江寧郡吳丹陽郡城在長樂橋東一里今桐樹灣營中是其地詳見後古蹟志

建興郡陳大建元年以義州南琅邪彭城郡地置領建安同夏烏山江乘臨沂湖熟凡六縣屬

揚州

江寧郡唐至德二載以潤之江寧句容宣之溧水溧陽置乾元元年改昇州

義興郡晉永興中以卅楊之平陵永世及割吳興郡置四縣立義興郡以賞周玘創義之功屬

揚州

地所置僑郡名

淮南郡本秦九江郡漢立淮南王國後爲郡晋治壽春成帝初蘇峻祖約作亂於江淮胡寇南侵淮南百姓南渡者轉多於是僑立淮南郡以處之領于湖繁昌當塗逡遒定陵襄垣凡六縣宋大明六年以淮南故郡併宣城入于姑熟隋廢以當塗屬丹陽更於壽春置淮南郡

南琅邪郡晋元帝於江乘縣南岸立琅邪郡屬揚州領臨沂陽都及懷德三縣在舊江寧縣東北五十里成帝咸和六年復琅邪比漢豐沛宋

大明四年以郡隸王畿五年行幸琅邪郡原遣因繫陳大建元年廢爲建興郡江乘南岸有琅邪城句容接界有琅邪鄉金城則在府城東北二十五里詳見後古蹟志

魏郡廣川郡高陽郡堂邑郡四郡並晉咸康四年僑置并所統縣並寄居京邑

南東海郡南東平郡南蘭陵郡晉元帝以江東置四郡穆帝時以南東海七縣出居京口

地所置府號

金陵府吳武義二年改昇州爲金陵府大和五

年建都金陵尋罷天祚三年除知誥建爲西都改江寧府
江寧府天祚三年改金陵爲江寧府石晉天福二年李昪建國號唐宋開寶八年改昪州天禧二年以昪州爲江寧府置軍國建康命壽春郡王爲府尹建炎三年改建康府
建康府建炎三年五月改江寧府爲建康府歸附後改建康路詳見前沿革
地所統縣名州名

上元在宋次赤縣唐上元二年廢昇州以江寧地置屬潤州後廢寶應元年復置光啓三年置昇州屬焉通鑑云大順元年置昇州於上元縣以張雄爲刺史縣初仍江寧舊治白下村光啓中徙鳳臺山西宋初遷南唐司會府在府治之東御前後軍營是其地建炎徙今治在城東隅

江寧在宋次赤縣臨江歸化金陵白下晉太康元年分秣陵置臨江明年改江寧後廢永嘉中復置隋併秣陵建康同夏地入焉大業初屬丹陽郡唐武

德三年即縣置揚州更名曰歸化七年號金陵屬蔣州明年徙白下村稱曰白下屬潤州正觀七年復名歸化九年復爲江寧至德二載置江寧郡而縣廢乾元元年復置屬昇州上元二年州廢以其地置上元縣南唐割上元南十九鄉當塗北二鄉因舊名復置隷金陵府圖經云古縣治南臨浦水在城西南七十里按實録云唐縣治在州城西偏西即吴冶城東臨運瀆天慶觀東即其地宋初移郭下在城西北距行宫三百步輿地廣記云唐

既改江寧爲上元南唐復析上元置江寧分治郭下至元十三年本縣達魯花赤吳德即以南城外越城之側故縣尉司改置縣治

句容在宋次畿縣漢置屬丹楊郡有句曲山其形如句字因以名縣漢武帝封長沙定王子黨爲句容侯國除復爲縣吳赤烏八年使校尉陳勲發屯兵三萬鑿句容中道至雲陽西城以通吳會船艦唐武德二年於縣置茅州七年州廢屬蔣州九年隸潤州會昌四年升望縣乾元元

年屬昇州上元二年州廢屬潤州光啓三年復置昇州縣隸焉宋因之縣治在府東九十里

溧水州在宋次畿縣隋開皇中析溧陽丹楊置屬蔣州大業初屬丹陽郡唐上縣武德三年屬揚州九年屬宣州乾元元年屬昇州上元二年昇州廢屬宣州光啓三年復置昇州縣屬焉宋

國之

國朝元貞元年以户登五萬陞爲中州州治即前宋縣治在府東南一百二十里

溧陽州在宋次畿縣秦置溧水所出南湖也漢初屬江都元封中屬丹楊郡後漢封陶謙爲溧陽侯吴省爲屯田志云封潘璋爲溧陽侯又云孫皓封何蔣爲溧陽侯晉太康元年復置分爲永平隋開皇十八年併入溧水唐武德三年析江寧溧水復置隸揚州九年隸宣州乾元元年屬昇州明年屬宣州尋復上元元年又屬宣州未幾又復寶應元年屬宣州光啓三年復屬昇州南唐保大十四年溧陽隸潤州後主時隸江

寧府宋開寶八年取江南復隷昇州
國朝至元十四年縣改溧州十五年改溧陽府
十六年改府爲溧陽路管溧陽縣并在城録事
司二十八年革去路名依舊爲溧陽縣元貞元
年以民户五萬之上陞爲中州唐以前縣治在
溧水縣東南九十里天復三年移治今所今州
治即宋縣治在府東南二百四十里

歷代廢縣名

秣陵縣金陵建業更治所凡六前志云楚威王築城

石頭號曰金陵秦始皇改爲秣陵屬鄣郡實錄云秦縣城在舊江寧縣東南六十里秣陵橋東北今有秣陵浦漢屬丹陽郡武帝封江都王子纏爲秣陵侯後漢復爲縣孫權自京口徙治改曰建鄴晉太康元年復爲秣陵三年分淮水北爲建鄴南爲秣陵宋書云縣治去京六十里今故治村是也義熙中移於鬭場栢社實錄云在江寧縣東南庚長樂橋古丹揚郡是也元熙元年省揚州禁防參軍縣治移其處圖經云在宮城南八里一百步小長干巷內梁末北齊軍於秣陵故城跨淮立橋柵當是其地隋併入江寧景德二年置秣陵鎮今設巡檢

司在江寧縣東南五十里

建業縣 晉書太康三年分秣陵淮水北爲建業建興初避帝諱改建康縣舊有城在吳冶城東實録云縣治在故都城宣陽門内古御街東袁宇記云咸和六年徙出宣陽門外御街西建初寺門路東即費縣舊基在臺城南七里今隋省城内法性尼寺地縣在寺北二百步云入江寧

江乘縣 秦置方輿志云始皇登會稽從江乘還過吳漢屬丹楊郡王莽改曰相武後漢復舊吳省爲典農都尉晉武帝復置咸康七年析南境

爲臨沂屬琅邪郡陳大建元年屬建興郡南史鄭襲嘗爲令南徐州記云縣西有江乘浦

丹陽縣漢元朔初封江都王子敢爲丹楊侯後漢爲縣晉封孫韶丹楊侯南朝復爲縣隋廢武德二年折江寧溧水復置屬揚州正觀七年省入當塗天寶元年復置縣屬丹楊郡非舊地矣

按丹陽縣城最古在丹陽郡城之先而圖志不見史記始皇出游過丹陽至錢唐漢晉爲縣江左因之並見史志惟隋志始不載其名唐之江寧縣盡有今上元江寧之境通典謂漢丹陽縣在江寧唐書地志謂貞觀元年省丹陽縣入當塗則知丹陽故境併入江寧當塗明矣其故城

地慶元志引晉陶回傳小丹陽道爲證咸氏云考前史不但此一事也吳呂範從孫策攻破廬江還俱東渡到横江當利破張英于糜下小丹陽湖孰領湖孰相後領宛陵令討破丹陽賊還吳遷都督攝吳晉史所載則今城南六十里到金陵鎮由金陵鎮南三十里與太平當塗接界有市井宛然古治所其地名丹陽或呼小丹陽即其地也前史稱小丹陽者當時有丹陽郡史文例書縣名不出縣字故吳志晉書皆稱小以别之其後縣廢而丹陽之名立在鎮江故亦呼小丹陽爾又按句容縣西南三十里有赤山及赤山湖其地亦近上元之丹陽鄉小丹陽相去雖遠而在赤山西南與晉書山多赤柳在西及丹山之陽之義合又小丹陽西南有丹陽湖接當塗界今府城南五十里有丹陽里東南三十五里有赤山塘溝蓋丹陽鄉赤山赤山湖丹陽湖等必皆丹陽縣之故境而其治則丹陽市是也

湖熟古縣名漢屬丹楊郡武帝封江都王子胥行爲湖熟侯一云姑熟後漢亦爲侯國吳省爲典農都尉晉武復置陳屬建興郡漢興平二年孫策攻揚州轉攻湖熟江乘晉蘇峻之亂毛寶燒句容湖熟積聚義熙九年罷臨沂湖熟脂澤田以賜貧人宋元嘉二十二年浚淮起湖熟廢田千餘頃皆此地二十八年從越城流人淮南流人於姑熟今太平路古之姑熟前志謂即湖熟非也元和郡國志云在舊江寧縣東南七十里今在上元縣丹陽鄉去縣五十里淮水北古城

猶在

永平縣永安永世漢元封中置屬丹楊郡尋廢吴分溧陽復置改曰永安孫休封弟謙為永安侯孫皓封孫洪為永平侯晉武又改永世惠帝分置平陵并永世凡六縣屬義興郡尋復舊名宋省入溧陽城在今溧陽州南十五里遺址高二尺見後古蹟志

平陵縣詳見後古蹟固城下

安業縣唐武德二年析江寧溧水置後廢

同夏縣梁武帝生於秣陵同夏里大同元年因

以置縣陳屬建興郡隋省入江寧圖經云縣東十五里有同夏浦舊有城今上元縣長樂鄉是其地

臨沂縣本徐州琅邪國縣晉咸康七年分江乘西界僑置屬南琅邪郡陳屬建興郡晉蔡靚諸葛恢梁孟智陳明仲瓚皆嘗爲令實録云縣城在京江獨石山西臨大江在舊江寧縣北四十里南徐州記云縣有落星山屬慈仁鄉去縣四十里今上元縣長寧鄉攝山之西白常村盖其地距上元縣三十八里

懷德縣

費

晉大興元年琅邪國人隨帝渡江者幾千戶立懷德縣以處之屬丹楊郡永復爲湯

沭邑後屬琅邪郡其地寄建康北境實錄云縣城在宮城南七里建初寺前路東後改曰費移於宮城西北三里耆闍寺西宋元嘉十五年省入建康臨沂古迹編云費縣與琅邪分界於潮溝村在縣北九里今在上元縣鍾山鄉

即丘縣本晉琅邪國縣元帝置屬南琅邪郡宋元嘉八年省入陽都

陽都縣本漢城陽國縣後漢改爲琅邪國晉廢元帝置屬南琅邪郡宋大明五年省入臨沂

地所接四境

集慶路東西二百三十五里南北四百六十里

東至本路界首一百四十里自界首至鎮江路四十里西至本路界首一十里自界首至和州八十三里南至本路界首二百四十里自界首至寧國路一百二十里北至本路界首四十九里自界首至真州一百一十里東南到本路界首二百八十五里自界首至常州路一百八十五里西南到本路界首九十里自界首至太平路三十里東北到本路界首一百三十五里自界首至鎮江路四十五里西北到本路界首二

十二里自界首至真州一百二十七里自集慶路到汴梁陸路一千四百四十五里水路一千七百七十里到河南府陸路一千八百里水路二千一百九十五里北至大都水程三十站三千四百一十里陸程四十站二千八百一十五里

江寧縣附廓東西八十五里南北九十八里**東**至上元縣界■以御街中分今抵錄事司城門爲界**西**至和州烏江縣界四十里以鰻鰲洲大

江中流爲界自界首至烏江縣一十五里南至溧水州界九十三里以烏剎橋爲界自界首至溧水州四十五里北至上元縣界五里以金陵鄉爲界東南到句容縣界七十里以湖山鄉爲界自界首到句容縣九十里西南到太平路當塗縣界一百六里以章公塘爲界自界首到當塗縣一十七里東北到上元縣界二十五里以崇禮鄉爲界西北到上元縣界五里以金陵鄉爲界

上元縣附廓東西九十五里南北八十五里**東**至句容縣界八十里以周郎橋中分界**西**至江寧縣界舊以御街中分今抵録事司城門爲界**南**至江寧縣界七十里以永豐鄉北白米湖爲界**北**至真州六合縣界四十九里以瓜步大江中流爲界**東南**到句容縣界七十里以東陳村爲界自界首到句容縣三十五里**西南**到江寧縣界四里以大隱鄉爲界**東北**到句容縣界六十里以章橋爲界自界首到句容縣八十里**西**

北到真州六合縣界二十九里以湖墅大江中
流爲界自界首到六合縣八十五里
句容縣東西七十里南北一百二十里**東**至鎮
江路丹徒縣界五十里以山口爲界自界首至
丹徒縣五十里**西**至上元縣界二十里以周郎
橋中分爲界自界首至上元縣七十里**南**至溧
水州界六十里以丁塘村爲界自界首至溧水
州三十里**北**至真州揚子縣界七十里以下蜀
大江中流爲界自界首至揚子縣六十里**東南**

到鎮江路金壇縣界六十里以茅山崇元觀西堆爲界自界首到金壇縣六十里西南到江寧縣界七十里以上義山東緑楊村爲界自界首到江寧縣九十里東北到丹徒縣界六十五里以左橋爲界自界首到丹徒縣四十五里西北到上元縣界八十里以東陽鎮霸橋爲界自界首到上元縣六十里

溧水州東西八十二里一百三步南北一百五十五里三十八步東至句容縣界三十七里以

浮山頂爲界自界至句容縣四十里西至上元
縣界三十五里烏石橋爲界自界至上元縣八
十五里南至寧國路宣城縣界百一十里四牌
岡爲界自界至宣城縣百三十里北至江寧縣
界四十五里上義山爲界自界至江寧縣七十
五里東北到句容縣界四十里望湖岡爲界自
界到句容縣五十里東南到溧陽州界五十里
分界山爲界自界到溧陽州七十里西南到寧
國路宣城縣界百三十五里崑山鄉爲界自界

到宣城縣一百里西北到江寧縣界四十五里烏刹橋爲界自界到江寧縣七十五里

溧陽州東西一百五十里南北一百六十里東至宜興州界一十五里以葑埭牌爲界自界首至宜興州七十里西至溧水州界八十五里以三塔墩爲界自界至溧水州四十里南至廣德路界七十里以石屋山分流爲界自界至廣德軍八十里北至金壇縣界八十里以長塘湖港荻場爲界自界首至金壇縣四十里東南到宜

興州界八十里以白塔山爲界自界首到宜興州四十里以**西南**到宣城縣界一百二十里以湖東北岸爲界自界首到宣城縣一百三十里**東北**到宜興州界四十五里以五家村爲界自界首到宜興州六十五里**西北**到溧水州界七十五里以曹山陸路爲界自界首到溧水州四十五里

鎮市

淳化鎮在上元縣東四十五里鳳城鄉宋淳化五年置

金陵鎮 在江寧縣南六十里本隋吳鋪宋景德二年改爲鎮今有稅務

秣陵鎮 在江寧縣南五十里今有稅務巡檢司

石步鎮 在上元縣東北四十五里即古羅落橋

大城港鎮 在江寧縣西南七十里今作水站

靖安鎮 在龍灣市

常寧鎮 在句容縣東南五十里天禧元年以鎮置寨今有稅務

下蜀鎮 在句容縣北六十里有巡檢司

土橋鎮 在上元縣東南六十里與句容縣兩界

東陽鎮 在句容縣西北六十里郡國志云楚漢之際改秣陵爲東陽郡因名有館驛稅

務巡檢司

江寧鎮在江寧縣西南六十里有巡檢司

鄧步鎮在溧水州南一百二十里宋乾道四年差官收稅寶祐四年移東埧市收稅今有稅務盐倉巡檢司

孔家堽鎮在溧水州南四十五里

固城鎮在溧水州南九十五里

高淳鎮在溧水州南一百里有稅務巡檢司

舉善鎮俗名戴步在溧陽州南三十五里有稅務

杜渚鎮在溧陽州西南六十里乾道四年移稅額於溧水縣鄧步

古市按宮苑記吳大帝立大市在建初寺前其寺亦名大市寺宋武帝永初中立北市在大夏門外歸善寺前宋又立南市在三橋籬門外鬭場村内亦名東市又有小市牛馬市穀市蜆市紗市等一十所皆邊淮列肆裨販焉内紗市在城西北耆闍寺前又有苑市在廣莫門内路東鹽市在朱雀門西宋書有建康市南唐書有金陵市至今有清化市羅帛市而自昔言市者則以東市西市鳳臺鷺洲四坊之達爲市蓋即魚

市今銀行花行鷄行鎮淮橋新橋笪橋皆市也
南史徐度傳云徐嗣徽任約等來寇高祖與敬帝還都時賊已據石頭市壘居民並在南路去臺遥遠恐爲賊所乗乃使度將兵鎮冶城築壘以斷之以此知六朝市壘多在淮水北冶城東也通典梁有太市南市北市今太南北三市丞陳淮水北有大市自餘小市十餘所隋食貨志言陳時淮水北有大市十餘所置官司税歛既重時甚苦之晉史廷尉張闓住在小市南史宋廢帝元徽二年張敬兒破賊宣陽門莊嚴寺小市丹陽記曰苑城市謂之苑市秣陵有闘場市寰宇記云東晉咸和中置七尉右尉在紗市今屬上元縣鍾山鄉張篬王北莊前平地是也宫苑記南尉在草市北湘宫寺前其地在今上元縣治東北齊東昏侯宫中立宫市使宫人屠沽帝爲市魁陳後主重闕市之征以陽惠朗爲大市令金陵故事有鹽市即鹽渚也在縣東南三

里度闌揚都賦其寶貨則瑶琨琅玕青碧青珉
陽球散火陰田潜珍雲英水玉錯輝龍鱗煥若
金膏晃若銀燭琉璃冰清而外映珊瑚觸石而
上翹牙簟列文於象齒火布濯穢於炎焱西岨
石城則舟車之所會東盡金塘則方駕之所連
清化市今在北門内羅帛或云蘿蔔即路學街
魚市前志不載所在南唐近事程貞舉進士夜
夢烏衣吏告曰君與王倫廖衡陳度衛清並已
及第貞夢中驚喜理服馳馬詣省門見楊遂張
觀曾顗立街中謂曰牓在鷄行何忽至此貞悵
然而覺其年考功員外郎張佖擢知貢舉果放
楊遂等三人貞輩卒無徵應既夏内降御札尚
慮遺賢命張泊合人就中書重定泊果取貞等
五人附求春别牓及第明年歲在癸酉也慶元
志鷄行街自昔爲繁富之地南唐放進士牓於
此戚氏續志云銀行今金陵坊銀行街物貨所
集花行今曾襖街又呼花行街有造花者諸市
但名存不市其物清化甚僻故老言舊已然矣

湯泉市在上元縣神泉鄉湯山延祥院之前去城六十里

棲霞市在上元縣長寧鄉攝山棲霞寺之前去城四十五里

索墅市市有索墅坊在上元縣清化鄉去城五十里

泉都市在上元縣泉水鄉亦名龍都去城五十五里

東流市市有橋曰東流以水流自東因名之在上元縣宣義鄉去城四十里

花林市南至曹村五里北至大江十二里齊梁諸墳多在其地屬上元縣清風鄉去城三十五里

龍灣市在上元縣金陵鄉去城一十五里有稅務

竹篠市在上元縣長寧鄉去城五十里有巡檢司

蛇盤市 在上元縣開寧鄉去城二十里舊有館驛

麒麟市 在上元縣開寧鄉去城三十里

西干市 在上元縣長寧鄉去城四十五里

童橋市 在上元縣長寧鄉去城五十里

石井市 在上元縣長寧鄉去城二十五里

孟城市 在上元縣崇禮鄉去城二十五里

土橋市 在上元縣丹陽鄉去城六十里

湖熟市 在上元縣丹陽鄉去城六十里

新林市 在城西南二十里

板橋市 在城西南三十里

銅井市 在城西南八十里

東口市 在城南長干橋下東今烏衣巷口是

西口市 在城南長干橋下今西街口是

小口市 在城西南江寧縣安德鄉

朱門市 在朱門南

水橋市 在江寧縣歸善鄉

杜橋市 在江寧縣萬善鄉去城四十里

路口市 在城南七十里咸志作路橋市

倉頭市　在句容縣仁信鄉去城九十里

常溝市　在句容縣琅邪鄉去城七十五里舊有館驛

白土市　在向容縣來蘇鄉有稅務

高友步　俗名上步在溧陽州南二十五里

周城步　在溧陽州西南四十五里

上興步　在溧陽州西六十里

黃連步　在溧陽州西北五十五里

江寧有江寧市秣陵市金陵市　上元有淳化市

句容有東陽市下蜀市長寧市靖安市　溧水有

孔家岡市固城市高淳市溧陽有舉善市社渚

市皆見鎮内

街巷

右御街

按宫城記吳時自宫門南出至朱雀門七八里府寺相屬晋成帝因吳苑城築新宫正中日宣陽門南對朱雀門相去五里餘名爲御道夾道開御溝植槐栁梁武帝克東昏焚其奢淫服六十二揵於御街今自天津橋直南夾道猶有故溝皆在民居南唐御街也亦有

右御街在臺城西掖門外宫苑記云吳太初宫北玄武門直對臺城西掖門前路東即右御街是也其實自大司馬門出爲御街自端門出爲馳道自西掖門出爲右御街端門即閶闔門

朱雀街

按宫城記自宫門南出夾苑路至朱雀門七八里府寺相屬輿地志朱雀門北

劉宣陽門相去六里名爲御道夾開御溝植柳環濟吳紀曰天紀二年衛尉岑昏表修百府自宮門至朱雀橋夾路作府舍又開大道使男女異行夾道皆築高墻瓦覆或作竹藩吏闌楊都賦云横朱雀之飛梁豁八達之遐衢世說宣武出鎮南州謂王東亭曰丞相初營建鄴無所因承而制置紆曲方此爲劣東亭曰此丞相乃所以爲巧也江左地促不如中國若使阡陌條暢則一覽而盡故紆餘委曲若不可測今臺城在府城東北而御街迤邐向南屬之朱雀門則其勢誠紆廻深遠不可測矣侯景緣淮作塘自石頭至于朱雀街十餘里中樓堞相屬宋歖城劉悛司空勔之長子勔見害於朱雀街悛悛凡弟平生不行此路

焚衣街

在御街齊東昏侯製四種冠五彩袍一月中二十餘出晨出三更歸夜出清晨迄梁發東昏焚奢淫異服六十二種於御街後人號其所曰焚衣街

孔子巷 在青溪側大仁寺前古廟在長樂橋東一里輿地志云孔子廟在樂遊苑東隅青溪蓋聖嗣侯所奉之廟也舊在溪南丹陽郡之東南本東晉所立中廢宋元嘉十九年詔復孔子廟至齊遷於今處以舊地爲浮圖今名孔子寺亦名孔子巷在城東南五里古長樂橋東實録晉孝武太元十一年立宣尼廟故丹楊郡城中後移廟過淮水北以舊處爲孔子寺亦呼其巷爲孔子巷

國子監巷 今鎮淮橋北御街東舊比較務即其地南唐跨有江淮鳩集典墳特置學官濵秦淮開國子監里俗呼爲國子監巷又呼草巷

烏衣巷 在秦淮南晉南渡王謝諸名族居此時謂其子弟爲烏衣諸郎今城南長干寺北有小巷曰烏衣去朱雀橋不遠丹陽記烏衣之起吳時烏衣營處所也晉記江左初立琅邪

諸王居烏衣巷王敦謀逆導憂覆族使郭璞筮
之卦成嘆曰吉無不利淮水竭王氏滅子孫繁
衍世說王導曰使元規若來吾角巾還烏衣南
王僧虔爲御史中丞領驃騎將軍甲族由來不
居此官王氏分枝居烏衣者位官微減僧虔爲
此官乃曰此是烏衣諸郎坐處我亦可試爲爾
建康實録紀瞻立宅於烏衣巷屋宇崇麗園池
竹木有足賞翫焉劉斧摭遺載烏衣傳謂金陵
人姓王名謝因海舶
入燕子國妄言耳

運巷在今永壽宮相接沈約自序曰王父從官
京師義熙十一年高祖賜館于都亭里之
運巷世說叙録治城在今運巷東舊里
亭今俗呼爲黄泥巷戚志云當臨運瀆

主簿巷在明道書院右明道先生程純公嘗爲
上元主簿政教在人至今呼爲主簿巷

聖人巷事見撫寓

叅佐巷 在古東府城西金陵故亭會稽王鎮東府立驃騎亭通驃騎航叅佐巷在航西

察戰巷 按吴録官名有察戰舟陽舊有察戰巷在禪衆寺前舟陽記庾亮拒蘇峻宣陽門外七戰於此故又名七戰

竹格巷 按實録興嚴寺在運瀆東岸南直竹格渡即謝尚宅

白楊巷 在今府城東南十八里謝幾卿免官居白楊之石井又何晏居白楊巷與青楊巷蕭眘齊名

青楊巷 異苑云檀道濟居青楊巷宅是吴步闡所居諺云楊州青是鬼營自步及檀皆被誅

馬糞巷 南史王志家禁中里馬糞巷僧虔以來門風多寬恕志尤重厚歷官不以咎劾

人門下客嘗盜志車轄賣之志知而不問待之如初賓客遊其門者專覆其過而稱其善兄弟子姪皆篤學謙和時人號馬糞諸王爲長者

侍其巷 慶元志舊爲侍其氏所居多聞人今正南隅永安坊內有雉雞巷即此而訛

刁家巷 慶元志南唐刁彥能子孫居此巷因名今不聞此巷

五房六房巷 慶元志在府治門對南直街東西紹興初高宗駐蹕三省樞密院吏所居戚氏志杭州亦有此巷以居吏故云房或疑高宗留此不久當是南唐

句容有劉明府君巷 今張侶移醋庫劉明府君巷東後得舊井甘寒遂名

坊里

金華坊 唐實錄都城清明門對今湘宮寺巷門東出青溪橋正東面建春門直東興業

寺後度青溪菰首橋景雲中江寧令陸彥蔡於縣東開金華坊東逼青溪乃發菰首橋而於與業寺門前開大道造金華橋橋度青溪通潤州驛慶元志其地今上元縣治東北

翔鸞坊 南唐近事盧絳寓居翔鸞坊講熱病夢婦人令唊蔗事見摭遺

康樂坊 慶元志城東半山寺西舊名康樂坊晉謝玄封康樂公至孫靈運猶襲封今以坊及謝公墩名觀之恐是玄及其子孫所居

赤蘭坊 見赤蘭橋

鍾山坊 在宋行宮前東夾道

石城坊 在宋行宮前西夾道

東錦繡坊 在御街左

西錦繡坊在御街右

狀元坊二一在御街左東錦繡坊南一在府學南

報恩坊在御街右西錦繡坊南

安樂坊在御街右報恩坊北

金泉坊在御街右報恩坊南

嘉瑞坊在御街左狀元坊南戚氏志金泉南

舜澤坊在御街右金泉坊南

金陵坊在御街右舜澤坊南

建業坊在御街右鎮淮橋西北

長樂坊在御街左鎮淮橋東北

招賢坊在今臺治南

經武坊今臺治左

武勝坊在今臺治東北

細柳坊在舊都統司後軍寨前

青溪坊九曲坊並在臺治東

嘉會坊在舊總領所前

尊賢坊在明道書院之右即主簿巷

東市坊在魚市東

鳳臺坊 在魚市南

西市坊 在魚市西

鷺洲坊 在魚市北

長春坊 在東市之東

寬征坊 在西市之南

清化坊 **欽化坊** 並在西市之北

朝宗坊 **佳麗坊** 並在西市之西

保寧坊 在保寧寺前

廣濟坊 在舊廣濟倉南近水西門

武定坊在鎮淮橋東南

崇勝坊在鎮淮橋西南

慶元志載六朝及唐里名有翔鸞濵江舜澤嘉瑞九四與乾道坊名同蓋坊故里也乾道所載四廂二十坊曰在南坊四曰嘉瑞長樂翔鸞武定右南坊九曰承賢舜澤建業興政雅政鳳臺濵江永安敦教左北坊二曰鍾山招賢右北坊五曰立德脩文來蘇金陵清化其時城內分四廂猶今之隅廂有廂官掌民訟如雞行街今在西南隅

舊志云在右南廂是也戚氏云已上坊名與乾道不同者蓋初以一城分四廂四廂街巷總分二十坊後復各以其坊之街或巷揭以坊名今尚存焉舊志所云嘉瑞長樂等坊皆舊坊也至今里巷禱祀言所居坊則尚舉二十坊之名以翔鸞觀之則知其來遠矣景定皆弗録今並存之又按宋榷酤之所亦名坊溧陽志鼈橋坊東馬坊淛坊四十二處是也如石步鎮有羅落坊此村坊也梁蕭子範有直中舍坊賦此官寺之坊也

句容縣有鄠里坊躍鱗坊句曲坊宣化坊金陵坊僊賓坊禮教坊延賓坊興化坊東諫臣坊西諫臣坊東林教坊西林教坊凡十有三見縣志又曰古坊名既廢令張槩復立已無知者乃自縣河至十字街達于東門立坊十五曰升俊坊製錦坊宣化坊市

南坊天市坊東市坊舊市坊市比坊躍鱗坊市
橋坊和豐坊朝京坊鍾山坊向幽坊延賓坊內
四坊因
舊云
溧水州有崇德坊易俗坊仁和坊長壽坊新興
坊昭德坊樂安坊樂泰坊縣志作德安德泰棲賢坊泰
信坊凡十又來孝坊以乾道四年邑人伊小乙割肝療母病得名狀元
坊二以俞臬上舍吳潛進士並第一得名崇儒坊舊名崇化已上三坊並見縣志
凡四
溧陽州有育村坊後改登俊仁和坊瑞蓮坊永定坊
招遠坊凡五見本州志

長干里在秦淮南越范蠡築城長干丹陽記大長干寺道西有張子布宅在淮水南實錄云長干是里巷名江東謂山隴之間曰干建康南五里有山崗其間平地民庶雜居有大長干小長干東長干並是地里名
小長干在瓦棺南巷西頭出江

鳳凰里在今保寧寺後宋元嘉十四年大鳥二集秣陵民王覬園中李樹上大如孔雀頭足小高毛羽鮮明文彩五色聲音諧從衆鳥如山雞者隨之行三十步頃東南飛去揚州刺史彭城王義康以聞改鳥所集永昌里為鳳凰里後於寺築臺建樓

來孝里在溧水州即伊小乙所居里知縣陳嘉善牓其里旌之

鄉里見史志者吳丹陽賴鄉宋建康東鄉土山里秣陵都鄉石泉里謝濤宗愨墓乾道志鄉各書里

景定始遺之今故老知者亦鮮蓋初以鄉統里宋末易里之名曰保或曰管曰都由是相襲而失古矣今録前志所遺者

子游里 九域志言偃里在上元縣

金陵故事在縣東二十二里按索隱家語云言偃吴人仕魯爲武城宰今吴郡有言偃冢吴地記云宅旁有監洗石周廻四丈爲梁太守蕭正德將去莫知所在蘇州記曰周文學科孔子弟子言偃宅在常熟縣史記云偃吴人也字子游宅邊有監洗石云此偃爲吴人無可疑者不知故事何据而六朝事迹乾道志又承其誤也戚氏云史記元無監洗石之文秪曰吴人金陵固亦吴也故冢果在吴都古人或生或仕或游歴安得盡知里名相傳必有所自後常熟縣立吴公祠朱文公記曰縣有子游巷文學橋圖經又云故宅在縣西北舊井存焉今不復可見觀此

記考据又與前說不同大抵存古慕賢之意又唐開元追爵始封吳侯宋大中祥符二年定七十二公國號追封丹陽公故政和禮書稱丹陽公至高宗賛乃書唐封淳熙中遂改吳公竊詳丹陽可稱吳而常熟不可號丹陽太宗認定之時固有據也又言姓最少聞吳中有之然上元竹篠去城五十里言族成一聚落近年稍分居神泉鄉陽水及龍潭但里名改易未能訪其處自慶元志偏信蘇州之說景定遂削此里使子游的非吳人郡志亦當傳疑如儒童院之類況丈志故事存乎

禁中里 見馬冀巷

都亭里 見運巷

小郊里 梁武帝始至始熟柳憕與兄惲諸友朋於小郊游接慶元志在城南十五里或傳即吳大帝南郊壇所實錄所謂郊壇村戚氏云鳳臺鄉有此里又自有郊壇里

蔣山里

太清里 梁史

慶元志載六朝及唐里名十六曰**化義里** [illegible]

見南苑
定陰里 **建康里** **齊平里** **南塘里** 晉史王敦兵至御街沈充自青溪引軍與會至宣陽門北中郎將劉遐等率輕騎從南塘出橫擊之賊軍大潰世説祖車騎過江時公私儉薄無好服玩王庾諸公共就祖忽見裘袍重疊珍飾盈列諸公怪問之祖曰昨夜復南塘一出盖祖于時使健先鼓行劫鈔在事之人亦容而不問也時厮養逋亡多逃竄在南塘下諸船中或欲一時搜索謝公不許曰不容置此輩何以爲京師王荊公詩平時無盜出南塘
朔陰里 **桐下里** 疑即同夏
婁侯里 地有婁湖見江寧鄉
崇孝里 **翔鸞里** **濱江里** **舜澤里** **嘉瑞里** 翔鸞以下皆舊坊名
關場里 梁永明九年秣陵縣關場里安明寺有古樹衆僧段架屋伐爲薪剖木裏自然有法大德三字蓋即關場村
延賢里 見赤蘭橋
皆舊里名也

金陵新志卷四 十二

江寧縣鄉十八里八十六景定無龍山有長泰朱門今朱門一鄉別有沙洲鄉在縣西南菜園務在城東南今攄前志定古額二十三鄉

鳳臺三鄉縣東南二十里併大隱鄉爲一景定分東西二鄉

小郊里　**婁湖里**　**常樂里**　**金陵里**

安德鄉縣西南三十里併丹陽鄉爲一

洪塘里疑此即吳都賦橫壙

張野里　**佐幕里**　**清陵里**　**新林里**　**郊壇里**疑此即梁紀實錄郊壇里及村

董林里　**路西里**

新亭鄉縣東南四十里

子塘里　**顔壚里**　**商壚里**　**河亭里**　**梁壚里**

隨東鄉縣南四十里下干里五袴里向社里來晚里

光宅鄉縣西南四十里孟湖里龔亭里丁家里三山里平頭里

開元鄉縣南四十里白山里蒲[illegible]孝義里金井里

萬善鄉縣南五十里高村里佐村里經村里

光泰二鄉縣南五十里景定作長泰南北二鄉丹陽里永泰里崇義里

馴犛鄉縣東南六十里東金里湖頭里劉亭里秣陵
里
惠化鄉縣南六十里魯下里赤岸里三山里方期
里白都里
耆僊鄉縣東南七十里李塘里湖南里令東里
建業鄉縣南三十里時安里東林里魏亭里浦東
里東淮湖里塘頭里
永豐鄉縣東南九十里令西里上義里溧陽里
歸善鄉縣西南六十里歸化里仁壽里仁恭里歸善

里歸德里

觀真鄉縣西南七十里併孝感鄉爲一歸善里仁愛里仁惠里興德里長興尚署里大薄河湖里二里

盖四字名與下馬浦東西後黎陵尚例同

銅山鄉縣南九十里馬浦東西里施計里東西里濮里後黎陵尚里楊莊下溪里故堂尚署里

龍山鄉縣南九十里景定作朱門南北二鄉龍山里湯馮里朱門里前泊里馬里

横山二鄉縣東南百二十里景定分南北靈仙里横水里岳陽里大覲里龍窟里甘泉里石塘里

上元縣鄉十八里五十二州縣鄉里采戚氏志及州縣志所載名目

金陵鄉縣北東里西里

慈仁鄉縣東北東里北里

鍾山鄉縣西北泉水里南里北里

北城鄉縣東北一名龍城鄉東里西里

清風鄉縣東北上里中里下里

長寧鄉縣東北併為政鄉為一長亭里東里西里

惟信鄉 縣東景定改名爲政 惟信里

開寧鄉 縣東北 開義里 開元里

宣義鄉 縣東 東里 西里 南里

鳳城鄉 縣東 西里 中里 東里

清化鄉 縣東併崇信鄉爲一 崇信里 崇林里 清化里 長

澗里

神泉鄉 縣東北 神泉里 萬安里 上達里 郭干里

丹陽鄉 縣東南 新興里 平子里 新建里 永寧里

丹陽里

崇禮鄉縣東南建康鄉併西里東里南里中里北里

泉水鄉縣東南西里東里

道德鄉縣南道德里埂頭里銅山里

盡節鄉縣南東里西里

長樂鄉縣東上里中里下里孫報作賢鄉

句容縣鄉十六學信鄉里三立盤石今廢乾道景定志云里五十八乾道有長年無直道

通德鄉乾道云元名同德在縣西二十里一都二都興衍里嚴壚里史亭里豐亭里新里市干樊楚言郎磨店頭上嚴壚下嚴

墟七村

福祚鄉 縣西南三十里三都四都 **祐善里** **義城里** **清城里**

次戴里 黃堰三汊南岡青城步四村

臨泉鄉 縣西南五十里五都六都 **潤下里** **仁愛里** **章亭里**

楊亭里 石秋丁墟夾山黃連墅花塘東釋斗門西釋湯巷九村

上容鄉 縣西南六十里七都八都 **寬仁里** **葛亭里** **高平里**

湯亭里 **崇信里** 乾道作敦信陳莊五渚張莊蘆蓼望湖岡五村

承僊鄉 縣南八十里九都十都 **得道里** **魯亭里** **白陽里**

靈峰里 浮山天王堂二村

政仁鄉 縣南九十里十一都十二都
化俗里 **周亭里** **安亭里** 朱墟穀成朱莊白沙上干五村
茅山鄉 縣東南五十里十三都
僊居里 **朱陽里** **水南里** 戍村黃莊步塘前潘太陽吳墟六村
崇德鄉 縣南四十里十四都十五都
溫泰里 **徐亭里** **解亭里** 於鄉西城觀莊三村
句容鄉 縣東南三十里十六都十七都
祥符里 **單墟里** **黃干里** **直道里** 曹莊呂坊黃干蔡墓四村直道乾道後置
來蘇鄉 縣東三十里十八都
得仁里 **秦亭里** **東鎮里** **西**

鎖里黄莊秋干蕭亭畢塔灣王瀆店行香徐村前馬後馬九村

望僊鄉縣東北四十里十九都二十都

豐義里 降真里 次榮里奉聖荊塘二村

移風鄉縣東北三十里二十一都二十二都按乾道志舊有長年里

楊塘里 戴亭里 安陽里 行化里元名行香乾道作行香搵河小干栢莊楊塘官莊楊家莊六村

孝義鄉縣北三十里二十三都

上應里 下應里 王亭里佴墅和尊穀香十八石四村佴音耐姓也

仁信鄉縣北五十里二十四都元名稷仁乾道志改仁信

愛人里 亭

子里 石橋里亭子迸風六里店三村

鳳壇鄉縣西北四十里二十五都二十六都二十七都

祥禽里 韓亭里 黄行里陳莊三口柴溝赤峴倉頭五村

琅邪鄉縣西北五十里二十八都二十九都

橋居里 鮑亭里 西亭里 洛亭里鮑亭漸倪新塘東干西干黄野羅家七村

溧水州鄉十七里四十七舊圖鄉十九今廢固城孝義二鄉咸淳縣志今分四十八都

上元鄉州東南三十里見縣志下同

高坡里 興塘里

思鶴鄉州西三十五里

良西里 解塘里 上方里

贊賢鄉 州南三十五里 分東里 宋亭里 孫亭里

白鹿鄉 州東南五十里 裴塘里 楊塘里 澗西里

豐慶鄉 州東四十里舊名龍慶 招賢里 劉方里 澗北里

歸政鄉 州東北四十里 前西里 匠南里

崇賢鄉 州北四十里 永寧里 崇德里 蒲塘里

長壽鄉 州北三十五里 承恩里 臨前里

山陽鄉 州西南四十里 西北里 花溪里 青林里

崇教鄉 州西南一百二十里 前湖里 薛城里 南塘里 永康里 清化里

游山鄉州南百一十里南亭里東史里

僊壇鄉州東南七十五里紫西里石南里馬沇里

安興鄉州東南一百里豐樂里李溪里荆塘里

儀鳳鄉州南七十五里大曆里傅南里和順里

永寧鄉州西南百三十五里舊名永安新安里永上里登雲

里

唐昌鄉州東南一百二十里水北里水南里

敦信鄉州西南九十里景定改為立信寺後里許東里

溧陽州鄉十三里十八舊領鄉十七端拱元年割昭德豐樂彰德三鄉

屬建平縣嘉祐六年分成樂鄉併入
永成福賢二鄉乾道鄉十二里十三

永成鄉 州東北 **良方里** **沙漲里** 乾道志無沙漲

福賢鄉 州東唐曰招賢 **新建里**

崇福鄉 州西南唐有 **青安里** **郵亭里**

明義鄉 州西 **茭山里** **黃山里** **新昌里** 乾道志止有茭山里

惠德鄉 南唐有 **高友里**

德隨鄉 州南 **虞步里**

從山鄉 州西南 **下宅里**

桂壽鄉 州西南 **廬塘里**

奉安鄉州西北

前文里乾道無

崇來鄉州西北

舊縣里

來蘇鄉州北

前馬里

允泰鄉州北

上梅里

下梅里乾道無上梅

允定鄉州北唐曰永安

允安里乾道作永安

鋪驛館舍附

驛路五十一鋪每鋪相去十里

東門鋪

雙牌鋪舊名東十里鋪

蛇盤鋪俗作佘婆

麒麟鋪

東流鋪

張橋鋪

崑崙塸鋪 以上七鋪屬上元縣
江城湖鋪

宣家峴鋪 今名青山
山口鋪
蘭林鋪

下蜀鋪
紀家店鋪 以上六鋪屬句容縣

右十三鋪係東路直抵鎮江路界炭渚鋪

土門鋪
夾塸鋪
逢店鋪

清水亭鋪
玄武橋鋪 舊作□墓
秣陵鋪

李村鋪
路口鋪
烏剎橋鋪 以上九鋪屬江寧縣

方塸鋪
石頭塸鋪

烏山鋪
齊家店鋪
南亭堽鋪
南十里鋪
蒲塘鋪
三角子鋪
孔家堽鋪
土山鋪
羅家林鋪
戴公堽鋪
溧橋鋪
朱家店鋪
湯師娘鋪
松兒堽鋪
以上十六鋪屬溧水州
右二十五鋪係南路直抵廣德路界
顧置鋪
越臺鋪
石子堽鋪
官莊鋪
板橋鋪
三城湖鋪
江寧鎮鋪

青松林鋪　銅井鋪　葛家壋鋪 以上屬江寧縣

右九鋪係西路直抵太平路界慈湖鋪

府前鋪　西門鋪　石碑衝鋪

靖安鋪 以上屬上元縣

右四鋪係北路直抵滁州界宣化鋪

驛路十一鋪每鋪相去二十里此係諸縣不通

驛路郵遞傳之路

右井鋪　七里堽鋪

右二鋪屬上元縣界

周郎橋鋪　縣西門鋪

右二鋪屬句容縣界

縣東門鋪　茭塘鋪　破湖鋪

右三鋪屬溧水州界

黃連步鋪　中橋鋪　烏山村鋪

縣西門鋪

右四鋪屬溧陽州界

在城金陵驛

水站 在正東隅青溪坊保前宋制置司僉廳地基東至溧水州二百四十里南至大城港水站六十里北至龍灣水站三十里管船一十九隻

馬站 在青溪坊前宋試院地基東至東陽馬站七十里南至江寧馬站五十里東南至溧水州馬站一百二十里正備馬八十八疋

江寧縣水馬站

江寧馬站 在江寧鎮正備馬五十疋

大城港水站 在沙洲鄉去縣三十里船二十五隻

上元縣龍灣水站 在金陵鄉去縣十五里船二十二隻

句容縣水馬站

東陽馬站 至在城金陵驛七十里正備馬五十疋

水站 至龍灣站一百二十里管船二十二隻

下蜀馬站 至東陽站四十里到鎮江路六十里正備馬四十疋

老鸛觜馬站 至東陽站三十里正備馬二十疋

溧水州中山驛 在州惠政橋西南正副馬六疋

溧陽州館驛 一所在本州永定坊至元二十四年置立正副馬六疋

永寧驛 舊基在宋總領所西門鴛橋之南

江寧驛 在江寧縣西南五十里

秣陵驛 在江寧縣南五十里

石頭驛 張九齡有候使石頭驛樓詩李白答裴侍御先行至石頭驛以書見招詩云君至石頭驛寄書黃鶴樓

夢筆驛 江淹本集云嘗宿於冶亭夢見一夫自稱郭璞謂淹曰吾有筆在公處多年可以見還淹乃探懷中得五色筆一以授之爾後爲詩絕無美句時人謂之才盡按建康有冶亭在冶城送別處有冶渚類亦有亭又有東冶亭在秦淮上皆六朝士大夫餞送之所淹本集所載始末皆建康事也庚溪詩話云夢筆驛江淹舊居不詳所在今建寧路浦城縣有夢筆山山下有江淹祠有夢筆里楊文莊公真西山皆嘗讀書其所乃淹爲吳興令處耳

金陵驛 亦名蛇盤驛在上元縣長樂鄉蛇盤市佘婆音之訛也今水馬站總名金陵驛在城中

東陽二驛 西至金陵驛四十五里今爲水馬二站

紫灊驛 西至東陽驛十五里

下蜀驛 西至紫灊驛十五里東至鎮江路界十五里今有馬站

望僊驛 舊在句容縣治南元豐二年移縣治東

溹橋驛 在溧水州南七十五里

官塘驛 在溧水州東南二十五里

坊壚驛 在溧水州北三十五里

淮源驛 在溧水州東北五十五里

儀賓驛 在溧水州南一百一十里

招賢驛 在溧水州南一百一十里

蒲塘驛 在溧水州南二十五里

白馬驛 在溧水州東南四十里

延賓驛 在溧水州西四十七里

青陽驛 在句容縣東二十里

竹里驛 在句容縣北六十里倉頭市戚志一作竹亭

雲亭驛 在句容縣

昭華驛 在句容縣開寶中契圮太平興國二年移縣街東或云望僊驛是也

臨江驛 岑參有詩見陳軒金陵集

右自永寧驛以下皆舊驛名今廢

古六館曰顯仁集雅顯信來遠職官行人宮苑記國館六一曰顯仁館高麗使二曰集雅館百濟使三曰顯信館吐蕃使四曰來遠館蠕蠕使五曰職官館于陀利使六曰行人館比方使顯仁在青溪中橋五館並相近惟行人館在婁湖籬門外

又梁時學館亦名集雅表講其義

貢計館宮苑記在府子州土郡貢上計及士人與計偕者憩此館孫鉉詩燕沒閶風亭川流貢計館

任子館吳志諸將屯戍並留任子爲立任子館晉咸和五年除之實録注地在樂遊西對今棲玄寺門晉有江左其制不改至此年除之在覆舟山南歲久堙廢不復可辨地近占迹

北郊壇陳書大建十四年詔可檢任子諒及東館并帶保任在外者賜衣糧酒食遣之

客館 在城南十三里隔岸蔡洲晉陶侃嘗屯此丹陽記吳時客館在蔡洲上以舍遠人舊志南史宋初置南北客館主四方賓客後爲四方館此其始云

唐信義館 王昌齡有詩

湯泉館 乾道志在上元縣神泉鄉湯山下徐鉉有湯泉舊館詩遺址今存云

江寧館 舊館姚希得建

警清館 即客亭基在龍灣今爲水驛

儀賓館 舊名以沒官屋改車馬小駐之地今爲南軒書院

需館 沒官屋改在小木頭街見景定志

金淵館 溧陽志在州治後臨溪今爲織染局

通江館 **橫江館** **德星館** 見後古迹

水館 乾道志在折柳堂東莱清臣建張伯玉記按舊圖在月堂西月堂基即通江館也

道路

秦皇馳道 秦始皇三十六年東遊自江乘渡江馳馬於此古志詒役赭衣三千人開馳道故曰丹徒相傳自江乘徃鎮江大路是也漢賈山曰秦東窮燕齊南極吳越蹕道廣五十步隱以金椎樹以青松爲馳道之麗至於此使其後世曾不得邪徑託足焉

吳帝馳道 吳都賦云朱闕雙立馳道如砥

宋帝馳道 宋書大明五年孝武初立馳道自閶闔門至朱雀門爲南馳道又自承明

門至玄武湖爲北馳道八年罷南北二馳道景和元年復立宮苑記宋築馳道爲調馬之所

小丹陽路 今在江寧縣橫山鄉金陵鎮西南三十里與太平路當塗縣接界里俗猶呼丹陽晉歷陽内史蘇峻叛陶回謂庾亮曰峻知石頭有重戍不敢直下必向小丹陽南道步來宜設伏邀之可一戰擒也亮不從峻果自小丹陽來迷失道夜行無復部伍亮聞乃悔之

黃城大路 在今上元縣清風鄉黃城村梁侯景遣軍至江乘拒邵陵王綸趙伯超謂綸曰若從黃城大路必與賊遇不如徑指鍾山突據廣莫門出賊不意城圍必解

湖頭路 在今玄武湖東北南史崔慧景奉江夏王内向中領軍王瑩都督衆軍據湖頭築壘上帶蔣山又王敬則舉兵沈文季持節都督屯湖頭備京口路

白楊路 在城南十里石岡之橫道陳始興王叔陵叉部麾下度小航將趨新林蕭摩訶

追擒於
白楊路

竹里路 在句容縣北六十里倉頭市東有竹里橋南邊山北濱大江父老云昔時路行山間西接東陽遶攝山之北由江乘羅落以至建康宋武帝討桓玄其路經此今城東佘婆岡至東陽路乃後世所開非古路也

謝玄走馬路 在上元縣崇禮鄉土山下至今不生草木詳見土山下

姜巴路 在小茅山後通延陵真誥秦時有士周太賓及巴陵侯姜叔茂者來住句曲山下秦孝王時封侯故以姜巴名其路

上容路 見破岡埭

橋梁

郡報州司縣橋道總一百五十八處與前志不同今存其舊

天津橋 宋行宫前舊名虹橋政和中蔡薿建爲石橋號曰蔡公橋後改今名天津本西京大内前橋名即東都邵雍聞杜鵑處今移其名於此不忘京師之思也

鎮淮橋 在今府城南門裏疑即朱雀航所此橋石甃鐵局按世説敘録及輿地志丹陽記皆云吳時南津橋也名曰朱雀航大寧二年王含軍至丹陽尹温嶠燒絶之以遏南衆定後京師乏良材無以復之故爲浮航至咸康三年侍中孔坦議復橋於是税航之行者具材乃值苑宫初創材轉以治城故浮航相仍至太元中驃騎府立東航改朱雀爲大航晉起居注曰白舟爲航都水使者王遜立之謝安於橋上起重樓上置兩銅雀又以朱雀觀名之實録云咸康二年新立朱雀航對朱雀門南渡淮水亦名朱雀橋本吳南津大航橋也王敦作亂温嶠燒絶之權以浮航往來至是始議用杜預河橋法長九十步廣六丈冬夏隨水高下浮航相仍至陳

每有不虞之事則剔之晉書王敦作逆明帝以應詹都督朱雀橋南諸軍事齊高祖討袁粲黃回與粲通謀蕭順之率家兵據朱雀橋回遣覘之遂不敢出梁高祖以義師伐東昏東昏使江道林率兵出戰退保朱雀航馮淮自固又遣王珍國等列陣於航南開航背水以絕歸路與王茂等戰敗一時投淮死者積屍與航等後至者乘之以濟北齊兵至故秣陵陳高祖分兵禦之遣杜稜頓航南元徽中賊黨杜黑蠡分軍向航劉勔禦之敗死侯景兵至航建康令庾信率兵屯航北見景至命撤航始除一舶棄軍走南塘遊兵復閉航渡景乘勝至闕下

飲虹橋

一名新橋在鳳臺坊實録南臨淮有新橋本名萬歲橋後改名飲虹新橋乃吳時所名至今俗呼爲新橋襲其舊也乾道五年史正志重建上爲大屋數十楹極其壯麗與鎮淮橋並新立崇記之開禧元年丘崇重建劉叔向記之寶祐四年馬光祖重建梁椅記之鎮淮

橋每與比橋同建

日華橋 在宋行宮城東華門跨伏龍河

月華橋 在宋行宮城西華門跨伏龍河

東虹橋 在行宮之左今臺治之北馬光祖書榜

西虹橋 在景定橋北今龍翔寺東馬光祖書榜戚氏云橋北皆南唐以來廢宮橋若小虹飛虹之屬是也

景定橋 在舊永寧驛北本名清化俗呼爲閱駕橋景定二年馬光祖重建改今名自書榜跨運瀆

天平橋 在龍翔寺西南舊名欽化又呼笪橋俗傳茅山二十六代笪宗師所建景定二

小三十九年馬光祖改今名自書榜跨運瀆

鼎新橋 在太平橋西舊名小新景定二年馬光祖重建改今名自書榜

乾道南北二橋 在古運瀆上今斗門橋北二橋相望乾道中洪遵建景定二年馬光祖重建自書榜

斗門橋 在乾道南橋之南景定二年馬光祖重建自書榜跨運瀆戚氏志其側舊有風亭在折柳亭東

武定橋 在鎮淮橋東北淳熙中建景定二年馬光祖重建自書榜舊名嘉瑞浮橋又曰上浮橋時長樂爲下浮橋也

崇道橋 在永壽宮東景定二年馬光祖重建自書橋榜

武衛橋 在永壽宮西舊名望仙橋景定二年馬光祖重建改今名自書榜

廣富橋 在月華橋北跨伏龍河景定二年馬光祖重修

武勝橋 在今臺治東北親兵教場即北門橋

青溪七橋 景定志按實錄注云最北樂遊苑東**門橋** 樂遊苑在覆舟山南橋宜與今散福亭相連 次南**尹橋** 今潮溝大巷東出度此橋次南**鷄鳴橋** 即輿地志所謂今新安寺南東出閶善寺路度此橋 次南**募士橋** 吳大帝募勇士處 次南**菰首橋** 一名**走馬橋** 橋東燕雀湖湖連齊文惠太子博望苑輔公祐築其地爲城唐陸彥恭開爲金華坊別立橋見前坊内燕雀湖在城東二里周廻二里流入青溪乾道志云俗傳斜

橋即走馬橋又云東虹橋一名斜橋俗傳走馬橋慶元志云迎仙橋舊在府治後俗呼斜橋久廢府後圃山光閣是其處而景定遂云府治東有斜橋即是走馬橋今以寶録建春門東出地里觀之乾道景定言斜橋即走馬橋名偶同爾次南青溪中橋在湘宮寺門前巷東出度溪東有挑花園是齊太祖舊宅亦名芳林園今上水閘里俗相傳青溪中橋路齊書始安王遙光反曹虎領軍屯青溪中橋陳書晉王廣命斬張貴妃牓于青溪中橋即此次南青溪大橋石邁古迹編云東出句容大路歷此橋西即陳尚書令江總宅今上元縣東南百餘步段氏居乃江總宅也橋宜在此宅之東歲久堙廢今不復有橋矣舊稱青溪九曲蓋自玄武湖引水從東北縈廻達于秦淮其曲折

有九故於其間跨橋有七今城外青溪皆已堙塞橋廢久矣惟城内僅存一曲溪上長橋有四皆馬光祖所作今城東北有渠北通玄武湖南行經散福亭橋竹橋抵府城東北角外西入城濠里俗呼爲長河即古青溪本自今竹橋西西南行五代楊溥於此截溪立城由是青溪半在城外其在城中者久塞但城東北隅迤邐至上元縣治東南上水閘以西一帶青溪遺迹或見或隱橋亦不詳所在

運瀆吳橋按實録云**孝義橋**本名覽子橋次南**楊烈橋**宋王僧虔觀鬭鴨處次南**西州橋**宜在今笪橋西次南**高曄橋**古建康西尉在此橋西建興寺北路東出度此橋宜在今乾道橋左右次南

禪靈橋 齊禪靈寺在運瀆西岸由興嚴寺前西出大路度此橋 次南運瀆臨淮有一 **新橋** 對禪靈渚渡 宜在今斗門橋上下舊有過淮水橋名新橋亦名萬歲橋 景定志云由古城西南行者是運瀆 右城苑城也 吳大帝赤烏三年使御史郄儉鑿城西南自秦淮北抵倉城名運瀆即此瀆是也今宮城西北興嚴寺前有溝迤邐至清化市東乃古運瀆但自此西南悉堙塞不復可辨其東南爲宮城西塹疑非古迹然由宮牆塹至清化橋西折過欽化橋再南則運瀆舊迹復見今乾道橋

一帶河是也六橋所在亦可髣髴得其次第清化橋即閃駕橋又呼閃虹音降欽化橋即笪橋馬光祖皆重建易名詳見前各橋下

飛虹橋

楊文公談苑云徐常侍鉉仕江南日嘗直澄心堂每襆被入直至飛虹橋馬輒不進裂鞍斷轡箠之流血掣韁却立鉉貽書餘杭沙門贊寧答云下必有海馬骨水火俱不能毁惟漚以腐糟隨毁者乃是鉉劚之去土丈餘果得巨獸骨上脛可長三尺腦骨若斷柱積柴焚三日不動以腐糟纔漚之遂爛焉南唐有虹橋小虹橋飛虹橋皆傍宮墻也

南渡橋

李白與酒客數人棹歌秦淮往石頭訪崔四侍御詩云捨舟共連袂行上南渡橋乃秦淮上橋也今不詳其處

張侯橋 吳張昭所造故名晉義熙六年盧循焚查浦進至張侯橋其地在今城南不詳其處

赤蘭橋 杜祭酒别傳曰桓宣武館于赤蘭橋南延賢里今城南有赤蘭坊橋不詳其處

長樂橋 唐秦淮上有長樂橋又曰長樂渡在縣東南六里今桐林灣是其地隸長樂坊

獅子橋 在古湘官寺北

回龍橋 在城西門

白下橋 一名上春橋在城東門外其側有白下亭嘉泰四年劉叙向作重建橋記金陵爲六朝故都風土遺跡歷歷可攷自上元縣治東行里許有橋曰白下白下之義訪諸故老無傳焉宋元徽閒遣征北將軍張永屯白下唐武德中遷金陵縣於白下村其地盖在東晉白石

壘之下也或以白下之名不宜舉子攺名上春

長干橋 在城南門外五代楊溥城金陵鑿濠引秦淮逵城咸淳乙丑馬光祖新創

萬歲橋 見上運瀆

通波橋 舊志府治東南臨舊放生池

黿池橋 舊志在通波南乾道中建

通濟橋 钱象祖建今有小橋在路學東南當是

迎仙橋 俗呼斜橋見舊府治内

皂莢橋 見曹景宗傳

銅橋 在城東十里按五代史李昪昪昪无三年十月以步騎八萬講武於銅駝橋今字作桐

小四

訛也

高橋 在城東十五里屬上元縣長樂鄉金陵故事云梁亂庾信爲建康令守朱雀門衆潰臺城門已閉信走騎猿於此橋信有哀江南賦注云吳郡圖經以臯伯通所居因名其橋曰臯後人轉臯爲高南史徐嗣徽等復入丹陽至湖熟侯安都率馬步拒之於高橋又戰于畊壇南按郡國志吳郡通門內有橋即漢臯伯通居此橋以得名梁鴻賃舂之所是吳自有臯橋在建康者乃高橋也庾信賦南史皆曰高崔令欽注石邁古迹編易高爲臯紹興十七年本縣新治橋路易榜曰臯橋因承其誤失於不考耳

石步橋 在城東北四十五里即古羅落橋也宋高祖起義丹徒進至羅落橋遇皇甫敷檀憑之戰死即此地下有羅落浦北入大江又有羅落坊羅落干羅落山皆在其處今石步酒

坊名羅諮坊

錢公橋即**章橋**以西接張山亦曰張橋在府城東北五十七里上元句容二縣以此橋爲界

復古橋屬上元縣長樂鄉去縣十四里宣和間賜鍾茅山經此地橋損壞塞紹興十年復之改名復古橋

葛橋在上元縣崇禮鄉方山東南齊書李安民破建平王景素於葛橋

墅城橋在城東三十里即晉謝元别墅之所

檀橋在青溪按齊書劉瓛以儒學冠於當時京師士子貴遊莫不下席受業瓛住在檀橋瓦屋數間上皆穿漏學徒敬慕不敢指斥呼爲青溪

亭子橋在上元縣清風鄉黄城之東徐鉉棲霞寺新路記云建高亭於路周跨重橋於川上即此橋也里俗呼爲亭子橋去棲霞寺三里今土橋危險夏潦則民皆病涉

周郎橋在城東八十里上元縣丹陽鄉湖熟鎮下臨横塘石邁古迹編云舊傳周瑜嘗至此按吳書瑜渡秣陵破笮融薛禮轉下湖熟此橋正通秣陵必瑜當時經歷之地

土橋在城東七十五里

西流橋在城東北三十里

東流橋在城東北四十里

安濟橋在城東北四十里即東流市橋淳熙十二年錢良臣重修改今名

韓橋在城東北三十里

白水橋 在城東北二十里

楊堰橋 在城東二十里

走馬橋 見前猪首橋下

霸橋 在城西北八十里分句容界

右隸在城録事司及上元縣境

板橋 在城西南三十里吳後主闔晉師將至甚懼自選羽林精甲配沈瑩孫震等屯于板橋晉將周浚張喬等接戰破吳軍瑩等皆遇害金陵故事云晉代吳丞相張悌死之冢在板橋西實録晉簡文帝嘗與桓溫及武陵王晞同載遊於板橋溫遽令鳴鼓吹角車驅卒奔欲觀其所爲晞大恐求下車帝安然無懼色溫由是憚服

新林橋 在城西南一十五里揚州記云金陵南沿江有新林橋即梁武帝敗齊師之處

白板橋 在城南梁武帝次江寧呂僧珍與茂進軍於白板橋築壘壘立茂移頓越城僧珍守白板

秣陵橋 在城東南五十里

五城橋 唐景雲中造以度淮廣明元年廢于火南唐保大十年重造宋開寶八年又廢詳見後五城渡

杜橋 在城東南三十里戚志云有堰長五里闊丈五尺堰杜橋浦水

江寧橋 在城南六十里臨江寧浦

木龍橋 在城南七十里古牧放之所亦作牧牛

河亭橋 在城東南一十五里

馬務橋 在城東南二十五里唐置馬務於此

真武橋 在城東南三十七里有堰長三里闊二丈堰浦水通秦淮河

令橋 在城東南七十里臨令水

烏刹橋 在城東南九十三里慶志一名烏鵲

牧馬橋 在縣東南三十九里南朝放牧者在此南出有浦水闊三丈深一丈有橋乾道志一名牧馬堰在城西南七十里長三里闊二丈五尺堰牧馬浦水

右隸江寧縣境

白鶴橋 在縣東南三里一十五步茅君内傳云大茅君每年十二月二日駕白鶴於此

會諸眞故以名橋

沈公橋 在縣南二十五里沈公謂沈慶之也

赭渚橋 在縣東一里二百四十一步

歸善橋 在縣南一里一百七十五步

於鄉橋 在縣南二十五里

西霸橋 在縣南三十二里

降靈橋 在縣東南二十七里

義城橋 在縣南二十里

高平橋 在縣西南三十五里

[illegible]橋　在縣東五里

柳橋　在縣北二十五里前柳橋後柳橋

懸妻橋　在縣西十五里

宣家橋　在縣西北三十里

永安橋　在縣南七里下有小港歸於秦淮

降真橋　舊記云在玉晨觀西句容路三十里橋是也

盧壇橋　在縣南三十里

集僊橋　在縣南有詩石可攷

劉師橋　去縣七十里

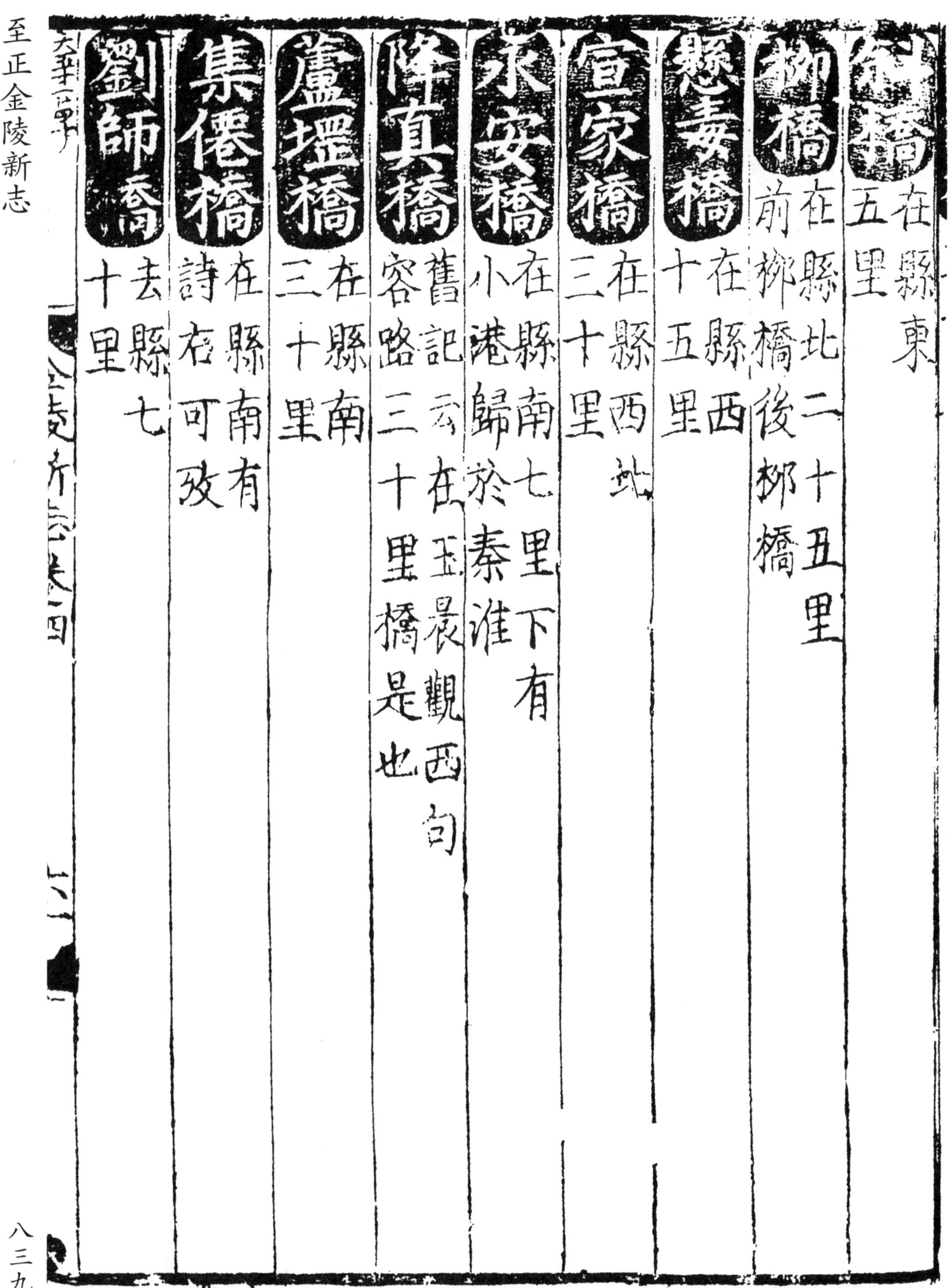

蘇行橋　在縣北二十里

泥灣橋　去縣十四里

紅鶴橋　在縣東四十五里

陶堰橋　在縣南五十五里

新昌橋　在縣南五十里

石鼓橋　在縣北六十三里

張堰橋　在縣北五十里

淡塘橋　在縣南六里

張橋　在縣南二里一百七十五步

公陸橋 在縣西十五里

肖塘橋 在縣東二十五里

杜壇橋 在縣西九里

周郎橋 在縣西二十里

土橋 在縣西二十五里

湖西橋 在縣南三十五里

牛橋 在縣南四十里

華橋 在縣北三里

謝家橋 在縣南四十里

荆干橋在縣南五十里

右隷句容縣境以上見圖志景定至今橋名更易不同今再詳録縣東東橋元名陽公斜橋黄干橋張橋王大橋澤溪橋九六縣西華家橋社塘橋沿陸橋周郎橋河橋九五縣南南橋元名政惠義城橋孫項橋蘆江橋蕭里橋九五縣北紀華橋郟橋開明橋竹里橋劉師橋彭橋九六縣東南白羊橋於鄉北橋於鄉南橋王社橋西霸橋馮澤橋降靈橋常寧鎮橋凡八縣西南沈公橋西橋經干橋高平橋凡四縣東北小干橋光里橋清陽橋坎壇橋凡四縣西北張橋包橋澗西橋凡三總四十一橋又舊有下堰橋去縣九里若竹橋去縣二十五里皆未詳方所

臨淮橋 一名惠政橋在州南二十步其下即秦淮水

通濟橋 在州南二十五步

巫家橋 在州寨外三百步戚志作夾家橋

樓賢橋 在州南門外西南

易俗橋 在州市中

望京門橋 在州北一里

南門橋 在州南門外皇祐間邑人劉應之重建石橋僧從雅作記刻石

唐家橋 在州市西二百五十步

樓家橋 在州南門外二百七十步

馬沉橋在州南三十七里

利涉橋在州北三里俗呼虎捍橋

安政橋在州北三里俗呼翻車橋

戴公橋在州南一十里

俞初橋在州南一十里舊圖作俞母橋

大覺橋在州東南八里

莆塘橋在州南二十五里今廢

白沛橋在州東北三十五里

長樂橋在州東北二十五里

李墅橋 在州東北三十里

張墅橋 在州東北三十里

段亭橋 在州東六里

板閣橋 在州東二十五里

王師橋 在州東三十三里咸志一名王四師橋

神靖橋 在州東南四十三里舊名神龍橋知縣李朝正易今名

白馬橋 在州東南四十里

梅塘橋 在州東南一百二十里

鄒步橋 在州東南一百二十里

張沛橋 在州東南八十五里

永昌橋 在州南九十里舊圖云呼爲閶城橋

添橋 在州南七十五里

馬墅橋 在州西一十五里

石埭橋 在州西二十五里

湯橋 在州西四十里

孟橋 在州西三十五里

錢埭橋 在州南三十五里

許村橋 在州東南一十二里

西門橋 在州西臨淮門外

烏剎橋 在州北四十五里接江寧界有堰閘丈八尺

右隸溧水州境

硯瀆橋 在州東北相傳云晉謝公滌硯于此

東石橋 在州東門外

新建橋 在州南門外

謝家橋 在州東

通微橋 在州東南一里戚志今爲二賢橋

仙人橋 在州南十五里戚志西北有釣魚臺仙人迹

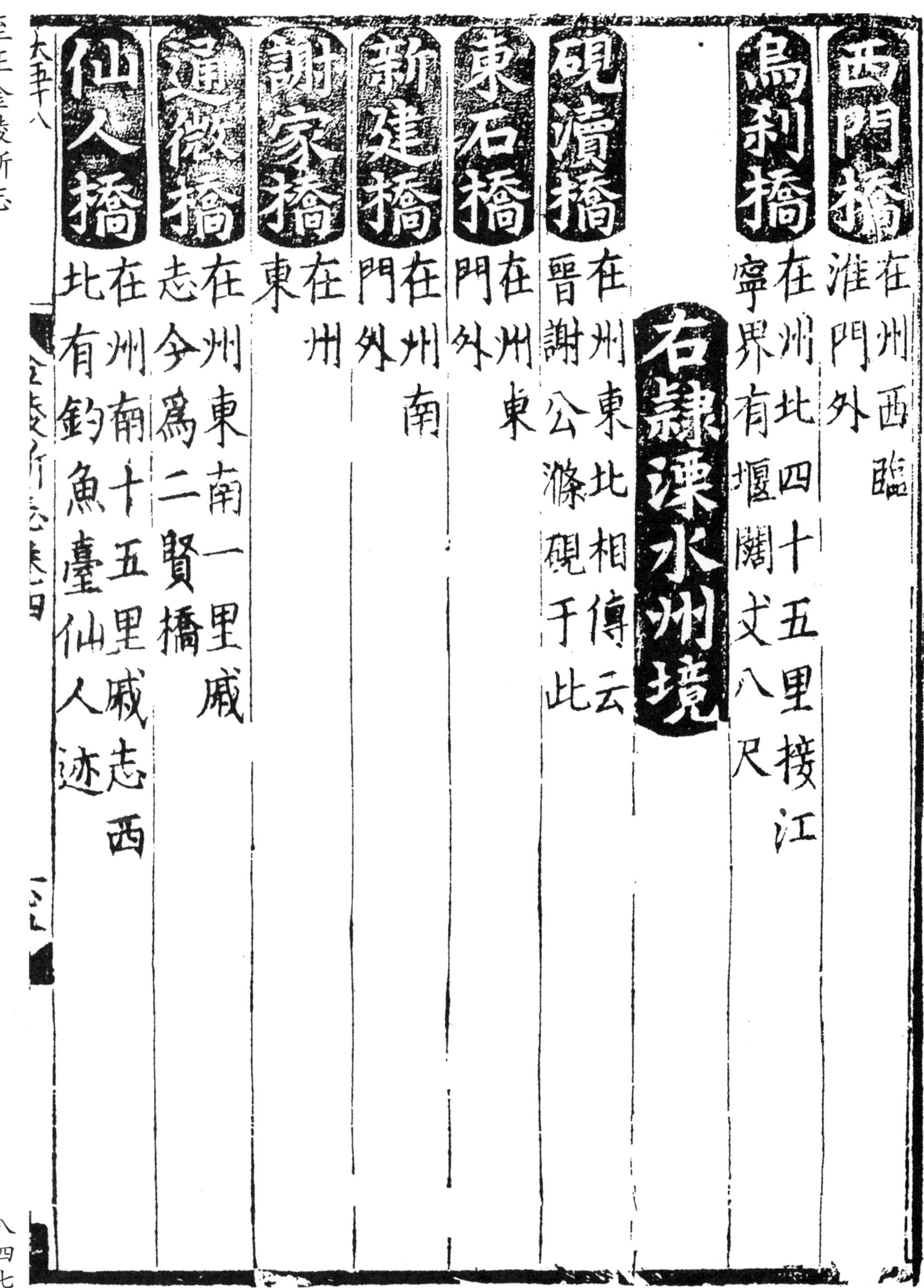

南崑崙橋 在州東南十八里

北崑崙橋 在州北十里

鄉黨橋 在州南三里

高要橋 在州南二十五里通廣德路

高友橋 在州南三十里

故縣橋 在州東南一十五里

青安橋 在州西三里

平陵橋 在州西北三十里今俗呼湖瀆橋或名沙灘橋平陵城在橋西一里

奉橋 在州南五十里

上興步橋 在州西北六十里

黃連步橋 在州西北五十五里

舒塘橋 在州西北五十五里通溧水州大路

板子橋 在州北六十里舒塘橋北

破堰橋 在州西北六十里板子橋北

南城橋 在州西北六十里破堰橋北

檀石橋 在州北六十里戚志有蟠龍堰長十步在橋前

三丫橋 在州南四十里

石塘橋 在州北二十里

望仙橋在州南十里

社渚橋在州西南六十里

望婆橋在州西南五十里

横澗橋在州東南六十里戚志作漠澗

金背橋在州南六十里

雙澗橋在州西南五十里

招僊橋在州西三十里

斗門橋在州北二十里

馮塘橋在州北二十里

虎塘橋在州東北四十里

豆橋在州南二十里

張野橋在州南二十里

湖橋在州西二十八里

僊橋在州南六十里

王堰橋在州西南二十五里

洪橋在州西南六十五里。咸志有洪澗去州六十里

塘路橋在州北十五里

徐塘橋在州西二十七里

徐橋在州西北三十五里

南陽橋在州西南四十里

西里橋在州西南六十里

春雨橋在州東舊曰東市橋嘉定十四年知縣陸子適重修

西市橋在州西

鼉橋在州北六十里祥符潤州圖經云徑瀆閘一十步縣西十三里長塘湖北口至江寧府溧陽縣三十七里春夏水深三尺勝五十石舟秋冬深一尺勝二十石舟隋大業末宣州永世令逵奚明因晉宋之舊加跡決爲橋鼉鼊兩岸取其堅固今橋在溧陽州界

嘉定橋在州西北四十里陵跨中江本名中江橋俗名中橋或呼爲通江橋嘉定十一

年俞運使建行部命縣尉趙時頌重建改今名

下橋 去州三里州志紹興中以近秦檜第名秦公今廢

南渡橋 去州三十五里

北渡橋 去州四十五里

右隸溧陽州境

二十四航 舊在都城内外即浮橋也按輿地志云六朝自石頭東至運瀆總二十四渡皆浮航往來以挩行直淮對編門大航用杜預河橋之法本吳時南淮大橋也一名朱雀橋當宋雀門下度淮水王敦作逆溫嶠燒絕之今皆廢宋人有詩 青山綠水繞迢迢九月江南草不凋二十四橋明月夜玉人何處不吹簫

四航 皆在秦淮上曰丹陽曰竹格曰朱雀曰驃騎按實錄晉寧康元年詔除丹陽竹格等四航稅注云王敦作逆從竹格渡即此航也朱雀航本吳時大航驃騎航在東府城外渡淮會稽王道子所立今城東南三里名小航陳沈衆入援京邑頓于小航對東府置又謂東城橋即東府城橋也并丹陽郡城後航總爲四航今四航皆廢鎮淮橋疑即朱雀航舊所詳見橋類又有榻航在石頭城左右温嶠欲拯一匡術別駕羅洞謂不如攻榻航術圍自解此亦一航也

津渡

石頭津 在城西方山津在石頭津之東隋食貨志云郡西有石頭津東有方山津各置津主一人曹一人直水五人以檢察禁物及亡叛者

龍安津 在城西北二十里與真州宣化鎮相對今爲靖安渡

南津 在城西南金陵故事云南朝置校尉以鎮此津侯景入寇舉朝無犯難之夫惟校尉江子一與弟二人同死王事梁書江子一嘗為南津校尉

五馬渡 在上元縣西北二十三里幕府山之前晉元帝與彭城等五王渡江處按晉書太安之際童謠云五馬浮渡江一馬化為龍及永嘉中元帝登大位乃其符云五馬之名取此

麾扇渡 在朱雀航之左晉永興二年廣陵相陳敏據建業顧榮密報劉準率兵臨江榮與周玘因甘卓兵斷橋盡取船於淮水南敏自出軍臨大航岸榮以白羽扇揮之其軍自潰因以名

橋

五城渡 在上元縣東二十五里晉王敦死王含錢鳳率餘黨自倪塘西置五城如却月勢高二丈相去各二十丈京都記五城邊淮帶湖祖道送歸多集此處唐景雲中縣令陸彥恭

於城則造橋渡淮水
即今之五城渡也

竹格渡 按實録王敦作逆從竹格渡即
此航也去唐縣城西南二里

馬家渡 在府界上宋中興編年綱目載云采石
江闊而險馬家渡江狹而平兩處相去
六十里皆與和州對岸昔金入入寇直犯馬家
渡則此渡比采石尤爲要害舊分上下二渡云

蕭家渡 即邀笛步乾道志在上水閘王徽
之泊舟青溪側邀桓伊奏笛處也

桃葉渡 在秦淮口桃葉本王獻之愛妾名其妹
曰桃根獻之詩曰桃葉復桃葉渡江不
用揖謂横波急也嘗
歌以送之此渡故名

張公凸渡 在上元縣金陵鄉長慶村之西正臨
大江與真州六合縣姚家步相對自
張公凸渡至南岸直四十里冬五十里石澗古
迹編云隋文平陳宇文述以行軍總管自六合

濟即此地

堰埭

浮山堰 慶元志云在城東南二十里梁天監十三年築按梁史天監十三年用魏降人王足計欲以水灌壽陽仍假太子左衛康絢節督卒二十萬作浮山堰於鍾離不知何所據而云在建康

杜橋堰 見杜橋下

真武橋堰 見真武橋下

牧馬橋堰 見牧馬橋下

百堽堰 在句容縣西南三十五里通秦淮屬上元縣界與福祚鄉相接

黃城堰 在句容縣東三十里長一里深四丈灌田三百畝

陶堰 在句容縣南六十里其堰遂年塡塞不能潴水屬臨泉鄉五都

范家堰 在句容縣西北三里灣曲長二里深四尺灌田二百畝在通德鄉第二都

周戴新堰 在句容縣南一十五里通百堽堰

菩薩堰 在句容縣北六十里深八尺灌田二百一十三畝

於家堰 在溧水州南九十里長一十里

銀林堰 在溧水州東南一百里長一十二里即魯陽五堰也咸志作銀樹堰按前漢地理志於丹陽郡蕪湖注云中江出西南至陽羨入海後漢郡國志蕪湖中江在西又水經云中江在丹陽蕪湖縣南東至會稽陽羨縣入于海孔穎達書義疏亦引漢史爲證今蕪湖縣南有

支江俗稱爲縣河經縣市中東達黃池入三湖三湖冊陽固城石臼湖也至銀林上所謂中江東至陽羨即此也蘇常承此下流常病飄沒故築銀林五堰以窒之自是中江不復東而宣歙皆由蕪湖西出達于大江故濵湖之地皆隄爲圩田中江亦漸隘狹故老云當時慮後人復開此道則蘇常之間必被水患遂以石窒五堰路又涴鐵以固石故曰銀淋今訛爲林咸志今呼銀樹祠灣亦然而志並曰林者蓋宋避諱又見碑類

分水堰 在溧水州東南一百里長一十五里

昔李堰 在溧水州東南一百五里長八里

何家堰 在溧水州東南一百一十里長九里

佘家堰 在溧水州東南一百一十五里長一十里春冬載二百石舟昔吳王闔閭伐楚

因開此瀆運糧東通太湖西入長江南唐書楊行密據宣州孫儒圍之五月不解行密將臺濛作魯陽五堰拖輕舸饋糧故軍得不困卒破孫儒魯陽者即於家等五堰是也故道尚存

百陂堰 在溧水州西北一十里長一里闊一丈五尺

竹墩堰 在溧水州西北二十五里長一里闊一丈五尺

烏剎堰 見前橋下

青泥堰 在溧水州南九十五里長一十里

藕絲堰 在溧水州西南七十里長一里闊一丈二尺

龍盤堰 在溧陽州北六十里檀口橋前長一十步

王堰 在溧陽州西南二十五里

雞鳴埭 建康實録青溪有橋名募士橋橋西南過瀟有埭名雞鳴埭齊武帝早遊鍾山射雉至此雞始鳴圖經云今在青溪西南潮溝之上又按南史齊武帝數幸琅邪城宫人常從早發至湖北埭雞始鳴故呼爲雞鳴埭若爾其埭又當近北戚氏志云今清化市真武廟側傳是其處二埭恐皆當時所歷姑兩存之

方山埭 建康實録吴赤烏八年使校尉陳勲發屯田兵於方山南截淮立埭號方山埭又按南史湖熟縣方山埭高峻冬月行旅以爲難齊明帝使沈瑀修之瑀乃開四洪斷行客就作三日便辦其埭今去城四十五里

栢岡埭 赤山湖埭也 宋元凶劭決破栢岡方山埭以絶東軍亦曰百堽堰

南埭 今上水閘也王荆公贈段約之詩云聞君更欲通南埭割我鍾山一半青正對舊青

丈二十二

溪

閣

長溪埭 在城南五十里闊二丈堰秣陵浦水通秦淮

破岡埭 按建康實錄吳大帝赤烏八年使校尉陳勳發兵三萬鑿句容中道至雲陽以通吳會船艦號破岡瀆上下一十四埭上七埭入延陵界下七埭入江寧界於是東郡船艦不復行京江矣晉宋齊因之梁以太子名綱乃廢破岡瀆而開上容瀆在句容縣東南五里頂上分流一源東南流三十里十六埭入延陵界一源西南流二十六里五埭注句容界上容瀆西流入江寧秦淮至陳霸先又堙上容瀆而更修破岡瀆隋既平陳詔並廢之以此知六朝都建康吳會漕輸皆自雲陽西城水道徑至都下故梁朝四時遣公卿行陵乘舴艋自方山至雲陽謝靈運為永嘉太守隣里相送於方山徐陵上容路碑有云濤如白馬既礙廣陵之江山曰金

牛用險悔朝之路莫不欣茲利涉玩此脩渠雲陽今丹陽縣也

縣埭在溧水州東南八十里長二里闊二丈與溧陽州分界其埭上下有二泒上一泒西北入州界

圩岸官府每歲提調興修總一千六百七十五處名目不及詳載

江寧縣二百八十七處

上元縣一百三十五處

句容縣九十六處

溧水州二百六處

溧陽州九百五十一處

小八十九

金陵新志卷四

十三

金陵全書

甲編·方志類·府志

至正金陵新志（二）

（元）張鉉 修纂

南京出版社

金陵新志卷之五

山川志總序

易曰地勢坤坤於卦位西南故岷嶓之山大勢皆自西南而趍東北朱文公謂岷山之脉東爲衡山者盡於洞庭之西其一支南出而東度大庾嶺者則包彭蠡之源而北盡乎建康山之所趍水亦至焉今大江入海處去建康甚近而淮泗黃河之流亦會於其北故建康者東南之奥區而山水之都會前志叙之曰鍾山來自建業之東北而向乎西南大江來

自建業之西南而朝於東北由鍾山而左自攝山臨沂雉亭衡陽諸山以達于東又東爲白山大城雲穴武岡諸山以達于東南又南爲土山張山青龍石硊天印彭城鴈門竹堂諸山以達于南又南爲聚寶山戚家山梓桐山紫巖夏侯天闕諸山以逆于西南又西南綿亘至三山而止于大江山諸葛亮所謂龍盤之勢也今按自土山石硊而下臨沂攝山諸山皆隨蔣山之脈沿江逆流而上非自蔣山分而向左其聚寶山自天闕牛頭山降勢自東南而西而北而東北其石頭渡城濠止於周處臺後謂之朱雀園宜此謂自

竹堂而南亦非姑以明山之周遭環合可耳由鍾山而右迤之爲覆舟山爲鷄籠山皆在宫城之後東南利便書曰吳太初宫晉太初宫及利朝宫闕皆北接覆舟山之麓又北爲牛首在其前即王導所記天闕是矣直瀆山大壯觀山四望山以達于西北又西北爲幙府盧龍馬鞍諸山以達于西是爲石頭城亦止于江此亮所謂虎踞之形也其左右群山若散而實聚若斷而實續世傳秦所鑿斷之處雖山形不聯而骨脈在地隱然相屬猶可見也左則方山石硊山之間右則盧龍山馬鞍山之間耆老相傳皆以爲秦始皇鑿斷長隴之所

石頭在其西三山在其西南兩山可望而挹大江之水橫其前秦淮自東而來出兩山之端而注于江此蓋建業之門戶也覆舟山之南聚寶山之北中爲寬平宏衍之區包藏主氣以容衆大以宅壯麗此建鄴之堂奧也自臨沂山以至三山圍繞於其左自直瀆山以至石頭溯江而上屏蔽於其右此建鄴之城郭也玄武湖注其北秦淮水逶其南青溪縈其東大江環其西此又建鄴天然之池也龍川陳亮論建鄴形勢乗環平岡以爲重蔽據武湖

以爲險據秦淮青溪以爲阻是以王氣可乘而運動如意昔人詩詠石頭城有山圍故國潮打空城之句則石城實臨大江今大江遠石頭玄武湖涸爲平田青溪九曲僅存其一皆非昔矣然此論環城數十里之山川耳其居秦淮之源有東廬山華山臨丹楊湖之上者爲絳巖山最其特然爲一州之鎮者又有茅山焉而岷山中江邐蕪湖溧陽以入子荆溪太湖則又禹貢所謂三江既入震澤厎定者其他一丘一壑擅名紀勝咸有可徵傳曰國主山川攷古今覽形勢作山川志

山阜

鍾山一名蔣山在城東北一十五里周迴六十里高一百五十八丈東連青龍山西接青溪南有鍾浦下入秦淮北接雉亭山漢末有秣陵尉蔣子文逐盜死事于此吳大帝爲立廟封曰蔣侯大帝祖諱鍾因改曰蔣山見前蔣山圖攷

石頭山在城西二里按輿地志環七里一百步緣大江南抵秦淮口去臺城九里宮苑記周顯王三十六年楚威王滅越置金陵邑即石頭城江乘地記云石頭城山嶺嶂千里相連若一游歷者以爲吳

之石城猶楚之九疑也山上有城因以為名漢建安十六年吳孫權修理改名石頭城用貯軍糧器械今清涼寺西是也丹陽記石頭城吳時悉土塢義熙初始加塼累甓因山以為城因江以為池地形險固尤有奇勢亦謂之石首城也六朝記吳孫權沿淮立柵又於江岸必爭之地築城名曰石頭常以腹心大臣鎮守之石城故基乃楊行密稍遷近南夾淮帶江以盡地利其形勢與長干山連接晉伐吳王濬以舟師泝江而下自三山抵石城自晉室中興常為險要以爭之地王氏舉兵明帝以溫嶠守石頭石城之東有巨石俗呼為塘岡乃王敦害周顗戴淵處又蘇峻攻大業壘陶侃將救之殷羨曰若救大業步兵不如峻但當急攻石頭峻必救之大業自解侃從之峻果棄大業而救石頭孫恩至京口元顯守石頭安帝時宋高祖討盧循曰賊衆我寡分其兵則測人虛實若聚衆石頭則衆力不分遂移鎮石頭魏主南侵文帝登石頭城

經望謂江湛曰向使檀道濟在虜敢犯吾境耶
石頭倉城在石頭城內元嘉二十七年魏人至
瓜步丹楊尹徐湛之守石頭倉城沈攸之事起
齊高帝遣戴僧靜將腹心至石頭縛袁粲時
蘇烈守倉城門僧靜射書與烈夜縋入城大明
中以其地爲離宮景和元年修爲長樂宮齊武
帝爲世子即以爲世子宮後多以諸王鎮之陳
武帝與諸軍討侯景景登石頭城望官軍之盛
不悅乃以舟艦貯石沈塞淮口緣淮作城自石
頭迄青溪十餘里樓雉相接帝於石頭城西橫
壟築柵直出東北悉力乘之旦遂大潰徐嗣徽
招北齊兵至闕下柳逹摩等　石頭陳霸先於
石頭南北岸絕其汲路又湮東門城中諸井
逹摩請和許之霸先陳兵石　南門送齊人北
歸及至皆誅死陳宣帝太建二年其城復加修
築以貯軍食隋平陳置爲蔣州城輔公祏據江
東用爲揚州公祏平又於城置揚州大都督府
後移揚州於廣陵此城遂廢唐武后光宅中徐

敬業舉兵使其徒崔洪渡江守石頭敬業平分軍三百人守之尋置為鎮仍從縣倉實之韓滉觀察江東西德宗狩梁州乃築石頭五城自京口至土山修塢壁起建業抵京峴樓雉相望於石頭城穿井皆百尺今五城遺址尚存李錡據潤州屬别將庾伯良兵三千人築石頭城南徐州記江乘縣西二里有大浦發源於石城山東入大江此山與盧龍幕府諸山相連迤邐達于京口又有石城塢石城洞駐馬坡事見各類

覆舟山一名龍山又名龍舟山在城北七里周回三里高三十一丈東際青溪北臨玄武湖狀如覆舟因名輿地志山在樂遊苑内此山與鍾山形若斷而脈相連兩山之間土中有石山之骨也宋武帝舉兵討桓玄玄將卞範之屯覆舟山西宋武疑有伏兵遣劉鍾往果

有休兵數百元嘉改名玄武山以其在城之北也陳高祖時齊兵踰鍾山高祖衆軍分頓樂遊苑東及覆舟山北斷其衝要齊軍至玄武湖西北幕府山南將據北郊壇衆軍自覆舟東移頓郊壇北與齊人相對縱兵大戰即此地宣帝大建七年幸樂遊苑採甘露宴群臣詔龍舟山立甘露亭鮑照有侍宴覆舟山詩宫苑記云閶風亭甘露亭瑶臺皆在山上藏氷井在山北

雞籠山在城西北六七里高三十丈周迴一十里輿地志云在覆舟山西二百餘步狀如雞籠因名寰宇記云西接落星澗北臨栖玄塘宋改名龍山以黑龍常見玄武湖山正臨湖上故名元嘉十五年立儒館於北郊命雷次宗居之次宗因開館於雞籠山齊高帝嘗就次宗受禮及左氏春秋竟陵王子良嘗移居雞籠山下集四學士抄五經百家爲四部要畧千卷晉元

明成京四帝陵皆在山南古有彿寺五云

祗闍山慶元志在雞籠山西有祗闍寺今慶

幕府山在城西北二十里周廻三十里高七十丈輿地志在臨沂縣東八里晉元帝自廣陵渡江丞相王導建幕府此山因名山上有虎跑泉其西巔有僊人臺其北俗傳即古之宣武場也寰宇記在城西北東北臨直瀆浦西接寶林山南接蠏浦山有五峯南接盧龍石頭鳳臺宋元嘉二十七年魏人入寇至瓜步帝登幕府山觀望形勢三國典略齊師伐梁至于鍾山龍尾周文育請戰陳霸先曰兵不逆風文育曰事急矣何用古法抽槊上馬殺傷數百人齊軍乃退也

幕府山霸先衆軍自覆舟移頓郊壇與齊人相對霸先自寧麾下出幕府山南與吳明徹沈泰等首尾擊之齊人大潰後主禎明中幸此山校獵宋明帝髙寧陵在山西晉王導温嶠亦葬山西石邁古迹編寶林寺北有夾蘿峯一名翠蘿峯有石路通行以藤蘿交蔓名

盧龍山在城西北二十五里周廻一十二里髙三十六丈東有水下注平陸西臨大江今張陣湖北岡隴北接靖安皆此山也事迹圖經在城西北十六里周五里晉元帝初渡江見此山嶺緜延遠接石頭真江上之關塞以比北地盧龍因名此山與馬鞍山相接氣勢雄包自秦鑿爲二後置都船塲聖妃廟其闕至今溝內石骨連焉

馬鞍山在城西北十里西臨大江東與石頭城

接高十五丈以形似得名舊志陳禎明三年宜黃侯慧紀遣南康太守魯肅以鐵鎖橫江隋楊素與魯肅爭馬鞍山四十餘戰隋兵死者五千人指爲此地今攷之史傳陳無魯肅慧紀所遣者南康內史呂忠肅所爭馬鞍山乃在巫峽間非此地山名偶同耳

四望山在城西北一十里周廻三里高一十七丈東至龍安西臨大江南連石城北接盧龍山吳大帝嘗與葛玄共登鳳凰二年被司市郎中陳聲投四望山下晉蘇峻反溫嶠於四望磯築壘以逼賊覲

大壯觀山在城北一十八里周廻五里高二十八丈東連蔣山西有水下注平陸南臨玄武湖

北臨蠡湖陳宣帝起大壯觀於此山因名大建十一年八月幸大壯觀因大閲武命都督任忠領步騎十萬陣於玄武湖上登玄武門觀宴群臣因幸樂遊苑設絲竹之會重幸大壯觀振旅而還

直瀆山在城北三十五里周廻二十五里高一十七丈旁有直瀆洞東西有水流入大江以上諸山皆在鍾山之右自城北縣亘達于城西

臨沂山在城東北四十里周廻三十里高四十丈東北接落星山西臨大江西南有臨沂縣城

雉亭山在城東北四十里周廻六里高五十丈

北與舊臨沂縣相望今隸慈仁鄉俗又呼騎亭山慶元志去城二十五里石蕩古迹編齊武帝東遊鍾山射雉因名或云吳大帝時蔣帝神執白扇乘馬常見形於此故又呼騎亭山

衡陽山在城東北四十五里周廻九里高二十九丈在清風鄉東臨清塘西北有水下湖南接雉亭山舊傳朗法師在此有衡陽神女來聽講後遂爲此神因名其山曰衡陽今鍾山鄉資福院有神像可攷

攝山一名**繖山**蓋其狀似繖也在城東北四十五里周廻四十里高一百三十二丈東連畫石

山南接落星山西北有水注江秉浦入攝湖湖去城五十里周二十五里輿地志云江乘縣西北有處謙所居村側有攝山多藥草可以攝生故名江乘記攝山形方四面重嶺南史齊明僧紹住江乘攝山後捨宅爲寺今棲霞寺是也山有千佛嶺按江總棲霞寺記僧紹之子仲璋爲臨沂令於西峯石壁與度禪師鐫造無量壽佛大同六年龕頂放光齊文惠太子豫章文獻王竟陵文宣王始安王及宋江夏王霍姬齊田奐等琢造石像梁臨川靖惠王復加瑩飾嶺中道有沈傳師徐鉉張稚圭主簿等題名梁紹泰中陳霸先與齊師戰大敗之追奔至攝山蕭軌即此陳軒金陵集有懷攝山十題曰白雲庵清風軒唐公巖入開巖宴坐臺中峯澗明月臺品外泉醒石磬石

石山花洞慶元志在上元縣長寧鄉北臨大江西連攝山

白山在城東三十里周廻八里高八十丈東接竹堂山南接蔣山北連攝山西有水下注平陸輿地志云皆礎碑石及麒麟獅子以石爲之者悉出此山爾史梁散騎常侍韋載有田十餘頃江乘縣之白山天嘉元年遂築室居山屏絶人事不入篳門者十載

符堅山在城東六十里周廻一十五里高六十丈北連大城山謝玄破秦歸謝安在墅城問其方畧玄於原野陳淇營壘陣埸次序指此山曰此若符堅駐軍之山也因以爲名

大城山在城東七十里周廻二十二里高八十二丈南連符堅山西連鴈門山北連竹堂山

少一六古

雲穴山在城東八十五里周迴二十里高九十七丈南有水流入石驢溪有洞穴甚幽邃天欲雨則穴中雲出因名

癸山按十道四蕃志有癸山在城東北四十七里碑石磑礎多出於此

武岡山在城東二十五里里俗呼為石佛子廟石藏古跡編山有石佛十餘軀舊傳唐武后造未詳鄉民歲時祈禱一名墓山

土山一名東山在城東南二十里周迴四里高二十丈無巖石故曰土山輿地志云山下有湖自方山至京師此為

半道今謂此下道為半邏寶録吳景帝自會稽至曲阿有老翁干帝速行即日進至布塞亭孫綝迎於土山之半野晉石季龍入寇蔡謨所戍自土山至江乘太元八年秦符堅衆號百萬次淮淝京師震懼加謝安征討大都督謝玄入問計安夷然無懼色荅曰已別有旨既而寂然玄不敢復言乃令張玄重請安命駕出土山墅張宴親朋畢集方留玄圍棊賭別墅遊陟至夜方還府內遣明指授將帥各當其任又於土山營立樓館植林木甚盛每攜中外子姪往來游集肴饌日費百金世以此頗譏之安殊不屑意按上元縣有兩東山一在崇禮鄉即土山是也謝安棲遲東山在會稽後於土山營築以擬東山今去縣二十里一在鍾山鄉蔣廟東北宋劉動棲息之地今去縣十五里陳軒金陵集載李白李建勳東山詩皆指土山而作也

大一百五

張山在城東南三十里淳化鎮北舊隸江乘縣

南史齊明敬皇后葬江乘縣張山或云今城東北六十里章橋西又有張山亦古跡江乘境

青龍山在城東南三十五里周廻二十里高九十丈南唐後主嘗校獵於此溧陽州界亦有青龍山

祈澤山在城東南三十五里周廻十里高五十丈東連彭城山北連青龍山舊經云去縣二十二里有祈澤寺初法郎嘗結茅於此有龍女來聽講既而神泉湧於講庵下後遂爲祈禱水旱之所以此得名

丁山在城東南四十里周廻一十七里高二十七丈

石硊山在城東南四十里周廻一十五里高二

十七丈在上元縣崇禮鄉去縣二十五里一名

硊山 祥符圖經有大壟悉是石故名石硊硊一作櫃每春夏水溢衆流匯北山横擴秦淮之上以櫃遏水勢輿地志秦始皇時望氣者云江東有天子氣乃東遊厭之又鑿金陵以斷其勢今方山石硊是其所斷之處孫盛云東至方山有直瀆自瀆至此山或云是秦所掘山今山西九里有大壟枕淮京師溝塘累石悉鑿此取之

方山 一名**天印山**在城東南四十五里高一百一十六丈周廻二十七里四面方如城東南有水下注長塘流溉平陸輿地志湖熟西北有方山山頂正方上有池水丹楊記形如方印故曰

方山亦名天印山秦始皇鑿金陵山疏淮水此山乃其斷者吴大帝爲僊者葛玄立觀方山宋何尚之致仕退居方山齊武帝嘗幸方山欲爲離宫期勝新林苑徐孝嗣曰繞黄山欽牛首乃盛漢之事今江南未廣願少留神乃止徐嗣徽兵至秣陵故治齊人跨淮立柵度兵夜至方山周文育等各引還齊兵自方山進及兒塘隸句容者名東方山非此

彭城山有彭城館在城東南四十五里周廻九里高二十七丈西連祈澤北接青龍

湯山在城東南六十里又云去縣五十里西接雲穴山山不甚高無大林木有湯泉出其下太小凡六處湯㵎繞其東南四時常熱禽魚之類

入者輒爛以煮豆穀終日不熟草木灌之愈鮮茂舊有湯泉館今廢

鴈門山在城東南六十里周迴二十里高一百二十五丈西連彭城山南連大城山北接陵山山勢連緜類北地鴈門故名輿地志山東北有温泉可浴飲之能治冷疾

竹堂山在城東南七十五里周迴一十六里高九十二丈東連雲穴山西連白山南連大城山北有水下注平陸輿地志白山鴈門山竹堂山並連帶在建康縣東北縣遠三四十里

横山在城西南一百二十里周迴八十里高二百丈屬金陵鎮山謙之丹陽記丹陽縣東有横山連亘數十里或云楚子重至于横山是也又曰横望山四面望之皆横故名在城西南一百二十里接連太平州界

戚家山在城南天禧寺東鄭文寶南唐遺事云韓熙載居戚家山

拜桐山在城南一十五里高三十八丈山下有謝氏詩樓及繼經臺基存

聚寶山在城南雨華臺側上多細瑪瑙石俗呼為聚寶山

紫巖山在城南一十五里高三十八丈陳軒金陵集載

李建勳春日紫巖山期客不至詩戚氏云前志即以此爲巖山誤

夏侯山在城南二十二里周廻十里高三十五丈梁夏侯亶居此因名

巖嵌山在城南二十三里周廻八里高二十五丈以形似名

牛頭山狀如牛頭一名**天闕山**即王導所指者

幽棲山在城南三十里周廻四十七里高一百四十丈按六朝記自朱雀門沿御道四十里至山下西峯中有石窟不測淺深古老相傳云辟支佛所出梁武帝於下建寺名曰仙窟山窟有一石鉢盂形狀甚古唐神龍

初并寶公履取入長安又云山南有夫容峯北有大石如卧鼓其石中空可坐數十人其高九尺上下有小石吳時呼爲石鼓河圖内元經云天欲雨則石鼓自鳴山之南峯宋大明中嘗立南郊壇其上建炎四年岳飛敗金人於清水亭兀朮復趍建康飛設伏牛頭山上又以騎三百步卒二千人馳至南門新城爲營大破兀朮之衆所獲負而登舟者委棄山積

巖山在城南三十里周迴十五里高七十一丈有吳石刻宋孝武改曰龍山景寧陵在焉梁朱异葬山前實録吳後主天璽元年立石刻於巖山紀吳功德察吳録其文隸觀華覈作其字大篆未知誰書或傳是皇象恐非在今縣南四十里龍山下其石折爲三段時人呼爲段石岡也山謂之丹陽記曰秣陵縣南三十里有巖山山西有石室山東大道左有方石長一丈勒名題贊吳功德孫晧所

建宋明帝泰始中建平王休祐從巖山射雉即此

觀子山在城南三十里周廻四里一百步高八十三丈東有水下注新林浦

吉山在城南四十五里周廻三里高一十丈西臨大江宋征虜將軍建城侯吉翰葬此因名

大青山在城南四十五里周廻三十五里高一百二十五丈西有水下注平陸

陰山在江寧西南一十二里臨大江王導至此山神見夢於導導以其事聞上爲立廟時人遂名其岡曰陰山

三山在城西南五十七里周廻四里高二十九丈吳志晉琅琊王伷濟自三山丹陽記江寧縣北十二里有三山相接吳時津濟道也戚氏云江寧古城去今城七十里故乾道志云三山在城西南五十七里與記不同元和郡國志王濬伐吳宿於牛渚部分明日前至三山輿地志其山積石森鬱濵於大江三峯行列南北相連號三山李白詩三山半落青天外即此

自臨沂而下諸山皆在鍾山之左繞府城東北隅達于城東轉東南隅以達于南又轉西南隅及西而止于江其自牛頭山降勢者北為聚寶山以北止朱雀航與秦淮水北石頭

城馬鞍諸山相望其地脈山勢似斷而續似散而聚似遠而近環抱拱揖真如龍之盤也

湖山在江寧縣南三十里周廻七里高七十丈上有湖久旱不涸

東府山在城南四十里周廻九里二百步高一百丈六朝嘗於此山藏車乘器甲故名

祖堂山在城南四十五里周廻四十里高一百二十七丈東有水下注平陸宋大明三年於山南建幽棲寺因名幽棲唐正觀初法融禪師得道於此為南宗第一祖師乃改為祖堂山

落星山在城西南五十里周廻二里高一十丈西臨大江舊圖經云昔有大星落此因名又別有落星洲在城西南三十里周十里上有小阜高數尺

銅山在城東南七十里周廻一十九里高一百丈昔人採銅於此山故名慶元志山南名金牛坑陳軒金陵集載鮑昭過銅山掘黄精詩云銅山晝深沉乳竇夜消滴卽此屬江寧縣句容縣北溧水州西亦各有銅山皆舊採銅處

烈山去城西南七十里近處真鄉乾道志吴舊津所也伏滔北征賦謂之栗洲上有小山形似栗因名又云山近烈洲故曰烈山其山四面峭絶下瞰大江風濤洶湧商旅皆泊舟依山以避風絶頂叢棘中舊有侯將軍廟陳史永定初王琳聚兵窺臺

城造黃龍舟千艘泊於菰港西南風急琳謂得天助張帆直下陳將侯瑱泊舟蕪湖遜後而發戰於烈山之下□拍竿撞琳船琳擲火焚之風逆自焚遂大敗奔齊土人以侯瑱功烈甚盛故名山曰烈山祠之歲久祈人以為陳將頭祠矣也寶祐初有僧披荊棘建菴其上自名為江心護國寺今存按厲賴栗烈字音相近古有賴國瀨渚今為溧水烈山烈洲疑皆厲之轉音云

白都山在城西南七十里周廻五百步高二十丈西臨大江輿地志昔白仲都嘗於此山學道白日昇天因名山下有白都湖周八里又有仲都祠壇吳志諸葛恪誅子竦載其母走孫峻遣張承追斬於白都即此

鼓吹山舊志在城南八十里周廻一十七丈高八十丈東北有水四望孤絕宋孝武大明七年

自江寧縣南登山及陵望臺甲子館盖登山奏鼓吹因名戚氏志云甲子乃記曰非館名實録少帝景和元年九月幸湖熟縣始奏鼓吹與此志異

龍山在城西南九十五里周迴二十四里高一百一十二丈入太平路當塗縣北有水其山似龍形因名岩山覆舟山皆名龍山

慈姥山在城西南一百一十里二百步周迴二里高三十丈輿地志山積石臨江岸壁峻絶山上出竹堪為簫管山南有慈姥神廟因名俗亦

呼鼓吹山

天竺山在城西南一百二十里周廻一十七里高一十九丈東南有水下注慈姥浦其北連岡十里本名多墅山唐上元二年有天竺福興寺僧道融移寺於此山因名

馬鞍山乾道志在城西南三十五里周四里一百二十步高八十五丈以形似名上元亦有山名馬鞍見前

龍口山在城西南三十五里高一十八丈戚氏志有李琮墓前有三城湖乾道志湖在城西南七十三里周十五里中有三小城因名湖實去城三十七里志所言里誤

白蕩山在城西南七十里周廻二十里高四十五丈北接高墟山屬江寧鎮蕩俗作盪

木鑪山在城東北二十里江乘地記曰木鑪山有鍾乳穴今里俗名牧鑪在城東北三十里屬上元縣北城鄉

青山在城南四十里實錄梁太清元年置幽巖寺北去縣四十里永康公主造而釋法論集有牛頭佛窟寺大毗曇師傳云承聖二年法師入秣陵青山始創舍名曰幽巖與佛窟相去十里亦不云永康造也

右在江寧上元二縣界

茅山在句容縣東南四十五里周廻一百五十

里初名**句曲山**像其形也茅君得道更名曰茅山三十六洞天之數第八曰金壇華陽之天此山是也史記禹封泰山禪會稽晉灼曰本名茅山吳越春秋云禹廵天下登茅山以朝群臣更名茅山為會稽亦曰茁山茅山記曰大茅山獨高處黑帝命東海神埋大銅鼎於山頂深八尺上有盤石鎮之黑帝即顓頊也又曰秦始皇帝三十七年遊會稽還登句曲北垂山埋白璧一雙深七尺李斯篆刻文云始皇聖德下章江山廵狩蒼川勤銘素璧又曰王莽地皇三年七月遣使者章邕賫黃金白玉銅鐘五口贈三茅君光武建武七年三月遣使者吳倫賫黃金五十斤五帛獻三茅君令山頂有埋金處上有騶石又曰中茅山獨高處司命君埋西胡五門丹砂六千斤深二丈上有盤石鎮之其山左右泉流下皆小赤色飲之延年益壽左真人就

司命君乞得一十二斤以合九華丹山頂石壇
石桉香爐具存今三陽下姓多長壽者盖太陽
北陽朱陽三村耳茅君内傳句曲山秦時華陽
之天漢宣帝時三茅君居之遂名茅山内有積
金山因以金爲壇號周時名其源澤爲曲水之
穴秦時名勾金之壇似已字故以句曲名焉真
誥曰金陵句容之句曲洞爲第八洞天又曰句
曲地肺土良水清可以度世種民是㕔五災不
千又曰金陵者洞墟之膏腴句曲之地肺履之
者萬萬知之者無一内經福地志曰伏龍之地
在柳谷之西金壇之右可以高棲福地記曰岡
山之間有伏龍之鄉可以避水避病長生許邁
别傳曰延陵之茅山是洞庭西門潛通五嶽茅
君雜記云華陽洞天五門三門顯二門隱陶先
生云東通王屋西達峨嵋南接羅浮北連岱嶽
漢元帝時咸陽人茅盈茅固茅衷並此山得道
故號茅山三人乘白鶴各據一嶺唐咸通中東
海蓬萊觀龔道者初入此山採穀茹芝十餘年

後因月朔正旦焚香洞門恍惚之間得入洞中經由二十三日備見洞府叢壁山川星辰日月靈異難詳按本傳茅濛字初成華陽人也隱華山脩道秦始皇三十一年白日上昇是時有民謡曰神僊得者茅初成駕龍上昇入太清時下玄洲戲赤城繼世而往在我盈始皇聞之問故老曰此僊謡也於是有尋僊之意濛之玄孫盈得道於金陵句曲山上昇為東嶽上卿司命真君太元真人居赤城時來句曲弟茅固茅衷皆得道於此邦人改句曲為茅君山洞天福地記云福地七十二地肺為第一即金陵是也金陵之地水至即浮故比之於肺抱朴内篇云別有地肺山乃玉溜嶼又商山亦名地肺今以内傳為正保命君嘐言金陵者兵水不能加灾厲所不犯河圖中要元篇第四十四卷云句金之壇其間有陵兵疾不往洪波不登太元内傳云句曲山有金陵之地方三十七八頃是金陵之地肺也土良而井水甘美居其地必得度世

小六々令二

山中有**大茅峯**在元符宮南舊記云在崇禧觀北獨高聳昔東海青童君乘飇輦憩此今有飇輪之跡山之半有繡衣亭昔三天使者衣繡衣執金冊以九錫之命詔大茅君故名山之巔有泉名曰一人泉汲之不竭**中茅峯**在積金山北其側有泉色赤真誥云飲之延年又有陶公醉石**小茅峯**在中茅峯之背有臥龍松左狃檜**抱朴峯**即大茅峯北相連一峯峯是**白雲峯**在中茅峯西**五雲峯**在小茅峯之側華陽洞上積金峯金菌山東高峯是也其峯甚峻昔三茅君以三月十八日駕五色之雲八景之輿佇於此山逾時而去故號五雲峯**積金峯**在大茅峯中茅峯之間二峯相連其長阿中有連石古謂之積金山陶隱居所住東有一横龍龍皆是石形甚瓌奇內有洞即此峯也**疊玉峯**圖經云大茅山上東南三山疊積亦有洞穴俗多呼疊石石與玉同類又呼三

角山今去葛僊壇相邇宋真宗未有仁宗嘗遣左璫詣茅山禱祈遇異人言王真人已降生宋朝璫問王真人本是何人荅曰古燧人氏章懿皇后亦夢羽衣數百人從一僊官自空而下曰此託生於夫人及生宫中火光屬天始行步常持槐木簡以筋鑽之真宗問曰何用曰試鑽火耳帝顧后妃曰異人之言信不虛矣今刻石元符宫

華蓋峯在崇壽觀東南又有

四平山真誥曰大茅西南有四平山俗謂之方山其下有洞屋名方臺又曰幽館得道者處焉

良常山秦始皇登句曲山北垂嘆曰巡狩之樂莫過於山海自今以往良爲常也爾群臣並稱壽嘆曰良爲常矣乃改句容北垂爲良常山

華姥山茅山記孫寒華即吳大帝孫女於茅山脩道成昇空而去號華姥山

欝岡山在小茅峯東北草木欝茂故以爲名俗呼爲大横山學道者多居於此山下有泉昔李明於此合神丹而升玄洲山之東

有古越翳王冢

龍尾山 在大茅峯之東隱然而高狀若龍尾焉案茅山記云從大茅一嶺直至山東接延陵界如龍狀大茅山爲頭壟如龍尾故以龍尾名之

東方山 在縣東南四十里周迴一十五里高四十二丈東連僊几山

伏龍山 在柳汧之間柳汧即柳谷泉與中茅峯相近狀如龍其上産金昔人嘗採之

雷平山 在伏龍山之東周時有雷氏養龍往來此山與許長史所營之宅相對其山北有柳汧水或名曰田公泉昔田公嘗居此

方隅山 在雷平山之東北以三小山相隱故也昔有人合九鼎丹於此山下亦有洞室名曰方源館

秦望山 在良常山東北始皇嘗住此望丘阜

丁公山 乃積金峯之西麓也相傳即丁令威所止今崇禧觀以爲主峯

三公山 在燕洞宮東南

僊

韭山 在崇壽觀西獨小山也真誥云姜牧茂種韭五辛菜常賣此以市丹砂今山多大韭即

其種也俗呼石龍山

僊姑山 在縣東四十里茅山之間周廻五里高一十丈

八山 在縣東南四十里茅山側周廻三里一百步高八丈東連僊姑山

丫頭山 在縣東南三十五里周廻十五里高四十二丈東連僊八山

竈石山 在良常山東南其間有累石如竈竈處竈間生一木如曲蓋形

銜珠山 在雷平山南俗呼獨女山

青山 在縣北六十里欝岡山西乾既北周廻一十里高一十三丈北臨大江又觀東一山名東青山西一山名西青山東青山在茅司徒廟東

岡山 古名此山為福地記云岡山之間有伏龍之鄉可以避病

鼇足山 在僊韮山之西

天市山 在積金峯上

吳山 在大茅峯南

青龍山 一名洞山高三十八丈周五里北距茅山三十里山半有曰青龍洞前多怪石奇秀森列流泉歷旱不竭山傍有峴曰牧門乾道志山有洞穴祈禱有

大七十五

金陵新志卷五 十一

應洞口纔二尺餘僅可容人傴僂而入其中平廣深不可測土人相傳與金壇句曲諸洞相通洞口大石上有四五窪匽狀如人跡俗呼爲僊人跡案真誥云大茅山之西南有四平山俗所謂方山者其下有洞室名曰方臺山外與華陽通疑指此

麻姑山在鬱岡山西

海江山在慶雲洞上

獨公山在小茅峯北

小竹山在小茅山東

稻推山在皇甫谷南

大靈山小靈山並在靈足山西

飆輪峯在大茅峯東連峯是也

道祖峯在積金峯陰

栢枝隴在華陽南洞

桃花崦在小茅峯北林壑幽邃春時華卉紛敷不異武陵源也

拱辰谷一名拱辰寨在中茅峯東北劉先生際遇建元符宮乃敕江寧兵士二百人以充巡邏洒掃因立寨谷中詳具宋史

皇甫谷在三角山

柤子谷在三角山北

黑虎谷在中茅小茅峯

之間長阿之西又有**虎爪山**在丁山西宋禁樵採有碑

絳巖山一名**赭山**在縣西南三十里周廻二十四里高一百六十五丈上有龍坑祠壇地志云漢丹陽縣北有赭山其山丹赤故因以名郡寰宇記本名赤山唐天寶中改為絳巖一名丹山丹陽之義出此山極險峻臨平湖山之巔頗坦夷惟隻路可通舊傳五季之亂居民避難於上往往獲免後斸山者常於其地獲銅錠銅器之屬建炎兵火鄉民又依之以免禍

姜石山在縣西北二十五里有梁南康簡王墓

射烏山在縣西北五十里周廻一十五里高一十七丈

五棊山在縣北五十里周廻二十里高二十五丈

銅山在縣北六十里周廻二十里高八十七丈以舊出銅故名

戍山在縣北六十里周廻一十一里高一十五丈北臨大江俗傳沈慶之戍兵于此因名

竹里山在縣北六十里案方輿記云行者以其途傾險號曰翻車峴元和郡國志山間有長澗高下深阻舊說似洛陽金谷晉王恭舉兵京口仗劉牢之爲爪牙使帳下督顔延爲前鋒牢之至竹里斬延以降還襲恭宋武帝起義自京口至江乘破桓玄將吳甫

之於竹里

華山在縣界按方輿志記云梁武帝與駕東行至此山因問華山何如蔣山高薛對曰華山高九里似與蔣山等泉水倍多臧氏志云秦淮出此

花碌山在縣北五十里周廻十七里高二十六丈舊有礬坑

秦山在縣南三里有明月灣通秦淮父老相傳謂謝安月夜乘舟垂釣于此今釣臺尚存

周山在縣南三十五里周一十里高十丈

崙山在縣東北五十里周一十五里高一十七

丈東連駒驪山四十二福地也唐肅宗時謁者伍達靈在此山得道冊成之後記于石壁在絕頂尚存傍歸可辨山下又有伍達靈潭

駒山在縣東北六十里周廻二十五里高三十丈吳諸葛恪獵見一小兒衆莫識恪引白澤圖曰兩山間其精如小兒名曰傒囊

[illegible]山在縣南三十五里周廻一十里高一十二丈西接周山

青山在縣北三十五里周廻一十二里高一十六丈

[illegible]山在縣北三十里周一十五里高二十丈

土石山在縣東三十里

虎耳山在縣東三十里舊名苦耳

竹山在疊玉峯南今藏真觀前一山上多篠是也陶隱居云自大茅山南後韭山竹山吳山方山從此疊嶂達乎吳興天目諸山至乎羅浮而窮乎南海也

右在句容縣界

中山在溧水州東南一十五里高一十丈周廻五里圖經云宣州中山又名濁山在州東一十里不與羣山連接古老相傳中有白兔世稱爲筆最精元和郡國志云中山出兔毫爲筆精妙山前有水源號曰濁水輿地志宣州溧水

縣有濁山有濁水流演不息即此

東破山在州東南五十五里高二十三丈周廻一十七里梁大同二年採銅於此

東廬山在州東南一十五里高六十八丈周廻二十里有水源三一源自山西流入秦淮一源出山東北流入馬沈港一源自山東南吳漕流入丹楊湖山謙之丹陽記云縣東有廬山與丹楊分界十道四蕃太平寰宇記皆云俗傳嚴子陵結廬於此或云形似廬舍因以為名

馬占山在州東南三十五里高一十八丈周廻

一十三里梁大同二年採銅於此

覆船山一名感泉山在州南一十二里高二十一丈周廻一十八里山陰有青綠洞泉脈泒澄四時不竭南有張沈二士書堂非曰遺址不知何時人也

杜城山在州南一十二里高六十丈周廻五十五里隋大業末杜伏威嘗屯軍於此因名杜城山舊有廟及戰場

荀澗山在州東南一十八里高一十二丈周廻八里

石城山在州東南二十五里周廻二十四里高

步卅七六十丈舊有石城院冷水亭基

小茅山在州西南五里高一十七丈周迴四里

荆塘山在州南十里高三十七丈周迴二十里

稟丘山在州西三十里高三十七丈周迴二十里上有井泉及稟丘山寺基唐大和中寺廢有石龕方丈存

鳳棲山在州西南七十里高一十六丈周迴八里西並石臼湖父老云昔有鳳凰棲其上因得名曰鳳棲此山屬儀鳳鄉近地有鳳賢圩今作黃西非也

臙山在州西南六十里高一十四丈周迴一十

五里西並石臼湖**雀壘山**、**軍山**、**塔子山**、**馬頭山**並在州西南七十五里石臼湖内

澳洞山在州西南二十五里高三十一丈周廻一十八里内有祈雨潭禱之多應

游子山在州南八十二里高二十丈周廻一十里上有石壇舊經云孔子廻楚嘗經此山、

蘆塘山在州東南二十三里高一十五丈周廻二十二里梁大同二年昔採銅錫於此

琛山在州西一十五里高一十一丈周廻一十五里舊經云嘗產玉因此得名

四峯山在州東南四十里高三十七丈周十七里上有龍池下有龍泉東有水注平陸

石羊山在州西南三十七里高七十丈周廻四十里

土山在州南五十里高十丈周廻六里

三山在州東南一十里高九丈周廻一十里

官塘山在州東南二十五里高一十一丈周廻

一十五里下有大塘

芝山在州東南七十里高三十九丈周廻四十里上有李子洞燕洞相去三百步（昔宣州田穎舉兵邑人携老幼於此避難可容數千人李洞有泉沸涌燕洞有石燕遇雨則飛晴則還落爲石）

銅山在州西四十里高二十四丈周廻一十三里（舊經云昔嘗採銅於此今鑄冶舊址猶存）

玉泉山在州南一百一十里高三十二丈周廻一十八里

卧龍山在州北二十三里高十四丈周十里

赤龍山在州北三十三里高十丈周十里

白石山在州北二十里高十丈周十里

荆山在州東南七十里高四十二丈周二十里舊志云即卞和獲玉之地誤也卞和泣玉荆山之下其山乃在荆州不在揚州

峒峴山在州東二十里高十丈周八里

李墅山在州東三十里高二十丈周一十六里接茅山

鹿子山在州東一十五里高一十丈周九里東接峒峴山

浮山在州東三十七里高三十丈周迴二十里接茅山

偃杏山在州東南四十三里高三十丈周一十三里舊經云絕頂有杏林及偃人足跡因名又有偃壇三所及丹井一名仙壇山下有清泉流入丹楊湖

[illegible]景山在州東北二十五里高一十三丈周迴一十里接烏山

烏山在州北二十里高二十八丈周十五里

雞籠山在州北三十里高一十七丈周一十二

里與殳景烏山相接

無想山在州南十八里有禪寂院院有韓熙載書堂

方山在州東南六十五里高一十二丈周九里南有青龍洞與芝山相接

赭山在州東南五十里高十九丈周二十二里

靈嶽山在州東南六十里高二十一丈周迴一十五里

南鷄籠山在州東南一百二十里高三十二丈周迴二十里

遊軍山在州南八十五里高五十五丈周廻二十三里山北有水下入固城湖

大山在州南七十六里高三十四丈周廻二十五里

秀山在州南九十五里高一十三丈八尺周廻九里一百步西南有水下注平陸舊名秃山宋時秦氏居之易名

禪林山在州南八十里高四十一丈周廻一十八里上有寺

黃山在州東南一十里高九丈周廻一十里

靈龜山在州西北二十里

溧陽山在州東南一十二里高二十五丈周迴七里一百步俗號馬鞍山取其形似也

紫雲山在州南六十里

東壘山在州南六十五里

濁山在州東南一十里高一十丈周迴五里山北濁水出焉輿地志溧水縣有濁山即秦淮源

雲鶴山在州東南七十里

右在溧水州界

巉山在溧陽州西十一里周廻五里高二十丈晉咸和中李閎追及張健之所

桂林山在州西南三十里周廻十五里高五十丈汪藻記棍秀堂云南則翠陰晴嵐與人應接者桂林諸山也

龍潭山在州南四十五里周廻十五里高二十七丈上有龍潭清徹見底潭側有龍王祠禱之有應

虎山在州西南五十里周廻五里高二十丈

青山在州南六十里高十七丈周十里有潘真君廟

神山在州南四十里高五十丈周二十里

朝山在州西南二十里高十五丈周五十丈

盤白山一名高遼山在州西南四十里高五十六丈周十里今太虛觀在其下故俗名觀山第二峯石上有僊人蹟觀有碑載晉盤白真人事蹟

伍牙山一名護牙山在州西南六十里高一百七十丈周四十里輿地廣記子胥伐楚還吳經此山故名伍牙建康志又云俗傳伍子胥美齒牙避楚至此恐為人所識以石擊毀其牙山神為靈護之不毀因名護牙前說近是山下有子胥廟

荊山在州西南四十里高六十丈周二十里山下

有泉歲旱資以溉稻戚氏志去州五十里

獨山在州西南六十五里高二十九丈周十里

鐵冶山一名鐵峴在州西南七十里高一百八十丈周二十里山謙之丹陽記云永世縣南百餘里鐵峴山出鐵今揚州鼓鑄之輿地志前代鑄錢處

三王山一名三首山在州西南五十里高二十丈周廻百餘步舊志云相傳楚王與眉間尺并一客三首葬此因名

銀方山在州南五十三里高三十六丈周廻十五里

結都山在州南五十里高五十八丈周十八里

鷄籠山在州南十二里高十七丈周三里

屏風山在州南十五里高九丈周五里一百二十四步形如屏風故名

泉山在州南二十里

石室山在州南六十里高三丈周一百步西有鑄劒坑舊志云吳王使甌冶子鑄劒於此

⿰山侯山在州南二十五里高十八丈周廻五里⿰山侯字土人音溝字書未見

懸鼓山在州南五十里高六十丈周迴二十二里遠望若垂鼓然故以名

气里山在州南五十里高四十六丈周十五里

金山在州南五十里高五十丈周三十里

松山在州南七十里

鐵山在州東南五十里高六十丈周二十八里古嘗出鐵今坑冶遺跡猶存唐書地里志溧陽有鐵此即其地

新婦山在州東南五十里高三十五丈周迴一十八里

三鶴山一名僊山在州東南六十里高八十丈周十五里昔有潘氏兄弟得道化鶴而去

銅官山在州東南五十八里高十八丈周十八里昔嘗出銅故名唐書地理志溧陽有銅今土中熒然有銅如麩狀然堇堇取之不足償費

雲泉山一名下山一名夏山在州東南三十五里高二十丈周十里有泉雲氣出焉山下有淨土院

金鷄山在州東十里高十二丈周五里

乢山在州東北二十五里洮湖之上周十里高十一丈八周處風土記云昔乢姓姥於此得道案廣韻乢烏后切山名在溧陽集韻云山

名在陽羨寰宇記云常潤等州分界於此山之巔

大岯山一名**大巫山**一名**浮山**在州東北四十五里洮湖中周三百五十步高八丈與宜興金壇二縣接界山形孤秀巔巔居水中望之若浮周處風土記云洮湖有大坏山唐地里志云溧陽有湖山皆指此也唐史巍撰史墨神道碑云岯山右轉洮水前臨坏字乃為岯今從之坏岯二字土人皆音浮字書未見陶隱居尋山志云石孤聳以獨絕岸垂天而似浮謂此山也

小岯山一名**小巫山**在州東北二十五里洮湖中周四里高五丈輿地志延陵永世二縣界中有小坏山山下有石堂堂內有虎跡求泗即見

張汊山在州東北三十五里周三里高七丈

大翦山在州北四十五里洮湖東周迴四里高一十丈

小翦山在州北四十里洮湖東周二里高六丈

雷公山一名雷山在州北三十七里周五里高十二丈岩石奇怪泉流清潔舊志云傳有雷公鑄劔於此因以爲名今法興寺在其下

落霞山一名霞山在州北四十里周三里高九丈聖塔院在其下又名聖塔山

平陵山在州西南三十里周三里高三丈乾道經云晉

大一百九十

成帝咸和四年李閎執蘇逸於此元和郡國志縣南十八里非今治也

土山在州北三十五里周三里高十二丈

黃金山在州北七十里周二里高十三丈兩崖土色如金故名

瓦屋山在州西北八十里周二十里高一百六十七丈形連亘兩崖稍隆起宛如屋狀李白骨游溧陽望瓦屋山懷古賦詩

丫頭山一名**丫僊山**一名**丫山**在州西北八十里周三十里高一百八十五丈其山兩峯峨然齊高如髻故名

分界山在州西北八十里溧水溧陽二縣分界此山之巔

金陵新志卷之五 三四

本百五十六

曹山一名曹姥山在州西北八十五里周二十里高十四丈舊志昔曹姥居此山死于石室葬山下後人為置聖姥祠祈禱多應

秀山在州西七里周一里高十一丈

癸山在州西七里周四里高十七丈山有龍潭禱之多應

姥山在州西十里周六里高十二丈

大石山在州西十五里周七里高二十二丈舊志云上有龍潭祈雨多有應

黄山在州西四十二里周三里高五丈舊志云黄鶴僊人於此得道因名今有觀

谷山在州西四十里周二里高十二丈

漁父山在州西十五里

燕山在州西九里周五里高二十一丈狀如飛燕故名

援龍山在州西十一里周六里高十一丈

石門山在州西十三里周四里高十丈

呂長山在州西二十里周四十里高十丈下有

呂將軍廟

芝山在州西八十里周二十五里高四十五丈

舊志云山中嘗出芝草因名

故老相傳梅福嘗游隱於此

花山在州西四十五里周六里高一十五丈

右在溧陽州界

岡嶺壠峴坡墩墅

白土岡北連蔣山南至秦淮周十里高十丈其土色白故名賀若弼進軍鍾山魯廣達於白土岡與弼旗鼓相對隋軍退走即此地也

黃龍岡在上元縣鍾山鄉去城十里傳有黃龍見此故名

大城岡今作港有大城港水驛

武帳岡案宮苑記古宣武城地本宋文帝閱武帳今謂之武帳岡南史元嘉二十二年建宇岡上

落星岡一名落星墩在城西北九里周二十六里高一十二丈源王僧辯於石頭城連營立柵至落星墩以逼侯景景大恐抱朴子曰落星岡吳時星落李白常於落星石以紫綺裘換酒為歡皆此地又江寧縣西三十里臨江亦有落星岡落星洲周十里上有小阜高數丈南史陳顯達舉兵以數千人登落星岡新亭諸軍聞之奔還宮城大駭即此洲也

孫陵岡詳見商飈館九日臺

段石岡在城南二十里長十二里高二十二丈丹陽記云岩山東有大碣石長二丈祈為三段因以名岡詳見幾碑碣内

石子岡一名石子墩在城南一十五里長二十

里高十八丈吳志云諸葛恪為孫峻所害投此岡先是童謠云諸葛恪何弱弱蘆單衣篾鉤絡於何相求成子閣成子閣反語反子岡也輿地志宋大明中起迎風觀於其上舊經云俗謂此岡多細花石故名石子岡

南岡在城南往婁湖橋路上見沈慶之傳舊謂郭璞被殺處非也

塘岡見石頭山下

金陵岡在城西龍灣路上耆老言秦厭東南王氣鑄金人埋於此昔有一碣刊其文曰不在山前不在山後不在山南不在山北有人獲得富了一國後因劚晴安路失之詳見金陵辨

梅嶺岡在城南九里長六里高二丈舊經云東晉豫章太

守枋𩕳家于岡下因名上有亭爲士庶游春之所

句容有**長隱岡**溧水州有**曹家岡花塘岡西墅岡倉岡南高岡[illegible]樹岡孔家岡戴公岡松嶼岡**

趙巷岡石子岡見名[illegible]志

朱年壠在江寧縣南六十七里鼓吹山前按金陵故事年生齊末兵亂中母亡廬墓終身負薪有白兔紫芝生于壠至今名其居爲孝感里

千佛嶺見攝山下

桂嶺戒松峴並見蔣山下

駐馬坡在清涼寺後山上舊傳諸葛亮嘗駐馬於此以望形勢

謝公墩在半山寺里俗相傳謝安所嘗登也其事殊無所據李白王荊公皆有謝公墩詩白詩云冶城訪遺跡猶有謝公墩今永壽宮冶城山即安與王羲之所登悠然遐想之地荊公雖有我屋公墩之句而又有詩云問樵樵不知問牧牧不言亦自疑之耳江左謝氏衣冠最盛謂之謝公豈獨安也今半山寺所在舊名康樂坊案晉書謝玄封康樂公至孫靈運猶襲封以坊及墩名觀之恐是玄及其子孫所居後人因名之耳

崑崙墩在西于湖

溧水州有**佛子墩**、**戲墩**、**樓子墩**、**上店墩**見本州志

江湖 淮附

大江隸集慶路界者一百二十里西至和州烏

江縣四十里以鰻鱺洲中流爲界東北至真州揚子縣七十里以下蜀鎮中流爲界北至真州六合縣界四十里以瓜步中流爲界史記地理志三江北江從會稽毗陵縣北東入海中江從丹陽蕪湖縣東北至會稽陽羨縣東入海南江從會稽吳縣南東入海水經及荆州記云江出岷山至潯陽分爲九道東會于彭澤經蕪湖名中江東北至南徐州名爲北江而入海長江別名則有京江在南徐州禹貢所謂北江也瓜步江今揚州六合縣對潤州江寧縣即魏太武所臨處烏江即項羽死處今和州烏江縣亦對江寧縣吳書魏文帝有渡江之志望江水盛長彌漫數百里歎曰魏雖有武騎千群無所用也晉書郭璞以中興王宅江外乃著江賦中江舊逕溧陽州界古三江之一也永陽江亦名九陽江一名頴陽

江在州西北三十五里即其遺跡案禹貢揚州三江既入震澤底定岷山導江東迤北會于匯東爲中江入于海前漢地理志桑欽水經皆云中江出蕪湖縣西南東北至陽羨入海蓋自蕪湖逕溧陽至宜興入震澤以下海也唐開元十七年蔣日用作本縣城隍記云此縣南壓中江風波不借舟楫無施縣宰喬翔創浮梁以便行旅中江橋梁之設昉於此景福三年揚行密將臺濛作五堰拖輕舸饋糧五堰遺跡在今溧水州界銀林蠏洞東壩之地是時中江置堰江流亦既狹矣蘇東坡奏議云溧陽縣之西有五堰者古所以節宣歙金陵九陽江之衆水直趨太平州蕪湖後之商人販賣簰木東入二浙以五堰爲阻因紿官中廢去五堰既廢則宣歙金陵九陽江之水或遇暴漲皆入宜興之荊溪由荊溪而入震澤時元祐六年也是時中江尚通其後東壩既成中江遂不復東惟永陽江水入荊溪謾著其詳以見溧陽亦禹跡之所歷云

秦淮舊傳秦始皇時望氣者言五百年後金陵有天子氣於是東游以厭當之乃鑿方山斷長壟為瀆入于江故曰秦淮案實録注本名龍藏浦其上有二源一發自華山經句容西南流一發自東廬山經溧水西北流入江寧界二源合自方山埭西注大江分派屈曲不類人功疑非秦皇所開或曰方山西瀆直屬土山三十里許是秦開又鑿石硊山西而疏決此浦因名秦淮蓋未詳也祥符江寧圖經曰淮水去縣一里其源從宣州東南溧水縣烏刹橋西入

百五十里丹陽記云建康有淮源出華山入江輿地志淮水發源華山在丹陽姑熟之界西北流經建康秣陵二縣縈紆京邑之內至石頭入江懸流三百許里孫盛晉春秋云是秦所鑿王導令郭璞筮即此淮也徐爰釋問云淮水西北貫都吳時夾淮立柵宋元嘉中淩淮起湖熟廢田千餘頃梁作緣淮塘北岸起石頭迄東冶南岸起後渚籬門迄三橋以防淮水泛溢大抵六朝都邑以秦淮為固有事則沿淮拒守今淮水貫城中東西由水門以達于江蓋水之故道也

玄武湖亦名蔣陵湖秣陵湖後湖在城北二里周廻四十里東西有溝流入秦淮深七尺灌田一百頃

建康實錄吳寶鼎二年開城北渠引後湖水流入新宮巡繞殿堂丹陽記吳孫皓寶鼎年間丹陽縣宣騫之母年八十浴於後湖化為黿後湖又名練湖徐爰釋問曰本桑泊

晉元帝創爲北湖以肄舟師大興三年始創北湖築長堤以壅北山之水東自覆舟山西至宣武城六里餘宋元嘉中有黑龍見因改玄武湖立三神山於湖中春秋祠之石蓮古迹編云元嘉二十三年築北隄立言武湖於樂遊苑之北湖中亭臺四所孝武大明中大閱水軍於湖因號昆明池而俗亦呼爲飲馬塘又於湖側作大竇通水入華林園天淵池引殿內諸溝經太極殿由東西掖門下注城南塹故臺中諸溝水常縈回不息建平王景素舉兵蕭道成出北玄武湖梁徐嗣徽等引齊兵至玄武湖侯景舉兵引玄武湖水以灌臺城鄭文寶南唐遜事云金陵北有湖周迴數十里名山大川掩映如畫六朝舊迹多出其間每歲菱藕罟網之利不下數十百千一日燕謐舉玄宗賜賀監三百里鏡湖曰余非敢望此但得賜後湖亦暢平生也徐鉉怡聲而對曰主上尊賢下士常若不及豈惜一後湖所乏者知章爾馮大懒宋天禧四年改曰放

生池其後稍廢爲田開十字河立四斗門以洩湖水跨河爲橋以通往來歲久堙塞今城北十三里唯有一池而他皆廢爲田龍川陳亮所謂建鄴一帶後湖爲險者皆非矣景定志云熙寧八年十一月一日王安石奏臣竊見金陵山廣地窄人煙[redacted]茂爲富者田連阡陌爲貧者無置錐之地其北關外有湖二百餘頃古迹號爲玄武前代以爲游翫之地今則空貯波濤守之無用臣欲於内權開十字河源洩去餘水決下灑微波使貧困飢人盡得螺蚌魚蝦之饒此目下之利水退之後分濟貧民假以官牛官種又明年之計也奉勑依投此奏狀廢湖爲田蓋始於王安石增收後湖田租則始於趙善湘田出穀麥所利者小湖關形勢所利者大故著廢湖之因以待復湖之人云

太子湖一名**西池**在城北六里周廻十里吳宣明太

子創西池晉元帝即位明帝爲太子修西池多養武士於内築土爲臺時人呼爲太子西池又太子東湖在上元縣丹陽鄉太子臺下東橋之東梁昭明太子植蓮於此

丹陽湖在溧水州西七十里周廻一百九十五里深三丈湖中流與太平路當塗縣分界春秋左氏傳哀公十九年楚子西子期伐吳及桐汭杜預注云宣城廣德縣西南有桐水出白石山西入丹楊湖至今白石之水衝突則三湖泛溢此水本由五堰自宜興縣入太湖今已湮塞故老云當時慮後人復開此道則蘇常之間必被水患遂以石窒五堰路又流鐵以錮石李白嘗游此湖酷愛其景乃張帆載酒縱意往來有湖與元氣連風波浩難止天外賈客歸雲間片帆起詩

絳巖湖一名赤山湖在句容縣西南三十里去

府六十里源出絳巖山周百二十里下通秦淮石蕩古跡徧赤山湖在上元句容兩縣間溉田二十四埠南去百步有盤石以爲水疏閉之節南史沈瑀傳明帝復使築赤山塘所費減材官所量數十萬即此湖塘也唐麟德中令楊延嘉因梁故堤置後廢大曆十三年令王昕復置周百里爲塘立二斗門以節旱暵開田萬頃茅山記太玄真人内傳曰江水之東金陵之地左右間有小澤澤東有向曲之山陶隱居曰小澤即謂今赤山湖也從江東來直對望山今比湖半屬句容半屬上元唐樊珣記句容西南三十三里曰赤山天寶中改爲絳巖山以文變質也山外周流厥有湖塘舊址考於前志則曰吳人創立梁人通之景定志又載宋時湖條云江寧府上元句容兩縣臨泉通德湖熟崇德丹陽臨淮福祚甘棠舊額九鄉今併入丹陽臨泉福祚甘棠四鄉百姓自來共貯水絳巖湖澆灌田苗下

有百堽堰捺水其湖上接九源山其堰下通秦淮江自吴赤烏二年到今已七百餘年其湖東至數堽西至雨壇南至赤岸北至青城舊日春夏貯水深七尺秋冬貯水深四尺先是麟德二年前縣令楊延嘉并建雨斗門立碑碣具言周迴僅百里州司尋差十將丁籌計生徐蔵巡湖打量得一百二十二里九十六步盧尚書判置湖貯水本爲溉田若許侵耕難防灾旱取定四尺水則使其澆九鄉田苗九鄉在上元句容兩縣界若過令深廣又慮浸毀若逢曠旱之年須稍增加令且定取五尺水則其不及一處且任耕墾種植如有人於五尺水則内盜耕一畝一角推勘得實其犯條人斷遣令豭十日本管湖長不能覺察亦併施行又據十將丁籌狀蘆蕟亭北邊去岸約有二百來步有一盤石東西闊四尺七寸南北闊三尺五寸石面中心去水面一尺六寸五分即是立尺之則并有察柱仍仰下縣便於石上磨刮更刻字記其湖仍每季一申

不得鹵莽戴經新塘有豐等三湖圍埕內田多
是私函取水澆灌田苗准舊例放絳巖湖水下
秦淮三日取指揮給放不得專擅開函取水其
湖先有傳食田五十畝句容縣弓量二十畝三
十步上元縣弓量二十畝三十步百堽堰與絳
巖湖同置絳巖湖貯水百堽堰擒水保大中曾
別差官親到赤山湖所建斗門三所通放湖水
出入常令湖中積水五尺其斗門或遇山水擁
下高於湖內水面即須全開三所斗門放水入
湖候外溪水退却放水出溪下秦淮入江專須
酌量湖水不得一失於元則右前件湖堰承舊澆
灌九鄉田苗共一千餘頃畝奉省符帖命指揮
修作貯水逐鄉差承灃戶管當先有條流歲久
去失續於晉天福年中再興功役修作經今六
十餘年重添建造貯捺百里溪汊山源脈卹耕
民備供王賦累奉勑恩給賜料物及借助日食
等差兩縣官員置造斗門三所計用一萬七千
六百八十工及添脩湖埂并百堽堰共計三萬

三千六百八十工衆議重置條流嚴加束轄謹連符條如前乞判印指揮永爲證據建隆查貟外乾德伍侍御開寶王司空閻侍御魏司空盧司直林貟外並判執條常加束轄慶曆三年二月十八日葉龍圖知建康府日於古來舊湫處置立大石柱一條將湖心盤石水則刻於柱上永爲定則云

迎擔湖在城西北石頭城後五里今爲田晉元帝南渡衣冠席卷過江客主相迎負擔於此湖側至今名迎擔湖實錄云費縣西北有迎擔湖溉田三十頃宋袁粲敗劉彦節走迎擔湖即此

蘇峻湖在城西北一十五里周廻十里灌田一十二頃南徐州記迎擔湖西北有蘇峻湖本名

白石陂晋咸和二年蘇峻叛陶侃温嶠庾亮陣于白石使將軍楊謙攻石頭峻輕騎出戰謙詐奔白石壘峻逼之繞交鋒墜馬李陽臨陣斬峻於白石陂岸至今呼此陂爲蘇峻湖

張陣湖在石頭城後舊傳蘇峻與晋軍嘗戰於此至今湖側高墩上有蘇七將祠案晋書峻起兵據石頭北湖距石頭繞八里今屬金陵鄉去城十三里

戛駕湖在城東南五十里屬上元縣丹陽鄉今爲田來宋書晋惠帝太安元年丹陽湖熟縣戛駕湖有大石浮二百步而登岸民驚譟曰石來石來明年石冰入建業今丹陽鄉范墟渡舊有石長數尺形如碌碡父老云即古戛駕湖浮來石曾憩楊州記作永寧二年蓋其年改太安也

半陽湖一名半湯湖在城東北四十里周廻十

五里水同一壑而冷熱相半輿地志及南徐州記云江乘縣南有半湯泉半冷半熱熱處可爛物冷處如水熱處魚入冷處即死冷處魚入熱處亦死民種稻則溉熱水一年再熟今下蜀鎮有溫湯唐丞相韓滉小女有疾浴溫湯即愈此在上元縣竟酉陽雜俎云句容縣呉瀆塘其水半冷半熱熱可以瀹鷄此又一湖也

攝湖在城東北五十里周迴二十里江乘縣記云湖在攝山側因名

三岡湖在城東六十四里周迴一十里溉田八十頃地有三岡俯臨湖側因名

烏意湖在城東八十里周迴三里溉田一十頃

鸞雀湖在城東二里流入青溪古老相傳今斜橋即走馬橋橋之東有水平濶是也或云今惟政鄉白蕩湖即其地輿地志云走馬橋東有鸞雀湖窮神祕苑曰梁昭明太子在東宮有一琉璃盌紫玉杯皆武帝所賜既薨置梓宮後更葬開墳爲闔人攜入大舶有燕雀數萬擊之爲有司所縛乃獲二寶器帝聞驚異詔以賜太孫封墳之際復有燕雀數萬啣土以增其上墳側今有湖後人因名燕雀湖

婁湖在城東南一十五里周廻一十里溉田二十頃水流入艦澳輿地志云婁湖苑吳時張昭所創有湖以溉田宋時築爲苑張昭封婁侯故謂之婁湖

高亭湖在城東南三十里周廻二十五頃丹陽記云王御祖塋東南一十六里有高亭湖

葛塘湖在城東南七十二里周廻七里溉田四十頃舊經云昔葛僊翁於此煉丹故以名之

劉陽湖在城東南六十里周三十里溉田三十頃

白社湖在城東南二十五里周十里溉田四十頃

銀湖在城南七十里周十三里溉田二十頃

石坳湖在城南五十三里周二十二里溉田四

十餘頃

白都湖在城南七十里周八里溉田二十五頃西連白都山

萱湖在城南六十里周五里溉田一十五頃

梁壚湖在城南二十五里周迴十餘里溉田二十頃

河湖在城西南七十里周八里溉田十頃

三城湖在城西南七十三里周一十五里中有三小城因名

赤城湖在句容縣西北六十里計一百八十畝深六尺二寸溉田八百畝屬琅琊鄉二十八都

固城湖在溧水州西南九十里周迴一百里深三丈南北三十里東西二十五里環楚王故城有水四泒湖中流接太平路界與丹楊石臼二湖相接號曰三湖東經五堰自宜興州界流入太湖此道今堙塞

石臼湖在溧水州西南四十里縱五十里衡四十里西連丹楊湖湖中有軍山塔子馬頭雀壘

四山其水舊有二派入龍潭梅渓港經湯家步逕濁水此道今堙塞

長蕩湖在溧陽州北五十三里周廻一百五十里接金壇宜興州界舊名洮湖周處韋昭酈道元皆以此湖爲五湖之一中有浮山其水東連震澤春夏深秋冬淺虞翻曰太湖有五湖故謂之五湖滆湖洮湖射湖貴湖及太湖爲五湖並太湖之小支俱連太湖故太湖兼得五湖之名注云洮湖一名長塘湖在義興張勃吳錄云五湖者太湖之別名以其周行五百餘里故以五湖爲名國語吳越戰於五湖直在笠澤一湖中耳范蠡遊五湖即此是郭璞江賦云彭蠡青草具區洮滆以爲五湖洮音姚南徐州記云延陵縣東南長塘湖又名洮湖輿地志云臨津西有長塘湖屬延陵

永世二縣西受溧水通溧陽界周處風土記云氿湖別名長塘湖咸和三年蘇逸以萬餘人自延陵湖將入吳興將軍王允之追及戰于溧陽獲之又王恭兵潰走至長塘湖皆此處也按湖即古延陵尉所居其水東連震澤入松江宋以庾業代義興太守劉延熙業至長塘湖即與延熙合制遣沈懷明等東討卒破業於湖湖春夏水深五尺餘秋冬差淺受大溪南流三十里至大坏山張籍長塘湖詩一斛水中半斛魚言湖中多魚如此祥符圖經云周迴一百二十里

朱湖 在溧陽州今不詳所在　郭景純江賦云其旁則有具區洮滆朱滻冊漅酈道元水經注云朱湖在溧陽今溧陽湖泊爲多或謂之滲滲又訛爲衍有瀨陽衍新昌衍葛浩衍沙漲衍蔣墖衍徐角衍故縣衍魯里衍諸湯衍謝達衍謝公衍名稱更易古迹之見者鮮矣或謂朱湖即冊陽湖之異名未詳是否

千里湖在溧陽州東南十五里晋書陸機云千里蓴羹末下盐豉南史沈文季千里蓴羹豈闕魯衛皆指此也至今産羨蓴俗呼千里湾與故縣湾相連或説千當作芊末當作秣千末皆省文也秣下即秣陵大抵縣境産蓴多且肥羨藏蓄可以致遠

昇平湖在溧陽州西七十里水自溧水州五堰東流入湖即古中江所逕之地又有溪水南自建平縣梅渚鎮來會

三塔湖一名**梁城湖**在溧陽州西七十里周四十八里西南與昇平湖相接張孝祥有詩俗呼三塔衍

黄山湖在溧陽州西南三十七里黄山下周五

里

下湖在溧陽州南十里周廻五里流經白雲逕東入太湖

西干湖在城東五十里周五里溉田五十頃長樂邑崗墩之西有村曰西干其側有湖因名

慈湖在江寧縣界接太平路湖濱有巡檢寨石季龍寇歷陽趙猇屯慈湖蘇峻敗司馬流於慈湖

白米湖在上元縣東與句容下塘村相接地產白米

溪瀆

青溪 實録吳赤烏四年鑿東渠名青溪通城北塹潮溝潤五丈深八尺以洩玄武湖水發源鍾山西南流經京出今青溪閘口接于秦淮及楊溥城金陵青溪始分爲二在城外者自城壕合于淮今城東竹橋西北接後湖者青溪遺迹固在但在城内者悉皆堙塞惟上元縣治南迤邐而西循臺治東南出至府學墻下皆青溪之舊曲水通秦淮而鍾山水源久絶矣輿地志云青溪發源鍾山

入于淮連縣十餘里溪口有埭埭側有神祠曰青溪姑今縣東有渠北接覆舟山以近後湖里俗相傳此青溪也其水迤邐西出至今上水閘相近皆名青溪溪舊有七橋晉郗僧施嘗泛舟青溪每溪一曲作詩一首謝益壽聞之曰青溪中曲復何窮盡蓋謂此也陶季直京都記云京師鼎族在青溪埭尚書孫瑒尚書令江總宅當時並列溪北晉王含師王敦餘黨自竹格渚濟沈充自青溪會之至宣陽門蘇峻等出南塘横擊大破之桓彝别傳彝與庾亮溫嶠羊曼等共集青溪之上郭璞與焉乃援筆屬詩以白四賢并以自序世說云周顗罷臨川還都泊青溪時夏暴雨船航狹小而漏殆無坐處丞相王導曰胡威之清何以過此齊高帝先有宅在青溪生武帝及即位以宅爲青溪舊宫永明元年望氣者言新林婁湖有王者氣帝乃築青溪舊宫作新林婁湖苑以厭之卞彬嘗於東府謁齊高帝時高帝爲齊王彬曰殿下即宫東府則以青溪

爲鴻蕭鴻蕭以東爲齊以西爲宋仍誦詩云誰謂宋遠跂予望之遂大忤旨隋煬帝平陳斬張麗華孔貴妃二人於青溪柵下舊志云建元寺東南角度溪有橋名募士橋吳大帝募勇士處其橋西南角過蕭有埭名鷄鳴埭齊武帝早游鍾山射雉至此鷄始鳴因名焉其蕭是吳郗儉所開在苑城後晉修苑城爲建康宫即城北壍也龍川陳亮論建業形勢擁秦淮青溪以爲阻今青溪九曲岦存其一馬光祖浚而深廣之建先賢祠及諸亭館於其上築堤飛橋以便往來詳見先賢祠及亭館下

白雲溪一名**白雲逕**在溧陽州東十里清澈可翫東流入荆溪

鎻石溪在上元縣東南四十八里源發白石巖

經攝湖六十餘里入大江其源上通數里山澗屈曲隨下奔注不煩人功開鑿

長瀆在上元縣東南六十里闊五丈丹揚記云湖熟前有長瀆東承句容縣赤山湖水入于秦淮

白李溪在句容縣小茅峯北昔高辛時展上公居於溪上手植白李而食之道成僊去

上容瀆在句容縣水源出中茅過蘆江橋經赤山湖入秦淮

橫溪在溧水州東南八十里

孚溪在溧水州東南七十五里

花溪在溧水州西南四十里

谷溪在溧陽州南二十里源出青山曲折流一百一十里下合于瀨水

滄溪在溧陽州西六十里源出谷山東北流入長塘湖

尚友溪在溧陽州南二十里源出廣德諸山至此聚而爲溪下經黄墟蕩合于白雲逕

舉善溪在溧陽州南三十里源出廣德諸山至

此聚而爲溪合于高交溪

楚王東西二澗在茅山楚桓王爽游憩此因名舊記云崇禧觀東二澗是也并華陽洞天三水合流直至崇禧觀門前

落馬澗一名南澗在江寧縣南五里東北流入城壕宋孝武討元兇劭劭軍敗人馬傾滿澗中時人呼爲落馬澗陳已澗竭戚氏云南史有南澗寺慶元志曰南澗即今落馬澗寺不詳其所宋有南澗樓見荆公詩此地近猶呼落馬澗北年始題其榜曰躍馬澗人皆呼爲躍馬澗矣

蘼蕪澗在上元縣城東三十里青龍山前路出檀橋金陵故事齊處士劉瓛居此瓛爲儒林之宗仕至四十未婚其友爲娶王氏乃詣澗

折蘼蕪而去因名蘼蕪澗

玉澗 今蔣帝廟側緣山澗是

東澗 在鍾山寶公塔西宋熙寺基之東石邁古迹編云梁處士劉訏隱居之所訏允精釋典嘗聽講鍾山諸寺因卜築宋熙寺東澗有終焉之志

鶴臺澗 在句容縣大茅峯東北嘗有群鶴往來於此澗後有道士張元之築臺居焉

宜春澗 在中茅峯東白雲亭南水甚甘旱不涸任真人就東流水合冊正古洞天館之前也

碧奈澗 在大茅山西二里昔有僊人展上公於此積碧奈貸冊砂故

名茅山志云郭四朝真人於此種柰未詳孰是

冷水澗在句容縣王晨觀北茅山志蓊龍湫在良常山西俗呼冷水澗也

流杯澗在句容縣雷平山西大路下

陶塘澗見茅山志

九曲澗在句容縣自大茅山左脅支流而達于

菖蒲澗

大澗在金菌山東

亭水澗在句容縣北三十里亭山南繞縣城東

與赤山澗水合流下百堽堰

丁公澗在溧水州南三十五里

泠水澗在溧水州東南十里自荆塘西流五里凡九曲入石臼湖

上湖澗在溧陽州西南六十里源在廣德軍來北流入縣界合於白雲溪

河港

古漕河一名**靖安河**自靖安鎮下歙口取道入儀真新河入十餘里吴聿靖安河記畧曰江出岷山道峽與荆湘沅澧至

洞庭積爲巨浸合沔水經潯陽東匯彭澤別爲九道會爲中江東北至南徐州爲北江入于海惟中江自湖口合流而下奔放蕩潏吐吞日月山或磯之則其勢悍怒鱷舞大鯿兀若轉梗至其廣袤曠數百里斷岸相望僅措一髮而舳艫上下中流遇風則四顧茫然云所隱避自金陵抵白砂其尤者爲樂官山李家漾至急流濁港口凡十有八處稱號老風波而玩險阻者至是鮮不袖手東南漕計歲失於此者什一二宣和六年發運使盧公訪其利病得古漕河于靖安鎮之下鈌口謂其取逕道于青沙之夾趍北岸穿珊月港縣港尾越北小江入儀眞新河以抵新城下往來之人高枕安流八十餘里以易大江百有五十里之險實爲萬世之利役之始興楊子六合上元分治其所臨之地云

護龍河 即舊子城外三面壕也闊十二丈其水

自東城壕入遶東面者即古清溪一曲在西北者接潮溝運瀆珍珠河詳見古蹟篇

新河在白鷺洲西南流通大江二十餘里舊名蕃人河今呼爲新開河韓世忠碑云建炎四年金人入寇車駕幸四明王聞之亟以舟師赴難兀朮聞王在京口遽勒三十萬騎北還王遂提兵截大江以邀之相持黃天蕩四十八日兀朮勢危自知力憊糧竭或生他變而王舟師中流鼓柂飄急若神凡古津渡又皆八面控扼生路垂絕一夕潛鑿小河自建康城外屬之江以通漕渠幸風波少休竊載而逃內翰汪藻建炎間奏議云敵於鍾山前花臺各創大寨抱城開兩河以護之

盧門河在上元縣長寧鄉去縣六十里一名蕃

人河景定志云蘆門河在蘆門漾之側建炎間始開以通真州亦名蕃人河今黄天蕩南王諫議蘆塲内是其處按此河以蕃名而不述其所以名意汪藻内翰所謂金開兩河則此河與新開河皆金所開者否則無因以蕃名也今按世忠碑謂鑿小河自建康城外屬之江則爲新河明甚然去黄天蕩甚遠又考建康年表兀术不得去或教於蘆塲地鑿大渠二十餘里上接江口出世忠之上又傍冶城西南隅鑿渠成次早出舟世忠大驚金人悉趍建康世忠尾擊敗之詳其事勢當自金山脫走之後沿江南岸引行先於黄天蕩南蘆塲鑿渠出江口以通建康而後又於冶城西南鑿渠出江故蘆門新開二河皆名蕃人河兀术自新河出江則去黄天蕩遠而海舟無風不能及矣世忠碑文不詳故啓後疑汪藻謂抱城開兩河或即指此戚氏志謂今蘆門河惟蘆發出焉亦可見其非江之經流也

珍珠河在宋行宫後乃昔陳後主泛舟樂遊之河忽過雨浮漚生宮人指浮漚曰滿河珍珠因名焉此河通護龍河至太平橋西分兩派一派出柵寨門一派出秦淮宋嘉定間李珏開浚以洩霖潦見冰底有大柴板乃止今堙塞殆盡闊處猶五丈戚氏云前志及史傳不見所起疑即運瀆之舊

小新河在東門外土橋之東嘉定八年西山真公爲江東運副適遇旱蝗細民阻饑欲因役以飽之爲養種園前一帶河道淺狹乃撥錢米發下蔣山寺令主首繼心差本寺僧行部役募五縣人夫自土橋東開河欲至蔣山開至半山寺後橋亭遇石不可掘乃止

新林港又曰**新林浦**在城西南二十里闊三丈

深一丈長一十二里舊經云三十里宋開寶八年曹彬等破南唐兵於新林港即此地李白新林浦阻風寄友人詩有云明發新林浦空吟謝朓詩送友人遊梅湖云暫行新林浦定醉金陵月又韓翃送客遊江東詩云若到新林江口泊吟詩應嘗謝玄暉盖玄暉有新林向板橋詩也

下蜀港在城東北一百里句容縣北六十里唐世置鹽鐵轉運使在揚州宋發運使在真州皆於江南岸置倉轉般倉下蜀鎮北有倉城基并鹽倉遺址尚在後有河入大江里俗呼曰官港即古漕河也

竹篠港西至靖安東至石步南至直瀆北臨大江屬上元縣金陵長寧兩鄉由靖安港口至城

二十里由石步港口至城四十里在唐世紀曰竹篠港今呼竹篠夾港上置巡檢司景定志云迹時於靖安港口得楊吳所鑄錠石云吳順義元年鄁城鑄

石步港在上元縣長寧鄉去縣四十里石邁古迹編云蕭山西花林市之東有浦曰石步港西連竹篠河北至大江

城壕繞城濶二十五丈週四十五里其水引鍾山南源即古清溪經流故迹繞城東北復南出月子河過秦淮南經伏龜樓而西接大城港其在西北者亦與石清溪故道通流自西入秦淮

斗門案圖經在秦淮南北岸天聖中上元溧水等縣積歲水爲害知府馬亮始開昳壅置東西斗門各一引水入大江救田甚多

海口閘即古迹行宫閘名

溝瀆

潮溝呉大帝所開以引潮接青溪抵秦淮西通運瀆北連後湖其舊迹在天寳寺前（天寳寺故基在今城東北角外西一里長壽寺前）實録云潮溝東發青溪西行經古承明廣莫大夏等三門外西極都城墻對今

歸善寺西南角南出（歸善寺故基在今城北鷄籠山東）經閶闔西明二門接運瀆（在西州之東今笪橋西）南流入秦淮（乾道南北橋河是也）其北又開一瀆經栖玄寺門（寺在覆舟山西南鷄籠山東北）至後湖以引湖水至今俗亦呼爲運瀆其實古城西南行者運瀆自歸善寺門前東出至青溪者名曰潮溝其溝東頭已堙塞纔有處所西頭則見通運瀆石邁古迹編曰按建康實録所載皆唐事距今數百年其溝日以堙塞未詳所在今城東門外西抵城壕東出曲折當報寧

寺之前亦名潮溝此今世所開非古潮溝也按徐鉉有和鍾大監泛舟詩云潮溝橫趣北山阿張忠定亦有詩云潮溝一面已生蒲則是南唐及宋初潮溝古迹猶在也東南利便書曰古城向北秦淮既遠其漕運必資舟楫而濠塹必須水灌注故孫權時引秦淮名運瀆以入倉城開潮溝以引江水又開瀆以引後湖又鑿東渠名青溪皆入城中由城北塹而入後湖北其大略也自楊溥夾淮立城其城之東塹皆通淮水其西南邊江以爲險然春夏積雨淮水泛溢城中皆被其害及盛冬水涸河流往往乾淺水隆興二年張孝祥知府事奏秦淮流經府城正河自鎮淮新橋入江其分派爲青溪自天津橋出柵寨門入江柵寨門近地屬有力者因築斷青溪水口剏爲花圃爲游人翫賞之地每久雨水暴至則正河不能急洩水勢於是泛濫城內居民被害今欲復通柵寨門使青溪徑直入江則城內

求無水患及汪澈繼孝祥知府詔澈指定以聞澈言開西園古河道通柵寨門尤便從之戚氏云秦淮水源甚遠小川流入者衆又古來貯水湖衍後世築爲圩田日多每夏雨暴至江湖復瀕水即泛溢皆經流城内一河入江自源及委所過不計幾橋凡過一橋必爲木石岸堰束扼及居民築土侵狹河道故水失其常横流弗順是以必資柵寨門河及長干橋下河分洩其勢其事關於國賦民食者非輕如云通便舟楫特是小事自前如孝祥所言止謂城内被水然多不過數日即退其害亦輕若觀鄉外圩田則始見其害可畏尔上元江寧溧水多賴圩田農民生計居處皆在圩中每遇水至則舉村闔社日夜併力守圩辛苦狼狽於淤泥之中如禦大寇幸而雨不連降風不湧浪可以苟全一歲之計其或壞决則水注圩中平陸良田頃刻變爲江湖農民顛沛流離哭聲滿野挐舟結筏走避他處國賦民食兩皆失之是皆水不安流之故爾至

元五年已卯行臺大夫忽剌哈赤令有司開浚天津橋下古溝東起青溪西抵柵寨門至石頭城下水道復通公私便之

御溝在古御道兩旁歲久堙塞南史桂陽王休範舉兵杜黑騾乘勝渡淮黄門侍郎王蘊傷重踣於御溝之側實録云朱雀門北對宣陽門相去六里名爲御道夾開御溝歲久堙塞今在城南御街兩邊俱有溝在居民屋下乃南唐所開非六朝舊迹

霹靂溝在城東五里荆公有詩云霹靂溝西路柴荆四五家

百丈溝一名**百步溝**在溧陽州南三里源出燕山相傳其處田多高印開溝以灌溉東流合于白雲遥下入太湖

鐵冶溝在鍾山鄉馬鞍山下有地三畝餘皆鐵近水垠通小港耆老呼爲鐵冶溝梁時作三垻堙淮水以灌壽州一於壽州一於荆山一於盱眙久不能成聚江南之鐵融液載往淮築之上種榆柳一夕崩壞聲聞數里棄所聚之餘鐵於此至淳祐七年趙都督葵於其旁置爐鞴十數以鑄鐵礟匠人烹鑿地堅不可入乃已

直瀆在城北隸上元縣鍾山鄉去城三十五里濶五丈深二丈西至壩埂東北接竹篠港流入大江旁有直瀆山直瀆洞吳後主所開瀆道直故名曰直瀆輿地志云白下西南有蟹浦蟹浦西北有直瀆伏滔北征記云吳將

甘寧墓有王氣孫皓惡之乃鑿其後爲直瀆晉蘇峻舉兵溫嶠帥師救京師遣王愆期等爲前鋒次直瀆即此地楊脩詩注云瀆在幕府山東北長十四里闊五丈深二丈初開之時晝穿夜復自塞經年不就傷足役夫卧其側夜見鬼物來填因嗟曰何不以布囊盛土棄之江中使吾徒免殫力於此此傷者異之曉白有司如其言瀆乃成

運瀆在上元縣西北一里吳大帝赤烏三年使左臺侍御史郗儉監鑿城西南自秦淮北抵倉城邊運瀆於苑倉今所鑿城在西門近南其水東行過小新橋而南經斗門橋流入秦淮又東北過西虹橋循宋行宮城西迤邐向北乃其故

道其自閔駕橋經天津橋而東者合于青溪（案建康宮城即吳苑城城內之倉曰苑倉故開此瀆通運倉所時人亦呼爲倉城晉咸和中修苑城爲宮惟倉不毀是名太倉在西華門內道北）

破岡瀆在句容縣東南二十五里（實錄云吳赤烏八年使校尉陳勳作屯田發屯兵三萬鑿句容中道至雲陽西城以通吳會船艦號破岡瀆上下十四埭上七埭入延陵界下七埭入江寧界晉宋齊因之梁改爲破墩瀆遂廢之而開上容瀆陳高祖即位又堙上容瀆更修破岡至隋平陳乃廢宋少帝於華林園開瀆聚土以象破岡埭與左右引船唱呼以爲歡樂）

義溝瀆在城東二十里源出東青村下入秦淮

長七里漑田一百餘頃

經瀆在溧陽州北三十里自金壇縣界來入長塘湖鎮江志云晉宋舊有此瀆隋大業初縣令達奚明又加疏決

池塘

放生池案舊圖經唐乾元中放於江寧秦淮太平橋臨江帶郭上下五里置放生池八十一所有碑昇州刺史顏真卿撰文舊以府治東南東接青溪北通運瀆者為之今秦園之側府學之東即古放生池也淳熙間史正志移放生池於青溪建閣其上遇祝聖立班閣下府學遂因舊放生池為泮水其流亦通青溪王尚書墊以其池乃祝聖之地立板榜於舞雩亭門禁漁捕池近行路水深而堤不固時有溺死者馬光祖命能仁寺僧築堤甃街立大木為欄檻自

是無溺者

天泉池宋元嘉二十三年鑿一名天淵池龔穎運曆圖云晉孝武太元十年大旱井瀆皆竭太官供饍皆資天泉池自晉已有此池矣宋書云明帝泰始二年天泉池白魚躍入御舟梁書陸榮公傳云天泉池中新製舟形狹而短惟引太常劉之遴國子祭酒到溉右衛朱异中書黃門郎陸倕同載按宋宮城後法寶寺西南菜圃中荒池尚餘一畝疑即此池也

善泉池一名九曲池在臺城東東宮城內周迴四百餘步金陵故事梁昭明太子所鑿中有亭榭洲島曲盡幽深之趣太子泛舟池中嘗曰何必絲與竹山水可忘情

飲馬池 宋大明中立於玄武湖北上林苑中

洗鉢池 在蔣山寶公塔西二里法雲寺基方池是也 慶元志在興教寺故基上

覆盃池 舊城北三里西池是也 晉元帝中興頗以酒廢政丞相王導諫帝因覆盃於池中以爲戒也

西池 案宮苑記在太初宮西門外吳之西苑今惠日寺後池也互見太子湖 吳宣明太子孫登所創謂之西苑世説晉明帝爲太子時欲作池臺元帝不許太子養武士一夕中作比曉便成即今謂之太子西池丹陽記曰西池孫登所創吳史所謂西池明帝重修之耳記室新書云西苑内有太子池孫

小三又十五

權了和所築實録注云其宫城西南角本有池名清游池通城中樂賢堂並肅宗爲太子時所作晉中興書云溫嶠拜中庶子規諫諫議其有補助太子起西池樓觀頗多勞費嶠口疏諫太子納焉太元十年符堅爲姚萇慕容冲所攻遣使求援詔謝安率衆救秦帝自行西池宴群臣餞安賦詩者五十八人劉毅征盧循敗歸帝大宴於西池有詔賦詩毅詩云六國多雄士正始出風流毅自以武功不競故示文雅有餘也

蒙池在臺城内梁陳龍舟嬉游之所

柵塘在秦淮上通古運瀆實録註吳時夾淮立柵號柵塘王隱晉書云王敦反以兄子應爲嗣沈充自吳率衆萬餘人至與王含合兖司馬顧颺説充曰今日舉大事而天子已扼其喉情離衆沮持疑猶豫必致禍敗今若决破柵塘因湖水灌京邑肆舟艦之

勢極水軍之用此所謂不戰而屈人兵上策也
克不用王敦殺郭璞璞謂五伯曰吾年十三時
於柵塘脱袍與汝吾命應在汝手中五伯感昔
念惠嚮㶣行法梁天監九年新作緣淮塘北岸
起石頭迄東冶南岸起後渚籬門達于三橋作
兩重柵皆施行馬至南唐時置柵如舊其後置
閘浚城中水入于江俗號爲柵寨門乾道五年
史正志景定元年馬光祖皆嘗重建水道久湮
今至元五年集慶路重加修浚又按梁嚴植之
緣柵塘行見人患卧塘側植之下車問之曰荆
州人爲人傭疾篤而船主棄也植之載還治之
經年而差請終身充奴報厚德植之遺資粮遣
之即此柵塘也

横塘案實録在淮水南近陶家渚緣江築長堤
謂之横塘淮在北接柵塘宮苑記吳大帝時自江口緣淮築堤謂之

横塘北接栅塘在今秦淮逕口吳時夾淮立柵自石頭南上十里至查浦查浦南上十里至新亭新亭南上十里至孫林孫林南上十里至板橋板橋南上三十里至烈洲吳都賦曰横塘查下邑屋隆夸棟臺之盛天下莫比

倪塘在城東南二十五里晉書王敦自湖陰使王含錢鳳等以兵五萬逼京師帝親率六軍次南塘夜募勇士陳嵩等領甲卒千人渡水掩其未備大破含軍于越城含軍既敗乃率餘黨自倪塘西置五城如郤月勢即此處也南史劉毅初當之荆州表求東還辭墓去都數十里不過拜闕宋武帝出倪塘會毅胡藩請殺之帝曰吾與毅俱有克復功其過未彰不可自相圖其後北討謂藩曰若從卿倪塘之謀無今舉也梁書齊兵自秣陵東跨淮立橋引兵渡自方山進及倪塘互見五城下

臨賀塘在城東三十里屈曲一十里漑田二十頃梁臨賀王蕭正德理田於此因名

銅塘在城東四十里屈曲十五里漑田二十頃

長塘在城東南六十里屈曲五十里漑田百頃

[illegible]塘在城東四十里屈曲十五里漑田三十頃

開善塘在城東三十里屈曲十五里漑田廿頃

蠡湖塘在城北二十里屈曲十三里漑田十頃

劉塘在城北三十里屈曲二十里漑田十頃

水門塘在城東三十五里屈曲一十里漑田十

七頃

黄家塘在城南菜園務舊在軍寨內今地名黄家塘寨

赤山塘在城東三十五里濶五丈深一丈溉田一百五十頃

郭干塘在長隱山東塘五畝深五尺一寸灌田六十餘畝其近村亦以郭干名水常滿鄉人凋之必有霰雹屬茅山鄉十三都石頭堽

赤石塘陶隱居云赤石田在中茅峯西食此塘

水利漑田十餘頃

上鈐塘在句容縣南十三里計四十一畝一角四十二步深五尺三寸漑田一百一十三畝

下鈐塘計六十七畝二角三步深五尺三寸漑田二百單二畝

郭西塘在句容縣西一里計一百八十畝一角五十步深七尺三寸漑田五百七畝

梅家塘在海眼西

南黄塘在句容縣東北十里赤堽約八畝深五

尺漑田二百頃
西黄塘在句容縣東北十里澗西大小十三所
廣一十五畝漑田一百五十頃
溧水有官塘楊塘茭塘荆塘解塘莆塘沙塘柘
塘鵶飛塘白水塘清水塘曾家塘齊母塘南塘
五穀塘曾塘徐塘芮塘傳嵇社塘溧陽有杳茁
塘石臼塘虎塘馮塘真武塘浦里塘青塘又南
塘各見本志

井泉

景陽井一名**臙脂井**又名**辱井**在臺城内陳末後主與張麗華孔貴嬪投其中以避隋兵其井有石闌多題字舊傳云闌有石脈以帛拭之作臙脂痕或云石脈色類臙脂按曾南豐集辱井銘曰辱井有篆文云辱井在斯可不戒乎井下文共十八字在井石檻上不知誰為文又有景陽樓下井銘又有陳後主叔寶辱井記及江寧縣興嚴寺井石檻銘莫知誰作也景定修志時已不可辨今存片石在郡學中詳見古迹志

龍天王井在臺城前舊傳梁武帝爲郗后立龍祠井上號龍天王井梁陳皆祀之六朝記云梁武帝郗后性妬忌武帝初立未冊命因忿懟乃投殿庭井中衆趨井救之已化毒龍煙焰衝天人莫敢近帝悲嘆久之乃冊爲龍天王使井上立祠自梁歷陳享祀不絕陳滅遷其祠於西京道德寺大業初又置祠於舊處今按梁史武帝即位郗后已死於雍州或其神見耳詩以虵爲女子之祥武帝親立齊和帝復奪而弑之惡念所感地虵見妖不亦宜乎前志疑而不載過矣

義井在城南天禧寺側天聖五年郡人唐文遇出家帑令寺僧可政請于丞相李公迪所鑿

三義井在石頭城後清涼寺莊及石子岡七里

鋪共三井南唐保大三年置井闌上有僧廣慧刻字又金陵故事有三井在瓦官寺後没一井則二井俱沸因名其地爲三井岡丗言神農生而九井自出今隨縣北界厲鄉村南重山北有九井汲一則八動有神農所生石穴上有神農廟老子亦生於此然當塗南卜里亦有九井山伏滔記云丹陽山南有九井五乾四通大江寰宇記云穰之九井與江寧三井皆汲一則餘俱震縣復有烈山烈洲臨江中或以爲烈山氏故迹未必然也姑存以備攷

應潮井在蔣山頭陀寺山頂萬一峯佛殿後蔣山塔記云梁大同元年後閣舍人石興造山峯佛殿殿後有一井其泉與江潮盈縮增減相應段承式西陽雜俎云蔣山有應潮井在半山之閒俗傳云與江潮相應嘗有破船朽版自井中出貞觀中有牧兒汲水得杉板長尺餘上有朱漆字曰吳赤烏二年豫章王子駿之船石邁古迹

編曰應潮井在蔣山頂古頭陀寺後其井與江潮相通盈縮常應時於井間得蘆根斷帆之屬

藏冰井 宮苑記在城東北十里覆舟山北宋孝武大明中鑿以藏冰齊梁陳皆因之

沸井 在句容縣東三十五里丹陽記曰句容縣有沸井亦曰沸潭又曰句容縣東三十五里有龍岡岡頂有沸潭周迴十二丈聞人聲便沸不聞不涌也異苑曰句容縣有延陵季子廟廟前井及瀆常自涌沸于今猶然圖經云在縣東三十里虎耳山

響井 在江寧縣陶吳鎮西北二百餘步響井闌尚存元祐五年四字或以紗帛蒙其上以物擊之則作鼓聲或以瓦石投其中則作鐘磬聲景定志云屬陳主簿家園中

許長史井在茅山玉晨觀內今有碑碣存陶隱居云舊在許長史宅歲久堙沒後得井於觀中其泉色白而甘有井銘乃徐鉉所作

陶隱居井在茅山華陽宮前東橋陶貞白七次丹成皆中等神人告以定分止合得此中丹於是服之遁景而去井歲久堙沒政和初道士莊慎修索而得之初去三尺許得甓井闌雖破合之尚全環刻大字云先生丹陽人仕齊奉朝請壬申歲來山棲身高靜自號隱居同來弟子吳郡陸敬游其次楊王吳戴陳許諸生供奉階宇湖熟潘邏及遠近宗稟不可具記悠悠歷代詎勿識焉梁天監三年八月十五日鐫誌陳宣懋書及見磚甓又穿數丈獲一圓石硯徑九寸許列十一趾滌之紫色粲然又得銅爐有柄若今手爐仍於砂石間有丹一粒大如芡實光彩射人亟取之遂墮井中水極甘冷雖大旱不竭爐硯藏宮中

樂官井在溧陽舊縣寨東百餘步南唐時東以太湖與錢氏分界溧陽屯兵間遣諸子巡視有憩於驛者樂工忤意沈之井滯魄爲祟託宿必魘或死無敢入者後有達官欲寓宿驛吏以事告不信其夜果見服緋緑者數輩自井出叱問具陳寃狀祈葬遺骸於高原達官許之復投于井明日爲出其骸以葬其怪遂絶今猶呼樂官井即當時驛舍所在云

湯泉在城東六十里上元縣神泉鄉湯山其處有聖湯延祥院舊凡十所今存者六吳郡録曰江乘縣有湯山出温泉二所可以治疾張敦吳録曰丹陽江乘縣有湯山出温泉三所宋劉義恭湯泉銘云秦都壯温谷漢京驪湯泉炎德資遠滌暄波起斯源石邁古迹編云鴈門山北有湯泉去都

七十里用以洗浴治瘡飲之已腸胃冷疾齊時有老沙門語彼村人云此鑊湯之衝也

忠孝泉 近忠孝亭武狀元周虎有記

玉兔泉 在府學東廊前秦檜未仕時宿學夜見白兔入地使人掘之一丈許得泉檜既入仕設井闌鐫石篆書玉兔泉三字檜嘗置田入學

一人泉 **宋熙泉** 見前蔣山圖攷

道光泉 見蔣山下熙寧八年僧道光披榛莽得泉深五尺穴竹引注寺中由嶺至寺九三百步王荆公手植二松於其旁其後道光又得泉合爲一派主寺者作屋覆其上名曰蒙亭以此泉得之道光故名道光泉

張山大泉 在山之陽合爽小泉深廣丈餘溉田百頃春夏不竭客至則沸又名玉泉

喜客泉 在茅山棲眞觀南洛至則湧沸而起句曲三茅山記喜客泉在大茅山峯北垂方數尺客至即沸故名曰喜客泉

撫掌泉 在茅山崇壽觀前雖旱不涸在昭明讀書臺下舊記云在鴻禧院東聞擊掌之聲湧出如沸其味甚佳冬時常暖亦呼爲冬温泉

白騎泉 在城北十五里石蘊古迹編云吳大帝時蔣帝乘白馬執白羽扇見形於此馬跑地成泉因以名之其泉在騎亭山之側屬上元縣慈仁鄉

白乳泉 在攝山棲霞寺千佛嶺下昔因人伐木始見石壁上刻隸書六大字曰白乳泉試茶亭不知得名於何人

陳隆泉 石蘊古迹編曰隸上元縣丹陽鄉絳岩山之北父老相傳昔有陳隆道人嘗結

茅其側其泉清澈甘冷遶山十餘泉皆所不及
建炎中居民避難山中聚給此泉泉之東有屋
基平坦無石
莫知所因

田公泉在茅山玉晨觀東南一里亦呼柳谷泉
真誥定録言華陽雷平山有田公泉飲之除腹
中三虫與隱居泉水同味云是玉沙之流津也
用以浣衣不用
灰以此爲異

玉液泉舊記云有二泉一在茅山崇壽觀後山
堽上路西畔屢人捧石北泉若乳色甘
而香能去腹中諸疾俗呼爲
白泉一在三角山玉液菴

海眼泉舊記云有二泉一在楊尚書山房常時
泉涌能應海潮在積金中峯之西今元
符宮西園是也
一在墨池西

茅山有盆人泉玉蝶泉靈泉洞泉玉砂泉朱砂泉鹿跑泉百丈泉讀飲泉卅谷泉陶公泉一勺泉溧水有稟丘山泉顫船山泉各見本志

諸水

鍾山水 李衛公浮槎山水記云李侯以鎮東留後出守廬州因遊金陵蔣山飲其水既又登浮槎至其上有石池涓涓可愛蓋陸羽所謂乳泉漫流者飲之甘則鍾山水與浮槎之水其味同也

石頭城下水 中朝故事云李德裕儔達居廊廟日有親知奉使京口李曰還日金山下楊子江中零泉水與取一壺來其人舉棹旧醉而忘之泛舟至石頭下方憶乃汲一瓶於

江中歸京獻之李公飲後訝嘆非常曰江表水
味異於頃歲矣此頗似建鄴石城下水其人謝
過不
隱也

八功德水在蔣山悟真庵後梁天監得名天聖中知
上元縣梅摯記云鍾山之陽有泉曰八功德梁
天監中有胡僧曇隱飛錫寓止修行有一厖眉
叟相謂曰予山龍也知師渴飲功德池措之無
難矣人與口滅一沼沸成深僅盈尋廣可倍丈
浪井不鑿醴泉無源水旱若初澄撓一色厥後
西僧繼至云本域八池一已眢矣此味大較相
類豈非竭彼盈此乎一清二冷三香四柔五甘
六淨七不饐八蠲痾又其效也夫姜詩孝聞獲
淵閼而經躍貳師誠至因劒刺以流飛義有激
而相求物何遠而不應向匪兼濟則爲怪力是
泉也方外淨因寰中美利矧其靈者安可忽諸
故流離滋液長在惜其風雨不庇荆蕪四侵

寂寥山阿乾爲起廢史館學士蘭陵蕭公貫以已俸作亭甃板石八自南康購至楹柱四下東府所成鑿厓以審曲匱土以端術者不至侈歸然獨存仍練僧結廬於前以掌之庚幾便民汲息客游非有徼於妄福也嘉定初鍾將之重修趙師縉記

曲水 晉海西公於鍾山立流杯曲水延百僚水經注曰舊樂游苑宋元嘉十一年以其地爲曲水武帝引流轉酌賦詩

溧水 一名瀨水在溧陽川西北四十里前漢地里志云溧水出南湖祥符圖經瀨水西承丹楊湖東入長蕩湖蓋丹陽湖即南湖也景定志云固城春秋時吳瀨渚縣見勝公廟記漢溧陽縣治在焉隋開皇十一年割溧陽之西置溧水縣固城在溧水縣界宋紹興中得後漢溧陽校官碑於固城湖之傍故知其爲漢縣治丹陽湖在其南故

曰南湖溧水出南湖而東縣在水之北水北曰陽故名溧陽自東垻既成於是丹陽湖水不復通本州界然古溧水之出於丹陽湖明矣今州西北有水源出曹山逕溧水州界東流入本州界合于永陽江六朝事迹編及乾道建康志皆指曹山之水爲溧源非也元和郡縣志謂溧水在溧陽縣南六里蓋唐溧陽縣治即今之舊縣也溧水東流爲永陽江江上有渚曰瀨渚即伍子胥乞食投金處故又曰投金瀨自瀨渚東流爲瀨溪鄉民訛爲爛溪入長塘湖一派東流爲吳王漕吳王漕楊行密時漕運所行也或以爲春秋時之吳王真誥云夫至貞者萬乘不能激其名投金溧女是也陶隱居注云金溧女是子胥所逢浣紗於溧水之陽者後既投金以報之故謂之金溧詳見李白所作瀨女碑

吳王漕水源出溧水州東廬山東南流入吳漕

過白馬橋馬沇二港下入丹陽湖

太山水源出溧水州南流入固城湖經五堰東入溧陽州三塔港

亭水源在句容縣北三十里亭山南繞縣城東與赤山湖水合流下百堽堰入秦淮

溧陽州有黃壚蕩清水蕩茅山有大羅源桐花源霞架海丹砂泓陽谷汧皆見本處志

汝南灣在府城東八里當秦淮曲折處晉汝南王渡江家於此遂名汝南灣東治亭在灣之東南乃晉太元中餞送之所齊陸慧曉清介自立與張融

鄰居劉瓛弟璡字子敬云二人並居其間水必有異味特酌飲之至今取此水釀酒甚佳事見覽古詩注

桐樹灣 在秦淮南向逼府城北臨淮水岸舊植桐甚繁故名東北有浮航即長樂橋也宋人稱桐林見銀樹堰下

明月灣 在句容縣西南一里通淮謝安石曾月夜泛舟垂釣今釣基尚存

烏龍潭 在城北鍾山鄉永慶寺之前水旱禱祈屢應 輿地志宋元嘉末有黑龍見玄武湖側今潭近湖疑即當時所見之處

菖蒲潭在句容縣僊人房許長史居此學道又顧著作山房多產菖蒲一寸九節

句容縣有護軍潭白龜潭溧水州有龍潭石龍潭見各處志

投金瀨在溧陽州西北四十里源出曹姥山經溧水州界東流入州界南流爲潁陽江江上有渚曰瀨渚吳越春秋云伍子胥奔吳至溧陽溧陽女子擊縹瀨水之上子胥跪而乞餐女子食之既去自投於水張勃曰子胥乞食處在丹陽溧陽縣唐書音訓曰投金瀨今潁陽江　伍子胥嘗乞食遇婦人餔之■欲報之求之　獲乃投白金於此瀨上有貞義女廟李白

游溧陽北湖望元壁山懷古詩云聞有貞義女振窮漂水灣事見列女傳

投書渚 在城西一云在今板橋浦 晉史殷羡建元中爲豫章太守赴郡人多附書一百餘封行至江邊石頭渚以書擲水中祝曰沈者自沈浮者自浮殷洪喬不乍致書郵

艦澳 在城南十里水出婁湖下入秦淮深丈餘冬春不涸 輿地志云梁武帝所開在光宅寺東二百五十步其寺武帝舊宅帝從城歸宅儀丈舟車駢戢塞路開以蔽船

巖洞

天開巖 在攝山棲霞寺之後去寺三里石多特

立中有石壁相向其直如截殆非人力所至故以天開名其巖巖之左有張稚圭祖無擇諸公題字

道鄉巖在八功德水之後半嶺間可容數人慶曆中知府葉清臣嘗領客來游公字道鄉故名

華蓋岩在茅山石墨池上

候僊岩在碧岩洞東數武

豶豹岩在碧岩洞下

碧玉岩在丹谷泉上

衆眞巖在茅洞側

錢眞人誦經巖在燕口洞上

曲水亢在碧巖下

石城洞一名**龍洞**在城西一里三百步石頭西嶺下臨大江當嶄絶之處有洞戶貞誥云此小有洞天之南門也俗呼爲龍洞口

華陽洞在茅山側三茅二許俱得道於此洞其洞門五三門顯二門隱茅山記云華陽西南有二洞其西在崇壽觀後其庠在元符宮東宋投金龍玉簡於此六朝記云十大洞天之第八名中金壇長百文復有王

碣皆載神僊祕事三茅二許俱得道於此靈異竝多見陶貞白華陽頌貞人曰天無謂之空山無謂之洞人無謂之房山腹中空虛謂洞庭人頭中空虛謂洞房是以真人處天處山處人所謂出入無間蓋天地之有山洞由人身之有腧穴神炁之所行焉太元內傳圖何曲之洞官有五門南兩便門東西便門北大便門合五門也隱居云今山南大洞即是南面之西便門東門似在栢枝壠中北良常洞即是北大便門東西並未顯定録君㗛青東便門在中茅東小府口則西便門應在今呼作石墳處也

華陽南洞 在大茅山下栢枝壠中唐越州刺史裴肅字中明遺松予石案用以朝真

茅洞 在元陽觀右壇下即南面之西便門定録君㗛言大茅山有小穴在南謂之南便門但精潔齋心向於司命又常以二月望山延迎請祝自然得見吾也誠之至矣陰書何是不觀

華陽北洞 東便

乎左慈復何人耶洞西文有繡衣君

門定録君嘐言中茅山東有小穴才如狗竇劣容人入耳愈入愈濶外以磐石掩塞穴口故餘小穿如杯大使山靈守衛之此磐石穴時時開發耳謂之陰宮之阿門子勤齋戒尋之得從此而入易於良常洞口良常洞多沙路曲僻經水處不大便易又道路遠不如小阿穴口直下三四里便徑至陰宮東玄掖門自非已成僊人不得其門而入也

華陽西洞 在積金山東嶺下隱居所謂積金山洞飇飇有風者是也累朝金籙投龍簡於此即西便門也

良常洞 華陽北大便門也是爲保命君所治定録君嘐言良常北垂洞口直至嶺南行二百步有秦始皇埋藏白璧一雙上有小磐石在嶺上以還墖處李斯刻書璧其文曰始皇聖德平章山河巡狩蒼川勤銘素璧始皇所履山川皆禮以玉璧不但句曲而已洞北石壇即許真人掾燒香禮拜解化之處真誥所謂北洞告終以此

羅姑洞 在金茵山西即九疑山女僊人

羅酆也**高居洞**與羅姑洞並石限界之**玉柱洞**在華陽西洞南中積石乳四面僅容人行**酆都洞**在紫陽觀**小青龍洞**在小茅西朱砂泉上**天窻洞**在積金山**碧巖洞**在崇壽觀後洞頂爲嶽崟亭古木危基存焉**女僊洞**在碧巖洞東三十步穴口下視如眢井然相傳仙真人之女得道變遁于此**栢枝洞**在金牛穴南昔人深入間太湖風濤鼓楫之聲**慶雲洞**在海江山下**黑虎洞**在華陽南洞九錫碑之左**黃龍洞**在九錫碑之右**南斗洞**在三角山女官妙法庵**游泉洞**在皇甫谷泉源深不可測**水龍洞**在白雲峯下**燕口洞**在方隅山南有洞室女僊人錢妙真遁化其中淳祐五年巡檢使夏侯嘉貞與建隆觀道士詣洞投龍簡是夕雷震洞戶開一竅走深入遇道士與來禽一食之絕粒**方隅洞**在方

隅山上真誥方隅洞有二門其一即燕口洞地洞名方源館南通大茅𦶜之方山亦有二洞口見於外

夫子洞在良常對山孔下未嘗入吳不知何以得名

方臺洞在方山下有洞室兩口見外與華陽通號爲別宇幽館得道者處焉世人呼爲白石洞

青龍洞在恰幘山云方山十餘里恰幘山今人呼爲了頭山在溧陽州界隱居曰有大口見外昔有人深入見一大青蛇因相與呼爲青龍洞其洞宏廓深委凡迹可至也

大茅洞在大茅峯南詳見前華陽洞茅山記云洞在大茅山前後玉液泉爲正路洞前亦有石壇洞內有石鐘磬直下可行七八里能容一二百人其內流水不絕色若染藍石澗潺湲可愛路通無窮但險峻難涉耳又云外有石壇內有石鐘磬旋節人物皆石入者非人必見異物

越翳王洞在句容縣乾元觀内翳爲勾踐四世孫葬句容縣大横山下

金牛洞在句容縣崇壽觀東秦時採金獲金牛爲女子所觸遂躍而出跡著于石又云覔牛至丁角地因名曰上闌下闌又有犇牛牛犇入海不復覯之也

洲浦磯汀夾沙並附

白鷺洲在城之西與城相望周廻十五里酈道元水經云江寧之新林浦西對白鷺洲丹陽記曰白鷺洲在縣西三里洲在大江中多聚白鷺因名宋曹彬等破南唐兵五千於白鷺洲即此地建炎末兀朮侵軼江南囘至江口閘王師將以海舟中流邀其歸路遂用牛犂等於白鷺洲一夜鑿一小河乘輕舸而走詳見新河李太白詩云

三山半落青天外二水中分白鷺洲文宿白鷺洲寄楊江寧詩云朝別朱雀門暮宿白鷺洲送殷淑云白鷺洲前月天明送客回

馬昂洲在城西北周迴十五里寰宇記云馬昂洲在縣北二十三里南徐州記臨沂縣北有馬昂洲晉元帝渡江牧馬于此因名梁書南兖州刺史南康王會理前青冀二州刺史湘潭侯退西昌世子彧率兵三萬至馬昂洲即此處陳軒金陵集王祖道詩云石頭虎踞海洲岸馬昂漕

新洲一名**薛家洲**去城北四十里今幕府山相對有上新洲下新洲吳志太平元年朱據欲討孫綝綝遣孫憲等以舟兵逆據江都獲據於新洲晉隆安五年海賊孫恩向京師聞譙王尚之在建康復聞劉牢之已還

至新洲不敢進而去南史宋武帝微時貧甚自往新洲伐荻有納布衣襖等皆敬皇后手自作既貴以付會稽公主曰後世有驕奢不節者可以此衣示之宋武帝伐荻新洲時見大蛇長數丈射之傷明日復至洲裏聞有杵臼聲往覘之童子數人皆新衣於洲中擣藥問其故荅曰王爲劉寄奴所射合藥傳之帝曰王神何不殺之荅曰寄奴王者不可殺帝叱之皆散收藥而反祥符圖經云隋末始漲故名新洲

舟子洲在城南隅周廻七里梁天監十三年以朱雀門東北淮水紆曲數有水患又舟行旋衝太廟灣乃鑿通中央爲舟子洲諸郡秀才上計䑸止於此

欑洲在城東北七十五里周廻三十八里南徐州記云石壠山北江中有洲今百姓於洲上欑種所收倍於平陸

茄子洲在城西南十三里周廻十二里溫嶠陶侃迎[illegible]計蘇峻侃泊茄子洲郗鑒自廣陵來會寰宇記云茄子洲夏日甚泊船冬月淺涸永昌之初洪洲忽一日崩陷數里其形曲折作九灣

烈洲在城西南七十里吴舊津所也内有小河可泊船商客多停此以避烈風故名又見烈山下世說云桓宣武在南州與會稽王會於溧洲漾舟江側謝公亦在坐狂風忽起波浪鼓湧非人力所制桓有懼色會稽亦徵異惟謝怡然自若須間風止桓問謝曰向那得不懼謝徐笑曰何有三才同盡理

雞距洲在城西南三十五里周廻三十里

大元卷十一

烏沙洲在城西南三十五里周廻二十里

楊林洲在城西南二十五里周廻十八里

木瓜洲在城西南二十八里周廻二十里

浮洲在城西南八十里週廻二十里

龍潭洲在城西南九十五里周廻一十五里

合興洲在城西南九十五里周廻一十二里

鰻鱺洲在城西南七十里周廻三十五里西對和州烏江縣以水多鰻鱺故名

董雲洲在城西南十五里西有小江名澧江故

一名澧江塲其上有田五百頃雲亦作筠

丁翁洲在城西南二十五里周迴十五里昔有隱士晦其名惟稱丁翁居洲上故爲名

簰檐洲在城西南三十五里周迴十七里南唐保大中治宮室取材於上江成巨筏至此時會潮退爲浮沙所沫漲成洲渚宋景德三年南岸潰出大枋木二十餘條

落星洲見前落星岡下

魚佩洲在城西南八十里周迴五里形如佩魚因以爲名

烏江洲在城西南六十里周廻二十五里接烏江縣西界

迷子洲在城西南四十里周三十里王荊公次韻葉致遠詩云迷子山前漲一洲木人圖志失編收

張公洲在城西南五里周廻三里梁太清二年豫州刺史裴之高等舟師二萬次張公洲陳霸先擊破侯子鑒師于張公洲梁書王僧辯陳霸先耀軍于張公洲高旗巨艦過江蔽日景登石頭城覩之不悅曰彼軍如是不易敵也

蔡洲今名**蔡家沙**一名**蔡家洲**在城西南十二里周廻五十五里隔岸吳時爲客館晉史王敦在石頭欲

禁私伐蔡洲荻以閒群下温嶠曰中原有蔽㢈人採之百姓不足君孰與足若禁人樵伐未知其可陶侃討蘇峻與温嶠庾亮等率舟師四萬旗鼓百里次于蔡洲盧循作亂戰士十餘萬舟艦數百里連旗而下劉裕登石頭以望曰賊自新亭直上且將避之若回泊蔡洲此成擒爾時徐道覆請於新亭焚舟而戰循曰不然不如按甲蔡洲以待之初劉裕望見船向新亭有懼色及見回泊蔡洲喜曰賊落吾下也遂率兵進戰縛以大筏因風逼之大破循軍於江中循遁走侯景次臺城裴之高擐兵至後渚結陣于蔡洲景分兵南岸陳霸先討景大軍進姑熟先鋒次蔡洲即此也

長命洲 梁武帝放生之所也在石頭城前梁武帝曰市鷄鴨鵝豚之屬放此洲名為長命洲置戶十家常以粟穀飼餧歲各千數而為狐狸所食及

掌戶竊而貴者各半輿地志云魏使李恕來聘帝時於此放生問恕曰此主頗知此事乎對曰魏國不殺亦不放帝無以應之

江乘浦 在城西北十七里史記秦始皇東遊於此渡江南徐州記江乘縣西二里有大浦發源於石城山東入大江因縣爲名吳徐盛作疑城自石頭至江乘晉蔡謨自土山至江乘鎮守八所城壘凡十一處

蠏浦 在城西北十六里輿地志云自下蜀西南有蠏浦源出鍾山北流九里入大江齊崔慧景軍敗走單騎至蠏浦殺漁人太叔榮之榮之故爲慧景門人時爲蠏浦戍謂之曰吾以樂賜汝汝爲吾覓洲既而爲榮之所斬以頭內鹽中遣都

都賜浦 在石城西上通秦淮下入馬昂洲九里

達于江乘舊經云梁鄱陽王嘗於此置屯田因名

牧馬浦在城東南三十九里案丹陽記牧馬亭東南一里有牧馬浦晉永和中所置流入秦淮浦上舊有橋謂之牧馬橋南朝放牧多在此

慈[illegible]浦在城東十里濶五十步深一丈下通江

京[illegible]浦在城東北五十一里濶五丈深一丈通大江

大同浦在城東北五十二里濶五丈深九尺通大江

小同浦在城東北六十七里濶五丈深一丈下

通大江

泉水浦在城西北二十五里濶五丈深九尺源出白下山南流十二里入秦淮

鍾浦在城東十五里濶四丈深八尺源出鍾山南流七里入于秦淮攷之金陵圖元有鍾浦橋

同夏浦在城東十五里濶五丈深七尺南入秦淮浦在廢同夏縣南因名

羅落浦在城東北六十里濶四丈深八尺合于攝湖流十二里入大江宋武帝至羅落橋即此

白社浦在城東北二十五里金陵故事云發源鍾山西注秦淮

查浦在石頭城南上十里建康實錄陶侃屯查浦李陽與蘇逸戰于查浦盧循犯建鄴宋武帝柵石頭斷查浦以拒之皆此吳時夾淮立柵自石頭南上十里至查浦查浦南上十里至新亭

龍藏浦在舟子洲岸西南古曲秦淮是也互見秦淮下

板橋浦在城西南三十里闊三丈五尺深九尺下入大江李白有秋夜板橋浦獨酌懷謝朓詩上天何所有迢迢白玉繩斜低建章闕耿耿對金陵

江寧浦在城南七十五里源出太平路當塗縣界長三十里闊七尺深一丈二尺溉田一百二十頃夏秋勝三百石舟春冬勝一百石舟梁末徐嗣徽任約領齊兵萬人還據石頭陳高祖遣兵往江寧據要險以斷賊路賊水步不敢進頓江寧浦口遣侯安都領水軍襲破之

秣陵浦在城南五十里闊十丈長十里深一丈一尺溉田四十頃輿地志云浦以舊縣為名源出龍山北流十里入葛潘湖又十里入長溪合秦淮冬夏勝三百石舟春秋勝一百五十石舟

三山磯在城西南七十五里翰府名談陳堯咨泊舟三山有老叟

冂来日午時天大風舟行必覆宜避之来日天晴同行舟皆離岸公託以事日午黑雲起天末大風暴至折木飛沙怒濤若山行舟皆溺公驚嘆又見前叟曰某江之遊奕將也公它日當位宰相固當奉告公曰何以報德叟曰吾本不求報貴人所至龍神理當衛護願得金光明經一部秉其力薄得遷職公許之至京以金光明經三部遣人至三山磯投之夢前叟曰本止祈一部公賜以三今連陞數職再拜而去

蚵蛂磯在城西 南唐書云汪台符上書陳民間利病十餘條烈祖善之而宋齊丘疾其才因使親信誘台符痛飲推沉石城蚵蛂磯下

礬家磯在城西北二十五里上元縣金陵鄉長慶村之西 實録宋熙寧五年詔賜江東路轉運使韓鐸新提點刑獄張稚圭詔書獎

一諭仍賜銀緡以提舉開江寧府張公凸上𡾰家磯馬鞍山河道也

九里汀在城東南五十里東下入秦淮漑田五百二十頃實録吳寶鼎元年後主在武昌永安山賊施但等反刼後主弟永安侯謙入建鄴衆萬餘人丁固諸葛靚等逆討於九里汀即此處戚氏云城南大路過郭公橋行長堤一道凡九里直達秣陵鎮兩旁有漵溝有田地名九里汀

𥗥砂夾在城西南七十里

西浦郡國志金陵西浦亦云須口即桂陽張碩捕魚遇神女杜蘭香處曹毗有續蘭香歌詩十篇

大桑浦在江寧縣西二十里寰宇記云吳大帝討關羽使呂範屯

兵處然當在上流之柴桑

須洞沙洲在江中去城百二十里周二十里

龍潭洲去城九十五里周十五里

陶家渚在石城塢西古餞北使處長江圖謂渚西對蔡洲吴時陶璜或云晉陶田宅之後渚也

溧水州有蒲塘港樊步港官溪港馬沈港牛兒港白龍港塩渚溧陽州有瀨渚上善圩見各處

志

金陵新志卷五

官守志總叙

周禮穪設官分職以爲民極觀其設五等之爵樹之君公而承以大夫師長百執事之人其初豈不覲其相資以成功相勉以爲治哉及其陵夷大壞官人以世德不穪服而詩人興刺書曰三載攷績三攷黜陟幽明此言居官者必考績以定其能否又曰王省惟歲卿士惟月師尹惟日此言君至上下當各任其職而觀其效其職

舉者治功，居其職廢者治道隳，此皆還至而可以繫焉。金陵嘗爲王畿，爲大國，爲節鎮鉅藩，文武之士居其官，相與憂勤以成一代之業者甚衆。總之，近民事惟守令最急，守令宣其職，而兵牧振其綱，所謂大邦維屏者，豈不信哉。因前載攷歷代以来署品秩，紀廢置，作官守志。

歷代官制

唐虞

四岳 總率四方諸侯恒在朝廷天子巡狩則從各以其方諸侯見於明堂

揚州牧 西距淮東南距海皆揚州地唐虞九州禹治水分十二州州有牧金陵以山得名屬揚州

夏商

公侯伯子男爵五等 在揚州境者不可考以禹貢五服開方計之堯都平陽舜都蒲坂禹都安邑金陵爲要服湯都亳至盤庚五遷大約金陵在比服之外要服之內

周

揚州有方伯連率 以周制九畿計之自王畿外每畿五百里周都豐鎬東遷洛邑金陵屬采衛之邦

春秋	吳國泰伯之後姬姓伯爵泰伯自殷末有國荆蠻號勾吳 越國夏禹之後姒姓子爵春秋末年滅吳築城金陵
戰國	楚國祝融之後芊姓子爵與吳越皆僭稱王楚縣令稱公戰國時楚已滅越盡有吳地
秦	金陵改秣陵屬鄣郡郡有守有尉有監御史有郡丞縣有令有丞有尉有佐史三老亭長
西漢	武帝以前金陵屬諸侯王國 武帝以後置十三部刺史統郡丹陽始置郡屬揚州

東漢	揚州設刺史　部從事丹陽郡設太守都尉功曹主簿門下掾屬各縣設令丞簿尉諸曹佐史三老游徼亭長有秩郡所署者秩百石嗇夫縣所置小鄉一人
吳建都金陵	揚州牧丹陽　太守典農都尉丹陽都尉都督一
晉	揚州刺史設　主簿從事書佐又設大中正琅邪王都督揚州江南諸軍事假節鎮建鄴以王國例設丹陽內史即位

後改丹陽尹有郡丞掾屬從事

有建康令淮洛陽舊制置六部

尉其僑置南兖諸州設刺史琅

邪諸郡設內史

東晉

建都

金陵

丞相七將軍有功兼領揚州牧姓名見年表

宋 齊 梁 陳

太子親王及丞相將禪位進領揚州牧有

刺史有丹陽尹姓名見年表

宋大明中建康秣陵各置都官從事獄丞

梁武帝時建康縣置三官與廷尉三官分

晉都金陵

[illegible]獄軍號南獄廷尉號北獄

[illegible]任宋行宮

[illegible]御街左

隋

丹陽改爲蔣州置刺史尋復爲丹陽郡設太守郡丞

唐

揚州東南道行臺尚書省有令一人掌管[illegible]軍民總判省事有僕射二人[illegible]貳令事自左右丞以下諸司[illegible]守略如京省又有食貨監農田監武器監百工監等官武德

七年改總管曰都督總十州者爲大都督河間元王孝恭授東南行臺左僕射行臺廢爲揚州大都督李靖爲行臺兵部尚書行臺廢爲檢校揚州大都督府長史後遷治揚州以建康立昇州置刺史

楊吳

昇州大都督府尋改金陵府以徐溫爲尹又以徐知誥爲鎮海寧國節度

使鎮金陵徐景通爲節度副大
使尋以昇潤等十州爲齊國封
知誥齊王

南唐 建都金陵

齊王璟嘗爲昇揚二州牧設金陵尹兼諸
道兵馬元帥

宋 高宗南渡以建康爲行都

開寶八年定江南設知昇州軍州事兼管
當江南諸州水陸轉運使大中
祥符四年張詠兼江南東路安
撫使兼提舉兵甲巡檢捉賊公

事天禧二年以壽春郡王行江寧尹充建康軍節度管内觀察處置等使進封昇王改江寧府自此設知江寧府事建炎三年改建康府設行宫守臣爲知建康軍府事兼行宫留守制置安撫兵馬都督等官其屬官有僉廳三員安撫制置本府各一通判三員分東廳西廳南廳有僉

書建康軍節度判官節度推官
觀察推官曹官五員録事參軍
司户司法各一司理二屬縣五
比西京赤縣二畿三各有令
丞主簿尉守臣姓名見年表及前志題名記
都督江淮等路諸軍事其屬有參謀官參
議官主管機宜文字各二員書
寫機宜文字二員幹辦公事官
十員準備差使文臣十員准備

差使大小使臣各二十員准備將領使喚十員紹興二年四月置司建康呂頤浩張浚繼爲之三年四月移司鎮江府隆興元年六月改宣撫司尋復二年省

同都督江淮諸軍事紹興二年九月置劉光世爲之尋省

都督江淮東西路建康鎮江府江陰軍江池州軍馬隆興元年九月置湯

思退楊存中繼爲之

同都督江淮東西路建康鎭江府江陰軍江池州軍馬隆興元年九月置楊存中爲之十一月落同字

督視江淮京湖軍馬淳祐七年四月置以趙葵爲之兼知建康府江東安撫使九年省

江東淮西路宣撫使其屬有參謀官參議官機宜文字幹辦公事及准備

將領淮備差遣淮備差使各五員建炎　年置劉光世爲之置司池州建康隸焉光世後省

江淮東西路宣撫使隆興元年六月都督張浚降授置司建康兼節制本府屯駐軍馬尋復都督

鎮江建康淮東路宣撫使紹興四年三月置韓世忠爲之尋改江淮宣撫使

壽春府滁濠廬和州撫爲軍宣撫使紹興元年七月置司建康以江東安撫大使知府兼領葉夢得李光繼爲之光後省

江東宣撫處置使紹興三年置張浚先爲副尋陞使後省

江南東路宣撫使紹興五年置張俊爲之俊後省開慶元年十月復置加大使除趙葵未至改除東西路

江南東西路宣撫使紹興元年置韓世忠

宣撫置司他郡

爲之詔留建康世忠後省開慶

元年十一月復置加大使趙葵

爲之寓治他郡景定元年五月

省

江淮兩浙路制置使治建康其屬有參議

官諮議官主管機宜文字計議

官幹官屬官建炎三年置蕭知

府尋省

江淮安撫制置大使治建康紹定四年十二月置兼知府六年二月省

江淮制置使治建康開禧三年二月置兼知府江東安撫使嘉定十年正月省紹定三年十一月復置加大使十二月安撫制置合爲一

淮西制置使寓司建康嘉熙元年二月置以沿江制置使兼領淳祐二年

江南東路安撫制置使治建康建炎三年
免兼
三月置以知府兼四月省紹興
八年六月復置加大使十五年
四月省制置惟安撫使仍舊
沿江制置使治建康建炎三年八月始置
紹興元年六月省乾道三年九
月復置六年十二月省開禧二年
六月復置嘉定二年九月復置

紹定三年十一月改江淮制置六年復舊或以江東安撫使知府事兼領或兼知府事及安撫使或爲使或爲大使

江南東路安撫使治建康兼馬步軍都總管其屬有參議主管機宜文字幹官屬官大中祥符三年置五年省宣和三年復置建炎三年五月以制置合爲一 四年省制

置二字安撫仍舊經興八年二月加大官六月又以制置合爲一十五年省制置二字安撫仍舊安撫制置或爲一或爲二或二使相兼或置一省一視時緩急也或兼守或以守兼或主管公事或爲使或爲大使視官崇卑也

江淮制置專一措置屯田開禧二年置二員

祐七年改
節制和州無爲軍安慶府三郡屯田使淳
祐元年二月置以沿江制置使
兼領二年加節制二字
江南東路營田使淳熙二年三月置以江
南東路安撫使兼
總領兩淮軍馬錢粮所帶專一報發御前
軍馬文字紹興十一年以命朝
臣使之與聞軍政不獨職餉餽

而已其序位在轉運副使之上
內建康池州諸軍錢粮淮西總
領掌之其官屬有幹辦公事准
備差遣續有主管文字有分差
粮料院審計司審計以通判兼
榷貨務都茶場御前封椿甲仗
庫大軍倉大軍庫贍軍酒庫市
易抵當庫惠民藥局

江南東路轉運司有使有副使判官有都

轉運使除省不常初分江南東西路後併爲一路紹興元年復分東西路掌均調一道租稅以待　國支費分巡所部察官吏能否贍學錢粮物帛田産皆係拘管後又兼提領江淮茶鹽所其屬有主管文字幹辦公事准備差遣屬官

提領江淮茶鹽所嘉熙四年八月創制置

茶鹽使以戶部尚書岳珂爲之後置提領或以太平守臣江東轉運兼或淮西總領沿江制置兼其太平守臣兼領則置司本州餘皆置司建康

提領建康府戶部贍軍酒庫所乾道中置以總領兼其屬有主管文字幹辦公事准備差遣酒庫監官糴場監官都錢庫監官

侍衛馬軍司乾道七年置

御前諸軍都統置司紹興十一年置

以上官屬姓名各見年表及前志

題名記

大元

統屬官制

江南諸道行御史臺按治江浙江西湖廣三行省十道肅政廉訪司至元十四年相威行御史大夫置臺揚州按治江淮四省地面統十

三道提刑按察司二十一年移杭州二十二年春議遷江州夏再還杭州是秋移江東按察司治宣州行臺始自杭州移治建康二十六年自建康再移揚州二十九年以兩淮山南三道隷中臺行臺還治建康始名江南諸道行御史臺初係從二品衙門至元二十七年夏六月陞正

二品大德十一年秋九月陞從
一品御史大夫一員御史中丞
二員侍御史二員治書侍御史
二員經歷司經歷一員都事二
員監察御史二十四員照磨承
發司管勾兼獄丞一員架閣庫
管勾二員令史十三人蒙古必
闍赤三人通事知印各二人宣
使八人察院書吏二十四人經

臺司照磨所承發司架閣庫典吏各一人庫子三人醫工二人宣使以上㕘辟命官書吏各道貢補凡官之員二十有七掾屬六十有一人公署在城內東南隅臨青溪即故府治堂曰忠實不欺見首卷官署圖攷行臺初設御史大夫一員從二品御史中丞正三品侍御史正四品治書侍御史正六品皆二員及臺陞正二品治書陞正五品都事二員從

七品。至元二十三年增都事二員。二十八年省而罷。經歷一員，從五品，位都事上。臨[illegible]御史舊二十八員，至大四年增臺十六員，爲二十而省。南臺四員，元貞元年增置御史大夫二員，大德三年省。十一年臺陞從一品，臺官各陞品從有差，詳見後題名。記令史初十六人，後省三人。宣使十人，後省二人，爲醫二宁。吏月俸支鈔，至正元年官添支祿米。掾屬無。察院書吏月支米鈔仍舊。

行中書省至元十二年二月二十七日

中書左丞相伯顏平章政事

朮於建康府治開省秋七月左
丞相伯顏入
覲陞中書右丞相阿朮陞左丞相權[illegible]
萬户阿剌罕陞行省參知政事
冬十一月右丞相伯顏參政阿
剌罕分道進兵浙西留左丞
阿朮立行省瓜洲明年宋平
省於揚州置立
江淮行樞密院至元十二年春正月平章

阿答海參政董文炳行院自淮西正陽與行省會于建康未幾移駐鎮江冬十月與丞相分道進兵平宋二十二年阿答海丞相同知行樞密院事於建康開院後移鎮江三十一年例革

行宣政院從一品衙門管領江南諸省地面僧寺功德詞訟等事設院使同知副使僉院同僉院判經歷

省事照磨等員至元二十八年於建康水西門賞心亭上開設衙門係脫脫大卿爲頭院使三十年遷院杭州

江東道宣慰司至元十三年以行中書省參知政事阿剌罕亳州萬戶張弘範兼宣慰使置司建康管轄江東諸路大德三年二月例革

建康路經歷

江淛等處行中書省

建康宣撫司至元十二年二月建康府歸附創立宣撫司以萬户廉希愿唆都兼宣撫使安撫江東諸路十四年改立建康路總管府

建康路達魯花赤總管府至元十四年罷宣撫司立總管府宣慰使廉希愿兼本路達魯花赤徐王榮充本路總管係正三品上路統治

上元江寧句容溧水溧陽五縣并在城錄事司溧水溧陽繼陞爲州天曆二年路以潛邸改名集慶設達魯花赤一員總管一員各兼管内勸農事同知總管府事一員治中一員府判一員推官二員經歷司有經歷一員知事一員提控案牘兼管勾照磨承發架閣一員

有印司獄司、有印設司獄一員
路司吏三十名凡路州司縣親
民官接品從給公田俸鈔吏支
鈔米學官供俸餘支俸鈔倉務
局站雜職無俸

江東建康道提刑按察司按治江東諸路

至元十四年於前宋轉運司置
司二十八年改名肅政廉訪司
二十九年以避

行臺務治寧國路建康路經録
行臺按治歲委監察御史巡按
本屬州縣

江東道儒學提舉司

五品衙門有印設提舉副提舉各一員首領官都目一員初至元二十一年建康路設提舉學校官與教授同管學事二十三年四月革罷改設江東道儒學提舉司衙門二十四

年二月十五日設各道儒學提
舉司將提學司華罷江東道儒
學提舉李浩副提舉郭某於路
學置司三十一年隨省設立儒
學提舉司總攝各路儒學江東
道提舉司於元貞元年二月内
華罷

益都新軍萬户府至元二十四年遍類定
奪軍官於寧國路設置建康路

元係福建廉萬户保定翼張萬户泰州翼孟萬户常州翼宋萬户管軍鎮守以後各遷他郡大德元年益都翼從寧國路移鎮建康於城東南隅前宋遊擊軍營内置司萬户府三品印信設達魯花赤一員正萬户一員副萬户一員經歷司設經歷知事提控案牘各一員所管鎮撫司

千戶所百戶所彈壓官共一百
餘員俸俱按品從支鈔人吏不
與隸
樞密院管領
江浙行中書省提調所管漢軍
所附軍人月支米粮鹽錢分輪
地分鎮守

江淮等處財賦提舉司隸
徽政院五品衙門有印設提舉

同副提舉各一員首領官吏目
至元二十五年置司建康管位
下江淮等處錢粮所屬有各處
提領所庫官至治二年例革至
順元年復立隷昭功萬户府至
正元年革罷見係集慶路管辦

建康等處財賦提舉司隷
中政院下江浙都總管府五品
衙門有印設提舉同副提舉各

一員首領官吏目至大二年十一月於溧陽州設立管領建康路録事司溧陽州常州路宜興州無錫晉陵武進縣鎮江路金壇縣揚州路録事司真州揚子縣通州静海縣崇明州太平路繁昌縣寧國路南陵縣徽州路祁門縣淮安路清河縣總計八路一十五州司縣斷没朱清張

溧水州前宋次畿縣至元十二年歸附仍
一員
溧水州
　　達魯花赤一員知州一員同知二員州判三員首領官提控案牘一員都目一員設捕盜司有印以州判一員兼領所管儒學教授司蒙古字學教授司醫學教授司陰陽

教授司有印各設教授一員醫學陰陽學各設學正在城稅務東壩務有印設提領大使副使官塘務高淳務有印各設都監同監東壩壇倉有印設大使副使東壩高淳白馬橋三巡檢司有印各設巡檢鎮守千戶所千戶一員百戶二員係萬戶府歲差管軍鎮遏州官姓名見後題名記

溧陽州 前宋次畿縣至元十二年歸附仍爲縣至元十四年改溧州十五年陞溧陽府十六年改府爲溧陽路總管府管溧陽縣并在城錄事司設官與諸路府司縣同至元二十八年革去路名止存溧陽縣元貞元年正月改陞中州設達魯花赤一員知州一員各兼勸農事同知二員州判二

員首領官提控案牘一員都目
一員設捕盜司有印以州判二
員兼領所管儒學教授司蒙古
字學教授司醫學教授司陰陽
教授司有印各設教授醫學陰
陽學各設學正在城稅務有印
設提領大使副使前陳務興善
務各設都監同監舊縣山前二
巡檢司有印各設巡檢織染局

府即設大使副使鎮守千戶所係萬戶府歲差管軍鎮遏州官姓名見後題名記

龍灣教習水軍萬戶府至元三十一年江淮行樞密院於江北河南行省管下蘄黃鄧新揚州高郵真滁揚杭等處萬戶府調撥軍二千餘名前來龍灣屯戍教習係益都新軍萬戶府管總行提調

建康宣課提舉司五品衙門有印設提舉
同副提舉各一員至元十三年
創立管辦商稅至元二十[illegible]年
革罷設立在城稅務

淘金提舉司五品衙門有印至元十九年
梁提舉建言於上元縣花林市
創立淘金總管府管提領所八
處各有官典人吏二十三年改
立提舉司二十九年併入金銀

銅冶轉運司管領大德二年衣壹
慰使朱清言其擾民革罷

集慶萬壽營繕都司天曆二年設立正四
品衙門有印達魯花赤司令大
使副使各一員選憲官充隸大
龍翔集慶寺所屬有財用所掌
寺之錢米出納財賦提領所掌
莊田倉廩
行臺大夫中丞提調累撥贓罰

錢置買常住田地蠲免差税元
統二年都司例革至元三年并
革財用所令平江善農提舉司
掌管修理祭供等事至正元年
提舉司革罷田粮併入本寺掌
管

江寧縣前宋次赤縣至元十二年歸附仍
舊名附郭七品有印設達魯花
赤一員縣尹一員各兼勸農事

主簿一員縣尉一員有印典史一名所管江寧秣陵兩鎮巡檢司有印各設巡檢金陵秣陵兩務有印各設都監同監江寧馬站大城港水站有印各設提領儒學設教諭陰陽醫學各設管勾教諭縣官姓名見後題名記

上元縣前宋次赤縣至元十二年歸附仍舊名附廓七品有印設達魯花

赤一員縣尹一員各兼勸農事
主簿一員縣尉一員有印典史[illegible]
一名所管竹篠龍都河[illegible]
有印各設巡檢龍潭湖熟[illegible]
有印各設提領六使副使龍潭[illegible]
[illegible]有印設提領儒學設教諭
陰陽醫學各設管勾教諭縣官姓名
見後題名記

句容縣前宋次畿縣至元十二年歸附仍

舊名七品有印設達魯花赤一
員縣尹一員各兼勸農事主簿
一員縣尉一員有印典史二名
所管縣務當寧東陽白土四務
有印各設提領大使副使茅山
下蜀東陽三巡檢司有印各設
巡檢東陽水馬二站下蜀馬站
老鸛嘴馬站有印各設提領生
帛局有印設提領大使副使隸

資政院儒學設教諭陰陽醫學
各設管勾教諭縣官姓名見
後題名記
在城録事司至元十二年歸附次年置司
正八品有印管治城内設達魯
花赤一員録事一員録判二員
兼管捕盗典史一名
平準行用鈔庫至元十二年歸附創立平
準行用交鈔庫正七品有印設
提領大使副使各一員每嵗倒

換鈔本八萬四千定每季額倒
昏鈔二萬一千定季終觧赴江
東廉訪司監燒

在城稅務至元年革罷宣課提舉
司改設稅務七品印信設提領
大使副使各一員管辦商稅二
周年爲滿

儒學教授司有印設教授一員主管錢粮
教育學正學錄各一員糾録學

事

蒙古字學教授司有印設教授一員設

一員

陰陽教授司有印設教授一員學正學錄

醫學教授司有印設教授一員學正學錄

廣運倉有印至治元年於龍灣起蓋東西

北倉廒四十座以漕計至壹邦

儲所資爰作新倉大江之湄舟

楫流通地勢得宜諸路贏糧持

貯在緣海道千艘便於給支爲
號計屋二百間收受江西湖廣
二省饒州路并本路州縣官民
財賦等粮逐年都漕運萬户府
裝運由海道赴
都

大軍倉有印前宋爲平糴倉至元十五年
改大軍倉省除監支納大使路
吏充倉副收支本路粮斛逐年

撥發海運

常平倉至元五年因監察御史廷言請究於録事司西北隅舊有廣儲倉地屋建置倉官於州縣吏内㸃差齊年交代

永豐庫有印省設監支納大使路差庫副收支一應課程諸名項錢帛

東織染局至元十七年於城東南隅前宋真院立局有印設局使二員局

副一員管人匠三千六戶機一百五十四張額造段疋四千五百二十七段荒絲一萬一千五百二斤八兩隷
資政院管領
兩織染局至元十七年於舊侍衛馬軍司立局設官與東織染局同
軍器局即前宋舊都作院雜造局專一置造軍器設局使局副有印隷本

路總管府

惠民局官撥藥本設良醫主管惠濟貧民

明道書院宋嘉定八年創立祠明道先生

程子淳祐九年更創添學田十

年賜明道書院額今省設山長

一員主領錢粮教事

南軒書院宋咸淳四年創立大德元年起

蓋南軒先生華陽伯張宣公祠

堂今省設山長一員主領錢粮

教事

江東書院至治元年五月郡人王霖創建出田供祀令省設山長一員主領錢糧教事

在城金陵驛水站馬站有印各設提領至元　年俱於城東隅青溪坊建立隸本路親管

昭文書院宋咸淳丁卯方拱辰建扁曰昭文精舍里人杜氏守之至元閒

定額省設正長

官醫提領所 省中提領受太醫院劄付

題名

行御史臺

御史大夫

相威至元十四年上

博羅歡至元二十三年上

阿剌帖木兒資善至元二十四年

門答占中奉至元二十五年上

囊家歹資德元貞元年上

阿老瓦丁榮祿元貞元年上

徹里榮祿大德二年上

阿里馬資善大德八年上

火你赤榮祿至大元年上

塔失海牙開府儀同三司皇慶二年上

阿老瓦丁榮祿延祐六年上

伯顏榮祿延祐五年上

脱歡答剌罕榮祿延祐七年上

脱脱榮祿至治元年上

伯顏榮祿至治三年上

相嘉班碩利榮祿泰定元年上

多禮智光祿泰定二年上

阿思蘭海牙光祿天曆元年上

阿思蘭海牙光祿至順元年上

脱歡光祿至順三年上

易釋董阿光祿元統元年上

塔失帖木兒開府儀同三司至元元年

八剌哈赤銀青榮祿至元二年上

脱歡光祿至正元年四月上辭侍親再任

御史中丞 氏族依碑刻附見

也兒撒合 正議至元十九年上

八都兒 嘉議至元二十一年上

馬合馬 太中至元二十四年上

忙兀解 通議至元二十五年上

合討不花 嘉議至元二十八年上

闍闍禿 正議至元二十九年上

張閭 中奉至元三十一年上

孛蘭奚 中奉大德五年上

高睿 正議大德七年上

廉道安 正議大德十一年上

拜都 資善至大二年上

鐵里脫歡 資德延祐元年上

普化 資善延祐三年上

伯顏 資德延祐四年上

乞台 資德延祐七年上

阿思蘭海牙 資德泰定元年上

亦剌里榮祿天曆元年上
散散資政天曆元年上
易釋董阿榮祿天曆二年
忽都海牙資政至順元年上
高睿資善至大四年上
八衣資政元統二年上
納麟資善元統三年上
卜只兒榮祿至元元年上
謹篤班資政至元二年上
亦憐真班唐兀氏榮祿至元二年上
篤思彌實資善至元二年上
帖木哥蒙古乃蠻氏資善至正元年上
卜顏資德至正三年上

御史中丞鄉貫依碑刻卷宗所有附見之

焦友直十四年上至元　耶律老哥十四年上至元

王某十五年上至元　姜某嘉議十九年上至元

楊某通議十一年上至元二　王博文正議十二年上至元二

耶律正議十二年上至元二　劉琮通議十四年上至元二

劉宣通議十五年上至元二　徐琰通議十六年上至元二

魏初嘉議十八年上至元二　吴衍少中三十年上至元

劉正中奉元年上元貞　董士選資善大德元年上

趙某資善大德四年上　陳天祥嘉議大德六年上

張珪 通奉大德八年上

董士珍 資善至大元年上

于璋 資德至大四年上

姚煒 資善皇慶二年上

薛處敬 資善延祐三年上

趙簡 資善延祐五年上

曹立 資德延祐七年上

石珪 資德至治元年上

王毅 榮祿泰定元年上

王毅 榮祿泰定二年上

趙世延 光祿泰定三年上

汪壽昌 資德天曆元年上

高奎 資善天曆二年上

董守庸 資善至順元年上

馬祖常 資德元統一年上

劉文 資善至元二年上

史惟良 資德至元四年上

王昇 濟南人資善至正元年上

張起巖 資善至正元年上　王士熙 資善至正二年上

趙承慶 資善至正二年上　董守簡 資善至正三年上

刊

[illegible]金陵新志卷[illegible]

[illegible]

侍御史

忽憐 中奉大德元年上

那懷 正議大德三年上

太荅 太中大德七年上

拜都 中議大德十年上

普化 中奉至大元年上

咬住 中奉至大四年上

完澤 中奉延祐元年上

脱歡 資政延祐二年上

長壽 正奉延祐三年上

荅蘭 中奉延祐五年上

圖緜 正奉延祐六年上

忽都魯養阿 中奉至治三年上

完者不花 中奉泰定二年上

寶童 中奉泰定三年十

脱因納 中奉泰定四年上

卜只兒 中奉至順元年上

拜降中奉至順三年上　雅八忽中奉至順三年上

納麟通奉元統二年上　密蘭通奉至元元年上

卜顔中奉至元三年上　伯顔通奉至元五年上

察罕普華中奉至元六年上　鎖南班資德至正元年上

沙班資德至正元年八月上

侍御史

劉琮至元十四年上　王少中至元十九年上

雷膺朝列至元二十一年上　魏初朝列至元二十一年上

張孔孫至元二十三年上　韓彥文中順至元二十三年上

程文海嘉議至元二十四年上　吳衍朝列至元二十五年上

于璋奉議至元二十七年上　陳天祥朝列至元二十八年上

傅巖起朝列至元三十年上　石珪奉政元貞元年上

王堅嘉議大德元年上　張珪中奉大德三年上

高睿正議大德四年上　高凝中憲大德五年上

王宏 正議大德十年上

王仁 中議大德十年上

李彧 中奉至大元年上

蕭士恭 中奉至太四年上

張玠 中奉延祐元年上

敬儼 中奉延祐四年上

弭禮 中奉延祐五年上

張彬 中奉泰定二年上

董守仁 通奉泰定三年上

王克敬 中奉至順元年上

郭思貞 中奉至順二年上

耿煥 通奉至順二年上

劉宗說 通議元統三年上

王士熙 正奉至元二年上

張起巖 通奉至元三年上

姚庸 正奉至元四年上

吳秉道 正奉至元六年上

[illegible]繩武 中奉至正元年上

趙成慶通奉至正二年上

馮思溫中奉至正三年上

治書侍御史 氏族依碑刻所有附見

那懷 中順至元三十年上　廉希貢 朝列大德三年上

識篤兒 中順大德六年上　按難不花 太中大德八年上

晏只哥 奉議至大三年上　孛蘭奚 奉政至大四年上

囘囘 正議延祐元年上　帖哥 奉政延祐二年上

帖木哥 奉政延祐五年上　八辰 中憲至治三年上

欽闍 通議泰定二年上　十只兒 亞中泰定三年上

彌邇合瓚 正議天曆元年上　星吉 亞中天曆二年上

馬奕 奉直至順元年上　沙的 正議至順四年上

秃堅里不花中順元統二年上　察罕普華太中元統三年上

禿魯中奉至元二年上　古納剌正議至元四年上

岳石木通奉至元五年上　桑哥失里嘉議至元六年上

普顏失里正議至正元年上　鎖南班蒙古人至正元年上

阿思蘭都彌實至元二年上　順昌正議至正二年上

治書侍御史

田滋 [redacted] 至元十四年上
趙萁 [redacted] 至元十六年上
王萁 奉訓至元二十一年上
張萁 朝請至元二十一年上
李昂 奉議至元二十四年上
霍声 奉議至元二十四年上
高凝 承直至元二十五年上
苟宗道 奉訓至元二十六年上
李處巽 朝列至元二十七年上
裴居安 承直至元二十八年上
李杲 朝列元貞元年上
高克恭 奉議大德元年上
趙秉正 中憲大德元年上
劉衡 朝列大德五年上
趙世延 朝列大德六年上
張道源 奉直大德十年上

敬儼 太中至大二年上
趙簡 中憲至大三年二
趙宏偉 承德皇慶元年二
王柔 嘉議延祐元年上
宋崇祿 亞中延祐二年上
袁濬 朝散延祐四年上
曹伯啓 通議延祐六年上
張楚 亞中延祐七年上
郭思貞 中順至治二年上
劉卓義 通議至治三年上
史惟良 朝請泰定二年上
王升善 嘉議天曆二年上
劉宗說 通議元統二年上
任擇善 中順至元元年上
韓鏞 至元二年上
張惟敏 至正二年上

經歷

福奴奉議至元二十八年上

獨吉元振奉議至元三十年上

霍思火兒承務元貞元年上

保保朝列大德元年上

脫脫承直大德六年上

阿思蘭海牙承事大德八年上

忽都察奉訓至大三年上

管不八承直皇慶元年上

教化德朝列延祐元年上

密蘭奉議延祐二年上

月忽難奉議延祐三年上

卜顏怗木兒承直延祐六年上

薩德彌實奉議至治元年上

欽察兒吉奉政至治三年上

紐憐朝列泰定二年上

那懷承德泰定四年上

秃魯 徽事天曆元年上
哇哇 奉議天曆元年上
阿魯忽秃 奉政天曆元年上
吾實吉泰 奉訓至順元年上
岳柱 畏吾兒中順至順二年上
脫脫 唐兀氏承直元統元年上
燕只不花 畏吾兒承直元統三年上
廉惠山凱雅 北庭人中議至元三年上
帖木兒不花 珊竹歹奉直至元四年上
斡玉倫徒 河西朝請至元六年上
秃魯也里可溫 奉直至正元年上
納納識禮 哈密里人至正元年上
阿察雅實禮 哈密里人至正二年
倒刺沙 阿魯溫奉政至正三年上

都事鄉貫依碑刻所有者附見

高源至元十四年上

馬芮至元十六年上

王祚承直至元十九年上

和思問承事至元二十一年上

火你赤承務至元二十四年上

裴居安承事至元二十四年上

師澍承務至元二十六年上

賈惟政承務至元二十八年上

尉昞至元十四年上

馬源承直至元十九年上

畢儞承務至元二十一年上

王祚至元二十四年上

酈居敬承務至元二十四年上

八不忽承務至元二十五年上

張經承務至元二十八年上

李庭詠承事至元三十年上

蔣元祚承直至元三十一年二
趙世延奉訓元貞二年上
賈鈞奉政大德三年上
張道源承務大德四年上
張孝思奉訓大德四年上
潘昂霄奉議大德六年上
苗好謙承務大德六年上
趙宏偉承事大德十年上
田澤奉訓大德十年上
杜溥奉議郎至大元年十上
王鎵朝列至大元年上
郝文承務郎至大四年上
吳舉奉直至大四年上
傅昱奉議皇慶二年上
高奎奉直皇慶二年上
鄭雲翼奉議延祐二年上
李答剌海奉政延祐二年上
兀顏瑛奉政延祐三年上

丁宏 文林延祐四年上

姚居敬 朝散延祐五年上

郭汝輔 中順延祐七年上

王璽 承事至治元年上

史惟良 承直至治元年上

宋節 中順至治三年上

王居敬 奉議至治三年上

劉宗説 承德泰定元年上

劉藝 承事泰定二年上

環樞 奉議泰定二年上

張世傑 中憲泰定三年上

張郁 承德泰定四年上

張鐸 承德天曆元年上

馬良佐 承德天曆元年上

秦從龍 奉政天曆二年上

張從直 承務至順元年上

王德新 儒林至順元年上

暢篤 河南人朝散至順二年上

張端容 壽陽人文林 至順三年上
劉光祖 河間人承直 元統元年上
李世藩 河間人奉直 元統二年上
張弘毅 濟寧人奉直 元統二年上
李居威 冀州人朝列 元統三年上
楊熈 冀寧人奉直 元統三年上
張翔 河西人奉訓 至元二年上
劉光祖 滄州人朝散 至元二年上
周夔 陜西人奉訓 至元三年上
尹彬 真定人奉訓 至元三年上
李伯述 應州人 至元四年上
王偲 益都路人 至元四年上
姚紱 河南人朝列 至元五年上
彭敬叔 濟南人 至正元年上
郝源 益都人亞中 至正元年上
董守讓 真定人 至正元年上
李英 保定人承德 至正元年上
樊執敬 鄆城人朝散 至正二年上

索元岱
大名人奉直
至正三年上

照磨承發司管勾兼獄丞 鄉貫氏族依碑刻所有者附見

趙英 至元十四年上

姚某 從仕至元十九年上

粘合孝純 將仕佐至元九二年上

姚德新 進義至元二十四年上

張哈荅 將仕佐至元二十六年上

劉德茂 承事至元二十八年上

楊溫 承事元貞二年上

程好禮 承事大德四年上

張中 徵事大德七年上

東野潛

李希尹 從仕延祐元年上

只兒哈 承事延祐三年上

萬嘉閭 將仕佐延祐六年上

尋復初 承事泰定元年上

梁居善 承直泰定四年上

埜立 承事天曆二年上

相嘉達思儒林至順元年上　李祉至順二年上

趙深冀州人承事至順三年上　伯帖木兒畏吾氏從仕元統元年上

傅夢臣興和人奉議至元二年上　劉貞保定人奉訓至元三年上

于炳文曹州人儒林至元四年上　宋秉亮曹州人承務至元六年上

趙儼眞定人從仕至正元年上

架閣庫管勾 鄉貫氏族依碑刻所有者附見

姚烱[redacted]至元十四年上

陳錫[redacted]至元十六年上

陳其 從仕至元十九年上

王棊 將仕至元十九年上

杜弁 將仕佐至元二十二年上

辥羣 將仕至元二十三年上

張廷璉 進義至元二十四年上

珍[redacted]至元二十六年上

聶帖木兒 承事至元二十八年上

德新[redacted]至元二十九年上

徐霆 徵事元貞元年上

趙洪 徵事大德二年上

石抹甕吉剌歹 承事大德四年上

劉元亨 徵事大德六年上

張居懌 承務大德八年上

那懷 登仕佐至大元年上

蘇惟中將仕佐至大二年上　張季賢將仕佐至大四年上

李阿都赤將仕佐皇慶元年上　葉大中承務延祐元年上

劉明安不花將仕佐延祐三年上　溫瑛承事延祐四年上

普顏都魯彌實從仕延祐五年　顧禿堅不花承事至治二年上

李恪將仕佐至治一年上　只兒瓦台承務泰定二年上

張執中承務泰定四年上　吉當普承事天曆元年上

宋紹明承直至順元年上　燕只不花從仕天曆元年上

當住登仕至順元年上　劉恕儒林至順二年上

楊思粟興元人儒林至順三年上　沙不丁長安人承事至順三年上

訥訥識禮 哈剌理氏承直元統二年
不抹哈剌不花 承直元統二年上
帖木兒不花 唐兀從仕元統三年上
紐麟 怯烈台氏承事元統三年上
童童 乃蠻歹氏將仕至元二年上
張思成 承務至元二年上
傅亨 濟寧人文林至元四年上
楊惟一 河南人承直至元六年上
王時可 河間人儒林至正元年上
郭汝能 大寧人承事至正三年上
蓋繼祖 懷慶人文林至正二年上

監察御史 鄉貫氏族依碑刻所有者附見

劉寅 十四年上 至元　　商琥 十四年上 至元

趙文昌 十四年上 至元　　栢德思孝 十四年上 至元

王祚 十四年上 至元　　馬藻 十四年上 至元

李璋 十四年上 至元　　陳特立 十四年上 至元

李敏 十四年上 至元　　孫弼 十四年上 至元

昔里哈剌 十六年上 至元　　博蘭禿 十六年上 至元

彭昌 十六年上 至元　　成昉 十六年上 至元

馬昫 十六年上 至元　　高凝 十六年上 至元

郝良弼至元十六年上　高伯元至元十六年上
張斯立至元十六年上　火你赤至元十九年上
王奉直于從仕許承事張承事郭承事王
承直滕承直同至元十九年上
木八剌合八兒都朶兒只思冊八兒思不
花也里察兒福奴撒的禮彌識任乞僧朱
從申屠謝承事周承務師澍王承務同至元二
十一年上
宋承務至元二十二年上　靳奉議至元二十二年上

愛木干承□至元二十三年上
也先至元二十三年上
八不忽承事至元二十四年上
薛超兀兒承事至元二十四年上
也先帖木兒承事至元二十四年上
乞僧承務至元二十四年上
趙玘承務至元二十四年上
帖木兒不花承直至元二十四年上
張經承事至元二十四年上
殷尚敬承務至元二十四年上
陳天祐從仕至元二十四年上
脫歡承事至元二十四年上
失了歹承事至元二十四年上
失里別吉承事至元二十四年上
普顏八撒兒承事至元二十四年上
謝文智海牙從仕至元二十四年上
忻都不花承事至元二十四年上
失督兒從仕至元二十四年上

俺普承事至元二十四年上　哈散承事至元二十四年上

趙欽止從仕至元二十四年上　史守禮承務至元二十四年上

王用從仕至元二十四年上　馬天祐忠顯至元二十四年上

趙尚敬承事至元二十四年上　賈鈞奉訓至元二十四年上

王仁承務至元二十四年上　撒剌兒承事至元二十五年上

脫脫木兒承務至元二十五年上　朮敦進義至元二十五年上

張諒從仕至元二十五年上　完顏邦榮徵事至元二十五年上

脫歡察兒承事至元二十五年上　夾谷景淵承事至元二十五年上

李思敬承務至元二十五年上　牙忽敦武至元二十五年上

怗驢敦武至元二十五年上

楊詡承務至元二十五年上

也先怗木兒從仕至元二十六年上

霍思火兒從仕至元二十六年上

王茂承務至元二十六年上

元挺承直至元二十六年上

王獻從仕至元二十六年上

陳錫承務至元二十六年上

陳名濟徵事至元二十六年上

蕭瑾將仕至元二十五年上

乃蠻歹承事至元二十六年上

忽禿至元二十六年上

禿魯忠勇至元二十六年上

潘昂霄承務至元二十六年上

劉鳳承事至元二十六年上

藺守真從仕至元二十六年上

姜世昌承務至元二十六年上

脫脫敦武至元二十六年上

石抹仲安徵事至元二十六年上　段茂承事至元二十六年上
樊閏承事至元二十六年上　粘合真從仕至元二十六年上
忙古歹承務至元二十六年上　別古思奉訓至元二十六年上
也先帖木兒從仕至元二十七年上　哈散敦武至元二十七年上
帖木兒不花將仕至元二十七年上　暗都剌怯麻從仕至元二十七年上
杜也速答兒敦武至元二十八年上　黃辟將仕至元二十八年上
劉浩徵事至元二十八年上　欽察忠顯至元二十八年上
劉仁承事至元二十八年上　失烈兀歹承事至元二十八年上
唐兀歹承事至元二十八年上　塔木丁奉訓至元二十八年上

馬昞 承事至元二十八年上
李垺 徵事至元二十八年上
完顏真 徵事至元二十八年上
司徒 承務至元二十八年上
和尚 敦武至元二十八年上
忽剌出 敦武至元二十八年上
王廷弼 承事至元二十八年上
王龍澤 從事至元二十八年上
咬咬 承務至元二十九年上
王佐 承務至元二十九年上
萬石 昭信至元二十九年上
張註 從仕至元二十九年上
李廷詠 承事至元二十九年上
怗里脫歡 從仕至元二十九年上
劉廷實 徵事至元三十年上
答失怗木兒 從仕至元三十年上
張漢 從仕至元三十年上
張思誠 承務至元三十年上

阿沙 從仕 至元三十年上　　張禎 徵事 至元三十年上

楊仁 承事 至元三十年上　　也先不花 敦武 至元三十年上

謝讓 承事 至元三十年上　　王柔 承直 至元三十一年上

呼延諶 承務 至元三十一年上　　周德元 承務 至元三十一年上

鄭禮 登仕 元貞元年上　　楊士元 承務 元貞元年上

張文瑞 奉訓 元貞元年上　　張堂 承事 元貞元年上

張雲翼 承務 元貞元年上　　王琦 承務 元貞元年上

孫都歹 承事 元貞二年上　　闊闊歹 承事 元貞二年上

李仁 承直 元貞二年上　　完顔奴婢 承事 元貞二年上

沙的從仕元貞二年上　楊廷宥忠翊元貞二年上

孛蘭奚從仕元貞二年上　薛勵敬承事元貞二年上

斡羅思武略元貞二年上　宴只出敦武元貞二年上

孫世賢從仕元貞二年上　法忽魯丁承直元貞二年上

阿思蘭海牙將仕大德元年上　元都蠻敦武大德元年上

秃滿不花承直大德元年上　黄廷翼承直大德元年上

安惟洪承務大德元年上　仝士毅承務大德元年上

王仲山從仕大德元年上　史熹徵事大德三年上

郝鑑承務大德三年上　汪良臣承務大德三年上

杜明 承事大德三年上　王文鼎 承務大德三年上

樊會慶 將仕大德四年上　拜都 承務大德四年上

詹士龍 承事大德四年上　李俞 奉訓大德四年上

忻都 將仕大德四年上　奧敦忽都魯 承事大德四年上

[illegible]兒赤 承事大德五年上　沙的 從仕大德五年上

劉良弼 承務大德五年上　鄭雲翼 承事大德五年上

乞里吉 從仕大德五年上　牛弘道 從仕大德五年上

宴只哥 承事大德五年上　納魯 承事大德五年上

忽都察 從仕大德五年上　怯烈赤 將仕大德五年上

郝文 徵事大德六年上　田譯 承事大德六年上
孟遵 承直大德六年上　忽速剌沙 承事大德六年上
王別怙木兒 將仕大德六年　楊懿 承務大德六年上
吳舉 承務大德六年上　李慥 從仕大德七年上
楊寅 徵事大德七年上　續希賢 承直大德七年上
蕭泰登 奉直大德七年上　馬兒 奉議大德七年上
楊演 將仕大德七年上　李至道 承事大德七年上
孛烈禿 承直大德七年上　李蕃 承務大德七年上
教化 徵事大德七年上　哈只 承事大德七年上

管不八 從仕大德八年上　茹木赤 承務大德八年上
侯壽安 承事大德八年上　王蒙 承務大德八年上
王節 承事大德八年上　賈哥 從仕大德九年上
撒赤 從仕大德九年上　劉公弼 承務大德九年上
珊竹八哈赤 登仕大德九年上　王格 承事大德七年上
魏秉充 承務大德十年上　不花 從仕大德十一年上
月忽難 承事至大元年上　不魯罕 徵事至大元年上
太不花 從仕至大元年上　术八剌乞 從仕至大元年上
張天翼 承德至大元年上　李企賢 承務至大元年上

呂良佐奉訓至大元年上
奧屯履從仕至大元年上
申從敬徵事至大元年上
袁師愈徵事至大元年上
孫宏承德至大二年上
潘汝劼承德至大二年上
趙靖承務至大二年上
張崇承事至大二年上
僧家奴承事至大三年上

廼吉剌歹從仕元年上
陳珪奉直至大元年上
拜降從仕至大元年上
帖木哥承事至大元年上
勝安從仕至大二年上
呂允承直至大一年上
劉泰從仕至大元年上
楊爾堅承務至大三年上
脫脫承直至大三年上

周馳 奉議 至大三年上
撒的迷失 承務 至大四年上
佛保 奉議 至大四年上
賈訥 奉訓 至大四年上
托普化 承事 至大四年上
忽都魯沙 承事 至大四年上
鄭榮祖 承務 至大四年上
拜降 承直 至大四年上
王恭政 奉訓 至大四年上
陳珪 承直 至大四年上
完者 從仕 至大四年上
捉住 從仕 至大四年上
賈汝玉 承德 至大四年上
別速歹 奉議 至大四年上
傅昱 奉直 至大四年上
烏馬兒沙 承事 皇慶元年上
阿出 從仕 皇慶元年上
靳克忠 承直 皇慶二年上

李文質 承務 皇慶元年上　朶兒赤 從仕 皇慶元年上

井居仁 承德 皇慶元年上　施貞 承德 皇慶元年上

劉士英 承直 皇慶二年上　郭友直 奉訓 皇慶二年上

八剌 承直 皇慶二年上　呂哈剌 奉議 皇慶二年上

怯台 從仕 皇慶二年上　馬敏 承務 皇慶二年上

楊元亨 承德 延祐元年上　阿沙 將仕 延祐元年上

月忽難 承直 皇慶二年上　那懷 承務 延祐元年上

張正 承直 延祐元年上　撒里蠻 承事 延祐元年上

沉寶 將仕 延祐元年上　丁宏 承事 延祐元年上

教化 將仕佐延祐元年上

伯顏怗木兒 徵事延祐元年上

跌傑 承直延祐元年上

王懋 從仕延祐元年上

壽僧 從仕延祐二年上

倒剌沙 從仕延祐二年上

敬价 朝列延祐元年上

不蘭奚 承直延祐二年上

徐元素 將仕延祐二年上

張徽 奉政延祐二年上

咬住 奉直延祐三年上

燕只吉歹 將仕延祐三年上

完顏也先不花 奉訓延祐三年上

郝志善 將仕佐延祐三年上

散竹兀歹 從仕延祐三年上

怗哥 將仕延祐三年上

卜顏那懷 從仕延祐三年上

黑驢 承德延祐三年上

李儼 承德延祐三年上
解世英 將仕延祐三年上
李偘 承直延祐三年上
任志道 承事延祐三年上
大思都 承務延祐四年上
嚴文 奉議延祐四年上
段輔 徵事延祐三年上
許雲翰 徵事延祐三年上
官音奴 將仕延祐四年上
乃蠻歹 承事延祐四年上
宋節 奉議延祐五年上
李居仁 奉議延祐六年上
李克寬 朝列延祐四年上
劉世傑 承務延祐四年上
燕只吉歹 中順延祐五年上
魏可大 承德延祐五年上
馬謙 延祐六年上
楊燠 承直延祐六年上

雅安 承事延祐五年上

哈剌歹 奉訓延祐五年上

郭宗孟 奉議延祐六年上

王昇 儒林延祐六年上

王怯朝 承直延祐六年上

楊恒 承務延祐六年上

何守謙 奉議延祐五年上

馬鎔 奉政延祐六年上

王璽 承事延祐五年上

那海 承事至治元年上

怙牛 將仕至治元年上

買訥 奉議延祐五年上

僧家奴 奉議延祐六年上

小月兒禿魯迷失 承直延祐七年

暗都剌 奉議延祐六年上

左吉 奉議至治元年上

劉宗說 承直至治二年上

忽都不丁 奉政延祐六年上

馬良佐徵事延祐七年上
張惟一承事延祐七年上
哈乞從仕至治元年上
杜質登仕至治二年上
卜顏承直至治二年上
亦只兒不花從仕延祐三年上
史燉承務延祐六年上
劉恒承務延祐七年上
伯顏忽都承直至治元年上
羅廷玉奉議至治二年上
闊闊出從仕至治二年上
廉禿堅海牙將仕至治二年上
阿剌不花承事延祐七年上
楊不花將仕延祐七年上
畢禮朝列至治元年上
黄國用奉議至治二年上
孫揖承直至治二年上
八扎中順至治二年上

也木干承直延祐七年上　塔必迷失海牙將仕延祐六年上

王懋德從仕至治元年上　許有壬儒林至治二年上

李秉中承直至治二年上　阿魯灰將仕至治二年上

阿的彌失蒙古徵事郎至治二年上　張景哲承直至治二年上

秃堅不花畏吾氏文林至治二年上　王居敬奉議至治二年上

沙班阿里溫氏從仕至治二年上　酈愚儒林至治三年上

王景勉文林至治三年上　哈剌歹承務至治三年上

脱鄰斡兒納氏從仕至治三年上　普顏篤魯彌實儒林至治三年上

那懷貢吉剌氏承事至治三年上　忽都答兒奉議至治三年上

滕松年奉議至治三年上　李嗣宗高唐人奉[illegible]至治三年上
哇哇畏吾氏承直至治三年上　牛裕承務至治三年上
裴約文奉訓至治三年上　王德英奉政至治二年上
鄭炯承事泰定元年上　張世傑朝請泰定元年上
梁樞承德泰定元年上　李時中儒林泰定元年上
鄭鄙衛輝人儒林泰定元年上　張別吉怙木兒奉直泰定元年
和尚畏吾兒承德泰定元年上　耶律權承德泰定元年上
劉藝承事泰定元年上　曾文博大都人儒林泰定二年上
韓興業大名人承德泰定三年上　田瓚濟寧人承事泰定二年上

捏只從仕泰定二年上　順昌唐元氏承德泰定二年上
黑郎兒阿魯氏承事泰定二年上　咬住塔塔氏承直泰定二年上
劉傑歸德人承德泰定二年上　孛羅唐元氏奉訓泰定二年上
伯顏不花高麗人奉訓泰定二年上　王速帖木兒畏吾兒中順泰定三年上
任怯忽臺奉議泰定三年上　也先不花畏吾氏奉議泰定三年上
脫因不花朝散泰定三年上　亦克列台欽察氏承事泰定三年上
陳誠奉訓泰定三年上　廉壽山海牙畏吾氏奉訓泰定三年上
龍寶從仕泰定三年上　靳思誠承務泰定三年上
秦起宗廣平人朝散泰定三年上　羅廷王奉政泰定三年上

韓渙 承務泰定三年上

張郁 承直泰定三年上

朱彥亨 冀寧人承事泰定三年上

吾實吉泰 儒林泰定四年上

普達 畏吾氏奉議泰定四年上

九住馬 畏吾氏奉政泰定四年上

張珪 汴梁人文林泰定四年上

姐晃 朝城人登仕泰定四年上

張鐸 鄆城人承德泰定四年上

買住丁 阿魯溫氏朝請泰定四年上

德住 康禮氏承直泰定四年上

趙煥 東平人奉議泰定四年上

王主敬 永平人文林泰定四年上

潑皮 唐兀氏登仕泰定四年上

慶喜 唐兀氏從仕泰定四年上

張益 大名人承德天曆元年上

脫脫 唐兀氏朝列天曆元年上

忽都不丁 朝列天曆元年上

咬住 畏吾氏奉議 天曆元年上
呂沆 冀寧人奉訓 天曆元年上
撒帖木兒 蒙古氏承務 天曆元年上
王琚仁 河間人儒林 天曆元年上
李若思 晉寧人奉議 天曆元年上
秦從德 洛陽人文林 天曆元年上
燕只不花 畏吾氏文林 天曆二年上
梁居善 真定人奉訓 天曆二年上
崔帖木兒普花 高麗奉議 天曆二年
王德新 完顏氏儒林 天曆三年上
呉壽 大都人文林 天曆二年上
脫脫 大溫歹氏奉訓 天曆二年上
穆八剌沙 阿魯溫氏奉政 天曆二年上
張徵 廣平人承務 天曆二年上
袁承澄 真定人承務 天曆二年上
盖苗 濮州人承德 天曆二年上
真如都 畏吾氏 天曆二年上
趙知彰 歸德人 天曆二年上

担古伯 阿魯溫氏承直 天曆二年上　張天瑞 廣平人奉政 天曆二年上

尚克和 保定人朝列 天曆二年上　暢篤 河南人朝列 天曆二年上

亦思馬因 回回人奉直 天曆二年上　岳至 東平人承直 天曆二年上

偰哲篤 畏吾氏奉議 天曆二年上　王宗讓 晋寧人承事 至順元年上

郭孝基 曹州人承務 至順元年上　八八 哈剌乞氏朝列 至順元年上

答里麻 畏吾氏承務 至順元年上　定童 蒙古氏奉 至順元年上

梁克中 汴梁人承直 至順元年上　張榮祖 保定人承德 至順元年上

韓廷芳 大都人中順 至順元年上　三寶 蒙古氏中順 至順元年上

韓允直 洛陽人承德 至順元年上　張弘毅 汝寧人承直 至順二年上

劉嗣祖 東平人奉議 至順二年上

王庭佐 冀寧人朝散 至順二年上

泰不花 伯牙吾氏奉議 至順二年上

禿忽魯 哈剌理氏將仕 至順二年上

別里不花 哈剌理氏承務 至順二年上

李鵬舉 晉寧人朝列 至順二年上

扎撒兀孫 荅荅氏承德 至順二年上

趙天綱 彰德人承直 至順二年上

武鏵 冀寧人文林 至順二年上

蒙哥不花 康里氏奉直 至順三年上

蕭伯巖 河間人奉訓 至順三年上

蘇天爵 真定人奉政 至順三年上

桑哥失里 哈剌吃氏奉直 至順三年上

耿汝霖 大都人奉直 至順三年上

胡士元 般陽人承事 至順三年上

梁國標 汝寧人朝列 至順三年上

任格 洛陽人承德 至順三年上

不花 畏吾氏奉訓 至順三年上

元童 雍樂威氏奉政 至順三年上　朵兒只班 中順至順三年上

忽都魯別 回回氏承德 至順三年上　王理 興元人文林 至順三年上

李世蕃 河間人承德 至順三年上　黑里兒 阿魯溫氏奉直 至順三年上

伯家閭 朵羅氏奉直 至順三年上　蠻子海牙 畏吾氏承德 至順三年上

楊熙 冀寧人奉訓 元統元年上　呂彝 汴梁人奉政 元統元年上

普達實立 畏吾氏承事 元統元年上　也帖谷不花 畏吾氏儒林 元統元年上

烏剌沙 阿魯溫氏奉訓 元統元年上　拜住 答答合氏承事 元統元年上

王珪 潁州人承直 元統二年上　也的迷失 畏吾氏徵事 元統二年上

達世貼睦邇 康里氏承[illegible] 元統二年上　倭都剌蠻 阿兒魯氏奉議 元統二年上

徐夢孫 高唐人奉[illegible] 元統二年上
察罕不花 康里氏承事 元統二年上
聶大亨 汴梁人文林 元統二年上
姚紱 陝州人承務 元統二年上
李節 延安人承德 元統二年上
相嘉達思 畏吾氏奉訓 元統二年上
哈剌察兒 蒙古氏奉訓 元統二年上
歪頭 畏吾氏徵事 元統二年上
王思齊 東平人承[illegible] 元統二年上
邊善 彰德人文林 元統二年上
赫赫 畏吾氏奉訓 元統二年上
安椿 濟南人朝散 元統三年上
杜蒙古帖木兒 文林 元統三年上
朵歹 唐兀氏奉直 元統三年上
九聖奴 畏吾氏從仕 元統三年上
哈剌 唐兀氏奉訓 元統三年上
也里 畏吾氏儒林 元統三年上
納速剌丁 [illegible]氏承事 元統三年上

田德 滎陽人 承直 元統三年上
伯顔 阿魯温氏 奉議 元統三年上
韓復 汴梁人 承務 元統三年上
張[illegible] 河西人 承直 元統三年上
贍八 唐兀氏 儒林 元統三年上
丑[illegible] 哈剌乞氏 [illegible] 元統三年上
劉持中 濟寧人 元統三年上
阿[illegible]赤 怯烈氏 承德 至元元年上
忽辛 回回氏 奉政 至元元年上
丑[illegible] 真定人 承德 至元元年上
沙不丁 阿魯温氏 承直 至元二年上
忽里哈赤 珊竹氏 奉議 至元二年上
王楚鼇 泰安人 奉直 至元二年上
史經 保定人 奉議 至元二年上
孔思立 曲阜人 承德 至元二年上
禿魯 也里可温氏 承德 至元二年上
孛羅帖木兒 畏吾兒 奉政 至元二年上
劉恕 廣平人 承德 至元二年上

周夔陝西人承直至元二年上　[illegible]禿蒙古氏中憲至元二年上
齊璧順德人文林至元二年上　耿汝霖大都人奉直至元二年上
也先帖木兒唐兀人奉議至元二年上　安顯汝寧人承務至元二年上
篤列圖捏古思氏奉訓至元二年上　李祉汴梁人文林至元三年上
世式唐兀人承德至元三年上　馬哈麻回回人承直至元三年上
兀馬兒回回人奉訓至元三年上　甄囊加歹真定人承直至元三年上
王侃益都人中順至元三年上　伯顏乃蠻氏奉直至元三年上
常泰奉元人奉直至元三年上　那海畏吾氏奉直至元三年上
世圖爾兀魯氏至元四年上　燮理溥化蒙古氏儒林至元四年上

不顏塔失 扎剌兒氏奉政 至元四年上
弘奴 唐兀氏從仕 至元四年上

趙承禧 晉寧人儒林 至元四年上
管德 益都人朝散 至元四年上

張珪 歸德人奉政 至元四年上
帖木兒不花 唐兀氏 至元四年上

韓琇 鳳翔府人奉直 至元四年上
伯帖木兒 畏吾氏儒林 至元四年上

達理麻 畏吾氏承務 至元四年上
宋思義 冀寧人儒林 至元四年上

栢壽 蒙古氏中憲 至元五年上
帖木兒不花 唐兀氏奉訓 至元五年上

上都 哈兒魯氏 至元五年上
丑閭 唐兀氏承直 至元五年上

紐麟 怯烈歹氏承直 至元五年上
董童 乃蠻氏從仕 至元五年上

張徹 奉元人儒林 至元五年上
許紹祖 懷慶人儒林 至元五年上

傅薦臣 興和人翰林 至元五年上　觀音奴 唐兀氏文林 至元五年上

耶律楚仙 契丹氏亞中 至元五年上　韓章恭 晉寧人承直 至元五年上

埜爾吉尼 唐兀氏登仕 至元六年上　尹忠 河間人奉訓 至元六年上

董守讓 真定人奉直 至元六年上　衍飭 唐兀氏儒林 至元六年上

長壽 乃蠻氏奉直 至元六年上　答禮麻亦憐珍 徵事至元六年上

彭敬叔 濟南人奉直 至元六年上　李齊 保定人儒林 至元六年上

王居敬 益都人奉訓 至元六年上　也先脫因 畏吾氏儒林 至元六年上

蔡明安答兒 大都人奉訓 至元六年上　迦兒吉尼 唐兀氏登[illegible] 至元六年[illegible]

帖木兒不花 瓮吉剌氏文林 至元六年上　[illegible]申達爾 唐兀氏[illegible] 至元六[illegible]

劉貞 保定人奉議至元六年上　曹復亨 濟寧人[illegible]至正二[illegible]

元顏思忠 女直氏奉議至正元年上　忽兒只班 唐兀氏承直至正元年上

潘惟梓 濟寧人承德至正元年上　別燮理 欽察氏奉直至正元年上

王彬 真定人奉直至正元年上　九住哥 唐兀氏奉直至正元年上

亦思哈 珠篤氏從仕至正元年上　畢璉 濟南人承德至正元年上

呂瑞 平凉州人[illegible]至正元年上　觀音保 畏吾氏奉訓至正元年上

王德謙 儒林至正元年上　八十 阿魯溫氏奉政至正元年上

許有孚 彰德人儒林至正二年上　察元岱 大名人奉直至正二年上

撒兒托溫 康里氏奉政至正二年上　張希明 保定人承務至正二年上

張思誠 晉寧人奉訓 至正二年上
阿思蘭不花 畏吾氏朝列 至正二年上
火兒忽台 荅荅氏奉訓 至正二年上
徹徹帖木兒 唐兀氏奉訓 至正二年上
卓思誠 鄒縣人 至正二年上
埜實捏 畏吾氏 至正二年上
木八剌沙 乃蠻氏從仕 至正二年上
王武 泰元人奉訓 至正二年上
楊秩 中山人 至正二年上
孫珪 河南人承直 至正二年上
谷琬 汴梁人承直 至正二年上
王朶羅歹 大同人 至正二年上
撒八兒禿 乃蠻人從仕 至正二年上
脫歡 別速台人承直 至正三年上
八資剌 畏吾氏奉政 至正三年上
僧奴 畏吾氏奉訓 至正三年上
荅失蠻 阿兒温氏承德 至正三年上
木八剌 賽亦人朝列 至正三年上

李貞一 堂邑人奉直 至正三年上

石思讓 濟寧人儒林 至正三年上

剌思八朶兒只 唐兀人朝列 至正三年上

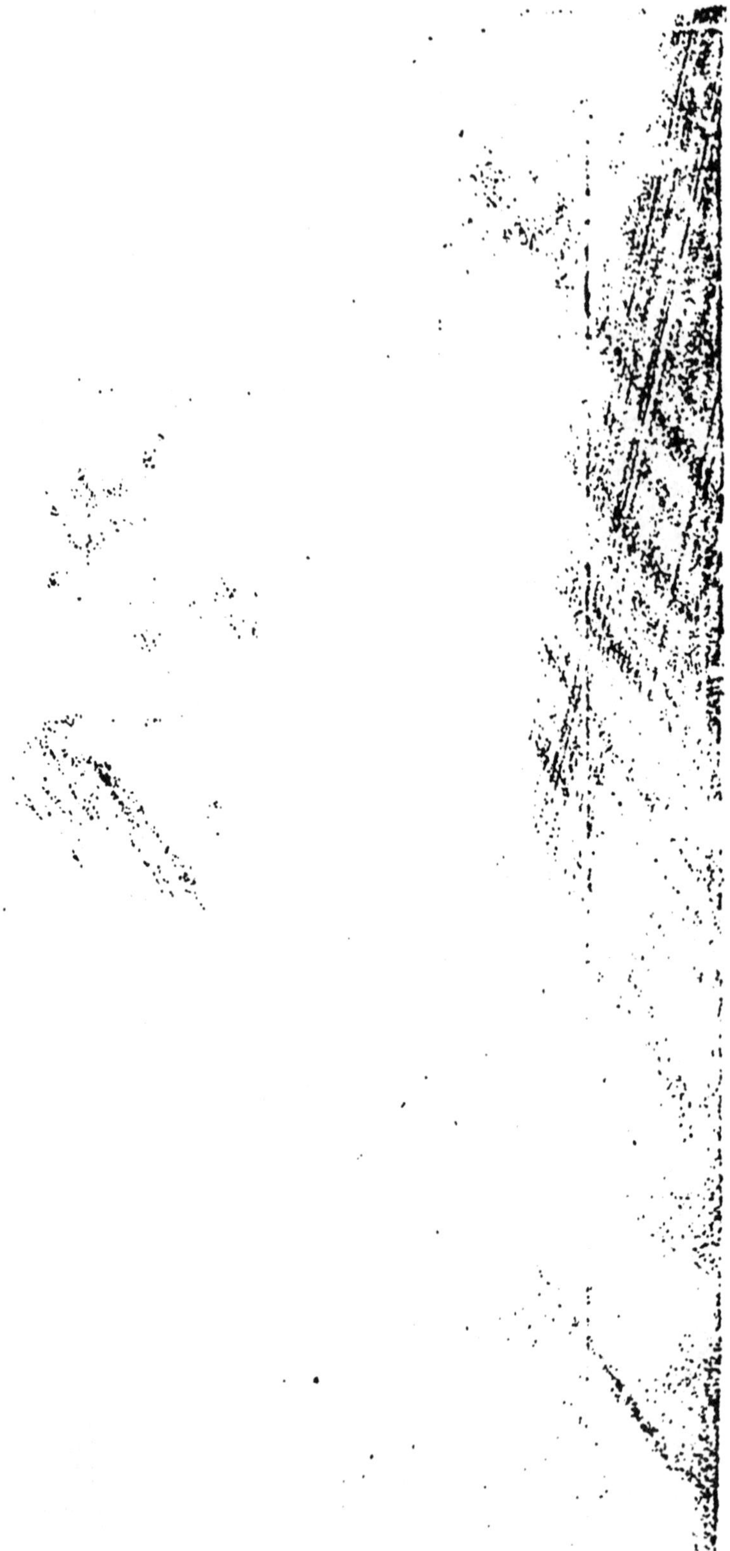

建康路總管府至順元年改名集慶路自元十四年江府以來官員題名文卷藏架閣庫至順元年七月燬於兵火詢訪莫知其詳今以故老所憶及泰定二年以後官員姓名識於左方

達魯花赤向此以下官無題名可致其鄉貫氏族上任年月多不能知非畧也

廉希憲宣撫使至元十二年上　唆都宣撫使至元十二年上

廉希憲宣慰使兼至元十四年上　阿昔帖木兒至元二十八年上

藥束謀　要束沐朝請大德元年上

蒙古脫[illegible]元貞元年上　牙亦迷失昭武大將軍至大元年上

抄都正議皇慶元年上

秃卜伸泰定二年上

彰德閭泰定四年上

迷沙中順天曆二年上

脫歡嘉議至順元年上

帖兒嘉議至正二年上

總管

徐王榮驃騎上將軍至元十四年　李某或云名玉示中順至元十八年

李仲信至元二十三年　阿思蘭不花嘉議至元十六年

伯家奴至元三十年上峻都子　宋廷秀元貞元年

廉希括中議元貞二年　獨吉禮少中大德四年

陳元凱大德七年　侯珪大德九年

岳天禎懷遠大將軍大德十年　王瑛正議皇慶元年

劉智　昝子良延祐六年

任居敬至治二年　必實溫沙班太中泰定二年

那懷 中順泰定四年 咬住 奉議天曆二年

郭朵兒伯臺 至順元年 完者禿 通議至元一年

張搭海帖木兒 正議至正元年上

同知

王家驢少中至大元年　沙的朝請延祐二年

闊帖木兒泰定二年　鄭偉中順泰定四年

楊清孫朝列天曆二年　哈剌帖木兒昭信校尉至順元年

李輝奉政至元六年　羅里廣威將軍至正二年上

治中

楊翼 奉議大德十年

梁曾華 至大二年

也先普化 至大二年

察罕不花 奉訓延祐二年

火者 朝散泰定二年

也先帖木兒 奉訓泰定四年

乃蠻歹 武德將軍天曆二年

烏馬兒沙 至順元年

暗都剌忻 奉政至元六年

教化的 朝列至正元年上

青山 至正三年上

府判官

百壽忠顯大德五年　胡國安奉訓泰定二年

趙天祐承德泰定四年　羅里承德天曆二年

八都兒昭信至順元年　常脫歡承信至元六年

周垚奉訓至正元年上　師孫承直至正三年上

推官

吕良佐 承務至大元年

韓居仁 承務大德五年

高仁 承務大德五年

常顯 泰定二年

顧巖壽 承務泰定四年

兀沙慈思誠 天曆二年

梁鐸 承務天曆二年

能鼎賢 承直至順元年

趙思忠 奉訓至順三年

高德基 承直元統二年

王繼祖 承務至元六年

劉良 承德至元六年

高仲禁 承直至正元年

劉鍾 承德至正二年上

經歷

李世榮從仕至正元年

李從善承務四年

薛瑞承直至元六年

崔勱承務至元二年

武文秀泰定二年

陳鼎至順元年

王誠至元五年

知事

胡璉将仕佐至大元年　王朝賢泰定二年

馬誠泰定四年　劉履泰天曆二年

毛克己至順元年　薛泰将仕至元六年

瞿大榮至元五年　劉伯貞将仕至正二年上

提控案牘兼照磨承發架閣

楊澄至大元年　吳弘道泰定二年

李思明天曆二年　劉毅至元六年

曹天剛至正三年

溧陽州

至元十四年縣改溧州

達魯花赤也里占　知州

同知陳賢佐　州判陳義

吏目王泰

至元十五年改州爲府

達魯花赤也里占　招討孔懷遠

府判趙某　同知李某

至元十六年改溧陽路管溧陽縣并在城録事司

達魯花赤

沙里的威　答失蠻

小宣差

總管

高逸民　辛卜順

同知

別乞八兒思　馬合馬

府判官

龐忠顯　高忠顯　吉天祐

經歷
羅某
知事
王知亨
提控案牘兼照磨承發架閣
解某
溧陽縣
達魯花赤
張忙古歹　忽林赤

縣尹

劉將仕　孫將仕

李奉務

縣丞

韓進義　王印孫

主簿

賈某　崔秀玉

孔某

縣尉

陳亨　高某

録事司

達魯花赤

寨里德綱　忽都海牙

録事

楊玉速帖木兒　李顒

録判

吳世齡　卓某

至元二十八年二月革路置溧陽縣

達魯花赤

忽林赤　塔塔兒

塔术丁

縣尹

劉天佐　燕某

縣丞

張某　楊獻文

主簿

張某　張某

元貞二年縣改溧陽州

達魯花赤

木薛飛承務　撞兀兒武畧

咬住武畧　亦速失奉議

塔海承直　瘖都剌哈蠻朝列

帖哥武德　沙的奉議

八忽奉議　那懷奉議

月里海牙朝列　禿忽赤武畧

五十八昭信　塔出武畧

知州

高武畧　朶兒別歹宣武

忙古歹奉議　張奉政

張朝列　王朝列

高朝列　王朝列

孫朝散　管朝列

宋奉政　完顏朝列

史奉政　羅奉政

趙朝列　張朝列

同知右

塔术丁　敎化

蒙速思　珊竹

亦黑邊　秃滿歹

伯不花　和尚

秃滿答兒　杜樞

門答占　解世貴

張世安　忻都

廉定住　那海

同知左

蒲天祥　　輔惟良

王來興　　朱祐

范渥　　游德宏

哈剌脫因　　塔剌赤

禿干牙里　　李忙古歹

和尚　　阿老瓦丁

丁榮　　火失不花

州判右

杜繼良　彭繼祖
郭翼　出出
張泉　黃燕只哥歹
董仲良　朱德茂
慕嗣宗　辛克勤
衡秃不深　韓寬
宋國瑞　李伯顔
徐忠
州判左

蔡珣　王守信

粒合天使奴　皇仁

闞縈　何良佐

王珪　董讓

鄭時中　文朶兒别歹名淵

董珏　鄭全福

李伯顔　劉祖德

王仁　太初术

保保

提控案牘

趙甫　張伯夷

張濟　杜皓

王祐　夏閏

詹松　趙忠信

江淵　陳源

張翼　張從善

周仁昌　陸復通

吳文愛　張寬仁

羅德新　劉敏
陳謙重　饒琳
鍾敬

都目

郭誠　苗郁
曹天祐　許信傑
盧信傑　檀邦復
鄭璧　李仁
李森　尹慧

顧滎　陳濟民
丁日新　余靖
張天祐　趙若双
張忠亮　張天祐
徐與權　李榮
蔣從政　周世傑
解復

溧水州歸附初仍宋舊縣元貞元年陞州

縣達魯花赤

忙古歹至元十二年　高文秀至元十七年

脫登哥至元十九年　曲烈至元二十八年

縣尹

張遂良至元十二年　郝麟至元十六年

王謙至元十六年　衛成大至元十九年

王忙古歹至元二十年　王度至元二十五年

張維至元二十九年　趙衍元貞元年上就任改除州同

縣丞

米棋 至元十四年

田章

程雲翼 至元十七年

趙仲璋 至元二十年

楊獻文 至元二十三年

唐棋 至元二十七年

袁祐 至元二十九年

主簿

馬顯祖 至元十四年

夏棋

楊公佐 至元二十一年

吳去病 至元二十三年

許甫 至元二十七年

張棋 至元二十九年

答失蠻元貞元年

縣尉

張定至元十二年　龐義至元十四年

高岳　馬某

高某　管某

州達魯花赤

昔思丁大德三年　斡脱思不花大德三年

博鑾子至大元年　阿叔至大元年

闊闊帖木兒皇慶二年　廉玉居石海牙至治元年

長壽至治元年　阿剌忒納泰定元年

乞思監泰定三年　晏只哥天曆二年

唆剌歹至順元年

知州

儀叔安元貞二年　趙鐸大德三年

郭敬大德六年　高淵大德十一年

王勵至大三年　趙唐速皇慶二年

盧克詒 延祐[illegible]
石抹進 延祐六年
孫遜 至治三年
朱綬 泰定四年
王招孫 至元元年
李衡 元統二年

同知

趙衍 元貞元年
阿剌温 元貞二年
李真 大德二年
粘合安童 大德二年
龐元良 大德五年
賈鍔 大德六年

□丁 大德十年
李世榮 大德八年

田晟 大德十一年
張紹祖 至大二年

不花 延祐五年
倪顯 皇慶元年

門答瞻 延祐二年
脫脫 延祐三年

不花 延祐五年
婁南把 延祐六年

斡出八的斤 至治元年
賽因不花 泰定元年

馬穀 泰定二年
羅里 泰定四年

王煦 天曆元年
廉阿息力海牙 至順元年

李彬 至順二年
康廷瓚 至元元年

州判

賀慶 元貞元年　杜祀 元貞元年

王國寶 大德元年　康塔不歹 大德二年

李貞 大德四年　朱夢澤 大德五年

李儼 大德七年　袁祐 大德八年

張斌 大德十年　劉珪 至大元年

暗都剌 至大三年　顧忠 皇慶元年

李濟 延祐元年　　程也先不花 延祐二年

潘榮祖 延祐四年　　李德元 延祐五年

劉弘裕 延祐七年　　胡克讓 至治元年

荆周翰 至治三年　　郭文進 泰定元年

朱繼善 泰定三年　　房思恭 泰定四年

吴喜 泰定四年　　趙銳 至順元年

趙元善 至順元年　　崔禿滿迭兒 元統元年

馬馴 至順三年　　楊振孫 至元元年

范政 至元二年　　陳聚 至元三年

江寧縣

達魯花赤

吳德　阿魯不思

亦不刺金　紐憐

忙古歹　伯顏

忽都魯不花　禿魯迷失海牙

別撒刺兒承直　丑驢

那懷　金剛奴忠翊

小雲赤承務　火失不花進義

縣尹

李　　曹珪承事

傅霙承事　　王

王仁承事　　宋杞承事

王蒙承事　　馮　徵事

王挺承事　　張守忠承事

陳思問承務　　孫忠承務

盧從道承務　　張恪承務

錢遵承務　　盧世懽承務

丘世良承事　南英承務

王謙承事　張遜承務

章秉仁承事

主簿

扈棟登仕　梅鼎將仕

劉琚進義　皇甫信進義

兀魯世不花　石抹伯顔察爾將仕

劉德進義　朱端將仕

田 進義　朱宗儀 將仕佐

程霖龍 進義　劉克隆 將仕

朱立夫 將仕佐　陳益 將仕

翟亮 進義　後天麒 進義

王良輔 進義

縣尉

江淵 至元十二年　周允忠

李宗義　王文發

林天澤　郝本仁

李思敬　魏居仁

貼木兒赤　劉繼祖

黃貴　安仁

鎖兒　孫

上元縣

達魯花赤

阿都剌 承務
馬合馬沙 忠顯
那懷 保義
也先不花 承直
丑驢 進義

縣尹

謝祐 承事
劉德茂 承事
劉禧 承事
習璛 承務

劉澮 承務

歐陽完澤 承務

張昴 承德

朱良弼 承事

麹克明 承事

黃伯顔 承直

王禮 承務

田賢 承務

王樞 承務

主簿

陳良弼 將仕

王欽 進義

陳守忠

喬岳 進義

吴伯颜帖木兒 將仕 鄭安道 進義

李良臣 進義 李萃 進義

句容縣

達魯花赤

阿里　忙古歹

兀哥赤進義　忽辛敦武

兀哥撒敦武　脫脫進義

唐兀解徵事　王連赤敦武

舍剌甫丁　塔塔兒敦武

答迷失忠顯　不花忠顯

月倫失海牙進義　哈剌承德

答思剌 承務　　愛牙赤 承務

阿實 承直　　那懷 進義

丑閭 敦武

縣尹

李端辰 將仕　　唐正叔 從仕

何源 將仕　　篤

完顏著 承事　　李璘 承事

顏世榮 承事　　兀顏瑛 承事

田郁 承事　　陳良驥 承事
王澤 承事　　趙靖 忠翊
朱全 承事　　王堅 承務
謝潤 承務　　成天瑞 承務
劉瑾 承務　　程恭 承務
李孛來歹 承務　　孟禎 承務
殷禎 承務　　李思雍 承德
李允中 承直　　林仲節 承事
李漣 承務

主簿

米　　蔡勉

荆　　王日升將仕佐

安惟演將仕佐　　劉公正將仕佐

姚英將仕佐　　蕭善將仕佐

張秉禮將仕佐　　陳桂發將仕佐

張善進義　　畢拜都進義

劉流將仕佐　　戴德仁保義

董玨 進義　梁家奴

月列帖木兒 將仕佐　孫怡老 保義

八哈藍沙 進義　陳眞孫

孫璨 將仕佐　黃貫住 特恩

樊嗣祖 進義

縣尉

張　王信

孟順 收戢黃川幸貫官　馬珣

董信　鄒飛以捉賊黄華賞官

劉毅　時茂

何燕只哥歹　李天瑞

麻里當沙　丑廝

李致　陳獻德賞官

張鉉　倒刺沙

張奎

錄事司

達魯花赤

阿都赤　　也木干

倒失罕　　吃𡊸

亦失海牙　　怙兒不花

南木忽里　　伯顏

脱因　　海音都

布八

錄事

戍祚　堵閭

姬世元　趙彪瑟

賈剛毅　劉濟

潘昧　劉徵

孟克謙

録判

白瀆　胡文郁

孫伯顏察兒　謝伯牙歹

周應奎　伯顏察兒

王淵

按漢書王嘉曰孝文帝時居官者長子孫以官爲氏其二千石長吏亦皆安官樂職然後上下相望莫有苟且之意及孝宣親政以爲太守吏民之本數變易則下不安民知其將久不可欺罔乃服從其教化故侍中尚書功勞當遷及有異善至于子孫終不改易黄霸亦云數易長吏送故迎新之費及姦吏緣絶簿書盗財物公私耗費甚多皆當出於民羅泌路史曰治國之道牧民而已牧民猶牧馬

必人安其馬馬習其人胡爲而數易之嘗試語如建康一會府尔而史氏之所志自開寶八年盡乾道之三二百載中牧民之使已百二十有五易其罷去若祠去與夫致仕而去者咸六不禄若憂去者五不見其去之期者二十一召去者十有五而即除者五十有六其得滿而替者三十有一而已或一年或半年或一月或二三月若王益柔之至俯六日[illegible]應 府矣再任俯七而馬亮乃四受

卬然亦未嘗一因任者區區徇往俗安得不呰窳民安得不罷斃哉府之邑屬五可知矣府與邑屬宰牧若此天下又可知矣泌所論乃建康留守史正志所書切中時弊附著于此俟觀者攷焉

金陵新志卷之七

田賦志總叙

易繫曰何以守位曰仁何以聚人曰財理財正辭禁民爲非曰義夫天生五材民並用之盈天地間皆財也然爲治以得民心爲本賦之有經取之以時用之有節則財恒裕而民不困禹貢揚州厥土塗泥厥田下下惟人工脩而山澤之利廣故其賦又居下上雜出中下不與田之等相當歷代貢賦視時輕重其詳弗可究知以宋

吏弦之東南之取於民者亦已悉矣豪民大家籠水陸之利人莫能與之爭田連阡陌其取於農者十嘗五六官不爲之限制也及陷於罪沒入之又即其私租以爲税額計日責收覈以嚴刑重以他色責斂故小民樂歲食常不足一有水旱之災不從而死耳江淮以南大抵皆然有能陳叔世之弊均什一之制少予民以固根本者哉浙西賈似道公田建康撥到錢府圩田及歸附之際沒官田土皆以私租爲額今

國家都燕大資海運歲漕東南粟數百萬石舟

行類多失亡集慶以便轉輸恒足倉廩以待徵發稽古驗今作田賦志

歷代沿革

景定志曰建康乃揚州一郡古今國都多在焉田賦之制凡幾變更晉宋立限田之式齊梁為寬賦之條陳末淫奢偽唐僭侈苛賦橫斂一切不恤而民不勝其暴天啓我宋剗偽除苛拯民塗炭蠲無藝之征損新變之例嚴着弛之重者輕之而民力紓矣剖符授節選用廉平安富恤

賓損上益下而仁澤溥矣今之建康號爲樂國勤無曠上富無貧租本根所由固也晉平吳之後有司奏王公以國爲家京城不宜復有田宅未暇作邸當使城中有往來之處近郊有芻藁之田今可限之國王公侯京城得有宅一處近郊田大國拾伍頃次國拾頃小國柒頃城内無宅城外有者皆聽留之男子一人占田柒拾畝女子叁拾畝其丁男課田伍拾畝丁女貳拾畝次丁男半之女則不課其官第一品伍拾頃每品減伍頃爲之差第九品拾頃而又各以品之高低蔭其親屬多者及九族少者三代宗室國賓先賢之後士人子孫亦如之而又得蔭人爲衣食客及佃客量其官品以爲差降晉成帝咸和五年初税田畝叁升孝武太元八年始增百姓税米每口伍碩宋孝武帝大明初羊希爲尚書左丞時揚州刺史西陽王子尚上言山湖之禁雖

有舊科人俗相因替而不奉係山封水保為家
利自頃以來頹弛日甚富强者兼嶺而占貧弱
者薪蘇無託至漁採之地亦又如茲斯寔害理
之深弊請損益舊條更申恒制有司檢壬辰詔
書擅占山澤彊盜律論贓一丈以上皆弃市希
以壬辰之制其禁嚴刻事既難遵理與時弛而
占山封水漸染復滋更相因仍便成先業一朝
頓去易致怨嗟今更刊革立制五條凡是山澤
先恒熂爈種竹木新果為林仍及陂湖江海魚
梁鰌鮆常加工潒作者聽不追舊官品第一第
二品聽占山叁頃第三品第四品貳頃伍拾畝
第五品第六品貳頃第七品第八品壹頃伍拾
畝第九品及百姓壹頃皆依定格條上貲簿若
先已占山不得更占先占足若非前條舊業一
不得禁有犯者水土壹尺以上並計贓依常盜
論除晉咸康二年壬辰之科從之　齊高帝建
竟陵王子良上表曰宋文帝元嘉中皆責成郡
縣孝武征求急速以郡縣遲緩始遣臺使自此

公役勞擾凡此輩使人踈非詳慎貪險崎嶇之
求此役朝辭禁門情態即異暮宿村縣威福之
行驅迫鄉傳折辱守宰膳郭觀境飛下嚴符急
稱行基未明所督設總書覆振驚都邑深柱法
里俄刻十催或尺布之遺皿以當之百錢餘至
且增為千註云質作尚古寄繫東治百姓駭詫
不堪其命恣意贓賄無人敢言負譴被垂即生
謗讟惡謂凡諸撿課宜傳達使明下符旨審定
期限如有違越隨事糾坐則政有常典人無犯
置子良又啓曰今所在穀價雖和室家飢嗛
續雖賤斛門粿貨而守宰務在裒刻圍桑品苦
以准貨課畝令斬木發屋以充重賦破人敗產
要利一時東郡使人年無常限郡縣相承准令
上直每至州臺使命切求追急乃有畏失嚴加
自殘軀命亦有斬絕手足以避徭役守長不務
先富人而唯言益國豈有人貧於下而國富於
上耶　自東晉寓居江左所始南奔者並謂之
僑人往往散居無有土著而江南之俗火耕

擇土地卑濕無有蓄積之資諸蠻陬俚洞霑沐王化者各隨輕重收財物以裨國用又嶺外酋帥因生口翡翠明珠犀象之饒雄於鄉曲者朝廷多因而注之以收其利歷宋齊梁陳皆因而不改其軍國所須雜物隨土所出臨時折課市取乃無常法定令列州郡縣制其任土所出以爲征賦其無貫之人不樂州縣編者謂之浮浪人樂輸亦無定數任量唯所輸終優於正課焉但客丁男調布絹各二丈絲三兩綿八兩祿絹八尺祿綿三兩二分租米五石頤丁女並半之男丁十六亦半課十八正課六十六免課其男丁歲役不過二十日其田畝稅米二升蓋大率如此其度量三升當今一升秤則三兩當今一兩尺則一尺二寸當今一尺　又曰五

四賦案乾道志百年之間互有虧增田則今

然昔者三百餘萬畝昔亦有沙田營田所載

已百柒拾柒萬貳千捌百餘今其實數併沙營田止肆伯叁拾肆萬壹千陸伯餘上元山田肆拾萬伍千玖伯畝圩田貳拾萬叁千玖伯捌拾沙田拾壹萬貳千畝營田貳千捌伯玖拾畝寧山田貳拾陸萬貳千壹伯畝圩田拾捌萬千叁伯畝沙田肆萬肆千叁伯畝總領所營玖千陸伯玖拾畝地壹千捌伯畝草塌水蕩壹伯叁拾畝轉運司營田地共貳千畝句容柒拾肆萬叁伯壹畝地貳拾陸萬壹千肆伯畝沙田壹千壹伯貳拾叁畝沙地蘆塘等叁伍伯玖畝營田伍千捌伯玖拾伍畝地壹千伯玖畝溧水山田伍拾萬壹千肆伯叁拾叁肆角捌拾柒步半圩田貳拾玖萬壹千壹伯畝沙田壹千叁伯玖拾畝營田叁千肆伯柒捌畝營地壹伯陸拾貳畝溧陽田玖拾伍萬千柒伯伍畝地捌拾萬壹千肆伯柒拾肆畝

圩田叁萬壹千柒伯柒拾陸畝各有奇又曰莊租者紹興初以閑田立官莊晌田募人耕墾此營田之始也初以軍排後以民耕初以稻入後以錢入初以飼馬後以餉軍初則優其課繼其征而民樂趨之後則思而欲避之籍不能改矣今隸總領所者田地貳萬柒千柒伯柒拾畝租錢肆千肆伯貳拾貫各有奇又有麥及馬料之入焉沙租者沙磧地民墾種穀或長蘆縣收其租錢自淳祐八年田事加經理縣不得與而隸總領所田納米地納錢寶祐三年有旨三分減一以寬民力今沙田沙地拾陸萬貳千叁伯伍拾捌畝租米肆萬貳千肆伯肆拾柒石各有奇錢二不與焉寶慶句容嘉定溧陽二志與二郡志又不同

夏料則今多於昔

折帛錢叁拾肆萬壹千肆伯叁拾叁貫玖伯肆拾貳文錢會中半於內除谿江堈寨占并本府運司合抱認江寧句容縣和買役錢共壹萬壹千貳伯肆貫貳伯伍拾伍文外實催叁拾叁萬

貳伯貳拾玖貫陸伯捌拾柒文錢會中半絹紬
共捌萬陸千柒拾壹疋伍丈肆尺貳寸捌分伍
糙內貳千捌伯肆拾疋壹丈伍尺玖寸元係折
紬照科折則例紬每疋折錢伍貫絹每疋亦折
錢伍貫遂將上件紬併改折絹催納絲伍千貳
伯柒拾伍兩綿叁拾叁萬玖千陸伯玖拾肆兩
小麥叁千陸拾碩各有奇秋料則昔多於今米拾玖萬玖千壹拾柒碩折草
豆錢貳萬叁千陸伯貫布貳千肆伯伍拾柒疋
蘆蕟穰草等不與蕟音廢蘆席也以領計米鋪
襯蘆席錢南唐沿征之一也其間賦稅窠名又有昔無今有昔
有今無者皆未詳其故意者田有坍毁或有撥
隸賦有因革或有虧增姑摟今府縣所報觀之
其制亦煩矣戚氏云修景定志者在其時猶不能知其故況今去景定又數十年

其詳豈可一一追究哉夫古者制地有常使民易於共上若名色出沒不一則是明除暗增愚而弊之之術何足取耶其錢米之數與所隸亦皆不一米用文思院斛石當今七斗又有軍斗當今十升弱錢有見錢會子關子故老言所見其法三變矣初見會子十六界上畫寶餅蓋其始貫當見錢百文錢曰難得欲重之行十七界貫當錢柒拾柒文謂之官省錢後又減至柒拾貳文柒拾文以至伍拾貳文則爲十八界大小會子矣十八界上畫銀寶其文曰貳伯文者爲小會子壹貫當錢伍拾貳文曰壹貫文者爲大會子壹貫當錢貳伯陸拾文壹當伍也最後行十九界關子上畫火珠貫當大會子叁貫類若此故不可詳其所隸府之外有總領所轉運司句容志歲解饒州提刑司錢百伍拾貫新安志歲解建康府綿伍千疋後減半句容志月收秋苗錢月不同歲一月則給貢僧道僧貳伯柒拾肆貫錢柒伯肆拾貫道士伯柒拾柒貫錢叁伯

柒拾貫身丁職事師號等有差此又與諸志不同者景定二年江東轉運司括到吴府圩田租數肆建康府上元溧水兩縣者歲計租米壹萬叁千柒伯柒拾捌碩捌斗捌升肆合伍勺租麥壹拾肆碩伍斗玖升伍合並文思院解撥入淮西總領所理充支遣吴參政淵丞相潛得罪黜罷所沒之田歸附後又有斷沒朱張錢粮溧陽州并在城録事司皆有粮稅稅田租米不在此數前宋恤民者有真德秀撰李大東馬光祖趙時侃陸子遹諸公詳見譜志

田土

集慶路州司縣屬官民田土經理實數總計柒
萬柒仟伍伯貳拾捌頃叁拾
壹畝貳分貳釐貳絲貳忽

夏税

秋粮

租課

土貢

録事司官民田土

係官地貳仟貳伯伍拾肆畝肆分

財賦田地

田貳拾陸頃捌拾陸畝捌分伍釐壹
毫

地貳拾陸頃柒拾壹畝叁分伍釐捌
毫

江寧縣官民田土玖仟玖伯陸拾捌頃貳拾
壹畝玖分壹釐肆毫

官田土壹仟捌伯貳拾頃叁拾玖畝貳

分叁厘肆毫

民田土捌仟壹伯叁拾柒頃捌拾貳畝

陸分捌厘

元科田土玖仟叁伯肆拾叁頃壹拾柒畝

陸分柒厘玖毫

官田壹仟陸伯陸拾肆頃叁拾玖畝玖

毫

田伍伯伍拾伍頃貳拾壹畝肆分玖

厘

地貳伯柒拾貳頃叁拾叁畝壹分伍
厘伍毫
山叁拾壹頃壹拾伍畝貳分柒厘
住基貳拾捌畝伍分肆厘
塘伍畝捌分伍厘
草場貳拾柒頃陸拾捌畝陸分玖厘
蘆地叁伯捌拾玖頃柒拾畝叁分叁
厘肆毫
茭滸貳頃叁拾壹畝陸分陸厘

鴈蘆地玖拾頃壹拾壹畝壹分

堽壹頃壹拾畝貳分玖厘

沙地壹伯叁拾陸頃玖拾貳畝貳分

貳厘

水漾叁拾伍頃伍拾柒畝捌分捌厘

官蕩蘆地壹伯貳拾壹頃玖拾貳畝

伍分叁厘

民田土柒仟陸伯柒拾捌頃柒拾捌畝

陸分柒厘

田肆仟柒伯叁拾貳頃柒拾壹畝伍
分柒厘
地壹仟叁伯貳拾[illegible]頃叁拾捌畝柒
分[illegible]厘
山壹仟叁伯肆拾伍頃壹拾柒畝伍
分肆厘
住基陸拾玖頃陸拾捌畝伍分貳厘
草塌貳頃柒拾畝捌厘
蘆地陸拾貳頃伍畝肆分伍
一

蘆蕩壹伯貳拾捌頃捌拾捌畝伍分

白沙蕩叁頃

水塘叁頃伍拾貳畝貳分柒釐

菱漾陸拾伍畝貳分貳釐

水漾壹拾畝柒分伍釐

堤壹頃玖拾畝

自實田土陸伯壹拾伍頃肆畝貳分叁釐

伍毫

官田壹伯伍拾陸頃[illegible]分貳釐伍毫

田壹拾陸頃叁拾　畝捌分叁厘

地叁拾叁頃陸拾　畝叁分柒厘玖

毫

山叁頃陸拾柒畝柒分貳厘

住基肆畝叁分貳厘

塘陸畝伍分壹厘

蘆地壹拾貳頃捌拾玖畝柒分柒厘

伍毫

草塌貳拾伍頃壹拾捌畝玖分叁厘

沙地貳拾貳頃捌拾貳畝肆分柒釐

壹毫

水漾貳拾伍頃捌拾叁畝叁釐

沉水白沙玖頃柒拾肆畝柒分伍釐

菱濟壹頃玖畝陸分陸釐

鴈蘆地壹拾肆頃伍拾玖畝捌分伍

釐

氏田肆伯伍拾玖頃肆畝壹釐

田貳伯貳拾頃壹拾壹畝伍分貳釐

地捌拾陸頃陸拾畝伍分玖厘

山壹伯叁頃玖拾畝伍分叁厘

住基柒拾壹畝陸厘

蕩柒頃陸拾貳畝肆分

蘆地貳拾柒頃肆拾貳畝叁分貳厘

草塌壹拾貳頃陸拾伍畝伍分玖厘

上元縣官民田土壹萬玖仟玖伯柒拾頃捌拾伍畝貳分柒厘柒毫貳絲貳忽

元科田土玖仟玖伯捌拾伍頃肆拾貳畝
陸分叁厘捌毫陸絲壹忽
官田土捌伯捌拾捌頃陸拾伍畝貳分
柒毫伍絲壹忽
田肆伯肆拾陸頃叁拾壹畝貳分貳
厘叁毫陸忽
地貳伯肆頃壹拾捌畝柒厘叁絲
山壹伯柒頃肆拾捌畝捌分捌厘肆
毫捌絲伍忽

塘壹拾陸頃叁拾畝伍分柒厘玖毫
叁絲

蘆蕩壹伯陸頃貳拾玖畝伍分捌厘

雜産捌頃陸畝捌分柒厘

民田土玖仟玖拾陸頃柒拾柒畝肆分
叁厘壹毫壹絲

田伍仟叁伯柒拾捌頃陸拾貳畝陸
分玖厘陸毫叁絲

地壹仟肆伯叁拾捌頃玖拾陸畝

分貳厘伍毫捌絲

山貳仟柒拾壹頃捌畝伍分伍厘伍

毫

塘壹伯玖拾伍頃捌拾柒畝壹分玖

厘肆毫

雜產壹拾貳頃貳拾貳畝肆分陸厘

開除聽候田土柒伯伍拾頃柒拾貳畝玖

分肆厘柒毫

官田土

田伍拾叁頃貳拾畝陸分玖厘伍毫

地柒頃柒拾玖畝肆分貳厘貳毫壹絲

民田土

田肆伯玖頃叁拾玖畝叁分肆厘

地捌拾伍頃伍拾柒畝肆厘

山壹伯柒拾貳頃叁拾陸畝陸分貳厘

塘貳拾貳頃叁拾玖畝捌分貳厘

自實田土玖仟貳伯叁拾肆頃陸畝[illegible]

陸分玖厘壹毫陸絲壹[illegible]

官田土捌伯貳拾柒頃陸拾伍畝玖分

伍絲壹忽

田叁伯玖拾叁頃壹拾畝伍分貳厘

捌毫陸忽

地壹伯玖拾陸頃叁拾捌畝陸分肆

厘捌毫貳絲

山壹伯柒頃肆拾捌畝[illegible]捌厘肆

毫捌絲伍忽

塘壹拾陸頃參拾畝伍參、厘玖毫

絲

蘆蕩壹伯陸頃貳拾玖畝貳分捌厘

雜産捌頃陸畝捌分柒厘

民田土捌仟肆伯柒頃肆畝陸分叄毫

壹絲

田肆仟玖伯陸拾玖頃貳拾畝參

分伍厘陸毫叄絲

地壹仟叁伯伍拾叁頃叁拾玖畝肆
分柒厘伍毫捌絲
山壹仟捌伯玖拾捌頃柒拾壹畝玖
分叁厘伍毫
塘壹伯叁拾叁頃肆拾柒畝叁分柒
厘肆毫
雜產壹拾貳頃貳拾貳畝肆分陸厘
句容縣官民田土壹萬貳仟捌伯貳拾柒頃
伍拾叁畝陸分貳厘

官田土肆伯柒拾伍頃叁拾伍畝叁分
貳厘
田貳伯陸拾捌頃柒拾柒畝伍分
地伍拾伍頃伍拾貳畝貳厘
山壹伯壹拾頃貳拾壹畝貳分玖厘
雜產壹拾頃捌拾肆畝伍分壹厘
民田土壹萬貳仟叁伯捌拾貳頃壹拾
捌畝叁分
田柒仟貳伯肆拾捌頃玖拾陸畝伍

分伍釐

地壹仟捌拾頃伍拾柒畝陸分肆釐

山肆仟貳拾壹頃柒畝貳分貳釐

塘肆頃玖拾伍畝

雜產貳拾陸頃陸拾壹畝捌分玖釐

溧水州官民田土壹萬陸仟玖伯捌拾伍頃

玖拾陸畝玖釐

官田土壹仟柒拾伍頃肆拾玖畝伍分

貳釐

田壹仟肆拾肆頃柒拾肆畝柒分叁釐

地貳拾貳頃玖畝捌分

山伍頃捌拾柒畝伍分陸釐

桑園壹畝柒釐

水蕩貳拾壹畝

塘壹拾貳畝玖分壹釐

雜產貳頃肆拾貳畝肆分叁釐

民田土壹萬伍仟玖伯壹拾頃肆拾陸

畝伍分次厘

口捌仟捌伯貳拾伍頃貳拾叁畝玖分

地壹仟肆拾柒頃陸拾伍畝叁分陸厘

山叁仟捌伯柒拾頃貳拾肆畝柒分叁厘

桑園柒伯貳頃伍拾陸畝柒厘

塘貳伯玖拾柒頃貳拾陸畝伍分叁

釐
雜產壹仟壹伯陸拾柒頃伍拾畝
溧陽州官民田地山蕩共壹萬柒仟柒伯玖
頃陸拾貳畝壹分壹釐
元科田地山壹萬陸仟陸伯肆拾柒頃叁
拾畝伍分柒釐玖毫
田玖仟柒伯叁拾肆頃貳拾陸畝玖
分叁釐
地肆仟壹伯玖拾伍頃伍拾壹畝玖

分肆厘陸毫

山貳仟柒伯壹拾柒頃伍拾壹畝柒

分叁厘

經理田地蕩壹仟陸拾貳頃叁拾壹畝伍

分叁厘壹毫

田捌伯捌拾肆頃肆拾貳畝肆分柒

毫

地壹伯柒拾柒頃陸拾貳畝肆分柒

厘肆毫

蕩貳拾陸畝陸分伍厘

貢賦

在城錄事司

僧官

稅粮

小麥肆伯肆拾柒碩貳斗肆升玖合

租錢貳伯叁拾壹定肆拾肆两肆錢玖分

黄豆肆伯肆拾柒碩貳斗肆升玖合

粳米壹碩叁斗捌升捌合

紅花

花貳仟玖伯捌斤陸兩貳錢

鈔貳伯叁拾貳定叁拾叁兩伍錢伍分

房錢貳伯陸拾伍定壹拾玖兩叁分壹釐（內有豐和棚租錢壹拾貳定）

酒醋課中統鈔貳仟捌伯伍拾玖定壹拾壹兩壹錢陸分肆釐（內醋課錢陸拾捌定貳拾兩玖分貳釐）

曆日錢叁拾壹定壹拾伍兩

在城稅務歲辦伍仟壹伯柒拾肆定壹

拾伍两伍錢陸分叁厘二

財賦

菜地錢貳拾伍定壹拾肆两玖錢壹分

房地錢中統鈔玖拾陸定玖两

十塲水面錢壹伯壹拾陸定貳拾伍两

秦淮河水面錢中統鈔貳拾肆定

歲貢土物

蒲殼香麯壹萬斤

貉皮壹拾伍張 貉音郝狐也

江寧縣

係官

稅糧

絲伍仟伍伯肆拾貳斤壹拾肆兩伍
錢貳釐陸毫

綿貳仟陸伯捌拾玖斤壹拾兩捌錢
貳分

布玖拾匹柒尺陸寸叁分貳釐

鈔壹伯壹拾叁定貳拾伍兩玖錢壹

釐

黄豆肆伯貳拾柒碩柒斗陸升

小麥肆伯伍拾柒碩捌斗叁升壹合

粳米貳萬肆拾肆碩玖斗柒合肆勺

酒醋課程柒伯壹拾貳定貳拾伍兩肆
錢伍分陸釐

房地錢貳拾玖定肆拾叁兩伍錢捌釐
捌毫

蘆課壹伯肆拾捌定肆拾伍兩叁錢陸

分

曆日錢陸拾貳定叁拾玖兩伍錢

財賦

酒醋課程陸伯捌定壹拾兩肆錢

租錢肆伯伍拾陸定玖兩捌錢陸分陸

釐

田地山租[illegible]錢拾捌定叁拾叁兩壹錢

草塲蘆地租錢玖仟陸拾柒定貳拾肆

兩伍分壹釐

菱溪租錢肆定肆拾玖兩陸錢陸分伍
釐

河泊租錢伍定叁兩

稅粮

大麥肆伯壹拾碩叁㪷陸升貳合

小麥柒伯伍拾碩陸㪷壹升貳合

紅花捌伯叁拾捌斤壹拾兩肆錢伍分

粳米肆仟貳拾伍碩伍斗貳升叁合

陸勺
粳稻陸伯伍拾叁碩捌斗肆升柒合
黃豆壹仟叁伯陸拾碩肆升捌合肆勺

歲貢土物狢皮柒伯陸拾張半

上元縣

係官

税粮

絲壹萬壹仟伍拾柒斤柒分肆厘肆
毫

綿叁仟柒伯玖拾伍斤壹拾貳兩玖

錢貳厘壹毫

布肆伯玖拾壹疋捌尺肆寸叁分壹

厘

鈔玖拾壹定壹拾肆兩貳錢玖分叁

厘叁毫

黄豆伍拾碩壹斗貳升

小麥叁拾陸碩柒㪷伍升貳合叁勺

壹抄柒撮

粳米叁萬貳仟捌伯伍拾肆碩玖斗
陸升柒合
鈔貳定貳拾兩壹錢柒分捌厘
酒醋課程壹仟伍伯肆拾肆定肆拾肆
兩叁錢柒分貳厘
房地錢陸拾貳定柒兩　錢陸分肆厘
蘆課壹伯壹拾柒定肆拾陸兩陸錢陸
分伍厘
曆日錢柒拾壹定肆拾陸兩叁錢

財賦

課程中統鈔伍伯叁拾玖定肆拾陸兩
貳錢肆分玖厘
田地山蕩等租錢伍拾壹定叁拾兩
捌錢陸分陸厘
草塌蘆地租錢肆伯柒拾叁定肆拾
玖兩柒分肆厘
河泊水面并帶辦渡租錢玖定貳拾
伍兩

園圃租錢貳定厶拾肆兩玖錢

氷窨租錢壹定叁拾兩

菱蕩租錢貳拾陸兩肆錢玖厘

税粮

小麥叁伯捌碩壹升尘合

紅花壹仟肆伯伍拾捌斤捌兩肆錢玖分

綿貳拾陸户壬一捌錢柒分伍厘

粳米壹萬伍伯陸拾叁碩肆斗伍升

捌合陸勺

豆壹仟叁伯貳拾碩柒斗柒升玖合

歲貢土物狢皮柒伯陸拾陸張

句容縣

稅粮

絲壹萬壹仟陸伯玖斤玖两柒錢陸分

綿貳仟捌伯玖拾伍斤捌两叁厘

鈔陸拾貳定貳拾貳两貳錢肆分肆厘

官米叁仟玖伯伍碩壹斗貳合

民米叁萬叁仟陸伯柒拾陸碩伍斗肆
升玖合
酒醋課壹仟伍伯叁拾肆定叁兩伍分
茶課貳拾定
房地錢壹拾伍定壹拾壹兩玖錢壹分貳釐
曆日錢捌拾陸定叁拾陸兩柒錢
生帛局造辦棗褐鵐青明綠白色紵絲針
紋肆伯玖拾伍段
縣務稅課叁伯伍拾玖定貳拾玖兩伍錢

肆厘

常寧務稅課貳伯捌拾肆定拾肆兩捌錢

捌分

白土務稅課貳伯壹拾捌定叁拾貳兩

東陽務稅課壹伯叁拾定貳拾伍兩

帶辦財賦課程柒拾柒定肆拾柒兩

歲貢土物貉皮壹仟玖伯捌拾陸張

翎毛捌仟壹伯根

茅山蒼术貳伯斤

溧水州

係官

税粮

絲壹萬叁仟肆拾玖斤壹拾伍两貳

錢陸分捌厘

綿柒仟陸伯伍拾柒斤柒两伍分柒

厘

鈔壹伯叁拾陸定壹两伍分壹厘

粳米捌萬玖仟柒伯貳拾陸頁陸升

壹升伍合
麥柒伯肆拾碩捌斗玖升陸合
豆貳拾碩肆斗肆升肆合
糯米貳伯肆拾叁碩壹斗貳升肆合

租課

租錢貳拾陸定肆拾叁兩陸錢玖分
壹釐
課鈔肆伯肆拾壹定叁拾陸兩玖錢

江淮財賦

稅粮

絲貳拾伍斤玖兩伍錢

粳米肆萬捌仟玖拾伍碩叁㪷叁升

玖合

麥肆拾壹石陸㪷叁升

糯米貳伯肆拾叁碩壹斗貳升肆合

租課鈔肆伯伍拾叁定肆拾肆兩陸錢

壹分玖厘

酒醋課歲辦總計貳仟叁伯貳拾柒定叁

拾伍兩陸錢捌分肆釐

稅課在城務官塘務東埧務高淳務歲計

總辦柒伯玖拾伍定肆拾捌

兩伍錢貳分伍釐

曆日錢壹伯貳拾伍定貳拾陸兩貳錢

歲貢土物

羖䍽羊皮陸伯伍拾尺

翎毛捌仟壹伯根

貉音盍

貉皮貳伯肆拾柒張半

溧陽州

係官稅粮

官稅

絲壹伯壹拾柒斤壹拾壹兩捌錢柒分肆厘貳毫

綿柒拾肆斤貳兩陸分捌厘柒毫

折錢肆定捌兩貳錢陸分捌厘陸毫

民稅

絲柒仟伍拾捌斤壹兩肆錢玖分捌厘

綿叁仟貳伯壹拾伍斤壹兩伍錢叁
釐叁毫
折錢壹伯肆拾壹定肆兩柒錢捌釐
肆毫
官糧肆仟捌　叁拾玖碩柒斗叁升伍
勺
民糧叁萬玖仟　拾陸碩貳斗叁升柒合
酒醋課程壹仟柒　肆拾捌定貳拾壹兩
柒錢　分

茶課貳拾叁叁拾叁兩肆錢柒分伍厘

曆日錢壹伯伍拾壹定壹拾壹兩伍錢

房地錢壹定壹拾陸兩陸錢肆分

圍田包銀錢壹拾陸定

江淮財賦

税粮

絲肆拾柒斤柒兩柒錢柒分伍厘

小麥壹伯捌拾玖碩伍㪷貳升捌合

白米陸伯玖拾捌碩玖㪷玖升壹合

糙米貳萬貳仟伍佰肆拾玖碩捌斗
柒升肆合

租課錢

長塘河泊漁課玖拾玖定肆拾捌兩
伍錢貳分

山租水蕩錢柒定貳拾伍兩玖錢伍

房地租錢壹定叁拾壹兩肆錢

江淛財賦

稅糧

絲玖斤柒兩陸錢叁分叁厘

小麥壹伯伍拾叁碩叁斗肆升壹合

捌勺

白米伍伯肆拾伍碩叁斗柒升壹合

玖勺

糙米肆仟柒伯陸拾碩壹斗玖升肆

合

租錢

山租蕩錢壹定叁兩捌錢叁分
房地錢壹定貳兩捌錢貳分

善慶

秋糧

小麥壹拾捌石伍斗柒升叁合
白米陸拾肆石叁斗貳合
糙米壹仟貳伯柒拾叁石肆斗叁升
柒合

在城務前隊務舉善務歲辦壹仟叁拾叁

定肆拾柒兩貳錢

歲貢土物

珠子米貳拾貳碩江淛財賦粮內撥納

羊皮陸伯陸拾尺

狢皮叁佰柒拾貳張

翎毛捌仟壹伯根

本路溧陽句容諸局歲造叚疋叁千貳伯件

財賦局歲造叚疋壹仟壹拾肆件

物產

穀之品稻粳來牟菽麻粟

帛之品羅絹紗花絹花紗四緊紗紡絲綿

金之品金句曲山銅鐵赤山銅器句容

藥之品玉屑淮南子云出鍾山石鍾乳本草云茅山土石相雜徧生茅草以茅津相滋乳色稍黑而滑潤謂之茅山乳性微寒禹餘粮本草云茅山甚有好者狀如牛黃重重甲錯其佳處乃紫色泯泯如麵嚼之無磣然用之宜細研以水淘取汁澄之勿令有沙土也黃精本草云葉大根粗黃白色至夏華實生人葠阮孝緒因母疾用藥須得生人葠舊傳鍾山所出孝緒躬歷幽險累日不獲忽一白鹿前行至一所遂不見就

栽之果得然毗邑南朝緇都北燕
穴至故以偶得爲異今不然耳鹿梨本草云江寧府
出一種小梨名鹿梨葉如茶根如小拇指彼
人取其皮治瘡癬及疥癩云甚効八月採朮
陶隱居云蔣山白
山茅山者爲勝卷柏建康記云
出卷柏石腦陶隱居
云今茅
山東西平山並
有鑿土龕取之芎藭陶隱居云今出白山蔣
山茅山最好白而大乾
地黃陶隱居云板
橋者爲勝柴胡麥門冬茵蔯王不留行

蔯音陳

前胡敗醬石韋菝葜地榆京三稜甘遂牙子天

菝音刮 葜音恰

南星鬼臼僊茅連翹紫葛桑上寄生地蜈蚣蕁
麻茵蔯蒿按本草以上
並出江寧桔梗兎絲香附子罌粟
荊芥蒼朮玄參百合百部白斂白及地黃地榆

貫衆芫花半夏天門冬天僊藤威靈僊劉寄奴何首烏夏枯草穀精草按本草並出溧陽州芝草菖蒲南燭山桃按本草並出句曲山覆盆子吳茱萸按本草並出溧水州溪蓀草側栢並出句曲山芝草龍僊芝衆成芝燕胎芝夜光洞草芝䓛玉芝熒火芝夜光芝琅葛芝並出茅山

香之品黃連香出茅山

果之品來禽大杏海紅金錠梅紅桃綠李相公李出句容秦公梨櫻桃繡蓮藕芡實菱實蒲萄海門柿石榴香查西瓜甜瓜梧桐子地栗橘橙乳

柑竹蔗荻蔗出府境 福鄉柰出句容

菜之品萵筍大葱蘿蔔出溧水州 冬瓜筍茭白芹蔞蒿防風菜甘露子竹

禽之品梟鶉鳩

魚之品鱘魚鱸魚邵魚狀如鳶 蟹河魨石首鱭魚鯿魚鮰魚金魚銀魚比目魚鰣魚魴魚鰷魚鯢

獸之品獐麂以上係舊志所載

酒李白詩堂上三千珠履客甕中百斛金陵春唐人多以春名酒金陵春當時酒名也亦酒名有繡春堂留都春等至今市酤皆通販他郡罕及其美或謂水味然也 紫毫筆張文

潛明道雜志首載白樂天紫毫筆詩宣城石上有老兎食竹飲泉生紫毫予嘗問宣州筆工用毫皆陳亳宿州客所販宣兎毫不堪用蓋兎居原則毫全宣兎居山出入爲荆棘樹石所傷毫例短秃白公宣州發解進士宜知偶不問爾又北户録兎毫宣州歲貢青毫陸兩紫毫叁兩後又云王羲之嘆江東下濕兎毫不及中山由是而言則宣城亦有兎毫不及北方勁健爲可用也然則毛穎傳李太白詩所言中山非溧水中山明矣廣志曰漢諸郡獻兎毫書鴻門題唯趙國毫中用漢趙國中山國真定國皆相近屬冀州唐人所謂中山指此然白詩又云宣城之人采爲筆千萬毛中選一毫毫雖輕紅甚重管勒工名充歲貢君兮臣兮勿輕用又曰起居郎侍御史爾知紫毫不易致每歲宣城進筆時紫毫之價如金貴唐人皆能書知筆宣城諸葛氏筆得法擅藝當時唐之宣城昇州皆貢筆前論中山非此得之矣但産毫之説凡物古今異宜者

類多矣或一時選製之精昇州進筆豈晉人遺法歷隋猶不絶是以作貢與空青江乘地記曰樵采者常於山上得空青此山一朝出雲零雨必降民人以爲常占礬出句容茅山石石次玉又有怡石雨華臺石朱希真獵較集有以金陵小石種石菖蒲詩云雨華臺上五色石慶元志其地名瑪瑙岡出五色小石堪爲環珥石墨茅山記費長房遇壺公得其術寓茅山之東書符救人有功一日出山傾硯水澗中其石變色因號石墨至今取可書符附子烏頭茯苓白朮枸杞澤瀉黃連决明芎細辛貝母防風玄胡索黃獨山藥玉蕈紫芋金罌子茗茅山志並出山中芎曰茅芎附子山中名茅附比蜀產者實小而氣劣性大去濕烏頭同紅花今充賦懷香嵇含懷香賦序余以太簇之月登于

山之陽仰睨崇巒俯察幽坂及覩懷香生蒙楚之間曾見斯草植於廣廈之庭或被帝王之圃在其遐弃遂遷而樹于中唐華麗則珠采婀娜苦實則可以藏書卞敬宗懷香賛曰有丹維翠因實制名濛濛菉葉莚莚弱莖寄芬微風寓秀閒庭懷而芳之爲馡于情懷唐本草作蘹後作茴皆俗改也與番舶来者不同近圃多種苗巣亦療病

蘼蕪

唐志曰香草也魏武帝以藏衣巾見磵内

甘棠

唐貢盖即海紅景定重出呂氏春秋果之美者棠實唐人詩有棠梨花

櫨

二種本草圖經云榠櫨木葉花實酷類木瓜又曰櫨子處處有之孟州特多主霍亂轉筋並煑汁飲之可敵木瓜食之去心間醋痰實初熟時其氣芬馥人將寘衣笥中亦香此一種也曾極詩丑和櫲奇無處覔榠櫨新熟壓枝香注云隱居五和櫲中用之謂此又曰陳藏器云櫨子本功外食之去悪心酸咽止酒痰黄水小於榅桲而相似北上無之中都有鄭注禮云

櫨梨之不滅者隱居云櫨梨曰鑽之鄭公不識櫨故云然古亦以櫨爲果今則不入例爾又榅桲似櫨子而小圖經云舊不著所出今關陝有之沙苑出者更佳其實大抵類櫨但膚慢而多毛味尤甘治胃膈中積食去醋水下氣止渴生熟皆宜此所謂櫨又一種也今熟之者則呼爲榅桲

棗

橙

胡桃 梁沈約有爲柳世隆謝賜樂游胡桃啓

菘 大菘近城十月出極大而美中塩虀梁太子有謝敕賚大菘記

頗陵 劉禹錫嘉話録菠薐種本是頗陵語訛爾種自頗陵國來土人呼菠菜

以上見戚氏志

按商書伊尹獻令正東符婁仇州伊慮漚深夷蠻越漚請令以魚皮之鞞鰂之醬蛟瞂利劍爲獻周王會圖周公旦主東方國青馬黑毦謂之母兒揚州禺魚名解喻冠來越海蛤甌人蟬蛇於越納姑妹珍且甌文蜃共人玄貝海陽大蟹自深桂會稽以鼉皆面西嚮此又商周之世揚州物貢大畧不專在金陵產也

金陵新志卷之八

民俗志總敘

孟子有云天下之生久矣一治一亂聖人繼亂世之後必改絃易轍奉天道以子萬民庶矣而富之富矣而教之是故六合同風而九州共貫昔漢繼秦海內生齒十耗八九孝惠文景恭儉相承至孝武時煙火萬里雞犬相聞夫子所稱善人為邦之效者當是時名儒董仲舒司馬遷之徒論其好尚咸謂宜損周之文用夏之忠此

豈非春秋大一統之義哉而奉筐篋者乖遠謀
事威武者圖近功智者病焉我
世祖皇帝初命丞相淮安忠武王統師南伐嘗戒以當效曹彬勿妄有誅殺故金陵之降市不易肆休養生息幾及百年生齒日繁而儒術駸駸進用禮樂興矣金陵在江左風氣特為淳厚士民交際衣服飲食多中原遺俗今次其版章與前載所稱風俗之美作民俗志

戶口

前代丹陽郡志戶口有數而管隸地界與今不
同

西漢戶拾萬柒仟伍伯肆拾壹口肆拾萬
伍仟壹伯柒拾

東漢戶拾叁萬陸仟伍伯壹拾捌口陸拾
叁萬伍伯肆拾伍

晉戶伍萬壹仟伍伯宋書紀晉太康元康
定戶肆萬壹仟壹拾口貳拾

叁萬柒仟叁伯肆拾壹

隋戶貳萬肆仟壹伯貳拾伍

宋景定志所載戶口實數

主戶壹拾萬叁仟伍伯肆拾伍口貳拾貳

萬壹仟柒伯伍拾伍

客戶壹萬肆仟貳伯肆拾貳口貳萬陸仟

肆伯肆拾壹

上元縣

主戶壹萬壹仟貳伯捌拾口壹萬伍仟柒

伯捌拾伍
客户柒仟肆伯陸拾陸口捌仟柒伯伍拾
柒

江寧縣

主户壹萬壹仟叁伯伍拾肆口壹萬陸仟
肆伯捌拾伍
客户貳仟貳伯伍拾柒口貳仟肆拾柒

句容縣

主户貳萬貳仟叁伯柒拾口伍萬壹伯叁

拾
客户叁仟玖伯玖拾陸口柒仟貳伯壹拾
叁
乾道志句容主户貳萬伍仟捌伯玖拾
柒主丁口陸萬柒仟伍拾客户貳仟肆
伯玖拾陸客丁口伍仟柒伯陸拾陸較
之景定主户減貳仟伍伯貳拾柒客户
增壹仟伍伯
溧水縣

主户貳萬貳仟伍伯貳口肆萬肆仟捌伯
陸拾陸
客户貳仟貳伯伍拾玖口捌仟貳伯伍拾
玖

溧陽縣

户陸萬叁仟玖伯捌拾叁口壹拾叁萬柒
伯伍皆主户
乾道舊志溧陽主户叁萬壹仟貳伯壹
拾貳口陸萬捌仟玖伯叁拾壹客户無

較之景定主户增叄萬貳仟柒伯柒拾壹口增陸萬壹仟柒伯柒拾肆又按溧陽縣志後漢為大縣而户不蒲萬百官志縣户萬以上為令不蒲為長尉大縣二人小縣一人光和校官碑稱溧陽長左右两尉東晉亦大縣晉志縣大置令縣小置長時置令唐户萬以上縣尉二人開元上縣萬户增一人城隍廟記尉三人員外尉一人義女碑尉四人宋慶

曆七年户逾二萬見題名序建炎中户叄萬陳子高詩溢郭壺漿叄萬户雖詩語未實然近此數

大元至元二十七年本路抄籍户口

户

口

在城録事司户壹萬捌仟貳伯伍口玖萬肆仟玖伯玖拾貳

南人户壹萬伍仟壹伯肆口柒萬玖仟壹

伯玖拾壹

軍站人匠户伍仟捌伯柒拾伍口貳萬

陸仟貳拾柒

無名色户玖仟貳伯貳拾玖口伍萬叁

仟壹伯陸拾肆

北人户叁仟壹伯壹口壹萬伍仟捌伯壹

色目户壹伯肆拾玖口貳仟玖伯壹拾

玖

漢人户貳仟玖伯伍拾貳口壹萬貳仟

捌伯捌拾貳

江寧縣户貳萬貳仟柒伯伍户名叁伯肆名

男婦壹拾叁萬貳仟柒伯捌

拾柒口

民户壹萬玖仟玖伯柒户計壹萬肆仟叁

伯伍拾柒口

醫户柒拾伍口伍伯柒拾壹

淘金户捌伯貳拾叁口柒仟柒伯玖拾

貳

財賦佃户伍伯柒拾叁口叁仟貳伯伍
拾壹

儒户柒拾伍口肆伯貳拾伍

弓手户捌拾陸口捌伯肆拾陸

樂人户壹拾陸口壹伯壹拾貳

無名色户壹萬捌仟貳伯伍拾玖口壹
拾萬壹仟叁伯陸拾

軍户壹仟壹拾叁口叁仟玖伯叁拾

站户肆伯玖拾壹口伍仟貳伯貳

匠户叁伯柒拾叁口 叁仟壹伯壹拾陸

哈剌赤户肆伯捌拾叁口 肆仟壹伯叁拾

柒

鋪夫户壹伯壹拾陸口 壹仟壹伯肆拾肆

上元縣户贰萬玖仟贰伯柒拾柒

南人户贰萬捌仟贰伯陸拾陸

儒户柒拾肆

醫户玖拾肆

弓手户柒拾捌

財賦佃户壹仟玖伯伍拾柒
貴户壹拾壹
哈剌赤户柒伯捌拾捌
民户貳萬肆仟貳伯貳拾柒
軍户壹伯零陸
急遞鋪夫户肆拾陸
匠户肆伯叁拾柒
水馬站户肆伯肆拾捌
北人户壹仟壹拾壹

色目户壹拾柒

蒙古人户壹拾肆

畏吾兒户壹

回回人户壹

契丹人户壹

漢人户玖伯玖拾肆

軍户玖伯柒拾陸

匠户貳

民户壹拾伍

馬户壹

句容縣户叁萬肆仟捌伯壹拾肆口貳拾壹

萬肆仟柒伯玖拾

南人户叁萬肆仟柒伯陸拾伍

儒户壹伯壹拾陸

民户叁萬伍伯貳拾

醫户壹伯叁拾柒

財賦佃户貳

弓手户壹伯壹拾

哈剌赤户柒伯叁拾柒
各投下元撥户内析居户叁伯
哈剌赤户柒拾叁
禿禿哈户貳伯貳拾叁
平章養老户肆
軍户貳拾壹
新附軍户壹拾玖
通事軍户貳
水馬站户伍伯伍拾貳

匠户壹仟陸拾
急遞鋪夫户肆拾
平章養老户叁伯
秃秃哈另項也速歹兒元擄軀口户捌
伯柒拾
北人户肆拾玖
色目户壹拾壹
蒙古人户柒
畏吾兒户壹

回回人户貳

河西人户壹

漢人户叁拾捌

軍户壹拾叁

民户壹拾玖

馬站户壹

儒户貳

運粮户壹

急遞鋪夫户壹

怯怜口户壹

溧水州南北諸色人户伍萬柒仟捌伯玖拾

陸口叁拾壹萬陸仟肆伯貳

拾伍

南人户伍萬柒仟捌伯伍拾伍

民户伍萬陸仟捌伯肆

儒户叁伯叁拾柒

醫户壹伯貳拾壹

弓手户柒拾柒

財賦佃户肆仟肆伯玖拾

哈剌赤户壹仟伍拾

禿禿哈户貳伯叁拾玖

各投下户壹伯貳拾叁 哈剌赤八十九 禿禿哈三十四

無名色户伍萬叁伯柒拾貳

站户肆伯捌

水站壹伯捌拾肆

馬站貳伯貳拾肆

匠户伍伯貳拾肆

軍户柒

急遞鋪户壹伯壹拾壹

陰陽户壹

北人户肆拾壹

色目人户陸

漢人户叁拾伍

溧陽州户陸萬叁仟肆伯捌拾貳

南人户陸萬叁仟叁伯陸拾伍

儒户壹伯叁拾柒

弓手户玖拾

馬站户伍

財賦佃户壹仟捌伯柒拾叁

軍户伍拾叁

急遞鋪夫户貳拾肆

醫户壹伯捌

匠户玖伯陸拾叁

打捕户壹伯壹拾柒

怯怜口户柒伯肆拾貳

民户伍萬捌仟陸伯壹拾

禿禿哈户陸伯肆拾叁

北人户壹伯壹拾柒

色目人户壹拾玖

漢兒人户玖拾捌

風俗

班固曰凡民函五常之性而其剛柔緩急音聲不同繫水土之風氣故謂之風好惡取舍動靜亡常隨君上之情欲故謂之俗古者以九州列國為論周禮東南曰揚州晉書以為江南之氣躁勁厥性輕揚漢志楚有川澤山林之饒衣食還給不憂凍餓又曰江南卑濕丈夫多夭又曰本吳粵與楚接數相并兼故民俗畧同王吉言風百里俗千里則不同後世民多遷徙又禮樂政治時可易之況與世推移哉然猶有不大遠者是故善為治者必先省之存復其美

而消其否

隋志曰丹陽舊京所在人物繁盛小人率多商販君子資於官禄市廛列肆埒於二京人雜五方俗頗相類

顏氏家訓曰江東婦女畧無交游婚姻之家或十數年間未相識者惟以信命贈遺致殷勤焉

杜佑通典曰江寧古揚州地永嘉之後帝室東遷衣冠遠難多所萃止藝文儒術斯之為盛今雖閭閻賤隷處力役之際吟詠不輟盖因顏謝

徐庾之風扇焉

沈立金陵記云其人士習王謝之遺風以文章取功名者甚衆

祥符圖經曰君子勤禮恭謹小人盡力耕殖性好文學音辭清舉

顔介曰南方水土柔和其音清舉而切天下之能言唯金陵與洛下耳

楊萬里曰金陵六朝之故國也有孫仲謀宋武之遺烈故其俗毅且美有王茂洪謝安石之餘

風故其士清以邁有鍾山石城之形勝長江秦淮之天險故地大而才傑（時擢為江東轉運副使）游九言曰每愛金陵士風質厚尚氣前年攝行倅事日受訴牒不過百餘較劇郡纔十一爾為吏為兵者頗知自愛少健狡之風工商負販亦罕聞巧偽（時游為安撫司幹官）

句容縣志縣在江南卑濕之地火耕水耨民食魚稻以漁獵山伐為業果蓏蠃蛤食物常足故呰窳媮生亡千金之家

溧水州志州有山林川澤之饒民勤稼穡魚稻果茹隨給粗足雖無千金之家亦罕凍餒之民信巫鬼重淫祀畏法奉公各守其分安業重遷尤好文學承平時儒風藹然為五邑冠

溧陽州志州介江湖之間其君子篤厚恭謹恬靜自得藝文儒術藹然相尚其細民務本力農淳朴質直類知畏法名儒勝士避地來寓溧上往往樂其風土而定居焉王端朝曰是邑有李太白之英風故其人多秀而文有伍子胥之故

小三十八

迹故其俗多義而勇陸子遹除妖害記云天地之間有至正之氣為陽剛為醇厚為正直為聰明有至邪之氣為陰險為浮薄為妖妄為昏愚在昔羲畫八卦禹鑄九鼎孔子作春秋繫周易蓋以翊是正闢是邪也戴圓履方職自宜然而握禍福之柄於冥冥之中者又可以邪而紊夫正邪子遹誠庸踈不能趍近時好每念天覆吾地戴予隨波同流見義不為真妾婦之道闢古之人有毀淫祠者有擊蛇妖者有過聖水者心誠慕之及為此來邑條紊而無統民情惑而未解詳省精索皆以淫邪之鬼依附假託種類實繁為害孔熾淪入肌髓習熟聞見牢不可破而致然自夫白雲魔教之滋也而雄据阡陌豪奪民業銜卒茹毒罔所訴理有司一問則群噪醵賄白黑淆亂弱下宴乏困於徭征則獨偃然自肆寸絲粒粟不入公上群邑甿或以其詐則賕吏鬻證反為所誣根深蔕固歲月滋久民視若禽獸然視法禁無如也

自夫厲鬼妖祀之横也[illegible]疫游興民多夭折辟法藥餌拒絶姻好惟巫覡之惟聽不至于斃不已禬蘄祝請禮未究竟而其人已死者有之然且曰是齋潔有未至誠敬有未孚饗答未加戚譴是速遊者不可復生者愈惑之益致力於神趣死如歸焉意以延生者之命資死者之福殊狀醜態駭眩愚衆土木於祠藻繪於躬鬼之部任各為其疾而肖其證尸而祝者弗止厲而死者日滋自夫五福殤鬼之暴也而民汨其良心易其天性遜悌之質盡忘而乖爭之習成俗不吝於死傷而恥於退懦嘗閱鬭訟而得其所以民有私憾不克逞則之神而告焉其法用雞厲手刃而刺之血刃而加諸槃水之上鬼降則刃躍于空乃歃其血而之所欲甘心者雄羽寓鏹以飾其怒長歗距踴以輔其氣曰吾得請於神矣及梏而致之獄一問無異辭獄成而審之忻然稱不寃及出過通衢長歌有得色自謂死為神之徒民生不幸殆有未甚於此者寔陰隲

小六百單八

浮薄妖妄昏愚之大者也子適曰有我則無汝令奉天子命司民人社稷叅鬼何為者亂吾政賊吾赤子較之滛祠蛇妖聖水其害彌甚夫妖從人興妖不自作魔教之妖人之奉鬼者也厲鬼殤鬼之妖鬼之害人者也人之奉其責在人鬼之害其罪在鬼在人者當易其習在鬼者當除其根蔵在己郊先疆域民之習魔教者奪民業則正而歸之不輸賦則均而取之嚚頑之俗革于一旦黨與之衆散于反掌此所謂易其習也獸貌鬼貿自聖僭王侑食土神峻宇高位者撤而去之狠目露肘翹足揮刃呼嘯命侶偃蹇睢盱者碎而空之此所謂除其根也自時厥後賦役得其平疾厲不復作殺傷者幾絕於是邑之獄訴日以清而嚮者心腹膏肓之害一朝盡除然後陽剛醇厚正亶聰明之氣勃然而生矣[redacted]子適之正是三者人皆為危之自念身受之學禀之師豈可為愚鬼屈及其成也民皆懽曰令真愛我披雲霾而覩天日阡陌之上閭非

良民閭閻之間從爲樂土子遹所以粗能信其志於斯邑者蓋基於此乃記其顛末庶来者有攷焉

戚氏曰金陵山川渾深土壤平厚在宋建炎中絶城境爲墟来居者多汴洛力能遠遷矩族仕家視東晋至此又爲一變歲時禮節飲食市井負衒謳歌尚傳京城故事人物敦重質直罕翾巧浮僞庶民尚氣能勞力田遠賈舊稱陪都大鎮今清要之官内外通選入品論鑒居東南先士重廉耻不競榮進氣習大率有近中原地當

淮浙之衝談者謂有浙之華而不澆淮之淳而雅於斯得之矣

金陵新志卷之九

學校志總序

洋洋乎禮樂之爲教哉其本貫於人之情性其用起於飲食語默閨房閭巷而達於冠昏喪祭宗廟朝廷之上其儀章度數聲容之節則學士大夫世守其說以訓天下後世然古之君人者曷嘗不以身爲勸哉詩曰於論鼓鍾於樂辟廱明文王之學教以樂也又曰敬慎威儀維民之則明魯侯之頖宮教以禮也禮樂明備達於上

下則天地以合日月以明四時以成萬物以昌故君子之教人於學也使之耳聞雅頌之音目視威儀之禮足行恭敬之容口言仁義之道則邪僻之心無自而起邪僻止而習俗美習俗美而王道成矣然而教道隆汙視時升降秦人廢學校燔詩書不旋踵而亡漢武帝之時禮壞樂崩書缺有間而能黜百家之言尊六藝之教文學尤是興焉晉都江左歷宋齊梁陳日尋干戈獨其衣冠禮樂盛於諸國本之學校之益爲多

隨唐以降惟宋氏以文治比隆三代其損益尊
尚咸可觀考我
朝初有中夏首用許文正公開設
國學示天下以禮義之端承平百年自公府州
縣以及閭巷士民咸得宗祀先聖先師設學以
教士習蓋彬彬焉而集慶董以行臺官守恪勤
他郡莫及原化理徵文獻作學校志
歷代學制沿革
前志稱泰伯以至德立吳後有季子聖門子游

始比學焉里人也漢史刺史黃霸爲揚州三載所
至百姓鄉化孝子弟弟貞婦順孫日已衆多田
者讓畔道不拾遺獄亡重罪吏民鄉敎化興行
誼何武行部所至先即學官見諸生試其誦論
問以得失然後入傳舍出記問墾田頃畝五穀
美惡已迺見二千石光武時李忠爲丹陽郡太
守起學校習禮容春秋鄉飲選用明經郡中向
慕吳主草昧披攘猶覽書史子籍勸武將讀書
呂家其臣貴登輔相猶樂敎誨步騭景帝詔置學官

首立五經博士永安元年詔曰古者建國教學為先所以道世治性為時養器也自建興以來時事多故吏民頗以目前趨務去本就末不循古道夫所尚不淳則傷化敗俗其按古置學官立五經博士核取應選加其寵祿科見吏之中及將吏子弟有志好者各令就業一歲課試差其品第加以位賞使見之者樂其榮聞之者羨其譽以敦王化以隆風俗晉都江左以來朝臣皆儒雅風流篤厚學益興矣永嘉初王導上書元帝曰夫風化之本在於正人倫人倫之正存乎設庠序庠序設五教明德禮洽通彝倫攸叙而有耻且格父子兄弟夫婦長幼之序順而君臣之義固矣方今戎虜扇熾

國耻未雪忠臣義夫所以扼腕拊心苟耻義膠固淳風漸著則化之所感者深而德之所被者大使帝典闕而復補王綱弛而更張獸心革面饕餮檢情揖讓而服四夷綏帶而天下從得乎其道豈難也哉故有虞舞干戚而化三苗魯僖作泮宮而服淮夷桓文之霸皆先教而後戰今君聿遵前典興復道教擇朝之子弟並入于學選明博脩禮之士而為之師化成俗定莫尚於斯帝納其言建武初征南軍司戴邈復上疏請

篤道崇儒以勸風化帝從之始立太學江東大
饑詔百官各上封事益州刺史應詹䟽曰元康
以來賤經尚道以玄虚宏放爲夷逵以儒術清
儉爲鄙俗宜崇奬儒宫以新治化大興三年皇
太子釋奠于大學咸康三年國子祭酒袁瓌太
常馮懷以江左寖安請興學校帝從之立太學
於秦淮水南廢丹陽郡城東南徵集生徒而士
夫習尚老莊儒術終不振太元十年尚書令謝
石請復興國學於太廟之南宋元嘉十五年立

儒學於北郊命雷次宗居之明年又命丹陽尹何尚之立玄學著作郎何承天立史學司徒參軍謝玄立文學宮苑記儒學在鍾山之麓時人呼爲北學今草堂是也玄學在雞籠山東今棲玄寺側史學文學並在耆闍寺側二十七年罷國子學而其地猶名故學齊竟陵王子良開西邸延才俊遂命爲士林館西邸在雞籠山梁大同六年於臺城西立士林館延集學者武帝初好儒術其後尊信佛法講譯內典而士林輕矣南唐跨有江淮鳩集典墳特置學官濱秦淮開國子監今鎮淮橋北御

街東舊比較務即其地里俗呼爲國子監巷宋雍熙中有文宣王廟在府西北三里治城故基天聖七年丞相張上遜出爲太守奏徙廟於浮橋東北建府學給田十頃賜書一監景祐中陳執中又徙于府治之東南即今學基建炎兵燬紹興九年葉夢得更造學援西京例奏增置教官一員作重修府學記見前志淳熙四年劉珙重修慶元二年張杓建閣以奉御書閣下建議道堂稍重釋奠禮儀儲典籍增既廩文風大振淳祐初年別之傑增

修學宇六年趙以夫即命教堂更名明德增造两廊以妥從祀十年吳淵列祠先賢增學廩創義莊寶祐中馬光祖興學校舉孝廉集周漢以來名賢賛而祠之士氣興焉今學規模率倣前制大成殿在靈星門北戟門内從祀位在兩廊御書閣在明德堂後講堂即今明德堂議道堂在御書閣下齋舍東序三曰守中曰進德曰說禮西序三曰常德曰育材曰興賢祭器庫二一在大成殿前東廊之南一在御書閣東偏公厨

在東序後射圃在義莊倉西有亭名繹志後改
正己堂
置經籍
宋天聖中賜監書紹興初賜石經宋末帥闖師
儒収置其所藏有御書石經經書史書子書理
學書文集圖志類書字書法書醫書書板石刻
卷帙以數千計歸附兵火散失蕩無一存詳見
前志
增學計

天聖七年始建學朝廷給田十頃其後續有增撥至靖康增至三十八頃五十七畝房廊七十一間及酒坊三處歲收錢一千八百二十四貫有奇至紹興二十八年以秦申王所送錢一萬貫續置到田一千八百九十畝其後本府又有增撥至于景定田地之所隸者共九千三百八十畝一角六十步坊塲之所隸者三歲入錢二萬四千餘貫銅井坊在江寧縣銀林坊鍾山坊皆在溧水縣蘆塲之所隸者二歲入錢四千三百餘貫白鷺洲一所計一十五頃三十

入畝有奇木瓜洲一通而計之歲入米三千八所計六伯畝有奇
百八十餘石菽麥四伯石錢四萬一千餘貫柴
薪絲麻之入不與焉會計有籍記載有碑皆掌
于學提督錢粮則通判東廳之職也

立義莊

義莊創於淳祐辛亥退庵吳淵守建康時也是
年四月府有牒報學其略曰當使昨見四明府
學有義莊一所每年收到租課凡簪纓之後及
見在學行供破食職事生員遇有吉凶於内支

給贍助心甚慕之建康府士子貧窶者多或遇吉凶多闕支用尤可憫念今用錢五十萬貫回買到制司後湖田七千二百七十八畝三角二十八步歲收四千三百餘石米麥相半發下本學置簿椿管如委的簪纓之後及見在學行供職事生員或有吉凶請具狀經學保明申上給米八石麥七石米每石折錢三十六貫麥每石折錢二十五貫本年發糶田上舊租米麥解到價錢一十二萬餘貫發下提督府學錢粮廳照

應拘收自五月爲始照規支給仍將後湖莊田
地畝步明入籍自本年夏料爲始徑自拘催將
所催租課於廣濟倉寄廒樁頓本學養士錢米
不相干涉牒學照應施行仍示士子知悉府學
田申八項一欲就本學空閑地段設倉收樁米
麥一欲就學庫旁令夾截一庫收樁錢會一欲
專及土著不及游學之人一欲將到殿入學赴
任人委係貧窶者照吉事例併與周給一欲立
凶禮支助之例惟祖父母自身親兄弟妻子事

故者當給不許以踈爲親以無爲有妄陳苟得一欲請教授同正録直學五員親到倉庫同收同支受人親書交領置簿登載歲終有會一欲置租課總簿催銷季終有會一欲將田畝籍冊及義莊始末並刻于石以垂永久五月二十二日府牒並從申行至次年二月又牒勘會本府昨置立義莊如委係簪纓之後及見在學士著行供職事生員貧寠者或有吉凶從府學保明申府給米入石麥七石米每石折錢三十六貫

麥每石折錢二十五貫則例雖已立定規模尚
未爲廣自今月二十六日爲始如是他處游學
士人見在本學行供或在本府寓居雖非土着
如有吉凶併與一例支給兼照得人人申府亦
恐煩瀆今專委西廳通判提督如遇有陳乞之
人即請本學契勘諸實保明明具申提督廳支
給牒學施行

設官

教授二員分東廳西廳散官皆從仕迪功文林

等郎自紹興二十八年迄開慶元年有題名記見前志

建書院

明道先生程子事見程子書及先賢傳師濂溪先生周子得孔孟以來不傳之學於遺經嘗爲上元主簿且攝縣事政教在人思之不忘淳熙初忠肅劉公珙祠先生于學宮朱文公爲之記紹熈間主簿師秀來居其官即聽事西偏繪像祠之嘉定乙亥主簿危和請于太守劉棐於簿廨之東淂

鈐轄舊廨之地改築新祠部使者西山真德秀捐楮三十萬粟二千斛以助之未幾李公珏來繼劉公咸相其役前護重門中儼祠像扁其堂曰春風上爲樓旁二塾曰主敬曰行恕名其泉曰澤物表其坊曰尊賢既成率郡博士及諸生行舍菜禮自是春秋中丁率爲彝典置堂長及職事負延致好修之士西山嘗記其事未幾廢爲軍儲賓屬之所淳祐己酉二月天大雷電書閣忽灾郡守吳淵更創之閣視舊益偉下爲春

風堂聘名儒以爲長招志士以共學廣齋序增廩稍倣白鹿洞規以程課講士趨者衆理宗聞而嘉之親書明道書院四大字爲額與四書院等寶祐丙辰郡守馬光祖得西山斷碑於瓦礫中重刻之開慶己未率僚屬會講于春風堂聽講之士數百乃屬山長修程子書刻梓以授諸生給田增廩而教養之事備焉祠堂居中三間廣四丈深三丈中設塑像榜曰河南伯程純公之祠東西兩廊各一十五間御書閣在春風堂

之上五間廣八丈深四丈五藏御書經籍春風堂在祠堂後七間廣十丈深五丈取朱公掞見明道先生謂人曰春風中坐了一月之語燕居堂在三敬堂後尚志齋三間在主敬堂前東序南明善齋三間在主敬堂前西序南敏行齋三間在主敬堂前東序北成德齋三間在主敬堂前西序北續添省身齋在春風堂前左養心齋在春風堂前右大門屋三間廣四丈四尺深一丈八尺左右設抵繚以垣墻帥府累政撥到田

產四千九百八畝三角三十步上元縣徐提舉等三戶佃田七十三畝又三十八畝地二卜一畝一角江寧縣邵仁等一十戶佃田七十七畝三十八步句容縣戴自德等四十一戶佃田三百八十六畝二角四十三步地一十二畝一角二十五步雜產二十六畝二角二十步溧水縣平登仕等一十四戶佃田三千五伯四十二畝四十七步溧陽縣楊省四等一十八戶佃田產四百九十二畝三十八步歲入米一千二百六十九石有奇稻三千六伯六十二斤蕎麥一百一卜餘石折租錢一百一十貫七伯文又有白地房廊錢常州宜興縣管下房債歲收見錢八十貫九伯文足王監場獻到白地房廊三頃右南廂丫頭巷北街白地債錢官減外日收一貫一伯四十文足崇道橋南馬

司寨前白地賃錢官減外收四百二十五文省係七十陌雞行街魚市街蘿行口房廊賃錢官減外日收二百六十文省二本府每月撥下贍士支遣錢五千貫十七界官會并蘆柴四十束凡錢糧官掌其出納所支供奉有差歲終有會月俸山長一百貫錢糧官二十貫堂長一百貫米二石堂錄六十貫米一石五斗講書五十貫米一石五斗堂賓二十六貫米一石二斗直學二十四貫米一石二斗講賓一十七貫米一石二斗司計一十三貫米一石二斗掌書一十五貫米一石一斗掌祠一十四貫米一石二斗齋長一十貫米一石正供生員每名五貫醫諭米七斗日供職事生員米二升五合造食錢三伯文山堂長貼食錢七百文堂錄講書貼食錢五百文堂賓至齋長貼食錢二百文照親書食簿支送不行供者不支宿齋

職事生員每夜支油錢二百文堂長堂録講書每夜支油二兩不宿齋者不支寒月送炭自十月初一日為始至正月終住支行食宿齋者全支不宿齋者半支凡支錢並用十八界官會凡支米並用文思斛斗官設山長制置司幕官兼後始朝除

南軒書院祠南軒先生張栻本設精舍後移城東為今書院淳祐三年杜杲記曰天禧寺側屋六七楹曰南軒實先生講習之地日就傾圮甚至春時為游宴之所杲昨在江淮幕下猶扃閉空闃心竊念之告之長而莫之聽兹冒闒事比至不可舉目於是治葺之繪像於巾礲石琢詞云景定志天禧寺方丈後張宣公讀書處也真文忠公為轉運使建祠屋於舊址其後總領所以為權酤之場知府杜杲為屋六七楹撥田百畝為祀事咸淳中馬光祖建主一堂求仁任道明理潛心四齋極高明樓為屋九

十二間闢路前除命兩校朔望處謁又撥田四十畝入焉歸附後移於城東儀賓館在明道書院西南

茅山書院 按慶元志天聖二年知府王隨奏處士侯仲遺於茅山營葺書院教授生徒積十餘年自營粮食望於茅山齋粮所剩莊田內給三頃充書院贍用從之事見垂拱元龜後不詳何年廢今額在鎮江路

置縣學

上元縣學 在縣治西景定二年鍾知縣蕤英建梁椅撰記

江寧縣學 在縣治北景定四年王知縣鏜創建

楊巽撰記

句容縣學始建於唐開元十一年在縣衙東宋開寶中修皇祐二年七月太常博士方峻再建元豐二年以縣南館驛改造紹興壬申淳熙己亥重修寶慶丙戌易民地築墻垣左右疏池寶慶丁亥建濂溪明道伊川三先生祠與石刻亭對有劉宰記

溧水縣學唐武德元年建至聖文宣王廟在縣東三十步宋熙寧二年知縣閔杞遷於通濟橋

東南建爲學紹興八年重修大成殿并建講堂齋舍三十年重修隆興二年知縣李衡增貞養士淳熙十三年冬重建講堂十四年夏重修兩廡紹定二年增建尊道堂於命教堂後嘉熙四年建小學於戟門右淳祐五年重修大成殿六年又創釣鼇亭於尊道堂後臨淮水七年三月重建戟門及靈星門東西兩廡十二年建齋舍一十二間寶祐元年重修命教尊道二堂創學廩於西廡改命教堂榜曰明倫景定元年重修

大成殿及東西兩廡作亭于靈星門外取易臨卦象傳辭榜曰教思前後縣大夫皆以興學爲務故溧水文風最盛貢舉爲多有周應合記

溧陽縣學 後漢光和中溧陽長潘乾嘗立校官其碑銘尚班班可讀紹興中喻仲遠尉溧水得此碑於固城湖之傍（湖在今溧水州界）其地在當時必縣治也唐有縣令楙均興學校養生徒其事見于斷碑淳化五年縣令夏侯戩建宣聖廟於縣西門外（其址即今西門內廣惠行祠）皇祐四年知縣查宗閔

移學於縣城東南隅崇寧中增廣齋舍於學前即高爲堂曰挹秀大觀三年建閣曰折桂建炎末潰兵撤屋爲營唯餘大成殿紹興十八年知縣施祐因舊基興創二十年重加葺治嘉泰中重修仍建待聘軒於德化堂之後嘉定初建濂溪明道伊川龜山四先生祠及靈星門有興能觀光尚志麗澤四齋十三年知縣陸子遹重修齋廡甃堦庭立楊忠襄公祠堂增置祭器書籍及學廄改造庖湢學前臨溪創闢射圃養士之

計時有增益
各縣主學景定三年始設以特奏名授文學出
官者充其禄同主簿尉班在主簿尉下主簿尉
非正科則下主學以上詳見前志

祀先賢

祠堂四所在府學與祀者二十六人
濂溪先生周文公　明道先生程純公
伊川先生程正公　晦庵先生朱文公
右四先生在大成殿東

丞相范忠宣公　丞相呂文穆公
一拂先生鄭介公　通判楊忠襄公
丞相周文忠公　南軒先生張宣公
勉齋先生黄文肅公　壹是先生吴正肅公
西山先生真文忠公
右九位在大成殿西
太師魯國顔公　丞相李文定公
中書傅獻簡公　少保馬忠肅公
樞密包孝肅公　尚書張忠定公

右六位在明德堂東

丞相趙忠簡公　丞相張忠獻公

丞相呂忠穆公　丞相陳正獻公

尚書黄公　樞密忠肅劉公

樞密立公

右七位在明德堂西

舊志府學祠堂初惟二所東祠明道先生蓋爲道學之宗而嘗主上元簿也西祠忠襄楊公蓋嘗爲建康倅而死節建炎者也淳祐中增立諸

祠臨邛魏了翁有忠襄楊公祠記

先賢祠堂一所在府學之東明道書院之西青溪之上馬光祖建立自周漢而下與祀者四十一人各有讚

至德讓王吳太伯初逃句曲山中

越相國范蠡築越城在長干里

漢嚴先生子陵名光結廬溧水縣

漢丞相忠武侯諸葛孔明名亮往來説吳又勸孫權定都

吳輔吳將軍婁文侯張子布名昭宅在長干道北有張侯橋

吴將軍南郡太守周公瑾名喻周郎橋在句容縣

吴侍中尚書僕射是子羽名儀宅在西明門

晉太保睢陵元公王休徵名祥墓在江寧化成寺北

晉平西將軍孝侯周子隱名處子隱臺在鹿苑寺

晉太傅丞相始興文獻公王茂弘名導宅在烏衣巷

晉太尉太司馬長沙桓公陶士行名侃事見石頭城

晉侍中驃騎將軍忠貞公卞望之名壼廟在冶城南

晉太傅廬陵文靖公謝安石名安宅在烏衣巷口

晉車騎將軍獻武公謝幼度名玄別墅在土山下

晉右將軍會稽内史王逸少名羲之畫見冶城樓

晉中領軍光祿大夫吳處默名隱之茅屋故基在城東

宋徵君雷仲倫名次宗開館雞籠山號北學

齊貞簡先生劉子珪名瓛居檀橋

齊諸王侍讀陶通明名弘景居茅山

梁昭明太子蕭德施名統書臺在定林寺後

唐太師刑部尚書魯公顔清臣名真卿昇州刺史

唐翰林供奉李太白名白往来金陵具載本集

唐山南西道節度參謀孟東野名郊溧陽尉

南唐司徒致仕李致堯名建勳賜號鍾山翁

太師徽國文公朱元晦名熹淳熙除江東轉運

南唐内史舍人潘佑見江南録

樞密使濟陽武惠王曹國華名彬開寶昇州行營統帥

尚書忠定公張復之名詠祥符知昇州再任

中丞恭惠公李幼幾名及淳化昇州觀察推官

樞密孝肅公包希仁名極天聖知江寧府

丞相忠宣公范堯夫名純仁治平江東運判

宗正寺丞純公程伯淳名顥嘉祐上元主簿

監安上門鄭介夫 名俠清涼寺有祠

少師龍圖學士文靖公楊中立 名時嘗家溧陽

叅政莊簡公李泰發 名光紹興宣撫使

太師丞相魏國忠獻公張德遠 名浚紹興留守都督

秘閣忠襄公楊希稷 名邦乂建炎知溧陽縣遷通判

太師丞相雍國忠肅公虞彬父 名允文紹興督府叅謀

安撫殿撰宣公張敬夫 名栻督府機宜文字

太師正肅公吳勝之 名柔勝生於金陵

太師叅政文忠公真希元 名德秀嘉定江東運使

右祠有周應合作記

按閩士陳宗上制置姚希得書畧云宗支郡底僚濫叨幕議日過閣適值制幕諸丈以乞修飾下祠爲請宗謂此旌表往賢以激勵今士也下晉人也其死節固有可稱者然巳有祠矣修不修未害也本朝蘇文忠公其雄文博學廉行直節爲今古所宗其他言動一霏不秀拔藝能靡不絶出青溪祠先賢凡四十一人皆以其生於斯仕於斯居且游於斯者乃獨捨文忠而不祠焉斯非一大闕典乎我牖翁制使先生夙弼憲節實蒞贛城爲文忠特創祠于贛亦以文忠歸自鯨波夷猶二水賸言懷之精爽如在於是脩梁巍棟峻閣深堂以奉文忠廟貌洒掃有卒職掌有士至今過者儼焉如見遂以此祠併爲先生之憩棠今一斯事之闕固在前人而補闕之機則在今日此一段公案何以異於贛祠先生撫然曰前人之關乎此者豈亦不知文忠之游於斯邪予宜棲其往迹此成佳話正恐缺不止是也宗拜

而退退而尋諸篋中則僅有文忠詩爲見文忠在金陵爲詩凡十有五篇其一篇序曰去歲九月二十七日在黄州生子名遯小名幹兒頎然穎異至今年七月二十八日病亡於金陵作二詩哭之又四絶句則曰次荆公韻末一篇則曰同三勝之游蔣山其它次韻致遠韻釋者曰致遠投東坡詩正從介甫於金陵也次裴維甫韻釋者曰維甫解石於秣陵也次段縫韻釋者曰縫家居金陵也不特此也紹聖元年又至金陵得鍾山泉公書寄詩爲謝并贈和老詩又不特此也建中靖國元年公還自海又至金陵又次韻唐涼老詩此則文忠經行金陵吟詠之最著者也邵子文聞見紀録一事朱暉能載於文忠言行曰王介甫與蘇子瞻初無隙吕惠卿忌子瞻才高輒間之中丞李定亦介甫客也不服母喪子瞻以爲不孝作詩詆之定以爲恨劾子瞻作詩謗訕遂下御史獄謫居黄州後移汝州過金陵見介甫甚歡子瞻曰軾欲有言於公介甫

色動意子贍辯前日事也子贍曰軾所言者天下事也介甫色定曰姑言之子贍曰大兵大獄漢唐滅亡之兆祖宗以仁厚治天下正欲革此今西方用兵連年不解東南數起大獄公獨無一言以救之乎介甫舉手兩指示子瞻曰二事皆惠卿啓之安石在外安敢言子瞻曰固也然在朝則言在外則不言事君之常禮耳上所以待公者非常禮公所以事上者豈可以常禮乎介甫厲聲曰安石須說此文忠經行金陵事迹之最偉者也其題長短句於賞心亭著觀音頌於崇因寺至今碑刻人多摹之此則文忠經行金陵墨蹟之尚存者也而闕之可乎文忠懷歐陽文忠之詩曰先生經行處草木皆可敬在今亦當云然安有祠諸賢而不祠文忠者乎亦當時區處祠事者之偶遺耳或者曰建康志亦載邵子文聞見録矣宗曰公於元豐三年正月謫黃七年二月移汝由汝至金陵今志載是事於元豐三年則是當時秉筆之士猶且於此起

慼其不知文忠之遊金陵可知也非有意闕而不書也猶幸是祠初定爲四十二人欲祠前制使馬裕齋之大父野亭裕齋曰野亭自有祠于漕司矣此不必列賢哉是言可以觀君子之所存矣夫其或者蓋將補文忠之闕於今乎亦當時議者之說雖沮於裕齋猶曰今祠位尚虛其一後之君子當有列野亭於此祠以備其闕者吁夫亦漫言耳後之君子亦惟有成裕齋之美而行裕齋之言耳今欲鈞慈行下有司徑以此祠居文忠之像以世代之先後定時賢位次文忠與程純公同時純公亡在元豐八年行年五十二將文忠方年五十小純公二歲合在純公之次中間鄭介公亦當時人年事猝難契勘但介公係文忠門生官亦甚小則文忠合在介公之上至如肖剛奉祠厥有與故非底[redacted]之所敢僣而文忠之讚非先生之大手筆則無以發明而振舉也宗為太學生與陳宜中黃鏞劉黻等攻史嵩之丁大全被斥丁敗後登第擢制司幕

官故有是書云

轉運司有丞相忠宣范公祠叅政文忠真公祠

顏魯公祠在句容縣

一拂先生鄭介公祠讀書清涼寺登茅試新法被譴還鄉所存惟一拂耳

南軒先生祠在天禧寺方丈後先生舊讀書處也

忠肅劉公祠淳熙二年大旱劉公珙賑濟有方五縣令共繪像祠之於蔣山東庵

馬莊敏公祠一在城隍廟東廡一在報恩光孝觀東廡今存市西水西門東嶽廟

青溪上四祠並廢

歷代貢士

貢額

晉元帝初制揚州歲舉二人

宋制册揚郡歲舉二人

隋制蔣州歲貢三人

唐制昇州歲貢三人有才能者無常數

宋中興初建康府解額一十名紹興二十六年增作一十一名端平元年特增兩名共以一十三名爲額

貢院

建康府貢院在青溪南秦淮北即蔡侍郎寬夫宅舊址乾道四年留守史正志建紹熙三年留守余端禮修廣嘉定十六年端禮之子嶸爲守撤而新之陳天麟楊萬里嘗爲記

轉運司貢院舊皆寓試僧寺嘉定九年真文忠公德秀始建貢院于青溪西是歲習菴陳塤首薦漕闈明年爲禮

部進士

舉一

進士題名自慶曆二年張識至開慶元年平天祐凡一百一十六人李琮余㮚李𡇒吕昮（段）拂秦檜

范同魏良臣巫伋吴淵吴潜等皆預詳見前志

國朝興崇學校

路學

國初定制路府州縣正官提調學校路學設教授一員主管錢粮教育等事教授學正學録各一員主提調課講糾正學務大學小學分齋視錢粮多寡禮請教導訓誨生徒又設正學職員人吏分掌出納錢穀禮器文籍建康路自至元十二年歸附因前宋府學差官主教尋設教授

又設江東道儒學提舉司居前宋教授東廳今爲倉及學録解西廳爲教授廳學正所居即宋射圃提舉司沿革見前官守志至元三十一年

詔學校之設所以作成人材仰各處正官教官

欽依

先皇帝已降

聖旨主領敦勸嚴加訓誨務要成材以備擢用

仍仰中書省議行貢舉之法其無學田去處量

撥荒閑地土給贍生徒所司常與存恤大德四

年秋八月廟學災惟尊經閣及二教授廳存五

年行臺大夫徹理公首與僚屬謀勸諭巨姓出私錢創建正殿郡人王進德獨建講堂七年總管陳元凱府判百壽推官韓居仁高仁與教授趙由疇協力節費重構周圍廊廡齋舍先賢祠教官直舍倉庫庖湢内外一新復置大成樂器

行臺監察御史楊演撰記建業襟江淮帶湖海自六代為都邑民物浩繁人材輩出寔士林之淵藪也越至元乙亥

皇元渡江平宋四海混一欽惟

聖天子體道御曆以人文化天下屢頒

明詔崇貴孔祀興學養士太平之風超越前黃大德庚子秋八月廟學火惟尊經閣僅存其經籍脫灰燼之厄斯文未喪天實相之明年春行

臺御史大夫徹理公憫學校之焚燬慨然謂僚屬言玆風化之本源我輩職宣風化又致力興復可乎乃勸諭巨姓出私錢代公帑剏建正殿郡人王進德卽嚮風慕義以構講室府推韓居仁圖其規制指授面畫極其輪奐餘役有所未逵速癸郊總管陳侯元凱下車以身任之適文儒趙由暐來主教席遂同志協謀節浮費傾學廩所屬賢大夫士咸叶力以助鳩工庀役土木偕作府判百壽推官高仁治事之暇親董其役由暐究心經度朝斯夕斯僅再閱歲而歌功告成有郎廡以繪賢像有齋序以居生徒先賢之享堂教官之直廬下建會帑庖舍戶牖楹楯丹雘彰施靡不完具經閣頹圮易舊以新山出崇飛軒然聳於煙霄之表爲郡中傑觀又置大成樂儒生隸習春秋釋奠衣冠整肅禮容可觀延耆儒講書訓誨諸生執經問義彬彬焉有洙泗之風矣一日郡士來請于僚友郝君文李君蕃今辭來言曰朔望拜謁載瞻朝貌悉增舊觀非

他郡所能比再造之勤願有述以勵方來三辭而請復至竊惟吾夫子綱常之道載在方冊見諸日用不越乎君臣父子兄弟夫婦朋友五者而已古之爲學非獨玩空言以干世取祿惟躬行力餞勉勉循循以求進德之地所以欲平天下者先治其國欲治其國者先齊其家欲齊其家者先脩其身且夫一畝之宮環堵之室一有敝陋則修修之唯恐弗亟豈特宮墻爲然哉今頫宮修矣吾二三子來游來歌道存目擊反求諸身盍思亦有未脩者乎於是覩仞墻之崇峻則思斯道之尊嚴觀經閣之富盛則思移在閣之經在腹移在腹之經在日用聞金石之鏗鍧則思一言一行有條有理如律呂之合節如是則不惟式副

聖上樂育之心抑亦不負臺察勉勵之意凡在門墻其以是相諗廟之興廢始末備載金陵志中茲不復書大德乙巳良月朔記

至大二年廉訪使盧摯撰重

修孔子廟碑 文云

上元年
詔以興學作士爲王政先務申飭郡縣甚至二
年秋八月建康孔子廟成校官文學先生群諸
生相與言曰吾州都會六代自國淮江之南學
遂爲首善之地故宋播浙茲維陪都其守臣把
留鑰制閫外其選必儒重望故具昇校規制雄
整肩成均始甲東南學燬一旦迨復已十閱歲
其燬其復吾輩所戚所欣吾道所關也不辭諸
珉以詔來者可乎其毀大德四年閏八月其復
始庚子者見監察御史楊君演記始己酉者臺
憲御史大夫公霍彌勑中丞廉公及其僚佐屬
官董其役者路之治中梁普華右其事爲書檄
士子掾文學江寧貢師仁來宣有請於退使淶
郡盧摯校成矣宇士者備矣養士者具矣公有
以教之振吾昇校也夫孔子之道如日月之照
亘古今萬世莫不戴其明以行於世固不以棟

宇崇庠加損今夫衆君子所以朏朏於予者述不以崇孔祠爲增
國家右文之光懿臺臣郡守重道之志也遂作詩俾昇之士息游歌之以金王弦誦之勤庶幾有所感起鄒荅莞風尚者樂育之意其詩曰孰昇于穹夫子之宮孰燬于昔而復于今崇臺有嚴植綱斯邦維教斯明維士斯亹爰才爰工于址于棟維宇斯替維構斯隆既翼其居廼睟其容曰章曰縫廼粒廼饔廼藝鉛槧廼聲筐鏞縣條集成始玉金終廼洋聖謨以鋪德音士習維羽而校斯林或蜚而宾或喙于陽或采其翰而儀其翔之習之卬而賓于王士式臺萊而梗而楠于焉度之以柱明堂昇校之光昇士毋忘先是學燬祭器存者十不二三是年造完監察御史劉泰記

夫先王之立禮也有本有文忠信禮之本也之義理禮之文也本以主乎中而不敢懈文以

著乎外而不可闕所謂無本不立無文不行也制器數制度莫不起於時之宜事之當而有以成施於祭祀必盡已以實內外一致方能感格斯五禮中尤爲難者其本與文一或有闕致誠亦不至雖勉卒事不陷於如不祭者幾希是故擴忠信義理於齋莊恭敬拜起坐立儀不少愆者亦本之所以立也簠簋籩豆行列有數物不少差者亦文之所以行也故曰器有一之不備則禮有一之不行是以本既立矣文既行矣内外交盡不匱矣明則人物懷其仁幽則鬼神饗其德必至乎是則祀事孔明庶無悔矣建康爲江南名郡又臺察涖焉廟貌巋然學校修整祀器燬于大德壬寅之火存者十不二三著弗補完是文不行於外而内雖有本安得獨立耶我堂堂

聖元大興文治加封孔子報德報功禮隆丁祀有司奉行固不敢不致如在之誠然而黍稷之馨弗實于簠簋水土之品弗登于豆籩雖曰明德

惟馨亦奚指彼以明此哉於是臺察上下議論僉同遂命提學官本路治中也先普化購銅訪得冶金之攦工者仍俾董其役既成形製高古凡三閱月而功畢衅於至大己酉之良月以數計之一千八十二可謂大備矣意器之未具也粢盛庶品或不登無以表其明德今器既具矣庶品既登矣誠或不足於有事之際雖黍稷之馨神亦不饗所謂誠爲實禮爲虚也有事於豆籩者可不謹乎校官涔鄭良學正方機學録劉應叅貎求文石辭弗獲兊志其固陋爲之記

皇慶二年儒學録胡助重撰祭器記

始建康學鑄祭器若

干以爲大備御史劉公泰爲之記會教授張君拱辰至有事于上丁陳其簠簋尊豆罍爵不合儀式頗猶有闕者退謀之提學官治中梁侯也先普化曰吾嘗不滿于是君意雅合弗可以弗完爰稟憲臺復購銅召舊匠開冶命學正賈君汝霖董其役凡三月畢工教授俾助以數其書

下石燕來者有考焉按簠二副簋一副爵二十一坫五十有七此南唐舊物僅存者爾山尊二著尊二大尊二壺尊六象尊六犧尊六罍洗三副龍杓一十三坫八十有二爵一百卅九豆一百七十有四副簠一百二十有二簋如簠之數而加一焉大爐二大瓶四此前鑄之目劉公所記者也罍洗一龍杓一爵十小爐二十有五豆一百卅九此後鑄之目舊新後先揔以件計一千四百一十有八器至是而始備惟張君主席三年以教以養以興以補臺評士論翕然稱之昔他役倍是不書而獨書祭器者尊禮也可謂知所重矣助之不敢不書以是夫皇慶二年緒

至治二年教授湯彌昌復取沙洲鄉學田有記

建康郡學宋紹興間秦丞相以巳貲買江寧縣沙洲鄉黃魚莊等處蘆地十有五頃畀鄉校具載碑籍至元十三年後開田百頃有奇十八年營田司以田撥隸財賦府僅以地四頃七十一

畝二分歸于學三十一年權豪占佃開四頃爲田其後經理丈量羨田四十畝地三十畝凡爲田四頃四十畝地一頃一畝二分奄據租入二十有七稔彌昌備員掌教詢知有司文移不轄明爲學產遂建白于行臺洎察院於是路縣叅考文案擬斷歸學至治元年二月省札准斷郡俾縣主簿朱端鄉偕彌昌履畝交業而田始來歸從行者直學謝慶德知書王夢桂縣吏郭滋府給文據公堂掌之以相授受始末備著文卷佃者歲納田米七十九石有奇地租錢二十五貫自元年始然非定額有願增租者佃可易歟惟學事因循弗舉豈特斯田哉明年夏四月作亭以覆王冠泉閏五月新創靈星三門煥然改觀此皆職所當爲而前人憚事難役鉅彌昌勉爲之賴臺察宗主力克有成謹識形石田圖四至佃名刻之下方至治二年良月日記

學

計租入視宋增損不同

田土總二萬八百五十九畝四十六步四分六

釐二毫五絲水濟二十三條田一萬六千九百六十畝四十七步九分四釐九毫五絲地二千六百一十畝二角二十三步五分五絲山二百一十七畝二角一十六步蘆地八百四十九畝一角堘四十五畝五十一步塘一百五十四畝一角三十三步七分六厘二毫五絲雜產二十一畝一十步水池一角一十八步水塥二角二十六步房屋七十四間三屋七溜白地八十七段粮斛總五千二百三十五石六斗二升九合五抄米四千五十三石三斗四升三合七勺五抄小麥一千一百一十四石七升四合七勺大麥二十七石四斗七升七合一勺黃豆三十七石一斗五升一合五勺蕎麥三石五斗八升二合至元鈔總八定二十九兩四錢一分六釐租鈔一定三十七兩四錢四分房錢六定四十一兩九錢七分六釐絲一十二兩四錢九分八厘山柴六十七束蘆三百束

科舉興以貢士莊田粮積貯待發

大晟樂器設掌樂主之惟春秋二丁釋奠則用書籍則景定志所云賜書板刻買置者兵火散失殆盡歸附後於諸路裒集及揹學計續刊設職收掌所買經史子集圖志諸書視他郡亦畧全備十七史書板計紙二萬三千張史記一千八百一十九前漢二千七百七十五後漢二千二百六十六三國志一千二百九十六晉書二千九百六十五南史一千七百七十三北史二千七百二十一隋書一千七百三十一唐書四千九百八十一五代史七百七十三雜書板金陵志四百八十貞觀政要書二百朱子讀書法一百七十南唐書一百八十禮部玉篇二百七十集慶志一百三十五脩辭衡鑑五十六農桑撮要五十八救荒活民書一百五十曹文

貞公詩集二百八十五憲臺通紀五百一十五陳子廉先生詩二十魯齋先生詩解大學一十九樂府詩集一千三百八十厚德録六十刑統賦六十三廟學時有闕壞隨事修補無大更易六齋延訓導六員大學四常德守中育材進德小學二興賢說禮生徒常二百人設賓序貢贍䘏貧寒老病之士鄉貢進士於學敦遣朔望祀享行臺官躬視禮儀監察御史時至勉勵公卿大夫居江左者率遣子弟就學今仕爲名臣者多集慶弟子員於戲盛矣

建設書院

明道書院仍宋舊規無所更易南軒書院遷舊

儀賓館地基大德元年朔盖南軒先生華陽伯

張宣公祠堂江東書院在城内永安坊盐倉街

至治元年五月郡人王進德朔建子霖又爲營

度廟屋通六十餘間地臨秦淮南竹木脩茂置

田溧陽九百畝供贍生徒前翰林學士草廬吳

公嘗於其中講授群士徃從受業甚衆泰定元

年定今額又有昭文書院在湖熟鎮北有臺髙

十餘丈下臨秦淮亦名丈二

室舊傳梁昭明太

子宴游之所景定志太子臺下東橋之東有太子東湖昭明嘗植蓮其中臺上有昭明像宋咸淳丁卯方拱辰扁曰昭文精舍里人杜氏守之至元間定令額凡書院皆省設山長掌錢粮教育與路州學皆有府設直學贊焉

州縣學校

江南歸附初各縣學仍設主學尋令所屬行省宣慰司差注教諭掌錢粮教育江寧縣學殿宇田粮皆仍宋舊上元縣學後至元五年縣尹田

賢重修進士李桓有記

郡城之東偏由通衢而入數十武積水縈匯有泮流之象比直平疇連衍無際雖閭閻密邇而幽深曠遠不翅乎林壑蝸牧之居者會芳發圃之舊址而上元邑學之所建也考其歲月於今百年矣蓋當宋氏之既南郡爲大藩閫帥臨之學政之脩致隆於郡而在邑則否迨其季年鍾公蜚英之爲令昉爲之經始顧已迫於國勝之搶攘故制特綿蕞而完美之功有不暇焉者混一之久莫之能加則以帑庾之弗羸緡弊支茁僅以自守一旦更張而爲之也實難嗚呼治邑者有能四休前人以俎豆爲事因其故而損益之亦何難之有至元五年歲在己卯大名田侯來尹是邑職專于學覩其廢闕懼無以副國家設學之意亟以請于邑長曰其責在尒圖之惟時謂禮器之具所宜先焉則冶銅爲爵坫四十爲籩簋十有八爲勺二爲鍾一竹爲籩者三十爲篚者五木爲俎者二十以補其未備若豆若

尊若罍洗灶熏之有爐植燭之有檠灌瓶之有壺舉易其缺壘朽窳而新之而凡器用之需無不給繼之以廟學之葺則擴禮殿之基左右各五尺以立十哲之位作靈星門修戟門之腐橈堂及二序皆責治之改築成己軒敞其後爲四楹構連檐以徹于堂而凡棟宇之壞無不飭然後峙華表於門外飛石梁於水次列柵以爲閑周垣以爲蔽繪門弟子暨先儒之像於縑素以更圖辟之舊而凡盡飾增嚴爲經久之計者令無不用其極内外相侔功倍于歷初來觀翕然感斯文之作興政望朝夕思服善教昔之大儒嘗佐斯邑化俗之美流于亡窮伋之爲是舉也其可以無愧與夫學爲政本先聖王之所勤力而吏卒慢焉世降教周治不古若職是之繇自侯之至究心於民夙夜弗怠邑之庶務咸得其理訟獄既清旷俗以安斂惠廉明著于一時故其上元之政爲屬邑最今又能達其本而崇禮義之化使民有所觀法蓋可尚也已非具刻之其

何以勸來者邑長曰那懷令曰田賢賛其可者簿李良臣教諭湯駿典史朱輝承命謹而督役勞者邑掾陳敏也金石土木之工合九百三十有奇費之出於田侯者爲錢五千緡是皆不可畧也附紀於碑而爲之記

句容縣學頗廢於兵火至元三十年縣令亢顏瑛創屋三間扁曰芳潤至大二年縣尹趙靖撤舊重建繼以縣尹程恭延聘名士訓誨生徒遠近嚮慕邑民獻地增廣學宮設唐劉鄭張常洧二祠於講堂西後至元三年刻累朝封號綸音於石置禮器雅樂繪两廡從祀至正二年建屋于中堂後扁曰止善監縣丑閭

縣尹李允中李愽教諭劉德秀菁實綱紀焉學計悉有常數江寧縣學一十二頃七十五畝有奇上元縣學基地縱橫三十丈學田山地水潭通計一千一百二十一畝二角三十三歩額租外荒地逐時開墾句容縣學基一十九畝六分一厘田一十六頃一十八畝七分一厘地一頃六十二畝四分一厘山五頃五六十七畝三分一厘塘五畝六分四厘夏租小麥八十二石六斗三升大麥一十四石三斗八升八合中統鈔五定三十四两七錢八分秋租米二百二十六石五斗三升七合黃豆一十六石八斗七升三合中統鈔五定二十四两七錢八分詳見縣志

溧水州歸附初爲縣設主學教諭元貞元年陞州設教授二年知州儀武義教授劉建行重建

大成殿及神庖修理學舍一新易明倫堂扁曰明德易四齋扁曰篤實自得明理觀善鑄祭器皇慶元年同知倪顥教授陳瑞完復蒲塘渡有碑二年以教思亭爲詔旨亭立加封碑延祐四年繪從祀像泰定三年奉臺劄准監察御史順昌承德言增加田賦置册立碑至元元年知州李衡教授宋昪重建明德尊道二堂修殿及两廡增設訓導生徒加舊其學計見於碑刻舊額田土田三十四頃六十二畝七分六厘地一頃

九十四畝七分二厘山九十五畝五分河渡一
所房屋一十四間隨屋地基租課糙粳米七百
二十四石七斗八升七合小麥六十一石三斗
六升三合私稻八百三十四斤黃豆一石一斗
絲一十七兩二錢中統鈔七定一十六兩二錢
二分新增田土田八十五畝四分九厘地五十
六畝三分山二十七畝五分堽地一十一畝七
分九厘蘆墩二畝五分房屋三間半零一厦隨
屋地基及帶屋火巷一條租課糙粳米二百七
十五石七斗四升九合五勺小麥二十一石六
斗五升五合黃豆二斗六升五合絲六
錢中統鈔一十二定八兩六錢三分并書板
詳見本州志
溧陽州州歸附初爲縣設主學教諭元貞元年陞
州即以前宋縣學改爲州學設教授大德五年

教授班惟志修學重建齋二東曰養正麗澤西曰明德藻德設小學齋增學田三百八十餘石卞應午記之大德十一年改創大成殿至治元年教授孔濤置雅樂建講堂及先賢祠校官廨舍規模有加於舊其學計徵於官者租粮白米二千四百二十三石四斗六升三合貢士莊四百五十五石二斗六升五合合贍學一千九百五十七石三斗九升八合租鈔一十九定詳見本州志

科第進士

延祐四年丁巳溧水州人劉泳江浙省鄉試第

二十名明年會試下第
延祐七年庚申溧陽州人李士良江浙省第六
名明年會試中選
殿試第三甲同進士出身受將仕郎紹興路餘
姚州判官
至治三年癸亥郡人李桓江浙省第二十七名
明年會試下第恩例受餘干州教授
天曆二年己巳郡人李懋江浙省第十六名明
年會試中選

殿試第二甲同進士出身受將仕郎饒州路鄱陽縣丞

儒籍

路學抄数儒人一百六十五户明道南軒書院上元江寧縣學各有儒籍至元十二年乙亥正月制置趙溍弃城宵遁徐都統等率軍民納欵二月二十七日大軍入城平章阿术占居明道書院軍士𢍁弃聖像野中書院儒人古之學等詣丞相淮安王前告給榜文還復書院房屋租

產祐安秀才當奉鈞旨令書院依例復舊由是諸學弦誦不輟至元二十八年南方儒人有德行文章政事可取者許各路歲舉一人量材録用元貞元年諸路凡儒知吏事吏通經術性行脩謹者各路舉廉訪司試選每道歲貢二人省臺委官立法考試中式録用大德十一年係籍儒户雜泛差役並行蠲免至大二年儒人免差延祐元年設科取士儒風大振其明年再詔隸籍在學儒人毋得非理科役煩擾是後有

司奉行不至儒者雜於編户癸酉科後停試
今上皇帝元統二年特降
聖旨儒户免差有德行學問者選充教官至正
元年復行科舉取士法所以作興多士者至矣
集慶儒户多前代故家宋末進士有包秀實國
華陳仲謀吴季申皆以文章政事名世其後衰
微不可考知今可見者董烈宋相文清公槐之後累官朝奉大夫知溧州　房元龍宋進士承議郎懷遠軍節度判官　李鎜宋太師襄國公琮之後進士累官承直郎制司幹官沿江屯田分司　王良相宋相荊國文公安石之後貢士

累受沿江制司幹官趙崇田宋進士累官通直郎知建康府司容縣楊公溥宋待補進士戴後卿謝克仁皆宋貢士歸附後子孫相繼以科第儒術仕進顯榮其家所謂君子之澤久而不泯者亦

朝家崇儒興學之效也曹壘漂水後志載朱應者壽昌四世孫登宋政和八年第建炎二年官左從事郎潭州瀏陽令四年軍賊杜彥等陷瀏陽處力戰三日死之湖南安撫司聞諸朝贈通直郎與其子柔嘉將仕郎恩澤因柔嘉歷仕贈至太中大夫三世孫紹遠明遠四世孫用泰棟俱擢科第五世孫立之祐之以易學授徒于家忠孝之有後儒者之世澤彰著如此他如句容樊淵之孝廉漂水湯大有之五世同居輕財急義汪立信家婦李氏[illegible]

英傑妻吳氏陳登妻樂氏之貞節經
聖朝旌異悉出世儒之家其被服禮義之教有
自來矣然則歷代之崇尚儒雅欲以化民成俗
其效豈虚也哉附扵志末俾後可覽觀焉

金陵新志卷九

十

金陵新志卷之十

兵防志總叙

兵者聖人所以討強暴平亂世夷險阻捄危殆恒不得已而用之觀其本起於陰陽之相勝善暴之相形而濟之以凶器故善用兵者必審天時察地利順民心三者皆得則可以戰敵而亦聖人所愼吳晉六朝建都江左天下望爲正統文物殷富寶器在焉然其分裂之際毒民於兵其備禦大要在於據江防淮治城浚隍以逸待

勞攻不足而守有餘至其道窮數極中國舉之
若摧枯振槁故曰堅革利兵不足以爲勝高城
深池不足以爲固嚴令繁刑不足以爲威由其
道則興不由其道則廢宋自高宗南渡以建康
爲陪都總以重臣宿兵峙粮常數十萬及
天兵下襄樊沿江諸將或降或遁不數月而宗
社爲墟曩之治險畜兵其勝安在今天下一統
城郭溝池悉廢爲畊藝而中土之兵分翼鎮守
裝出其家米盐仰給縣官統屬器械各有名籍

不著著其設置巡防大較作兵防志

前代沿革 自形勢至戰艦皆據舊志纂述以備參攷

形勢

諸葛亮曰鍾阜龍盤石城虎踞真帝王之宅 李綱曰天下形勝關中爲上建康次之宜以長安爲西都建康爲東都 衛膚敏曰建康實古帝都外連江淮内控湖海爲東南要會之地 劉珏曰金陵天險前據大江可以固守 張浚曰東南形勢莫重於建康實爲中興根本 陳

亮曰舊日臺城在鍾阜之側據高臨下東環平
岡以爲安西城石頭以爲重帶玄武湖以爲險
擁秦淮青溪以爲阻是以王氣可乘而運動如
意　江默曰自淮而東以楚泗廣陵爲之表則
京口秣陵得以蔽遮自淮而西以壽廬歷陽爲
之表則建康姑孰得以襟帶表裏之形合則東
南之守不孤其来尚矣餘見江防

攻守

張敦頤曰晉蔡謨曰時有否泰道有屈伸暴逆

之冠雖終滅亡方其强盛皆當詘而避之要終歸於大濟而已爲今之計莫若養威以俟時王羲之曰以區區江左營綜如此天下寒心久矣中興之業政以道勝寬和爲本力爭武功非所當作二人者能言之而不得行之行之而足以安江南者孫權一人耳陸瑁嘗勸權曰九域盤互之時率須深根固本愛力惜費陸遜嘗勸權曰施德緩刑寬賦息調權報之曰發調者蓋謂天下未定事以衆濟若徒守江東修崇寬政兵

自足用何以多爲顧坐自守可陋爾以此知權之志未嘗不在於天下然以傳攷之亦未嘗肯求逞於中原曹公來侵則破之拒之而已治艦立塢築堤遏湖作涂塘明烽燧始終所以備魏者至矣及移牋於曹公曰足下不死孤不得安則權固未嘗得志也嘉禾中因蜀寇魏一攻淮南聞明帝東行遷則欲避諸將之攻樊城司馬懿救之亦引軍亟退自後觀之謂之怯可也而權不以爲耻豈非天下之勢既未有可投之隙

與其力爭而取敗不若退守而待時也耶史稱
權繼父兄之業有臣以爲腹心股肱爪牙兵不
妄動故戰少敗而江南安此權之所以爲治也
及嗣主立諸葛恪爲政首侵邊以怒敵東興之
戰幸捷顧不能持勝復違衆大舉一敗塗地恪
旣喪軀而孫氏之業因以衰焉則權之兵不妄
動利害果何如也其後孫皓用諸將計數侵盜
晉鄙陸抗曰苟無其時雖復大聖亦宜養威自
保不可輕動今不務力農富國審官任能明黜

陟慎刑罰訓諸司以德拊百姓以仁而聽諸將
徇名窮兵黷武動費萬計士卒凋弊寇不爲衰
而我已大病矣夫爭帝王之資而昧十百之利
此人臣之姦便非國家之良策也抗之言兼有
陸瑁陸遜蔡謨王羲之論而皓不知用此其所
以亡也東晉自庾亮經營征伐皆不能有成謝
安父子乘符堅傾敗之餘圖之如恐不及至於
渡河入鄴訖無尺寸之得宋文自恃富强加兵
元魏檀道濟再行無功諸將以敗繼敗而胡馬

遂至瓜步梁武遭魏世之亂陳慶之以數千兵入洛而葛高之襲幾至殲盡及貪河南之地納叛將棄睦鄰而身國顛覆陳宣帝闢土宇於北齊旋失淮泗於後周雖以桓溫劉裕非常之才度越歷代諸將而溫伐苻健慕容暐皆幾成而敗裕平南燕滅姚秦亦既得而失則六朝用兵攻伐之策可見矣古今論守國事宜范蠡最高陸抗所言次之餘非確論也

江防

吳聿曰江出岷山自湖口合流而下奔放蕩潏

吐吞日月山或磯之則其勢悍怒觸舞大艑兀若轉梗至其廣處曠數百里斷岸相望僅指一髮而舳艫上下中流遇風則四顧茫然亡所隱避自金陵抵白沙其尤者爲樂官山李家漾至急流濁港口凡十有八處稱號老風波而玩險阻者至是鮮不袖手　吳志曰魏文帝有渡江之志望江水盛長瀰漫數百里便引退自嘆曰魏雖有武騎千群無所用也　干寶晉紀曰魏文帝之在廣陵吳人大駭乃臨江爲疑城自石

頭至于江乘垣以木楨衣以葦席加采飾焉一夕而成魏人自江北望甚憚之曰彼有人焉未可圖也乃還　宋書元嘉二十七年魏人聲欲渡江太祖大具水軍爲防禦之備領軍將軍劉遵考左將軍尹弘守横江少府劉興祖守白下建威將軍黄門侍郎蕭元邕守裨洲羽林左監孟宗嗣守新洲上建武將軍泰容守新洲下征北中兵參軍向栁守貴洲司馬到元度守蒜山諮議參軍沈曇慶守北固尚書褚湛之先行京

陵使仍守西津徐州從事史蕭尚之守練壁征
北參軍管法祖守譙山徐州從事武仲河守博
落尚書左丞劉伯龍守采石尋還建武將軍淮
南太守仍總守事遊邏上接于湖下至蔡洲陳
艦列營周亘江畔自采石至暨陽六七百里船
艦蓋江旗甲星燭皇太子出戍石頭徐湛之守
石頭倉城　齊書建元元年魏主宏聞太祖受
禪其冬發衆遣丹陽王劉昶寇司豫二州明年
詔衆軍北討初虜寇至緣淮驅畧江北居民猶

懲佛貍時事皆驚走不可禁止乃於梁山置二軍南置三軍慈姥置一軍烈洲置二軍三山置二軍白沙置一軍蔡洲置五軍長蘆置三軍徐浦置一軍以備之魏不能攻　周世宗問江南虜實孫忌荅曰本國雖小甲兵尚三十萬世宗曰江南不過十數郡何見欺也忌曰精兵雖止十餘萬然長江一條飛湍千里險過湯池可敵十萬之師國老宋齊丘乃王猛謝安之徒又可敵十萬　張虞卿曰歷考前世南北戰爭之地

魏軍嘗至瓜步矣石季龍嘗至歷陽矣石勒寇豫州至江而還此皆限於江而不得騁者也然江出岷山跨郡十數備之不至一處得渡皆爲我憂使吾斥候既明屯戍惟謹士氣振而人心固矣恃江爲阻可也雖無長江之險亦可也苻堅百萬之衆馬未及一飲江水謝玄八千銳卒破之於淮淝豈非其效歟不然五巢以奇兵入百泛舟即渡吳人有北來諸軍乃飛過之語韓擒虎以五百人宵濟采石守者皆醉遂襲取之

由是觀之徒恃江而不足與守鮮克有濟矣曹操初得荆州議者謂東南之勢可以拒操者長江也操既得荆州蒙衝戰艦浮江而下則長江之險已與我共之獨周瑜謂捨鞍馬而仗舟楫非彼所長赤壁之役果有成功至於羊祜之言則以南人所長惟在水戰一入其境長江非復所用它日成功畧如祜言故臣以謂有如瑜者爲用則祜之言謂之不然可也無如瑜者則祜之言不可不察也彼爲說者謂敵人以馬爲強

而江流迅急渡馬爲難敵人便於作栰而江流迅急非栰能濟是未知侯景以馬數百一夕而渡王濬自上流来未嘗作栰也州縣一也有最爲要害者津渡一也有最宜備豫者符堅自項城来壽陽侯景自壽陽移歷陽孫恩自廣陵趍石頭王敦渡竹格蘇峻泛横江侯景渡采石考前世盜賊與夫南北用兵由壽陽歷陽来者十之七由横江采石渡者三之二至於擾上流之勢以窺江左者未論也　建炎三年冬金兵自

黄州渡又自馬家洲渡時杜充在建康聞金人至以軍六萬列戍江南岸而閉門不出師無統一皆無鬬志明年夏四月韓世忠提舟師截大江以邀金兵相持黄天蕩四十八日兀朮遣使與世忠約日會戰世忠募海船百餘艘進泊金山下仍植一旗書姓名表其上金人望見大笑曰此吾几上肉耳按宋史世忠伏兵金山廟幾獲兀朮世忠預命工鍜鐵相聯爲長綆貫一大鉤俻授諸軍之强壯者平旦敵擁十舟譟而前比合戰世忠分海

船爲兩道出其背每縋一綆則曳一舟而入敵不得渡遣使願還所掠及獻馬三千世忠不聽曰只留下兀术乃可去時撻辣所遣之兵在儀真江南北兩岸皆敵衆世忠據中流風帆淚檝飄忽若神兀术閉壘不敢出謂諸將曰使船如使馬何以破之乃欲自建康謀北歸（兀术兵在南岸故自鎮江沿江西上求濟）凡古津渡又被世忠八面控扼不得去或獻謀於蘆塲地鑿大渠二十餘里（今蘆門河是在近天塲南）上接江口舟從江背出世忠之上流一夜

渠成次早出舟世忠大驚尾擊敗之敵終不得
濟按宋史金人悉趍建康於冶城西南鑿渠則今新開河是故汪藻謂開兩河也一日
敵乘天霽無風我所用海舟皆不得動彼乃以
輕舸絶江而遁世忠曰窮寇勿追使去兀朮回
江北屯六合撻辣在山東遣人諭兀朮入寇無
功盡止於淮東候秋高相會再寇江南兀朮以
前日渡江之危爲辭呂頤浩言金人多詐難測
詔劉光世分兵以備江岸　紹興三十一年金
萬戶高景山以兵數萬犯揚州劉錡提大軍禦

之於清河金以氈裹舟載粮挽而上錡募善没者鑿舟沉之金人大驚俄犯揚子橋錡以兵拒瓜州金騎逼江錡遣麾下貟琦設伏於皂角林與敵接戰誘敵入張弩俄發敵大敗斬景山俘數百人逆亮親統細軍駐和州之鷄籠山臨江築壇刑馬祭天必欲由采石而渡朝廷詔王權詣行在以池州都統制李顯忠代權命督府參議官中書舍人虞允文趣顯忠交權兵時顯忠未至允文夜見建康留守張燾議禦敵之計燾

但言已當死守留鑰丙子逆亮登壇建黄綉旗
二中張黄蓋亮執小紅旗麾衆渡江時王權所
留水軍車船咸在而諸將未有統屬莫肯用命
盡伏山崦惟提舉張振王琪稍任其責允文自
建康至使人督之賊舟稍近振琪與統制時俊
盛新等徐出山崦列布江岸賊初未之覺一見
大驚欲退不可我軍用海鰍船迎擊士皆死鬬
敵舟沉溺者數萬其回北岸者亮皆殺之遂不
能濟丁丑金人往來望見車船遶却我軍復以海

鰍船先往北岸截横林渡口用克敵弓射之金兵棄船上岸着惡陷泥中而斃上急差楊存中措置守江虞允文亦自建康馳至鎮江時江岸有車船二十四艘賊已瞰江恐臨期不堪駕用存中允文臨江按試命戰士踏車船徑趍瓜洲迫岸復回金兵皆持蒲以待其船中流上下迴轉如飛金衆相顧駭愕亮愈怒召諸酋約三日畢濟過期盡殺之諸酋謀曰南軍有備如此進有渰殺之禍退有敲殺之憂奈何有總管萬戴

者曰殺郎主與南宋通和則生矣衆曰諾乙夫諸酋棄兵射殺亮并殺其大傅三妃與謀事者十餘人　紹興中詔沿邊修守備呉表臣言大江之南上自荆鄂下至常潤其要緊處不過七渡下流最緊者二建康之宣化鎮江之瓜洲是也常擇官兵修器械以謹其防　王彦恢言建康古都乃用武之地欲保建康必内以大江爲之控扼外以淮甸爲之藩籬又必措置兵食以贍國費然大江以南千里浩渺決欲控扼非戰

艦不可大江以北萬里坦途欲遏長驅非戰車不可舒廬滁和良疇百萬欲措置軍食非營田不可舟車之法以輕捷爲上彥恢所制飛虎戰艦傍設四輪每輪八檝四人旋斡日行千里又有神武戰車下安四輪輪畧同飛虎頂張布帷以避矢石傍斜衝擊其用如神又有拒馬車一人之力可以轉用比之蒙衝偏箱鹿角此尤至要淮西良疇不可以數計不須朝廷給本秪以有無相濟併力營田計其戶口什一養兵則淮西

可以守矣如許令彦愌招兵教習只乞那融淮西數州財賦可足舟車之用及以數州秋成所得那融營田可足兵食之費萬一金人入寇及盜賊猖獗彦愌當以此舟車擺鋪陷陣以此士卒斬將搴旗以此種蒔飛芻輓粟保守江淮決無疎失詔彦愌就本軍措置　宋之論邊防要害者有曰自古倚長江之險者屯兵據要雖在江南而挫敵取勝多在江北故吕蒙築濡須塢而朱桓以偏將郤曹仁之全師諸葛恪修東興

堤而丁奉以兵三千破胡遵之七萬轉弱爲强形勢然也淮甸郡縣不必盡守故城各隨所在擇險據要置寨柵守以偏將敵來仰攻固非其利若長驅深入則我綴其後二三大將浮江上下爲之聲援敵之進退落吾計中萬全之策也又有曰無爲軍巢縣之濡須及東西關山川重復蓋昔人尺寸必爭之地大率巢湖之水上通焦湖濡須正扼其衝東西两關又從而左右輔翼之餽舟旣已難通故雖有十萬之師未能便

寇大江得逞其志淮西雖號地平而水陸要害皆可戰守稍加措置未易輕犯又有曰若金重兵出淮西則池州軍出巢縣而江州軍出無爲軍便可爲淮西官軍之援又有曰自建康至姑孰一百八十里其險可守者有六曰江寧鎮曰碙沙夾曰采石曰大信口其上則有蕪湖繁昌皆與淮南對境其餘皆蘆荻之塲或碕岸斗絶水勢湍險難施舟楫又有曰采石渡在太平州界下馬家渡在建康府界上宣化渡在府界下

采石江濶而險馬家渡江狹而平相去六十里皆與和州對岸昔金人入寇直犯馬家渡杜充以萬衆不能捍亦嘗分兵犯采石太平州以鄉兵禦之遂退雖杜充處置有未盡善亦形勢使然馬家渡比采石尤爲要害又有曰和州烏江縣界可自江北車家渡徑衝建康府馬家渡滁州全椒縣可自江北宣化渡徑衝建康府之靖安兼泗州盱眙有徑小路由張店上下兎梁盤城亦可徑至宣化不滿三百里元朮嘗於此路

來至六合下寨并自上尾梁下船直至滁河口可以入江宜於靖安渡磵沙夾相對三處防守所有北岸滁河口宣化兩處來路應和州東地分宜嚴切隄防又有曰昨來金人自黄州張家渡渡江由湖北鄂州武昌縣上岸方入興國軍大冶縣界取山路以犯江西宜於興國軍大冶縣通山等處攏布防拓又有言曰漢陽沌口係漢江下流湖北帥司所隷尤宜嚴切隄防隆興二年議幸建康張浚受任督府講論軍務不遑寢食招來山東淮北忠義之士以實建康鎮江兩軍凡萬二千餘人萬弩營所招淮南壯士及江西群盜又

萬餘人要害之地城壁皆築其可因水爲險者皆積水爲堰置江淮戰艦諸軍弓矢器械悉備丙年冬金人屯重兵十萬于河南爲虛聲脅和有刻日决戰之語將士望金人至成大功而金人亦知宋有備卒不敢動及是浚又以宰相來撫諸軍將士踴躍思奮敵聞浚來亦檄宿州之兵歸南京沿邊清野以俟淮北來歸者旦夕不絕山東豪傑悉願受節度金人益懼分屯建寨建康太平池三郡江面計一千七十一里共建大小二十九建康八屯曰下蜀曰馬家步曰沙河曰轉橋

曰王沙曰新開河曰下三山曰江蔡巷太平七屯曰濮家圩曰碣山曰烏石磯曰白泥浦曰上三山曰板子磯曰周家莊池州十四屯曰菖蒲山曰大通曰梅根曰穴港曰戚家溝曰李三河曰寶寨磯曰黄石磯曰吉陽洑曰祝家磯曰烏石磯曰香口曰雙山三郡諸屯共創寨屋一萬一千九十五間本府一千七百間太平四千四百間池州四千八百間將佐衙屋不計焉今各隳萬戸府差軍守把多係前代屯戍之地亦有廢不守者此不及詳著

營寨教場

潘家寨在上元惟政鄉開寶中潘美下江南駐兵有潘亭塘去城十里都監寨在上元縣北太平興國元年置侍衛馬軍與都統司叅錯如古

南北軍之制各以統制統領出三衙馬帥領之
號行司乾道七年移屯置寨建康凡六其選鋒
軍寨在西門崇道橋前右中左後五軍寨一在
虎頭山一在黄家塘南一在塘北一在陰山東
者並南門外蔣山南者在東門外駐劄御前諸
軍各有統制統領官置都統制副都統制領之
紹興十二年移屯建康置寨凡六其遊奕軍前
右中左後軍寨一在清化坊之北新街一在桐
樹灣北一在高陽樓及東門外一在保寧寺街

一在北門内大街東一在上元縣之西景陽臺之南廂禁軍營屋始皆草覆紹興中章森易以瓦數千間號新營其禁軍曰武雄第一指揮威果第十三第十四第十五第四十四指揮忠節第十一指揮全捷第六指揮有馬雄畧第十一指揮橫江水軍三指揮忠義指揮等諸營一在廣濟新倉東一在證聖院東一社院西一在轉運衙西一在太平橋北一在清化市南之下街西一在總領衙後通附營凡七其廂軍効勇第

一第二牢城第一第二指揮剩貟指揮營並在城內西北隅沿江制置司諸軍寨其遊擊軍前右中左後五軍寨一在武定橋南一在橋西北一在北門內二在桃源洞有叅議官胡居仁撰記遊擊軍新寨在馬帥衙東開慶元年馬光祖建買民地拓基五伯二十畝屋三千間制領將佐衙十一所屋一百三十間㸃亭廟寨門共四十間甃井廿五亭十二防江軍寨在北門外耆闍山下効用軍寨三在直街之能仁寺後武定

橋南小寨在羅帛市破敵軍寨在大西門裏精
鋭軍寨在都統衙後親兵左右部營在鹿苑寺
側策勝軍中軍寨在城内東北角右軍寨在北
門城内制効軍寨一在虎頭山一在城内杏花
村龍灣遊擊水軍寨在靖安鎮靖安唐灣水軍
寨在古龍灣茅草岡義士雄武二軍附遊擊軍
寨江東安撫司親兵寨史正志建在府治東後
廢劉珙復建爲两寨在宫城東及北慶元乙卯
守臣張杓復建軍房甲仗庫合千二百八十七

楹又建亭爲主將號令點集之所東曰觀禮西曰教忠游九言撰記淮西江東總領所總効軍寨凡四一在江寧縣北真武廟南一在興嚴寺北一在馬司選鋒寨東一在報恩觀東北諸軍教場有三御教場在行宫東親兵教場在府治東中軍教場在蔣山東乾道志禁軍東南第五將正副將各一員及兵馬鈐轄分管之廂軍兵馬都監四員及駐泊兵馬都監分管之又慶元志嘉祐四年江寧府就置禁軍駐泊三指揮以

威果爲額熈寧五年以議者言東南兵寡而多盜又以三千人戍揚州杭州江寧府自章森建新營隸兵者始不與居民雜比又江東轉運司嘗於江寧府聚十州兵祗備上綱置小營見王逢原廣陵集句容有營界下蜀東陽三寨溧水有管界延檢寨在棲賢橋西溧陽有山前延檢寨在縣北三十五里舊縣延檢寨在縣西四十五里今益都萬戶府公廨即舊遊擊軍寨地北門大街舊准褀寨翔鸞坊小馬司寨今並爲軍營大馬司寨街舊遊擊軍寨遊擊右軍寨並建養濟院安懷院東北隅舊戍司左軍寨今

爲益都新軍營又舊迹鋪營覂鋪兵今録事司是其地今龍湾軍營即舊遊擊水軍寨地舊御教場今爲教場餘並爲民居園地

兵籍

建康府廂禁軍隸安撫司四千人親兵一千人駐劄御前諸軍隸都統制司兵五萬人馬五千八十七匹侍衛馬軍移屯建康府以三萬人騎爲額沿江制置司增置軍額防江軍三千三百人内步軍三千人勝捷五百人吐渾一千人雄威一千五百人馬軍三百人効用軍一千四百五十五人破敵軍一

千四十四人精鋭軍二千五百三十一人親兵左右部共一千人策勝中右兩軍一萬人制効兩軍二千三百廿六人靖安唐灣水軍五千七百二人龍灣遊擊水軍二千九人金山團窩制効軍六百五十九人遊擊軍五軍共一萬二千四百一十二人雄武軍五百八十七人義士軍一千八百七十三人寧江新軍六千二百八十人又有良家子新招帳前將官等兵至元十二年歸附之際軍民潰散徐王榮所領投拜者悉

名新附軍分差各處與漢軍相參鎮守故畧著其額云

軍器

景定志云除戎器戒不虞傳於易礪鋒刃鍛戈矛誓於書脩車馬備器械序於詩有備無患其來尚矣漢帝使人視吳漢何爲方修戰攻具乃有隱若一敵國之嘆祖逖用二千人起冶鑄兵固知其有誓清中原之志李德裕請甲人於安定弓人於河東弩人於淛西於是兵器皆犀利

而著詔不敢窺焉修政攘夷兹非急務乎本朝建閫金陵藩屏畿甸兵甲四出則北援淮東備海南控荆楚西助巴峽開慶景定間凡甲胄戈劍弓矢之需取具於昇者無慮數十萬計取之不竭儲有素也至元乙亥沿江制置趙溍閫兵至取行宫公帑金帛賫道而所積器械資儲悉歸行省

戰艦

李綱嘗奏宋高宗曰臣聞生於陵者安於陵生

於水者安於水南方之人習水而善沒其操舟若神而北人有懼舟楫而不敢登者習與性成也騎兵施於南方非所便而南人教之水戰必可取勝昔曹操以數十萬衆順流襲吳周瑜以三萬人逆戰于赤壁因風縱火焚其船栰遂大破之操自此不敢有窺江表之心而鼎足之勢立其後曹丕復以大兵次廣陵觀長江風濤洶湧吳人戈甲旌旗之盛恐懼而退晉有江左苻堅以百萬之衆次淝水而謝玄以八千人破之

衆皆奔北聞風聲鶴唳皆以爲王師將至則東南之兵養育訓練因地利而用之亦足以自守其地應沿河沿淮沿江帥府要郡凡臨流去處宜倣古制以造戰船上設樓櫓可以施弓弩下運艣棹可以破風濤頒法式以授之仍募習水者爲水軍以時教閱激賞賊舟濟渡會合掩擊以我之素習擊彼之蹔濟其勢必勝得一勝則賊心破膽不敢有窺東南之心矣嘉祐中范仲淹上言乞於河陽置戰艦水軍以防契丹當時

以爲迂闊不果行使用其說刱設至今則大河有備靖康初金人豈能遽濟渡哉先事而言則近乎迂事至而後圖之則無所及其實今日之急務也所有諸路合置戰船募水軍欲乞專差官前去措置建康府制置司累政修造戰船自淳祐九年以後大略可攷造船修船共三千五百五十隻詳見前志

國朝兵戍大畧至元十二年中書左丞相淮安忠武王伯顔總襄陽兵南伐用宋將呂文煥程

鵬飛、范文虎等為鄉導，敗賈似道兵于丁家洲。池州守將以城降。沿江制置趙溍棄建康宵遁。馬步軍副總管權制置司徐王榮及翁都統等帥軍民於太平州納款。二月十二日，大兵至南城外雨華臺下寨。凡七日，丞相平章呂參政等官入城，於府治玉麟堂開省，調兵犒軍，士立建康宣撫司，招安江東諸路，以萬户廉希愿招討、喚都兼宣撫使。三月三日，遣黄頭先鋒哨馬數百人至句容，瓜渚殺知縣葛秉縣民巫及元率衆詣軍前納欵授本處總管同二李百户偕徃招安三月十八日立寨文孝廟禁止剽掠來降者各授總把俾領其衆溧水溧陽二縣以次降附是夏以暑熱駐師建康設江寧上元二縣尉秋七月丞相伯顔入

覲上都以上萬户追封曹南王阿剌罕權行省事平章河南王阿朮萬户追封汝南王張弘範等屯兵瓜洲宋將姜才張世傑孫虎臣水陸逆戰相繼敗績行樞密院駐劉鎮江宋轉運判官

趙淮起兵溧陽宜興縣界屯據長塘湖山一帶阻水拒守冬十月右丞相至自京師留左丞相阿术右丞張惠等行省瓜洲斷淮東援兵自與阿剌罕參政董參政分兵三道水陸並趣臨安十一月參政右師破東垻寨援溧陽建平廣德四安長興諸縣關獨松關遣千户乞万總管徐王榮等破趙淮屯兵十二月大兵破常州進次臨安之長安鎮遣徐王榮詣瓜洲行省討稟差新野奕千户陳翼於建康宣撫司起新附軍

五百漢軍二百招捕溧陽末下鄉寨十三年正月十一日徐王榮等敗宋兵執趙淮解赴瓜洲行省殺之徐王榮以功受驃騎衞上將軍蘇湖招討使帶已降虎符充建康路總管兼府尹十四年罷宣撫司爲建康路總管府立江東道宣慰司以參政阿剌罕保定萬户張弘範行宣慰使自是連歲出兵保定奕及福建奕廉萬户常州宋萬户寧國喬萬户泰州奕孟萬户諸軍并諸附軍相繼分鎮建康各縣置尉司專主巡捕

在城録事司以判官兼凢路府州縣達魯花赤皆兼提控捕盜鋪兵止迊文書十五年張元帥追宋二王厓山江淮行省發水陸師二萬從行十六年二月宋境悉平廉宋兩萬戸軍移屯各處十八年調兵東征日本至元二十二年江淮等處行樞密院開府建康元貞元年溧水溧陽陞州設捕盜司以州判一員兼領各鎮寨俱設廵檢司僉撥弓兵専以廵防捕盜凢一十二處江寧鎮秣陵鎮竹篠龍都茅山下蜀東陽東壩高淳白馬橋舊縣山前其州縣鎮

守官軍則從萬戶府輪差千戶百戶管軍分戍
要害至元末年行樞密院例革各萬戶府徑隷
樞密院及江浙行省提調保定奕張副樞軍馬
移屯武昌孟萬戶移屯泰州喬萬戶奕對還寧
國大德元年益都新軍萬戶府自寧國路移鎮
建康於前宋遊擊軍營內置府達魯花赤萬戶
副萬戶而下軍官千戶百戶彈壓通設一百餘
員所管蒙古漢軍新附軍按月於有司支請鹽
粮其漢軍本戶元僉免粮田四頃歲以所出為

封莢錢給當役者所在正軍專一守把城池倉庫局院坊廓要害去處軍官不得多餘占使非奉省院明文諸衙門不許差調集慶親隸行臺按治歲時教習紀律嚴明龍灣有教習水軍萬户府係行樞密院於江北河南行省管下蘄黃鄧新揚高郵真滁杭州等奕萬户府撥軍二千餘名前來屯戍專以教習隸萬户府提調凡軍之新舊名籍船艦軍裝器備及軍器局逐年成造器械悉有額定工程名件此不詳著防

戍地境有圖見首卷續報輿魯爽四處亳州寧國廣德江陰許浦通事馬軍軍器則歲造黑漆鐵甲三百三十付真皮盔甲袋全四色水牛皮甲二百二十付紫真皮盔甲袋全羊肝漆明稍角弓五百五十五張手箭一萬八千隻箭葫蘆弓袋雜袋八十付其起解積貯本路具有文卷

金陵新志卷之十一

祠祀志總叙

禮莫大於報本反始天地者生之本也先祖者類之本也鬼神者陰陽四時之本也故天子祭天地諸侯祭境内山川卿大夫祭五祀庶人祀其祖尊卑鉅細各有等差而誠敬之道著焉傳曰我戰則克祭則受福又曰惟聖人爲能饗帝惟孝子爲能事親言積其志誠之感而氣之散者聚游者反精微之應非聖人孰能知之周衰

禮廢諸侯或僭郊祀而大夫旅泰山又其弊也淫祀興而民德濫焉君子亦反經而已矣金陵故爲都邑其以王者禮樂祀天地山川之屬甚衆吳大帝赤烏十年始爲康居僧會建寺崇佛又爲僊者葛玄立觀方山自是代有增加梁陳於佛尤所重其三茅君蔣子文祀皆原於漢吳蔣累號爲帝而茅山之祠肇自隆古書缺莫得而詳今其處傳多薶瘞（玄帝命東海神埋鼎秦漢嘗瘞金璧）由晉迄宋死事之臣及有功德於民皆特立祠最著

者卞壼謝玄劉仁贍曹彬揚邦乂姚興王珙我朝定江南淮安忠武王伯顏河南王阿木曹南王阿剌罕皆以功最受封淮安立祠杭州河南祠汴梁而曹南王今立祠集慶禮所謂崇德報功者邪因前志所紀韓錄歷代郊社佛道祠宇以下具著之作祠祀志

古郊廟

南郊壇 案建康實錄晉太興三年所築郭璞卜立之在宮城南十餘里注云在長樂橋東籬門外三里又云今縣南有

郊壇村即吳南郊地

吳大帝初稱尊號武昌南郊祭用玄牡後自以偏方不郊太元元年始祭南郊在秣陵縣南十餘里吳志大帝時群臣上奏宜修郊社以承天意帝曰郊祀當於中土今非其所於何施此重奏曰普天之下莫非王土王者以天下為家若周文王都於酆鎬非必中土帝不聽終吳之世郊祀廟社缺然無可紀者

晉元帝渡江大興三年始議郊祀立南郊於巳地建武二年定郊兆於建鄴之南唐會要晉元建武二年定郊兆於建鄴之南去城七里一壇之上尊卑雜位千五伯神實錄云大興三年作南郊在宮城南十五里郭璞卜立之圖經云在今縣東南八里長樂橋東籬門外三里其縣南郊壇村即吳南郊也

宋孝武大明三

年遷郊兆於秣陵牛頭山西在宮之午地廢帝復舊發帝以舊郊吉復初齊始屋員兆外常侍庾曇崇啓曰祭天尚質奏從壇域無宮室者詔付外詳祠部李撝議周禮凡祭張旅幙張尸次宗廟旅幙今爲棟宇郊祀氈案宜制檐甍

梁武帝即位南郊爲壇在國之陽常與北郊間歲普通六年改作南北郊隋志梁南郊壇高二丈七尺上徑十一丈下徑十八丈其外再壝四門運曆圖云梁武帝中大通五年郊祀異香三至神光五色圓照滿壇陳武帝又修繕南郊圓壇高二丈二尺五寸廣十丈柴燎白天金陵故事云梁武帝時改作四周築土壝宮三重便殿一所北墺

南唐郊壇數里今其地在城東南與婁湖相近

即梁故廄在長樂鄉去城十二里宋爲藏冰所

北郊壇 按實錄在舊江寧縣東八里潮溝後東近青溪晉元帝立南郊未立北郊明帝大寧三年始議立北郊未及建而帝崩成帝咸康八年追述明帝前指於覆舟山南立之制度一如南郊 宋書云江左未立北郊地祇衆神共在天郊成帝立二郊天郊則六十二神五帝之佐日月五星二十八宿文昌北斗三台司命軒轅后土太一天一太微勾陳北極雨師雷電司空風伯老人六十二神也北郊則四十四神五嶽四望四海四瀆五湖五帝之佐沂山嶽山白山霍山醫巫閭山蔣山松江會稽山錢塘江先農凡四十四神也江南諸小山盖江左所立猶如漢京關中山水皆有望秩也文帝元嘉十六年有事北郊復下其議於是八座奏省四望松江浙

江五湖等座其鍾山白石既土地所在並留如故文帝立儒學館於北郊十二年嘗閱武於此

宋孝武大明三年移北郊於鍾山北原今鍾山定林寺山巔有平基二所闊數十丈即其地宋書云北郊晉成帝世始立本在覆舟山南宋太祖以其地爲樂游苑後以其地爲北湖移於湖壖西北其地卑下泥濕又移於白石村東又以爲湖乃移於鍾山北原道西與南郊相對後罷白石東湖北郊還舊處

梁武帝北郊爲方壇上方十丈下方十二丈高一尺四面各有陛其外爲壝再重陳北郊爲壇高一丈五尺晉王恭反前將軍王珣入守北郊宋元嘉中每閱武於北郊徐嗣徽引齊兵爲寇侯安都距齊軍於北郊壇紹泰中齊蕭軌等渡江亦屯于北

郊壇又按散福亭在縣東北鍾山鄉去城四里舊傳晉宋郊祀祠釐賜胙之所

禖壇石按通典江東太廟門北有石文如竹葉小屋覆之宋文帝元嘉中修廟所得陸澄以爲晉孝武時郊禖石然則江左亦有此禮矣或曰百姓祀其傍或謂之落星石今在城隍廟內

明堂在城東南七里不詳其處宋書晉元帝受命中興依漢故事宜享明堂宗祀之禮江左不立明堂故闕焉大明五年有司奏國學之南地實丙巳爽塏平暢足以營造其墻宇規範宜擬

則太廟惟十有二間以應朞數但作大殿屋彫畫而已無古三十六户七十二牖之制是年五月新作明堂丙己之地宮苑記云在博士省南博士省在國學南國學在太廟南梁武帝天監十二年詔以明堂地居卑濕可量就埤起以盡恍敬陳亡焚毀皆畫將作監大匠宇文愷畫臺趾丈尺寫樣奏聞令按宋齊梁陳各有制作梁嘗毀宋太極殿以材搆焉

晉太廟舊址在秦淮西晉太元十六年二月庚申改築太廟秋九月新廟成案地志太廟中宗

置郭璞遷定在今廨帝常嬿廟東迫淮水西逼路至此年因修築欲依洛陽改入宣陽門内尚書僕射王珣奏以為龜筮弗違帝從之於舊地不移更開墻禋東西四十丈南北九十丈宋以後仍之至陳乃廢

社稷 諸壇附

府社壇 舊在城西南江寧縣社壇同廨慶元元年留守張杓移置下水門内秦淮南歸附後遷置南郊城南門外越城之後卜地十畝有奇週

築垣墻内按方地設社稷風雷雨師壇及官廳廨宇以時祀祭

上元縣社壇舊在白下門外尉司東

江寧縣社壇舊在縣西南府社壇東繡春園之西置

溧水州社壇舊在州西南二里紹定四年知縣史彌鞏移建於縣治西北望京門之裏景定元年二月權縣事趙介如重修大德五年移置州南築三壇至大四年知州盧朝請克治重修

句容縣社壇舊在子城北後移在青元觀西南今養濟院基是舊社大德間移於葛僊翁菴西後監邑丑閭敦武以其地卑隘置民地去舊壇

西約百步設今壇

溧陽州社壇在州西南二里金淵志在西門内

風伯雨師壇附府社壇

祭龍壇舊在江寧縣西南陰山上宋景德三年置

古太社稷壇晉元帝建武元年初立宗廟社稷在古都城宣陽門外郭璞卜遷之左宗廟右社稷玄風觀在太社西偏對太社右街東即太廟地社立三壇帝社太社稷各一在唐江寧縣東按宋書晉元帝建武元年依洛京二社一稷禮左宗廟右社稷歷代因之洛京社稷在廟之右

而江左又然也吳時宮東開雩門疑吳社亦在宮東與廟同所也宋仍舊無所改作實故常二社一稷初太康中詔併二社之祀傳咸奏宜如舊詔一依魏制至元帝又依洛京二社一稷隋志梁社稷在太廟西蓋晉元帝所創有太社帝社太稷凡三壇門墻並隨其方色在舊江寧縣東二里

雩壇 按通典晉穆帝永和中有議制雩壇於國南郊之傍依郊壇遠近注阮諶云在巳地隋志天監九年有事雩壇遂移於東郊在籍田域内武帝以雨既陰類而求之正陽其謬已甚東方既非盛陽而為生養之始則雩壇應在東方祈晴宜於南方今按雩禮本施於夏月武帝所言亦非確論也

籍田壇在城東十五里按隋志梁普通二年詔移籍田於建康北岸築兆域大小列種梨柏便殿及齋官省如南郊別有望耕壇在壇東帝耕畢登此以觀公卿之推別有祈年殿梁書云普通二年徙籍田於東郊外（詔曰平秩東作義不在南前代因襲有乖禮制可於震方間求沃野具玆千畝）大同五年又築雩壇於籍田兆內（紹泰元年齋徐嗣徽復入至玄武湖陳武帝遣侯安都拒之戰於耕壇南即此地也）

鍾山壇在鍾山南巖上苻堅大軍至壽春晉武禱於壇神曰當助攻堅見八公山上草木盡爲

人形又聞風聲鶴唳皆言王師至堅衆潰西走今蔣山有壇基在講經臺下俗傳爲李王拜郊所疑即此壇也

祠廟

城隍廟唐天祐二年置舊在城西北今在臺治南御街東太廟街内歸附後郡民重加修建

東嶽廟在城内西南斗門橋之東宋雍熙二年置紹興十一年重建今至正癸未郡民宋通甫等重修

江瀆佑德廟在城西清涼寺東

真武廟在府城西北清化市東宋太平興國二年置建炎四年

金人烧建康應官舍民居寺觀神祠無不蕩盡此廟獨存

後湖眞武廟本吴赤烏玄武觀後燬於兵

蔣帝廟在蔣山之西北去城一十二里神蔣姓名子文漢末尉秣陵死而靈異吴大帝為立廟搜神記曰蔣子文廣陵人嗜酒好色自謂已骨青死當為神漢末為秣陵尉逐盜至鍾山下賊擊傷額因解綬縛之有頃遂死吴先主之初其吏見子文於道乘白馬執白羽侍從如平生子文曰我當為此土神為吾立祠不爾使蟲入人耳為灾吴主以為妖言後果有蟲入耳皆死醫王不能治又云不祀我當有大火是歳數有火灾吴主患之封為中都侯加印綬立廟改鍾山為蔣山表其靈異次弟子緒為長水校尉皆加印綬立廟晉加相國之號晉蘇

峻之難鍾山神同蔣侯為助且曰蘇峻為逆當共誅剿之後果斬峻太元中符堅入寇望見王師部陣齊整又見八公山上草木皆類人形憮然有懼色初會稽王道子聞堅入寇以威儀鼓吹求於鍾山神奉以相國之號及堅望見若有助焉宋加相國大都督中外諸軍事封蔣王杜佑通典宋武帝永初二年普禁淫祀自蔣子文祠以下皆絶孝建初修復加蔣侯爵位至相國大都督中外諸軍事為蔣王齊進號為帝乃以廟門為靈光門中門為興善門外殿曰帝山内殿曰神居齊永明中崔慧景之難迎神還臺求助事平乃進帝號梁武嘗禱雨有異及魏軍圍鍾離復見陰助南唐謚曰莊武帝更修廟宇宋開寶八年廟火雍

熈四年即舊址重建景祐二年陳執中增修得賜額惠烈政和八年漕使劉會元重修乾道八年樞密洪遵重修

吳大帝廟在西門外清涼寺之西舊傳今廟即當時故宮

晉元帝廟唐天祐二年置舊在城内西北卞将軍廟側宋景德四年重修後移就嘉瑞坊城隍廟東廡嘉定五年黄度作新廟於石頭東兩廡設禮樂群英三十六像兼適為記（太傅丞相中外大都督始

興文獻公琅邪王導字茂弘太保中書監録尚書事領揚州刺史衛將軍大都督十五州諸軍事贈太傅廬陵文靖公陳國謝安字安石侍中太尉使持節都督并冀幽三州諸軍事廣武愍侯中山劉琨字越石鎮西將軍豫州刺史贈車騎將軍范陽祖逖字士稚散騎常侍安東軍司贈侍中驃騎將軍開府儀同三司嘉興元公吳郡顧榮字彥先左光禄大夫開府儀同三司贈司空穆侯會稽賀循字彥先驃騎將軍散騎常侍贈開府儀同三司臨湘穆侯丹陽紀瞻字思遠尚書右僕射贈光禄大夫平陽鄧攸字伯道安南將軍使持節都督梁州諸軍事梁州刺史贈征南將軍尋陽壯侯汝南周訪字士達平南將軍使持節都督江州諸軍事江州刺史贈鎮南大將軍儀同三司觀陽烈侯汝南應詹字思遠驃騎將軍都督兗豫幽冀雍并六州諸軍事假節散騎常侍贈右光禄大夫儀同三司秣陵節侯廣陵戴淵字若思尚書左僕射護將軍贈

左光祿大夫儀同三司武城康侯汝南周顗字伯仁散騎常侍輔國將軍領左軍將軍監湘州諸軍事南中郎將湘州刺史贈車騎將軍譙閔王河内司馬承字敬才尚書令假節領軍將軍給事中贈侍中驃騎將軍開府儀同三司建興忠貞公濟陽卞壼字望之侍中太尉使持節都督揚州諸軍事贈太宰南昌文成公高平郗鑒字道徽持節侍中太尉都督荆江雍梁交廣益寧八州諸軍事荆江二州刺史贈大司馬長沙桓公鄱陽陶侃字士行散騎常侍驃騎將軍開府儀同三司使持節都督江州諸軍事江州刺史贈侍中驃騎大將軍始安忠武公太原温嶠字太真司空征西將軍使持節都督江荆豫益梁雍六州諸軍事江荆豫三州刺史贈太尉永昌文康公潁川庾亮字元規右衛將軍贈衛尉零陵忠伯琅邪劉超字世瑜侍中贈光祿勲潁川鍾雅字彦冑散騎常侍宣城内史贈太常萬寧簡男譙國桓彝字茂倫衛將軍左光祿大夫

大八十七

開府儀同三司散騎常侍贈侍中車騎大將軍
江陵穆公吳郡陸曄字士光鎮東將軍散騎常
侍會稽內史贈車騎[illegible]軍開府儀同三司餘不
正侯會稽孔愉字敬康散騎常侍廷尉贈光祿
勲晉安簡男會稽孔坦字君平使持節侍中都
督揚豫徐州之琅邪諸軍事揚州刺史驃騎將
軍録尚書事贈司空都鄉文穆侯廬江何充字
次道左光祿大夫開府儀同三司贈侍中司空
濟陽文穆男蔡謨字道明光祿勲右光祿大夫
西平靖侯琅邪顔含字弘都廷尉領著作長樂
侯太原孫綽字興公右將軍會稽內史贈金紫
光祿大夫琅邪王羲之字逸少尚書令散騎常
侍衛將軍贈侍中驃騎將軍開府儀同三司藍
田簡侯太原王述字懷祖散騎常侍護軍將軍
尚書令贈左光祿大夫儀同三司謚簡琅邪王
彪之字叔虎北中郎將都督徐兖青三州諸軍
事徐兖二州刺史贈安北將軍藍田獻侯太原
王坦之字文度車騎將軍侍中使持節都督江

金陵新志卷十一　十一　朱後甫

荊梁益寧交廣七州諸軍事領護南蠻校尉荊州刺史贈太尉豊城宣穆公譙國桓冲字幼子衛將軍尚書令開府儀同三司贈司空南康襄公陳國謝石字石奴散騎常侍左將軍會稽内史贈車騎將軍開府儀同三司康樂獻武公陳國謝玄字幼度彭澤令鄱陽陶潜字元亮

忠烈廟 即卞將軍廟在永壽宮西晋蘇峻亂尚書令卞壼與其二子死難南唐保大中始建忠貞亭於其墓北宋慶曆三年改亭曰忠孝胡銓作記今重修建以監察御史言申省准修永壽宮住持陳寶琳督工規制嚴整

伍相廟 按建康實録吴孫綝侮慢人神燒大航及子胥廟今不詳其所總龜詩話云儀真觀西一水縈廻南入大江號

曰胥浦一曰三潮俗云子胥解劍渡江處其西又有伍相林對南岸竹篠港下口又有廟里俗呼為伍相泊馬廟其地在上元縣長寧鄉

晉謝将軍廟 在城西南隅戒壇院之側唐咸通九年建将軍蓋謝玄也

晉陰山廟 在城西南一十二里晉建武中丞相王導於岡阜閒隱約見步騎數十駐立壠上導恠之使人致問俄失其所夜見夢於導曰我乃陰山神也昨隨帝渡江寓泊于此鄉為我置祠當福晉祚導以其事聞上乃置廟於此仍名其

岡為山宋開寶八年平江南曹翰重修因為廟記書於堂之西壁

晉梅將軍廟 在城南門外雨華臺東地名東石子岡晉梅賾嘗屯營於此又名梅嶺岡或名梅賾營後人即此立廟

文孝廟 梁昭明太子是也在城内西南新橋之西面臨淮水宋建炎間焚毀紹興五年再建

武成王廟 在右南廂鎮淮橋之北御街西唐開元中詔京師及天下州府並立太公廟南唐徐

鉉武成王廟碑云入端門而右廻旁太廟以西顧即今廨也

三聖廟神即蒼史王廟在今臺治西偏御街東按羅泌路史禪通紀云倉帝史皇氏倉頡廟碑作蒼非是名頡姓侯岡見地記龍顏春秋命歷序侈哆見內簡四目靈光廟碑云天生德於大聖四目靈光為百王作憲其銘曰穆穆聖蒼熹平六年立按春秋演孔圖及春秋元命苞叙帝王之相云倉頡四目是謂並明顓帝戴干是謂崇仁帝俈戴午是謂清明堯眉八采是謂通明舜目重童是謂無景禹耳三漏是謂大通湯臂三肘是謂柳翌文王四乳是謂合良武王駢齒是謂剛強不及人臣也故索靖草書狀曰聖皇御世隨時之宜

倉頡既王書契是爲而世紀乃言黄帝史官倉頡取象鳥迹始作文字記其言動策而藏之名

曰書契盖妄言也上天作令爲百王憲昔周初有於倉頡墓下得石刻

藏之書府至秦李斯辨其八字云上天作命皇辟迭王或云叔孫通識十一字而不傳妄也任

昉云周人不能辨而斯通識之余不信者詳攷二句乃冠讙所纂黒帝安和國王禁文也寔

有睿德生而能書隨巢子云史皇産而能書亦見淮南修務訓及受

河圖綠字河圖玉版云倉頡爲帝南巡狩登陽虗之山臨于玄扈洛汭之水靈龜負

書丹甲胄文以授陽虗山在上洛於是窮天地之變仰觀奎星

圜曲之勢俯察龜文鳥羽山川掌指而刱文字

形位成文聲具以相生爲字以正君臣之分以

嚴父子之儀以肅尊卑之序法度以出禮樂以興刑罰以著爲政立教領事辨官一成不外于是而天地之蘊盡矣倉帝所制乃古文虫篆孔壁古文科斗書即其體也魏畧言邯鄲淳善倉頡虫篆是矣自倉頡至周宣皆倉頡之體也宣王紀其史籀始作大篆十五篇號曰篆籀與倉頡一體所謂古文因而用之衛恒云倉頡造書因而遂滋則謂之字字有六義至三代不變改孔穎達云倉頡至今字體雖變而六義不易天爲雨粟鬼爲夜哭龍乃潛藏著績別生正名字號升封于介丘紀文字以昭異世而文治日昌矣治百有一十載見渾天記都于陽武開封浚儀縣即春秋之陽武地記云開封東北

二十里有倉垣城及廟墓終葬衙之利鄉亭南書人裡之皇覽
云墳高六尺學書者皆往上姓名投刺祀之不
絶九域志鳳翔有倉頡廟今長安西南二里宮
張村有三會寺者記爲倉頡造書之堂斯亦未
然王充論衡云學書者諱丙日云倉頡以丙日
死按古五行書倉頡丙寅
死辛未葬盖五日始葬其後有倉氏史氏侯
氏岡氏夷門氏倉頡氏建康廟未詳所始然其
来必自六朝省部所祠宋嘉定十年李珏始加
增闢十六年余嶸寶慶元年立壽邁皆相繼修
崇歸附後有司以春秋仲丁致祭申請廟額曰
光文士民祈禱以正者必應前志云倉史王有四目者掌籍掌筭

開聰追失三聖者籍筭爲其一開聰爲其一追失爲其一能明此三事故曰三聖所主官府文籍計筭忌失所在官府建祠王生而聰慧正直忠節乃三月三日聖誕世人多不知其生辰者遂致湮没于今徧行詢問方得此實行在省部徃徃立其香火祭祀不絶此間名之曰三聖省部奉之曰至聖倉史王名一號雖異其實一也上有四司二官如府之六曹一曰舉畱二曰開聰三曰證記四曰追失内有一事灾咎隨其所掌誠心禱之無不感應又掌人之休咎灾祥無不關涉别有羊頭三聖者行在亦有祠乃七國時功臣旌忠是其封令南門外越臺正是其祠若比之府之三聖非也

李王廟在城東南十里南唐李主也里俗呼曰李帝廟歲時祀之

廣惠廟在城東三里廣德張王也

義勇武安王廟在城內東南隅御街東宋慶元閒建王即漢將關羽歷代封贈具見祀典

五龍眞聖廟在城內正東隅新街北宋端平乙未孔都目建

梓潼廟在城內正南隅本廟街宋端平二年轉運判官高定文建神即文昌帝君詳見洞神祠下

曹王廟舊在江寧社壇之前王諱彬謚武惠宋開寶閒統兵平江南不殺一人邦人感之故立

祠焉歲久祠廢後人但以土地祀之事見年表

褒忠廟在城南門外宋建炎三年立褒楊邦乂之死節也詳見年表及本傳

旌忠廟在城南鐵索寺之東南宋紹興三十一年金人犯淮西御前統制姚興獨以一軍與戰于尉子橋鏖戰數十合援兵不至竟歿于陣將死猶手殺數十人樞密葉義問以聞贈觀察使命立廟賜額

忠節廟在城東三里與半山寺相望宋隆興元

年江淮都督張浚命李顯忠邵宏淵復宿州宏淵將王珙深入賊營戮力鏖戰自辰至申手殺甚衆竟戰歿督府以聞贈閬州觀察使命於寨前立廟賜額忠節珙字伯謙德第三子戰時帥所部絳衣鐵冠所向辟易

惠澤龍王廟在水西門裏大軍倉東政和中建

牛將軍廟在城西南隅竹街宋末樊城死節勅贈節使廟額忠烈

蜀三大神廟三神有德有功載在祀典俗謂清源君梓潼君白匡君也制使姚希得蜀人分閫金陵日度地青溪之側鼎創祠宇其旁又建道室爲櫝燎之所

取管下洞神宮額以名之

國朝延祐年間改三六神祠爲佑文成化祠加

封梓潼帝君金陵廟廢不治泰定年間盱江江

廷揖住持宮事重加脩建詳見後洞神宮下

曹南王祠堂建在正北隅柴街寶戒寺側至正元年閏五月初六日奉

勑建中書省左丞許有壬撰碑曰至正元年二

月乙酉中書臣僚言

勑建曹南王阿剌罕祠禮部議視淮安忠武王

而祠于集慶縣官給其費且請賜田千畝以奉

祭祀

制曰可既月王之子脫歡由中書平章政事拜

御史大夫行臺江南臺治集慶又得躬相厥役

以迄于成貽書有壬曰子嘗承
詔銘先王知先王莫子若祠落矣頽紀也讓不
可乃本其碑擷其家世履歷勳庸之槩曰蒙古
札剌兒氏有贈定威佐運功臣金紫光禄大夫
司徒謚忠定諱撥撒者王祖也贈宣忠靖遠佐
運功臣金紫光禄大夫中書右丞相謚桓毅諱
也柳干者王考也勳皆上柱國爵皆曹南王身
皆死所戰有大功祖妣塔拜妣滅列皆封王夫
人此其家世王沉毅善戰襲桓毅職中統四年
賜銀章虎節仍上萬戶至元十二年擢昭毅大
将軍以上萬戶權行中書事進中奉大夫行中
書省叅知政事明年以叅知政事行江東宣慰
事明年入
覲陞資善大夫行中書省左丞十六年進資德
大夫行中書省右丞仍宣慰江東十八年入
覲拜中書左丞相行中書省事階光禄大夫征
日本次明州而薨壽四十九葬曹州濟陰郭村
累贈推誠宣力定遠佐運功臣太師開府儀同

三司上柱國追封曹南王謚忠宣此其履歷歲己未渡江破宋師于龍興北山中統初討阿藍觧兒渾都海于河西明年扈征阿里不哥于幕北明年從宗王平李璮于濟南四役皆有奇功賜黃金金箙金鞍文錦恩數稠疊至元四年觀兵襄陽明年圍之越六年克之始走宋師南門俘獻盪舟之策渡沙蕪取鄂州泝江陵至鎮江十二年與右丞相淮安忠武王伯顏分道取宋王發建康與宋師戰屢敗之破東壩砦拔溧陽建平廣德四安長興關獨松關前後斬首一萬五千級殺其將杜總管吳奉使許吳二總制及騎將二人俘谷總制張知府裨將祝亮等四十二人十三年三軍會于杭宋亡徇浙東降趙提刑等五百餘人追擒福安僵尸四十里殺步帥李世達俘秀王與擇監軍趙由𢡟防禦使林德降安撫使王吉分軍興化擒宋相陳文龍降宋官二百餘人淮兵三千人江南遂平此其勳庸配脫端閭閭倫忽都臺並封王夫人子男二長

也速迭兒銀青榮禄大夫山東河北蒙古軍大
都督集賢大學士次大夫也女五俱適望族有
壬惟古者功臣受封之國先建宗廟於路寢之
東所以廣孝而勸忠也諸侯之制二昭二穆與
太祖之廟而五太祖百世不遷昭穆則侯親盡
而遞遷之自漢以來諸侯鮮及十世身享崇爵
而子孫不能保也廟制由是弗講矣其有德及
生民功施社稷者在朝廷則有圖形以寓其思
賢念功之意在其臣吏則有建祠以盡其事亡
如存之心亦因時制宜之義也諸葛武侯之没
也所在求爲立廟又請立之成都後主皆不聽
民致私祭於陌上以武侯之功尚何靳於一廟豈
欲黜私祭以崇正禮邪夫所在立廟在禮若況
立之成都亦復不聽何哉至習隆向充之請始
聽立廟沔陽則武侯之得廟亦戛戛乎其難哉
皇上於忠宣既立之祠又錫之田思賢念功之
盛德豈區區蜀禪之所知哉大夫祗順德意克
篤前徽勸孝勸忠於是乎在皆可歌以薦者也

乃為之詩俾歌以祀焉其辭曰乾元統天乘六
龍宏材碩德如雲從忠宣天挺間世雄父翁子
播昏作農
帝曰來汝汝世忠奮戈無往不奏功方城頷頷
睽皇風分兵犄角乘其墉沙蕪飛渡星月濛順
流震擊無遺鋒義旗禮干趍獨松灘孤端壁吳
山空萬邦玉帛四海同台司兩轄昭報崇虎符
龍節行江東倭奴何物勞蒙衝魂升海隅心九
重揚顯有子能始終哀榮典冊備旦隆衮旒冕
舄曹南封石頭城高江流滚新廟奕奕摩蒼穹
圭田千畝畝且鍾維穈維芑紛穋種春揄釋烝
簋有饎醇醲載裸牲特豐備樂舞兮明祀容神
來假兮福攸降象賢濟美垂
無窮詳見前圖攷并年表

禹王廟在保寧坊磨盤街口其地有溝名建業溝又封崇寺街亦有廟俗呼平水大王

侯將軍廟侯瑱與王琳戰於烈山下大捷土人以瑱功烈甚盛故名山曰烈祠之

劉將軍廟上元縣治西有廟街北相傳南唐劉仁贍廟也

五龍堂在城北古太一觀基近玄武湖今廢屬金陵鄉去縣八里南唐保大八年改舞雩祠十三年有玄元尊像乘一木流於江及岸止道流迎奉徐鍇爲記

孚澤廟在玄武湖側去城西北一里宋文帝時黑龍見湖側時人號黑龍潭廟祀之紹興中禱雨輒應張燾以聞賜額

嘉惠廟在城東南二十五里紹興元年賜額慶元志丞相沈該攺和中作邑上元禱雨應刻詩于祠

靈澤夫人祠在長干寺後龍池側事見曾文昭公曲阜集云

炳靈公廟新橋西南唐昇元中置五代史後唐長興四年封威雄将軍至祥符元年封炳靈公令廟中有化紙鐵盆上鑄南唐年號衆鑄入三郎君廟按搜神廣記神東嶽第三子又稱東嶽三郎

武烈帝廟在永壽宮西南唐書常州有陳果仁祠越人寇常州柴克宏帥師往救果仁見夢於克宏曰吾以人陰兵助爾及戰有黑牛二頭衝突越兵克宏繼之大敗越人克宏奏封武烈帝今按果仁事見唐書沈法興傳盖隋末嘗保據常州本廟在常州徐鉉集有武烈帝碑潤州志唐贈忠烈公有諸道行營都招討判官顧雲銘搜神記神字子威宋宣和中加封及賜額柴克宏爲佐神封靈翊将軍慶元志廟在天慶觀西廟堂後水一壁乃毗陵董

羽畫世傳名筆今不存不知其勳畫壁亦罕傳句容志廟在東門内溧陽志忠祐別廟在縣東門外陸子遹重建延祐五年本州准常州路牒勑加封武烈顯靈昭德仁惠孚佑眞君

二判官廟在城西門裏鐵塔寺西南百餘步事迹云舊本延祚院土地神唐會昌中寺廢景福二年神託夢里人復夜見火光連天人潛窺見炬篝熒熒焉因就其地建廟

白石廟案宋書晉咸和三年蘇峻亂溫嶠等入伐立行廟於白石告元帝元后曰逆臣峻傾覆社稷毀棄三正汚辱海内臣亮等手刃戎行龔行天伐惟中宗元皇帝肅宗明皇帝明穆皇后之靈降鑒有罪勦絶其命翦此群逆以安宗廟臣等雖殞首摧軀猶生之年謝靈運撰征賦造白石之祠壇戮二凶之無君謂此其地在白石陂今廢

九州廟 按宋書明帝立九州廟於雞籠山下大會群神云

[illegible]微廟 在城東北九里蔣山西 宋明帝立祀王行帝廢基猶存

興德王廟 在蔣山蔣帝廟北去城十三里 唐末吳天祚三年神見先主夢中因立廟廢基猶存

助國王廟 在城東北十八里 今[illegible]山王廟南唐取鐵山下遂改助國大王廟廢

青溪姑廟 在今府學東與上水閘相近 案輿地志青溪岸側有神祠世謂青溪姑南朝時有靈異舊傳隋平陳張麗華孔貴妃死於此今祠像有三婦人蓋青溪姑與二妃也慶元志廟在今上水門東異死曰青溪小姑是蔣侯第三妹南朝甚有

靈驗嘗見形云又類說趙文韶仕青溪月夜唱烏栖飛忽有青衣至曰王家娘子傳語聞君歌聲有闗人者須臾女子至容色可憐文韶乃歌深契女心曰但令有瓶何患無水取箜篌鼓之令婢歌繁霜自解裙帶縛箜篌歌曰日暮風吹棄落依依丹心寸意愁君不知窮夕別去明日至青溪廟中女姑神像皆夜見者荊公詩已無溪姑祠何有江令宅今恐非故處案此本溪神祠後人傳在三城東隅三姑廟小廟今

白馬廟 慶元志在江寧縣隨車鄉秦淮南岸去城三十里宋顧琛傳景平中顧琛爲朝請還東日晚至方山下于時商旅數十船悉泊東岸側有一人朱衣介幘執鞭屏諸船云顧吳郡部伍尋至應泊此岸於是諸船各東西俄有一假裝至事力甚寡仍泊向處人問顧吳郡早晚至船人荅無顧吳郡又問何船曰顧朝請

耳莫不驚怖琛意竊知爲善徵因誓之曰若得郡當於此立廟至是果爲吳郡乃立廟於方山號曰白馬廟今按秦淮東上元崇禮鄉地有廟與史方山下東岸合隨車地名般巷二廟隔秦淮相望里人各祀之

張僕射廟在城西門外十里事迹編云舊經唐天祐中有清河張司徒營建金陵百姓懷而祠之今呼張僕射廟北去城四里南唐張懿公墓道在焉或云即僕射也名居詠字德之嘗爲持進太子太傅未見爲司徒也

周江乘廟在攝山頂相傳吳時人蓋賢令也

韓將軍廟在城西門額大吳韓將軍廟唐末楊氏兵其人必有功者

阿罕廟在雞行街殺狗巷相傳金人殺掠時有不忍而救免者人記

其名立阿罕大王廟

新林姥廟 南史張敬兒於新林姥廟中爲妾祈子自稱三公不詳其所

李氏女廟在三山 李氏名琦字温叔都官外郎幼女也八歲能賦詩後適江夏王常同汎舟射利江湖間妻徹爲江州作清風亭記常方歎美琦曰未之盡也何不云好山緑水萬里有盡處清風明月千古無老時一日舉其文於徹徹卒用其言爲破題不久常死琦溺舟三山磯下後三日尸忽出水中土人異之立廟

楚善提王廟舊在攝山前今徙棲霞寺内 稽神錄攝山記皆云神即楚靳尚以讒譴爲蟒穴於山齋永明中有僧爲授菩提戒立祠山下號菩提王事甚迂怪亦見江總棲霞寺碑云

蘇大將廟 舊在上元金陵鄉張陣湖側按南史宋明帝即位四方逆命與蘇侯神結爲兄弟以祈福助事平與建安王休仁書曰此段殊得蘇兄神力加峻驃騎大將軍云

句容縣城隍廟 在縣治南

三茅真君廟 、縣志大元真人內傳曰漢明一年詔勅郡縣脩守丹陽句曲真人廟陶隱尸此廟今猶存在山東平阿村中有女子姓尹爲祝逮山西諸村並各造廟大茅西爲吳墟廟中茅後山上爲述墟廟今並不知處惟昇元觀名鶴廟在祠宇宫之上以茅君分理赤城每年十二月二日駕白鶴會於此紹興戊寅春重建廟巖肅工興丹光現舊基

張王廟 在句容縣南鈴塘廟北有張墓數百畝人

紹興經界時蠲賦禁民田東有石柱前有陂池相傳王飲馬于此又有[illegible]後廢寺及孝宅硯池舊縣官禱祈香爐移轉不已有碑記其事舊額忠佑靈濟廟信安盧襄書今廟額曰正順忠祐靈濟昭烈行祠以顯跡桐汭反以此爲行祠

廣濟廟句容縣志天聖覲祔龍神祠貌前有龍池昔陶隱居遷雷平池小龍豢養於此歲遇旱池禱雨府縣官迎請致醮每應紹興間賜額淳熙紹熙間勑兩封敷澤廣應侯

文孝廟在句容東門內昭明有宅茅山邑人祠焉

劉明府廟在句容東門內晋劉超爲邑宰有德政在民

沈史君廟乾道志在句容縣北下蜀鎮西北又

有沈公橋神即宋沈慶之也縣志曰昭靈侯廟有祝文畧曰淳熙六年六月旣望從
政郎張巖謹再拜寓文告于建康戊山沈侯之
廟曰惟侯武勇勁正生爲忠義死禍福一方後
其子佋書曰先公赴舉江東乞靈得卜尋登第
越十年而寓前文以私錢助飭祠宇又四十八
年佋濫爲宰遂書文于板以顯侯靈

達奚將軍廟乾道志在句容縣東門內縣志白
羊門內東見古迹仁戎壘注

盧大王廟在句容縣西北東陽鎮市東父老傳云盧綰
也無碑刻可考慶元志鎮江周孚嘗至祠下曰
盧綰也考南唐史綰仕江南至昭武節度使城
圍日頻立戰功及金陵城陷募驍勇敢死千餘
人行收敗卒由宣歙長驅入福建循海聚兵以

小三八九十九

圖興復不果而敗
忠於所事者也

射烏廟在射烏山下去句容縣北五十里或傳爲羿

靈濟張太尉等廟句容縣志張太尉廟在東門內久廢有靈濟王廟在在縣南十五里縣志作靈濟廟龍光廟在縣東二十五里武烈帝廟見前茅司徒廟在茅山事見溧陽天王廟在縣城東角

漂水州城隍廣惠侯廟在州東百步蓋唐縣治基也神即唐縣令白季康祈禱必應宋元符中邑民俞琢率衆建廟紹興九年李朝正請于朝賜額正顯十七年封廣惠侯淳熙元年脩王端朝作廟碑十六年加封孚應寶慶元年加封順濟二夫人加封四字開慶中加封顯佑二夫人加封六字景定元年權縣趙介如以唐中

書令敏中侯之子尚書居易侯從子也闢西廳立祠曰有唐文獻之祠五年封顯德公夫人河東薛氏高陽敬氏皆加封子三人皆特封侯君易特封昭文侯咸淳四年邑人津顯應閣樂天集有侯墓誌銘曰公諱季康太原人秦武安君起之裔胄北齊五兵尚書建之五代孫也曾祖諱士通皇朝利州都督祖諱志善尚醫奉御父諱鏻揚州録事參軍公録事次子歷華州下邽尉懷州河内丞徐州彭城令江州尋陽令宿州虹縣令宣州溧水令歿于官舍明年某月某日歸葬于華州下邽縣某鄉某原享年若干嗚呼公為人温恭信厚為官貞白嚴重友于弟兄慈于子姪鄉黨推其行交游讓其才自尉下邽至宰溧水皆以廉潔通濟見知於郡守流譽於朋僚才不偶時道屈於位而徒勞於州縣竟不致于青雲命矣夫哀哉公前夫人薛氏先公若干年而歿生二子一女女號鑒虛未笄出家長子某杭州於潛尉次子某睦州遂安尉後夫人高

陽敬氏父諱某某官生一子二女女皆早夭子曰敏中進士出身前試大理評事歷河東鄭滑邠寧三府掌記夫人在室以孝敬奉親為淑女既嫁以柔和從夫夫為順婦及主家以慈正訓子為賢母故敏中遵其教飭其身昇名甲科歷聘公府以文行稱於衆以祿養榮於親雖自有燕材然亦由夫人誨導之所致也夫人以大和七年正月寢疾終于下邽別墅享年若干明年某月某日啓溧水府君薛夫人宅兆而合祔焉禮也時諸子盡歿獨敏中號泣襄事託從祖兄居易誌于墓石銘曰繄我叔父溧水府君治本於家事施政于縣民繄我叔母高陽夫人德脩於室家慶積于閨門訓著趨庭善彰卜鄰故其嗣子休有令聞

楚平王廟在溧水州南十里即平王都舊址也

乾道志吳越春秋云楚平王都固城者周威王封熊繹子男之田於荆蠻之地靈王立與敵曰

尋干戈邊鄙不寧時吴軍失利乃陷瀨渚至于王用佞臣之言殺太傅伍奢并其子尚子胥奔吴吴用之破楚而入郢其廟朝寔廣明元年重脩知縣周邦彦詩姦臣亂國紀伍奢思結纓殺賢恐遺種巢郊同時傾健雛脱身去口血流吴庭達士見幾微楚郊憂苦兵十年軍入郢勢知波捲萍賢亡國嬰難王死屍受刑將鬣七世鄭先壞百里城子胥雖捐江素車駕長鯨鱉濤寄怒餘遺廟羅千楹王祠何其微破屋風泠泠蟄蠡陷香案飢鼠懸燈檠淫俗敬魑魅何人顧威靈臣冤不讎主況乃鋤丘塋

報應若不直吾將問冥冥

左伯桃羊角哀廟去溧水州七十五里今廟中像羊左居左右介子推位其中未詳又近地有子推墓地名介墟恐後人併其廟爲一尔舊志廟在溧橋路東五里又有地名介墟在近後人因敬羊左義烈併塑子推像祀之然土人但稱羊左廟

荆將軍廟去溧水州南四十五里孔鎮南大路西高陂古城内舊經云荆軻祠未詳蓋以羊左事見尔

聖母廟在溧水州東十四里蓋中山神俗號俞母俞毋救切南唐昇元六年邑宰廢淫祀惟此廟獨加脩建秘書省正字賈彬作記石刻已亡耆老能倍記元豊元年春旱禱雨而應邑人胡無競重刻石畧曰有唐中興文軌未一天子宵旰恵于烝人疇兹賢才以理郡邑詔琅邪王公出宰畿甸公每覩衆心尚崇淫祀不有取舍那分否臧爰採地圖稽之故事古之諸侯今之令長得祀境内以祈有年有若聖母享于是山其名中山其神后土將設廟貌胡為不然其餘叢浮所宗土木之設並從毀拆無或興妖有以見公之去邪蔑慝為政以德愷悌君子其在兹乎將仕郎試秘書省校書郎桑貞矩書

張將軍廟在溧水州東南二十五里俗呼烏鯉廟禱祀有應民敬事之州志事迹昔民有女行田野間感黑龍而孕後産鯉魚遂投水中復變化隨母所遊後乘雲去每春時必至墓上禱雨暘隨應

劉府君廟在溧水州北三十五里方壚淳祐十六年太學進士杜子源記曰溧水縣北之柘塘劉府君有祠舊矣禬禳禱祈輒響答端平丙申里民以棟橈將壓補其敝且藻飾之一夕繪工有醉酗嫚褻者傍觀爲髮立汗下詰旦起視則雉經而死尉陶君季治被縣檄驗視爲廟素以靈著而今以是汗爲弗靈矣遷火之已而風簾月幃變詭幻怪幾不容以一息安於是翻然悔皋規復其初鄉之著姓濮君智明首以義倡時嘉熙己亥秋八月也未幾戎馬突至居廡逴寧其後因之水旱田萊多荒不潰于成淳祐甲申乃始屬

役殫力竭慮君已作室雪脊朱扉林薄映照揣
高度廣視舊有加位置貌象舉以法故洋洋如
在民盐敬憚其子桂發求予記稽諸志乘及裴
晉公所著隧碑府君歸葬于鄉今州北三十五
里曰劉墓者是也其門人韋乾度王良士鄭郡
合十餘人琢石爲碑顔魯公叙送伯氏西遊亦
後其鄂不移華之盛晉魯二公亦勲盛德日星
儷明千載聞風者袛歛色悚而於府君稱道如
昇嗚呼金陵古帝王州達官顯人累累丘壠鮮
有氏其地者屋而祠之尸而祝之歷百千歲如
一日府君之德如此而書汗簡者獨甚約幸記
晉公之筆以傳而又不幸缺裂敲礪之餘淪墜
劉亭之所非有賢大夫如戴公挈而出之則其
名行泯没蒼烟衰草間然則扶斷刻於垢汙新
廢祠於煨燼其好古樂善有神風化一也裴竟
撰神道碑公諱太眞字仲適族彭城晉永嘉末
衣冠南渡遂爲金
陵人詳見本州志

溧水州諸行祠

東嶽祠在州治東張真君祠在臨淮門外五顯祠在永安門內

溧陽州城隍廟在州東南挹秀門內

顯惠廟在溧陽州北二十里函山下後漢司空驃騎將軍溧陽侯史崇廟祈禱屢應大觀元年賜額政和三年封靈濟公舊經以為溧陽史氏之祖故又號史祖廟廟有禱雨靈應記南唐昇元三年知鎮縣事郭延沼立案唐制方鎮兵戍州縣者謂之鎮兵將曰鎮將知鎮縣事者蓋以縣令兼將鎮兵如今郡守知軍州事也

貞義女廟在溧陽州西北四十里瀨水上唐李白作碑淳熙五年重刻碑云溧陽黄上里史氏之女即以飯食伍子胥自投於水者

趙城明王廟在溧陽州趙城內明王蓋城之土地神州志廟有

記唐中和二年鄉貢進士林雲撰神諱禹獨立漢庭秉持邦憲關東江南飢民爲盜王整師掃蕩吴楚晏清拜分茅土分王東平令州有趙城即當時屯軍之地後人思之立祠大曆中義興縣豪民張度聚衆數竊至趙城東二十餘里驚風駭浪人溺舟沉乃茲神力水旱禱祝剋日應期今案漢書趙禹部人也爲丞相史稱廉平選爲御史至中大夫歷中尉少府廷尉後以壽卒于家其事不合禹以異姓封王史必不畧詳雲碑意似指漢宗室爲王者然不可攷矣

梁城廟在溧陽州古梁城內相傳昔梁王國於此

赤鄉將軍廟在溧陽州東北二里屠塘右舊經云城樂鄉侯史崇之將也

武程將軍廟在溧陽州青安門外

高鄭二王廟在溧陽州北街慶

伍相廟在溧陽州護牙山下

聖姥廟在溧陽州曹姥山下

潘真君廟在溧陽州三巑山下寰宇記云潘氏兄弟三人得道化白鶴衝天後人思而立廟祈雨有應

白鶴廟在溧陽州朝山下按茅山昇玄觀有白鶴廟事州志舊經云昔僊人釣魚於此鑊鶴来朝集廟屋上因名石上有僊人迹

東嶽茅司徒莘廟案舊志東嶽廟廣惠張王廟五通廟並在溧陽州西門内

忠祐廟見城内武烈帝廟茅司徒廟事迹云稽神録浙西僧德林少時遊舒州路見一夫荷鉏

治方丈之地左右數十里不見居人問之對曰頃時自舒之桐城至此暴得痁疾不能去因臥草中及稍醒巳昏矣四望無人惟虎豹吼叫自分必死俄有一人部從如大將至此下馬良久召二卒曰善守此人明日送到桐城縣下遂上馬去倏忽不見惟二卒在焉㝠即強起問之答云此茅将軍也常夜出獵虎憂汝被傷故使護汝更欲問即答曰巳出矣不復見其二人即起而行意甚輕徤至桐城頃之疾愈以所見之驗立祠祀之德林止舒州十年及回則村落皆立茅将軍廟今俗呼茅司徒在溧陽州東門外一里舊志同

祠山眞君廟 在溧陽州招遠坊

五顯華光樓 在府城西隅賞心亭側神蓋五行之精古有五祀道書謂之靈觀大帝祠廟在所有之江東尤盛占林石之旌爲妖則亦五行之沴氣耳

宮觀

大元興永壽宮即舊天慶觀在城西門內崇道橋北南宋廢國學置總明觀地即吳冶城晉西州故址總明觀廢道家者流以儒觀之名爲道士觀楊吳於其地建紫極宮徐鉉作記云冶城峻址西州舊宇卞眞公之遺壠郭文舉之故基宋大中祥符間改爲祥符宮續改天慶觀建炎兵火紹興十七年重建舊太乙殿基即郭文舉讀書臺也在聖祖殿後冶城樓忠孝亭在觀之

右歸附初冶城樓廢燬別建冶亭元貞間改額
玄妙觀天曆 潛邸屢幸之觀主趙嗣祺陳
寶琳應對稱 旨尋陞觀爲大元興永壽宮
改冶亭爲飛龍亭賜嗣祺號曰虛一先生寶琳
曰虛白先生令有司新其宮宇出南行臺贓罰
鈔以供用費
皇上即位之明年又撥鈔二千定成其功遣匠
作臣造天神像累賜金旛寶香嚴其祠事至元
二年降

璽書命主其宮者甲乙次第之翰林學士虞集記飛龍亭畧曰
昔在 潛邸東南海嶽湖江之上車轍馬足有
所至焉則守吏民庶與感榮幸隨而表之以識
其愛慕之意既登大寶自天光日華之所被及
山川草木與有榮耀則必有所述以示乎天下
後世若集慶路大元興永壽宮之飛龍亭其一
也亭成久矣而宮之住持道士賜號虛白先生
臣陳寶琳始録其事即臨川山中求臣集記之
亭本治亭宮本玄妙觀集慶本建康路皆所賜
名也方在金陵時 行邸去冶亭爲近上時時
遊焉一日傳命且至臣寶琳出宮門迎候逾時
從官已奉供具及門則知已至冶亭久矣引鍾
山之形勝俯城郭之佳麗頤瞻徘徊悠然有化
育之洽焉從臣以寶琳見 上咲曰道人何避
客之久也寶琳頓首俯伏請罪 上曰山徑幽
雅取便而至宜爾之不知題冶城者虞集今何
在也皆對曰今在翰林充學士命王僧家奴摸

而觀之因藏諸篋問寶琳何以字玉林也則對曰道士燒金石爲丹須抽鼎中狀如瓊林玉樹故取以爲名上曰當雪時吾登此亭目力所及樹木皆玉也豈不易知乎更謂之雪林後臨御別書雪林字賜近臣趙伯寧而寶琳仍字玉林矣謂寶琳曰吾出游數勞人不如山行之便可作柴門嚴扃鐍以待予之往来自是數至寶琳野人見上之樂而忘其微賤或持酒引孫欣然爲留亦不責也天曆已已寶琳與其宮之住持趙嗣祺朝京師始製先生號以賜金陵道士之嘗得見者嗣祺曰虛一先生寶琳曰虛白先生得之者纔二三人耳蓋異數也時賜新宮名而冶亭名飛龍矣明年之三月二十五日臣集侍立奎章上顧謂曰汝猶憶冶亭乎亭旁松當加長茂臣集對曰臣集到冶亭時未種松也上曰游冶亭見卿書以爲繫千載之思實繫于懷因命臣集書宮亭新名以賜而寶林特歸賜南御史臺錢若干新其宮所謂冶亭

者既名飛龍加飾楹桷置
御榻其中重覆而謹視之别作亭其下仍曰治
亭群臣公卿大夫賦詠咸在又爲亭以當鍾山
之秀名之曰鍾英宮成行臺御史大夫中丞以
下及郡縣守吏咸集于此以俟
天子之賜矣嗟夫亭成至于今十有一年而
先帝棄臣民將八年矣微臣辱在草野未先朝
露詎能爲賓琳執筆以述恩光之萬一哉於惟
天子仁孝純至勛華相承羹墻之見無有遺思
先帝神靈在天陟降上帝雖曰不可度思而日
月所照霜露所隊頥懐下土於萬斯年臣民之
瞻仰烏有窮已乎臣集故丕述事亭石以昭示
於來者至元五
年十一月記

自改飛龍亭後更作冶亭及鍾
英亭極冶城之勝云

洞神宮據景定諸志舊在蔣山太平興國寺東

有古基階級存焉制使姚希得創蜀三神廟於青溪側景定四年就其旁創道宮以爲祈報燎熛之所因以洞神舊額加之命道士王道立爲知宮俗呼洞神宮蜀人文復之爲記田產有碑歸附後久廢不治盱江道士江廷楫以泰定初年住持宮事始修宮祠復其田土於舊溪光山色亭基剏青溪堂李孝光撰記建業東有老子之宮曰洞神在鍾山之下歲久而撓宋景定間留守姚希得居守建業希得蜀人久宦不得歸乃作蜀三神祠建業青溪陼中俗相傳言江總故宅所在希得者祠祀令佛老子之徒守之乃得不廢遂徙

鍾山故宫並樹焉又大出金布為置次舍土田園池芻蕘之地屬道士王道立守之事在文復之記祠語中宋且云土田散屬巨家祠亦弛弗治其徒夢神人告曰後有公孫止吾宫則祠且復興延祐六年盱江江廷楫濟川寔來始至啟青溪上行視祠東西大為惕然於是脩三神之祠明年又益樹壞垣改作兩廡始完而御史中丞納璘侍御輔之治書侍御史禿堅不華監察御史桑加達思過見之聞祠祀土田屬巨家使有司悉按故籍歸其土田皆已復其舊濟川乃曰吾徒聚居以學道道清淨而離世然不可以褻故有齋居居之室乃作室祠北曰青溪之堂堂成屬余記之客有問於余三神者皆蜀人生有功於蜀沒廟食其縣何以得祀於他邦余曰先王為祭法凡為民禦菑捍患而德在生人得著於典祀夫三神有功於蜀而為蜀德然其法則可施於天下世徧祠固宜今夫公卿大夫有民人之責苟能推上之膏澤以利之則民甚德之且生

祠之以報其仁至於他縣之民亦願欲望見幾
幸一臨蒞之以求得其所願此無他以為能德
己也繇是言之推民之所為事神可以少媿鄉
大夫之不為民德者是故有功於人人思之矣
獨事神哉余感濟川之用勞若此故為言焉以
尉問者之意又為之詩樹祠之所始濟川江丞
相之諸孫始仕矣不遂去脩老子氏之道別自
號野舟云其詞曰耽耽神棲自鍾陵徙青溪之
崎江令之里三神並樹蜀人留守我閩三神皆
谿篤生受命上天輔此衆萌鑿江灌田黍稷如
京惟孝廉氏帝使司文神光下燭其煒如星廟
食蜀都皆號神君徧祠于楚貴並公社民飲食
神奠椒懷糈始隆中弛梲而復宇宇俄而作珎
木具羙疾猶鬼輸輦其有頻藥井璿房僊聖至
喜神鼇扶宮宛在中央若裨海九環以大瀛
哉沈沈上與河通宮室清淨幽人所棲澹泊無
欲觀其天倪辭祝
聖人與天地齊神有報民則多祉福宜稼于田

旄倪大樂時神之休惟
皇壽穀

報恩光孝觀在報恩坊街觀基係陳朝進奏院故址宋崇寧二年置觀賜崇寧為額政和元年改為天寧萬壽觀紹興九年諸路天寧萬壽觀並以報恩光孝為額專充追崇徽宗道場近年重加修建

崇禧萬壽宮在茅山華陽洞南門之東即舊崇禧觀唐史方技傳道士王遠知少聰敏博綜群書初入茅山師事陶洪景傳其道法高祖之潛龍也遠知嘗傳符命太宗平王世充與房玄齡微服以謁遠知曰此中有聖人得非秦王乎太宗以實告遠知曰方作太平天子願自愛也太宗登極將重加禄位遠知固請歸山正觀九年潤州置太平觀以廐之舊圖經云晉陶隱居創後為永嘉館復為嘉道館以待四方之衆

小四九五

即此也後號太平觀為盜所焚南唐昇元初重建宋祥符元年因祈禱改名崇禧觀建炎四年燬于火紹興中再剏陶弘景傳云大茅中茅間有積金嶺先生於嶺西立華陽上下館舊記云崇禧觀即梁貞白先生陶君華陽下館茅山記云太師益國公以金帛建造觀宇粗備先是真宗祈嗣茲山獲應每歲建金籙道場七晝夜内降青詞朱表并降香施料命句容縣宰充代拜官設醮于此由是總轄諸山此觀為甲張商英撰碑銘今延祐六年改為宮

玉晨觀 世人稱為茅山第一福地高辛時展上公周時郭真人巴陵侯漢時杜廣平東晉楊真人許長史父子唐李玄靜南唐王貞素並在此得道梁時陶隱居於此精脩為朱陽館唐太宗時為華陽觀玄宗時為紫陽觀宋大中祥符元年九月改為玉晨觀在雷平山北

古太平觀在茅山側梁時陶隱居讀書萬餘卷善琴碁為諸王侍讀永明十年挂衣冠神武門居句曲山立館號華陽陶隱居宋元符中改太平觀即前崇禧觀基也

崇壽觀在大茅山下華陽洞南九錫碑云宋太始中廬陵太守魯國孔嗣之為道士華文賢建舊記云晉任真人舊宅宋元嘉十一年路太后建未詳孰是齊建元二年立崇玄館為太子嘗臨之重廣基堂唐天寶重脩宋大中祥符七年賜今名張天與譔茅山志載在華陽洞南

下泊宮在中茅西茅山志云大司命君以漢地節三年自咸陽昇舉徑来句曲外立茅舍以候二弟處也隱居云父老相傳是司命故宅唐貞觀十一年重立碑黃洞元文

元符萬寧宮在積金山三茅記云嘉祐中有蜀人王畧於積金山結廬

以煉丹藥後因事捨去劉混康初入山居之宋哲宗召混康赴闕詔以所居為元符觀崇寧五年徽宗題其榜曰元符萬寧宮建炎四年為盗所焚楊沂中以私財建造殿堂

祠宇宮 在中茅峯西垂 舊記云唐天寶七年勅於廟下立精舍度道士焚脩屯田員外郎栁識撰碑

華陽宮 在積金山西 舊記云本貞白之上舘唐天寶七年勅度道士焚修後燬於兵宋政和中重建

乾元觀 在茅山大横山下 陶隱居真誥定録言大横山下有泉昔李明於下合丹而升玄洲梁天監十四年陶隱居翔鬱罡齋室以追玄洲之蹤天寶中玄静先生居之制旨建置殿堂臺榭甚多皆明皇賜額曰棲真堂會真亭候僊亭道德亭迎恩拜表等亭

宋朝大中祥符二年國師朱觀妙於此結廬[illegible]行先賜集虛菴為額天聖三年九月改賜今額

天聖觀 在茅山積金峯上 梁天監初陶弘景開創池沼唐貞觀中建立道靖至德中賜名火浣宮唐末遂廢宋景德中張明真結廬於此祥符中御製觀龍歌送龍歸三茅山所得之池即此處也天聖三年九月賜名延真菴五年賜額為觀

五雲觀 在華陽洞西門五雲峯下 宋天聖中王文穆公欽若於此建菴景祐四年賜額五雲觀慶曆二年晏元獻公殊撰記後為雷所擊碎碑不再刻

抱元觀 在茅山栁谷泉上 舊名栁谷菴政和八年因陳希微脩行於此勅賜抱元為額慶元間王元綱重建

昇元觀 在中茅峯西 本名白鶴廟劉至孝三遇僊桃之所宋元祐中道士

大七十五

湯友成友直居之政和八年俞卓奏改今額

棲眞觀 在崇禧宮東 本名玉霄菴舊記云陶貞白中館宋宣和中賜今額

華陽觀 在崇壽觀西 舊名鴻禧院舊記云寶曆二年勑置即梁昭明太子舊宅丘徵君亦隱於此李德裕延太玄周先生有碑宋治平中賜名鴻禧觀至宣和初改今額

清眞觀 在大羅源中 宋政和中吴德清始營建為道人棲泊之所徽宗朝賜以觀額紹興間每歲三月十八日四方道人皆會於此齋時多有鶴至故謂之鶴會

燕洞宮 在茅山栁谷沂東 宮之東南有燕口山三小山相偶梁普通中有晉陵女子錢氏妙眞年十九辭家學道師事陶隱居獨處幽巖誦黃庭經積三十年佩白練入洞自後奉祀不絶至唐天寶七年興修為宮賜額燕洞宮度女冠以紹香火梁邵陵王為

記宋嘉祐甲辰野火焚之遂移
於句容縣紹興二十年復舊

白雲崇福觀在中茅峯西白雲峯下先是華陽宮知宮道
士王景温退居結廬于此紹興三十二
年名聞于上詔即所居爲雲崇福觀

永遷觀在茅山宋淳熙甲辰劉先覺以高士召賜對重華宮講南華眞經引疾
還山攜賜詩於抱朴峯誅茅
棲泊始名玉霄菴今改此額

洞玄觀在方山南輿地志吳赤烏三年爲葛玄於方山立觀後玄白日昇天
今方山猶有煮藥鐺及藥臼在
唐正觀六年併岩栖觀入焉

永樂觀在城東七十里上元縣境舊經云漢劉謙光捨宅爲
觀南唐昇元中重
修宋改爲崇虛觀

脩眞觀在永壽宮西舊在越王基臺下南唐保大七年置爲女冠觀宋開寶八年焚毀太平興國二年移置於此

葳眞觀在茅山疊玉峯南臨大路劉靜一先生解眞瘞劍之地宋朝大觀中建因賜額爲葳眞觀側有靜一先生墓

崇元觀齊建元中改爲崇元館唐天寶七年重修宋大中祥符七年改今額紹興末桐川石先生名元朴從楊亶甲學道結菴常寧鎭之南岡以醫濟人日織草屨一緉兼錢十文懸戶外樹使行者自取之寒暑弗渝也年八十八無疾而逝漫塘劉宰爲文祭之至元丙子以古額爲觀其徒嗣守藥室

元陽觀古觀名見顧況詩此觀十年游此房千里宿還來舊窗下更

取君詩讀今觀在茅洞之上隆興初吳興道人沈善智者宂居自稱洞主遇韓蘄王夫人茅氏爲創殿宇初名冲虛菴慶元間請額爲觀

紫陽觀 舊名**洞靈菴**建炎中河北博州道士王破頭者来山獨居丁公山東巖下夜夢神人指巖宂曰此酆都考訊之所可去洞百步居焉至秦檜殁夫人王氏純素諸靖真李宗師乞拜章知檜繫此酆山獄中王命其子熺即洞口建太一殿以求冥釋所施播與石記存焉至元癸未

爲觀存古額也

聖祐觀在大茅山頂延祐三年定額奉大君真應真君

德祐觀在中茅山頂延祐三年定額奉中君妙應真君

仁祐觀在小茅山頂延祐三年定額奉小君神應真君

青元觀在句容縣西南舊經云葛仙公宅梁監七年建有丹井在焉

崇真觀在上元方山下蓋即前洞玄觀宋避諱

改今名戚氏志云正殿奉葛僊公像葛氏環觀而聚居有名天麟者及知觀事陳元吉各有所述曰自吳立觀僊公飛昇後靈祥荐至白仲都輕舉相望從孫稚川復遊鄭氏之門而得其祖之學自是觀宇羽流日盛子孫亦並山而居不絶觀額至宋避國諱及僊公諱遂改今名而志失載耳至元十三年燬于兵火獨存遺像葛氏秀實建殿延道士周如一領之而觀以漸復以觀中南唐時戚珺等請還洞玄鍾碑觀之不及舊之宏麗矣然居人崇嚮眞侶来依亘山之境無水旱札瘥之患齋舘日闢樹植歲茂將復洞玄之規惟僊公藥臼及鐺莫究所在後山有丹井嘗在寶華宮内加以石闌護浄及建僊公殿宮碑具載宮隨發井上夜時有丹光驚飛有石湮塞近年人浚之利其所蔵既下聞風雷聲懼而出山中石星布虎伏二石相傳有僊公飛昇杖履遺跡道家閤皂山太極左宫符籙與三茅龍虎並行號三山天印地連三茅故出

閤皂宋嘗两封仙公曰冲應孚祐眞君其子孫猶多儒雅云

元眞觀 今在臺治南直街東慶元志徐鉉唐故道門威儀玄博大師眞素先生王君碑云天祐丁外避亂南渡至于壽春來止建康有玄眞觀者陳宣帝爲咸矜先生之所作也殿堂岑寂水木清華遊焉息焉今不詳其所宋末以舊額建於今址曰元眞觀

洞眞觀 在城中正南隅秦淮南杏花村至元二十七年郡人侯洞岾創道院延全眞道士陸智靜自冶城全眞西庵來居道教所定額曰洞眞菴後朱大堅主菴事泰定元年遂陞觀額

玉清觀 按實録梁大同三年置西北去上元縣五十八里南康令龖哲造乾道志在城東南四十五里方山之東唐

開成中重建

開元觀 在溧水州臨淮門外舊西城道院皇慶元年改今額

尋僊觀 乾道志在溧水州東南六十里梁置隣芝山燕洞上有石壇有古三門基舊經云昔茅君行道之所唐垂拱五年道士琢石爲茅君像重脩石壇今鄉名仙壇以此

白石觀 在溧水州東南之荆山去州六十五里舊傳卞和獲玉之地今殿內有卞和塑像觀有方池近池有楚靈王廟

遊僊觀 在溧水州西南八十五里舊居女冠

尋真觀 在溧水州西南九十里有許旌陽燒香壇舊菴基在觀

南五里地名壇子周邦彥有雜詠尋真觀詩云

通真觀本在溧水州僊壇鄉久廢宋紹興八年移白鹿鄉觀橋

陵陽觀在溧水州東南唐昌鄉今廢詳見崇德觀下

金陵觀在句容縣張允之建

元曜觀在句容縣王道憐建

元陽觀在句容縣張元始建

洞靈觀在句容縣皇甫冉有詩

僊臺觀在句容縣劉言史有詩

泰清觀在溧陽州東南州學左淳熙十年道士王靈和移溧水州廢額建

太虛觀在溧陽州盤白山晉盤白眞人得道之所簡文帝詔眞人宅造觀賜曰招僊宋大中祥符元年改今額賜銅天尊像一眞人像二觀有九井眞人煉丹藏井中觀西北有南唐隱士許堅放魚池東北有漢蔡伯喈讀書臺山頂有會仙亭基有銅鍾唐大曆六年鑄有銘州有齋永仙觀唐開元初宗先生法嗣建觀碑在今觀內乾道志鍾樓嘗欹側楊吳順義中一夕大風自正在州西南三十五里有周潘行濬先生墓在觀之前

幽棲觀在溧陽州北三十五里有幽棲伯祠堂州志紹興中尉朱大廉記曰幽棲觀舊梁普通二年有隱士號幽棲伯鍊丹成全家白日昇天其宅居道家流梁以其號名曰幽棲觀基延袤三十畝周圍有田有園廣半頃皆僊人之舊產舊有碑不存觀中有藏丹九井井泉甘美不減惠山觀東北有小阿號朝斗山山側有井云幽棲伯祭北斗器藏其中山之右有望僊橋當昇僊之際居人瞻仰而名也許堅題詩石刻尚存

黃山觀在溧陽州西南四十里黃山下舊傳西晉時有黃鶴眞人脩道飛昇唐天寶九年置觀州志宋屯田員外郎周絳少為道士一夕弃冠褐發憤讀書登太平興國八年第是歲及知常州日有書謝道友觀中藏之

崇德觀在溧陽州西南六十里唐長慶元年建

本名陵陽觀大中祥符元年改今額亦見溧水志水環觀西北隅曰蘭溪溪上有墩曰掛魚臺舊傳陵陽子明垂釣之所元和郡志曰陵陽山在宣州涇縣子明得僊處溧陽州舊亦隸宣州云

靈寶觀在溧陽州西六十里芝山舊傳梅福學僊之所唐咸通二年脩太平興國中重建州志案福傳居家以讀書養性爲事元始中王莽顓政一朝弃妻子去傳以爲僊後有見福於會稽者變名姓爲吳市門卒豈嘗寓此乎元豐中封福壽春眞人

聖祖觀在溧陽州西六十里唐咸通中建今廢

紫虛觀在府城炳靈公廟街至元十五年創御史撒的彌實重脩

毓眞觀在青溪上宋景定三年喬眞人創名葆眞菴至順三年集賢院定額

三茅冲虛菴 在府城西門龍王廟側茅山提點謝天祐建弟子謝日俞繼守之天曆潛邸嘗游隣近道菴有所坐軒扁全清境界庚午歳併其菴基創龍翔寺命日俞別住此菴改額大昇龍觀

西山道 在治城山之西麓黄泥巷内宋嘉定中默應居士張守正者遇一道人云來自西山授以驅蝗法有應守正結草菴以居嘉熙中其從子妙眞因建爲西山僊集道院祠許眞君云

金眞菴 在府城立德坊玄妙觀街忠烈廟西古城隍廟東宋咸淳中張志朴字希陽者漣水人號木轂老有道行衆爲創菴在西山道院南後其弟子修建是菴

靈寶院在茅山玉晨觀隱居昭眞臺故基唐宗師孫智清王栖霞重建奉靈寶天尊像内有老君瑞像殿

洞陽館在茅山南洞華陽觀之西政和間延康殿學士王漢之爲高士沈子舟建以鍊大藥

西天寧院在句容元符莊宋崇寧五年賜額

玄洲精舍在茅山鶴臺澗上至元間蔣宗師立存欝岡古名

華陽道院在積金山東大德間王宗師建西偏有奇石翰林學士元明善撰碑

三茅道院大德間元符道士姜大珪建

唐君山菴在茅山郭干塘東君山唐開元中嘗為潤州刺史棄官來山又居太湖苞山今林屋有碑殘缺矣

鄰尊師菴在茅山八卦臺南數十步尊師不知名及時代有龐垣石臼及竈纔方丈餘在荊莽中宋紹興間築菴始見

齊雲菴在中茅小茅之西玉沠泉上劉莎衣先生居

天信菴在茅山飈輪峯下楊亶甲先生居

圓錫菴先在茅山大羅源後徙龍尾山前宋紹興間毗陵道者虞慧聰創慧聰蓬頭苦行日結草屨二两以易米每夕拜斗一夕感黑虎伏其旁高宗知名召見德壽宮賜以齋米對曰野人無用留作軍需上一笑放還山

栖白菴在丁公山華文閣學士秦熺建元符知宫張洞元主之

凝神菴在茅山黑虎谷前小阿西山最深舊有黑虎未嘗傷物宋高宗聞道士張椿齡名召對德壽殿爲書陰符清淨一經并賜菴額

悟真道院在府城内正西隅大木頭街元係南唐燕冀二王祠宇宋淳祐間改作道院奉西山真人

奉真菴在府城南隅文孝廟西即秦淮僊境

青溪道院在舊子城東偏其地古青溪所經延祐元年真定李允建祠老子而下僊者

四聖院在府城正北隅至元六年道士仇至清重建

朝真院在府城正東隅至元十九年崔永和建名朝真堂泰定間改額

中和菴在府城北隅全真李清菴苗實菴脩建

上清院在府城正南隅至元二十六年道士潘雲窓建

上真菴在府城東南隅化門寨宋端平三年建

上真菴在府城東南隅堤岸至元二十四年道人徐守一建

長春菴在府城正南隅炳靈公廟街宋時建

道寧菴在府城東南隅旗望寨延祐年間邵人宋運成建

逍遙菴在府城西北地近古耆闍寺全真于道邁所居能編脩鼎臣爲記

玉陽菴在府城西北隅全真王道菴建

大清菴在江寧縣治西宋鄧安撫佐[illegible]至元二十一年捨建道庵大德五年四月十四日有道人求齋插栢枝石臼上尋失所在其石見存

元和道院在府城正南隅胭脂巷至元二十四年楊道士建

香山菴在溧水州城隅廟東即舊崇真道院延祐六年王圭茅建

石湖道院在溧水州儀鳳鄉延祐四年俞逢酉建

三山道院在溧水州上元鄉距城二十里湯囦建

茅山南北有歸真迎真二館崇真院鶴臺常靜石堂超然萬松俱妙朝陽思真積金山玉泉雲

谷集聖崇眞奉眞靜眞澄眞喜客泉慶和上善

守柔靈寶抱朴秀雲青龍眞興志和素華和福

僊臺丹谷寧眞脩然靖虛靖眞通泉太和致柔

潛神善慶靜眞妙法順眞如常靈泉西僊洞陽

通靈洪福玄德全眞黄寧冲慶崇德玉虛九錫

草堂三華寧壽清靜老壽觀妙洞清[illegible]華悟眞

高靈圓慶朝眞隱深谷神抱陽和眞仁和抱元

集禧至聖養神潛眞正一拱極養素碧虛居靜

濟陽朝元百丈體純玄眞扶虞凝雲寧靜明眞

居常澄虛靜隱凝熙清虛柔和澄神守一常應德善熙眞洞僊養拙玄通德潤洞玄又朝陽玉液見素朝斗迎眞延眞慶雲瑞雲各有二凡一百二十四菴皆道者所建

舊例祠廟寺觀非祀典及賜額不書自歸附至今建置頗多其地居或係前朝宫府遺蹟或係一臺省官僚經畫修建其題扁或經集賢宣政院定擬或有館閣名臣題詠碑刻所奉

祠者又皆祀典之神名爲祝釐報
上前志及郡報具見之今不容悉刋而不識也
畧存之以備參攷菴院倣此

寺院

大龍翔集慶寺在城正北隅閃駕橋北天曆二年奉勑建翰林侍講學士虞集撰碑畧云上自金陵入正大統改元天曆以金陵為集慶路遣使傳旨行御史大夫阿思蘭海牙命以潛宮之舊作大龍翔集慶寺云明年召中天竺住持禪師大訢於杭州授太中大夫主寺事設官隸之畫宫為圖授工部尚書王士弘往董其役斥廣其地為民居者悉出金購之土木瓦石丹堊金碧之需財自內出不涉經費工以傭給役弗違農有司率職庀功景從響應御史中丞趙世安承稟於內行御史中丞易釋董阿忽都海牙相繼率其屬以蒞之是以吏敏於事而民若不知材既具期以又明年正月六日壬午之吉廼建立焉其大殿曰大覺之殿後殿曰五方調御之殿居僧以致其道者曰禪宗

海會之堂居其師以尊其道者曰傳法正宗之
堂師弟子之所警發辯證者曰雷音之堂法寶
之儲曰龍藏治食之處曰香積鼓鍾之宣金穀
之委各有其所繚以垣廡闢之三門而佛菩薩
天人之像設纓蓋床座嚴飾之具　華燈音樂之
奉與凡所宜有者皆致精備以稱　上意焉賜
姑蘇腴田以飯其衆　上在奎章閣親詔臣
集製文刻石以誌之臣聞金陵之㞐自秦時望
氣者嘗言有天子氣至藏金土中以鎮之其後
若吳晉宋齊梁陳南唐之君長擾以為都然皆
瓜裂之餘僅克自保要不足以當王氣之盛夫
孰知江山盤踞之固天地藏閟之久積千餘年
而有待於我
聖天子之興也不然何淵潛之來處遂飛躍之
自茲見諸禎祥行事昭著之若此者乎天太陽
之昇麗於天光耀熙赫高深廣袤之區生成動
植之類孰不受其煦燠而其次舍之所經知天
者必仰推而志之

天子以四海為家莫非聖明之所臨鑒惟
帝運之所由起天人應合之機實在於此其可
忽諸今上建極于中撫制萬國顧懷昔居勢
隆望重非我佛世尊無量之福孰足以剋乎此
也茲事之成上以承
祖宗之洪庥下以廣民庶之嘉惠
聖天子之至仁大慈垂示乎億萬斯年者以此
可見矣於戲盛哉敢不拜手稽首而述讚曰明
明上天祚我
皇國
聖祖
神宗立我民極於昭
武皇懋建丕續憲章脩明民用齋飭天下為公
仁廟受冊治極而圮或斁彝則廼睠明哲是
保是翼俾久而安弗迩以遜祝融效靈海若率
職更相吉土此惟與宅吉土惟何建業舊邑龍
依崇丘虎在盤石昔有居者不稱厥德惟我
聖皇天命攸迪川寧於波田宜於穡民用孝敬

小四八十五

神介景福
帝命不遲師武臣力遂開明堂受天之曆廟而
祖饗郊而
帝格治功告成庶物蕃息江流湯湯經我南服
中城有宫　皇所肇迹惟時父老載慕疇昔雲
来日臨庶我心懌
皇帝曰嘻予豈汝釋惟大覺尊寶相金色常以
慧慈拯汝迷溺我即我宫作祠奕奕煕汝淨月
沐汝甘澤汝見大雄如我我来即馬寶象寶珠貝
金璧凡為汝故我施無惜無菑無害居佛之域
民庶稽首我不知識我願
天子聖壽萬億與佛同躰住世有赫一誠報恩
有永無斁寺建後命行臺官提調撥鈔置田設
官主其賦入咸有成規詳見圖表及官守志

大崇禧萬壽寺在寶公塔後　天曆元年建御史中丞趙世延撰碑
畧云昔在我
世祖皇帝膺

上天之景運承
太祖之丕基混一海宇建立制度條理綱紀一出睿思以為子孫萬世之成法者昭乎若天旋而日行也乃若崇尚佛教營治塔寺亦必弘儻殊勝足以聳臣民之瞻焉曆數在躬天之所命孰能遠之若夫大雄妙覺之尊默相潛佑者必有其微矣是以
累聖相承率是而行之也　潛邸在金陵時於其暇日登鍾山而觀之見其江山之縈廻樹藝之廣茂民庶之熙洽慨然興嘆以為我
祖宗德澤之涵煦以至于斯也問諸邦人父老則又以為昔有聖僧曰寶公者自梁以來實委靈茲山能相我
國家之神化以覆護吾民也水旱疾疫凡有禱焉隨願輒應於是　上感焉鍾山之陰有石巖中虛下出流泉注八功德水乃即巖中作觀音大士像岩前搆木棧虛容瞻禮者既而又以為未足即珠峯之北得高爽之福地規置大刹宮

殿樓閣如自天降寶公之塔在峯上正當其前
來茲山者仰而望之如見天宮於林壑之表然
後　上仁民愛物之心所以屬諸寶公者衆庶
莫不知之相與踴躍而讚嘆矣鍾山之舊寺聚
銅數萬斤鑄大鍾金既在鎔　上以碧珠投之
及鍾成碧珠不壞完好堅固宛在藥銑萬目驚
覩以爲寶公之　報貺焉天曆元年九月甲申臣
世延臣集入見　親詔之曰宜加寶公號曰道
林眞覺慧感慈應普濟聖師寺曰大崇禧萬壽
寺汝世世延等其勒文以記之臣世延等既具述
其事而竊思之曰帝王之興也天與之天佑之
百靈受職符瑞交現此其常也金陵據東南之
會山川鬼神翼扶翕張於吾　君者蓋凡五年
而後歸正　大統宜　皇心之注於斯乎於乎
累朝佛宇之盛皆臨御時爲民禱禜資用功力
有司具焉茲寺之成實在試難之日出私財以
具事而雄麗若此此固生民之所以深感乎
淵衷而寶公之所以顯著於禎符者也於乎休

哉敢再拜稽首而獻銘曰大江之南鍾山龍盤王氣潛鬱神所保完於皇聖明遵養時晦靈祇奉天竦立以待春殺秋高来遊来遨旆有交龍載雲在郊顧瞻原隰有稼有穡元元之生聖聖之澤民亦望之帝子寔来不鄙我邦庶無苦烖維梁寶公共之千歲善福其民有引弗替皇運勃興寶有慧知奔走先後克相厥時奕奕祠宫我營我作我報無私爾感無作吉金之良燥濕不移萬古在簴宣號震迷寶乃發祥以肅群昕明珠不灼彰上之賜飛龍在天臨制九圍皇心褒回眷玆崇禧崇禧之宇永殿南服天子萬年錫我民福

帝師寺在保寧寺北延祐七年建

保寧禪寺在城内飲虹橋南保寧坊内吳大帝赤烏四

年爲西竺康僧會建寺名建初晉宋有鳳翔集此山因建鳳凰臺於寺側宋更寺名曰祗園昇明二年齊大祖爲比丘法顥造寺於其地得外國甎爲白塔又名白塔唐開元中寺僧大惠禪師者明皇召至長安尋求歸山詔可之因改其寺爲長慶寺其額韓擇木書南唐保大中齊王景達爲先主造寺因名奉先宋太平興國中賜額曰保寧祥符六年增建經鍾樓觀音殿羅漢堂水陸堂東西方丈莊嚴盛麗安衆五伯又建靈光鳳凰凌雲三亭照映山谷圜甃塼墻五伯文茂林脩竹松檜蔡蔚詔歲度五僧政和七年勑改神霄宫建炎元年勑復舊額三年四月燬幸江寧權以寺爲行宫閏七月如浙西其後命即府治修爲行宫而御坐猶在本寺歲久屋弊留守馬光祖重建殿宇及方丈觀音殿水陸堂廚堂庫院移鍾樓冠青龍首增建廊屋横直一十八間作新建鳳凰臺記詳見鳳凰臺下

天禧寺即古長干寺在府城南門外宋天禧二年改今額寺有阿育王舍利塔祥符中號聖感其晉高悝所施金像隋文帝徙置長安梁天監元年立大同元年幸長干寺阿育王塔出佛爪髮舍利又幸寺設無遮食大赦丹陽記大長干寺道西有張子布宅在淮水南對瓦官寺長干是秣陵縣東里巷名江東謂山壠之間曰干建康南五里有山岡其間平地庶民雜居有大長干小長干東長干並是地名小長干在瓦官寺南巷西頭出大江梁初起長干寺按塔記在秣陵縣東今天禧寺乃大長干也宋開寶中曹彬下江南先登長干北望金陵即此地天禧二年改爲天禧寺政和六年建法堂李之儀端叔撰天禧寺新建法堂記云天禧寺者乃長干道場葬釋迦眞身舍利祥符中建塔賜號聖感舍利寶

塔至天聖中又賜今額按梁書大同三年高祖改造阿育王塔出舊塔下舍利及爪髮髮青紺色衆僧以手伸之隨手長短放之則屈爲蠡形始吳時有尼居其地爲小精舍孫綝尋毀除之塔亦同泯吳平後諸道人復於舊處建立焉中宗渡江更修飾之至簡文咸安中使沙門安法師程造小塔未及成而亡弟子僧顯繼而修之至孝武太元九年上金相輪及承露其後西河離石縣有胡人劉薩何遇疾暴亡而心下猶煖未敢便殯經七日更蘇說云有兩吏見錄至十八地獄隨報重輕受諸苦毒見觀世音語云汝緣未盡若得活可作沙門洛下齊城丹陽會稽並有阿育王塔可往禮拜則不復地獄因此出家遊行禮塔次至丹陽未知塔處乃登越城望見長干里有異氣色因就禮拜果見阿育王塔所放光明由是定知有舍利乃集衆掘之入一丈得三石碑中一碑有鐵函函中有銀函銀函中有金函盛三舍利及爪髮各一枚長數寸即

還舍利近北對簡文所造塔造一層塔十六年沙門僧尚加爲三層即高祖所開者也實録咸和中丹陽尹高悝行至張侯橋見浦中五色光長數尺乃令人於光處掊視之得金像未有光趺乃下車載像還至長干巷首牛不肯進乃令御人任牛所之牛徑牽車至寺悝因留像付寺僧每至中夜常放光明又聞空中有金石響經一載捕魚人張係世於海口忽見銅花趺浮出水上取送縣縣以送臺乃施像足宛然合會簡文咸安元年交州合浦人董宗之採珠没水於底得佛光豔交州押送臺以施像又合焉歷三十餘年光趺始具隋文帝徙入長安蘇魏公頌長干寺詩注云晋時有沙門惠達至金陵長干獲古佛塔因於其地建佛刹即劉薩何也至南唐時廢寺爲營廬久之舍利數表見感應祥符中僧可政狀其迹并感應舍利投進有詔復爲寺即其表見之地建塔賜號聖感舍利寶塔白塔在寺東即葬唐三藏大徧覺玄奘大法師頂

骨之所金陵僧可玫端拱元年得於長安終南
山紫閣寺俗呼爲白塔事具塔記元符二年知
府事吕升卿請於朝改爲十方住持楊次公長
干聖感塔詩云釋迦入萬四千塔一在江南古
道場無礙展開青髻髮最初分得白毫光陳軒
金陵集載魏京登長干塔詩云江南管當幸事
畢盡憑廟筭非臣專眷言此地本軍壘乞與招
提安佛子蓋叙宋初事也至元二十五年有
詔選高行僧三十員開講于江南諸郡擇名剎
以居之時稾城德公講主首奉
詔開席于金陵天禧寺説經訓徒傳慈恩之教
未幾特賜號佛光大師并撥賜故宋太師秦申
王墳寺旌忠寺爲下院以其廢産共贍講席改
賜元興天禧慈恩旌忠教寺額僧統廣福大師
嘗施財繕修大塔泰定中　潛龍時嘗數
幸寺及登　大統以所奉觀音像付寺供養歲
給香燈之費至順初佛光之孫法嵩入覲
上顧謂曰舍利塔嘗修完不嵩曰未也即日賜

內金三定及官錢伍阡緡以助繕修蓋臣郡守咸致其力有旨命佛光之徒廣演主寺事賜號弘教大師塔完之日嘗感天花如雨祥光如練滿空者凡數日詳見中丞趙世延所撰碑

正覺禪寺一名**鐵塔寺**在城內西北冶城後岡上宋太始中邦人捨地建精舍號延祚寺至唐有靈智禪師生無鬚日號羅睺和尚經論文字悉能明了時人稱有天眼爲建塔於寺內廣明中賜額梁侯景之亂王僧辯入討景使其黨宋長貴守延祚寺何遜有登延祚寺閣詩佛殿前有鐵塔二座鑄云乾興元年造古鍾亦唐時所鑄有經幢鐫大吳金陵府延祚院寺有井十一口內一口最大號爲百丈泉井闌上字乃保大元年所鐫宋熙寧中賜寺名曰正覺塔名曰普照王荆公嘗於寺西作書院有軒名籜龍建炎三年以法堂西偏爲元懿太子攢宫今寺東偏復建延祚閣名公賦詠尤多炳靈公廟西及

新亭側又別
有正覺寺云

能仁寺在臺治東南劉宋元嘉二年文帝爲高祖建名報恩唐會昌中廢吳大和六年毗陵郡公徐景運爲其親重建曰報先院南唐昇元中改爲興慈院至開寶中又廢後有里人捨宅復爲興慈院太平興國二年邦人以院地卑濕徙置于此以乾明節日建院額後改爲承天寺政和中又改今額景定志能仁禪寺在南廂嘉瑞坊慶元間游九言佛殿記云寺南接秦淮數伯歩其地古青溪之瀆也自宋始建至南唐改興慈無鐫識可攷獨襖圖經所載然五代唐愍帝應順甲午爲吳大和逆數會昌乙丑蓋已九十年既曰廢矣中間誰所繼續院之老僧僅能記本朝之言院故在西門雙廟之東至道中有圓覺律師德明者際還太宗召見錫御容及羅漢像以歸咸平間重賜院基田産更律院爲禪寺寵以詩章寺復顯至崇寧

賜名承天政和七年改能仁今之寺基咸平所賜而遷也又曰圖志謂寺嘗廢於開寶中縱有捨宅爲寺者邦人復以卑濕從今地不知何據觀咸平制書則老僧相傳嘗爲可信建炎三年室宇暨朝廷所賜復燬猶賴制書無恙以詔後自是草創數十年無振起者淳熙丁酉余客金陵偶至寺殘僧蕭然敗壁風雨莫蔽門臨街喧卑過者陋焉適主僧允微初嗣法席布衣芒屩徒步通衢畧無外飾氣貌淳夷語言淨止心固重其爲人後十八年余來爲帥屬則大門易東嚮堂廡壁甃盡撤其舊僧徒彬彬而微則老矣然其布衣芒屩如故户庭雖華而居室甚陋齋庖潔豊而自食至菲金陵城中多鉅刹同時主者出有澤車衣有纖縞而臺殿欹斜藉口檀施漠不顧恤微頽然自勵曾無緼袍狐貉之慚慶元丁巳鼎建大殿微言曰能仁非他方比國朝忌日府臺率屬文武駿奔炷薌冠蓋填溢今老釋之宮咸曰梵脩爲國也而廢頽若是何所掌

平顒記其事併録院之始末毋若向之失傳戚氏云今寺南唐古寺基保大年中昇州特進守司徒致仕鍾山公李建勲捨田入寺後廢宋朝撥賜地基起興慈禪院咸平初建勲女潤州本起寺住持臨壇精律大德尼進暉申明乞以故父李相公舊所施田入興慈寺至今供常住咸平後改承天寺崇寧間又改入下承天爲能仁寺真宗賜昇州法主圓覺大師賜紫德明詩曰精勤演律達眞風釋子南禪道少同奧旨筌蹄悟佛理慧燈廣布九圍中眞蹟今藏寺中仍至元之五年住持僧眞實既新其寺又作鍾山公祠以寺之土田多公所施也臨川危素請記於集賢揭公傒斯畧云五代之際君不君臣不臣可謂天下大亂之時而公所與爲僚友者有若馮延巳其人史雖稱公有吏材薰蕕不相襍水炭不相入豈能行其所志哉宜乎引身山水之間謝病不出死而囑其家人以薄葬公命之危於天勢之危於人有可悲者矣建勲事見年表

太平興國禪寺在蔣山去府城十五里梁武帝天監十三年以定林寺前岡獨龍阜葬誌公永定公主以湯沐之資造浮圖五級於其上十四年即塔前建開善寺即今寺基唐乾符中改為寶公院南唐昇元中徐德裕重脩後主又改為開善道塲至太平興國五年改賜今額慶曆二年葉清臣奏為十方禪院紹興三十二年加封寶公號塔以感順為額今塔院西偏有木末軒王荊公命名俯視岩壑虬松參天幽邃可愛為山之絕景荊公罷相居金陵多以資產金帛助施寺中各有碑籍劉岑佛殿記梁武女永定公主捨財創精舍兼清臣為守始以禪易律元豐中主僧法泉經營辛苦成大叢林燬於建炎佛殿前大毗盧閣兩翼為行道閣屬之殿其餘堂廡極雄麗皆紹興以來建也淳熙十六年九月晦日又火寶公舊椽父老相傳沈香為之宋初取歸京師陳軒金陵集載狄咸游蔣山詩云旃檀歸象

魏窣堵卧煙霞謂此事迹太平興國七年舒民柯萼遇老僧往萬歲山指古松下掘之得石篆乃誌公記聖祚綿遠之文於是遣使致謝謚曰寶公妙覺治平初更謚道林真覺大師寺舊有誌公發洗鉢池寺後向東有婁禪師塔泰定二年正月寺復遺漏主僧守忠極力營創至順二年九月翰林學士虞集奉

勑撰碑云昔金陵有神僧曰寶誌宋元嘉中居道林寺歷齊至梁數著靈異天監十三年示寂武帝感其遺言瘞之鍾山獨龍之阜帝女永定公主表以浮圖因建寺曰開善至宋太平興國年間太宗得誌公秘讖石中符其國運有神降其宮親與之語蓋誌公云太宗異之號之曰道林真覺更名寺曰太平興國賜田以食其人及王丞相安石守金陵合諸小刹以附益之寺始大建炎燬於兵紹興更作淳熙又燬隨更作之每更作輒加宏廣日葺歲增至於我

國家而規制之盛極矣至治辛酉匡廬僧前靈

隱上山禪師弟子守忠應請來主之禪學之士來者日滿其室　今上以泰定乙丑之歲正月來至於是邦而寺適災天意若曰其撤舊而作新之乎　上感焉出金幣以爲民先於是行御史臺與郡縣之吏皆祗若　上意始忠之治寺也舊有蒲盧之澤前見奪於豪家寺隸訟之累年不決忠至讓而弗辯奪者愧而歸之人固以是信道之矣　皇上一風動之遠近雲集富者効其財貧者輸其力工則致其巧農則獻其食一歲垣廡成再歲屋室具具可以名書者曰方丈曰北山閣曰經樓曰香積曰水陸堂曰白蓮堂曰伽藍祠曰大僧堂曰道林堂曰新倉院曰耆宿之舍而大宏興鍾二門皆以上賜次第而成歲在、卯鑄大鍾爲銅數萬斤方在冶　上賜寶珠投液中鍾成珠宛然在其上若故識之而光彩明發不以灼爍萬目共覩讙歎如一時　上方別建宏祠於寺北今賜名曰大崇禧萬壽寺者也是年秋　歸膺

大寶是爲天曆元年出
詔書布德天下即命廷臣製寶公號曰道林真
覺慈感慈應普濟聖師封名香以禮祠之出黄
金白金重幣賜忠俾成寺之役蠲寺田之賦號
守忠爲弘海普印曇芳禪師住持大崇禧萬壽
寺而兼領玆寺未幾加授廣慈圓悟大禪師領
兩寺如故　至順元年秋御史中丞趙世安傳
勑召忠入
朝九月九日　上御奎章閣吏部尚書王士
弘以守忠入見奏對稱旨命太禧宗禋院
日給稟餼賜金襴伽黎衣與青鼠之裘十二月
一日賜設於聖恩寺延召學士臣集至榻前命
製文以記之俾忠歸刻諸石忠以其事六臣集
如此臣集謹具載而言曰　上於金陵新作
之寺二曰龍翔集慶因潛龍之舊邸也曰
崇禧萬壽廣親攜之新祠也獨太平興國雖曰
宋齊梁唐宋之遺然空燬而復興實在
今上龍飛之日有運之玄契蓋有徵焉玆三寺

者鼎立于一郡以同贊乎
聖天子億萬斯年之壽豈不盛哉臣集嘗竊聞
陛下之意每不欲專福于躬而欲博𪸩均惠於
天下敢述萬一而銘之銘曰維帝受命厥有禎
符天人合機不占以乎於赫 聖皇
聖武之系贊于克艱神有司契皇有萬方山川
幅員鼇厥下土徒御告勤頣瞻道林在江之氾
翠蓋孔旂来狩来止道林有宮百靈攸宗中有
神師 民所敬恭土良泉甘風雨時若發祥效珎
以待 聖作聖作孔時動天而隨龍躍以飛
神師啓之神師不言而示以兆有命方新去故
以燎作而新之自我 聖皇乃祓乃除乃基
乃堂日月重明天光旁燭 皇心載欣萬神
降福凡我臣民息養以生飽歌熳嬉稚壯耋寧
褁兵以革牛馬在野至於永久樂其休暇蝡動
孳殖亦遂以成幽塞苦寃各惓而亭
聖皇之心斯神之力
銘以著之昭示無極

半山報寧禪寺在城東七里距鍾山亦七里王荆公安石故宅也其地名白塘舊以地卑積水爲患自荆公卜居乃鑿渠決水通城河元豐七年公以病聞神宗遣國醫診視既愈請以宅爲寺因賜額報寧禪寺寺後有謝公墩其西有土山曰培塿乃公決渠積土之地由城東門至鍾山此半道也故亦名半山寺公有謝賜寺額表云一基迹叢祠冀鴻延於萬壽鈞名扁榜竊榮遇於一時臣生之寸長世叨殊獎賤息奄先於犬馬頹齡俯迫於桑榆獨念親逢莫有涓埃之補報永惟宏願豈忘香火之因緣伏蒙陛下俯徇祈誠特加美稱所懼封人之祝終以堯辭乃塵長者之園遽如佛許仰憑護念誓畢薰修坡詩所謂朱門收畫戟紺宇出青蓮正指此也公與其弟魏國公安禮各撰一疏延關西人真淨文禪師爲開山第一祖道行孤特洪覺範文禪之法子也又有實禪師語錄序

王存撰米芾書陳軒金陵集載荆公半山詩凡十五首至元己卯三月遺漏至正元年住持臣廬僧元龍重建

清涼廣惠禪寺在石頭城去府城一里吳順義中徐温建爲興教寺南唐昇元初改爲石頭清涼大道塲宋太平興國五年改今額舊傳寺嘗爲李氏避暑宮寺中有德慶堂今法堂前舊基是也後主嘗留宿寺中故其詩有未能歸去宿龍宫之句德慶堂名乃後主親書祭悟空禪師文亦後主自作碑刻今並存蘇東坡嘗捨彌陀畫像于寺中故東坡有詩云問禪不契前三語施佛空留丈六身慶元志寺有白雲菴見荆公詩有法眼泉名畫録有董羽畫龍李後主八分書李霄遠草書時人目爲三絶按類說江南李氏時有一民死而復蘇云至冥司見先主被五木甚嚴曰吾爲宋齊丘所誤殺和州降者千餘人汝歸

謂嗣君凡寺觀鳴大鍾吾受苦則暫休或能爲吾造一鍾必善後主造鍾于清涼寺鐫云追薦烈祖孝高皇帝脫幽出苦又蘇公妻王氏元祐八年卒于京師遺言捨所受用使其子邁迨過爲畫西方阿彌陀像安于寺寺後有周虎石頭城三大字石刻張祐温庭筠有詩今按唐人有詩則吳重建明矣近年燬後堂舍燬於火重修建未完

報恩光孝禪寺 在府城西門內舊爲天寧萬壽寺宋紹興九年詔改今額追崇徽宗道場泰定戊辰住持匡廬僧義深經畫重修

壽寧寺 在府城北隅即舊廣孝寺基按圖經本在欽化橋街西江寧縣治南梁普通元年造大愛敬寺於鍾山南唐乾符中重修廣明元年改廣明愛敬禪院南唐改廣孝禪院開寶七年徙入城中南唐張洎

捨宅置淨化五年改今額慶元志壽寧禪院宋參政張㴶南唐賜第也至道中捨宅爲寺併城北廣孝寺入焉其孫諤云乾道志謂昔爲愛敬寺者非也家集有謝表可證舊有瓊花一本内翰張瓌手植移自維楊云

崇勝戒壇院即古瓦官寺又爲昇元寺在城西南隅實録晉哀帝興寧二年詔移陶官於淮水北遂以南岸陶地施僧慧力造瓦官寺慶元志舊或作瓦棺者非也南史師子國晉義熙初始遣使獻玉像經十載乃至像高四尺二寸玉色潔潤形製尤殊特殆非人工此像歷晉宋在瓦官寺先有徵士戴安道手製佛像五軀及顧長康維摩圖世號三絶至齊東昏遂毁玉像爲潘貴妃釵釧十國志南唐昇元二年改瓦官寺爲昇元寺吳興閣爲昇元閣乾道志吳順義中改吳興寺南唐改昇元寺太平興國五年賜

令額景定志淳熙中韓元吉爲記每度僧於此受戒官作棺者盖據俗說晉時長沙城隅陸地生青蓮两朶民以聞官掘之得瓦棺葬一僧華從舌根生父老云昔一僧誦法華經萬餘部臨死遺言以瓦棺葬遂以寺名瓦棺其說迂蔓既云長沙於此無與寀記謂今寺地即張昭故宅其昇元基今寺西北有寺街及石經幢尚存

鹿苑寺舊名**法光寺**即梁蕭帝寺也在今城東南隅宋元絳重建蕭帝寺記畧云金陵氣王三伯年聲名文物與時隆替中惟蕭梁折節以佞佛故佛佛之廟貌充斥江表都城巽維直准里所有精舍焉紫峯紆餘反宇欲翔盤高孕虛含吐萬景望之煇然如脩虹亘霄冊碧相發殿有聖像即山而成追琢之功極其精妙按輿地志不知從昔之名但後人以帝氏目之黃旗運歟勢勝故在閏唐攘據因其蹟而增華易榜法

光標爲幽槪聖朝混一書軌以三代文教簫勺
宇內四聖累洽浸厚福於生民梵刹禪林容仍
舊物而茲寺壽陁庳焉不支已卯春寺僧募大
姓杜德明出楮金五十萬程工就其址起高廣
殿水槷不移棼橑有嚴光輝復還風物異態又
粉繪釋迦文相即山塑十六大尊者生生之供
稱是該偹其秋告成乃作鍾唄蒲牢以落之道
俗和會圜視作適青溪之水木鍾阜之雲物来
入軒所相爲澄曠都人詫焉有條其狀而至者
會同閈趙郡李君從事海瀕謂余有一日之雅
授簡不腆月而日之庶以傳久寺蓋重建於南
唐保大易名法光至宋勑改今額寺後有周顒
書臺佛殿前有郗氏窟舊傳梁武帝郗后化蟒
於此以天監十三年造寺國史補武帝造寺令
蕭子雲飛帛大書蕭字李約見之破産載歸東
洛建一小院玩之號蕭齋即此寺舊額也

嚴因崇報禪寺即**景德棲霞寺**在今城東北之

攝山去城四十五里齊永平七年明僧紹捨宅爲寺見江總寺碑僧紹白宋泰始中游此山刋木結茅二十許年遂捨爲寺寺有舍利塔乃隋文帝葬舍利勑唐高祖改爲功德寺增治梵宇四十九所樓閣延袤殿宇鱗次高宗御製明隱君碑改爲隱君棲霞寺御書寺額有碑尚存字不可辨武宗會昌中廢宣宗大中五年重建南唐高越林仁肇建塔徐鉉書額曰妙因寺宋太平興國五年改爲普雲寺景德五年又改爲棲霞禪寺元祐八年改賜今額爲叅政簡翼張璪功德寺左有千佛嶺後有天開岩碧蘚亭白雲菴迎賢石醒石中峯澗石旁白雲泉亦云品外泉寺前有明僧紹高越墓山中南谷昔有天台止觀寺高僧法曠甞於山紫溢峯下建般若堂演大論有虎穴寺在山中峯齊王融有游虎穴寺詩宋景文祁雜蹤集云南齊棲霞寺大明法師好談論手執松枝爲談柄隋文帝仁壽二年送到舍利天下凡八十一

州分造塔蔣州棲霞其一也唐則天建舍利塔於青龍山之巔唐末焚毀寺有金銀銅像背記畧云維大唐景龍二年四月八日洛州大福先寺前棲霞寺主比丘曇一於潤州江寧縣明隱君經坊内鑄瀉金銀銅釋迦像三軀奉爲高宗皇天大帝則天大聖皇后應天神龍皇帝云又有石像在千佛嶺棲霞詩注云明隱君與度法師講無量壽經西峯石壁中夜發光光中現無量壽佛自爾捨家財鑿岩造大像坐高五丈觀音世智立像高三丈五寸宋齊七帝造石佛千尊所謂千佛嶺高僧傳云釋僧祐性巧攝山大像剡縣石佛等並祐經始

隆報寶乘禪寺即舊**草堂寺**在上元縣鍾山鄉去城十一里齊周顒隱居之所後顒出仕孔稚圭作北山移文假草堂之靈以譏之高僧傳云時有釋慧約姓婁少達妙理顒素所欽服廼於鍾山舊館造十堂寺以居之今寺

左乃婁約置臺講經文之地寺後即顯舊居也唐會昌中寺廢宋復建治平中賜額寶乘紹興三十二年改賜今額

同泰寺 舊志在梁時北掖門外路西南與臺城隣路 實錄梁大通元年剏北寺在宮後川開一門名大通對寺南門造大佛閣七 同十年震火所焚畧盡即更造未就而侯景亂南唐改爲淨居寺尋又改圓寂寺其半爲法寶寺又輿地志法寶圓寂寺即古同泰寺基龔穎運暦圖云大同元年幸同泰寺鑄十方銀像二年幸同泰寺鑄十方金像六朝事迹云梁武帝起同泰寺在臺城内窮竭帑藏造大佛閣七層爲天火所焚梁帝捨身施財以祈佛福大通以後無年不幸同泰寺設四部無遮大會俄而侯景兵起陷城遂以匱器進膳自庚辰至丙戌七日不食而崩寺今廢其半爲法寶寺詳見後

法寶寺亦曰臺城院乃梁同泰寺基之半也在宋行宫北精鋭軍寨内梁大通元年創同泰寺楊吳順義二年以同泰寺之半置爲臺城千福院宋改賜今額寺前有醴石四各高丈餘俗呼爲三品石政和中取歸京師或謂之闢石寺前墻外有井耆老相傳爲陳時臙脂井叔寶與張麗華隊而復出之所也寺基寂濶淳祐七年剏置精鋭軍同泰寺舊基皆爲寨屋及蔬圃有井在寨内蓋精鋭軍寨在都統制司之後都統制司在宋行宫城之後法寶寺在精鋭軍寨之後其都統制司地基及精鋭軍寨基皆梁陳宫掖舊址也故景陽臺基及臨春結綺望僊三閣故址與臙脂井皆在寨内戚氏云法寶寺老僧猶能記其祖師之言謂宋行宫城後門乃梁陳宫城前門今法寶寺門墻外即梁大通門也

湘宮寺 舊在青溪中橋北唐以後徙置清化市七慶元志近有人於上元縣治後軍營中掘出土斷石上有湘宮寺三字以此知舊寺所在與實錄注合東出青溪桃花園皆今縣東地也寺本宋明帝舊宅偹極壯麗欲造十級浮圖而不能乃分爲二新安太守巢尚之罷郡入見上謂曰卿至湘宮寺未此是我大功德用錢不少散騎常侍虞愿侍側曰比皆百姓賣兒鬻婦錢所爲佛若有知當慈悲嗟愍罪高浮圖何功德之有上怒使人曳下殿愿徐去無異容齊始安王遙光以東府城叛蕭坦之假節討之屯湘宮寺

景德寺 在城內嘉瑞坊舊崇孝寺也 楊吳置宋景德中改今額建炎初其地爲太廟徙城隍廟于旁今廟側小巷中有僧舍數間仍用寺額

證聖寺 在宋行宮後 南唐保大中木平和尚居此寺故里俗至今呼爲木

平寺東有溝迤邐西北接運瀆今堙塞尚存遺蹟木平别有傳

寶戒寺 在龍翔寺西本迦毗羅寺南唐改真際寺宋開寶二年改今額

法濟寺 在上元縣治東北傳宋紹興二十七年建

封崇寺 在斗門橋北圖經舊報慈廨院近禪靈寺渚寺之廢興始末未詳

治平寺 在江寧舊治西南尼寺宋開禧三年建云

大悲寺 在炳靈公廟巷崇勝寺子院也本大悲院乾道景定二志並作寺

秀峯院 舊在府城北隅宋開寶八年廢太平興國五年重建尋又廢紹興中移于鳳臺山西宋景定五年節使王鑑重建今爲尼寺

興嚴寺 舊在竹格渡之北本謝尚宅也亦號塔寺實錄謝尚以永和四年捨宅造莊嚴寺宋大明中路太后於宣陽門外太社西藥園造莊嚴寺改此爲謝鎮西寺至陳大建元年寺爲延火所燒後五年豫州刺史程文秀更加脩復孝宣帝降勅改名興嚴寺
紹興中徙今真武廟北

龍光寺 在城北覆舟山下宋元嘉二年號青園寺高僧傳云竺道生後還上都青園寺寺是恵恭皇后褚氏所立本種青處因以爲名其年雷震青園寺佛殿龍升于天光影西壁因名龍光宋嘉祐三年佛殿記云元嘉五年有黑龍見覆舟山之陽帝捨果園建青園寺西置龍下殿今泯沚見存至會昌年廢咸通二年重建勅賜龍光院額舊志以爲在龍光門外者非也今按乾道志龍光禪院在城之西宋元嘉二年號青

園寺後改額爲龍光禪院以在龍光門外也會昌中廢咸通初建爲月燈禪院昇元二年重修

定林寺有二上定林寺舊在蔣山應潮井後宋元嘉十六年禪僧竺法秀造在下定林之西乾道間僧善鑑請其額於方山重建下定林寺在蔣山寶公塔西北宋元嘉元年置後廢宋爲定林菴王安石舊讀書處南史何胤入鍾山定林寺聽内典齋東昏侯至定林寺有沙門老病不能去命左右射之二事但云定林不知何寺

宋興寺一名**興教寺**在南門外慶元志興教院即宋興寺故基在蔣山寶公塔西二里有誌公洗鉢池陳軒金陵集載李建勳遊宋興東岩詩云幾年不到東

岩下舊住僧亡屋亦無寒日蕭條何物在朽松經燒石池枯乾道志徙長干寺南亦名宋興景定志在南門外劉裕故居者非按宋興宋熙寺名相近故或疑一寺二志所載不同俟攷

高座寺一名**永寧寺**在城南門外晉咸康中造又名甘露寺嘗有雲光法師講法華經於寺天花散落今講經臺遺址猶存或云晉朝法師竺道生所居因號高座寺乾道三年劉岑記畧云考圖志此山得名於晉永嘉中名甘露寺尸棃密多羅爲王茂洪所敬故留竺生法師繼號所居爲高座梁初寶公主其寺與五伯大士俱有雲光師坐山巔說妙法天花隊焉今號雨花臺則故唐盧給事中名襃字贊元者所命也寺易今名且百年矣故藏古今詩刻皆廢可攷者唐李翰林宋吕侍講王中

父三篇而已高僧傳云尸黎密多既卒塚處立寺謝鯤仍以為高座寺陳軒金陵集載蔣穎叔和王和甫雨中登高座寺詩注云寺即雲光講經雨花之地有梁時誌公二卯雲公手植松猶存郭祥正詩云至今手植松千文騰龍虬

殊勝寺在城南門外本宋福興寺南唐後主葬照禪師於此因名塔院

吉祥寺在城南二里餘宋治平二年賜額舊在城隍廟東後以寺基為太廟徙置于此

百福院在城南五里梁天監中置名解脫南唐以葬證寂禪師起塔因為寂樂院後改今名宋為樞密王綸功德寺

均慶院在城南門外舊在金陵坊晉天寶寺唐

大百三十七

朱俊甫

開元十年改天保今廢宋開寶八年毀太平興國五年就修真觀基重置紹興初移其額於雨華臺後壞于火因遷于臺之下今上有古塔一座即無殿舍屋宇塔前鐫宋故三藏特賜寶覺圓通法濟禪師道公之塔一十八字後有宋故三藏法師道公塔銘

佛窟寺一名**崇教寺**在牛頭山去城三十里舊傳牛頭山下有辟支佛窟宋大明中移郊壇於山之東峯執事者導從百餘人游西峯石窟見一僧趺坐執事者問之忽無所有但遺錫杖香罏缽盂而已梁天監二年司空徐度造寺因名佛窟寺唐大曆九年代宗因感夢勑修寺之東西峯頂七級浮圖宋太平興國二年賜今額

法性尼寺在報恩光孝觀東南本吳建初寺也實錄云赤烏十年胡人康僧會入境置經行所朝夕禮念有司以聞大帝引見具言佛教滅度

已久惟有舍利可以求請遂於大内立壇結靜三七日得之帝崇佛道以江東初有佛法遂於廛所立建初寺在縣南二伯步江東之有佛寺始於此也晉改爲建寧寺至唐以来爲尼寺今改法性寺建炎火舊額僅存慶元志云寺析爲三近歲寺南酒務中陶竈下掘出大石佛像歸寺東院遂呼石佛院云今前法性後法性二寺隸正西隅大石佛在前寺正殿内按實録建初本在呉宫中唐縣南二百步前志以爲即此寺以古迹宣陽門及縣城互考之亦未有以證其必然若以保寧爲古建初則本寺所記耳

法雲寺舊在城外東北十里圖經云本齊集善寺齊世祖時爲豫章文獻王造唐初輔公祏亂毁廢後復置爲義章院改法雲建炎兵火廢後

徙置上元縣治西北慶元志王荆公法雲寺詩路過潮溝入九盤招提雪脊隱雲端又云法雲但見脊細路埋桑麻舊在蔣山寺西門前有章義橋

正覺寺凡三其一禪寺見前其一在正西隅其巷呼正覺寺巷按乾道志本在城南新亭壘側宋昇明元年蕭道成頓兵新亭及沈攸之敗後乃以軍幕之地置正覺寺尚書令王儉爲碑寺久廢今寺傳自紹興十二年請新亭額來延尋廢而寺基及寺名與巷名皆存僧興實近以元貞二年復建隆順繼之大德十年始完其一乾

道志在城内炳靈公廟西蔬圃中屬今正南隅

永福尼寺 乾道志在廣濟倉東舊在冶城東南本晉開福寺後徙此改景福寺南唐避諱改額

乾明尼寺 乾道志在城内東南祥鸞坊南唐太廟基後主宮中置歸德永慕二尼院開寶中廢移二院尼置寺徙妙果院尼同居太平興國五年賜額 妙果寺古名翠靈宋昭憲杜太后改乾明今名戒壇

淨妙寺 即**齊安寺** 南唐昇元中建政和中改賜今額舊臨官路今移置高隴面秦淮在城東門

外四里王荊公有齊安寺詩云日淨山如染風暄草欲薰梅殘數點雪麥漲一溪雲今石刻尚存又有詩見光宅寺李壁注謂寺是齊武帝宅按實録齊武帝生建康青溪宅後稱青溪舊宮未見改為寺也

普濟寺實録梁大同元年置頭陀寺東北去縣二十二里舍人石興造在蔣山頂第一峯殿後有泉井與江淮水通隨潮水增減非常靈異累世仍舊事迹云後徙置山下治平中改賜今額舊寺殿後有應潮井寺西有梁昭明太子讀書臺即普通元年所置大愛敬寺基也慶元志梁寺後有頭陀巖可容數十人陳軒集有唐李頻陪崔大夫游頭陀寺詩李涉雪中重到頭陀詩

明慶寺屬上元縣今廢實録梁天監六年置明慶寺後閣舍人王曇朗造去縣十八里寺內有泉水清澈陳梁巳前嘗取供御愈疾寺碑太子舍人陳昭之文事迹曰在蔣山上寺後别有小嶺碧石青林幽邃如畫世人呼爲屛風嶺有泉俗呼八功德水昔有髙僧隱其駆忽聞絲竹音俄而泉出慶元志寺廢在鍾山南八功德水之前陳姚察就明慶寺受菩薩戒即此

天王院在上元縣靖安鎮去城十七里梁普通二年建初名頭陀寺建隆四年改今額

寶林寺在城西北二十五里舊圖云本同行寺梁天監中武帝與誌公同遊此山見林巒殊勝

命建寺因名同行亦名聖遊寺後改為秀巖院事迹唐會昌中廢吴太和中復建後改為秀峯院至嘉祐中改賜今額有琪樹在法堂前梅榦有詩云影借金田潤香隨璧月流遠肆元帝植近想誌公遊建炎間樹為兵所焚

祈澤治平寺 乾道志在城東二十五里驛路北宋少帝景平元年建梁朝置龍堂有初法師者結茅山下誦法華經有東海龍女來聽師曰此山乏水為我開一泉可乎後數日風雷良久有清泉涌座下南唐保大中以旱祈雨於舊寺基信宿而雨自後以為祈禱之所治平中改賜今額

清真寺 乾道志舊名清玄寺在城北二十五里

梁大通元年置後廢唐大中中復置慶元志舊有梁時佛像建炎兵焚陳軒集載梁立曦次韵周檀清真寺詩有云遺像梁朝佛

衡陽寺在上元縣清風鄉乾道志衡陽資福禪院去城東北四十里即古寶城寺基唐天祐三年徐温重建今額慶元志寺舊有齋巳年儒二上人重開衡陽寺古迹詩刻云古迹重開一朗興斷煙尋得寶階層只應雲鶴知前事爲問齋梁舊住僧廢井荒池猶浸月短松低栢欲遮燈淳于道士真高逵拋却林泉便上昇保大七年題

本業寺在上元縣宣義鄉乾道志在城東北四十里實錄梁天監九年置本業寺西去縣五十

里比丘凈潔造在蔣山里

隱靜院在上元縣宣義鄉乾道志在城東近鴈門山去城四十里梁天監二年建初名永建寺南唐保大中重脩改今額實録梁天監二年李師利造永建寺北去縣六十里寺有乾德四年石刻云唐上都左街鴈門隱靜院始建於宋元嘉廢於唐會昌乾德二載耆文詣南唐主請重建焉

延祥院在上元縣神泉鄉乾道志聖湯院在城東南六十里湯山下唐德宗時韓滉爲浙西觀察使滉小女有惡疾浴於湯而愈乃以妝奩建寺於湯山之右慶元志聖湯延祥院慶元三年改爲十方禪院

杜桂院在上元縣丹陽鄉乾道志在城東南六十里南唐保大六年建在杜桂村因爲院額今名香林寺又曰香林院在赤山西慶元志院有吳鍾記云梁天監中杜桂二鄉平章朝政捨所居以爲寺故從其姓以旌名

上雲居下雲居二院上雲居院在鍾山之右去城十二里舊圖經云本齊**勝善寺**建武二年南海王蕭子罕造梁時尼所居後復爲僧院下雲居在上雲居右宋元嘉中置初爲善居寺後改今額

了緣塔院 乾道志在鍾山後梁普通中置初爲

福静寺 南唐保大九年賜今額

澄心院 乾道志在鍾山西去城十里

淨隱院 乾道志在鍾山寺前

梵惠院 乾道志在蔣廟前去城十五里

清果院 乾道志在鍾山後去城二十五里

永慶院 乾道志在北門外烏龍潭北

定明院 乾道志在覆舟山下去城五里

解空院 乾道志在西門外清涼寺側

資福院乾道志在城東南十五里土山側梁建今亦名净名院

華嚴院乾道志在淳化鎮東去城三十五里

淥□院乾道志在城東五十里

光相院乾道志在西張村去城五十五里

觀音院乾道志在城東六十里黃干村梁天監中置至開寶八年廢後復建於本院之蔬圃

樂林院乾道志在城東南六十里因齊古寺基

方樂院乾道志在城東北六十里神泉鄉本梁

方樂寺基南唐昇元元年重建今亦名常樂院

玉泉院乾道志在城東北六十里本古泉卩基吳武義中徐温重建

多福常樂二院乾道志各在上元縣神泉鄉去城六十里

延福禪院乾道志在城東南六十里梁普通中爲**靜福院**南唐時修改今額

永福院乾道志在城東六十里青草村

安平院乾道志在下橋村去城八十里

登臺院乾道志在黎塘村去城九十里

淨土院乾道志在葉墅村去城九十里

保福院乾道志在盡節鄉龍澗村去城百里

慈光院乾道志在章墅村去城百里

妙明院乾道志在道德鄉東湖村去城九十里

崇勝院乾道志在道德鄉埂頭村去城百里

淨嚴院乾道志在紫草村去城百里

無垢院乾道志在禪林村去城一百二十里

陽城院乾道志在盡節鄉周墟去府城一百二

十里

自上雲居院而下至陽城院並屬上元縣

崇因寺在城南十二里舊圖經云本宋曠野寺齊廢梁大同中復唐開元中改禪居院吳大和二年改崇果院宋改今額慶元志崇因寺陳軒金陵集劉誼詩云十里崇因寺臨江水氣中寺有觀音畫像東坡頌李端叔跋曰吾卜葬亡妻崇因長老欽公謂余曰子胡不禱觀音東坡南遷嘗禱而應遂作頌前人已爲刻石後有詔所在東坡文皆燬前人不敢違余問石所在曰幾碎矣索之力乃得於庫中米廩後壓上深數寸稍曳出加滌洗而粲然如未嘗毀者蓋先是刻馬祖龐居士用其餘刻頌像已斷裂而頌獨全東坡序云金陵崇因

院長老宗襲自以衣鉢造觀音像極相好之妙余南遷謁而禱焉曰北歸當復過此而爲頌建中靖國元年五月一日自南海歸至金陵乃作頌

普光寺 在城南門外 乾道志宋置爲天王寺至梁爲昭明太子果園吳爲徐景通園南唐保大四年更置奉先禪院葬曇雲禪師起塔因名寶光塔院今名普光寺

瑞相院 亦名鐵索寺 在城南門外 乾道志本晉時尼寺宋元嘉七年西域梵尼七人至建業十一年尼鐵羅等三人又至因號鐵索羅寺宋齊以來或爲翠靈寺或爲妙果寺開寶八年燬太平興國二年有僧請其地重興瑞相禪師塔因改今額

國勝寺 在南門外落馬澗去城二里餘 乾道志舊在橫山北陳天嘉元年章后捨宅爲寺

安隱院在雨華臺後向南百餘步乾道志舊在蔣山後久廢紹興四年郡人請額置

崇福院乾道志在城南門外宋元嘉十年因僧楚雲所居號崇福至太平興國八年脩

明覺寺乾道志在菜園務詳見光宅寺注語

無相塔院乾道志在城南七里南唐葬清涼禪師起塔因名無相塔院韓熙載爲碑今存

歸寂塔院乾道志在城南七里齊太始二年置初號永安寺南唐保大二年起塔號歸寂因名院

福安院 乾道志在城西南新林市東去城二十里俗呼祝英臺寺

光宅寺 乾道志本梁武帝故宅捨作寺雲光法師講法華經于寺每有華如飛雪滿空講訖即升空去寺今廢 故基在城東南七里嘗建明覺寺後徙置苦塘側治平二年賜額按王荆公光宅寺詩凡三其一曰今知光宅寺牛首正當門臺殿金碧毀丘墟桑竹繁蕭蕭新犢卧冉冉暮鴉翻田畝千歲夢雨華何足言其一曰脩然光宅淮之陰扶輿獨來坐中林千秋鍾梵已變響十畝桑竹空成陰昔人倨堂有妙理高座翳遶天花深紅蕤紫覓復滿眼往事無蹟難追尋其一

曰齊安孤起宋興前光宅相仍一水邊蜂分蟻
爭今不見故窠遺址尚依然李壁注曰光宅寺
梁武帝宅也其北齊安寺隣淮齊武帝宅也宋
興又在其北齊安今爲净妙寺前臨官路後徙
高隴面淮又按實錄天監六年置光宅寺西去
縣十里武帝捨宅造寺未成於小莊嚴寺造無
量佛像長丈九尺未移前淮中估客夜輙聞大
橋上數百人脩道路往視不見人俄而像度光
彩輝煥東都記云秘書省内著作院後有梁武
帝及名臣沈約范雲周興嗣已下王公數十人
銅像初武帝登極乃立私宅爲寺寺内有此像
後長慶中李千里爲明堂採木使船載至東都
置於省内今新亭鄉有此寺去城二十
餘里牛首山之側蓋後用古額建爾

延壽院 乾道志本幽栖寺在城南四十里祖堂
山南唐貞觀中四祖道信禪師傳心印於此光

啓四年廢吳大和二年重置改今額

福昌院 乾道志院本資善院在城南四十里牛頭山前古常樂寺基與延壽院相鄰唐天祐中置南唐後主改今額

看經院 乾道志在城南四十里建隆二年置地名任店

淨果院 乾道志在城南五十里吉山南本梁天泰寺基南唐葬淨果大師起塔因名淨果塔院

淨居院 乾道志在城南五十里本唐天福寺會

昌中廢南唐時復置爲净住院治平二年改今額按實録梁天監五年置净居寺北去縣六十二里潁州刺史劉威造蓋即此也

大仁院 乾道志在城南七十里近慈湖界唐明宗時有僧結茅於此講仁王經南唐給額爲仁王院治平二年改今額

高公臺院 乾道志在城南八十里宋景平元年置古臺猶存

永慶禪院 乾道志在江寧鎮南去城五十里

清脩院 乾道志在江寧鎮東去城六十里治平二年賜額俗呼青山寺案青山之名當是幽岩見山川志

旌忠禪院 乾道志在城西南五十八里紹興二

十六年賜額爲秦申王墳寺今爲天禧寺下院

移忠報慈禪院乾道志在牧牛亭路東去城西南六十八里紹興十五年秦申王請爲功德院

寺有秦熺所造鐘鐫云紹興十五年歲在乙丑移忠報慈禪院告成資政殿學士太中大夫提舉萬壽觀兼侍讀兼提舉秘書省江寧縣開國伯食邑七百户食實封一伯户賜紫金魚袋秦熺謹造大鐘真歇禪師清了銘曰以大圓覺爲我伽藍十方刹海真淨本安衆生自妄性昏擾擾一聞此鐘亂想俱掃功流浩刼圓音鄭徹誰苦誰辛一時永歇近年住持僧元達重修寺宇

資聖院乾道志在城西南六十里梁武帝置在白都山側俗呼白都院

佛龕院亦名慈相乾道志在城西南六十里上公山梁佛壇寺基南唐保大十二年重置治平二年改慈相院一說吳赤烏二年置廣濟山佛龕院即此

淨相院乾道志在城西南六十里唐天祐十八年建南唐後主給額爲泗川塔院至崇寧中改今額俗呼後籬寺

廣教院乾道志在城西南六十里治平間賜額

禪居院乾道志在城西南六十五里唐大曆二年置會昌五年廢至太平興國五年脩

後陽院乾道志在城西南七十里係萬回道場開寶八年賜額在後陽村因名

隆福院乾道志在城西南七十里陸塘橋石堰口治平二年賜額

福興寺乾道志在城西南七十五里天竺山下按實録大同二年袁平造福興寺東北去縣百里詳見山川志内

何城寺乾道志在城西南何湖側去城八十里旁有王祥墓

清福寺乾道志在秣陵鎮東去城五十二里

興善院乾道志在秣陵鎮西比張山下去城五十五里

[illegible]城東南六十里齊永明元年賜額僧法珂立言可寺

真如院乾道志在城東南六十里治平間賜額

棲隱院乾道志在橫山北金陵鎮東去府城六十里

慈證寺乾道志在金陵鎮南去城六十五里

建昌院乾道志在橫山南澗山村去城八十里

西陽院乾道志在金陵鎮南去城七十五里

廣覺院乾道志在橫山北去城七十里治平二

年賜額其地名北湯村俗呼北湯寺

明性院俗呼**董青院**乾道志在城南石塘村西里山去城八十里治平二年賜額

隆教院乾道志在城東南八十五里梁大同二年建初號金口寺蓋里名也楊吳順義二年改

靈鷲院治平元年改今額

白塔寺在江寧縣治東烏衣巷即葬大唐三藏大遍覺法師玄奘頂骨舍利之塔詳見天禧寺下

法王寺在白塔寺東東晉末龜茲國沙門鳩摩羅什以道聞于時隆安三

年遣使往姚秦迎致奉巳尊爲三藏國師留不遣晉使再三徵請既至帝躬出朱雀門迎之歷試神驗待之加禮施地建寺賜法王之額請什居焉遂尊爲譯經三藏國師歷年既久寺亦燬廢至順間天禧主僧演與其屬法嵩德賔仍其遺址構寺一新寺之恒産不蒲百石歲時所用悉出天禧今爲天禧寺下院自崇因寺至此並屬江寧縣

崇明寺乾道志在句容縣東晉咸寧元年居士司徒察捨宅爲義和寺唐會昌中廢天祐二年重建太平興國五年改今額縣志寺額義和之寺四字梁昭明太子書尚存鍾樓俗傳般郢所造爲其巧也今寺分爲子院十七曰文殊院尹孺文張安國嘗訪璿無玷于定菴終日而去曰經藏禪院塔院羅漢院有塔影曰瑞應院瑞像院天王院彌陀院

四聖院千佛院天竺院妙雲院妙音院眼藥院北觀音院北釋迦院中釋迦院南釋迦院內經藏係禪寺云

興教院乾道志在句容縣東北舊經云晉咸寧中置爲觀音院南唐時重脩太平興國五年改今額

金華寺乾道志在句容縣東南晉咸康三年尚書令李邈捨宅造靈曜尼寺尋改額

聶行寺在句容縣西五里聶行山或云元在洪水坑

圓寂寺在句容縣南三十五里赤山側

龍華寺在句容縣赤山上

奉聖院舊名永定在句容縣東四十里梁大同二年置

延福院舊名延壽在句容縣東四十里晉咸和六年置

大泉寺在句容縣東北五十里宋昇明二年邑人顔繼祖捨宅爲寺今徙置縣北唐巷村

天王院在句容縣南五十里唐中和二年建

崇報院舊名正覺寺在句容縣北六十里楊吳順義中建縣志唐懿宗咸通中建名正覺

證聖院在句容縣北六十里唐咸通中賜額

資聖院在句容縣北六十里

道林院舊名**寶公院**在句容縣西北六十里梁天監中置即沙門寶公所居也唐乾符二年賜今額

宋熙寺在句容縣西北六十里慶元志寺舊基在蔣山寶公塔西桃花塢側梁劉訏與族兄歊聽講鍾山寺因共卜築寺東澗有終焉之志又王覘復爲散騎常侍太子中庶子步兵校尉辭疾不拜於寺築室居焉淳熙十一年僧淨德請鍾山廢額於縣北東陽鎮建寺號寶公塔院寶公生鷹窠中即其地也

戍山尼寺乾道志在句容縣北六十里唐景福中建慶元志在下蜀鎮有照首座塔韓子蒼銘

光宅寺在句容縣東十里

禪心寺在句容縣東三十里乾道元年請額

明慶院在句容縣東四十五里紹興二十一年樞密巫伋請功德院賜額

昭聖寺在句容縣東四十五里地名東昌乾道七年請溧水州廢額建

興教院舊名**永安院**乾道志在溧水州西三伯步臨淮門外唐天復元年置大中祥符四年改令額淳熙八年為禪院舊經又謂太平**永慶**楊吳時縣令孔敦祐奏為藝祖武皇崇脩更名興

教今爲禪寺

開福禪寺舊名**天興**在溧水州南門外唐開元二十二年脩會昌五年廢天祐初重建至太平興國五年改今額淳熙十三年請爲禪院

菩提寺舊經**尼院**在溧水州東三百步尋僊門外唐乾符中置

法華寺舊經**尼寺**在溧水州西一里唐天祐中建

崇慶寺在溧水州東南八里鴻鶴禪師在東廬山建道場後至中山西建寺唐大中二年立太覺寺額至太平興國五年改今額建炎兵燬餘枯檜二株

馬占寺在溧水州東二十五里本六朝古寺基開寶五年脩舊記無考相傳馬尚書於此讀書不知何代人紹興八年重建

興化禪寺舊名豐安寺在溧水州北二十七里唐大中中建至太平興國五年改今額淳熙六年請爲禪院

明覺寺舊名正覺在溧水州西四十里唐咸通十年置大順中改今名至治平二年賜額

廣嚴寺舊名儀城在溧水州西北四十五里唐天復三年置治平中改今額縣丞狙大武有記

儒童寺舊名**孔子寺**在溧水州南七十五里大唐景福二年置南唐昇元三年改今額舊傳孔子適楚經此地後人因建祠尋改爲寺

慧照寺舊名**禪林寺**在溧水州南八十里唐開元二十七年置太平興國五年改額

彰教寺舊名**報恩寺**在溧水州西南八十里唐大中七年置報恩寺有碑

淨行寺舊名**潘城寺**在溧水州西南九十里唐中和三年置寺有碑唐進士劉驩文

保聖寺舊名**龍城寺**在溧水州西南百里唐貞元十七年置寺之西林即舊基也後祥符中改今額龍城保聖二碑並存淳祐中胡應發有記

彌勒寺在溧水州南游山鄉紹興二十七年興廢建寺

萬善寺在溧水州東南唐昌鄉乾道二年鄧步鎮申府請額移於東塤鎮建

顯慈寺舊名**劉莊寺**在溧水州西南百三十里至太平興國二年復建大觀元年改**院**紹

興三十年又改今額

大覺寺本**大通寺**在溧水州北十五里梁大通九年置治平中改今額

新化寺在溧水州南儀鳳鄉乾道三年移建安興鄉

禪寂寺本無想院在溧水州南十八里六朝寺基縣志在州南二十五里南唐重建治平中改今額寶祐三年請爲十方禪院有南唐韓熙載讀書堂

興善院在溧水州西三十五里唐大順中置古迹

金華初平起石之地牧羊仙洞見存有古碑郡守黃度取上本府

新興寺在溧水州東門一里本在豐慶鄉廢後移居養院地建

華勝寺在溧水州南三里舊廢址在思鶴鄉佛子墩存石佛二尊祖師僧如日於宋乾道五年移請寺額復興於此吳興陳振孫記畧云嘉定初余爲吏溧水南出縣門三里有寺曰華勝閣送迎賓客至其所寺据南亭岡右臨官道爲門旁出草創殊弗稱其境主僧宗應方聚材於庭爲興造計余因扣以建置本末應言寺在邑西佛子岡久廢當紹興十七年吳興僧如日駐錫此地得古井焉浚之以飲行旅縣民倪實爲卓菴其旁至乾道五年始請

于邵徒寺之故名揭之新曰志常常老以屬宗應由紹興迄今六十餘年矣邑無富商大賈其民力農而畜施無深林壽木作室者常取材他郡寺又無恒產丐食足日歛其餘銖銖積之綿歲月𢌞能集一事故祖孫三世所就僅若此云

上方寺 在溧水州西二十里縣志蓋古寺也圖經闕畧不載特以爲置于唐之開元十二年而南唐昇元間僧慧海作十王齋記立石宋大觀二年間住持僧文應被命以石上送之府今不復存古老云寺基乃孫鍾種瓜之所感三少年化鶴而去今其鄉曰思鶴可證

永成寺 在溧水州西北二十里長壽鄉本在思鶴鄉廢紹定四年請額建

大刀七二小二刀斤

妙果寺在溧水州東三十五里白鹿鄉本在安興鄉雲鶴山廢嘉祐三年請額移建

太安寺在溧水州東北四十里長壽鄉六姑山本唐天祐二年置于溧陽州後廢淳熙八年請額移建

般若寺在溧水州南四十里儀鳳鄉本在崇賢鄉廢僧義榮於嘉熙三年請額建

桂陽寺在溧水州南七十里安興鄉本在長壽鄉廢嘉定中請額建

龍華寺在溧水州南遊山鄉宋淳熙九年僧法興經府請句容縣林泉鄉廢額建李處全記畧曰中山之南興行三日聚落曰銀淋江湖順流而下者至是舍舟而車自斯遡江而西則問津焉

正覺寺在溧水州西南一百四十里宋嘉定元年僧妙玲經府請江寧縣新亭正覺寺廢額建吳正肅公柔勝記畧曰建康之溧水有官圩曰永豐永豐有寺曰正覺其開山曾妙玲以狀來屬余曰寺故寮迹江寧縣之新亭役燼於兵遂廢不復建自政和因三湖為圩圩之吏民歲有事於祈禳則為堂而佛之繼者不能有加焉玲竊不揆思大其所居蓋泣血辛勤不懈晝夜數年然後官予之額為正覺給之規為甲乙住持夫釋氏之學儒者不能知余嘉玲之心志堅决

而刻苦卒能以堂為寺使推是心以求其師之道則道必洪又使學士大夫能用心如玲雖著為體國經野大為經天緯地固未有不可能者今郡縣纔官置一學然其半具文爾家無塾黨無庠遂無序抑嘗有動心者乎彼其教化之不明人才之闕如宽所從來有非一日之積矣故余重有感於玲之事而為之記

廣法院在溧陽州西門內唐元和中為**零陵寺**乾寧五年修建楊吳武義元年號**資福院**太平興國五年改今額佛殿鍾樓唐末天祐中劉銅鍾南唐保大十四年鑄欵識云溧陽縣資福禪院謹募衆信於都關銅坊內鑄造院左臨街石井闌刻云唐元和六年正月戊申沙門澄觀為零陵寺造此石闌近年移於報恩寺浴室井上院有別殿供觀音大士

夙者靈異侍郎劉岑爲記故老云建炎中車駕渡江尚書郎吳若時爲頓遞所幹辦官兼營繕行宫欲亟成毁僧道之廬以給用既拆門樓廊廡將及是殿大士慈相示變出舍利如汗珠斧之不碎縣宰及吳皆驚異殿遂獲存

廣教院在溧陽州東門外唐長慶元年金吾衛長史倪筠捨宅建賜額爲**資聖院**太平興國五年改今額

鎮國尼院在溧陽州東南隅唐天祐中建

崇德禪寺在溧陽州南十里屏風山紹興十九年賜額建爲秦梓功德寺

看經院在溧陽州南十里南唐昇元元年置

報恩禪寺舊在溧陽州西北五十里梁天監中置唐會昌中廢元祐五年邑人高先等徙建東門外一里宣和間爲神霄宫後復例改丞相李綱書額

法興禪寺唐爲**法常寺**在溧陽州北二十里開寶五年僧義通徙置雷公山下在州東北三十七里治平二年改今額

妙如寺在溧陽州舉善鎮宣和七年僧覺際請

唐隆寺廢額改建

聖塔院 在溧陽州北四十里落霞山僧伽行化之地有石佛鐫云乾符七年造中廢天禧年間再建

勝因寺 在溧陽州西四十五里晋義熈元年置唐名唐興政和五年改今額孟郊有溧陽唐興寺觀薔薇花同諸公餞陳明府詩崇熈中李亘刻石命寺僧創薔薇軒於西廡慶元志唐嚴綬禪宗大德通公碑有貞元十四年宣州溧陽縣唐興寺云

淨土禪院 在溧陽州東南五十里下山側唐開

成二年置初爲**雲泉院**治平二年賜今額宣和六年更律爲禪（舊經有祖師示滅塔記今亡慶元志下山寺舊又曰雲泉精舍唐許堅詩云地枕呉溪與越峯前朝恩賜雲泉額）

太安院在溧陽州西五十里紹興十三年僧慶雲移溧水州廢額建

永成寺在溧陽州西五十里乾道七年僧了深移溧水州廢額建

法慧寺在溧陽州北六十里呉相萬彧捨宅建梁爲**安静寺**廢後徙此大中祥符元年賜今額

法會院在溧陽州西南六十里社渚鎮吳天紀中建唐垂拱中名資善太平興國五年改今額

明慧院在溧陽州南七十里松山太平興國七年建治平二年賜額

三塔大聖院東晉爲白龍寺在溧陽州西七十里故傳僧加大聖行化之地有三塔存焉縣志昔錢氏奪南唐地作鐵梁堰爲厭勝法院因廢獨存一塔治平中僧奉琳建有寒光亭

觀音菴在城東南隅宋咸淳八年建

清福菴在城正北隅宋景定二年僧覺清建

常照菴在城正北隅大德二年平章吕文焕建

大夢圓通菴在城東南隅至元年間左丞廉希

憲建

大夢觀音菴在城西北隅料院街大官朔思吉

所建

崇福菴在城正南隅臙脂巷至大己酉年建

無際崇福菴在城正南隅泰定丙寅年楊遇新建

古佛菴在城東南隅貢院街放生池畔古有中

廢至正元年重建

法海菴在城東南隅大夢菴側至元元年建

寶公菴在城正東隅元貞年間僧劉空朔為寶公堂後民劉氏捨地命僧法通重建為菴

千子亭觀音菴在城正東隅上閘街延祐三年蔣山寺僧智堅募緣建

普照菴在城正南隅至大四年僧無盡建

月印菴在城正南隅大德五年僧無可建

淨土菴在城正南隅僧宗義建

華嚴菴在城西北隅泰定元年僧善果建

佛光菴在城正北隅至治元年建

寶公道林菴在江寧縣治南至大年間建今爲蔣山寺下院

溧水州有**井岡菴****壽國禪菴****觀音菴****亭山菴**皆歸附後僧俗所建

大通尼寺即**大通菴**宋咸淳元年建郡守馬光祖立石菴本在御街南隅劉觀察虎子婦秀岩落髮爲尼移菴額於秦淮南杏花村内建今寺

上國安寺古係**崇勝寺**又名**大悲院**在府城南

隅炳靈公廟街宋乾道七年僧法澐重建九年改今額

均慶尼寺在府城東南隅武定橋下馬道街内宋咸淳年間建

正等寺在府城東北隅宋咸淳四年郡守馬光祖建

天王寺在府城東北隅宋咸淳年間僧玉菴建舊名天王菴至泰定初建康路總管必失温沙班改額爲寺

彌陀菴 係宋興元酒庫及公使庫地基歸附後建菴在府城内

凡寺觀菴院称在城其隅及去城若干里皆指今府城即南唐建都所築城也除古蹟城外他志内言城倣此

金陵新志卷之十一

金陵全書

甲編・方志類・府志

至正金陵新志（三）

（元）張鉉 修纂

南京出版社

金陵新志卷之十二

古蹟志總敘

自古國家有所興造胥嘗不覽前代之制而爲之損益凡人之衣服飲食居處文爲其始曷嘗不因踵前人之遺緒而稍加異乎昔黄帝鑄鼎荆山接萬靈明廷其崩也羣臣葬衣冠橋山禹鑿龍門伊闕疏九河會諸侯朝羣臣於茅山會稽其崩也葬會稽漢時泰山有古明堂遺趾而封泰山禪梁父者七十餘君此非載之史册誦

於學士大夫則其盛節遺風泯焉不傳豈不惜哉金陵雲陽之墟有古帝王遺跡書缺漫不可詳繇秦漢以來爲都者八爲藩鎮治所無慮數十賢人君子相與憂勞治其繭絲保障歌哭於斯者多矣其典章制度與時因革者既列前八志復紀識其城闕官署第宅陵墓碑碣著其時制在所俾觀於古者有考焉傳言墟墓之間未施哀於民而民哀宗廟之間未施敬於民而民敬此言人之善心油然感於所見矧其善惡成

敗之蹟足爲勸戒者乎述舊章覽遺事作古蹟志金陵歷三吴二宋總名古蹟年月詳見事下各仍舊稱不復識别景定志有考證今引之

城闕官署

歷代城闕官署參錯須互考得其彷彿故以類附見

古固城

春秋時吴所築也在溧水州界乾道志在縣西約六十里高丈五尺羅城周七里二百三十步子城一里九十步按勝公廟記固城吴時瀨渚縣也楚靈王與吴戰吴軍不利遂陷此城吴乃移瀨渚於溧陽南十里改爲陵平縣平王立使蘇乃爲將戰敗吴軍以吴陵平縣改平陵縣王聽費無極佞言伍員奔吴闔閭用爲將舉軍破楚固城宫殿逾月烟焔不滅其城遂廢又按笠澤叢書溧陽昔爲平陵縣縣南十餘里有故平陵城而圖經乃載平陵於溧陽載固城於溧水益未詳也戚氏云以地考之平陵有二其一晉

平陵即永世城其一則在唐溧陽南十里吳所置也與固城東西相去已遠圖經之説爲是故嘉定溧陽志歷載永世唐縣平陵三城而景定郡志咸淳溧水志猶言固城亦名平陵則失於不考嘉定志可但滕公廟記嘉定志以爲未見全文今亦不知何時何文以將日用城隍之記言之唐立溧陽至開元近百餘歲記若指此爲溧陽則唐人文也宋紹興中溧水尉喻居中於固城湖得東漢溧陽長潘乾校官碑盖其地乃漢之溧陽也周益公南歸録乾道壬辰自鄧安東瀨溧水登陸行十五里至銀樹有一二百家若水泛則自此便通舟又六七里至雙港口復登舟約十餘里至固城湖日猶未晡盖數百家之聚登妙智庵觀范同參政父墳晚步固城上父老謂之楚王城其周數里但存城基庵中石龜碑趺乃去歲掘城得之云天寶彌勒寺碑也次日肩輿五六里至禪林山惠照院啓天申節寺僧云相去二十里有遊子山儒董院盖夫子

遊歷之地不記圖志所載云何歸舟艤纜渡湖水財數天然亦瀰漫其中多菰葑凡三十里至石橋地約五十里至太平州河口兩岸多民居烟樹如畫稍前即永豐圩夜泊黄池鎮鉅固城湖已百一十里云

古越城 一名**范蠡城** 案宮苑記周元王四年越相范蠡所築在今瓦棺寺東南望國門橋西北圖經云城周迴二里八十步在秣陵縣長干里今江寧縣廨後遺址猶存俗呼爲越臺 金陵故事云周元王四年范蠡佐越滅吴欲圖伯中國立城於金陵以强威勢郡國志云在縣南六里東甌越王所立吴王濞敗保此城後走丹徒晉王含以水陸五萬逼淮温嶠燒朱雀航以挫其鋒遂潛

師渡水大破含軍於越城南盧循犯建康劉裕恐其侵軼用虞丘進計伐木柵石頭城修治越城齊崔慧景反蕭懿入援自采石濟岸頓越城梁武義師次新林遣王茂據越城實録注云越王築城江上鎮今淮水南一里半廢越城是也案越絕書其城越范蠡所築城東南角近故城望國門橋西北即吳牙門將軍陸機宅故機入晉作懷舊賦望東城之紆餘即此城在三井岡東南一里而瓦棺寺閣在岡東偏也今南門外江寧縣廨後有越臺與天禧寺相對近時詩人指越臺爲越女取越土築臺者非也

楚金陵邑城

威王滅越越私吳越之冨擅江海之利置金陵邑於石頭及負芻爲秦所滅至漢高帝時封韓信於楚鄣郡屬焉六年廢（周顯王三十六年楚

滅越乃因山立號置金陵邑今石頭城是也楚威王後一百一十餘年當秦始皇二十四年秦滅楚兼諸侯分天下作三十六郡以金陵爲鄣郡楚亡後一十三年當始皇三十七年乃改金陵邑爲秣陵縣乾道志金陵邑城在清涼寺西去臺城九里南開二門東一門又見山川志

古賴國城在今溧水州界案實録吴廢帝亮崩于侯官道上晉太康中故少府卿丹陽戴顯上表迎屍歸葬賴鄉春秋傳昭公四年楚伐吴秋七月圍朱方八月遂滅賴楚子欲遷許於賴使鬭韋龜與公子棄疾城之而還冬東國水不可以城彭生罷賴之師朱方即今鎮江也陳國苦縣雖有賴鄉與朱方相去甚遠亦非東國有水之地其賴城豈非即晉時賴鄉今之溧水乎故勝公廟記謂楚靈王與吴戰吴軍不利遂陷瀨渚伍子胥投金處止名瀨水戰國策范環對楚懷王亦言楚來越亂南察瀨湖而野江東合前後觀之賴之爲溧水

甚明吴音訛瀨爲溧自漢以来遂名溧水而古蹟間有存者其苦縣頼鄉或楚滅頼之後徙其人於彼未可知耳景定以前圖經失不詳考臧氏志始畧言之今存此城以俟博古者稽焉

吴石頭城 見山川志

丹楊郡城 案宫苑記在長樂橋東一里南臨大路城周一頃開東南北門漢元封二年置丹楊郡至晋太康中始築城宋齊梁陳因之不改 漢志丹楊郡先治宛陵建安十三年孫權分爲新都郡二十六年權始置丹楊郡自宛陵治建業永安中分置故鄣郡丹楊所領惟溧陽以北六縣晋太康元年改建業復爲秣陵置江寧縣唐初廢爲州天寶元年復置至德二載析置江寧郡元和郡國志丹楊郡故城在今江寧縣東南蔡

宗旦金陵賦注云右圖長樂橋東一里今桐林灣軍寨處

古都城

案宮苑記吴大帝所築周𢌞二十里一十九步在淮水北五里黄龍元年自武昌徙都晉元帝初過江不改其舊宋齊梁陳皆都之宋世宫門外六門城設竹籬至齊高帝建元元年有發白虎樽言白門三重門竹籬穿不全上感其言改立都墻本紀建元二年立六門都墻是也其後增立爲十二門云 考證案宮室記吴大帝遷都建鄴有曰太初宫者即長沙王故府徙武昌宮室材瓦所繕也有曰臺城蓋宫省之所寓也有曰東府蓋宰

相之所居也有曰西州蓋諸王之所宅也有曰倉城蓋儲蓄之所在也皆不出都城之內輿地志曰晉琅琊王渡江鎮建鄴因吳舊都修而居之宋齊而下宫室有因有革而都城不改東南利便書曰孫權雖居石頭以扼江險然其都邑則在建鄴歷代所謂都城也東晉及齊梁因之雖時有改築而其經畫皆吳之舊隋既平陳此城皆毁今之都城非舊也

臺城 一曰**苑城** 詳見前圖考

東府城 晉安帝義熙十年冬城東府在青溪橋東南臨淮水周三里九十步去臺四里簡文爲王時舊第後爲會稽王道子宅道子録尚書事以爲治所時人呼爲東府其子元顯亦録尚書

事時謂道子爲東録元顯爲西録西府車騎填湊東第門下可設雀羅東第即後東府城也會稽王傳嬖人趙牙爲道子開東第築山穿池列樹竹木工用鉅萬帝嘗幸其宅謂道子曰府内有山因得游矚甚善然修飾太過非示天下以儉道子謂牙曰上若知山是版築所作爾死矣牙曰公在牙何敢死其城東北角有土山曰靈秀即牙所築也宋武帝領揚州日築東府城以居彭城王義康文帝元嘉中義康更開拓地墉浚西壍自後常爲宰相府第景和中嘗改爲未央宮明帝時建安王休仁鎮東府訛言東城出天子帝懼殺休仁而常閉東府不居桂陽王休範反車騎典籤茅恬開東府納賊齊高帝封齊王以東府爲齊宮梁太清三年侯景舉兵毀板女牆以甎甓爲之紹泰末盡羅焚毀陳天嘉中更徙治府城東三里齊安寺西臨淮水陳亡廢

西州城即古揚州城漢揚州治曲阿晉永嘉中遷于建康王敦始爲建康剏立州城即此城也案建康實錄城所置西則冶城東則運瀆天慶觀之東西州橋是一說石水之亂焚燒府舍陳敏營孫氏故宮居之元帝初渡江即敏府創今城考證晉孝武太元末會稽王道子領揚州居東府故號此城爲西州大明中以東府爲諸王邸西州爲丹揚尹治所謝安爲時人所愛重及鎮新城盡室而行造泝海之裝欲須經畧粗定自江道還東雅志未就遂遇疾篤上䟽請旋旆詔遣還都聞當入西州門自以本志不遂深自慨失及薨後安所知羊曇者輟樂彌年行不由西州路甞因石頭大醉扶路唱樂不覺至州

門左右曰此西州門曇悲感不已因慟哭而去宋時徐羨之住西州高祖嘗思之即步出西掖門往見焉寰宇記云西州學者多未曉江寧府有東府城城中有揚州廨而揚州在府西故時人號爲東府西州東府城之西西門謂之西州門世說王丞相治揚州廨按行而言曰我爲何次道治此爾何少爲王公所知是以發此歎今西州也丹楊記曰揚州廨王氏所居諸葛恪則治建業晉自周浚至王仍吴舊王復領州牧及桓溫玄悉治王府王茂洪以及玄讓則在建康永嘉七年顧榮誅陳敏揚州刺史劉機治建康王氏代機元帝渡江居城府王便立州廨於此宋殷景仁既拜揚州羸疾遂篤上敕西州道上不得有車聲孝武時熒惑守南斗上乃廢西州舊館使西陽王子尚移居東府城以厭之揚州別駕沈懷明曰天道示變宜應之以德今雖廢西州恐無補也上不復西州竟廢

冶城詳見前圖考

琅邪城在江乘縣界晉元帝以琅邪王過江國人隨而居之因城焉在縣東北六十三里今句容縣琅邪鄉即其地也考證齊武帝永明元年移琅邪於白下置大起樓觀講武於此南徐州記江乘南岸蒲洲津有琅邪城則琅邪城與白下相邇今句容縣有琅邪鄉蓋與江乘縣界相接是蒲洲津與白下皆有琅邪城也一在上元縣金陵鄉西北去縣十四里乃白下之城或者直以蒲洲津城爲白下非也王隱晉書江乘南岸有琅邪城立琅邪內史以治之齊永明六年於琅邪城講武習水步觀者傾都王融從武帝琅邪城講武應詔詩云白日映丹羽頳霞文翠旆凌山炫組甲帶水被戈船謝朓有江孝嗣戍琅邪城詩南史齊王融

傳云世祖欲北伐使毛惠秀畫漢武圖置琅邪城射堂上每游幸必觀視焉

金城在城東二十五里吴築今上元縣金陵鄉地名金城戍即其地考證吴後主寶鼎二年以靈輿法駕迎神於明陵使丞相陸凱奉三牲祭於近郊後主於城門外露宿明陵乃後主父故太子和陵也蔡宗旦金陵賦云遊金陵以愴然問種栁之何在笑吴主之信巫乃露宿於門外晉大興中王氏舉兵反將軍劉隗軍于金城初中宗於金城置琅邪郡咸康中桓温爲琅邪内史出鎮金城後温北伐經金城見爲琅邪時所種栁皆十圍因歎曰木猶如此人何以堪因攀枝執條泫然流涕楊脩金城詩亦引此爲據前志謂上元縣金陵鄉地名金城戍即其地戚氏辨以爲金城即前句容之琅邪城

侯考

秣陵城在宫城南八里一百步小長干巷内梁宋北齊皆於秣陵故城跨淮立橋柵當是其地隋併入江寧

建鄴城晉太康三年分秣陵淮水北爲建鄴舊城在吴冶城東詳見前疆域志

蔣州城隋平陳於石城置蔣州輔公祏據江東用爲揚州唐趙王孝恭平公祏又於其城置揚州大都督後徙揚州於廣陵此城遂廢

五城有二其一在府城東南二十五里東晉時

所築其一在石頭城唐德宗時所築考證晉五舍錢鳳戰
敗乃率餘黨自柵塘西置五城造營唐景雲中
縣令陸彥恭於城側造橋渡淮水今五城渡是
唐德宗狩梁州韓滉觀察江東西乃築石頭五
城自京口至土山修塢壁起建業抵京峴樓雉
相望詳見石頭山下

檀城本謝玄之別墅大傅謝安與玄奕碁所勝
者至宋屬檀道濟故名檀城圖經云在今縣東八里按建康實録
在墅城東八里非去縣八里也地圖謂之城子
墅今清風鄉有城子枯在黃城橋之西即其地
去府城四十里

白下城輿地志云本江乘之白石壘齊武帝以

其地帶江負山移琅邪居之唐武德元年罷金陵縣築城於此因其舊名曰白下貞觀七年復舊治此地遂廢考證唐地理志云武德三年更江寧曰歸化八年更歸化曰金陵九年更金陵曰白下隷潤州貞觀九年復更白下曰江寧前說興廢本末與此不同宜以唐史爲正又按南史齊武帝欲修白下城難於動役劉係宗啓諫役在東者上從之後武帝講武白下履行其城曰係宗爲國家得此一城圖經云在城西北十八里今靖安鎮北有白卜城故基父老傳云即此地屬金陵鄉去府城十八里

開化城在溧水州南九十里環地三里六十步高五尺有廟未詳寰宇記云開化城在國城東即溧水舊地也

東宮城案宮苑記宋元嘉十五年脩永安宮爲東宮城四周土墻塹兩重在臺城東門外南東西開三門

金陵府城案宮苑記隋大業六年置玄風觀南園是按唐李孝恭再破匡賊欲以威重夸遠俗築第石頭城陳盧徵自衛此又唐府城也

臨沂懷德同夏諸城並見廢縣

湖熟城湖熟古縣名漢屬丹陽郡宋元嘉中從越城流人於此城元和郡縣志云在舊江寧縣東南七十里今在上元縣丹陽鄉去縣五十里

淮水北古城猶在詳見廢縣

白馬城在江寧縣北三十里吳時烽火之所考證金陵故事云吳時沿江烽火臺二所一在石頭左一在白馬城今不詳其所

竹里城在句容縣北六十里東陽鎮東二十五里考證齊永元二年崔慧景叛向建康遣驍騎將軍張佛護直閣將軍徐元稱等六將據竹里爲數城以拒之

竹城在溧水州東南七十里環二里高五尺有廟未詳周美成詩竹城何檀欒層翠分雉堞王封盡四塹同有歲寒節似以有竹名也

杜城在溧水州南一十二里環四百餘步隋大

業末杜伏威屯軍於此舊有廟及戰場

皇姥城在溧水州南一百一十里大山南高五尺有廟未詳城周五里七步子城周一里一百一十四步上闊五尺下八尺

溧陽舊縣城在縣西北四十五里地名舊縣村戚氏云城已毀唯巡檢寨後小坡上有城隍廟前有唐開元十七年碑國子進士蔣日用文云縣宅茲土近百餘載蓋自唐初武德三年置縣及是踰百年唐末天復三年移治今縣後三年唐亡則此城爲溧陽治與唐終始首尾幾三百年也今有古平陵城在此城南十餘里若據勝公廟記謂移瀨渚於溧陽南十里改爲平陵疑此縣即吳溧陽乾道亦云疑此即瀨陽縣然廟記所謂溧陽似指唐溧陽以曉入未可据以爲吳有此縣也

平陵城

乾道溧陽志在縣西北三十五里周二里高一丈四門壕闊六七尺居民今五六家勝公廟記見前固城下縣志史記伍子胥槖載而出昭關夜行晝伏至於陵水膝行蒲伏稽首肉袒鼓腹吹篪乞食於吴市戰國策亦述此事陵水二字作菱夫然則瀨渚陵平平陵陵水菱夫皆指此地陵水菱夫傳誤耳陸龜蒙笠澤叢書李賀記爲兒時在溧陽聞白頭書佐言孟東野貞元中爲溧陽尉溧陽昔爲平陵縣縣南五里有投金瀨瀨南八里有故平陵城周十餘步基址才高三四尺而草木甚盛率多大櫟叢篠蒙翳如塢如洞其地窪下積水沮洳深處可活魚鼈幽邃可喜東野得之忘歸案此城南五里有平陵山

永世城

在溧陽南十五里周三百步遺址高一二尺漢元封中置永平縣尋廢吴分溧陽復置其後改曰永安晉武帝太康元年更名永世屬丹楊郡元帝又分永世爲平陵皆屬義

興郡宋元嘉九年省永世入溧陽今俗稱故縣内有唐隆寺舊基鄉民猶能言古跡犴之所晉伏滔陸曄皆嘗除永世令

趙城 在溧陽州東五里周二百步有廟

梁城 在溧陽州西五十里周二百步有廟

黨城 在溧陽州東十五里周一百五十步有廟

溧水古城 舊志在縣西南一里不載所始疑若賴國城之類古蹟之湮廢者多矣

新亭壘 宋孝武入討元凶劭元景至新亭依山築壘東西據險察賊衰竭乃開壘鼓譟以奔之賊衆大潰亭今在城西南十二里壘不存考證元徽

二年桂陽王休範舉兵潯陽蕭道成頓兵新亭以當其鋒築新亭城壘未畢賊前軍已至道成登西垣使陳顯達等與賊水戰大破之江淹有新亭壘詩

侯景故壘 今桐樹灣處即古大航城在其南梁紹泰元年北齊兵至建康陳霸先問計於韋載載曰齊人若分兵據三吳之路畧地東境則大事去矣今可於淮南因侯景故壘築城以通東道輸乃遣載於大航築侯景故壘使杜稜守之

賀若弼壘 在上元縣北二十里隋平陳賀若弼過江於蔣山龍尾築壘

韓擒虎壘 在上元縣西四里今在石頭城西元和郡國志隋平陳樹碑其文薛道衡之詞武德七年趙郡王孝恭平輔公祏紀功與此碑相對今

李伯藥之詞

仁威壘在句容縣案南史周弘讓梁承聖初為國子祭酒一年為仁威將軍城句容以居命曰仁威壘又故老相傳達奚將軍屯兵于此或云棄甲因名甲城邑舊有祠在武烈廟側土人感夢移甲城東南廟之簷楹烏雀不棲宿按達奚元魏族此必隋世仕冄楊者

藥園壘晉義熙中盧循反劉裕築此壘以拒之在北郊之西宋元嘉二十一年七月甘露降樂遊苑輿地志上元縣東北八里晉時為藥圃盧循反築藥園壘即此處也

建康府城見前圖考

古都城門 見前圖考

古建康宮門 見前圖考

古朱雀門 宮苑記吳立初名大航門南臨淮水北直宣陽門去臺城可七里又按地司公宣陽門六里名為御道夾開御溝植柳南出國門去園門五里晋成帝咸康二年更作朱雀門對朱雀浮航南渡淮水宋大明五年立馳道自閶闔門至朱雀門六年又新作大航門孝武太元三年又起朱雀門重樓皆繡栭藻并門開三道上重曰朱雀觀觀下門上有兩銅雀懸楣上刻木為龍虎對立左右宋大明五年改為右皐門梁大同三年復改朱雀門以金陵圖考之當在今鎮淮橋北左南廂

古東宮門 案宮苑記南面正中曰承華門直南出路東有太傅府次東左詹事府又

次東左率府路西西有少傳府次西右詹事府又次西右率府東向正中曰安陽門西西對溫德門西面正中曰則天門西直對臺城東華門東率更寺西家令寺次西太僕寺更西有典客省

古籬門

案宮苑記舊京邑南北兩岸籬門五十六所蓋京邑之郊門也江左初立並用籬為之故曰籬門又云東籬門本名肇建籬門在古肇建市東西籬門在石頭城東南籬門在國門之西北籬門在覆舟山東玄武湖東南角有亭名籬門又有三橋籬門在光宅寺側白楊籬門石井籬門在護軍府西籬門外路北齊東昏時陳顯達舉兵官軍敗之於西州斬於籬門側始安王遥光據東府反使左興盛屯東籬門又崔慧景與江夏王寶玄舉兵東昏遣將軍左興盛率臺内二萬人拒慧景於北籬門梁高祖建義命陳伯之進據籬門天監八年新作緣淮塘南岸起後渚籬門達于三橋

古宣陽門洛京舊名都城正中門也南直朱雀門相去五里門三道上起重樓懸楣上刻木為龍虎相對皆繡栭藻井南史宋明帝時有人謂宣陽門為白門以為不祥甚諱之通典孝武時侍中何偃南郊陪乘鸞輅過白門門閫將畐帝反手接之曰朕反陪卿也

古大司馬門在宣陽門內三國典畧侯景攻臺城燒大司馬門後閤舍人高善寶以私金千兩賞戰士直閤將軍宗思領將士數人踰城出外灑水久之火滅景又遣持長柯斧入門下斧門將開羊侃鑿扇為孔以槊刺倒二人斫者乃退

古建春門臺城正東面門後改為建陽門文選謝希逸宋孝武宣貴妃誄曰經建春而右轉循閶闔而遥度

古東掖門晉成帝修宮城南面開四門最東曰東掖門門三道南直蘭臺最西曰西

掖門其地在宋宮城東北

古南掖門 宮城南面近東門案實錄南面次東曰閶闔門後改為南掖門世謂之天門南直蘭臺宮西大路升平五年南掖門馬足陷地得銅鍾一有二四字註南掖門是建康宮南面東門陳朝改名端門南出都城開陽門即宣陽東門也楊公則自越城移屯領軍府壘北樓與南掖門相對

古雲龍門 第二重宮墻東面門對第三重宮墻萬春門宋劉湛初入朝善論政道并前代故事聽者忘疲每旦入雲龍門御者便解駕左右羽儀分散不夕不出侍中司徒尚書令謝朏足疾不堪拜謁乃角巾自輿詣雲龍門

古神虎門 一曰**神武門** 第二重宮墻西面門對第三重宮墻千秋門宋

書傳亮永初四年為中書令直中書省專典詔令以亮任總國權聽於省見客神虎門外每旦車常數百兩齊陶弘景為高帝諸王侍讀奉朝請既而脫朝服掛神武門上表辭祿詔許之

古西明門

臺城正西面門也實錄云宋徐羨之住西州高祖嘗思羨之便步出西掖門羽儀絡繹追之已出西明門矣

古平昌門

宮城北面近東對南掖門其地在今城東宋劉延孫為尚書左僕射疾病不任拜起上使乘舟自清溪至平昌門入尚書下舍

古廣莫門

洛京舊名都城北面次西門也北直樂游苑南門其地在今城東北宋元嘉二十五年夏四月新作閶闔廣莫二門王曇首傳元嘉四年車駕出北堂使三更竟開廣莫門南臺云應須白獸幡銀字棨不肯開尚書左丞羊元保奏免御史中丞傅隆以下曇首曰既

無愚叙又闕幡祭惟稱上旨不異單刺元嘉元年雖有再開門例此乃前事之違今之守舊未為非禮其不請白獸幡銀字祭致開門不時由尚書相承之失未合糾正上特無問更立科條

古國門

梁天監七年作國門于越城南在今高座寺東南澗橋北越城東偏

古望國門

南史梁侯景犯建康令羊侃率千騎頓望國門其地在越城東南

古光德門

古蹟編云在東門外趍蔣山路東北曲折處舊傳如此未詳其始

石闕

南朝宮苑記曰晉元帝欲於宮前立闕衆議未定王導指牛頭山為天闕不別立闕宋孝武大明七年於博望梁山立雙闕梁置石闕在端門外陸倕為銘銘曰象闕之制其來已遠或以聽窮省寃或以布治縣法或表正王居或光崇帝里晉氏浸弱宋曆威夷乃假雙闕於牛頭託遠圖於博望有欺耳目無補憲章註此石闕在端門外炎道置之其上隱起奇獸異禽

大卌、之狀規制詳
見後碑碣類

白下門 見白下亭

秦淮柵 即柵塘也案實錄註吳時夾淮立柵又
梁天監中作重柵皆施行馬至南唐時
置柵
如舊

青溪柵 在城東蘇峻之亂因風縱火進燒此柵
官軍再敗卞壼父子死之隋平陳斬張
麗華孔貴妃
於此柵下

今府城八門 見前
圖

吳太初宮 建康實錄吳大帝遷都建業從武昌
宮室材瓦繕太初宮即長沙王孫策
故府也赤烏十年作十一年宮成周迴五百丈
正殿曰神龍南面開五門正中曰公車門次東

曰昇賢門更東曰左掖門次西曰明陽門更西曰右掖門東面正中曰蒼龍門西面正中曰白虎門北面正中曰玄武門北直對臺城西掖門前路東即右御街又起臨海等殿晉元帝渡江因吳舊都即太初宮爲府舍乃即位稱爲建康宮江表傳載權詔曰建康宮乃朕從京來所作將軍府寺耳材柱率細小今未復西可徙武昌材瓦更繕治之有司奏言武昌宮已二十八歲恐不堪用宜下所在更伐木治權曰大禹以卑宮爲美今軍事未已所在多賦損農武昌材自可用也左太冲吳都賦曰作離宮於建業闌闠閭之所營采夫差之遺法抗神龍之華殿施榮楯而捷獵崇臨海之崔巍飾赤烏之韡曄東西膠葛南北峥嶸房櫳對擴連閣相經闔閭譎詭異出奇名左稱彎碕右號臨硎彫欒鏤楶青瑣丹楹圖以雲氣畫以僊靈雖玆宅之夸麗曾未足以少寧註云神龍臨海赤烏皆吳大帝所作建業太初宮殿名也彎碕臨硎宮門名也晉史

石水之亂太初宮盡焚陳敏平石氷因太初故基創府舍元帝所居即敏所造帝領江左十年始即位常在舊府則帝亦不改作至成帝始繕苑城詳見晉建康宮下

吳昭明宮 始謂之新宮周五百丈與太初宮相望榜曰昭明後主移居之晉避諱改曰顯明宮吳志後主甘露三年六月起新宮於太初之東制度尤廣二千石已下皆自入山督攝伐木又攘諸營地大開苑囿起土山作樓觀加飾珠玉制以奇名又開城北渠引後湖水流入宮內巡遶堂殿窮極伎巧功費萬倍

吳南宮 吳太子宮在南大帝赤烏二年適南宮宋置欣樂營於其地在舊江寧縣治北二里半也

晉建康宮 亦名新宮晉成帝咸和七年新宮成名曰建康宮亦名顯陽宮直法寶寺

之南在今臺治北五里舊志云新宮即臺城也在江寧縣治北五里周八里有墻兩重晉成帝時蘇峻作亂盡焚臺城宮室溫嶠以下咸議遷都唯王導固爭不許咸和六年使卞彬營治七年新宮成開五門南面二門東西北各一門十二月帝遷居之明年正月朝萬國于新宮孝武太元三年謝安以宮室朽壞啓作新宮仰模元象合體辰極王彪之曰中興即位東府誠爲儉陋元明二朝亦不改制蘇峻之亂成帝止蘭臺都坐不蔽寒暑是以更營修築殆合奢儉之中今自可隨宜增修強寇未殄不可大興力役安曰宮室不壯後世謂人無能彪之曰任天下事當保固國家朝政惟允豈以修屋爲能耶詔曰昔大賊縱暴宮室焚蕩元惡雖除未暇營築有司屢陳軒會逼狹遂作斯宮子來之歌不日而成新宮內外殿宇大小九三千五百間

晉永安宮 即吳東宮在臺城東南輿地志吳東宮在城之南晉初東宮在城之西南

其後於宮城之東南宋齊梁又在宮城之東北宮苑記永安宮在臺城東華門外晉孝武太元二十一年新作東宮本東海王第安帝立以何皇后居之桓玄拆其材木入西宮以其地爲細射宮至宋元嘉十五年築爲東宮陳太建九年移皇太子居之

宋親蠶宮在上元縣鍾山鄉閭婆寺前紗市中南史宋大明三年立皇后蠶宮於西郊四年三月庚申皇后親蠶西郊輿地志孝武初立爲苑後爲西蠶所隋志江左至宋大明始於臺城西白石壘爲西蠶設兆域置大殿七間又立蠶觀其禮皆循晉氏蔡宗旦金陵賦註親桑堂側有璽觀今北莊前平地是其處

齊世子宮在石頭城南史齊武帝爲世子日以石城爲宮

梁金華宮在青溪東去臺城三里考證輿地志梁大同中所築昭明太子蔡妃所居

陸襄傳云大通三年昭明太子薨宮屬罷妃蔡氏別居金華宮以襄爲中散大夫步兵校尉金華宮家令知金華宮事

陳安德宮 案宮苑記在宣陽門外直西即都城西南角外陳宣帝爲皇后所築隋平陳移江寧縣於此明年罷之有古池存人呼爲安德宮池宋末池猶存在精銳軍寨內

青溪宮 在城東二里南史齊武帝元嘉十七年生於建康之青溪宮後爲芳林苑

未央宮長樂宮建章宮長楊宮 南史宋廢帝景和元年以東府城爲未央宮以石頭城爲長樂宮以北邸爲建章宮南第爲長楊宮東府城在古青溪橋東

梧園宮 在句容縣吳王別館有梧楸成林今不詳其所任昉述異記古樂府云梧宮秋吳王愁

宋行宫

即舊建康府治高宗紹興二年修爲行宫建炎元年尚書右僕射兼中書侍郎李綱言於高宗曰天下形勝關中爲上建康次之請以長安爲西都建康爲東都各命守臣葺城池治宫室積糗糧以備臨幸則天下之勢安矣上出其章付中書衛尉少卿衛膚敏曰建康實古帝都外連江淮内控湖海爲東南要會之地伏望趣下嚴詔夙期東幸中書舍人劉珏曰金陵天險前據大江可以固守廷臣率附其議於是大臣皆主幸東南二年五月上至江寧府駐蹕神霄宫詔改江寧府爲建康府二年閏七月上發建康如浙西紹興二年上命江南東路安撫大使李光即府舊治修爲行宫光乞增創後殿許之以圖進呈上曰但令如州治足矣若止一殿雖用數萬緡亦未爲過必事事相稱則一木之修傷財害民何所不至象箸之漸不可不戒由是制度簡儉六年六月右僕射張浚謂建業

爲中興根本奏請聖駕以秋冬臨幸七年三月
辛未上至建康十一月上謂浚曰朕來建康行
宮皆因張俊所修之舊不免葺數間小屋爲寢
處之地當與卿觀之初不施丹雘蓋不欲勞人
費財也八年正月上將還臨安參知政事張守
言曰陛下至建康未及煖願少安於此以繫
中原之心趙鼎持不可壬戌召張俊至宮中諭
之曰朕來日東去卿在此無與民爭利勿興土
木之工俊悚息承命俊見地無磚面再三嘆息
上曰此事非難但艱難之際一切從儉廉少紓
民力朕爲人主雖金玉爲飾亦無不可若如
此非特一時士大夫之論不以爲然後世以朕
爲何如主也三十二年正月上復至建康二月
還臨安初上謂輔臣曰將來幸浙西建康宮宇
令有司照管它時復幸免更營造以傷民力中
書門下省言建康府已除行宮留守詔應合行
事件並依西京留守司體例施行自是江南東
路安撫司常兼留守每歲四季月準令入宮點

視留守司屬官一員從之

行宮 在天津橋北御前諸軍都統制司南

宮門 在宮南皇城南門北

寢殿 在宮之中

朝殿 在寢殿南

復古殿 在寢殿後

羅木堂 在復古殿後

御膳所 在朝殿左

進食殿 在復古殿西南

直筆閣 在朝殿右

內東宮 在宮左南位右

孝思殿 在內東宮後

資善堂 在學士院右

南位 在內東宮左御苑右

大射殿 在御教場北

小射殿 在復古殿西北

天章閣 在皇城門內宮門外宮南隅與學士院相對

學士院 在皇城門內宮門外西南隅與天章閣相對

御教場 在軍器庫南

走馬廊 在進食殿西南隅

御苑 在皇城東門內御馬院之北南位左

八僊臺 在御苑東北

涼

舘 在御教場內元符間元時敏作記刻石在學士院

高齋 在宮東北隅慶曆間胡宿

作記刻石在學士院

御輦院在天章閣後

御馬院在城隍司左

軍器

南北西庫在走馬廊前

御酒庫在資善堂右

御醋庫在御酒庫右

錢物庫在御教場門右

內侍省在宮右軍器庫左

皇城司在天章閣左

皇城周四里二百六十五步高二丈五尺下闊一丈五尺紹興二年即舊子城基增築

皇城南門正對天津橋御街一直

皇城東門對移軍教場城上有看教樓前有日華橋

皇城西門對江寧縣前大街前有月華橋

東待漏院在皇城門外左

西待漏院在皇城門外右

東闕亭在東待漏院左

西闕亭在西待漏院右

親事營在東待漏院左

護龍河分青溪水自東虹橋下流入河遶皇城東北西三隅至西虹橋下與青溪水復合爲一

吳赤烏殿 舊縣東北五里吳昭明宮內考證吳時赤烏見遂起殿名赤烏

吳神龍殿 太初宮有神龍殿去舊江寧縣三里

太極殿 建康宮內正殿也晉初造以十二間象十二月至梁武帝改製十三間象閏焉高八丈長二十七丈廣十丈內外並以錦石爲砌次東有太極東堂七間次西有太極西堂七間亦以錦石爲砌更有東西二上閣在堂殿之間方庭闊六十畝山謙之丹楊記曰太極殿周制路寢也秦漢曰前殿今稱太極東西堂亦魏制於周小寢也按秦始皇改命官爲廟以擬太極魏號正殿爲太極蓋采其義晉成帝咸康中便闕議改太爲泰謬矣徐廣晉記曰孝武寧康二年尚書令王彪之等改作新宮太元三年二月內外軍六千人始營築十月而成謝安作新宮造太極殿次一梁忽有梅木流至石頭城下因取爲梁殿乃成畫梅花於其上以表嘉瑞實

録云太元中起太極殿謝安欲使王獻之題榜而難言之因說魏韋仲將懸橙書凌雲臺額獻之正色曰仲將魏之大臣寧有此事使其若此有以知魏德之不長安遂不之逼晉中興書云孝武造太極殿郭樊上筮云二百一十年此殿爲奴所壞後梁武帝毀之捨身爲奴文昌雜録云東晉太極東西閣六子間以聽政閣之名起於此宮苑記又云太極殿前東西有二大鍾宋武帝平洛所獲並漢魏舊物殿前有相風烏南史張永曉音律太極殿前鍾斵孝武嘗以問永永答鐘有銅滓乃扣鍾求其處鑿而去之聲遂清越陳高祖永定二年新作太極殿欠一柱忽有樟木大十八圍長四丈三尺自流泊陷家後渚監軍鄒子慶以聞詔以造殿陳史沈衆兼起部尚書監起太極殿常服布袍芒屐以麻繩爲帶又囊麥餅以噉宋張洎撰定新儀奏曰今之崇德即唐之紫宸也在周爲內朝在漢爲宣室在唐曰上閤即隻日常朝之殿也東晉太極

殿有東西閣唐制紫宸上閤法此制也

晉清暑殿 在臺城内晉孝武帝造殿前重樓複道通華林園爽塏奇麗天下無比雖暑月常有清風故以爲名宋書云晉大元中立内殿名清暑少時而崩時人曰清暑反言楚聲也果有哀楚之聲又讖云代晉者楚及桓玄篡逆號楚劉裕篡晉亦楚王交之後云

宋嘉禾殿 宋孝武大明五年清暑殿西甍鴟尾中生嘉禾一株五莖改清暑殿爲嘉禾殿

宋含章殿 宋孝武帝女壽陽公主人日臥於含章殿簷下梅花落公主額上成五出花拂之不去皇后留之看得幾時經二日洗之乃落宮女奇其異效之今梅花粧是也

宋玉燭殿 宋孝武帝所造於宮中考證孝武壞武帝所居治室於其處起玉燭殿與

從臣觀之牀頭有土鄣壁上掛葛燈籠麻蠅拂侍中袁顗稱武帝儉素之德帝不答獨言曰田舍翁得此已過矣按南史晉諸帝多處內房朝宴所臨東西二堂而孝武帝末年清暑方建初受命無所改作所居惟稱西殿不制嘉名文帝因之亦有合殿之稱孝武承統追陋前規更造正光玉燭紫極諸殿彫欒綺節珠窻網戶

宋紫極殿

宋明帝所作珠簾綺柱江左所未有考證齊高帝欲以其材起宣陽門王儉褚淵王僧虔連名表諫手詔酬納

齊昭陽殿

齊有顯陽昭陽二殿太后皇后所居也考證永明中無太后皇后羊貴嬪居昭陽殿東寵姬荀昭華居鳳莊殿宮內御所居壽昌畫殿南閣置白鷺鼓吹二部乾光殿東西頭置鐘磬兩廂皆宴樂處也上數遊幸諸苑囿載宮人從後車宮內深隱不聞端門鼓漏聲

置鍾於景陽樓上宮人聞鍾聲悉起粧東宮後此鐙惟應三鼓及五鼓也武帝永明十一年詔曰內殿鳳華壽昌靈曜三處此吾所治製夫貴有天下富兼四海宴處寢息不容太陋謂此為奢儉之中謹勿壞去梁陶弘景詩云夷甫任散誕平子坐談空豈悟昭陽殿化作單于宮時天下之士尚西晉之俗競談玄理故弘景云及侯景傾陷篡位果在昭陽殿今景陽基猶存在宋精銳中軍寨內

齊芳樂殿在臺城內齊史云東昏大起芳樂玉壽諸殿以麝香塗壁刻畫粧飾窮極綺麗役者自夜達曉猶不副速後宮服御極選珎奇府庫舊物不復周用民間金寶價皆數倍建康酒租皆使輸金猶不能足鑿金為蓮花以帖地令潘妃行其上曰步步生蓮花

齊靈和殿在臺城內考證齊武帝時益州刺史劉悛獻蜀柳帝命植于靈和殿下三

年柳成枝條柔弱狀如絲縷帝與公卿宴賞歎曰此柳風流可愛似張緒少年時

梁重雲殿 梁武帝造在華林園隋志云殿前置銅渾儀是劉曜光初六年孔挺所造何承天以爲張衡所造陳書云高祖三年戊辰重雲殿東鴟吻有紫烟出屬天

梁五明殿 在臺城内考證梁大通中皇帝謹恭待士時忽有四人來貌可七十鶉衣躡履入丹楊郡建康里行已經年無人知者帝召入義賢堂給湯沐觧御服衣之合朝無識之者惟昭明太子識之四人喜揖昭明如其舊交目爲四公子帝移四公子入五明殿更重之大同末魏使崔敏來聘敏博贍儒釋知天文醫術帝選十人於此殿推論三教百家六籍五運九十餘日敏喪神嘔血歸來及境而卒事類記四人姓名曰蜀闖䵢丕越𪄳仉督難敏者仉督也

披香殿 在臺城内後宮考證庾子山詩宜春苑中春已歸披香殿裏作春衣蓋指此也

林光殿 在舊江寧縣東北十里潮溝村覆舟山前晉爲藥圃

光嚴殿 在舊江寧縣東北六里景陽山東嶺南考證梁於臺城中立層城觀歷代修理更起重閣上名重雲殿下名光嚴殿

鳳光殿 在舊江寧縣東北七里一百步舊臺城內

光華殿 在臺城梁武帝大通中施與草堂寺取珠貝直百萬以其地起重閣七間

寶雲殿 在臺城梁武以施佛寺

惠靈殿 亦供養佛事宋於臺城立正福清曜等殿又臺城溫德門內有永正混文文思等殿陳永定中於臺城起昭德嘉德壽安乾明有覺筆殿又臺城溫德門內起三善長春勝辯等殿又有嘉禾崇政承香栢梁延昌神栱永壽七賢瓊明延務龍光至敬璇璣光昭大政衍香

諸殿自林光殿以下皆建康宮闕志所載

陳求賢殿 臺城內後主皇后沈氏居之后字婺華沈君理之女端情好學後主薨自作哀冊文辭甚酸楚

景陽樓 今法寶寺西南在宋精銳中軍寨內遺址尚存里俗稱爲景陽樓輿地志宋元嘉二十二年修廣華林園築景陽山始造景陽樓孝武大明元年紫雲出景陽樓狀如烟廻薄久之詔改爲慶雲樓宮苑記云景雲樓齊武帝時置鍾景陽樓上應宮人聞鍾聲並起粧飾

青漆樓 在上元縣北五里臺城內齊書云世祖興光樓上施青漆時人謂之青漆樓東昏侯曰武帝不巧何不純用瑠璃

朝日夕月二樓 在華林園內考證梁武帝所起階道遶樓九轉宮苑記云景陽

山次東嶺起通天觀觀前又起重閣上重曰重
雲殿下重曰嚴光殿殿前當堦起二樓左曰朝
曰樓右曰夕月
樓巧麗無匹

入漢樓 在石頭城實錄晉義熙八年於石頭城
南起高樓加累入於雲霄連堞帶於積
水名曰
入漢樓

觀稼樓 在城東二十五
里梁武帝起

望遠樓 在江寧縣西南八里輿地志云新亭壟
上有望遠樓宋元嘉中改名臨滄觀後
名勞勞
亭是也

落星樓 在上元縣東北古臨沂縣前考證吳大
帝時山置三層樓樓高故爲此名今石
步相去一里半有落星數里俗相
傳即漢時建樓處今去城四十里

烽火樓 在石頭城西南最高處吴時舉烽火處也考證宋元嘉中魏太武至瓜步聲欲渡江文帝登烽火樓極望不悦謂江湛曰北伐之計同議者少今日貽大夫之憂在予過矣蘇峻之亂陶侃温嶠入討舟師直指石頭峻登烽火樓望見士衆之盛有懼色謂左右曰吾本知温嶠能得衆也

李白酒樓 在城西考證李白翫月城西孫楚酒樓達曉歌吹日晚乘醉著紫綺裘烏紗巾與酒客數人棹歌秦淮往石頭訪崔四侍御

冶城樓 宋天慶觀西偏吴冶城舊基卞將軍墓側考證晋謝安王羲之同登冶城樓悠然遐想有高世之志

百尺樓 南唐宫中有百尺樓綺霞閣類説云唐主於宫中作高樓召群臣觀之衆皆歎

美蕭儼曰恨樓下無井耳唐主問其故對曰恨不及景陽樓唐主怒貶於舒州

忠勤樓 **鐘山樓** 見前臺署圖考

高陽樓 在古臺城內又有和旨樓在市西皆酒樓久廢

臨江樓 唐劉長卿有金陵泊舟臨江樓詩見陳軒集久廢

東南佳麗樓 見前府治圖考又有舊佳麗樓在米市西曹家巷口

伏龜樓 在府城上東南隅景定元年馬光祖增創硬樓八十八間

層樓 在府城右南廂花行街咸淳中黄萬石重建名曰江淮奇觀府治火今移鼓角於此

南樓 在府城右南廂中界寬征坊與舊佳麗樓相對

安遠樓 **和熙樓** 並在府城右北廂太平橋西南

有年樓 在榷貨務巷口總領吳潛建弁書扁

豐裕樓 在南門外西街歸附後爲財賦官屋

南礀樓 在城南八里舊縣尉衙西又廢今江寧縣治西是也荆公有登南礀樓詩

嘉會樓 在府城右南廂北界大木頭街至元二十六年火其地基入後法性寺

嘉瑞樓 在鎮淮橋北本名鎮淮樓寶祐六年燬重建改今名見爲民廢居屋

臨春結綺望僊三閣 陳後主至德二年建宮苑記在華林園天泉池東光昭殿前高數十丈並數十間其窻牖户壁欄檻之類皆以沉檀爲之又飾以金玉間以珠翠外施珠簾内設寶帳其服玩瑰麗近古所未有其下積石爲山引水爲池植以奇樹雜以花藥後主自居臨春張麗華居結綺龔孔二貴妃居望僊並複道交相往來使女

學士與押客賦詩采其尤豔麗者以爲詞被以新聲曲有玉樹後庭花臨春樂等曩華聰慧有神采嘗於閣上靚粧臨軒檻宮中遙望若神僊

昇元閣

舊在昇元寺即瓦棺寺也在城西南隅京師寺記瓦棺寺有瓦棺閣乃梁朝所建高二百四十尺李白橫江詞云人言橫江好我道橫江惡一風三日吹倒山白浪高於瓦棺閣襲頴運曆圖云開元九年江寧縣瓦棺寺閣西南久傾因風自正吳順義中改寺爲昇元寺閣爲昇元閣江南野史唐仁傑爲溧陽主簿群公休沐宴昇元閣仁傑即席和登閣詩有雲散便凝千里望日斜常占半城陰之句坐客皆驚南唐書云昇元閣因山爲基高可十丈平旦閣影半江開寶中王師收復士大夫暨豪民富商之家美女少婦避難於其上迨數千人越兵舉火焚之哭聲動天一旦而燼今崇勝戒壇寺近昇元閣故基宋時嘗建盧舍佛閣亦高七丈是

俗猶呼爲昇元閣歸附
後閣燬於火故基尚存

青溪閣 在府治東北青溪上本陳江總故宅至宋爲段約之宅有亭曰割青取荆公詩割我鍾山一半青之句乾道五年秋因移放生池於青溪之曲即割青故基建閣焉

灔虛閣 南唐後湖東官園内見徐鉉集

清心堂 **玉麟堂** **錦繡堂** **忠實不欺之堂** **静得堂** **鎮青堂** **芙蓉堂** **籌勝堂** **君子堂** 見前臺署圖考

清如堂 在青溪渌波橋北馬光祖建取御翰中一清如水之語名之梁椅爲記

恕政堂 在通判西廳乾道六年潘恕建好溪葦讓爲記

籌思堂 在轉運司圃内本籌思亭之舊王荆公范忠宣公皆有詩紹興二十二年鄭僑

年即亭基建堂
邉惇德爲記

忠宣堂 在轉運司西廳本雙槐堂真文忠公改建

戲綵堂 在轉運司正堂後嘉定八年真文忠公將母出使葺而名之馬光祖王埜皆公門下士寶祐初適同持節于此新其堂大其扁且刻石識之

使華堂 在總領所圃内紹定三年戴桷建堂後爲橋跨溪榜曰尋春橋之北爲看牕榜曰畫舫皆馬光祖所作

仁本堂 在總領所東廳馬光祖建

誓清堂 在臺治東親兵教場内紹熙元年留守章森建淳祐七年趙葵改建指授堂

有美堂 在宋行宫内舊爲府治梅堯臣宛陵集載金陵有美堂詩云

儀賢堂一名**聽訟堂**考證吳建中堂在都城宣陽門內路西每歲祭孝廉秀士考學士學業歲暮習元會義於此梁政曰儀賢梁武帝謙恭待士大通中有四人來年七十餘鶉衣躡履勅召入儀賢堂帝問三教九流及漢舊事如日前餘見前五明殿下

樂賢堂在臺城內晉肅宗為太子時所作蘇峻之亂宮室皆焚惟此堂獨存考證宮城西南角外有清游池通城中樂賢堂晉咸和七年彭城王紘上言樂賢堂有先帝手畫佛像屢經寇難而此堂獨存宜勅作頌帝下其議蔡謨曰佛者夷狄之俗非經典之制先帝量同天地多才多藝聊因臨時而畫此像至於雅好佛道此未聞也於是遂寢

武帳堂宋元嘉中建于武帳岡上世傳在城北二十里幕府山南前志考證宋文帝元嘉二十一年宴于武帳堂將行勅諸子且勿食至會所賜饌日旰食不至有飢色上曰汝曹少

長豐逸不見百姓艱難今使汝
曹識有飢苦知以節儉期物

鄭介公讀書堂

在清涼寺考證鄭俠字介夫其
先光州固始人四世祖偕唐末
隨王氏入閩遂爲福清人俠既冠遭妣黃氏憂
念家貧親老自誓苦學治平二年初舉下第隨
父暈赴江寧府監稅得清涼寺一小問閉戶讀
書唯冬至元日歸省時王荆公以中書舍人持
服寓江寧聲迹相聞公未嘗往見有楊驥者鄱
陽人來就學於荆公公語之曰鄭監稅一子在
清涼讀書聞其人好學可與相就驥如其言歲
正月一夕大雪寒甚通直以酒食餉公公讀書
至夜艾呼驥共飲酒登寺之瑞像閣題詩曰濃
雪暴寒齋寒齋豈怕哉漏隨書卷盡春逐酒瓶
門一酌招孔孟再斟留賜回醺酣入詩句同上
玉樓臺已而楊君雪後爲荆公誦此詩公嘆賞
屢諷其漏隨書卷盡春逐酒瓶開之句曰真好
學也是歲治平四年擢甲科調光州司法以歸

判公服除起知江寧相見愈厚及公赴浮光判公入參大政公數具書諫判公極言新法之爲民害不聽後監在京安上門數上書言新法被謫

韓熙載讀書堂 在溧水無想寺中熙載集有贈寺僧詩

蠶堂 在舊江寧縣北七里耆闍寺前紗市中六朝皇后親蠶之所也

董永讀書堂 在溧陽州西四十里林木茂翳考證永嘗自鬻以養其親見孝子傳

東宮宣猷堂 梁紀脩飾國學增廣生員立五館置五經博士天監五年置集雅館以招遠學何佟之賀瑒嚴植之明山賓等覆述制旨并撰吉凶軍賓嘉五禮千餘卷帝稱制斷疑焉大同七年宮城西立士林館賀琛孔子祛等遞互講述皇太子宣城王亦於東宮宣猷堂及揚州廨開講四方郡國莫不向風

南唐澄心堂　李後主藏書籍會文士撰述之所

四老堂　在轉運司韓元吉爲記

尚友堂　在青溪先賢祠後馬光祖建

飛泳堂　在江東運管廳紹定四年建嘉定九年重建

來燕堂　在烏衣園

存心堂　在上元縣廨西偏景定三年知縣事臨卭楊應善剏建取程純公語爲扁

古射堂　古迹編在石頭城東晉義熙六年大風琅琊楊州射堂壞又有積弩堂近石頭

中皇堂　南皇堂　晉宋守都城嘗屯兵於此今不詳其所

德星館　在西門外七里倪總領塏建

通江館 在賞心亭東月堂舊基後爲回易庫馬光祖改立通江館以待四方賓客

横江館 在水西門内賞心亭側馬光祖創以待四方之賓客

古商飈館 見後九日臺下

别館 陳書六門之外有别館曰婚第諸王冠婚之所

昭文齋 在鍾山定林庵王安石嘗讀書於此

式敬齋 在左司理廳邪庚立傳行簡銘

紬書齋 在府治東北鍾山樓下馬光祖命周應合修志其中又有學齋見前圖考

忠孝亭 在永壽宮西見前冶城圖考

賞心亭 在下水門之城上下臨秦淮盡觀覽之勝丁晋公謂建景定元年亭燬馬光祖

重建李學士家談曰楊州有賞心亭此其始也湘山野録及茗溪漁隱并金陵事迹皆云丁晉公鎮金陵重建賞心亭取家藏卧雪圖張於屏乃唐周昉筆經十四太守雖極愛不敢輙取後為一太守以八筆畫蘆鴈易之祝穆編方輿勝覽引續志云丁始典金陵陛辭之日真宗出八幅袁安卧雪圖曰付卿到金陵可選一絶景處張此圖謂遂張於賞心亭按乾道舊志及湘山野録茗溪集金陵記王寄學詩序皆言賞心亭卧雪圖出於晉公家藏不言御賜唯晉公圖畫見聞志中以此圖為真宗所賜和父蓋本此耳今姑存其説景定庚申四月二十一日龍王廟災風盛燄熾其東正接大軍廣濟諸倉馬光祖至倉所叩頭祈天風反而西倉廩得全舊賞心亭在龍王廟西正當風反之處不免煨燼公曰倉煨則食難足亭燬易建也乃重建今亭又有臨淮亭丁謂建後名朝宗觀風亭賈黄中建盍步亭陳執中建南浦亭李若谷建皆不許其所

白鷺亭在賞」西下瞰白鷺洲景定元年馬光祖重建李白鳳凰臺詩有二水中分白鷺洲之句亭對此洲故名蘇東坡嘗題其柱王勝之龍圖守金陵一日而移南郡東坡作長短句贈之千古龍蟠幷虎踞從公一吊興亡處渺渺斜風吹細雨芳草渡江南父老留公住公駕飛車凌綵霧紅鸞驂乘青鸞馭却訝此洲名白鷺非吾侶翩然欲下還飛去

二水亭在下水門城上下臨秦淮西面大江北與賞心亭相對乾道五年留守史正志因修築城壁重建李白詩云二水中分白鷺洲亭名取於此

五馬亭乾道志城西北二十五里幕府山前有亭廢晉五王渡江處

光明亭宋書蒼梧王微行出北湖單馬先走羽儀禁衛隨後追之於堤塘左右張立兒墜湖帝怒取馬置光明亭前自馳騎射殺之

大十七

冶亭在冶城考證宋義熙十一年劉鍾領石頭戍事屯冶亭即晉王導所移冶處見前圖考及祠祀志

東冶亭舊志云在城東八里續志云在城東二里汝南灣西臨淮水此亭在半山旁有瑞麥知稼二亭考證晉太元中三吳士大夫於汝南灣東南置亭爲餞送之所西臨淮水即當時冶處見後官署前志以爲自王導疾時移此非也冶城乃當時西冶自有冶亭謝安爲楊州表宏爲東楊郡祖道於冶亭群賢畢集又南史王裕之元嘉六年遷尚書令固辭表求東還政授侍中及東歸車駕幸東冶餞送乾道五年留守史正志於半山寺前重建劉珙以四面皆田作亭于旁以知稼名景定辛酉馬光祖新之又增一亭扁曰瑞麥與知稼對峙是年上元縣惟政鄉麥秀兩岐知縣鍾蜚英上其瑞于朝有旨奬諭亭所以名也

覽輝亭在今保寧寺後鳳凰臺舊基側寺有覽輝亭碑刓缺不可讀莫詳其人唯歲月可考蓋熙寧三年夏四月也詳見鳳凰臺下

翠微亭在城西五里清凉寺山頂南唐時建宋乾道閒亭已不存紹熙中復建隸淮西總領所景大亭小淳祐己酉總領陳綺新而大之石城登臨最佳處也

新亭亦曰中興亭去城西南十五里近江渚丹陽記曰京師三亭吳舊立先基既壞隆安中丹楊尹司馬恢徙創今地世說過江諸人每至暇日輒相邀出新亭藉卉飲宴周侯顗在坐嘆曰風景不殊舉目有江河之異皆相視流涙惟丞相導愀然變色曰當共戮力王室剋復神州何至作楚囚相對泣耶孝武寧康元年桓温來朝頓兵新亭召王坦之謝安安發其壁後置人温爲却兵咲語移日劉牢之自溧洲應桓玄進敗王師於此楊佺期至石頭聞

劉牢之領北府兵在新亭賊皆失色乃回師屯于蔡洲崔慧景兵至新亭石頭白下兵皆潰徐道覆衛盧循焚舟自新亭步上宋孝武入討至新亭修建營壘因即位王僧達始改爲中興亭元徽二年桂陽王休範舉兵朝廷集議或欲依舊遺兵據梁山蕭道成以謂新亭正是賊衝昔上流謀逆皆因淹緩以敗休範懲之必輕兵急下乘我無備請頓新亭以當其鋒乃出新亭治城壘未畢賊遽至道成登西垣使陳顯達等與賊水戰大破之賊將丁文豪設伏破皂莢橋軍直至大航陷東府或傳新亭亦陷道成遣周盤龍等從石頭渡間道承明門入衛宮闕道成仍守新亭破休範宋討晉安王子勛所向克捷事平明帝大會新亭勞諸軍主樗蒲官賭梁武帝起義兵進屯江寧東昏使李居士率兵屯新亭梁擊破之遂次新林乾道五年留守史正志即故基重建亭自爲記

金山亭 在舊行宮内考證蘇魏公頌集中有金陵府舍重建金山亭詩王荆公安石懷府園詩亦云常憶小金山下路緑荷深處見游鯈此亦府園有金山之證

練光亭 在保寧寺今廢考證蘇魏公頌有遊保寧寺練光亭詩黄魯直嘗題云練光亭極是登臨勝處然高寒不可久處若於亭北穿土石作一幽房置茶鐺設明窗尾堆珠勝不爾師方丈北挾有屋兩楹其一開軒其一作虚窗奥室余爲名軒曰物外主人喜作詩也名室曰凝香密而清明於事稱也

折柳亭 在賞心亭下張忠定公詠建爲祖餞之所久廢景定元年馬光祖重建

佳麗亭 與風亭相近馬亮建

此君亭 在華藏寺王荆公嘗題華藏寺此君亭詩元祐間亦有歌詩

水亭有二一在臺城寺即今法寶寺一在齊南苑中是陸機故宅乃王處士水亭也今鳳臺山南傍秦淮是其處

木牛亭在移忠禪院西路亭廢名存圖經不載不詳所立之始地屬江寧南七十里與真鄉舊傳有香木浮而上土人迎之以爲亭又號木龍亭

化龍亭地屬金陵鄉城西二十五里幕府山之側考證晉元帝與彭城王玄西陽王羕南頓王宗汝南王宏南渡之所當時讖云五馬浮渡江一馬化爲龍此亭所以名也

征虜亭在石頭塢東晉太元中創世說註丹陽記曰太元中征虜將軍謝安止此亭因以爲名南史何尚之遷吏部郎告休定省送別於冶渚及至郡父叔度謂曰聞汝此來傾朝相送此是送吏部郎非關何彥德昔殷浩亦嘗作豫章送別者甚衆及廢徙東陽船泊征虜亭積

日乃至親舊無復相窺者

白下亭 驛亭也舊在城東門外考證李白獻從叔當塗宰陽水詩云小子別金陵來時白下亭又云驛亭三楊樹正當白下門案此亭似在府西王荆公舊宅在今報寧寺詩有門前秋水可揚舲有意西尋白下亭之句又有東門白下亭摧甓蔓寒葩之句案此亭又在府東意者新舊亭各在一處不然則李白所謂金陵指鍾山耳

勞勞亭 古送別之所吳置亭在勞勞山上今顧家寨大路東即其所見前望遠樓下

紅羅亭 古今詩話南唐後主作紅羅亭四面栽紅梅作豔曲歌之韓熈載和云桃李不須誇爛熳已輸了春風一半時已失淮南景定志作羅江亭

客亭 在龍灣五里臨大江迎送之所也

清水亭 去府城南三十里建炎四年岳飛敗金人於此

二李亭 在舊溧水縣尉廨舍後詳見前圖考

甘露亭 在上元縣北鍾山鄉去城五里考證陳太建七年秋閏九月甘露三降樂遊苑詔於苑內覆舟山立甘露亭又按輿地志宋元嘉中移晋北郊壇出外以其地爲北苑更造樓觀於覆舟山上大設亭館侯景之亂焚毀至陳天嘉中更加修葺於山上立甘露亭陳亡並廢

朝陽亭 在通判東廳張維建

望湖亭 在鷄籠山上或云南唐立今遺址見存

不受暑亭 在清涼寺後景定二年馬光祖重建考證清涼廣惠禪寺南唐爲避暑宮宮內有德慶堂法堂前舊基是也寺後有亭名不受暑光祖所建者今廢

郡圃十亭

並見前臺治圖攷

青溪諸亭

亭自百花洲而入臨水小亭曰放船入門有四望亭曰天開圖畫環以四

亭曰玲瓏池曰玻瓈頃曰金碧堆曰錦繡段其東有橋曰鏡中由此而東爲清溪莊與青如堂相望南自萬柳堤而入爲小亭三橋之南舊萬柳堤改曰溪光山色自橋而北亭臨水曰撑綠其逕前曰添竹後曰香遠尚友堂之西曰香世界先賢祠之東曰花神仙青如堂之南渌波橋之西曰衆芳曰愛青其東曰割青青溪閣之南清風關之北有橋曰望花隨柳其中曰心樂其前曰一川烟月自青風關東折而北亭出溪東二曰竹曰蒼雪其後則清溪閣之餘地也爲静菴菴後有石山亭曰最高山後跨梁陟磴爲堂二前曰閒暇後曰近民諸亭惟割青爲舊餘皆馬光祖所作宋名清溪園號小西湖太守好事者粉飾標榜地無遺隙来往游宴民得共之今

皆癈圯其爲寓居宅者時有修改令静菴後石山猶在俗呼馬公洞云

風亭 在折柳亭東葉青臣建蘇州從事張伯玉爲記咸淳乙丑馬光祖守郡有指其故基以告者乃壘石爲岸創堂三間前後軒如之函舍備屋挾翼其旁繚以花竹亦艤冊勝處云

觀稼亭 **壽樂亭** **環香亭** 在龍翔寺內天曆[redacted]潛邸所建

惟秀亭 在蔣山崇禧寺西天曆[redacted]潛邸所建

四城門接官亭 舊有亭卑陋弗稱咸淳元年馬光祖撤而大之其東曰迎暉門拱行都直趍南徐岐入淮淛郡登茅鍾二名山咸此乎出舊名建陽踰數步即白下有旨下亭其西曰致爽出門數里爲龍灣長江駕順而東蜀漢荆廣所畢湊古石頭城在焉南曰來薰門直溧水溧陽西指當塗上荆蜀古長干道在焉北曰拱極門對幕府山踰山絶江瑯琊諸峯隱

約在目詳見前志

南軒 舊傳在保寧寺方丈祝穆方輿勝覽謂張魏公開督府時其子讀書於保寧寺方丈小室號南軒西山真公德秀建南軒先生祠堂於天禧寺方丈後蓋以此爲張宣公讀書南軒之舊址王潛齋埜又設西山像侑食祠中作亭其旁扁曰仰宣後移於儀賓館即今南軒書院也

川永軒 舊在江東撫幹廨舍

存愛軒 舊在知錄廳周師成有記

籦龍軒 在城內西北鐵塔寺王荊公嘗讀書處

偃秀軒 在蔣山道中松間

鳳凰臺 在保寧寺後宋元嘉十六年秣陵王顗見三異鳥集山狀如孔雀文彩五色音聲諧和衆鳥附翼群集時謂之鳳乃置鳳凰里起臺於山因以爲名又案宮苑記鳳凰樓在鳳臺山上宋元嘉中築李白宋齊丘皆有詩建炎中金人張太師嘗賦詩云六代興亡地千年一瞬間無情是江水終日對鍾山烽火連吳越旌旗耀海蠻鳳兮今不至百尺古臺閑淳熙中留守范成大重建更榜曰鳳凰臺開慶元年總領倪垕重建馬光祖作記

越臺 舊基在城南江寧縣廨後考證越范蠡築城長干里此即古越城城内所築臺也詳見後越臺辨

周處臺亦名**子隱臺** 處字子隱少不逞爲鄉里所惡目爲三害之一後悔悟殺蛟虎從二陸學讀書于此今城東南有故基在鹿苑寺後處仕吳爲東觀左丞入晉爲御

史中丞著默語三十篇風土記撰吳書以討賊戰死謚曰孝子玘佐元帝中興三定江南

九日臺 今在蔣廟西南俗呼爲松陵岡去城十五里考證齊武帝永明五年四月立商飈館於孫陵岡世呼爲九日臺十道四蕃志云武帝九月九日宴群臣孫陵岡即吳大帝蔣陵齊書云高祖以九月九日登商飈館在孫陵岡南舊江寧縣北三里一百步建康宮闕簿云商飈館在縣北十三里籬門亭後堆上

雨花臺 在城南三里據岡阜最高處俯瞰城闉考證舊梁武帝時有雲光法師講經於此感天雨賜花故名冊陽記云江南登覽之地三曰甘露曰雨花曰凌歊建炎兵後臺址僅存後人乃請均慶院舊額即基建寺又壞于火隆興元年留守陳之茂重築此臺剏一堂名總秀而徙均慶院於臺之下

蔡伯喈讀書臺 在溧陽州太虛觀東北呉顧雍傳云邕以内寵惡之慮卒不免乃亡命江海遠迹呉會積十二年在呉抱扑子云蔡伯喈到江東得論衡中國諸儒以其論更進嫌得異書求其帳中果得之則伯喈讀書於此理或有是

郭文舉書臺 舊天慶觀太乙殿即此臺基也詳見前冶城圖考

梁昭明書臺 在蔣山定林寺後山北高峯上考證梁昭明太子嘗著書於此今遺基尚存

望耕臺 在今白上村舊志宋文帝嘗登此臺以觀公卿親推之禮宮苑記在籍田壇東又有觀稼樓祈年殿皆在雩壇兆域之内梁武帝徙籍田東郊外十五里詳見祠祀志

日觀臺 一名司天臺在臺城内宮苑記臺城直鵉飾門西有日觀臺祥符圖經云宋司

天臺
也

烽火臺 在城西石頭城覽古詩註石頭城山最高處吳時舉烽火於此自建康至西陵五千七百里有警急半日而達

南唐月臺 胡宿高齋記云子城東北趨鍾山爲便南唐李氏因城作臺望月人呼爲月臺下臨濬濠北面覆舟南對長干西望冶城立齋其上高侔罍譙廣容燕息採謝宣城宴坐之意題曰高齋

景陽臺 見景陽樓下

拜郊臺 見郊廟類

獨足臺 在古宮城今不詳其所覽古詩註云陳將亡有一鳥獨足上宮城臺上以觜畫

大卅一小三刀子子

地書云獨足上高臺茂草化爲灰欲知我家處朱門傍水開及國亾後主遷洛陽果賜第於瀹水傍

通天臺 有二宋書孝武大明七年鍾山通天臺新成飛倒散落山澗建康宮闕簿云通天臺在縣北一百步舊臺城内

古玄風觀 案實録舊志晉元帝建武元年初置宗廟郭璞所遷卜者在古都城宣陽門外之東與玄風觀東西相望而廟東抵秦淮之曲

迎風觀 **徼道觀** 宮闕簿建康宮西有迎風觀在縣南十五里石子墩上宋孝武大明中起又有徼道觀云

玄武觀 在玄武湖上南史蔡景歷拜度支尚書舊式拜官在日午後景歷拜日適逢輿

駕幸玄武觀在位皆侍宴帝悉景歷不預特令
早拜其見重如此又宋文帝臨玄武館閱武即
此觀

通天觀

舊志在華林園宋元嘉中與景陽樓同
造金陵故事晉孝武帝講孝經於通天
觀僕射謝安侍座尚書陸納侍講黃門侍郎謝
石吏部侍郎袁宏執經丹陽尹王緄讀句論者
榮之則此觀晉所有也非
剏於宋舊志殆未考耳

臨滄觀

李白勞勞亭詩序古送別之所一名臨
滄觀詩云金陵勞勞送別堂蔓草離離
生道傍留別崔四侍御詩云初發臨
滄觀醉棲征虜亭又見前勞勞亭下

齊雲觀

在右臺城内陳後主令採木湘州擬造
正寢至牛渚磯盡没既而漁人見栰於
海上復起齊雲觀國人歌
曰齊雲觀寇來無際畔

層城觀 亦名穿針樓舊在華林園景雲樓東宋元嘉中造輿地志云齊武帝七月七日使宮人集層城觀穿針乞巧因號穿針樓

青雲觀 故事云梁武帝時芝菌生青雲觀其地在臺城內

古宣武場 在臺城西北白石里玄武湖南一名宣武城一名沈公城本宋文帝閱武帳上有武帳堂乾道志大明三年孝武欲北討問沈慶之須兵幾何曰二十萬帝疑其多對曰攻城百倍乃可克城因令慶之築此城帝自率六軍攻圍之不能下乃罷案宋文帝先立宣武場於此地之北至是因以名之慶元志云宋文建宇岡上施武帳故曰武帳堂岡曰武帳岡今幕府山北有古教場基疑即此地又實録晉大興三年創北湖築長堤壅北山之水東自覆舟山西至宣武場六里餘盖唐人据後之地名書也

南唐舊子城內有玉燭殿基

五代史清泰元年吳徐知誥治私第金陵乙未還居私第舍以待吳王甲申金陵大火乙酉又火知誥疑有變勒兵自衛己丑復入府舍天福二年知誥建太廟社稷牙城曰宮城廳堂曰殿及建號即金陵府爲宮惟加鴟尾闌檻終不改作昇元三年御興祥殿後李姓爲考妣發喪四年以西都崇英殿爲延英殿對華內殿前爲昇元殿後爲雍和殿興祥殿爲昭德殿積慶殿爲穆清殿時以建康爲西都廣陵東都也又有萬壽殿清輝殿有澄心堂百尺樓綺霞閣德昌宮係內府庫藏收貯之所規制甚盛唐亡宋以爲昇州江寧府治慶曆八年正月江寧火知府李宥懼有變闔門不救延燒幾盡惟存一便殿乃舊玉燭殿也高宗南渡後以府治爲行宮所修改見前至元十五年拆其材尾赴北以地屬財賦提舉司民佃爲圃其宮殿府寺臺榭遺址猶存闕門今爲軍總鋪警火之所

古華林園

在臺城內本吳舊宮苑也世說晉簡文帝在華林園謂左右曰會心處不必在遠翛然林水便有濠濮間趣覺鳥獸禽魚自來相親建康宮闕簿云宋元嘉中築蔬圃二十二年更修廣之築天泉池造景陽樓大壯觀花光殿設射堋又立鳳光殿醴泉堂花蕚池一柱臺層城觀興化殿孝武又造靈曜前後殿芳香堂日觀臺梁武帝造重閣上名重雲殿下名光嚴殿陳永初中造聽訟殿又有臨政殿陳云悉廢宮苑記云園內有池名天泉池內有豐泉亭池南起雲堂芳香堂琴堂芙蓉堂之屬又按晉孝武開北山閣與張美人遊亦在此園

古樂遊苑

按寰宇記其地在覆舟山南輿地志云在晉爲藥圃義熙中盧循反劉裕築藥園壘以拒循即此處宋元嘉中以其地爲北苑更造樓觀於覆舟山後改曰樂遊苑十一年三月禊飲於樂遊苑會者賦詩顏延之爲序孝武大明中造正陽林光殿於內侯景之亂焚

燬畧
盡

古上林苑 宮苑記云雞籠山東歸善寺後實録宋大明三年初築上林苑于玄武湖北宮苑記云孝武立名西苑梁改名上林其地有古池俗呼爲飲馬塘亦曰飲馬池其西又有望宮臺

古博望苑 在城東七里齊文惠太子所立輔公柘城是也沈約郊居賦云睇東巘以流目心悽愴而不怡昔儲皇之舊苑實博望之餘基謝玄暉詩魚戲新荷動鳥散餘花落即此

古婁湖苑 齊武帝永明元年望氣者言婁湖有天子氣帝乃築青溪舊宮作婁湖苑以厭之陳朝更加宏壯後其地爲光宅寺

青林苑 宮苑記在籬門亭北路西枕後湖

靈丘苑 宮苑記齊武帝立在新林界梁天監中以其地爲法王寺

方山苑 宮苑記在方山側齊武帝於方山盛起臺觀謂五兵尚書徐孝嗣曰立離宮於此故勝新林對曰繞黄山欵牛首漢之盛事然江南久曠人亦勞煩帝乃罷之又輿地志云湖熟西北有方山頂四方上有池水齊武帝於此築苑焉

古江潭苑 其地在新林路西去城二十里梁大同初立輿地志武帝從新亭鑿渠通新林浦又爲池開大道立殿宇亦名王游苑未成而侯景亂

别苑 一名西園晉安帝元興三年春桓玄築别苑於冶城輿地志其城本吴冶鑄之處王導疾作因徙冶出石頭城西以地名爲西園故晉書成帝幸司徒府游觀西園即此處太元十五年武帝爲江陵沙門法新於中立寺以冶城爲名至是桓玄盡移僧出居太后寺以寺爲苑

在舊江寧縣城西

古芳林苑

寰宇記一名桃花園本齊高帝舊宅在古湘宮寺前巷近青溪中橋帝即位修舊宅爲青溪宮一名芳林園後改爲芳林苑永明五年禊飲於芳林王融曲水詩序云載懷平浦乃睠芳林謂此梁天監初賜南平元襄王爲第益加穿築蕭範爲記言藩邸之盛莫過於此

古芳樂苑

齊東昏侯即臺城閱武堂爲芳樂苑山石皆塗以彩色跨池水立紫閣諸樓觀又於苑中立店肆以潘妃爲市令又作土山開渠立埭下苑中時百姓歌云閱武堂種楊柳至尊屠肉潘妃沽酒梁天監六年改德陽堂宋陳克閱武堂詩序云建康子城北斷塹遺堞彷彿可見父老以爲齊東昏侯閱武堂也

古建興苑 梁天監四年立建興苑於秣陵里侯景之亂裴之高迎致柳仲禮韋粲等俱會青塘立營據建興苑其地在府治西南秦淮南岸

古玄圃 齊文惠太子性頗奢麗宮內多雕飾精綺過於王宮開拓玄圃與臺城北塹等其樓觀塔宇多聚奇石妙極山水慮上望見乃旁列脩竹內施高障造游墻數百間

古南苑 在瓦棺寺東北宋明帝末年張永乞借南苑帝云且給三百年期滿更請後帝築于此梁改名建興苑苑在秣陵建興里裴之高營于南苑即此地

古桂林苑 陶季直京都記曰建康縣北漢朝爲桂林苑南朝宮苑記曰桂林苑在落星山之陽吳都賦云數軍實于桂林之苑即此屬上元縣慈仁鄉

南唐北苑 徐鉉湯悅徐鍇有北苑侍宴賦詠序云望蔣嶠之嶔崟祝爲聖壽泛潮溝

之清淺流作恩波其地在城北

金波園

南唐烈祖奭方士潘扆園中未詳其處

烏衣園

在城南二里烏衣巷之東王謝故居一堂扁曰來燕歲久傾圯馬光祖撤而新之堂後植桂亭曰綠玉香中梅花彌望堂曰百花頭上其餘亭館曰更更履曰頹立曰長春曰望岑曰挹華曰更好左右前後位置森列佳花美木芳蔭蔽虧今廢

古東園

在城東東冶亭側面東有堂曰鍾山以其盡得鍾山之勝名之近東有兩亭相對南曰見墩取其見謝安舊墩之意北曰草移取北山移文之意乾道五年與東冶亭並創

沈約郊園

在鍾山下約懸郊園和約法師詩云郭外三十畝欲以貿朝饘繁蔬既綺布寄果亦星懸謝朓有和沈祭酒行園詩

大千九

半山園 今報寧寺是其地王荊公營居半山園有詩示蔡天啓備述其事所謂今年鍾山南隨分作園圃者是也又次吳氏女子詩自註南朝九日臺在孫陵曲街傍去吾園數百尺

繡春園 舊社壇東端平三年高定子記云昔得繡春堂於酒名揭來將漕訪其堂遺址亦無知者吾欲堂之可存造船場有餘地地隣亦頗益以廢圃乃庚之匪事遊觀興廢之意也

舊行宮養種園 在東門外一里而近有堂亭及臺馬光祖脩正堂曰熙春梅堂曰玉雪四面堂曰面面雲山杏堂曰清華牡丹亭曰懷洛百花亭曰芳潤本養種行宮花木今並廢

東籬門園 在東府籬門內與西州分界處後即烏榜村南史何點與謝瀹張融孔德璋爲莫逆友點門世信佛從弟遁以東籬門園居之德璋爲築室焉豫章王嶷命駕造點點從

後門逃去竟陵王子良聞之曰豫章王尚望塵不及吾當望岫息心後點在法輪寺子良就見之點角巾登席子良欣悅無已遺點嵇叔夜酒杯徐景山酒鎗園有卞忠貞冢點植花冢側每飲必舉酒酹之今祠堂疑是其所若東籬門在古肇建市東車馬通衢非隱士所居之地矣以郭文舉臺類推之可見

柳元景菜園

宋書元景不營產業秦淮南有數十畝菜園守園人賣菜得錢三萬送還宅元景怒曰我立此園種菜以供家中啖爾乃復責以取錢奪百姓利耶以錢乞守園人

烏榜村

慶元志按圖經初立西州城未有籬門立烏榜與建康分界後名其地爲烏榜村在天慶觀西南史陳顯達傳顯達於西州前與臺城軍戰敗走西州後烏榜村騎官趙潭注矟刺落馬斬之籬側血湧湔籬

受禪壇 石頭城高壟地舊志以爲宋高祖受禪柴燎告天之所

方盟壇 陳宣帝太建十年立壇婁湖側臨壇誓衆分遣大使以盟誓頒四方上下相警以備周人

宋太廟基 乾道志在嘉瑞坊東逼秦淮西近御街本後吳崇孝寺景德中改爲景德寺紹興七年以其地建太廟張俊以石礎未具高宗曰遠耶勞民可就近山伐石爲之何用鑿刻是年廟成後經兵火基存近城隍廟

謝公墅 慶元志在上元縣崇禮鄉土山唐溫庭筠謝公墅歌云朱雀航南繞香陌謝郎東墅連春碧

謝玄別墅 晉太元八年符堅衆百萬入寇玄爲前鋒將軍問計於叔父安安怡然無

懼色荅曰已別有旨既而敘然命駕出土山墅宴親朋畢集方留玄圍棊賭別墅安棊常劣於玄玄是日有懼心便不勝安顧外甥羊曇曰以墅乞汝安游陟至夜乃還明日指授將帥各當其任墅今俗謂檀城是也自興業寺過青溪東二里亦云即土山墅

王騫墅南史騫歷黃門郎司徒右長史有舊墅在鍾山八十餘頃與諸宅及故舊共佃之常謂人曰我不如鄭公業有田四百頃而食常不周以此爲愧武帝於鍾山西造大愛敬寺騫墅在寺側者即王導賜田也帝遣主書宣旨取之騫荅云此田不賣若勑取所不敢言帝怒遂付市評田賈以直逼還之

六朝宮城見前圖考吳時自宮門南出夾苑路至朱雀門七八里府寺相屬吳都賦列寺七里廨署

綦布見諸志者曰三臺五、省故事三臺在臺城東南一里宮苑記蘭臺在杜姥宅東南端門街東逼東陽門橫街謁者臺御史臺並在其內故事五省在三臺路北苑城記**三臺五省**悉列種槐木

鴻臚宗正太僕太府四寺**太弩太史**二署**衛尉府脂澤庫右尚方**實錄儀賢堂初號中堂在都城宣陽門內路西七間亦名聽訟堂在鴻臚寺西南衛尉府南宗正寺太僕寺太弩署脂澤庫更南即太史署太府寺東南角逼路宣陽門內過東即客省右尚方並在今縣城東一里二百步玄風觀後隔路儀賢堂吏近北也按縣城即江寧縣舊治儀賢堂事迹見前

東宮官署東府西州廨見前城下

太子坊 齊劉悛遷太子中庶子武帝在東宮每幸悛○坊閑言至夕賜屛風帷帳梁蕭子範直坊賦序曰余以天監六年爲洗馬十七年復直中舍之坊按西晉宮闕名曰洛陽宮有顯昌桂芳椒芳等坊王隱晉書有東宮坊王珉答徐邈書曰見傅咸彈孫詹事或云是宮或云坊或丞寺此東宮中別有坊又中庶子稱坊詹事稱寺寺同於九卿耳坊疑通名如天朝之臺也

晉太學國學 晉元帝太興三年立太學置博士皇太子釋奠成帝咸康四年立太學淮水南按實錄在唐縣城東南七里丹楊城東南至今猶名故學成帝穆帝孝武帝皆親釋奠穆帝而後常以儀賢堂權立行太學就堂行禮太學生國子生各六十人國子生見祭酒博士單衣角巾執經一卷代手板太元九年從謝石請興復國學明年選公卿二千石子弟增廣廟屋一百五十五間按實録在太廟南唐江寧縣東南二里一百步古御街東東逼淮水時呼

國子學西有夫子堂皇太子堂南有諸生省即博士省也又云晉明帝太學初在水南外橋地對東府城南小航道在今縣城東七里慶丹陽郡城東至德觀西既立國學并太學入焉太原十一年封孔靖之奉聖亭侯奉宣尼祀其宣尼廟在丹楊郡城前偏路東南起即前太學處也

宋儒玄文史四學

宮苑記儒學在鍾山麓時呼北學今草堂寺隆報寺是也玄學在雞籠山東檢玄寺側文學史學並在耆闍寺側元嘉二十一年立國學二十七年罷明帝太始六年置總明觀於治城設祭酒一人玄儒文史四科名學士十人又名東觀齊高帝建和四年立國學後廢武帝永明三年詔復立國學而省總明觀置生二百二十人東昏永元初下詔廢學領國子助教曹思文及有司抗表奏請國子太學並存梁武帝天監八年詔明太子釋奠宋雍熙中有文宣王廟在城西北三里慶元景定二志皆以爲治城故基豈非宋齊梁陳

舊學所在平天聖中知府張士遜奏徙泮橋東北則今學是也

吳扶南署 寶録吳赤烏七年扶南獻樂人置署以教樂圖經在江寧縣北二里

晉廩犧署 晉志在東府城後以養天地宗廟犧牲

宋錦署 福城寺東

宋錢署 五城村淮水北

宋平准署 在五城村藏戈船樓艦之所如偃月形

刻漏署 故事銅蟠螭置在臺城宋平姚秦遷洛陽舊物蟠螭在焉

紙官署 在長樂橋側齊造銀光紙賜王僧虔處

乘黃署 輿地志在公車府西北五輅及諸廟車允駕馬之所

止戈署 東官城後路北本梁騎官署造兵器處

治署 通典宋有東治南治齊因之梁陳有東西治故事南有六所府一司徒二楊州二鎮軍府一東西治見前亭下

前宋轉運司 乾道志紹興三年以建康府治建行宮改轉運司爲府治轉運司移於子城之西八年重建大門南向次中門聽二在大門内者爲南廳在中門内者爲北廳皆路西南向其屬廳皆路東西向由北廳東北爲衙北門南廳後建籌思堂乾道四年趙彥端建扶踈堂於籌思之東又有忠宣堂改雙槐堂爲之又有戲綵堂皆真公德秀所建韓元吉復建四老堂爲之記歸附後爲按察司廉訪司總管府財賦司公廨後爲　潜邸令龍翔寺基是也

前宋總領所 乾道志總領衙在行宫西南都酒務北有光華堂碧鮮亭紹興十一

年建紹定三年戴楠記曰余以景蕭之南敞政足園矣聽事西偏舊有圃焉一水縈環古柳夾峙沿水爲堤約木護之水陰地一區移分鐘堂於其上易名使華左竹亭曰君鮮右梅曰春信堂後三亭曰種花以牡丹名金粟以桂名雲錦鄉以桃花名此水北佳趣也使華之南隔水亭曰芳洲映波柳風柳風而東飛梁通之曰玉水靜觀蒹葭境映波而西復跨飛梁極水亭曰水雲此水南佳趣也景定志云使華堂後建尋春橋看窓曰畫舫又仁本堂取治財以仁爲本之義皆馬光祖所建歸附後河南王阿术索爲私第

都統制衙 紹興十二年建在行宮子城北

副都統制衙 在府城北門

馬帥衙 景定志侍衛馬軍司乾道七年建在府城正北北隅來蘇坊西門大街今爲西織

染局

建康府貢院 景定志在青溪南秦淮北侍郎蔡寬夫宅舊址也今爲東織染局

轉運司貢院 在府城之東南隅今屬馬驛

舊廣濟倉 有東西倉又有新倉西倉在大軍倉後崇道橋南東倉在武雄營側新倉在廣濟西倉北宋乾道四年留守史正志以親軍寨及作院地增拓舊基西偏建爲新倉轉運副使趙彦端爲記歸附後胥爲本路架閣庫

平止倉 在廣濟倉左嘉定中留守余嶸建

轉運倉 淳熙六年置在上水門外淮水北岸置監官一員

太軍倉 在下水門内北接廣濟倉監官一員

隸轉運司嘉定八年真德秀劄之民賴其惠雖歉歲市無無貴糶不六七年糶本化爲烏有舊籍無復存者嘉定十四年岳珂復置未久亦廢淳祐十二年舒滋復置咸淳元年七月馬光祖承奉省劄判云常使三来開闔昇人愛余余亦愛昇人公帑所儲毫分不敢妄費思欲爲此邦建一久遠利益事無如平糶呈撥米價錢差入糶足十萬石併令創倉敷盛貯續踏逐到舊稻子倉基址鼎新創造屋四十六間敖一十二座以王衛正泰階平陰陽和風雨時十二字爲記專一椿頓上件米十萬石馬光祖

平糶倉

第三記云平糶倉之設自咸淳乙丑七月至丙寅正月得米七萬碩又自二月至六月再得三萬石合爲十萬碩余嘗記其略矣丁卯冬糶二萬戊辰春再糶三萬總而爲十五萬如雞哺雛勺積龠累所以及此數者偶值歲稔司造實嘉相之然爲是倉深長之慮有二焉其一餘米不可久頓當以新易陳庶米色常新而民被實惠

其二糴之價常損糴之價常多恐異時措置糴本之難有折閱合額之患於是先創助糴一庫爲本百萬收息補糴又懼其所入之微也則再創西庫以佐之合兩庫爲本二百萬然余志猶未愜也輟郡帑之有餘助兩庫之不足俾是倉是庫相爲無窮則余雖去猶不去也

制置司倉 附本府廣濟倉內又有小倉三所曰東倉曰西倉曰中倉並在南門裏沙窩一帶

古苑倉 吳大帝赤烏三年使御史郗儉鑿城西南自秦淮北抵倉城名運瀆咸和中修苑城惟倉不毀故名太倉在西華門內道北宋宮城之西北

古太倉 晉咸和中蘇峻反王師連敗績時太倉惟有燒餘米數石以供御膳太倉在苑城內亦曰苑倉

古龍首倉按隋食貨志京都有龍首倉即石頭津倉也臺城內倉常平倉東宮倉所貯不過五十萬

古東倉唐六典云東晉有東倉石頭倉

古石頭倉在石頭城內吳置晉曰常平倉南朝因之唐武后從縣倉以實石頭神龍二年移倉於冶城

轉般倉轉般置倉昉於淳熙爲屋不多歲久損敝景定壬戌制司及本府共創修三十座敖屋

制司倉制司米舊附廣儲倉咸淳元年四月內即廣儲倉側隙地令盖制司倉爲敖四前後共三十一門

聖節從物庫 舊府治西廊

節儀庫 在王麟堂東廊

椿積庫 九四所一在府治一在府治之南劉珙建一在府治東陳俊卿建一在府治東南錢良臣建

都錢庫 在府僉廳之北常平庫軍資庫節制庫修造庫節用庫經總制庫公使庫附焉

禮尚庫 在府治西廳馬光祖立家之巽爲記

公使酒庫 在天津橋側馬光祖重建唐樂爲記

醋庫 三所一在舊米市一在安樂廬側一在轝子巷

雜物庫 在軍器庫側

鞍轡庫在節儀庫側

淮士典庫在大木頭街

古石頭庫吳都賦云戎車盈於石頭註云石頭城中置府庫貯軍儲故曰盈於石頭

此以上庫隸建康府

制司庫在府治都錢庫内

都受給庫在軍器庫側

軍器庫在經武橋東寶祐五年馬光祖修舊增新申嚴約束

回易庫在斗門橋西

抵當兩庫一在御街錦繡坊之南一在寬征坊

惠軍典庫 在十三大街

以上庫隸沿江制置司

軍須庫 係安撫司庫在軍資庫側

大軍庫 在總領所東

都錢庫 在大軍庫西廊

激犒庫 在大軍庫東廊

椿倫庫 在都錢庫側

抵當兩庫 一在舊米市一在鷄行街

公使庫 在總領所西廳西

見錢庫在欽虹橋下保寧坊西

以上庫隸淮西總領所

錢物庫在轉運司東與花園相對

雜物庫在大廳西廊

公使庫在雜物庫側

典庫在轉運司衙東

以上庫隸江東轉運司

鳳臺酒庫在天津橋南

鎮淮酒庫在御街建業坊相對

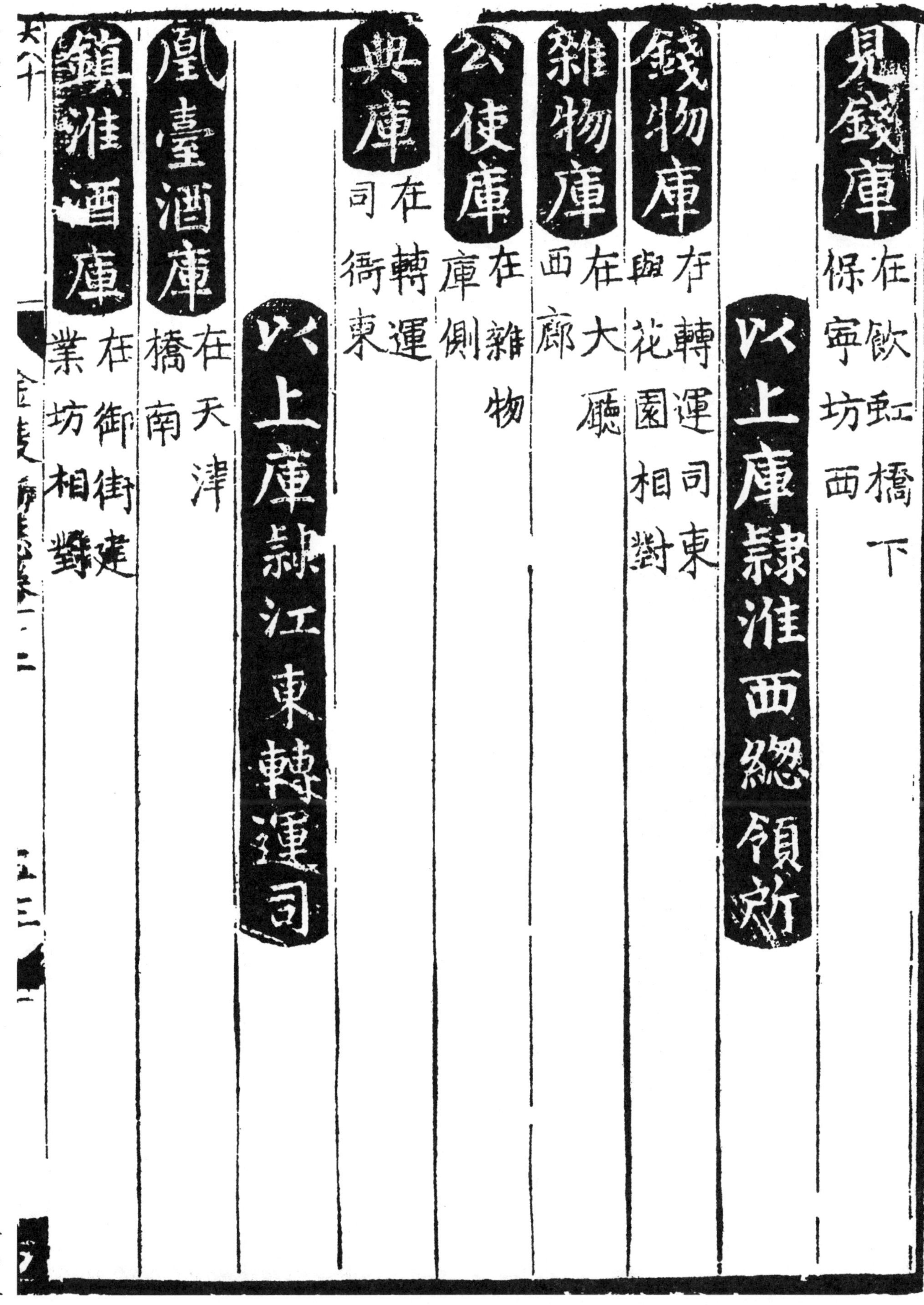

嘉會酒庫 在大木頭街

豐裕酒庫 在南門外西街

龍灣酒庫 在龍灣市

防江酒庫 在北門外

東酒庫 在上元縣西

北酒庫 在太平橋南

以上庫隸户部提領酒庫所

砲藥庫 在青溪上馬光祖建

助糴東庫 在御街金泉坊南

助糴西庫 在太平橋南

榷貨務 在總領衙西

雜買務 在總領衙東南

市易務 在新橋南

平準務 在御街東

秤斗務 在壽寧寺西

都稅務 在寬征坊董河下

夏稅物帛場 在府治設廳側

受給修造場 在頒春亭側

雜賣場 二所一在東南佳麗樓東隸制置司一在東南佳麗樓西隸總領所

鄱船場 在龍灣

柴場 三所一在城隍廟側一在龍光門外一在朝宗坊西

茭草場 在東門外轉般倉側

竹木場 在府社壇東

王沙稅務 在靖安鎮

抽分場 在靖安鎮

安撫司惠民局 在府治西

總領所惠民局 在正廳東廊

都統司惠民局 在都統衙內橋東亭

行宮雪窨 在城東門外

安撫司雪窨 在城北門外

防江軍雪窨 在鷄籠山側

都統司雪窨 在城北門外

左司理院右司理院 見前府治圖考

直司 在府治都僉院門裏

總廂 在府門外西南

兵馬司 在効營內

土牢 在馬軍營內

上元縣獄 在縣治西偏

江寧縣獄 在縣治西偏

齊六疾館 齊文惠太子與竟陵王子良立六疾館以收養窮民

梁孤獨園 梁武帝普通二年於建康置孤獨園以養窮民

養濟院 見府治圖考

實濟院 隸轉運司

安樂廬 二所一在北門高陽樓側一在御街西醋庫後

慈幼莊 在皐橋隸江東轉運司

及幼局

咸淳元年馬光祖劄九街市遺棄小兒悉皆收養仍委官提督

第宅

張昭宅 淮水南對瓦棺寺張侯橋所因宅而名丹陽記大長干寺西有張子布宅

是儀宅 在西明門臺城之西最北門門也

駱監軍宅 上元縣東二十五里崇禮鄉土山之下父老傳云吳監軍駱統宅也

諸葛恪宅 唐舊縣東二里古玄風觀前橫路南南接青溪其東即江令宅也

陸機宅 在秦淮側又金陵故事臨秦淮有二陸讀書堂其跡猶在

王導宅 烏衣巷中南臨驃航境

謝安宅 在烏衣巷口驃騎航之側乃秦淮南岸謝萬居之北

謝尚宅 舊江寧縣東南一里二百步永和四年捨宅造寺名莊嚴寺今牛門橋北東岸是

其處

謝萬宅 長樂橋東傳舍陽郡城今桐樹東

紀瞻宅 在烏衣巷

郗鑒宅 在青溪上

大隱之宅 在城東南五里

杜姥宅 舊江寧縣東北三里輿地志云宅在端門外直蘭臺路東晉成帝恭皇后杜氏母裴氏即杜弘治之妻爲穆孝武帝封爲廣德縣君初穆渡江宅於南掖門外時号壽安故呼爲杜姥宅

宋檀道濟宅 在青溪

何尚之宅 南澗寺側今[illegible]南落馬澗地

沈慶之宅 在城東南十里慶之本居古清明門外有宅四所屋宇甚麗一夕徙居婁湖園中

謝幾卿宅 府城東南十八里有白楊巷之石井

建平王劉宏第 雞籠山

絶宅地 舊志云江寧縣南三里古太社西有南地三郎晉周顗司馬秀蘇峻袁真皆宅于此悉以禍敗宋王僧綽曰大丈夫當以正道自居何宅之有商吉尋爲元凶所害

齊武帝舊宅 在青溪城東一里臨秦淮是其地

蕭子良宅 鍾山西

六六十四

蕭坦之宅 在東府城東今府城東二里傍秦淮

劉子珪宅 城東二十五里青龍山之南

宋王僧虔宅 在馬糞巷見巷內

梁武帝宅 府城東南七里光宅寺基是

沈約宅 鍾山之下名東田

朱异宅 在府城東北异及諸子自潮溝列宅至青溪有臺池玩好暇日與賓客遊其[illegible]

范雲宅 府城東南七里何遜有經范將軍三橋故宅詩

宋到溉宅 第臨淮水

伏曼容宅 府治西南三里

伏挺宅 府城北潮溝上

陳章載宅 在江乘縣之北山築室屏絕人事不入籬門者幾十載事見陳史

江總宅 青溪大橋北與孫瑒宅對夾青溪慶元志在上元縣東百餘步也

孫瑒宅 青溪大橋東其西即江總宅

唐顧況宅 皇甫湜顧況集序云況以文入仕佐著作爲衆所排起屋茅山飄然若將續古之仙以壽終慶元志顧著作山房在菖蒲潭

柳郎中故居 在茅山

宋子嵩宅 齊　在國子監巷

南唐韓熙載宅 宅在城南戚家山

孫晟宅　鳳臺山西岡龍之山韓熙載見門巷里陋謂曰湫隘若此豈稱爲相第邪明年果拜相

徐鉉宅　攝山栖霞寺西今曰陶庄是也

晉許長史宅　在句容雷平山西北南有井後爲觀

宋王荊公宅　半山寺是

蔡寬夫宅　宋貢院基是也南總紀談云蔡寬夫侍郎治第於金陵青溪之南穴地爲池數尺之下見有瓦礫及朱縣七筯數十蔡驚異命工愈掘之又深尺餘有釜鑊瓦錫之器甚多皆破碎交錯仆壓于下竈下葦灰猶存又窮其傍大抵皆人居也然後知其下前代爲平地經六朝喪亂瓦礫糞壤積而至此高岸爲谷深谷爲陵豈不信哉

李琮宅在江寧鎮橋西今植槐尚存

湖陰先生居楊德逢號湖陰先生丹陽陳輔每清明金陵上冢至蔣山過其居清談終日歲爲常後頻歲訪不遇題一絕於門云北山松粉未飄花白下風輕麥脚斜身似舊時王謝燕一年一度到君家楊歸見吟賞久之稱之於荆公公笑曰此正戲君爲尋常百姓爾楊亦大笑

狀元張孝祥宅

百二十二

金陵新志卷十二

陵墓

古越王塚 在句容縣王名翳周安王時薨葬句容大横山下今不知其處

吳大帝陵 蔣山陽去城一十五里

步夫人陵 吳志赤烏元年追拜夫人步氏爲皇后後合葬蔣陵今蔣廟西南有孫陵岡上有步夫人墩墩側有夫人塚其地也

宣明太子墳 吳志太子登初葬句容後三年移葬鍾山西蔣陵

廢帝陵 晉戴顯迎葬丹陽之賴鄉

晉元帝陵 **晉明帝陵** **晉成帝陵** **晉哀帝陵** 實錄元帝永昌元年葬建平陵明帝太寧三年葬武平陵成帝咸康八年葬興平陵哀帝興寧三年葬安

平陵四陵並在鷄籠山陽皆不起墳

晉康帝陵 **晉簡文帝陵** **晉孝武帝陵** **晉安帝** **晉** **恭帝陵** 實録康帝建元三年葬崇平陵簡文帝咸安二年葬高平陵孝武帝太元二十一年葬隆平陵安帝義熙十四年崩明年葬休平陵恭帝元熙二年葬冲平陵五陵並在鍾山

晉穆帝陵 幕府山前近西里俗相傳穆天子墳即其地也

宋武帝陵 實録宋高祖永初三年葬蔣山初寧陵周三十五步高丈四尺宋政和間有人於蔣廟側得一石柱題云初寧陵西北隅

少帝陵 在南郊壇

文帝陵 元嘉三十年葬長寧陵上元縣東北二十五里周三十五步高丈八尺與武帝

陵相
近

袁后陵 即文帝后合
葬長寧陵

孝武帝陵 在丹陽秣陵縣巖山名景寧陵
今上元縣南四十里巖山陽

前後廢帝陵 皆在丹陽秣陵縣南郊壇西宋太
宗踐祚遷前廢帝何皇后合葬龍
山北

明帝陵 幙府山陽西與王導墳相近山前有墳
壠晉穆帝陵在山南或以西爲明帝墓

孝武路太后葬脩寧陵 在孝武
陵東南

殷淑妃墓 在龍
山

明宣沈太后陵 在幕府山寶林寺西南有墳
壠相傳爲國婆墳疑即沈后

齊文惠太子陵 葬夾石

豫章王嶷墓 在金牛山

明敬劉皇后陵 淳化鎮之北去城三十里

竟陵王子良墓 金牛山南

梁蕭墓堈 上元縣東三十五里或云蕭梁帝陵未詳

昭明太子陵 城東北四十五里賈山前即夾石與齊文惠太子同瘞排陵並葬名

安寧陵

文宣阮太后陵 在江寧縣通望山

孝元帝陵 陳天嘉元年詔梁孝元遭罹多難靈襯播越朕昔經北面有異常倫遣使

迎接已次近路江寧既是舊塋宜即安卜車旗禮章悉用梁與依魏葬漢獻帝故事

陳高祖陵 上元縣東崇禮鄉地名陵里有曰天子陵有麒麟二里俗相傳即陳高祖墓也去城二十五里名萬安陵

文帝陵 上元縣東北陵山之南今鴈門山北名永寧陵

張麗華墓 在賞心亭天井中間有光氣如匹練掬之如水銀流散盖地中有所藏爾

左伯桃墓羊角哀墓 並在溧水州南四十五里儀鳳鄉孔鎮南大驛路西

西漢甄邯墓 在後湖側南史宋張永嘗開玄武湖遇古冢冢上得一銅斗有柄文帝以訪朝士著作郎何承天曰此亾新歲斗王莽時三公亾皆賜之一在冢外一在冢內時三台居江左者惟甄邯爲大司徒必邯之墓又啓冢內更得一斗復有一石銘云大司徒甄邯墓

按斗爲天之喉舌斟酌元氣運平四時故貴器取象焉今世發古塚間有此斗豈莽之前已有是制歟

後漢史君崇墓溧陽州北三十里有碑

溧陽侯陶謙墓在溧陽州

吴張悌墓見本傳

甘寧墓在直瀆山下

丞相萬彧墓在溧陽州南五十里惠德鄉銀方山下

葛玄墓吴太極左僊翁葛玄墓在句容縣西南一里郡國志句曲有葛玄塚

諸葛恪墓舊府志及句容縣志皆言在句容石子岡今考恪墓實在城西南

荆將軍墓 在溧水州南四十五里因羊左墓互見

晉山簡墓 在樂遊苑内

温嶠墓 初葬豫章朝廷追思之乃爲造大墓還葬元明陵北幕府山陽

郭璞墓 玄武湖中有大墩里俗相傳曰郭璞墓

卞壼墓 在冶城

王導墓 見前宋明帝陵

謝安墓 城南九里梅嶺岡

王濛墓 高亭湖側

王祥墓 城西南八十里化成寺北有斷碑戚氏註云近姑熟

衛玠墓 新亭東去城一十里

許穆墓 句容縣西一里晉護軍長史

顔含墓 右光禄大夫西平靖侯顔府君葬靖安道傍

笮瑶墓 張陣湖墓前有二碑晉寧朔將軍

史萬壽墓 溧陽州東北三十五里爲晉安南將軍南蔡州刺史

史奕墓 溧陽州東北十五里

馬訓墓 溧陽州東北三十里晉南海太守

吕游墓 溧陽州東北五十里有碑晉安西將軍南蔡州刺史

史光墓 溧陽州東南四十里

史憲墓 溧陽州東北五十里

史雅墓 溧陽州東六十里

史輝墓 溧陽州東六十里

呂貟墓 溧陽州東北五十里

周琛墓 溧陽州西南三十里遂安太守

總瞻墓 句容縣東南二十五里

宋謝濤并妻王氏墓 在上元縣土山大明七年夫人琅琊王氏合附于土山里謝濤之墓有碑濤散騎常侍夫人之祖曰獻之父曰靜之

劉穆之墓 元嘉二十五年車駕幸江寧經穆之墓詔致祭

古翰墓 見山川志

冥漠君墓 彭城王義康脩東府城得古塚改葬東岡使法曹參軍謝惠連爲文祭之不知其名字遠近故假爲之號

徐溧女墓 宋初女道士葬茅山下

宗慤墓 本傳在秣陵縣都鄉石泉里宋散騎常侍左衛將軍太子中庶子荆州大中正

宗慤母鄭夫人墓 在秣陵縣都鄉

謝靈運墓 上元縣本業寺相近南唐保大中里人孫憙等甞建碑

齊明僧紹墓 見棲霞寺

巴東公墓 在棲霞寺側有碑額云齊故侍中尚書令丞相巴東獻公之墓

柳世隆墓 在倪塘世隆曉數術於倪塘創墓與賓客踐履每往常坐一處及卒墓正其坐處

海陵王墓 在金陵謝朓撰墓誌未詳其所

王孝恭墓 在溧陽州東南二十八里齊散騎常侍

梁庾沙彌母劉氏墓 沙彌晉司空冰六世孫父佩玉仕宋位長沙内史坐沈攸之事誅時沙彌始生及年五歲所生母爲製采衣輙流涕曰家門禍酷用是何爲不肯服及長終身布衣蔬食爲中軍田曹行參軍嫡母劉氏寢疾晨昏侍側衣不解帶或應針灸輙以身先試及母亡水漿不入口累日初進大麥薄飲經十旬方爲薄粥終喪不食鹽酢冬日不衣綿纊夏日不解衰絰不出廬户晝夜號慟隣人不忍聞所坐薦淚沾爲爛墓在新林忽生旅松

大四十

百許根枝葉茂欝有異常松劉好啖甘蔗沙彌遂不食焉宗人都官尚書詠表言其狀應純孝之舉梁武帝召見嘉之補歛令還除輕車邵陵王叅軍事隨府會稽復丁所生憂喪還都濟淛江中流遇風航將覆没沙彌抱柩號哭俄而風靜咸以爲孝感所致後卒於長城令

始興忠武王墓 王名憺墓在上元縣清風鄉黃城村去城三十里有石麒麟四及神道碑

臨川靖惠王墓 王名宏墓在上元北城鄉去城三十里有石柱碑二

安成康王墓 王名秀字彥達墓在清風鄉甘家巷去城三十八里有石麒麟二石柱一神道碑二

劉顯墓 葬秣陵縣劉真長舊塋博學多通爲時推重位至尚書左丞國子博士平西府

諮議
參軍

吳平忠侯墓

梁吳平忠侯蕭景字子照墓在清
風鄉花林村北去城三十五里有
石麒麟二
石柱一

建安侯墓

建安侯蕭正立謚曰敏墓在上元淳
化鎮西去城三十五里有石柱二

南康簡王績墓

在句容縣西
北二十五里

范府君墓

溧陽州東北五十里梁招
遠將軍臨川王國侍郎

史府君墓

溧陽州東北五十里梁
散騎常侍兗州刺史

王僧辯墓

在方山
東南

裴邃墓

子之禮美容儀能言玄理梁黃門侍郎
壯勇將軍北徐州刺史邃有廟在光宅

寺西堂宇弘敞松栢欝茂范雲廟在三橋蓬蒿不剪武帝南郊道經二廟顧而嘆曰范爲已死裴爲更生大同初下旱蝗四籬門外桐栢凋盡唯邃墓犬牙不入當時異之

司馬子產墓 司馬暠梁正貟郎丁父子產艱哀毀甚廬于墓側日進薄麥粥一升墓在上元縣新林連接山阜舊多猛獸暠結廬數載豺狼絶跡常有兩鳩栖宿廬所馴狎異常承聖中除太子庶子

陳周弘正墓 句容縣東三十五里

唐顏尚書墓 溧陽州東來蘇鄉後顏村

許司徒墓 句容縣東白土奉聖寺側

史仲謨墓 溧陽州東北三十五里西山之前

史[illegible]墓 溧陽州東北三十五里

劉府君墓 溧水州北三十五里

王師乾墓 句容縣東三十里嘗爲盧循道三州刺史

葛府君墓 句容縣西七里有碑及石門

雙女墳 雙女墳記有雞林人崔致遠者唐乾符中補溧水尉嘗憩招賢館前有塚號曰雙女墳詢其事迹莫有知者因爲詩吊之夜感二女至稱謝曰兒本宣城郡開化縣馬陽鄉張氏二女少親筆硯長負才情不意父母匹于鹽商小豎以此憤恚而終天寶六年同葬於此宴語至曉而別墳在溧水州南一百一十里慶招賢館側

南唐慶王墓 名弘茂有碑元宗第二子幼穎異不喜戎事每與賓客朝士燕遊惟

以詩賦爲樂年十九卒追封慶王有興僧言人壽夭禍福多驗元宗使視之書九十一字以獻

李順公墓 名金全在上元縣金陵鄉七里鋪去城十二里

張懿公墓 名居詠在上元縣金陵鄉石頭城後去城一十里碑題云大唐順天翼運功臣特進贈守太子太傅上柱國清河郡開國公張懿公神道

高越墓 棲霞寺舊門外北山之麓去城四十五里

韓熙載墓 在梅嶺岡

楊忠襄公墓 名邦乂墓在南門外即其死所

宋元懿太子攢宮 在鐵塔正覺寺法堂西偏小室中

王舒王墓 名安石在半山寺後

王安國文禮安上三墓並葬建康

翰林給事張唐公墓上元縣長寧鄉

資政管元善墓句容縣下蜀鎮柔信鄉之原

狀元葉惇禮墓名祖洽墓在上元縣宣義鄉鴈門

太師秦檜墓牛首山去城十八里

大資秦梓墓溧陽州南屏風山

少保威定王德墓上元縣鍾山之原

忠壯李節使墓名邈墓在溧陽州西北青龍山之南

西廂王節使墓名瑋隴西成紀人官至四廂都指揮節度使葬上元縣鍾山鄉

棠梨山

贈節度使盛新墓 亳州人墓在上元縣宣義鄉武岡山官濠州團練使追贈昭慶軍節度使

待制錢端修墓 溧陽州南上墟村

錢時敏墓 溧陽州南五里

龍學錢元英墓 溧陽州燕山之原

錢周材墓 溧陽州南燕山

于湖張狀元墓 在上元縣清果寺側

防禦使張保墓 江寧縣鳳臺鄉松林庄之原保字和叔循王俊之母弟也

節使趙彥墓 上元縣金陵鄉初家山之原

趙總管士吁墓 句容縣政仁鄉慈恩寺側

中書崔敦詩墓 溧陽州南泉山

戶部李朝正墓 溧陽州北下湯之原

侍郎董平墓 溧陽州北前馬里

侍郎李處全墓 溧陽州西南大石山

參政魏良臣墓 在溧水州西南九十里

宗丞王朝端墓 在溧水州東南陳沛橋五里

俞尚書墓 名㮚墓在溧水州西琛山一十五里

余資政墓 未詳其名遷葬溧水州東南三十五里

徐敏子墓 葬蔣山俗稱徐墳

劉虎墓 廬州梁縣人累功至觀察使合肥郡開國侯卒于金陵葬上元鍾山鄉陸家廟東馮去非作誌

王鑑墓 太尉寧武軍節度使葬上元崇禮鄉竹山

楊宗閔墓 上元鍾山鄉宗閔字景齊代州崞縣人太傅和義郡王存中之父也屢立戰功建炎元年金人犯永興城陷死之贈太師魏國公謚忠介存中招魂葬

李琮墓 葬江寧縣板橋西龍口山

李回墓 江寧鎮西官山

李耕墓 江寧鎮西王家莊

秦鉅秦浚墓 並在江寧縣慶真鄉移忠寺側

戚方墓 高宗時武將樊城南高座寺後

尹起莘墓 江寧新亭鄉印塘村

府城外有四門掩骼冢義阡 宋紹興元年知府葉夢得奉詔度城四隅高原隙地各爲穴二其土封皆高一丈西門清涼寺之南茶山北門張王廟之西北麟蛇山南門官道之西越臺下東門官道之北齊安寺西四門凡八冢於華藏能仁保寧清涼壽寧五寺度僧守冢開慶中馬光祖再爲郡守增土加築垣墻東阡於半山寺南於宋興寺西於清涼北於永慶選僧掌守其東阡去半山稍遠別創守庵又得清涼寺西北三十餘畝增廣西阡

依山爲垣九六百丈爲庵一爲門四今廢

府城外南北義阡 宋嘉定八年轉運副使真德秀因民間死亡無力買地以瘞遂於南北兩門外空間荒地置兩阡南義阡造庵屋三間於殊勝寺差僧行看守早晚焚脩北義阡近後湖真武廟道士看管地以一丈爲界瘞穴必深五尺地滿之日支錢焚化

覆舟山下義冢 宋端平三年制置使陳韡調兵江北爲戰死者立義冢覆舟山龍光寺側度僧守冢以鍾山鄉户絶田百五十入畝供忌日及每月衙日修薦忌日用戰死日

溧水州漏澤園 南門外華勝寺前東門外居養院東紹興中置

東義阡 溧水州永寧鄉朱容孫以豐慶鄉園地瘞諸佛寺所寄無主棺函

南義阡 **西義阡** 溧水縣令九江周成之買地于縣南得地于縣西去縣各五里

而近四外環堵植松是爲義阡以華勝寺普慈庵僧主之俾凡無地以葬者皆入焉陳方撰記

唐人詩云楸梧遠近千官塚古今埋没不聞者不可勝究

句容志縣東望仙鄉習莊村前有三石戩溧陽志相公墓在縣北十五里民犁爲田盎官墓在縣北二十五里山前寨西皆無姓名又潘行瀋墓見太虛觀今江寧有伍婆冢里人傳云伍子胥祖母墓伍之族野人而子孫墳墓在此莫詳其始戚氏云冢在古丹陽西溪上突然一墩上負徑丈高倍之面山瞰水林木陰翳爲居人歲時遊觀之所史氏世居其下其先世嘗有詩曰伍媼孤墳瞰水隈千年遺址尚崔嵬舊栽竹木四時有新剪蒿萊一徑開横阜送青高崒嵂龍溪分水曲紆廻子胥無復思丘壠唯有雲仍拜掃来又有甘府君墓在横山南鄉甘泉里西今呼甘墓岡近有鋤地者得一石上云梁州刺史甘府君墓不知其名鄉之

甘氏遂藏之以傳家其東
又有甘府塘甘府橋云

碑碣此下據舊志輯以備考自歸附後碑刻散見各卷餘俟續集

秦始皇東游頌德碑胡亥東行詔書碑

其摹刻自臺治徙置集慶儒學文曰皇帝臨位作制明法臣下脩飭二十有六年初并天下罔不賓服親巡遠黎登茲泰山周覽東極從臣思迹本源事業祗誦功德治道運行諸産得宜皆有法式大義著明陲于後嗣順承勿革皇帝躬聽既平天下不解於治夙興夜寐建設長利專隆教誨訓經宣達遠近畢理咸承聖志貴賤分明男女

體順愼遵職事昭隔内外靡不清浄施於昆嗣化及無窮遵奉遺詔永承重戒皇帝曰金石刻盡始皇帝所爲也今襲號而金石刻辭不稱始皇帝其於久遠也如後嗣爲之者不稱成功丞相臣斯臣去疾御史大夫臣德昧死言臣請具刻詔書金石刻因明白矣臣昧死請制曰可久遠下闕一字成功下闕六字

劉跂泰山篆譜序曰史記載秦始皇及二世皆行幸郡縣立石刻辭今世傳泰山篆字可讀者惟有二世詔五十許字而始皇刻辭皆謂已亡宋丞相莒公鎮東平日遣工就泰山攈得墨本別刻新石止有三十八字集古録亦言江

隣幾親到碑下纔得此數十字而已余以大觀
二年春登太山宿絶頂徘徊碑下其石埋植土
中高不過四五尺形制似方而非方四面廣狹
皆不等因其自然不加磨礱所謂五十許字者
在南面稍平處人常所摭拓故士大夫多得見
之其三面猶殘闕蔽闇人不措意余刮磨垢蝕
撫以紙墨漸若可辨政和五年秋復宿嶽上親
以氈椎從事校他本爲完盖四面周圍悉有刻
字總二十二行行十二字字從西南起以北東
南爲次西面六行北面三行東面六行南面七
行其末有制曰可三字復轉在南面稜上每行
字數同而每面行數各不同如此廣狹不等居
然可見其十二行是始皇辭其十行是二世辭
以史記證之文意皆具計其闕處字數同於是
太山之篆遂成完篇乃爲此譜大凡篆字二百
二十有二其可讀者百四十有六今亦作篆字
書之其毁缺漫滅不可見者七十有六以史記
文定之親輒遠勑史作親巡遠方勑民石刻史

作刻石著作休嗣作世聽作聖陲作垂體作禮昆作後則又史家之誤皆當以碑爲正其曰御史夫者大夫也莊子曰旦而屢之夫夫衛宏曰古文一字兩名因就注之史記於琅邪臺刻石備列從臣名氏余家所收琅邪殘字亦有五夫字然則夫從一大因不復重出與碑徙置詳見後繹山碑續刻

西漢東平趙王廟記

唐林雲撰

吳後主紀功三段石碑

實録吳天冊元年吳郡臨平湖忽開通或云當太平青蓋入洛主以問奉禁都尉陳訓訓曰臣能望氣不能達湖之開塞又於湖邊得石函函中有小石青白色長四寸廣二寸刻上作皇帝字於是改元天璽立石刻於巖山紀吳功德案吳録其文東觀令華覈作其字大篆未知誰書或傳是皇象恐非在今縣南四十里龍山下其

石折爲三段時人乎爲段石岡也黄伯思東觀餘論曰皇象書人間殊少洲建業有異時天發神讖碑若篆若隸字勢雄偉相傳乃象書也今江寧縣有段石岡蓋舊立碑處据册陽記晉宋時已折爲三段內一石上有轉運副使胡宗師刻字言此石在府南天禧寺門外半埋於土因輦置轉運司後圃籌思亭時宋元祐六年此石歷八百十有五年矣蓋又不知何年自巖山徙至城南也轉運司爲府治此石在紬書閣前後又徙錦繡堂前碑亭中歸附後改臺治此石欹仆于地其兩段缺壞蓋嘗爲人鑿以他用而不果也其第二段處有襄陽米芾四字亦爲人磨礪幾盡至治二年臺掾楊益得之臺廨草間與教授湯彌昌訓導李東戚光言于中丞石公珪治書郭公思貞募民舁至廟學門內之左戚光續志云後主事無足稱然古書遺法書者所尚晉宋以來書日加工而古法愈遠此碑未嘗見稱於時其年代雖在校官碑後書品過之遠矣

象書獨步漢末況體存篆籒乎誠宜居周鼓秦刻之次魏鍾繇諸碑不論也其石四方面背闕書一各八行兩傍狹書六行其文書滿三方而虛其一辭雖不可讀其可識者百八十餘字首曰上天帝言次曰天發神讖曰天讖廣多曰將軍裨將軍關內侯曰詔遣中書郎曰章咸李楷賀某吳寵建業丞許某等十二人曰永歸大吳上天宣命曰文字炳朖曰在諸石上末後別書曰蘭臺東觀令曰巧工九江曰吳郡曰東海夏侯蓋列與事覲之臣于正文之後華覈爲東觀令是必華覈也碑詞雖不可讀大抵猶秦金石刻制爾又慶元志云梅堯臣詩丫頭雖斷石文字未全訛年篆赤烏遠書疑皇象多不在金陵斷石岡上有大帝字去城二十五里今考此文初無大帝字宋自揚備至曾極等題詠皆謂吳紀功德意當大帝時其實非也

溧陽長潘元卓校官碑 石本云溧陽長潘君諱

乾字元卓陳國長平人蓋楚大傳潘崇之末緒也君稟資南闕一字之闕四字德之絕操髫髭闕一字敏闕一字學典謨祖講詩易剖演奧藝外覽百家衆闕一字契聖抱不測之謀秉高世之介屈私趍公即仕佐上郡位既重孔武起著疾惡義形從風征暴執訊獲首除曲阿尉奮姦剗猾寇息善歡履孤竹之廉蹈公儀之潔察廉除茲初厲清肅賦仁義之風闕三字之跡垂化放乎岐周流愛雙乎闕二字親賢寶智進直退闕一字布政優優令

儀令色獄無吁嗟之冤野無叩匈之結矜孤顧
老表孝貞節重義輕利制戶六百省無正繇不
責自畢百姓心歡官不失實於是遠人聆聲景
附樂受一廛既來安之闕一字役三年惟泮宮之
教反闕一字一俗之禮構修學官宗懿招德既安以
寧干侯用張籩豆用陳發彼有的雅容闕一字一閑
鍾磬縣矣于胥樂焉乃作敘曰翼翼聖慈惠我
梨蒸貽我潘君平茲溧陽彬文剋武扶弱抑疆
闕一字一刈骾雄流惡顯忠咨疑元老師賢作朋脩

學童冠琢質繡章賓天生德有漢將興尚旦在
昔我君存今闕字一此龜艾遂尹三梁永世支百
民人所彰子子孫孫畀爾熾昌丞沛國銍趙勲
字蔓伯左尉河内汲董並字公房右尉豫章南
昌程陽字孝遂時將作吏名從掾位侯祖戶曹
掾楊淮主紀史吴超議曹掾李就門下史吴訓議
曹掾桓檜門下史吴翔戶曹史賀闕字一門下史
時球光和四年十月己丑朔二十一日己酉造
案宋紹興十一年溧水尉喻仲遠得於固城湖

瀆置之官舍今在孔廟之大門右至順癸酉教授濟陰單禧識云長樂陳長方雖嘗碑其所得本末釋文則未之見碑以靈帝光和四年歲在辛酉造距今凡一千一百五十一年番易洪景伯先生出字為之釋謂挈為契蕣為犁甲為俾楙為野責為責刻去其刀賢去其貝干侯與豻侯通尚旦謂太公周公可謂精審有據其餘不可辨者尚有二十七字今觀首行自三百字以下止斯字九十有六字比之洪氏作釋文時又皆不可考且如第二行之字之下是禱字禱下闕一字有天字敏之上是克字衆之下是儁字退之下是憲字役之上為復反之下為失此之上為即皆隱隱可見洪則悉以為闕又如既安且寧則以為㠯寧梅檜則以為桓檜豈當時誤於墨本而然耶溧陽志謂元卓為元貞是又以名乾而傳會也事又見攟遺

吴大帝封禪碑

太極左僊翁葛公碑 陶隱居文南唐重建在句容縣其碑有二文字湮滅

晉元帝廟碑 宋葉適撰

禮樂群英三十六像 晉賢臣三十六人詳見元帝廟畫刻題識在廟今亡

太傅謝文靖公白碑 以安功德難爲稱述故立白碑在安墓所

都督謝公廟碑 蓋謝玄廟碑唐咸通中建今亡

卞將軍石柱 今在墓北

忠臣孝子碑 舊在忠貞亭南唐徐楷爲識蓋掘地得斷碑也葉清臣跋忠貞亭亦名忠孝有記

卞公忠烈廟碑

宋胡銓撰

忠貞公祠堂碑

宋曾肇建

晉紀穆侯碑

紀瞻見列傳碑在句容縣治字已漫滅止有題額二十四字曰晉故僕射散騎常侍驃騎大將軍開府儀同三司紀穆侯之銘碑面宋邑令真元弼刻字曰自東晉逮今元豐癸亥僅千餘年石斷為二仆於道傍字皆漫滅惟題額存今徙置縣宇東軒屋壁間又邑令張侶刻字曰後百三十四年寶慶丙戌此碑復在後圃榛棘中因買石作趺置易并堂左縣志又載其陰刻瞻子四人名字官爵八十餘言後又有胡克充刻字不詳何人字亦漫滅彷彿見棄置荒棘字晉碑僅存世所當寶也

竺使君墓誌

舊志石在靖安鎮天王院

史司空碑 漢司空驃騎將軍溧陽侯史公神道碑晉永和八年立唐貞觀十四年十八代孫仲謨題云隋末大亂避地閩越碑再立云

維摩居士像碑 晉顧長康所畫董刻在今戒壇寺

王羲之書蘭亭記 留守眾謹之以家藏本刻置紬書閣三段石後壁間

王羲之樂毅論 右軍書歐陽公所收本

冠軍將軍史奕石柱 刻云晉故冠軍將軍中校尉北中郎將五兵尚書從吳歸晉本國大中正零陵郡開國公青州刺史史侯墓据縣志唐又有碑

呂尚書碑 晉故尚書起部郎廬陵太守呂府君之神道碑見呂游墓

葛府君碑 鄭樵通志晉西平將軍葛府君碑在建康見前墓類疑即葛仙公碑陰所

言存其一者

盤白真人李僊公碑

興嚴寺塔記

宋文帝碑

見通志而云在潤州今案文帝陵在此云潤州者因唐人語也此必嘗有此碑矣

鄭夫人墓誌

宗愨母墓

謝常侍墓誌

見謝濤墓或云出於土山淨明寺後蔬圃中後徙在縣治今不聞

宋昭靈沈襄王廟記

陳堯咨作

齊海陵王墓誌

案東觀餘論此志在翰林沈括家慶曆中得之金陵後爲人借

去遂亡所在今世殊難得沈云謝朓撰并書而誌但云朓立又載此文亦小誤如温文者性石本乃著性嗣德方衰石本乃方竄晚夜何長石本乃曉夜當以石本為是

齊獻武公碑

舊志齊侍中尚書令巴東獻武公碑普通三年建在上元縣黃城村

梁鄱陽王墓誌

梁故侍中司徒鄱陽忠烈王墓誌銘見存清涼寺法堂下

草堂墓碣

梁故草堂法師之墓八字篆體在蔣山寺寳公塔前之左

梁開善寺法師碑

通志普通三年蕭挹書

梁忠武王碑

梁侍中司徒驃騎將軍始興忠武王碑徐勉造貝義淵書在上元縣黃城村

梁康王碑

梁散騎常侍司空安成康王碑劉孝綽文貝義淵書在上元縣清風鄉甘

家巷內

梁昭□墓誌銘

梁永陽昭王墓誌銘徐勉造在上元縣清風鄉得之居民井側

梁敬妃墓誌

梁永陽敬太妃墓誌銘徐勉造在上元縣清風鄉得之路傍

靖惠王碑

梁臨川靖惠王神道碑在上元縣化城鄉

吳平侯碑

梁侍中吳平忠侯蕭公神道碑在上元縣花林村

建安侯碑

梁建安敏侯神道碑在淳化鎮西

梁都承旨題名

在上元縣花林村

梁蕭武帝壽記

在鹿苑寺

許長史舊館壇碑

東觀餘論曰陶隱居書固自入流其在華陽得楊許之真

跡最多而學之故蕭遠澹雅若其爲人今金陵有許長史舊館壇碑最先一行隱居書也

許君九錫碑 張繹文孫文韜書碑陰列隱居弟子名在黑虎洞前

朱陽館碑 梁元帝文

長沙館碑 **曲林館碑** 並隱居文

隱居墓誌 一自撰一昭明太子文

貞白先生碑 **燕洞宮碑** 並邵陵王文貞白碑陰唐司馬子微文并書

義和寺額 舊志昭明太子書句容志碑刻類云字入木八分秦申公取入秘書省矣

史府君碑刻 梁故假節散騎常侍兗州刺史建昌縣開國侯史府君之神道碑文石柱刻字見墓

梁宣帝明帝二陵碑

太元真人司命茅君碑

華陽宮記

梁石闕銘 乾道志梁天監七年詔作神龍仁虎闕於端門大司馬門外案宮苑記大司馬門外有神武二闕端門外有蒼龍二闕又金陵故事四石闕並在臺城門前其趺高七尺身鉅高五大廣三丈六尺厚七丈五尺及成朝士銘之時陸倕文甚佳士流推伏侯景之亂焚燒宗廟城郭府寺百無一存後高麗百濟等國入貢見凋殘哭闕下倕銘見前石闕

陳景陽宮井欄題刻 宋時在法寶寺前及行宮建移入學士院宮廢委在荒野至元三十年治書李公庸巽命教授朱天與徙郡內官舍故苑諸石刻聚路學止善堂中

石欄在焉今但存右一片爾乃至大三年有官下學見此石欄曰亡國之物也命碎而沉之齋生王祐收得片石乂之與劉弼弼復歸之于學其石質青而理赤鍾山石多如此俗以臙脂井呼之故觀者多摩拭迹瑩然而寉非一日矣世傳後主與張孔二妃淚染不爲臙脂色者妄矣前志有景陽石井欄銘是隋開皇中分書或云煬帝所作又有銘是唐開元中江寧丞王震分書又一銘是唐太和中篆書歐陽公集古録等書稱之詳見前志戚氏六所見摹本環井上十七八字已甚漫滅唯慮井在及太和四年六凡八字可辨盖即太和篆銘所謂慮井在茲可不戒哉者别有宋蘇易簡石欄記亦不存矣今片石上有宋人從衡題字九著者唐介梅摯皆前賢也其遺迹固可存况好事者聞而未見多来觀之將以興懷古而重監戒毁而棄之過矣

趙知府題棲霞寺山天巖詩

王給事棲霞寺詩

攝山棲霞寺詩碑

金陵攝山棲霞寺碑文并銘侍中尚書令宣惠將軍參掌選亭菩薩戒弟子濟陽江總特撰翊前會稽王行參軍京兆韋霈書唐韋應物詩若到棲霞寺先看江總碑康定元年僧契先重立云舊碑唐會昌中毀廢後嘗重立今復斷缺訛隱故重刻其文今据石本舊志並以爲會稽王霈書者誤

隋平陳碑

見古迹韓擒壘通志亦載

隋朝律大師碑

白水橋碑

慶元志城東北十五里白水橋東路南田中有碑半折仆地字皆磨滅惟題可辨云康王神道之碑餘不可考歷陽張祈字晋彦過其下有詩云出郭悠悠信馬蹄荒烟

衰草不勝悲江南舊事無人記時有龜趺載斷碑詩刻在半山寺

唐顏氏大宗碑

舊志晉右光祿大夫西平靖侯顏府君碑晉侍中右光祿大夫本州大中正西平靖侯顏公大宗碑兩碑舊在上元金陵鄉乾道中已移入府學其碑座尚存故地猶名顏碑衝即笪家園去城十里魯公書餘見墓類並燬

唐明徵君碑

高宗御製行左金吾衛長史侍相王書高正臣書守太子洗馬王知敬篆額在上元棲霞寺碑高一丈米芾詩手摹一文王讀畫上元記

唐重建開善寺記

在蔣山寺

神霄宮銅鐘文

華陽頌碑

舊志陶隱居文天寶九年立

紫陽觀王先生碑

崇禧觀碑 左拾遺孫處玄文

靈寶院碑 王棲霞文在茅山

華陽洞唐玄宗授上清籙碑

禁山碑 舊志在玉晨觀太和七年立又有復禁山碑徐鉉文

句容縣令岑公德政碑 景龍二年行雍州録事參軍張景毓字燭微撰業行寺主釋翹微書事見治行岑仲休傳

方山洞玄觀勑還鐘碑 又有洞玄觀請鐘記云

玉清觀四等碑 玉清觀四等碑開元十五年陶巨莊書石已損斷置玉清觀基

上見戚氏志

下泊宮記 黄洞元撰盧士元書

貞白先生碑 邵陵王蕭綸撰

祠宇宮白鶴廟記 舊志祠宇宫白鶴廟記柳識文劉明素書

玄靜先生廣陵李君碑 見下註

茅山紫陽觀玄靜先生碑 其一唐玄靜先生碑李陽冰篆額柳識文與福興寺碑皆名三絕碑其一有唐茅山玄靜先生廣陵李君碑顏真卿撰書在玉晨觀

玄靜先生勑書碑

三洞景昭大法師韋君碑 陸長源文竇泉書篆

崇玄聖祖廟碑 寶曆崇玄聖祖廟碑李德裕建賈餗文通志徐挺古分書又云徐吉班書并篆額

孔子尹真人贊皇公三碑 寶曆二年立

孝子張君紀孝行銘 句容張常洧也其銘許昌主簿高甚文又有吳郡孝子張常洧廬墓記縣令李拾文孝子旌表碑贊主簿承回文皆載常洧孝行詳見本縣志

茅山孫尊師詩碑 李德裕文

題陶隱居銘葛僊公碑

青玄觀九天使者功德殿記 保大十五年賈穆述王燮書

宣州溧陽縣永僊觀玄宗先生碑

唐大王廟記

重換司空廟殿記 會昌六年史氏撰

祭酒史公仲謨碑 賈曾文徐浩書李陽冰篆額餘見仲謨墓溧陽志縣治南百許步士人家嘗斸地得片石乃徐季海詩刻云祖德道場下往来三十秋白頭方問法朗月特相留大唐徐浩書縣有史祭酒碑亦季海書漫滅不可讀

瀨水貞義女碑 溧陽瀨水貞義女碑銘并序李白文陽冰書宋淳化五年再刻

潘城寺碑 在溧水净行院

禮部侍郎劉府君神道碑 裴度撰在本廟中後移置歛賢亭朱昱有讀碑詩

白府君銘 從姪居易撰

貞素先生碑 唐玄博大師貞素先生王君碑徐鉉文弟鍇書在玉晨觀

紫陽觀碑 徐鉉文楊元鼎書并篆額在玉晨觀

許長史冊井銘 徐鉉文并篆額在玉晨觀

五雲觀碑 晏殊撰

百福寺銅鐘碑

佛窟寺碑 孫忌撰

多心經碑

蔣莊武帝廟碑 徐鉉文朱銑碑

張長史千字文碑

溧水顔魯公敘 見溧水劉府君廟

宋僊觀宗先生碑 元在縣西北四十里餘見太虛觀碑言宗法嗣字宣遠溧陽人魁岸峻拔神仙中人也甞於觀内造玉清靈臺等云

李白鳳凰臺詩碑

句容修夫子廟碑

李太白讚寶公畫像 李伯時畫梁武命張僧繇爲寶公寫真米芾書賛云

顔魯公祠記

來賢亭詩

大六十九

融師塔記

重興隱靜院記

福興寺碑

按碑額稱潤州上元縣略云福興寺梁大同二年之僘建也本於塘浦之東遷於銀湖之北中更一從傳記缺遺有禪師德道融本姓樓東陽義烏人也以上元二年建寺遂移舊額肇建新居於天竺天竺在故寺東南七里名符佛國之山白蕩之山岁其左蒼江之水滶其右斗牛之星烱其上盤龍之鎮挾其後望夫南上以啓行慈姥東向而奔走碑字多殘剥是張從申書從申碑此凡三此碑尤覺超逸今茅山碑感傳而此碑知者尚鮮若王師乾碑舊志惟載句容墓而不言有碑蓋知者尤鮮也

祈澤寺記

東野詩 觀薔薇花忽驚紅琉璃千艶萬艶開佛火不燒物淨香空徘徊花下印文字林間詠觴盃羣官餞宰官此地車馬來刻在溧陽勝因寺

本業寺記

楊吳興化院鑄銅鐘文 在香林寺

矴石鑄文 吴順義元年鑄在靖安鎮

南唐五龍堂玄元像記 徐鍇文舊在石頭城云

李順公碑 高越書在西門外石子岡下名金全

張懿公碑 名居詠墓在石頭城後

李後主祭悟空禪師文 在清涼寺

開善寺井記 在蔣山寺

南唐追封慶王碑 在城南婁湖橋韓熙載作徐鉉篆額文則漫滅矣

井記 左街奉先禪院方丈井記唐己巳冬記在保寧寺

符篆刻識 在永壽宮

沈傳師并徐鉉題名 在攝山千佛嶺

林下集序 通志鍾山總悟上人林下集序貞元二十年石洪文并書

德慶堂題榜 南唐後主書宋僧曇月刻石在清涼寺

高府君墓表 越墓

晉謝臨川碑 見靈運墓

義井欄刻字 在石頭城後七里鋪

寶華宮碑 并陰南唐奉勅立行書入品但人名漫滅在方山崇真觀

金剛會序 咸通五年南陽樊文蘊書在牛首山佛窟寺

王師乾碑 通志在江寧府今棻句容有摹但訪未得餘見前福興寺碑

騎省石 徐鉉題字

受籙碑 其一玄宗御製在崇臺觀其一張景顛文

桐栢王法師碑 朝散大夫行江寧令河内于敬之撰琅邪王玄宗書李義廉奉勑使還篆六字額

少室王君碑 李渤文

王真人立觀碑 江旻文

李德裕詩 贈茅山孫尊師詩裴質方書在玉晨觀

王霄菴碑 見棲真觀

藏經碑 彭濆文

鄧威儀碑 徐鍇文

崇儒碑 在溧水夫子廟開元十一年建今亡

楚平王廟碑 廣明元年建今亡

王法主碑 劉緯文又有徐先生碑三傳籙記馮寬文徐法師碑張惟素文凝和陳先生碑石並殘缺通志亦平觀主王遠知碑徐碩隸書

仙壇銘 宣州溧水縣尋仙觀仙壇山道士宋文幹以大唐垂拱五年因山石自然形似立仙壇三所長壽元年縣令王通字玄覽在任清勤戶口增益因開三鄉遂以仙壇名鄉奉仙號里後六年大周聖曆二年縣令岑仲字休以德義當官仁威養俗因琢石爲象刊石爲銘云蘄州黄梅縣令張玄素書岑仲休蓋以字行也

晉史建安碑 晉故建安太守山陰縣侯史公神道碑景龍四年從孫宣義郎嶷撰

城隍記 溧陽縣城隍記因築治城隍頌邑令之賢舊志以爲廟記誤

禱雨記 史祖廟禱雨靈應記昇元三年尉遲勝奉命製吴仁赡書郭延沼立

雲泉院無礙田記 唐開成二年左衛騎曹参軍劉内車文宋大中祥符八年重刻

宋太宗戒石銘

其文曰爾俸爾祿民膏民脂下民易虐上天難欺全篇本蜀王孟昶所作太宗取此四句令天下郡縣皆刻石寘正廳之前覆以小亭坐正廳則對之其字乃黃庭堅書

真宗書觀龍歌

茅山天聖觀

仁宗飛白書

嘉祐中書堯舜等大字賜守臣錢公輔傳堯俞二臣各刻之石經兵火堙沒乾道八年留守洪遵得之華藏寺前土中輿寘經武堂

徽宗大觀聖作之碑

又賜辟廱手詔郡縣皆刻于學

高宗書孝經

賜秦檜真草相間守臣晁謙之刻石郡學檜又謙之跋于下今存經火不全又有改建康府詔舊刻在府治金華石上十二字見後又籍田詔郡縣皆刻之

高宗書王安石詩 刻在保寧寺

高宗書蘭亭脩禊序 劉岑刻

高宗書乾卦 并羣臣書諸卦繫辭秦梓刻並在溧陽

孝宗書武經龜鑑序 賜都統制郭振刻亡

理宗大字 明道書院額又忠勤樓錦繡堂賜吳淵忠實不欺之堂裕齋桂山賜馬光祖各刻之石

韓愈進學解臨王羲之二帖 孝宗御書錢周材刻在溧陽

宋齊丘鳳凰臺詩 石刻在臺上

太守題名碑

金陵建康圖 洪遵跋楊備覽古詩曰暇日料簡故府得金陵圖六朝數百載間粲然在目又以今日宫闕都邑江山爲建康圖並刻石以獻上稱善有旨令參訂古今徽識其下客有以前詩示遵亟鋟之木異日六飛移蹕學士大夫入承顧問是將有取圖舊在玉麟堂今好事家有大夲

建康府重建貢院記 宋乾道四年陳天麟作

江東運使司試院記 宋嘉定九年李道傳作

建康府新作貢院記 紹熙二年楊萬里咸淳二年馮夢得皆甞撰記

江寧府移建康府學記 張元用作

重修府記 黄黼韋汝楫作

府學上舍登科題名記

府學贐送貢士規約碑 嘉熙元年姑熟陶熾旴江孔聖義刱立規約教授郡人吳蔵記

建康府新建義莊記 淳祐十一年制置吳淵刱置教授宋自強記

江寧府學田產記

續置田產房廊碑

府學義莊田畝數碑

江寧縣學記 景定間知縣王鏜建學楊巽作記

上元縣學記 淳祐戊午通判梁椅作記辛酉歲建學周應合作

溧水縣學記 宋紹興八年鄭剛中作重修學記景定元年周應合作教思亭記咸淳二年趙昴發作修學記

溧水縣小學記 宋咸淳二年知縣周成之復小學王遂爲記

句容縣重脩學記 唐開元十一年建學有碑宋皇祐二年知縣方峻脩廟有記元豐二年葉表重建有記

溧陽縣重脩學記三 唐縣令柳均興學有碑宋皇祐四年查宗閔移學城東南隅沈士龍撰記汪藻撰挹秀堂記建炎末重建陳聞遠撰記

明道先生祠記三 朱熹游九言真德秀作記馬光祖跋

程純公畫像記

劉給事祠堂記 李處全作

范忠宣祠堂記 袁燮作

黃尚書生祠記 李愷作

忠襄楊公祠堂記 魏了翁作

留守大資政錢公生祠記 鄭若容作

真西山祠堂記 王遂作

吳狀元生祠記 孫沂作

陳大使生祠記 王夢義作

南軒先生祠堂記 杜杲作

吴大資祠堂記 曹庭褒作

吴相公生祠記 程公許作

野亭先生祠堂記 倪垕作

野亭先生祠贍祠規式碑

馬觀文生祠記 趙與种孫益大作

父老建馬觀文祠記 劉夢周作

青溪先生賢堂記 周應合作

溧陽縣學四先生祠記 知縣王崇建

聖母惠澤龍王二祠記 在戒壇寺

忠節王公廟記　劉岑作

府治三聖廟記　宋嘉定十年郡人吴葳記

秣陵東嶽廟記　宋嘉定四年知縣徐龜年作

在城武烈帝廟記　南唐徐鉉有武烈帝廟碑

江瀆廟記　黄度作

鐵塔寺二判官廟記

越臺三聖廟記　宋政和元年知府薛昂禱雨建廟刻石

惠澤王廟記

顯忠廟記　洪邁作

廣惠廟事蹟記 沈嬴作

馬司真聖廟記 馮去非作

聖烈王行狀碑

武氏石室碑 案趙明誠金石録武氏石室畫像五卷武氏有數墓在今濟州任城墓前有石室四壁刻古聖賢像小字八分書題姓名往往贊于其上文詞古雅字畫遒勁可喜故書録之以資博覽今觀其文詞如老萊子曰事親至孝衣服斑連嬰兒之態令親有驩丁蘭曰二親終後立木爲父鄰人假物報乃借與其餘大抵多殘缺也洪适隸釋武梁祠堂畫像自伏戲至于夏桀齊公至于秦王管仲至于李善及萊子母秋胡妻長婦兒後母手義漿羊公之類合七十六人其名氏磨滅與初無題識者又八十六人得之括蒼梁季珩始予聞建康寓客

有此碑嘗託連帥方務得訪之舊志留守方
滋臺刻于紬書閣今亡亦不見有摹本矣

正顯廟記 溧水州城隍白季康廟也李朝正請廟額淳熙元年重修王端朝作額碑

褒忠廟記 葉夢得作

茅山玉晨觀陶隱居遺像 蓋唐顏魯公刻并有陶隱居帖

栖霞寺佛殿記 唐高宗嘗建寺碑并書寺額寺有金銀銅像背記宣宗大中五年重建不知所指何記也

攝山白雲庵記 宋侍讀張瓌嘗讀書王安禮爲記

能仁寺記 游九言作

天慶觀碑 章公權作

吉祥寺記 寺舊在城隍廟東後以寺基爲太廟徙置城南二里記乃從寺時作也

永寧院記 劉岑作

戒壇寺記 韓元吉作

殊勝寺記 楊天麟作

明慶寺記 梁太子舍人陳昭作寺碑

保寧寺碑

定林寺記 宋舜庸作

聖湯延祥院記

蔣山妝繪大佛殿記 劉岑作

寶公行狀碑

天禧寺重脩寶塔碑 李之儀撰 法堂記

三藏道公塔記

北山移文碑

高座寺銅鐘碑 劉岑作 寺記

三茅真君像記

道光泉記 王安國作

八功德水記 梅摯作

雙女墳記 崔致遠作

左伯桃墓詩

唐顏真卿宋胡宗愈蔣之奇周邦彥皆有詩案烈士傳云左伯桃羊角哀燕人也二人爲友聞楚王待士同入楚至梁山值兩雪糧少伯桃併糧與哀令往事楚自餓死空樹中哀至楚爲上大夫乃告楚王備禮葬於今墓所一夕哀夢伯桃告之曰幸感子葬我奈何鄰荆將軍墓每與吾戰爲之困迫今年九月十五日將大戰決勝負幸假我兵馬叫噪冢上以相助哀覺而悲之如期而往嘆曰今在冢上安知我友之勝負乃開棺自刎死就葬伯桃墓中劉孝標廣絶交云續羊左之徽烈謂此墓廟見前各類

蕭閑堂碑

周邦彥作

二李亭碑

朱處作

挿竹亭記

俞氏十牓傳家記 俞臬撰

通濟橋記 劉放李南壽作

中山館驛記 唐詧作

溧水州五堰河碑 乾道元年二月左朝散郎通判建康軍府事張維劉子竊

謂尭之時洪水泛濫而三江不入于海其勢必乗其虛處而横流今之五堰河正其虛處也以去年之水高四尺而漫過分水堰則尭之水横流而過此地當不止四尺切意震澤所以不底定者蓋自於此耳以是觀之古來不開鑿此河而設為五堰者其慮遠矣夫尭之洪水後世决不復有也如去年之水間亦有之若江與浙均有雨水則固城湖雖漲亦不能奔蘇常蓋蘇常水盛則外水自不能入如去年之水是也惟是蘇常無雨水而上江雨獨多當此之時大江汎

濫壅遏湖流則其勢必奔五堰河而蘇常始受其害矣維竊籌度若開此河委非經久利便乞從朝廷詳酌施行

溧水州廣嚴寺記

祖大武作署云寶慶三年予以丞視勞徧歷鄉里初意縣屬金陵都會事迹最繁宮刹神廟屋壁間必有碑碣可以考古搜訪多闕惟一道觀中有武后時小碑及一二南唐時碑則亦已再刋而非初蹟蓋三國六朝以来多虞之故也武后時碑謂仙壇銘也

王介甫平甫此君亭竹詩

見前亭類

荆公書陶隱居墓誌

黄太史跋曰熈寧中金陵丹楊之間有盜發冢得隱起塼於塚中識者買得之讀其書盖山中宰相陶隱居墓也其文尤高妙王荆公常誦之因書

於天慶觀齋堂壁間黄冠遂以入石予常欲摹刻於棲道有李祥者欣然礱石來請斯文既高而王荊公書法似晉宋間草書此固多聞廣見之所欲得也慶元志今刻石江東漕廨

半山絶句 今半山寺有荊公詩果跡泉白下亭東我名公字補落迦山四絶句

張文潛書李太白鳳凰臺詩 馬光祖書跋倪垕刻石臺上

蘇子瞻書漁家傲詞 送王勝之在白鷺亭

金陵雜詠 黄履詩溧水尉周沔書刻江寧府治近年廨宫地上掘出其詩舊志不載

周美成會客題名 溧水丞高舉刻于聽事

山谷四民帖 四民皆當世業士大夫家子弟能知忠信孝友斯可矣然不可令讀書種子斷絶有才氣者出便當名世矣慶元中溧水丞戴揆刻于丞廳

漫塘縣箴 劉宰作

不輕不受，詞不苟追，人則田里安；不輕買物，不吝酬直，則市井喜；期會信，則豪强不敢翫；賞罰明，則姦盗無所容；有謁入久不見之客，則開嫚侮之端；有追至久不決之訟，則生曖昧之謗。毋以暫爲而不爲久計，毋謂去矣而不計後來。庶幾善最之成，亦增吾邑之重。端平丙午張渠攉縣刺，置于溧水縣治東廳。

俞母廟記 胡無競　賈彬作

劉府君廟記 杜子源撰

山谷城南帖 書韓文公符讀書城南詩而題于後

鍾離翁詩 宋溧陽斗子坐盜米估籍，得草書題云：庚申歲書，其名攉花押，如一劔狀。

三米蘭亭帖 元章初刻淮山樓，幷友知尹仁父子題于後，留守吳琚刻。

廣惠侯廟碑王端朝作廟碑白樂天文集有侯墓誌銘云公諱季康太原人嘗爲溧水令子敏中爲相

鎮淮飲虹二橋記梁椅作

白下橋記劉叔向作

嘉泰重修二橋記劉叔向作

乾道重修二橋記丘崇作

明道先生格言碑

趙忠肅公秋風詩碑馬觀文書

杜尚書學齋記杜杲作在舊府治

大八十

王潛齋六川歌頭 王埜作

馬裕齋書格言碑六 寬平篤厚儆覺詳緩喜聞過強爲善 願我壽命長廣行一切善願我福德盛普濟一切人一日之事在寅一年之事在春一生之事在勤一家之事在身 無益之言勿聽 無益之事勿爲無益之書勿觀 無益之友勿親 和平福之基忿躁禍之隨 謙恭德之吉 驕傲身之賊

高齋記 胡宿作

子隱堂記 梅摯作

涼館記 元時敏作

壽思堂記 邉惇德作

四老堂記　韓元吉作

思政堂記　章讜作

忠宣堂記　劉宰作

飛泳堂記　楊邁作

戲綵堂記　王埜作

達尊堂記　范光作

忠實不欺堂記　陸景思作

清如堂記　梁椅作

東治亭記　梅摯作

籌思亭詩碑 王安石范純仁王晳作

此君亭歌 毛漸作

賞心亭東坡長短句 丘崈記

昭陽亭餞别留題 李木書

昭陽亭詩 張狀元作

二水亭記 史正志作

八功德水亭記 趙師晉作

新亭記 史正志作

閲亭記 李洪識

[illegible][illegible]亭記　劉宰作

翠微亭記　吴淵作

鳳凰臺記　馬裕齋作

賞心亭記　蕭山則作

川泳軒記　周必大作

存愛軒記　周師成作

敬齋銘　傅行簡作

使華園記　戴桷作

政足園記　戴桷作

繡春園碑 高定子識

府學御書閣記 游九言作

青溪閣記 張椿作

總所新建門樓記 馬光祖作

東南佳麗樓記 李衢作

葛仙公鍊丹井銘 景通作

濡惠泉記 王元忠作

舍利泉記 李夐厚作

忠孝泉記 周虎作

道光泉記

義井記 李迪作

廣濟新倉記 趙彥𥴦作

平止倉省劄指揮碑

平止倉須知碑

平糶倉省劄碑 丘密立石

復置平糶倉省劄碑 舒滋立石

平糶倉記 吳淵作

泛恩指揮碑 趙善湘立

親兵營記　游九言作

沿江新建游擊軍記　胡居仁作

宋興寺奉省劄養濟兩院碑　黃慶作

真運使申遺棄小兒省劄碑

余運使申置實濟院省劄碑

奉旨建實濟院記　馮去非作

建康府新安樂廬記　馮元演作

裴將軍帖

宗忠簡公帖

劉尚書墨帖

劉給事墨帖

張狀元墨帖

安撫司書帖古約

蘇東坡近移文

臨川王游碑

蔣山西菴墨帖

張丞相墨帖

蔣山丹霞訪龐居士

真運傈版榜移文

張狀元請䟽

張都督祭病親刻

程子遺書馬光祖刻

黃尚書保民親刻

柳子厚送薛存義序

洛神賦王獻之書

責沈碑

張賜記碑

大九十七

韓元吉餞別留題

崇因寺范石湖碑

章尚書題范石湖碑

橫渠先生大字碑

濂溪先生大字碑

王尚書石頭城大字

清涼寺詠竹賦

登山銘無爲贊

韓南澗荼蘼亭詩

馬野亭吳琚遊青溪浪淘沙詞

總得翁題斷碑詩 翁即狀元張孝祥之父也見前白水橋碑

魏督相題王文公祠詩

三品石 臺城千福院在縣東北六里本梁同泰寺後吳順義中置院前醜石四各高丈餘云陳朝三品石宋政和中取入汴京置延福宮荆公時石尚在此詩云草沒苔侵棄道周誤恩三品竟何酬國亡今日頑無恥似謂當年不與謀陳克詩云臨春結綺今何在屹立巉巉終不改可憐江令負君恩白頭仍作北朝臣

到公石 慶元志云梁到溉第臨淮水齋前池有奇礓石長丈六尺武帝戲與賭之溉輸即迎置華林園宴殿前迎石之日傾都縱觀所謂到公石也

醉石

張乖崖集吳宮石四正題曰醉石纍纍石瓻月臺朝天壇詩云何人移置向何年牢落空、見斷頑竹外松間滋潛莎土昏苔染更斕斒令憐許月名偏好莫問朝天信不還閑醉閑吟聊自得漸無魂夢憶歸山按慶元志已不存久矣

金華石

梁金華宮遺遺石寫真桐廬方叔恭識云遺石在府治致一齋後覆以小亭舊矣今取家藏摹本刻寘上元先春堂圖今存與余端禮勸農石頭城示二令詩同一石案圖石之高僅九寸引手可舉傳至宋亦幸矣

玉麟堂石刻

景定志金華宮石上刻十二字曰虎踞龍蟠聳金陵之王氣構書慶元志言此石元在府治致一齋竹石間與金華宮石錯立比年相傳爲高宗御書寘玉麟堂東嘗疑高宗自南京登位至建康即入行宮未嘗幸府治何緣書郡齋石就使書於他處決無御

名若當時守臣模刻須寘聽事豈委之林莽唐神龍初潤州畢刺史其名寶同高宗廟諱嘗勒銘鍾山此恐亦畢書也然高宗始至建康駐蹕神霄宮即今保寧寺將以江寧府治爲行宮故守臣寓華藏寺爲治所行宮成乃改建康府治當府治未建安知遊幸之不到其地邪且前後宸翰字體與黄庭堅相近慶元所疑皆非也今案其石仍存謂爲金華宮石亦無明証姑存其說於此

謝太傅像

淳熙戊申古汴趙希堅題曰此惟揚郡齋本蘄春朱長卿家所藏比於行都見畫像相傳是顧長康筆縑腐色剥幾不可觸而阿堵中瞭焉校此本無毫髮差訪惟揚舊石不存遂摹刻于半山今存本寺

秦繹山碑下續刻

案教授朱天與識于繹山碑下曰金陵詩書禮樂之邦舊

多名賢石刻藏諸官廨深扃固鐍人一見茀易
兵後投注草莽與瓦礫俱至茭舍介夫取爲煁
具行臺治書侍御史東平李公處巽與都事金
臺賈公爲政易水張公經謀及於此得石八十
一片中有秦泰山碑剝落不可讀當時所摹纔
二十字絕不類斯筆李公得繹山善本二百二
十有三字互證參稽眞贋判然山谷城南帖亦
脫滅六十有二字儒學提舉冊楊李公浩捐已
俸助工直更臨繹山古篆訪山谷遺帖刻石以
完合置郡學尊經閣下止善堂之東西步榮時
至元三十年也大德四年路學火將及閣臺宮
亟命舁諸石刻出閣外舁未畢火勢不可近而
止既而一學皆盡閣乃獨存由是舁出者適皆
焚在閣下者皆得無恙物之存亡若有數也其
存者繹山碑泰山篆譜陳宮石井蘭王介甫此
君亭詩山谷城南帖米元章詩惟高宗眞草孝
經止存四章其燬
者不能盡録矣

金陵新志卷十二　　百五

金陵新志卷之十三上

人物志總叙

自古國家之興曷嘗不求賢審官君臣同德以躋隆平之治乎以堯舜禹湯文武周公之聖也而皆有所承事師友周之興也尤致意於疏附先後奔走禦侮之臣詩曰思皇多士生此王國言周之將興而致多士之生於國也又曰王國克生維周之楨言人才衆多足爲國之楨幹則聖如文王亦賴之以爲安矣陵夷至於幽厲棄

賢用佞朝無柱石之臣而野有白駒之剌王綱由是解紐而霸者興焉春秋之世大國莫如齊晉及楚傳稱惟楚有才晉實用之然亦有自晉奔楚而爲之用者賢才之生於世猶奇珍異寶之並產於山林川澤夫豈有華夷遠近之間哉漢承秦暴起匹夫而有天下其王之五年蹙項籍烏江遂有江東代設侯王牧守以撫柔其民行事較可徵考及魏吳分裂天下之民熟爛大壞優於秦項然孫氏三世據有江東踰六十年

其始也任賢使能而興也勃焉其終也親小人
遠賢士而亡也忽焉觀孫皓與其臣何禎責巳
之言所謂噬臍之泣蓋無及矣由吳而上本之
生民有國之始由吳而下極於五代宋唐之終
要其治亂廢興之故同歸一揆而其精神遇合
蓋亦粲然可觀今因前志輯録周漢以來人物
總其游宦封爵於斯可以考見其世家者通具
爲譜而復掇其行事之著於耳目關於治化者
列而傳之一曰孝悌二曰節義三曰忠勳四曰

治行五曰儒林六曰隱逸七曰耆舊八曰仙釋九曰方伎十曰列女於以觀風教而徵世變君子其將取節於斯乎嗚呼天之生斯人也非直使之飽食煖衣逸居恣睢於羣動之間而已子焉必父其父臣焉必君其君妻焉必夫其夫民焉必事其事反是則爲刑戮之民而人極有不建矣司載籍者雖欲勿志惡得而勿志惟其事之有詳畧辭之有繁簡時有遠近聞見異焉夫子所謂吾猶及史之闕文者若夫徵顯闡幽由

一郡之史以集大成其將有所俟於君子乎

人物志

世譜

古帝有雲陽氏居雲陽高辛時展上公夏禹皆嘗游此今不及載自周以來著之

周

姬姓

郡姓

言偃

游宦

范蠡　左伯桃

羊角哀　伍子胥

封爵

吳伯爵 號勾吳太伯後　越子爵 號於越夏禹後

楚子爵
祝融後熊繹始封在江陵枝江之丹陽滅越後有江東地

春秋時三國皆僭稱王

西漢

劉氏

郡姓

游宦
秦始皇與群臣巡游過此又有周太賓姜叔茂隱茅山今不及載

魏相　何武

黄霸　梅福

封爵

劉敢丹陽侯　劉纏秣陵侯

劉欽溧陽侯　劉畢溧陽侯

東漢

劉氏

郡姓

陶謙 子商應　李南

抗徐　張磐

游宦

史崇 子顥孫茅曾孫洽玄孫澤澤子鉉鉉子藻

嚴光　潘乾

李忠　鮑永

張禹　張馴

韓演　滕撫

馮緄　觀恂

周昕　諸葛亮

蔡邕　董永

蔣子文　王祥言之後弟覽孫俊從孫導

封爵

史崇至澤世爲溧陽侯

陶謙溧陽侯

吳孫氏

郡姓

史嵩　史懿

史奕　史韶皆崇裔孫

陶基子璜濬抗　朱治子才紀繇孫琬

施績父然還姓　何洪子邈弟蔣植

紀亮子隲　芮祉兄良子玄

唐固　刁玄

戴顯

游宦

宗室瑜 伯堅父靜弟皎子胤　賁 叔堅父羌子鄰孫震

松 父翊　登 大帝長子

和 登弟　張昭 子承休姪奮

顧雍 子邵裕孫譚承弟徽　顧悌 子彥禮謙祕祕子衆

諸葛瑾 子恪　周瑜 子循胤姪峻峻子護

魯肅　呂蒙

呂岱　程普

黃蓋　甘寧 曾孫卓

呂範子據　虞翻子汜忠

吳範　劉惇

葛衡　曹不興

陸績子叡從子遜　陸遜弟瑁子抗孫晏景玄機雲

陸凱遜族子弟胤子禕　周魴子處

是儀　丁固孫譚

韋昭　張悌

趙達　皇象

孟宗　盛彥

張紘 子玄

嚴畯 子凱奕

薛綜 子瑩珝孫兼

凌操 子統孫烈封

徐盛

潘璋

丁奉

朱桓 子異

朱據 子熊損孫宣

陳表 父武子敖兄子延水

全琮 父柔子緒

鍾離牧 子盛徇

潘濬 子翥祕

胡綜 子冲

徐詳

吳景 子奮祺孫安纂

謝承 子崇勗

華融 子諝譚

劉基 父縣弟鑅尚　鄭礼 子胃孫豊

留贇 子畧平　賀邵 祖齊父景子循

孫邵　步騭 子協

闞澤　韓當

蔣欽　馬普

程秉　徵崇

謝景　范慎

羊衜　吾粲

張[redacted]　屈晃 子緒弟幹恭

陳正　陳象

徐原　滕胤

王蕃　樓玄

華覈　周昭

陳化　謝淵

徐平　聶友

李衡　張儼

沈瑩　諸葛靚子恢

石偉　蔡珪

葛系 子悌　桓彝 兄階

封爵

孫胤冊陽侯　潘璋溧陽侯

張昭婁侯　韓當石城侯

芮玄溧陽侯　何蔣溧陽侯

晉

司馬氏

郡姓

史楚史晃史璜史隱史淵史諒史琬史

陵史援史光史雅史輝史疇史憲

陶威 父璜弟淑 子綏

陶湮 父濬弟猷 子馥

陶回 父抗子汪陋 隱無二心

紀瞻 父騭 子友鑒

薛兼 祖綜 父瑩子顒

張闓 祖昭 子混

許邁 祖尚父副 弟穆

王諒

樂道融

甘卓 曾祖寧 祖述父昌子蕃

葛洪 父悌 姪望

陸機 父抗 弟雲眈

陸喜 父瑁 子育

陸曄 父英伯父喜機 子嘏孫諶

陸玩 兄曄子納 孫道隆

華譚 父諝 子化茂

虞潭 父忠子仡姪駿 孫嘯父族人預

丁潭 祖固父彌 子話

賀循 子隰

顧榮 祖雍 子毗

顧衆 榮族弟父祕 子昌會

顧和 衆族子曾祖容 祖相子淳

周顗 父紡子玘靖札孫 勰彝懋莚贊縉

干寶 父瑩

諸葛恢 祖誕父靚 兄顒子甝

游宦

晉都江左迄宋齊梁陳幾三百年中原人士游宦者後皆土著爲郡人矣

王導 子悅恬洽協劭薈弟穎敞悅子混 孫■曾孫⿰忄少洽子珣珉劭子穆默 恢穆子簡智超默子鑒惠薈子廞 孫泰羊協子謐孫瓘球琇珣子弘 廙柳孺曇首珉子 朗練從兄含敦

王廙 導從弟子頤之胡之 孫茂敬弘

王彬 從兄澄導邃侃子彭之彪之 孫越之臨之

王舒 導從弟子晏之允之 孫崑之晒之晞之曾孫肇之

王稜 導從弟祖覽 父琛伯會正

王弘之 導之孫 兄鎮之

王羲之 導從子祖正父曠子玄之凝之 徽之操之獻之孫禎之靜之從 祖肇夏馥烈芬皆祥之子裁基會 彥琛皆覽之子丞相導即裁之子 世居烏衣巷一衣 冠爲江左第一

王琨 導之孫華從 父

王渾 [redacted] 湛子濟 從子澄

宗室承 子無忌 孫恬

楚之 兄休之

王濬 子鑒濤 孫戩

唐彬

周浚 子顗嵩謨 孫閔恬頤
周馥 從兄浚 子密矯
謝鯤 子尚 孫康 曾孫肅
謝安 尚從弟子琰 孫該謨澹
謝奕 尚從弟 子泉靖玄
謝玄 父奕子瑍 孫靈運
謝萬 安弟子韶兄子朗 孫恩曾孫曜弘微
謝石 萬弟子汪 孫明慧
謝邈 石弟鐵之子
謝琰 父安 子肇峻混
王承 父湛子述 孫坦之揖之
王坦之 子愷忱 愉國寶
陶侃 子瞻 曾孫潛
山簡 父濤
衛玠 祖瓘 父恒
鄧攸 弟子綏
周訪 子撫光

顏含 子髦謙約
應詹 祖璩 子玄誕
劉波 父隗 子淡
劉劭 隗從孫 族子黄老
范廣 弟稚子汪孫康甯 曾孫泰弘之
華恒 父廙子俊 孫仰之
二彝 父統弟惇 子數孫恒夷
劉耽 子柳
何充 弟準姪放惔澄 澄子籍融
孔愉 子誾汪安國 孫静
江逌 父濟弟灌 子蔚姪績
徐邈 弟廣 子豁浩
王雅 子準之協之 少卿肅之後
[redacted] 子瓊
杜夷 兄猛弟撰 子晏姪濬
孔衍 孔子二十二世孫 子啓宗人夷吾

高悝 子崧 孫耆
李充 父矩 子顒 從兄式
胡毋輔之
陳訓
郭璞 子驁
劉惔
杜乂 父預
褚裒 父洽 子歆 孫爽 曾孫秀之 炎之 喻之
王濛 曾祖黯 子脩 蘊 蘊子恭 爽

庾闡 子肅之
伏滔 子系之
畢卓
戴洋
温嶠 父憺 兄羨 子放之 式之
范堅 兄廣 子啓
褚翜 裒從兄 子希
王遐 子恪 臻 孫欣之 歡之

王嶠 祖默族父承子淡孫虔也

卞壼 眕盱瞻眈孫誕

羊曼 祖祐子賁

阮孚 父咸

郗鑒 子愔曇曇子恢

郗超 父愔弟融子僧施

庾亮 父琛子彬羲龢弟冰懌翼條

庾冰 七子希襲友蘊倩邈柔孫叔宣鄺之

庾翼 子爰之方之

孫盛 祖楚父恂子潛放

戴淵 父昌弟邈邈子謐

王隱

桓彝 子温雲豁祕冲

桓温 子玄

桓豁 子二十人皆以石名石虔石秀石民孫誕洪

桓景族兄宣弟不才子伊孫靖　鍾雅子誕

劉超子納孫亭　蔡謨子邵系

吳隱之子曠之延之　顧悅之子愷之

阮放字族人子晞之　阮裕兄放子普普孫歆之腆嵩齡

袁瓌弟猷子喬孫方平曾孫山松猷子勗孫宏宏子朗子

袁準瓌族人子冲孫眈曾孫質質子湛豹

朱序父燾　魯勝

郭文　荀邃祖勗父[redacted]弟闓子汪

荀組兄藩子奕　荀崧曾祖彧父頵子蕤羨從子序歆

孫綽 父楚兄統子嗣統子騰登
刁協 子彝　韓階
武延　桓雄
許儒 祖勛父延　陳顒
毛寶 子穆之孫璩球瑾曾孫脩之祐之
光逸　桓宣 族兄景
張憑　傅敷 父咸弟晞
夏侯承 伯湛父淳　羊曇
殷浩 父承　周導

何謙　　戴逯

李式父重　　虞穀父溥

謝沇　　習辟彊父鑿齒

車胤　　何無忌

檀憑之　　孟昶

殷覬　　劉鮞

范輯父宣　　曹毗

羅含　　郭澄之

辛恭靖　　羅企生弟遵生

孔祗兄愉　孔群從兄愉子沈孫廞曾孫琳之

孔坦祖冲父侃愉從子弟嚴　嵇翰從祖紹孫曠

楊方　王慧龍祖愉父緝

張褘　阮韶之

朱綽　毛璩祖寶

毛安之父寶子潭泰邃遁　扈謙

封爵

戴淵秣陵侯　王俊永世侯

宋

劉氏

郡姓 游宦附

宗室義慶

宏

懷肅

懷慎 弟亮子榮祖

王弘 曾祖導孫思遠曾孫融玄孫冲冲子瑒從孫瞻

王微 伯父弘弘父孺兄遠弟僧謙從子僧祐

王華

王僧達

王曇首 兄弘子僧綽孫儉曾孫騫暕玄孫規承訓

王僧虔 兄僧綽子志彬籍孫泰

王惠 曾祖導

王球 父謐從子彧從孫蘊

王銓 或兄子份之孫弟錫僉勸固

王裕之 曾祖廙子穎之孫秀之延之曾孫綸之峻玄孫昕

王悅之 祖獻之

王准之 曾祖彪之玄孫猛從弟逡之珪之

王鎮之 裕之從祖弟自王弘以下皆丞相導之族

謝瞻 曾祖裒從父純從叔澹弟晦

謝璟 子從

謝靈運 祖玄子超宗孫幾卿

謝述 兄裕子緯孫朓

謝方明 子惠連

謝超宗

謝藺 八世祖安子貞

謝密 曾祖萬子莊孫朏顥瀹曾孫譓覽舉玄孫嘏僑自瞻以下皆安之族

沈演之 高祖充

沈慶之 子文叔 孫昭明 昭略

沈攸之 慶之從兄子孫僧昭

沈懷文 祖寂從兄曇慶 弟懷遠子淡深沖

沈淵子 弟田子林子虔子子正姪煥亮 邵璞伯玉自演之以下並出吳興武康

陸脩靜 父琳

朱齡石 父綽 弟超石

司馬鍔 子壽

司馬褒 子聚

司馬暠 子延義

傅和之 曾祖咸子淡孫昭映

傅迪 高祖咸 族子隆

賀瑒 曾祖循祖道方伯道養 父損子革季歷琛

顧琛 曾祖和

顧協 和六世孫

朱脩之 祖序　劉敬宣 父牢之

范泰 父寧子華族人瑗　范雲

范縝　范胥

孔靖 祖愉　孔靈符 姪琇之

孔琳之 子邈　殷景仁 從弟淳淳孫臻

蔡廓 曾祖謨子興宗孫順約撙撙孫凝

張裕 曾祖澄子演鏡永辯岱弟邵姪敷孫緒充瓌姪孫冲

張暢 父褘叔邵子融　羊欣 弟徽

羊玄保 姪崇　殷孝祖 曾祖羨

江夷子湛從子智深曾孫數玄孫橧曇祿橧子紑

荀伯子祖羡　徐豁父邈

劉康祖父虔之伯父簡之謙之　劉簡之子道産延孫

劉穆之姪秀之欽之　徐孝嗣父羡

毛惠素　王玄謨從弟玄邈子寬

蒯恩　向靖

孟懷玉弟龍符孫係祖　孟倫之

蕭思話子惠基惠開孫眎素洽介曾孫允引從孫琛琛孫爵

到彥之子元度仲度曾孫沆溉洽溉子鏡鏡子藎

桓護之弟詢之從子崇祖榮祖從孫曇深
張興世
鄭鮮之
裴松之子駰孫昭明曾孫子野
何承天孫僩曾孫遜
顧凱之姪愿
柳元景弟慶遠姪世隆
劉勔子悛繪瑱孫孺覽遵孝綽潛從子苞曾孫諒
吳喜
劉藻六世祖遐
王褒
劉昶
徐謇兄文伯
庾仲遠高祖冰弟道愍從子沖容
庾沙彌冰之後子持
顧憲之父覬

丘巨源　王智深

劉昭九世祖寔伯父彤子縚緩　阮彥之子孝緒

周韶　阮韜

徐湛之　臧質

魯爽弟秀　朱循之

顏師伯　周朗

雷次宗子肅之　周續之兄子景遠

檀道濟　鮑照

何尚之充之後子偃孫戢求點胤曾孫撰姪孫絅

何昌寓尚之弟子　子敬容　張永

陸徽子杲煦　孫罩　江秉之逌之孫

薛安都　劉凝之

戴法興　阮佃夫

孔顗　孔翁歸

孔廣　孔逭

孔淳之弟默之　孔嗣之皆魯國人　居山陰

宗越　譚金

童太一　黃回

鄧琬　劉胡

臧燾 弟熹曾孫寅嚴未甄 玄孫盾厥

袁淑 父豹兄子顗 宗人廓之　袁彖 淑從孫

袁粲 子最　袁昂 父顗子君正敬泌 孫樞憲

顏延之 曾祖含 子竣測　胡藩

王仲德　夏侯恭叔

莫嗣祖　申恬

傅弘之　斐景仁

劉鍾　虞丘進

丘仲起　吉翰

徐道度子嗣伯文伯孫雄　虞騫

江避　范懷約

謝善勛　韋仲

江邃之　宗愨從子夬

庾華姪杲之　孫謙

虞通之　虞龢

司馬憲　袁仲明

祖冲之曾祖台之子暅之孫皓　卜天與父祖子伯宗伯興

張弘之　朱道欽

陳滿　何子平

吳慶之　戴顒父逵

蔡薈　沈麟士

山謙之　虞愿

孫詵　吳苞

封爵

齊

蕭氏

郡姓游宦附

宗室道度太祖兄以鈞爲後

道生太祖次兄子鳳鸞鸞即明帝鳳子遥光遥欣遥昌遥欣子幾

緬

慧基父思話子洽孫介從孫琛

嶷子子恪子範子顯子雲子暉子範子滂確乾子顯子序愷子雲子特

赤斧子穎胄穎達

眏

晃

曅

鋒

鑑

鏗

子良孫貫

子隆

子罕

劉係宗

劉瓛六世祖惔兄璲弟璉從弟瓛從子顯穀

劉善明懷珍族弟兄法護從弟僧副

劉元明

劉渢弟潕

劉祥

劉靈哲父懷珍從叔峻

蕭坦之

蕭誕

劉懷慰父懷璲子霽杳歊從子訏

劉玄明

劉休

陶弘景祖隆父貞姪松喬

陶季直祖愍祖父景仁

蕭贊

蕭懿父順之弟衍即梁武帝

蕭文琰　紀僧真弟僧猛

李安民子元履　李珪之

曹世宗父武　周山圖

周盤龍子奉叔　周顒七世祖顗子捨孫弘正弘讓弘直曾孫確

周洽　王廣之子珍國

王諶高祖雅從叔摛　王慈

王摛　王沈

王斌　王洪軌

王敬則　王玄載

崔祖思叔父景真子元祖　崔慰祖

蘇侃　明僧紹兄僧暠弟慶符

明山賓父僧暠元子震克讓元琳仲璋

孔休源八世祖沖子雲章　孔遏

孔琇之　何佟之高祖㦬

何憲　張瓌弟盾卷子率

張敬兒　王肅丞相導之後父奐

顏見遠含六世孫子協孫之儀之推

沈文季兄子昭略　沈憲

柳世隆子悅惔惲憕忱　柳叔夜

褚球裒之後　褚淵裒玄孫子賁孫向曾孫翔

褚澄兄淵從弟炤炫炫子澐澐孫玠

褚伯玉　鍾岏弟嶸嶼

蕭懷　沈瑀子續

房叔安　戴僧靜

桓康　焦度

虞悰　虞玩之

崔惠景　陸澄

陸慧曉 高祖玩 子僚 任倕 孫繕 緬 曾孫賢

陸閑 慧曉兄子 子厥 絳 完 襄 孫雲公 曾孫瓊 琰 瑜 玠 玄孫從典

蔡仲熊

蔡約

蔡道恭 子僧勰

江重

江洪

江泌 有二父亮之

丘國賓

丘師施

丘靈鞠 子遲 從孫仲孚

丘冠先 子雄

丘令楷

杜驥

杜栖

杜京産

甄匡　傅琰父僧祐子翽孫岐

范述曾　檀超叔父道鸞

卞彬壼之後　江柔之

車僧朗　魯康祚

樂預兄頤之　顧歡

顧昌衍　呂國

賈淵祖弼之父匪之　薛淵

裴叔業　裴昭明

宗測　臧榮緒

徐伯珍　邵榮興

吳達之

封爵

梁

蕭氏

郡姓　游宦附

宗室景　子勵勸勔　勃弟昱

懿　武帝兄子業藻　孫孝儼

敷

象　父融

秀　子推

偉　子恪恭　孫静

恢　子脩諮　孫嗣

憺　子映暐

績 子乂理　璀 父綸

撝　祗 父偉 子放

泰 父恢　慨 祖恢

圓肅 父紀　大圜 簡文帝子

哀太子大器 簡文帝子　忠烈世子方等 元帝子

紀少瑜　陶子鏘 父延 兄尚

丁咸序　張松

張惠紹 子澄　張弘策 子緬 纘 綰

張崖　張譏

鄭紹叔　鄭灼
馮道根　夏侯詳子亶夔
康絢　馬仙琕
韋叡子放稜黯孫粲載鼎　裴邃子之禮之之高之平之横
任昉　裴政祖邃
任孝恭　馬樞
江淹　江子一七世祖統弟子四子五
江革父柔之弟觀子德藻孫椿兼　張稷兄瓌子嵊畢
孔稚珪　孔奐

孔子袪

王僧孺 曾祖雅

王神念 子僧辯 孫頒

王僧辯 子頒、頍

王茂

王琳

王子雲

王操

徐勉

徐摛 子陵 孝克 孫儉 份 儀

徐之才 祖文伯 父雄 弟之範 子林 同卿

徐賁

徐伯陽

許懋 五世祖諶 子亨

殷鈞 五世祖仲堪

殷芸

范岫 高祖宣

范雲 六世祖汪 從兄縝 縝子胥

鮑鍐 子泉孫儉 正至

鮑宏 父鍐

鮑行卿

王褒 高祖儉祖壽 父規孫方慶

羊侃 子鯤

羊鴉仁 兄了海珍

陰子春

陰鏗

庾信 父肩吾

庾黔婁 弟於陵 肩吾

庾冊

庾域 子[illegible]

明克讓 父山賓

沈約 父璞 子旋趨

沈顗 叔祖演之

沈浚 演之族人 祖憲

沈峻 子文阿

沈德威

沈恪　江泌

柳敬禮 祖慶遠　柳琰

柳䛒 祖惔　柳遐 從祖元景 父季遠 子靖莊

劉沼 六世祖輿　劉勰

劉之遴 弟之亨　劉孝孫

劉文紹　劉臻 父顯

劉臧 子瓌播 孫祥行本　卞華 六世祖壼

何思澄 子朗 宗人遜　何遠

何之元　蕭敞明

蕭濟　朱异子容密

伏曼容子挺插　淳于量父文成

傅翽子岐　孟智臨

曹景宗　席闡文

吉士瞻　吉翂

楊公則父仲懷子暅　鄧元起

羅研　昌義之

呂僧珍　樂藹子法才

虞羲　虞僧誕

陳慶之（子昕）

胡僧祐

杜崱（姪龕）

杜之偉

顧野王

郭祖深

嚴植之

崔靈恩

盧廣

太史叔明

皇侃（九世祖象）

戚衮

宋懷方

陸詡

賀文發（子淹　孫德基）

全緩

顧越

龔孟舒

袁峻　周興嗣

吳均　費昶

岑善[redacted]子之[redacted]　褚仲都子脩

李慶緒　蔡大寶父默

袁敞祖粲父士俊　岑善方父昶

宋如周　樊文皎

[redacted]該

封爵

杜龕溧陽侯

陳 陳氏

郡姓 游宦附

宗室伯茂　伯山

叔愼　伯恭

伯智　叔英

叔卿　叔獻

叔齊　叔[illegible]

叔達　叔嶷

太子胤　深

周文育　周鐵虎

侯瑱　侯安都

杜稜　章昭達

吳明徹　徐度

程靈洗 子文季　蕭摩訶 子世廉

樊毅 叔父皎 弟猛　魯悉達 弟廣達

趙知禮　□景歷 子徵

毛喜　傅縡

阮長之　顏晃

阮卓

殷不害（弟不佞）

朱容（弟容）

許善[redacted]（父亨）

徐儀（父陵）

王冑（祖筠）

庾自直（父持）

孔奐（曾祖琇之　宗人範）

張種（永從孫　弟稜）

張稚才（冲子）

江總（父紑）

徐孝克（兄陵）

孫瑒

胡頴

徐世譜

荀朗

周炅

楊孝辯

陳智深　陳禹

袁元友　宗元饒

沈君理 叔邁 弟君高　沈烱

虞荔 弟寄 子世基 世南　章華

沈洙　王元規

張正見　任忠

姚察　駱文牙

司馬申　蕭引 子德言

阮卓

封爵

隋 楊氏

郡姓

諸葛潁 祖銓父規子嘉會

耿詢

王通 肅之曾孫

庾季才 八世祖滔父曼倩

姚僧垣 八世祖信父菩提子察最孫思廉

何妥

沈重

柳莊

周羅睺

虞綽

潘徽

張仲　陸知命父教

徐則　麥鐵杖

許智藏祖道幼父景宗入登　劉祥從弟行本

游宦

韓洪兄擒虎　王韶

達奚明　高熲

封爵

唐

李氏

郡姓

蕭瑀 梁王詧之後從子鈞鈞子璀璀子嵩嵩子華孫復

蕭德言 父引

蕭遘 復曾孫

蕭昕 族人穎士皆俶之後

王珪 祖僧辯

王搏 綝之後

王無競 並綝族

王勃 肅之後

王璵 昌齡從弟六[illegible]祖綝

蕭倣 華從子子稟

蕭定 瑀曾孫

陳叔達

王弘直 導十一世孫名綝子方慶

王紹宗

王丘 祖寬

王昌齡

虞世南 父荔九世基

竇叔向子牟　白季康
陸該祖象先　岑仲休弟揗
柳均　李寂
李神福　鄭畟
揚於陵　揚延嘉
孟郊　李白
河間王孝恭　盧承度
崔宗之　秦系
吳筠　杜甫

王昕　吳令璿

喬翔　張雄

馮弘鐸　顧況

許嵩　宋隣

韋渠牟

封爵

杜伏威吳王　史務滋溧陽侯

顔眞卿丹陽縣子　楊行密吳王

徐温齊國公

姚思廉 本名簡父察　　温大雅 嶠之後弟彦博

徐文遠 五世祖孝嗣子有功　　顏師古 祖含

劉允濟 祖藹　　劉三復 子鄴

劉太真　　高智周 兄長生

褚亮 裒之後曾祖湮父玠子遂良　　李靖 雍之後從子昭德

宋仁軌 弟敬則族祖綽　　顏真卿 師古五世從孫

袁朗 漢司徒滂之後父樞從弟承家承序

袁敬孫 朗從弟　　袁滋 憲之後

陸元朗 字德明　　許叔牙

張常洧兄孫琭　許淹

史務滋　殷遥

陶大舉曾祖明曠祖昱父瓚兄大有

桓彥範彝之後九世祖伊　殷開山

殷踐猷不害五世從孫從父仲容弟季友從弟承業孫亮

柳冲子并　柳識祖倓

洪遜　[illegible]

游宦

盧祖尚　王通

郭昭符　伍喬

蕭儼　張知白

孫忌名鳳又名晟子曾嗣　馬承信弟承俊

鍾蒨　張雄

封爵

李建勳鍾山公

宋

趙氏

郡姓

查道祖文徽兄陶　侍其瑀

徐鉉　秦傳序子奭煦
秦榫子焴燧孫城　秦檜子熺孫塤堪曾孫鉅鉦子浚
李琮子田耕八世孫詧　俞㮚子焯弟棠從子燁
魏良臣　潘溫之
錢戩子時敏　錢周材
李華子朝正　吳秉勝子淵潛
潘祺　閻彥昭子晃昂晟孫一德
刁衎　胡俠
鍾輻　唐文濟

南唐 李氏

郡姓

邊鎬　睦昭符

盧郢　王建

朱存　史寔

游宦

宗室景遂　景達

景逷　弘茂

仲寓　宋齊丘

劉仁贍 子崇讚 崇諒　韓熙載

徐鉉 弟鍇　嚴可求 子續

周宗　查文徽 子元方 孫道陶

張延翰　刁彥能 子衍 曾孫約

常夢錫　徐知諤 父溫

徐游 父知誨　潘佑

周鄴 瑜之後 父本 弟祚　柴克宏 父再用

張易　何敬洙

馬仁裕　游簡言

高審思　史壓白 孫謂
陳況　陳誨 弟謙 子憲誠
陳喬 父濬　呂彥
朱令贇 從父業　朱匡業 子崇俊
王崇文 父綰　王輿
鍾離令　喬匡舜
申屠令堅　廖居素
高越 子遠　盧文進
李德誠 子建勳　李金全

馮延己 弟延魯延魯子僎佩儀价佖

樂史　張義方

皇甫暉　江文蔚

歐陽廣　廖偓

彭師暠　林仁肇

盧絳　鄭文寶

李貽業　李元清

段處常　康仁傑

劉洞　汪台符

吳思道　侯仲遣

夏錫　徐時升

陳克　朱舜庸

史思賢　秦憙

王綸　馮玠父延魯

趙公彬宗宗子　沈端節子爐炤焌炫

胡澄宗愈從曾孫　張瓌祖洵

王端朝　潘彙征

邵必

游宦

曹彬子璨瑀瑋玹玘珣琮　潘美

李繼隆　呂蒙正叔父龜祥孫夷簡

賈黃中　蘇易簡

胡旦　張詠

王益柔　馬亮

薛映　雷有終

薛顏　王隨

李迪　張士遜

李若谷　葉清臣
劉沆　張方平
包拯　梅摯
馮京　呂溱
吳中復　沈起
傅堯俞　劉庠
熊本　黄履
陸佃　曾肇
徐勣　唐介

楊察　孫甫

沈遘　田況

程顥　蘇頌

范仲淹子純仁　陳靖

呂夏卿　周邦彦

元絳　張商英

錢公輔　盛京

張奎　彭思永

沈立　王漢之

蔣堂　　邵亢

陳軒　　陳繹

蘇軾　　米芾子友仁

梅堯臣　　余靖

張耒　　鄭俠

韓駒　　李及

王淇　　葉祖洽

王安石父益兄安仁安道弟安國安世安禮安上子雱孫棣

王斿父安國弟游　　王崇

査詠之　羅彥輔

李亘　鄭驤

徐端脩 子大觀　呂希常 夷簡族孫

呂宜問 四世祖蒙正 父希圓

崔敦詩 兄敦禮　楊時

李綱　呂頤浩

張浚 子栻杓　劉光世

岳飛　張俊

韓世忠　楊邦乂 從孫萬里

李顯忠　趙鼎
王德子琪珙　趙彦
王稟　張燾
呂祉　陳俊卿
劉珙　洪遵
范成大　周必大
陳亮　張孝祥父祁
尹起莘　眞德秀
葉適　虞允文

趙葵 子溍 姪淮　杜杲 子庶

葉夢得　向子忞

程大昌　汪大猷

王信　楊告

方揩 曾孫滋五世 孫叔恭　韓元吉

姚興　趙疊之

潘振　盛新

王瑋　李光

丘崇　黃度

史正志　馬光祖子之綱
徐敏子　李處全從子柄
劉岑　陳已
汪立信　吳草
楊備　石邁
張敦頤　吳彥夔
吳琚　趙廓夫
張偘　盧襄
家彬　韓仲通

蕭之敏　余嶸
許俊　夏友諒
關杞　周邠
張華　章籍
姚耆宗　蘇楷
李衡　陳嘉善
司馬僖　方仲忽
吳友聞　湯詵
史彌鞏　衛拄

董槐　董烈
陸子遹　周應合
周成之　曾極
陳巖　文天祥
鄧光薦　陳鈜
文復之　劉虎從弟師勇
阮思聰　呂文德弟文煥文福
王鑑　王福
鄭進

封爵

仁宗昇王　吳淵金陵侯

秦堪建康郡侯　錢時敏溧陽伯

李朝正溧陽男

列傳卷十三上

孝悌

王祥字休徵臨沂人性至孝繼母朱氏不慈每使掃除牛下祥愈恭謹父母有疾衣不解帶湯藥必親嘗母嘗欲生魚時天寒冰凍祥解衣將剖冰求之冰忽自解雙鯉躍出母又思黄雀炙忽有黄雀數十飛入其幕鄉里驚歎以爲孝感所致有丹柰結實母命守之每風雨祥輒抱樹而泣其篤孝純至如此漢末遭亂避地廬江隱

朱俊甫

居三十餘年母終居喪毁瘠杖而後起徐州刺史吕夏㩻爲别駕固辭覧勸之乃應召累官至太常天子幸太學命祥爲三老祥南面凡杖以師道自居天子北面乞言晋武踐祚拜太保進爵爲公大事皆諮訪之以子肇爲給事中使常優游定省祥疾篤遺令訓子孫曰言行可覆信之至也推美引過德之至也揚名顯親孝之至也兄弟怡怡宗族欣欣悌之至也臨財莫過乎讓此五者立身之本其子皆奉而行之薨年八

十五謚曰元弟覽繼母朱所出也年數歲時見祥被母楚撻輒涕泣抱持至于成童每諫其母少止凶虐母屢以非理使祥覽輒與祥俱又虐使祥妻覽妻亦趨而共之母密使酖祥覽知徑起取酒祥疑其有毒爭而弗與母遽奪反之自後母賜祥饌覽輒先嘗母患之遂止覽亦篤行著聞應召累官至太中大夫薨年七十三謚曰貞祥五子肇夏馥烈芬覽六子裁基會正彥琛皆至大官封侯丞相導即裁之子世居烏衣巷

衣冠之盛爲江左第一舊志記祥墓在今江寧縣化成寺北

盛彥字翁子廣陵人少有異才八歲詣太尉戴昌昌贈詩彥於坐答之辭甚慷慨母王氏因疾失明彥每言及未嘗不流涕於是不應辟召躬自侍養母食必自哺之母旣病久至於婢使數見捶撻婢忿恨伺彥蹔行取蠐螬炙飴之母食以爲美然疑是異味竊藏以示彥彥見之抱母慟哭絕而復蘇母目豁然即開從此遂愈彥後仕吳爲中書侍郎

孟宗字子恭江夏人性至孝幼從南陽李肅學其母爲作厚褥大被人問其故母曰小兒無德致客客多貧故爲廣被庶可得氣類相接宗讀書夙夜不懈肅奇之曰卿將相器也及長爲驃騎朱據軍吏將母在營既不得志遇夜雨屋漏因泣以謝母母曰但當勉之何當泣也後據稍知之除鹽池司馬能自結網捕魚作鮓寄母母使送還曰汝爲魚官而以鮓寄母非避嫌也尋遷吳縣令時不得將家之官宗在官每得新物

未寄母不先食之及母亡時禁長吏不得奔喪宗犯禁奔喪既而詣武昌請拘大將軍陸遜表陳宗孝行請於帝特令降罪母性嗜筍冬節將至宗乃入竹林泣筍爲之生得以供祭累遷光禄勳御史大夫後主即位宗避諱改名仁官至司空

顔含字弘都即宋延之曾祖唐眞卿之十四世祖自含而下七世墓皆在建康少有操行以孝友聞兄畿咸寧中得疾就醫死於醫家家人迎喪旐每繞樹而不可解引喪者

顛仆稱讖言曰我壽命未死但服藥太多傷我五臟耳今當復活慎無葬也其父祝之曰若爾有命復生豈非骨肉所願今但欲還家不爾葬也旐乃解及還其婦夢之曰吾當復生可急開棺婦頗說之其夕母及家人又夢之即欲開棺而父不聽含時尚少乃慨然曰開棺之痛孰與不開相負父母從之乃共發棺果有生驗以手刮棺指爪盡傷然氣息甚微存亡不分飲哺將護累月猶不能語飲食所須託之以夢闔家營

視頓廢生業雖毋妻不能無倦含乃絶棄人事躬親侍養足不出戶者十有三年石崇重含淳行贈以甘旨謝而不受或問其故答曰病者綿昧生理未全旣不能進噉又未識人恵若當繆留豈施者之意也含二親旣終兩兄繼没次嫂樊氏因疾失明含課勵家人盡心奉養每日自嘗省藥饌察問息耗必簪履束帶醫人疏方應須蚺蛇膽而無由得之含憂歎累時忽有一青衣童子年可十三四持一青囊授含開視乃蛇

膽童子逡巡出戶化青鳥飛去得膽藥成嫂病即愈由是以篤行著名本州辟不就晉元帝命爲叅軍東宮初建補太子中庶子遷黄門侍郎本州大中正歷散騎常侍大司農豫討蘇峻功封西平縣侯拜侍中國子祭酒加散騎常侍遷光禄勳以年老遜位就加光禄大夫門施行馬賜牀帳被褥勑太官四時致膳不受郭璞嘗遇含欲爲之筮含曰年在天位在人脩己而天不與者命也守道而人不知者性也自有性命無

勞著龜桓溫求婚於含含以其盛滿不許惟與鄧攸深交或問江左羣士優劣答曰周伯仁之正鄧伯道之清卞望之之節餘則吾不知也其雅重行實抑絶浮僞如此致仕二十餘年卒年九十三遺命素棺薄斂謚曰靖喪在殯而鄰家失火至喪所而滅僉以爲淳行所感三子髦歷黄門郎侍中光禄勳謙至安成太守約零陵太守並有聲譽

吳隱之字處默濮陽鄄城人魏侍中質六世孫年十餘歲丁父憂每號泣行人爲之流涕事母

孝謹執喪哀毀過禮家貧無人鳴鼓每至哭臨時恒有雙鶴警叫及祥練之夕復有羣鴈下集時人咸以爲孝感所致嘗食鹹葅以其味旨輟而棄之與太常韓康伯鄰居康伯母殷浩姊賢明婦人也每聞隱之哭聲輟飧投筯爲之悲泣謂伯曰汝若居銓衡當舉如此輩人及康伯爲吏部尚書隱之遂階清級兄坦之爲袁眞功曹眞敗將及禍隱之詣桓溫乞代兄命溫矜而釋之遂爲溫知賞拜奉朝請尚書郎累遷晉陵太

守在郡清儉妻自負薪入爲中書侍郎守廷尉祕書監御史中丞領著作遷左衛將軍雖居清顯祿賜皆班親族冬月無被嘗澣衣乃披絮勤苦同於貧庶廣州珍異所出前後刺史多黷貨敗官朝廷欲革其弊以隱之爲刺史未至州二十里有水曰貪泉時謂飲之者懷無厭之欲隱之至泉所酌而飲之賦詩曰古人云此水一歃懷千金試使夷齊飲終當不易心在州清操踰厲常食菜及乾魚帷帳器服皆付外庫元興初

賜錢五十萬穀千斛進號前將軍盧循寇南海隱之固守長子曠之戰没歸日裝無餘資妻劉氏齎沉香一斤隱之見之投於湖亭之水及至家籬垣仄陋内外茅屋六間不容妻子劉裕賜車牛更爲起宅固辭卒贈左光禄大夫加散騎常侍子延之復厲清操子孫爲郡縣者常以廉愼爲家法云

蕭綜字德施梁武帝長子母丁貴嬪以齊中興元年九月生于襄陽天監元年十一月立爲皇

太子五年出居東宫生而聰慧三歲受孝經論語五歲徧讀五經性仁孝自出宫常思戀不樂帝知之每五日一朝多便留永福省或五日三日乃還宫八年九月於壽安殿講孝經盡通大義講畢親臨釋奠于國學普通七年十一月母丁貴嬪有疾朝夕省侍衣不解帶及薨步從喪還宫至殯漿不入口每哭輒慟絶武帝勅中書舍人顧協宣旨曰毁不滅性聖人之制不勝喪比於不孝有我在那得自毁如此可即强飲粥

太子奉勑乃進數合自是至葬日進麥粥一升武帝又勑勸逼終喪日止一溢不嘗菜果之味腰帶十圍減削過半每入朝士庶見者莫不下泣自加元服帝便使省萬機内外百司奏事塡塞太子明察所奏誤妄皆即辨析示以可否徐令改正未嘗彈糾一人平斷法獄多所全宥寬和容衆喜愠不形於色引納才學之士賞愛無倦嘗自討論墳籍或與學士商確古今繼以文章著述率以爲常于時東宮有書幾三萬卷名

才並集文學之盛晉宋以來未之有也性愛山水於玄圃穿築更立亭館嘗與朝士泛舟後池番禺侯軌盛稱此中宜奏女樂太子不荅詠左思招隱詩云何必絲與竹山水有清音軌慙而止出宮二十餘年不畜音聲未薨少時勑賜太樂女伎一部略非所好普通中大軍北侵都下米貴太子命菲衣減膳每霖雨積雪遣腹心左右周行閭巷視貧困家及有流離道路以米密加賑賜人十石又出主衣絹帛多作襦袴冬月

以施寒者不令人知若死一無可斂則爲備棺
槥每聞遠近百姓賦役勤苦輙斂容變色常以
戶口未實重於勞擾吳郡屢以水災不熟有上
言嘗漕大瀆以瀉浙江詔遣前交州刺史王奕
假節發吳吳興信義三郡人丁就役太子上疏
曰吳興累年失收人頗流移吳郡十城亦不全
熟唯信義去秋有稔復非常役之民即日東境
穀價猶貴刼盜屢起所在有司皆不聞奏今征
戍未歸強丁疎少比得齊集已妨蠶農不審可

得權停此功帝優詔喻焉太子孝謹天至每入朝未五鼓便守城門開東宮雖燕居內殿一坐一起常面西南面臺宿被召當入危坐達旦三年三月游後池溺而得出因動股疾恐貽帝憂深誡不言武帝勑看問輒自力手書及稍篤左右欲啓聞猶不許曰云何令至尊知我如此惡因便嗚咽四月乙巳暴惡馳啓武帝比至已薨時年三十一帝臨哭盡哀詔歛以袞冕謚曰昭明吁仁孝如統而不得其壽君子知梁之不能

永矣幽而爲神廟食百世宜哉

呂宣問字季通開封人宋文穆公蒙正之四世孫徙居溧陽父希圓紹興甲子倅洋州妾韓氏生宣問甫六歲辭去莫知所之父卒母李氏獨在宣問既長將訪所生以池陽當蜀人往來道道乃求調録事參軍凡蜀客經從必託使物色存否臨蘄秩而仙井兵楊俊報之曰韓氏在彼時李氏已老無它男宣問不可捨李氏而遠涉亟調峽州推官欲益近蜀至之次年被檄如荆

門過當陽玉泉寺寺側武安王廟求夢而應果得其母於仙井（邑人於廟求夢多驗宣問謁焉是夕夢至廟中見一道人坐井上曰此琉璃井也有童子持一龜與之宣問悟曰道人臨井上仙井也龜者歸也遽遣迎致果得之云）時紹熙庚戌相失四十餘年母子復如初相持悲泣吏卒爲之出涕李氏時年八十三韓亦七十矣（洛陽吳仁傑斗南賦詩美之詳見夷堅志）宣問尋改秩知蘄春縣

隋子錫張松張常洧徐鉉李華潘祺錢戩各見後耆舊傳

孝子伊小乙者溧水人乾道戊子歲剖腹取肝以療母疾縣令陳嘉善聞於朝旌其里曰表孝事具前志中大德己亥二月保寧街顧童者小民顧四郎之子年始十六母吳染疾困篤不食者數日童子竊天引刀剖腹取肝雜粥藥以進母即甦翌日童子病又一夕竟死時三月二日也郡司謂其非理行孝抑不以聞君子曰傷哉顧童之殞也夫身也者親之枝也傷親之枝與自戕其本何異而童子易爲之其亦質美而不

知學之厳哉然其一念之誠哀恫迫切通于神明聞童子垂殆之日天大雨震電里巷晦冥童子死二十有三年而母吴以壽終豈天亦哀而報以是哉其事與伊小乙相類故通著之爲傳

溧水志淳熙九年潄橋市夏氏女沈四娘剖腹取肝以療母疾知縣○王衔申府改里爲昭孝里坊名顯孝坊以旌之○嘉定四年表孝坊居人劉興祖封股以療父疾愈而復作剖腹取肝煮糜以進遂有更生之喜知縣湯詵嘉歎厚加旌餽○咸淳元年思鶴鄉陳氏女封股以療母疾懽[illegible]趙盂儴餽以錢米仍免租稅○咸淳間思[illegible]李氏女年十三封左股以療母疾又鄭雲龍封股以療母趙氏若靈疾又謝氏小女封右股以療母疾又李震龍婦趙氏因祖母朱氏久

疾刲股以療之又山陽鄉謝千九刲股以療父疾知縣周成之一一厚加旌餽○溧陽志慶元五年史思賢母芮氏父疾思賢夜焚香拜斗欲刲取心療母横匕首香爐上祈神允許必毋子兩全有一不免則不敢自殘懸立匕首於空中以示感格如是累夜虔禱不息一夕拜父之夜㕘半匕首忽自立空中思賢擘自刺揣得肉物如拇許割取之熟以進母未幾母疾果愈鄉鄰聞於縣知縣方楙旌給酒絹○王弟兒丘念一王德先何百四皆田野閒小民嘉定十三年俱以母父病刲股肉進母獲愈知縣陸子遹審實準格旌餽小民能爲此固可嘉獎王弟兒者年方十五其事又最先非有所慕傚而爲之尤可稱也

傅霖者江寧縣馴翬鄉秣陵鎮人孝行純篤母亡居喪晝夜哀泣葬後廬於墓所寢處苫塊本

縣以聞至元四年部擬旌表門閭

節義

張悌字巨先襄陽人少有名理諸葛瑾薦於吳大帝累遷長水校尉景帝立除軍師將軍永安五年蜀以魏見伐來告帝召羣臣議於前殿曰司馬氏得政以來大難屢作智力雖豐而百姓未服竭其資力遠征巴蜀兵勞民疲而不知恤敗於不暇何以能濟昔夫差伐齊非不克勝所以危亡者不憂其本況彼之事地乎悌對曰以臣愚料則不然曹操雖功蓋天下威震四海崇

詐仗術征伐無已民畏其威不懷其德丕叡承之繼以躁虐內興宫室外拒雄豪東西馳騁無歲獲安彼之失人爲日且久司馬懿父子自握其柄累有大功除其煩苛而示平惠爲之謀主以救其疾民歸之亦已久矣故淮南三叛而腹心不擾曹髦之死而四方不動摧堅敵如折枯蕩異國如反掌任賢使能各盡其心非智勇兼人孰能如此威武張矣本根固矣羣臣伏矣奸計立矣今蜀閹宦專朝國無政令而玩戎黷武

民勞本弊強弱不同殆其必剋乎若不剋不過無功終無奔北之憂覆軍之慮昔楚劒利而秦昭懼孟明用而晉人憂彼之得志我之大患也左右皆嗤之其冬蜀果亡後主皓以悌爲丞相總兵南討廣州反者郭馬戒嚴未發會晉師來伐後主命悌及右將軍副軍師諸葛靚等督舟陽太守沈瑩護軍將軍孫震帥衆三萬渡江逆之至牛渚沈瑩謂悌曰晉治水軍於蜀久矣今傾國大舉萬里齊力我上流諸軍無有戒備名

將皆死幼駭當任晉之水軍必至於此宜蓄衆力待來一戰若勝之日江西自清上方雖壞可還取也今渡江逆戰勝不可保若或摧喪大事去矣悌曰吳之將亡賢愚所知非今日也吾恐蜀兵來此衆心駭懼不能復整宜及今決戰力爭若其敗喪同死社稷無所復恨若其剋勝兵勢萬倍逆之中道不憂不破若如子計恐行自散盡坐待賊到君臣俱降無復一人死國難者不亦辱乎遂渡江圍晉成陽都尉張喬於楊荷

橋喬衆不敵請降諸葛靚欲屠之悌曰嚴敵在前不宜先事其小且殺降不祥靚曰此等救兵未至力少僞降以緩我非來伏也因其無戰心而盡坑之可以成三軍之氣若捨之而前必爲後患悌不從撫之而進與晉征東將軍楊州刺史周浚等成陳相對沈瑩領丹陽鋭卒刀楯五千人號曰青巾兵前後屢陷堅陣以駞淮南三軍三衝不動引退衆亂薛蒙蔣班等因亂乘之張喬又出其後吳軍大敗於楊荷橋靚等收散

丘退走呼悌悌不肯退靚住馬上自牽之曰存亡大數豈卿一人力所柰何悌泣曰仲思今是我死日也我作兒童時便爲鄉家丞相所識拔常恐不得死王事負名賢知顧今徇社稷復何遁邪奮戰不顧靚流涕捨去數百步迴見悌爲亂兵所殺悌有墓在板橋西晉史諸葛靚父誕爲文帝所誅靚奔吳爲大司馬吳平逃竄不出武帝與靚有舊靚姊又爲琅邪王妃帝知靚在姊閒因就見焉靚逃于厠帝逼見之謂曰不謂今日復得相見靚流涕曰不能漆身皮面復覩聖顔詔以爲侍中固辭不拜歸鄉里終身不向朝廷而坐同時又有石偉字公操南郡人好學脩節介然有不可奪之志舉茂才賢

良方正皆不就景帝特徵累遷光祿勳後主朝政昏亂以老耄痼疾乞身拜光祿大夫吳亡晉建威將軍王戎親詣偉太康二年詔曰吳故光祿大夫石偉秉志清白皓首不渝雖處危亂廉節可紀年已過邁不堪遠涉其以偉爲議郎加二千石秩以終厥世偉遂陽狂及盲不受晉爵卒年八十三

卞壼字望之濟陰寃句人父粹張華婿也壼弱冠有名譽晉元帝鎮建鄴召爲中郎甚見親侍明帝時領尚書令與王導俱受顧命輔幼主導稱疾不朝而私送車騎將軍郗鑒壼以導虧法從私無大臣之節御史中丞鍾雅阿撓王典並

請免官舉朝震肅壼斷裁切直不畏彊禦幹實當官以褒貶爲己任不肯苟同時好庾亮將召蘇峻壼固爭謂亮曰峻擁强兵多藏無賴且逼近京邑路不終朝一旦有變易爲蹉跌宜深思遠慮未可倉卒亮不納司馬任台勸壼宜畜良馬以備不虞壼笑曰以逆順論之理無不濟若萬一不然豈須馬哉峻果稱兵詔以壼都督大桁東諸軍事率郭默趙胤等與峻大戰於蔣陵西爲峻所破死傷千數峻進攻青溪柵壼與諸

軍拒擊之賊放火燒宮寺六軍敗績壹時發背
創猶未合率厲散衆及左右吏數百人苦戰遂
死之時年四十八二子眕盱見父没相隨赴賊
同時見害母裴氏撫二子屍哭曰父爲忠臣爾
爲孝子復何恨乎徵士翟湯聞而歎曰父死於
君子死於父忠孝之道萃於一門時羊曼周導
陶瞻等同見害賊平壹贈侍中驃騎將軍開府
儀同三司謚忠貞祠以太牢世子眕散騎侍郎
盱奉車都尉晉末盜發壹墓尸僵鬢髮蒼白面

如生兩手悉拳爪甲穿達手背安帝詔給錢十萬以脩塋兆第三子瞻廣州刺史瞻弟眈尚書郎

孫忌高密人名鳳又名晟後唐明宗時事秦王從榮從榮敗亡命至壽春節度使劉金得之送詣金陵時烈祖輔吳四方豪傑多至忌口吃初與人接不能道寒暄坐定辭辯鋒起人多憎嫉之而烈祖獨喜其文辭使出教令輒合指遂預禪代祕計保大十四年周師侵淮南圍壽州以

忌爲司馬使周世宗以樓車載忌於壽州城下使招劉仁贍仁贍望見忌戎服拜城上忌道語之曰君受國恩不可開門納寇世宗詰之忌謝曰臣爲唐大臣豈可教節度使外叛周班師留忌大梁久之世宗以他事發怒責問忌正色請死無撓辭問江左虛實又不肯對命都承旨曹翰送至右軍巡院猶飲之酒數酌翰起曰相公得罪賜自盡忌怡然整衣索笏東南望再拜曰臣受恩深謹以死謝從者二百人亦皆誅死於

東相國寺世宗性暴急莫敢救者已而追悔元宗聞之流涕贈太傅追封魯國公謚文忠厚恤其家擢其子爲祠部郎中賜名魯嗣

劉仁贍字守惠淮陰洪澤人略通儒術好兵書仕唐爲龍衛軍都虞候授清淮軍節度使周世宗自將百計攻城晝夜不少休鼓角聲震墻壁皆動援兵屢敗仁贍意氣益壯世宗據胡床城下督攻城仁贍素善射引弓射之箭去胡床數步輒墮世宗命進胡床於箭墮處後箭復去數

步仁贍投弓於地曰天果不祐唐耶吾有死於城下耳世宗遣中使諭曰知卿忠義然士民何罪又親駕臨城招之自正月至四月不能下少子崇諫夜泛小舟渡淮謀紓家禍爲軍校所執仁贍命腰斬之監軍文德殿使周廷構哭于中門又求救仁贍妻薛氏薛氏曰崇諫幼子固所不忍然貸其死則劉氏爲不忠之門促命斬之然後成服聞者皆爲出涕明年二月世宗復親征屢戰皆克唐軍被俘馘者四萬人餘衆不能

復整多降周仁贍聞之扼吭憤歎世宗知城且
下心獨嘉仁贍恐城破殺之下詔諭使自擇禍
福三月甲辰又耀兵城北而仁贍病已困篤不
知人監軍代爲表降世宗舁仁贍至幄前撫勞
嘉歎拜天平軍節度使兼中書令命還城養疾
辛亥晝晦雨沙如霧世宗在下蔡疑有變馳騎
覘之乃仁贍卒年五十八州人皆哭偏裨及士
卒自剄以徇者數十人薛氏不食五日亦死世
宗遣使弔祭追封彭城郡王録其子崇讃爲懷

州刺史賜莊宅各一區元宗聞仁贍死哭之慟贈太師中書令謚忠肅歎曰仁贍有知其肯捨我而受周命耶是夕夢仁贍若拜謝庭中加封衛王後主立進封越王宋開寶中子崇諒爲進奉使太祖嘉其忠臣之後特命爲都官郎中仁贍至今廟食壽春此亦有廟

楊邦乂字希稷吉州吉水人宋政和中以上舍生賜第建炎元年爲溧陽縣令時江寧府禁卒周德叛囚其帥宇文粹中縣卒有欲應之者邦

乂諭止之不聽乃設方略圍捕殺之賊以故不得逞卒就擒事聞于朝差通判軍府事三年兀朮入寇渡淮薄江師于東采石時宰相杜充總諸道兵留江上左顯謨閣待制陳邦光守建康李棁以前執政爲户部尚書供餽饟充聞虜至出其軍六萬人列戍江南岸者數日虜知充無鬭志遂渡江江上之軍皆潰充與戲下降北兵入建康棁先降邦光欲棄城去不果亦降獨邦乂力拒不從大書其衣裾曰寧作趙氏鬼不爲

他邦臣以授其僕曰持此以見吾志吾必死矣陳邦光愧謝猶強擁邦乂上馬與郊迎兀朮見則使拜邦乂叱曰我不降何拜亟遁歸卧于家明日金將張太師諭邦乂授以舊官邦乂以首觸階陛曰我已志死何多誘我爲金將驚止之徐曰公所守固高柰勢不可何第歸審思之邦乂退移書其將曰世豈有不畏死而可以利動者幸速殺我無久留我又明日金人設宴陳邦光坐堂上樂作召邦乂立庭下邦乂瞠眎陳邦

光叱曰天子以汝拒賊不能抗乃俛首求活已不若犬豕復與共燕樂尚有面目見我乎金將有起取紙書死活二字佯脅邦乂曰無多言即欲死趣書死字下我乃信邦乂躍起奪吏所齎筆掣紙書字曰死敵相顧色動又使引去明日再以見兀朮邦乂不勝憤遥望見大罵兀朮怒使人疾擊挺杖交下邦乂罵不絕口遂殺之剖腹取其心明年州以事上聞詔贈直祕閣官其子二人即死所立廟賜額褒忠今廟中從祀有忠義陳都義山

綦貫偶官公姪孫尚書吏部員外郎萬里撰行狀曰斗子陳大伯者從公爲傔公被囚大伯不去公罵四太子大伯舉麓奮擊之不中同被害主山砦貫三郎者武勇絶人時號爲貫山砦亦同公被執貫命其子結里人爲鬻薪者置兵於薪以入闈人索之事覺父子磔於市朝廷旣褒公忠遂各官二人一子以武階

邦人肖其象立公左右從祀焉

秦鉅字子野丞相檜曾孫待制建康郡侯堪之子嘉定辛巳正月金人犯蘄州鉅適通判州事與知州李誠之協力捍禦誠之字茂欽東陽人求援於武昌安慶月餘兵不至策應兵淙揮常用等弃城遁城遂陷鉅與誠之各以自隨之兵殊死巷戰

統制官孫中小將江士旺陳興曹全丘下軍士李斌等皆鬭死死傷畧盡李歸府驅其妻子赴水乃引劒自刎時誠之年七十矣鉅脫歸倅廳厲聲呼吏人劉迪急令放火燒諸倉庫赴一室自焚將死時身猶着白戰袍煙焰中可識有老卒冒火牽之鉅叱曰我爲國死汝輩可自求生挈衣就焚死次子三將仕名浚者先往四祖山兵至亟還與弟瀰從父偕死教授阮希甫先遣其子女赴井然後自投井中判官趙汝標知縣林棨監轄嚴剛中主簿甯時鳳相率赴

水死剛中守城累有戰功而衆寡不敵遂敗城中士民殲焉惟司理叅軍趙與裕先率民兵百餘人奪關出求救僅以身免而全家没兵中作泣蘄録以言其事嘉定十五年褒贈死事官吏鉅封顯節侯謚義烈與李誠之皆立廟蘄州賜額襃忠子孫今家郡中

牛將軍名富舊史一名皐安豐霍丘人宋制置司遊擊寨兵籍勇而知義以統制官從安撫吕文煥守襄陽之樊城樊城居漢水北襄陽城在漢南

表裏相援爲固先是金亡
大朝屯兵鄧州棗陽光化伺隙攻伐宋亦宿重
兵于襄應之積芻粮器械常數十萬計咸淳丁
卯春安撫使劉雄飛覺城中氣色有異又諜知
劉左丞整獻取襄之策憂懼遣使詣朝廷祈代
賈似道以文煥代守襄至則北兵已築白河互
市堡兵自北來穰穰不絕秋九月文煥下令清
野繕脩守備陰遣帳下囬鶻人探伺北方動靜
十月大兵哨樊城城中出師迎敵殺萬戶闊闊

丏自是不大交鋒而增築鹿門山置堡江中洲上周三里餘起萬人臺撤星橋斷襄樊下流之援然櫃門關陸路尚通荆郢高達時守江陵嘗有收復襄樊功怨朝廷處置失宜又與呂氏不平故救襄戰不甚力而似道亦疑不即用遣淮西閫夏貴殿帥范文虎等相繼領兵赴援皆敗退辛未壬申行中書省行樞密院駐鹿門山遣兵斷櫃門關於峴楚二山矢石不及之地掘塹築城下瞰城中以綴文煥兵又斷漢江中浮航

襄樊中絶不能相救外圍益急城中兵纔七千人粮食雖足而乏薪芻布帛張順張貴自均房上流赴援力戰至城下順溺死貴復帥舟師潰圍出求援安陸轉戰至櫃門關誤發平安砲城中援者退歸而北兵大至敗績死之都統制唐海護兵士刈薪城西萬山伏發被擒所用田鵰將引兵襲北營亦敗而死城中奪氣癸酉春北兵急攻樊城富與其衆數千人力戰不敵城陷投砲火中自焚死統制官范天順張漢英皆戰

死裨將王福見富死歎曰將軍死國事吾豈宜獨生亦赴火死麾下戰死及投漢江者尸相枕籍大兵據樊城乘高樹砲擊襄陽中安撫司牙樓襄府牙城譙樓大字篆扁曰山南東道猶唐舊額也城中恟懼會唐都統扣城請文煥宣諭

上旨遂以城降襄樊拒大兵首尾六年將士以死守食盡援絶其降豈得已哉按張祐倩福華録載甲戌冬大兵至陽羅堡守關將牛富兩日夜死戰血凝體掌以湯沃開勝負未決十二月二十四日定海統制劉成戰敗兵始渡江南夏貴與呂文煥對語夏發划車弩誤中千戶解某遂各退即此又

一牛冨也存以備考冨既死其妻胡恭人即所居立廟奉祠額曰忠烈開國節使盖當時勑贈云廟在城中西南隅竹架街

趙淮者潭州衡山縣人宋荆湖制置使方之孫右丞相樞密使葵之從子金源遷汴連歲南侵方開閫襄陽有戰守功葵帥淮東平李全遷淮西制置使援用吕文德夏貴等皆自偏裨起爲名將葵督視江淮軍馬以身任藩屏幾四十年淳祐癸卯拜右丞相被劾去國咸淳丁卯冬告

歸病卒而邊事日棘朝廷以趙氏累世將家用其子溍爲沿江制置淮知無爲軍德祐乙亥行省兵自江州順流而下行院兵自淮西來會擾安慶降池州太平賈似道軍潰於丁家洲沿江守將或遁或降乃就家起淮爲太府寺丞同臨安府通判陳昭賓於銀樹東壩措置防拓淮招集義兵聚粮造戰艦於溧陽宜興界長塘湖口山阻水置寨扼建康東出之兵江東宣撫司屢遣使招之不從尋除江東轉運判官置司溧陽

冬十月行省分道進兵臨安別遣招討使徐王榮新野千戶陳翼引兵攻之至元十三年正月淮屯兵溧陽之永豐圩與大兵戰敗被擒宣撫司遣徐王榮送詣淮東行省路經秦丞相檜別墅題云祖父有功王室福澤延及子孫淮今勢窮被執萬古忠義長存刀鋸吾所不懼誓以一死報君伏願先靈速引庶幾不辱家門徐王榮沿途勸誘使降淮曰汝依南朝體面則可徐信之以轎從迎過江至行省見左丞相阿术淮挺

立不跪抗駡不已即命斬於瓜洲淮妾二人時從行有將領逼妻之給曰伺焚知府屍唯命是從將以爲誠然聽之二妾既焚屍以衣裹骨投金山江中並赴水死宋相陳宜中以淮死節奏贈忠愍公事見宋史

汪立信字成父號紫源其先徽州人宋紹興末從祖澈宣諭湖北京西曾祖智徃從之取道淮西六安山中喜其山水擇居焉子孫遂爲六安人立信生而氣宇充實端重寡言淳祐辛丑獻

策招安慶劇賊胡興劉文亮等借補承信郎丙
午赴建康寓試登進士第理宗見公狀貌雄偉
顧侍臣曰此閫帥才也時年四十七授烏江簿
辟沿江制幕知桐城縣未上辟荊湖制司幹辦
通判建康府荊湖制置馬光祖辟充策應使司
及本司參議官世說景定庚申變後賈似道忌一時閫臣行打筭法汙之趙葵
宣撫所用委建康閫馬光祖打筭大意欲捃摭
煆煉致葵於罪汪立信時任閫幕殊不經意一
日光祖會幕客置省札幷文移案上曰此係朝
廷新行一大事須早回報成父曾見否答曰畧
見揭視數板復投案上光祖曰成父意若何立
信初不對良久厲聲曰趙信庵爲朝廷事使朝

廷錢制置欲去打筭今本司日日亦使朝廷錢將後又使誰打筭乎光祖大怒曰成父敢自擔當如此可自回報朝廷且自做制置即令吏抱印置立信前立信曰可惜朝廷不用某作制置若其作制置須管得體爲朝廷爭氣光祖拂衣入内立信亦趨出明日光祖意悔請立信謝之立信曰於理只當星馳報趙令自點對當破數者破數當還朝廷者還朝廷本司備以回文公私交益無全朝廷之體光祖喜從之趙遂得全晚節以此擢提舉京西南路常平義倉茶鹽公事改知招信軍權淮東提刑景定庚申差知池州提舉江南東路權知常州兩浙西路提刑辛酉冬移臺嘉興講行救荒之政公自爲榜略云古人有言世間善事惟濟人之急爲第一陰間罪謫惟絕人之

食爲最重蓋食者人之命一日不食則飢三日不食則死有能捐斗升以活人是爲無上功德昔成都府有黄承事者每歲遇禾麥熟時以錢三萬緡收糴至來年禾麥未熟艱難之際只照元糴價出糶張忠定公鎮成都日夜夢謁紫府真君真君召黄承事坐公之上真君加敬如此其陰功蓋可見矣燕山竇十郎其家甚富歛歲則減價糶穀其窮乏無錢者則隨數賙給後生五子皆登上第青州有陳季二富家歲收田租以數萬計遇歉歲則閉糴待價用小斗出糶收利十倍因此愈富不過三十年家道日漸蕭索子孫絶滅無噍類善惡之報如影隨形深可畏哉楞出民賴以濟尋改知江州充沿江制置副使節制蘄黄興國軍馬提舉饒州南康兵甲升江西安撫使乞祠禄差知鎮江尋充湖南安撫使知潭

州到任除卧床薦席外備堂供帳物件悉置官
庫行惠民之政以所積錢連歲代納潭民夏稅
貧無告者支米給錢病者加炭藥雨雪旱潦軍
民皆有犒給興學校禁鄉試鬨場士習丕變以
潭爲湖湘重鎮創威敵軍所募精鋭凡數千人
後帥李芾果賴以守咸淳癸酉除權兵部尚書
荊湖安撫制置使知江陵府時襄陽被圍危急
立信上疏請益安陸府屯兵凡邊戍皆不宜抽
臧黃州守臣陳奕素蓄異志朝廷宜防之又移

書抵似道謂内地何所用乎多兵宜盡抽之過江可得六十萬百里或二百里置一屯皆設都統七千里江面纔三四十屯設兩大藩府以總攝運調之緩急上下流相應必無能破吾聯落之勢者久之日益進此第一策也今久拘使者在真州何不議遣使偕行啗以厚利緩其師期年歲間我江外之藩垣成氣象固江南之生兵日增矣此其二策也三謂若此兩說不行惟有準備投拜其意蓋激賈行第二策賈得書大怒

以爲張皇生事罵曰瞎賊敢爾妄語諷臺諫劾之甲戌秋改兵部尚書以朱禩孫代守江陵立信歸金陵上章丐祠德祐乙亥北兵渡江九江以下皆失守公挈家登舟由真揚入淮遇似道江中撫公背曰端明端明似道不用公言遂至於此答曰平章平章瞎賊今日更說一句不得賈問公何向曰今江南無一寸乾净地立信去尋一片趙家地上死也要死得分明後抵高郵月餘除端明殿學士沿江招討大使隨寓開府

沿江諸軍並聽調用而建康府已降淮東被圍
公病亦薦告老授光禄大夫致仕丞相伯顔行
省建康聞立信所陳三策驚曰江南亦有是人
有是語乎若宋用之我豈得至此欲遣使迎之
立信得客報哭曰吾猶幸得在趙家地上死也
握拳撫案者三聲震中外以是失聲十三日而死
年七十五時高郵尚未歸附以遺表奏贈少傅
公先居建康興政坊至元丁丑歸葬溧水都堂
山子麟早卒姪天麒爲撰年譜云

忠勳

范蠡南陽人事越二十餘年句踐即位三年而欲伐吳蠡諫曰國家之事有持盈有定傾有節事持盈者與天定傾者與人節事者與地夫勇者逆德也兵者凶器也爭者事之末也陰謀逆德好用凶器始於人者人之所卒也淫佚之事上帝之禁也先行此者不利句踐不聽興師伐吳戰於五湖不勝棲於會稽召蠡問焉對曰君王其志之乎定傾者與人乃令大夫種行成於

吴吴人許諾王曰蠡爲我守於國對曰四封之
内百姓之事蠡不如種也四封之外敵國之制
立斷之事種亦不如蠡也王曰諾令大夫種守
國與蠡入官於吴三年而吴人遣之歸及至於
國王問蠡曰節事奈何對曰節事者與地唯地
能包萬物以爲一其事不失生萬物容畜禽獸
然後受其名而兼其利美惡皆成以養其生時
不至不可彊生事不究不可彊成時將有反事
將有間必有以知天地之恒制乃可以有天下

之成利事無間時無反則撫民保教以須之四年王召蠡與謀伐吳蠡不可又一年蠡曰人事至矣天應未也又一年吳殺伍子胥王召蠡問焉對曰逆節萌生天地未形而先爲之征其事是以不成弃受其刑王姑待之又一年王問曰吾昔與子謀吳子曰未可今吳稻蟹不遺種其可乎對曰天應至矣人事未盡也王姑待之王怒曰子欺不穀邪吾與子言人事子應我以天時今天應至矣子應我以人事何也蠡曰夫人

事必與天地相參然後可以成功今其禍新民恐其君臣上下皆知其資財之不足以支長久也將同其力致其死王其馳騁弋獵無忘國常彼上將薄其德下將盡其力又使之望而不得食乃可以致天地之殛王從之至於玄月王召蠡曰諺有之觥飯不及壺飧今歲晚矣子將奈何對曰微君王之言臣固將謁之臣聞從時者猶救火追亡人也蹶而趨之唯恐弗及王曰諾遂興師伐吳至於五湖五湖舊云笠澤溧陽長塘湖別名洮湖即五湖

之一詳見山川志吳人挑戰一日五反王欲許之蠡進
諫曰夫謀之廊廟失之中原可乎王姑勿許臣
聞古之善用兵者嬴縮以爲常四時以爲紀無
過天極究數而止天道皇皇日月以爲常明者
以爲法微者則是行陽至而陰陰至而陽日困
而還月盈而匡故善用兵者因天地之常與之
俱行後則用陰先則用陽近則用柔遠則用剛
後無陰蔽先無陽察用人無藝往從其所剛柔
以禦陽節不盡不死其野彼來從我固守勿與

若將與之必因天地之灾又覩其民之饑飽勞逸以參之盡其陽節盈吾陰節而奪之利宜爲人客剛彊而力疾陽節不盡輕而不可取宜爲人主安徐而重固陰節不盡柔而不可迫凡陳之道設右以爲牝益左以爲牡蚤晏無失必順天道周旋無究今其來也剛彊而力疾王姑待之王曰諾弗與戰居三年吳師潰吳王棲於姑蘇使□孫雒行成於越曰昔者上天降禍於吳得罪於會稽今王其圖不穀不穀請復會稽之

和蠡諫不許使者往而復來辭愈卑禮愈尊王又欲許之蠡諫曰臣聞聖人之功時爲之庸得時不成天有還形天節不遠五年復反小凶則近大凶則遠君王忘會稽之耻乎孰使我蚤朝而晏罷者非吴耶與我争三江五湖之利者非吴耶十年謀之一朝而棄之王姑勿許王曰吾欲勿許而難對其使者子其辭之蠡左提鼓右緩枹對使者曰昔者上天降禍於越委制於吴而吴不受今將反義以報此禍吾王敢無聽天

之命而聽君王之命乎王孫雒曰子范子先人有言曰無助天爲虐助天爲虐者不祥今吳稻蟹不遺種子將助天爲虐不忌其不祥乎蠡曰王孫子昔吾先君固周室之不成子也故濱於東海之陂黿鼉魚鱉之與處而鼃黽之與同渚余雖靦然而人面哉吾猶禽獸也又安知是諓諓者乎雒請反辭於王蠡曰君王已委制於執事之人矣子往矣無使執事之人得罪於子使者辭反蠡不報於王擊鼓興師以隨使者至於

姑蘇之宮不傷越民遂滅吳句踐既平吳命蠡築城金陵之長干長干在今集慶路城南天禧寺所故址猶在詳見後古迹志以兵北渡淮與齊晉諸侯會於徐州致貢於周元王使人賜句踐胙命爲伯是時越兵横行江淮東諸侯畢賀號稱霸王蠡乃辭於王曰臣聞君憂臣勞君辱臣死昔者君王辱於會稽臣所以不死者國之耻未雪也今事已濟矣蠡請從會稽之罰王曰所不掩子之惡揚子之美者使其自無終没於越國子聽吾言吾與子分國

而治不聽吾言身死妻子爲戮蠡對曰臣聞命矣君行制臣行意遂乘輕舟以浮於五湖注見前變姓名自謂鴟夷子皮父子戮力治産居無幾何致産數千萬齊人聞其賢以爲相蠡喟然歎曰居家則致千金居官則致卿相此布衣之極也久受尊名不祥乃歸相印盡散其財與知友鄉黨而懷其重寶閒行以去止于陶自謂陶朱公詳見史記及吳越春秋

論曰　□仲相桓公霸諸侯其詐不足稱也而聖

門取節焉若蠡之佐句踐因敗爲成報辱爲功豈與後之君臣酖於宴安甘心困辱者比乎其言持盈定傾務盡人事而觀天節皆權謀深計僾於戰國之士蠡力行之外以强其國内以保其身然槩之聖賢之道功近而德遠矣

張昭字子布彭城人漢末避難南渡居秦淮爲孫策長史輔孫權爲軍師權常乘馬射虎虎突前攀持馬鞍昭變色而前曰將軍何有當爾夫爲人君者謂能駕御英雄驅使羣賢豈謂馳逐

於原野校勇於猛獸者乎如有一旦之患柰天
下笑何權謝昭曰年少慮事不遠以此慙君權
於釣臺飲酒大醉使人以水灑群臣曰今日酣
飲惟醉墮臺中乃止昭正色不言出外車中坐
權呼還謂曰共作樂耳公何爲怒昭對曰昔紂
爲糟丘酒池長夜之飲當時亦以爲樂不以爲
惡也權默然慙遂罷酒初權當置丞相衆議歸
昭權曰方今多事職統者責重非所以優之也
後丞相孫劭卒百僚復舉昭權曰孤豈爲子布

有愛乎顧丞相事煩而此公性剛所言不從怨咎將興非所以益之也乃用顧雍昭每朝見辭氣壯厲義形於色曾以直言逆旨中不進見後蜀使來稱蜀德美而羣臣莫拒權歎曰使張公在坐彼不折則廢安復自誇乎明日遣中使勞問因請見昭昭避席謝權跪止之昭坐定仰曰昔太后桓王不以老臣屬陛下而以陛下屬老臣是以思盡臣節以報厚恩使泯沒之後有可稱述而意慮淺短違逆盛旨自分幽淪長棄溝

蹔不圖復蒙引見得奉帷幄然臣愚心所以事國志在忠益畢命而已若乃變心易慮以偷榮取容此臣所不能也權辭謝焉公孫淵稱藩權遣張彌許晏往拜淵燕王昭諫曰淵背魏懼討遠來求援非本志也若淵改圖欲自明於魏兩使不反不亦取笑於天下乎權與相反覆昭意彌切權不能堪案刀而怒曰吳國士人入宮則拜孤出宮則拜君孤之敬君亦爲至矣而數於衆中折孤孤嘗恐失計昭熟視權曰臣雖知言

下用每竭愚忠者誠以太后臨崩呼老臣於床
下遺詔顧命之言故在耳因涕泣横流權擲力
與昭對泣然卒遣彌晏往昭忿言之不用稱疾
不朝權恨之土塞其門昭又於内以土封之淵
果殺彌晏權數慰謝昭昭固不起權因出過其
門呼昭昭辭疾篤權燒其門欲以恐之昭更閉
户權使人滅火住門良久昭諸子共扶昭起權
載以還宫深自克責昭不得已然後朝會昭容
貌矜嚴有威風權常曰孤與張公言不敢妄也

舉邦憚之年八十一嘉禾五年卒遺令幅巾素棺歛以時服權素服臨弔謚曰文昭封婁侯著春秋左氏論語注有宅孫閭見後傳

周瑜字公瑾廬江舒人父異洛陽令瑜長壯有姿貌初孫堅興義兵討董卓徙家於舒堅子策與瑜同年獨相友善瑜推道南大宅舍策升堂拜母有無通共瑜從父尚爲丹陽太守瑜往省之會策東度到歷陽馳書報瑜瑜將兵迎策從攻横江當利皆拔之乃渡擊秣陵破笮融薛禮轉

下湖孰江乘進入曲阿劉繇奔走而策之衆已數萬因謂瑜曰吾以此衆取吴會平山越已足卿還鎮丹陽瑜還頃之袁術遣從弟胤代尚爲太守而瑜與尚俱還壽春術欲以瑜爲將瑜觀術終無所成求爲居巢長遂還吴是歲建安三年也策親自迎瑜授建威中郎將與兵二千人騎五十疋令曰周公瑾英儁異才與孤有總角之好骨肉之分加前在丹陽發衆及船糧以濟大事論德酬功此未足以報者也瑜時年二十

四吳中皆呼爲周郎後領春穀長頃之策欲取荆州以瑜爲中護軍領江夏太守從攻晥拔之復進尋陽破劉勲討江夏還定豫章廬陵留鎮巴丘案孫策時未能得定江夏瑜所鎮應在江西之巴丘縣與後所卒巴丘之地不同策薨權統事瑜將兵赴喪遂留吳與長史張昭共掌衆事曹操破袁紹下書責權任子權召群臣會議張昭秦松等猶豫不能决權意不欲遣質將瑜詣母前定議瑜曰昔楚國初封於荆山之側不滿百里之地繼嗣賢能廣土開境立基

於郢遂據荆揚至於南岸傳業延祚九百餘年今將軍承父兄餘資兼六郡之衆兵精糧多將士用命鑄山爲銅煮海爲鹽境内富饒人不思亂泛舟舉帆朝發夕到士風勁勇所向無敵有何偪迫而欲送質質一入不得不與曹氏相首尾與相首尾則命召不得不往便見制於人也極不過一侯印僕從十餘人車數乘馬數匹豈與南面稱孤同哉不如勿遣徐觀其變若曹氏能率義以正天下將軍事之未晚若圖爲暴亂

兵猶火也不戢將自焚將軍韜武抗威以待天命何送質之有權母曰公瑾議是也公瑾與伯符同年小一月耳我視之如子汝其兄事之遂不送質十三年九月操入荆州劉琮舉衆降操得其水軍船步兵數十萬將士聞之皆恐權延見羣下問以計策議者咸欲迎之瑜曰不然操雖託名漢相其實漢賊將軍以神武雄才杖父兄之烈割據江東當橫行天下爲漢家除殘去穢況操自送死而可迎之邪請爲將軍籌之今

使北上已安操無內憂能曠日持久來爭疆埸又能與我校勝負於舟楫可也今北土既未平安馬超韓遂尚在關西爲操後患且舍鞍馬杖舟楫與吳越爭衡本非中國所長又今盛寒馬無藁草驅中國士衆遠涉江湖之間不習水土必生疾病此數者用兵之患也而操皆冒行之將軍擒操宜在今日瑜請得精兵三萬人進住夏口保爲將軍破之權曰老賊欲廢漢自立久矣徒忌二袁呂布劉表與孤耳今數雄已滅惟

孤尚存孤與老賊勢不兩立君言當擊甚與孤合此天以君授孤也援刀斫前奏案曰諸將吏敢復有言當迎操者與此案同及會罷之夜瑜請見曰諸人徒見操書言水步八十萬而各恐懾不復料其虛實今以實校之彼所將中國人不過十五六萬且軍已久疲所得表衆極七八萬耳而尚懷狐疑夫以疲病之卒御狐疑之衆衆數雖多甚未足畏得精兵五萬自足制之願將軍勿慮權撫背曰公瑾卿言至此甚合孤心

子布元表諸人各顧妻子挾持私慮深失所望獨卿與子敬與孤同耳此天以卿二人贊孤也五萬兵難卒合已選三萬人船糧戰具俱辦卿與子敬程公便在前發孤當續發人衆多載資糧爲卿後援卿能辦之者誠決邂逅不如意便還就孤孤當與孟德決之時劉備爲操所破遣諸葛亮詣權權遂遣瑜及程普等與備并力逆操遇於赤壁時操軍衆已有疾病初一交戰操軍敗退引次江北瑜歩將黄蓋曰今寇衆我寡

難與持久然觀操軍方連船艦首尾相接可燒而走也乃取蒙衝鬬艦數十艘實以薪草膏油灌其中裹以帷幕上建牙旗先書報操欺以欲降又豫備走舸各繫大船後因引次俱前操軍吏士皆延頸觀望指言蓋降蓋放諸船同時發火時風盛猛延燒岸上營落頃之烟炎張天人馬燒溺死者甚衆操軍敗走還屯南郡權拜瑜偏將軍領南郡太守以下雋漢昌瀏陽州陵爲奉邑屯據江陵劉備以左將軍領荆州牧治公

安備詣京見權瑜上疏曰劉備以梟雄之姿而有關羽張飛熊虎之將必非久屈爲人用者愚謂大計宜徙備置吳盛築宮室多其美女玩好分此二人各置一方使如瑜者得挾與攻戰大事可定也今猥割土地以資業之聚此三人俱在疆埸恐蛟龍得雲雨終非池中物也權以操在北方當廣擥英雄又恐備難卒制故不納是時劉璋爲益州牧外有張魯寇侵瑜詣京見權曰今曹操新折衄方憂腹心未能與將軍連兵

相事乞與奮威俱進取蜀得蜀而并張魯因留奮威固守其地與馬超結援瑜還與將軍據襄陽以蹴北方可[redacted]也權許之瑜還江陵爲行裝道於巴丘病卒所卒之處應在今之巴陵與前所鎮巴丘名同處異也兩男一女女配太子登男循尚公主拜騎都尉有瑜風

王導字茂弘光祿大夫覽之孫也少有風鑒識量清遠年十四陳[redacted]高士張公見而奇之曰此兒容貌志氣將相之器也入朝爲秘書郎時有

洛陽人戍邊五年不反所娉妻父母更以女予他族女不欲行父母強之登車生一子終悒悒成疾以死踰年前夫歸聞其家說如此便徃發墓開棺視之女還活起與前夫歸其家後夫訟於縣縣聞之府河南尹上其事詔廷臣議咸不能決導曰此非常事不得以常理斷之女宜還前夫詔是其議元帝爲琅邪王與導素相親善導知天下已亂遂傾心推奉會帝出鎮下邳請導爲安東司馬及徙鎮建康吴人不附居月餘

士庶莫有至者導患之會上巳觀禊帝乘肩輿具威儀導與兄敦及諸名勝皆騎從吳人紀瞻顧榮皆江南之望竊覘之相率拜於道左帝使導躬造榮等皆應命而至由是吳會風靡百姓歸心俄而洛京傾覆中州士女避亂江左者十六七導勸帝收其賢人君子與之圖事時荆揚晏安户口殷實導爲政務在清靜朝野傾心號爲仲父帝從容謂導曰卿吾之蕭何[redacted]國既建以導爲丞相軍諮祭酒桓彝初過[redacted]朝廷

微弱謂周顗曰我以中州多故來此欲求全活而寡弱如此將何以濟憂懼不樂往見導極談世事還謂顗曰向見管夷吾無復憂矣于時軍旅不息學校未脩導上書請興復道教令朝之子弟入學帝從之語見學校志及帝登尊號百官陪列命導升御床共坐導固辭曰若太陽下同萬物蒼生何由仰照乃止劉隗用事導漸見踈遠任眞推分澹如也王敦反劉隗勸帝悉誅王氏導率羣從昆弟子姪二十餘人每旦詣臺

待罪帝召見之導稽首謝曰逆臣賊子何世無之豈意今者近出臣族帝跣執其手曰茂弘方託百里之命於卿是何言邪乃詔曰導以大義滅親可以吾爲安東時節假之及敦得志加導守尚書令初西都覆没四方咸勸進於帝敦憚帝賢明欲更議所立導固爭乃止及此役也敦謂導曰不從吾言幾致覆族導猶執正議敦無以奪元帝愛琅邪王裒將有奪嫡之議以問導導曰立子以長且紹又賢不宜改革帝猶疑之

導曰夕陳諫故太子卒定明帝崩導復與庾亮
等同受遺詔共輔幼主石勒侵阜陵加大司馬
假黄鉞出討之軍次江寧帝親餞于郊俄而賊
退庾亮將徵蘇峻導曰峻猜險必不奉詔且山
藪藏疾宜包容之固爭不從既而難作六軍敗
績導入宫侍帝峻以導德望不敢加害使以本
官居己之右未幾逼乘輿幸石頭導爭之不得
使參軍袁耽潛誘峻將路永謀奉帝出奔義軍
而峻衛禦甚嚴事遂不果導乃携二子隨永偕

奔白石及賊平宗廟宫室並爲灰燼温嶠議遷
都豫章三吳之豪請都會稽二論紛紜未有所
適導曰建康古之金陵舊爲帝里又孫仲謀劉
玄德俱言王者之宅古之帝王不以豐儉移都
苟思衛文大帛之冠則無往不可若不績其麻
則樂土爲虛矣且北寇遊魂伺我之隙一旦示
弱竄於蠻越求之望實懼非良計今特宜鎮之
以靜羣情自安由是嶠等謀並不行導有羸疾
不堪朝會帝數幸其府後令輿車入殿石季龍

世正直不阿至崇文院校書改著作佐郎祕閣校理爲吕惠卿所中放歸田里歲餘卒有文集二子旟字元均任將作少監知滑州壽春府贈朝議大夫斿字元龍知滑州京西路提點刑獄元豐元年旟斿言亡父安國冤抑詔元祐旨揮更不施行斿差監江寧府糧料院旟子樸安禮字和甫中進士第召對神宗欲峻用之以兄當國授崇文院校書元豐元年以端明殿學士中大夫知江寧府遷太中大夫改資政殿學上　兀

祐元年移知揚州官至左丞姿貌魁偉有口辯常以經綸自任而闊略細謹安上字純甫由太子右贊大夫三司度支判官召對有提點刑獄之命歷知和湖二州管勾江寧府崇禧觀卒子旂旟旂子梲宣和七年樸梲並除直祕閣楚國以下並葬建康今集慶湖州蕪湖及平江寶華皆有王氏族云

李琮字獻甫江寧人慶曆中登第爲尚書屯田員外郎江東轉運判官築惠民圩四十里於金

陵太平宣城三郡閒奏陳鹽法十六事會瀘南罷兵詔充梓路轉運副使琮到官納歲費備邊事瀘帥王光祖虐軍校相挻爲亂琮械繫告者付獄瀘人乃安璽書賜再任轉左朝散大夫歷知吉相潞洪州召爲太府卿時游天經議以礬水漬鐵爲銅可鑄錢琮上疏極言不當以僞爲寶轉朝議大夫刑部侍郎陝西人張天經上書詆時政琮議如律忤丞相章惇意尋以寶文閣待制出知杭州兼浙西兵馬鈐轄移知河南府

兼西京留守又遷高陽關路安撫使知瀛州上
柱國隴西郡開國侯後贈太師封襄國公有文
集十卷子回字少愚登第試中書舍人兼校證
補完御前文籍直龍圖閣待制封隴西縣開國
男食邑三百戶校證文籍書成知東平府兼安
撫使襲殺賊楊進等三千人轉朝請大夫太子
詹事太子侍講遷御史中丞金人進兵河上除
延康殿學士簽書樞密院兼大河守禦使還知
福州奉使元帥府奉璽符冊書勸進高宗即位

安與坦之盡忠匡翼終能輯穆及温病篤諷朝廷加九錫使表宏具草安見輒改之歷旬不就會温薨錫命遂寢尋爲尚書僕射領吏部加後將軍詔安總關中書事時彊敵寇境邊書續至梁益不守樊鄧陷没安每鎮以和靖御以長筭德政既行文武用命不存小察弘以大綱威懷外著人皆比之王導而謂文雅過之嘗與王羲之登冶城悠然遐想有高世志羲之謂曰夏禹勤王手足胼胝文王旰食日不暇給今四郊多

壘宜思自効而虚談廢務浮文妨要恐非當今所宜安曰秦任商鞅二世而亡豈清言致患邪是時宫室毁壞安决意繕治皆仰模玄象合體辰極而役無勞怨又領揚州刺史詔以甲仗百人入殿孝武帝始親萬機進安中書監驃騎將軍録尚書事固讓軍號頃之加司徒讓不拜復加侍中假節都督揚豫徐兖青五州幽州之燕國諸軍事符堅入寇諸將敗退相繼安遣弟石及兄子玄等應機征討所在剋捷拜衛將軍開

府儀同三司封建昌縣公堅率衆號百萬次于淮淝京師震恐加安征討大都督玄入問計安夷然答曰巳別有旨既而寂然玄不敢復言乃令張玄重請安遂命駕出山墅親朋畢集方與玄圍棊賭別墅游陟至夜乃還指授將帥各當其任玄等既破堅有驛書至安方對客圍棊看書既竟便攝放床上了無喜色棊如故客問之徐答云小兒輩遂已破賊既罷還内過戶限心喜甚不覺屐齒之折其矯情鎮物類如此以總

統功進拜太保安方欲經略中原混一文軌而會稽王道子用安婿王國寳之譖與安不恊事多疑沮乃上䟽求自北征進都督揚江荆司豫徐兖青兾幽幷寧益雍梁十五州軍事加黄鉞本官如故是時桓冲既卒荆江二州並闕物論以玄勲望冝以授之安以父子皆著大勲恐為朝廷所疑又懼桓氏失職桓石虔有沔陽之功慮其驍猛難制乃以桓石民為荆州改桓伊於中流石虔為豫州既以三桓據三州彼此無怨

各得所任常疑劉牢之不可獨任王味之不宜專城牢之既以亂終而味之亦以貪敗識者服其知人安雖受朝寄然東山之志始末不渝每形於言色造泥海之裝欲須經略粗定自江道還東雅志未就遇疾還都聞當輿入西州門悵然謂所親曰昔桓溫在時吾常懼不全忽夢乘溫輿行十六里見一白鷄而止乘溫輿者代其位也十六里止今十六年矣白鷄主酉今太歲在酉吾病殆不起乎乃上疏遜位薨年六十六

帝臨于朝堂三日贈太傅謚曰文靖葬加殊禮依大司馬桓温故事詳見晉史

温嶠字太眞司徒羨弟之子聰敏有識量博學屬文以孝悌稱於邦族年十七州郡辟召皆不就平北大將軍劉琨妻嶠之從母琨請爲參軍與討石勒有功遷右司馬元帝初鎮江左琨謂嶠曰昔班彪識劉氏之復興馬援知漢光之可輔今晉祚雖衰天命未改吾欲立功河朔使卿延譽江南子其行乎對曰嶠雖無管張之才而

明公有桓文之志欲建匡合之功豈敢辭命乃以爲左長史檄告華夷奉表勸進嶠旣至引見具陳琨忠誠志在效節因說社稷無主天人係望辭旨慷慨舉朝屬目帝器而嘉焉王導周顗謝鯤庾亮桓彝等並與親善于時江左草創綱維未舉嶠殊以爲憂及見王導共談讙然曰江左自有管夷吾吾復何慮除散騎侍郎固讓不拜苦請北歸葬母不許遷太子中庶子太子與爲布衣交數陳規諷又獻侍臣箴時太子起西

池樓觀頗爲勞費嶠上疏以爲朝廷草創巨寇未滅宜應儉以率下務農重兵太子納焉王敦舉兵内向六軍敗績太子將自出戰嶠執鞚諫曰臣聞善戰者不怒善勝者不武如何萬乘儲副而以身輕天下太子乃止明帝即位拜侍中轉中書令甚爲王敦所忌因請爲左司馬敦阻兵不朝多行陵縱嶠諫敦曰昔周公之相成王勞謙吐握豈好勤而惡逸哉誠由處大任者不可不爾而公自還輦轂入輔朝政闕拜覲之禮

簡人臣之儀不逮聖心者莫不於邑昔帝舜服
事唐堯伯禹竭身虞庭文王雖盛臣節不僭故
有庇人之大德必有事君之小心俾芳烈奮乎
百世休風流乎萬祀至聖遺軌所不宜忽願思
舜禹文王服事之勤推公旦吐握之事則天下
幸甚敦不納嶠知其終不悟於是謬爲設敬綜
其府事深結錢鳳爲之聲譽每曰錢世儀精神
滿腹嶠素有知人之稱鳳聞而悅之深結好於
嶠會丹陽尹闕嶠說敦曰京尹輦轂喉舌宜得

文武無能公宜自選其才若朝廷用人或不盡理敦然之問嶠誰可嶠曰錢鳳可用鳳亦推嶠嶠僞辭之敦不從表補丹陽尹嶠得還都乃具奏敦逆謀請先爲之備加嶠中壘將軍持節都督東安北部諸軍事敦與王導書曰太真别來幾日作如此事表誅姦臣以嶠爲首募生得嶠者當自拔其舌及王含錢鳳奄至都下嶠燒朱雀桁以挫其鋒帝怒嶠曰今宿衛寡弱徵兵未至若賊豕突危及社稷陛下何惜一橋賊果不

得渡嶠自率衆與賊夾水戰擊王含敗之復督劉遐追錢鳳於江寧事平封建寧縣開國公賜絹五千四百疋進號前將軍帝疾篤嶠與王導郗鑒庾亮陸曄卞壼等同受顧命時歷陽太守蘇峻藏匿亡命征西將軍陶侃有威名於荆楚朝廷疑之使嶠爲上流形援咸和初代應詹爲江州刺史持節都督平南將軍鎮武昌甚有惠政甄異行能聞蘇峻之徵也慮必有變求還以備不虞不聽未幾峻果反嶠屯尋陽遣督護王

愆期西陽太守鄧嶽鄱陽內史紀瞻等率舟師赴難及京師傾覆嶠聞之號慟人有候之者悲哭相對俄而庾亮來奔宣太后詔進嶠驃騎將軍開府儀同三司嶠曰今日之急殄寇爲先未効勳庸而逆受榮寵非所聞也何以示天下乎固辭不受時亮雖奔敗嶠每推崇之分兵給亮遣王愆期等要陶侃同赴國難侃恨不受顧命不許嶠用其部將毛寶及從弟充之言固請侃行侃遣督護龔登率兵詣嶠嶠於是列上尚書

陳峻罪狀有衆七千灑泣登舟未發侃復召兵
還嶠與侃書曰僕與仁公並受方嶽之任安危
休戚理既同之進當爲大晉之忠臣退當以慈
父雪愛子之痛今出軍既緩復召兵還人心乖
離是爲敗於幾成也峻時殺侃子瞻由是侃激
勵遂率所統與嶠亮同赴京師戎卒六萬旌旗
七百餘里直指石城次于蔡洲侃□宣浦嶠屯
沙門浦祖約據歷陽與峻爲首尾見嶠等軍盛
謂其黨曰吾本□嶠能爲四公子之事今果然

大三下廿四　金陵新志　五之

矣峻聞嶠將至逼大駕幸石頭時峻軍多馬南軍仗舟楫不敢輕與交鋒用將軍李根計據白石築壘以自固使庾亮守之賊步騎萬餘來攻不下而退追斬二百餘級嶠又於四望磯築壘以逼賊曰賊必爭之設伏以逸待勞是制賊之一奇也既而義軍屢戰失利嶠軍食盡陶侃怒曰使君前云不憂無將士惟得老僕爲主今數戰皆北良將安在荆州接胡蜀二虜倉廩當備不虞若復無食僕便欲西歸更思良籌殄賊不

爲晩也嶠曰不然自古成監師克在和光武之濟昆陽曹公之援官渡以寡敵衆仗義故也峻約小竪爲海内所患今日之舉决在一戰峻勇而無謀藉驕勝之勢自謂無前今挑之戰可一鼓而擒柰何捨垂立之功設進退之計且天子幽逼社稷危殆四海臣子肝腦塗地嶠等與公並受國恩是致命之日事若克濟則臣主同祚如其不捷身雖灰滅不足以謝責於先帝今之事勢義無旋踵若騎猛獸安可中下哉公若違

衆獨反人心必沮汀浰敗事義旗將廻指於公矣侃無以對遂留不去嶠於是剏建行廟廣設壇場告皇天后土祖宗之靈親讀祝文聲氣激揚涕流覆面三軍莫能仰視其日侃督水軍向石頭亮嶠等率精勇一萬從白石入挑戰時峻勞其將士因醉突陣馬躓爲侃將所斬峻弟逸及子碩嬰城自固嶠乃立行臺布告天下賊將匡術以臺城來降爲逸所攻求救江州別駕羅洞曰今水暴長救之不便不如攻榻杭榻杭軍

若敗術圍自解嶠從之遂破賊石頭軍奮威長史滕含抱天子奔于嶠船時侃雖爲盟主而處分規略一出於嶠及賊滅拜驃騎將軍開府儀同三司散騎常侍封始安郡公邑三千戶卒年四十二江州士庶聞之莫不相顧而泣贈侍中大將軍持節都督刺史餘如故謚曰忠武祠以太牢詳見晉史

陶侃字士行本鄱陽人吳平徙家廬江之潯陽廬江太守張夔召爲督郵領樅陽令察孝廉至

洛陽張華與語異之除郎中劉弘爲荊州刺史辟亂爲南蠻長史遣討張昌破之以母憂去職服闋參東海王越軍事江州刺史華軼表侃爲揚武將軍元帝加侃奮威將軍遷龍驤將軍武昌太守王敦忌侃左遷廣州刺史在州無事朝運百甓於齋外暮運於齋內人問其故答曰吾方致力中原過爾優逸恐不堪事其勵志勤力皆此類太興初進號平南將軍都督交州軍事王敦反詔侃以本官領江州刺史尋轉督湘州

敦得志上侃復本職加散騎常侍録前後功進
號征南大將軍開府儀同三司遷都督荆
雍益梁州諸軍事領護南蠻校尉征西大將軍
荆州刺史侃性聰敏勤於吏職閫外多事千緒
萬端罔有遺漏遠近書疏莫不手答筆翰如流
未嘗壅滯引接疎遠門無停客常語人曰大禹
聖者乃惜寸陰至於衆人當惜分陰豈可逸遊
荒醉生無益於時死無聞於後是自棄也諸參
佐或以談戲廢事者命取其酒器蒱博之具悉

投之於江吏將則加鞭扑曰樗蒱者牧豬奴戲耳老莊浮華非先王之法言不可行也君子當正其衣冠攝其威儀何有亂頭養望自謂宏達邪造船木屑及竹頭悉令舉掌之咸不解所以後正會積雪始晴聽事前猶濕於是以屑布地及桓溫伐蜀又以竹頭作釘裝船其綜理微密皆此類蘇峻作逆京都不安侃子瞻與卞壼等皆死難平南將軍溫嶠要侃同赴朝廷推爲盟主以峻殺瞻重遣書以激怒之便戎服登舟瞻

喪至不臨與溫嶠庾亮俱會石頭諸軍即欲決戰侃獨謂賊盛不可争鋒當以歲月智計擒之嶠等累戰無功侃屯軍查浦監軍部將李根建議請立白石壘曰查浦地下又在水南唯白石峻極險固可容數千人賊來攻不便滅賊之術也侃從之夜脩曉訖賊見壘大驚賊攻大業壘侃將救之長史殷羨曰若遣救大業步戰不如峻則大事去矣但當急攻石頭峻必救之而大業自解侃又從羨言峻果棄大業而救石頭諸

軍與峻戰陣陵東督護竟陵太守李陽部將彭世斬峻於陣賊衆大潰峻弟逸復聚衆侃與諸軍斬逸於石頭初峻之反由於庾亮亮之奔也懼侃致討用温嶠謀詣侃拜謝侃遽止之曰庾元規乃拜陶士行邪王導入石頭城令取故節侃笑曰蘇武節似不如是導有慚色使人屏之侃旋江陵尋拜侍中太尉加羽葆鼓吹改封長沙郡公邑二千戸賜絹八千疋加都督交廣寧七州軍事以江陵偏遠移鎮巴陵蘇峻將馮鐵

殺侃子奔于石勒勒以爲戍將侃告勒以故勒召而殺之尋以討郭默詔侃都督江州領刺史增置左右長史司馬從事中郎四人掾屬十二人移鎮武昌疾篤上表遜位遣左長史殷羨奉送所假節麾幢曲蓋侍中貂蟬太尉章荊江州刺史印傳棨戟以後事付右司馬王愆期輿車出就船明日薨于樊溪時年七十六追贈大司馬假寄章祠以太牢策謚曰桓詳見晋史晋徵士潛字淵明即侃曾孫嘗爲建威鎮軍參軍宋高祖王業漸隆不復肯仕自彭澤令棄官隱廬山云

曹彬字國華眞定靈壽人父芸成德軍兵馬使彬始生周歲日父母以百翫之具羅於席觀其所取彬左手持干戈右手取俎豆斯須取一印他無所視人皆異之既長氣質淳厚漢乾祐中爲成德牙將周太祖貴妃張氏彬之從母也由是得隸世宗帳下補供奉官累遷西上閤門使出使吳越訖事即行不受私覿遷引進使宋興遷客省使伐蜀之役以内客省使監歸州路行營劉光毅軍峽中郡縣悉下諸將皆欲屠城殺

降彬獨任怨而戳下所至悅服拜宣徽南院使義成軍節度使太祖伐江南以彬將行營之師彬分兵由荊南順流而東破峽口砦進克池州連克當塗蕪湖二縣駐軍采石磯作浮梁跨大江以濟師大破其軍于白鷺洲進次秦淮江南水陸十萬陳於城下大敗之進圍金陵李煜遣徐鉉奉表詣闕乞緩師彬亦緩攻取冀煜歸服使人諭之曰事勢如此所惜者一城生聚若能歸命策之上也城垂克彬忽稱疾不視事諸將

皆來問疾彬曰余之病非藥石所愈惟須諸公誠心自誓以克城之日不妄殺一人則自愈矣諸將許諾共焚香爲誓明日稱疾愈遂克金陵城中按堵李煜與其臣百餘人詣軍門請罪彬慰安之待以客禮自出師至凱旋士衆畏服無輕肆者及入見以榜子進稱奉敕江南幹事回其謙恭不伐如此初彬之總師也太祖謂曰俟克李煜當以卿爲使相副帥潘美豫以爲賀彬曰不然是行也仗天威遵廟謨乃能成事吾何

功哉況使相極品乎羨曰何謂也彬曰太原未平爾已而還朝獻俘太祖曰本除卿使相然劉繼元未下姑少待之旣聞此語羨竊視彬微哂太祖覺之遽詰所以羨不敢隱遂以前對太祖亦大笑乃賜彬錢二十萬彬曰人生何必使相好官亦不過多積金錢耳未幾拜樞密使忠武軍節度使太宗即位加同平章事從平太原加兼侍中罷爲天平軍節度使封魯國公起爲侍中武寧軍節度使徙鎮平盧眞宗即位拜同平

章事樞密使咸平二年被疾眞宗親視臨問手爲和藥賜白金萬兩問以後事對曰臣無事可言二子璨與瑋材器有取臣若内舉皆堪爲將眞宗問以優劣對曰璨不如瑋薨年六十九贈中書令以孫女皇后恩追封濟陽郡王謚武惠與趙普配享太祖廟廷此亦有廟

吕頤浩字元直本滄州樂陵人五世祖因官家於齊州頤浩登宋紹聖元年進士第初調北京成安尉密州司戶以李清臣薦除大名府國子

監教授避親改邠州教授歷宗子博士通判延安兩浙提舉茶鹽提舉河北東路常平河北轉運判官召爲太府少卿除轉運副使陞都轉運使奉法稱職宣和四年童貫用兵燕薊徽宗命頤浩爲轉運使頤浩條奏河北燕山路危急五事忤旨罷職金國漸生釁端變詐反復邀求不已徽宗悟前日之言復頤浩官金人入燕山公與蔡靖以下文武官三百餘員皆爲金人所執與蔡靖李與權沈琯等隨行至東京城下得還

朝廷再差爲河北都轉運使力辭挈家居揚州建炎元年五月高宗即位于南京召頤浩赴行在以病辭免先致書宰執大畧謂金人詭詐不情貪婪無厭與契丹相持二十年今歲講和明年大戰前後反覆卒吞契丹今日之勢講和亦不可恃欲戰則力不逮若非遷避更無上策議者多以謂鑾輿南渡必失中原是大不然赤壁之戰魏彊吳弱然而魏武大衄者江淮之間沮洳之地又有長江之險非北人用重兵之利此

兵所以勝也戰勝則勢張豈有失中原之理哉
議者又曰金人既能渡大河豈不能渡大江是
亦不然黃河水狹霜降之後水面不過一二里
又無水戰之具北兵渡河所以不能制大江則
不然水面闊遠狹處不下七八里若於南岸豫
習水戰俟其半渡以輕舟戰艦順流而下頃刻
追及雖百萬之師可挫也且以夏人號善用兵
與我師相持每迭勝迭負我師未嘗如今日敗
衂者以涇原環慶等路皆山險之地非騎兵所

利故也自金人犯邊我師遇之不待接戰而輒奔潰蓋平原曠野步不能抗騎故也愚謂宜遷避者以三十年來童貫譚稹掌兵軍政盡壞賞罰不明人無鬬志必先革此弊然後可以語戰兼自金人連年入冦官私馬刼掠已盡步人之勢終難抗騎霍去病傳云自後更不議伐匈奴者以無馬故也豈可不鑒哉今防秋在近機事甚迫梁宋間諸州環地千里城壁不固雖欲增修已不及矣願先遷宗廟於江外大駕且駐南

京萬一有警速駕南來江淮地熱馬無稃草彼必不能久留旋彼既往我復北去亦未爲失計兵法所謂彼入我出彼出我入茲誠今日備禦之策惟速圖之不可緩也差知揚州高宗南幸召對奏劄畧云臣竊觀天下之勢以撥亂爲急務成敗安危繫於施設臣不敢遠引堯舜三代昔周世宗當中國殘弊之後王朴獻策曰唐失道而失吳蜀晉失道而失幽幷觀所以失之之由知所以平之之術在反唐晉之失而已今陛

下鑒前之失必先進賢退不肖以清其時用能
去不能以審其材恩信號令以結其心賞功罰
罪以盡其力恭儉節用以豐其材徭役以時以
阜其民治其倉廪實財用足人安將和則有必
取之勢無不成之功矣句餘再進劉云淮南兩
路北距海南阻江土地膏腴形勢雄勝臣嘗謂
疆可以使之弱弱可以致之疆昔漢高祖與項
氏相持百戰百敗然垓下之役一戰遂成帝業
越王兵敗棲於會稽卑辭厚禮養兵蓄鋭有待

而發一戰遂收霸功然則陛下駐蹕淮甸豈非
天意所以資陛下興王業乎伏願聚精會神苦
心嘗膽期於除禍亂致太平實萬世無疆之休
也除户部侍郎兼知揚州明年三月進户部尚
書劇賊張遇等衆數萬自上江順流而下破太
平眞州屯金山寺雖受招安而不卸甲四向焚
刼命頤浩節制諸大將徃圖之頤浩設砦揚子
橋單騎入賊中訪得劉彥者爲遇畫謀令不卸
甲令壯士捽彥庭下截其兩足釘于揚子橋柱

餘黨震恐即日卸甲納官散被虜之民三四萬
人得被虜婦人五六千人奏給錢米召人識認
皆不失所是年十二月改吏部尚書被旨陳備
禦十策一曰收民心二曰定廟筭三曰料彼已
四曰選將材五曰明斥堠六曰訓疆弩七曰分
器甲八曰備水戰九曰控浮橋十曰審形勢累
數萬言頤浩久在西北極邊諳知虜情料金人
必犯淮南屢乞先輦左藏庫物過江及獻守淮
之策甚備宰執不從明年二月三日金人逼揚

州車駕倉卒南渡顒浩與禮部侍郎張浚聯馬追及上於瓜洲僅得渡江至秀州除資政殿學士同簽書樞密院事江淮兩浙制置使引羸兵千人扼揚子江泝路召募潰散得四五千人就鎮江府之北桃江下砦與金人對岸相持顒浩日被甲乘輕舟於江中往來督責軍將官以舟濟渡江北被虜逃歸官負士庶軍兵家小及選募敢死之士過江遇夜燒刼虜砦又分遣兵將沿江上下招集潰兵金人北去命顒浩兼領江

寧軍府事忽有赦書至人情洶洶頤浩之子摭
時任兩浙漕屬遣人齎蠟彈報苗傅劉正彥反
叛擅廢立狀頤浩曰此不戴天之讎也即上表
請皇帝復位遣屬官奉議郎李承造往鎮江約
劉光世往平江府約張浚韓世忠張俊等同起
兵討賊官屬持不可頤浩不聽子摭及家屬在
杭州苗傅令歸朝官馬柔吉監守之公亦不顧
兵至常州傅正彥差使臣齎狀具道本末云朝
廷已留知樞密院闕以待公來頤浩斬其使督

進兵行至望亭張浚自平江來見同議討賊撻
檄書聲傳正彦廢立專殺之罪抵臨平山賊將
苗翊率步騎萬餘人迎擊官軍頤浩督韓世忠
血戰大破之賊皇駭率衆南遁高宗復位頤浩
除宣奉大夫尚書右僕射一行官吏將佐等第
推恩時建炎三年四月也尋遷左僕射與張浚
密謀誅范瓊一軍帖然時金人離淮甸未久盜
賊羣起李成據宿泗蘄賽薛慶裴淵等寇掠通
州淮楚京城隔絕山東河北諸路命令不通頤

浩奏置三省樞密院賞功司應自軍興以來諸路立功將校借補等人並許繳元立功干照自陳隨宜推恩補轉官資又諸大將多乞空名告劄軍前書填與親舊伎術無功之人致名器太輕無以激勸公奏今後更不給降若實有功績之人各具名保奏從朝廷推恩庶革僥冐是年九月探報金兵南來朝議遣兵守淮分屯建康府等處控扼江上隆祐太后前期往江西順浩奏留六宮乞駕幸淛西號令江淮大畧謂漢高

祖唐太宗之取天下未嘗一日寧居黥布作亂是時謀臣猛將固不乏人然高祖不憚親征大宗曰吾經營天下所至處買飯而食僦舍而宿今陛下便鞍馬精馳射蓋天之所授將以撥亂安忍燕處清閒坐廢白日臣侵尋老境常恐功業不成抱恨泯滅望詢近臣察其可否然後奮發獨斷施行十月金人渡江破杭州欲逼行在頤浩憂憤不知所爲遂獻航海之計帝自明州登海船趨溫州會金人已回鎮江韓世忠以舟

師拒江路金人不得濟公力請車駕回幸浙西下親征之詔亟以鋭兵策應世忠交擊之以擒兀术時人心不樂浙西之行又中丞趙鼎請車駕未可北去竟失機會頤浩罷相除鎮南軍節度使開府儀同三司充醴泉觀使未幾被命充江東安撫制置大使兼知池州力辭弗許仍令過闕奏事頤浩入見奏曰臣近自海道北來伏見朝廷聚集海船在明州岸下竊慮車駕欲爲避寇之備夫避寇之計固不可不預辦然備戰

之計尤不可緩望鑒去年虜騎追襲之事選兵五萬分爲兩項一屯浙西一往饒信分據水鄉或據山險邀其追襲之路使將士戮力如明州城下之戰則戰無不勝矣萬一金人今冬不渡江則於明年四五月間遣兵二萬由海道趨登州以搗青齊別遣兵二萬由淮陽軍徐州以圖濮鄆金人用兵深忌夏月我乘其忌而攻之此必勝之道且中國衰弱其勢已甚自淮以北皆非我有士大夫苟目前之安習太平時驕墮不

振之氣殊無北向以爭天下恢復中原之心此
臣所以感槩流涕而不能已也時大寇李成遣
將馬進圍江州守臣以蠟彈告急頤浩曰江州
乃池州上流江破則池不可保節度使楊惟忠
有兵七千人屯饒州頤浩青惟忠同解江圍自
饒州乘舟趨南康遣大將巨師古往江州城下
賊設伏夾擊師古兵潰惟忠與頤浩渡江避賊
具奏衆寡不敵乞濟師得王瓊軍二萬人再趨
左蠡下砦會淮南崔增有兵八千人皆習水戰

頤浩令與瓊引兵與李成戰於湖口大敗之江州守臣以粮盡棄城去賊據江州頤浩曰我爲江東帥今不竭力禦賊則一路皆爲賊境遂置砦左蠡江岸前後數十戰賊失利頤浩兵益振朝廷遣張俊由江西洪州路討賊頤浩分遣王瓊軍會俊與賊大戰賊兵敗走成與馬進僅以身免拜尚書左僕射頤浩初自左蠡班師回鄱陽而巨寇張琪李捧引兵五萬人犯饒州邦人皇駭頤浩召愛將閻皐等自畫戰圖授之皐等

方出城五里而賊鋒已至前軍張守忠失利少却賊恃衆輕犯中軍皐力戰而崔邦弼姚端兩軍襄擊之賊大敗走饒人安堵繪顒浩像祠于郡中顒浩再入朝言今天下之勢先平内寇然後可以禦外侮乞隨賊寇之大小分遣兵將官以金字牌招安不聽命者加兵勦除諸路盜賊畧平顒浩奏敵人今年既不渡江則諸事可以措手顒先定駐蹕之地據都會之要使號令易通於川陝將兵順流而可下漕運不至於艱阻

然後速發大兵一往江西湖南以平羣寇一往池州至建康府處置已就招安之人明年民得專事耕桑則大江以南在我之根本立矣然後乘大暑之際命劉光世渡淮由淮陽軍入沂密以摇青鄆命張俊由河中府入絳州以撼河東乘兩路民心懷宋之時知王師有收復中原之意則中興之業可覬若不速爲之邊巡過春夏則金人他日再來不惟大江以南我之根本不可立而日後之患不可勝言矣又奏人事可爲

者二天時可爲者三昨自揚州之變兵甲器械十失八九今張俊軍有衆三萬全裝甲萬餘副刀鎗弓箭皆足韓世忠衆四萬張守忠軍二萬三千王瓔有衆一萬三千雖不如張俊軍盡皆精鋭亦非前日怯懦之比劉光世有衆四萬雖老弱冗散者衆亦可得精鋭二萬人神武中軍揚沂中有兵萬人此外又有神武後軍陳思恭不下萬人御前中鋭如崔增張守忠趙琦徐文姚端等軍亦二萬人上考太祖皇帝取天下正

兵不過十萬今日有兵十六七萬器械足用何
憚而不爲臣所謂人事可爲者一也建炎紹興
大盜縱横鄧慶寇廣東李敦犯虔吉邵清擾通
泰張琪刼徽饒李成破江瑞范汝爲據建劒馬
友李横孔彦舟曹成張用劉超等散處江南爲
害於荆湖等路朝廷枝梧不暇今則悉已撲滅
民得安業臣所謂人事可爲者二也金人南牧
以來我師望塵奔潰莫敢嬰其鋒 百近年張俊
獲捷於明州韓世忠扼賊於鎮江陳思恭邀擊

於長橋張榮大捷於淮甸良由敵人貪殘太甚逆天悖道人有戰心天意殆將悔禍臣所謂天時可爲者一也金人命劉豫僭位盡以中原付之不欲南來而豫煩碎不知爲國之體雖三尺童子知其不能立國况兵不如我精將不如我能勝負固可料矣觀宇文虛中密奏雖未能盡信然虜驕連年不至淮甸豈無牽制之故哉臣所謂天時可爲者二也江浙等路連失耕殖一苦水旱米價翔湧每㪷一貫至二貫今年豐熟

米斛不及五六百江上諸州米斛三四百天時可爲者三也今韓世忠已到行在願令世忠張俊與臣等商議決策北向明年三月令韓世忠由宿州南京以入劉光世由徐曹諸州路以入又於明州留海船三百隻令范温閭臯乘四月間南風北去徑取登萊凡此數路有粮可因而登萊尤有積蓄大兵既集劉豫必北走所得州郡擇逐州豪傑守之初則示以羈縻之義過則續爲後圖雖虜人來年秋冬間必爭其地然彼

出我入此兵法也擾之數年中原必可以復賈誼曰日中必彗操刀必割捨此機會而不乘後欲追悔何可及耶今有兵十六七萬費用不貲朝廷竭力經營錢粮常苦不辦曠日持久必取於民民怨衆離乃自困之道禍亂之所起可不畏哉又今日戰兵其精鋭者皆中原之人數年之後消磨寖少異時雖欲舉事勢必不能可爲深惜者也上嘉納以顒浩都督諸路軍事總師北向至鎮江病瘇踰月遣中使召還乞解機

政以鎮南軍節度使開府儀同三司充醴泉觀使寓居台州是年冬以邊防機事奏曰豫賊不知用兵之策而金酋狃於常勝不知慮敵深入吾境此天亡之時願陛下於此沍寒虜人弓徤馬壯之際且敕諸將固守江岸俟其糧盡欲退併力追襲此萬全之策金人大酋如婁宿蟾目國王斡离不皆已物故今次南來者撻辣郎君四太子臣在燕山府皆嘗聞之撻辣有謀而怯戰四太子乏謀而粗勇然四太子所統部曲比

之撻辣多而精銳四太子所向尤宜隄防也上
降詔奬諭數日又詔問以攻戰之利守備之宜
頤浩條十事上之一論用兵之策二論彼此形
勢三論舉兵之時四論分道進兵之策五論運
糧供軍六論大兵進發日乞聖駕駐蹕鎮江七
論經理淮甸八論機會不可失九論舟楫之利
十論并謀獨斷是年十二月除荆湖南路安撫
制置大使兼知潭州湖南荒歲之後羣寇竊發
分討平之明年十一月除少保充兩浙西路安

撫制置大使兼知臨安府行宫留守是時車駕在建康朝省百司庶務浩穰顧浩决事明敏而威令嚴重豪右震慴日纔過午訟庭巳寂然無事凡民間寃抑有數十年不能雪如醫僧有謀殺婦人者悉按置於法輦轂之下政若神明紹興八年駕還臨安除少傅鎮南定江軍節度使充江南東路安撫制置大使兼知建康府行宫留守力辭依前少保鎮南軍節度使充醴泉觀使成國公免奉朝請九年二月召赴行在所賜

札云朕以河南新復境土陝西最爲重地惟卿舊弼元臣威望素著欲勤卿往調護諸將拊循遺民當體朕意趣裝亟來以濟事機毋爲辭避常禮顒浩奏曰金人殘破中原肆爲荼毒交兵累年未見寧息今者無故割新黃河河南之地與我豈無意哉望與執政大臣子細商量及契勘陝西一路自割屬我朝以來諸路帥臣守臣曾與未曾申發到文字分遣臣僚逓邐前去訪問職位姓名傳宣撫問其鄜延環慶涇原秦鳳

熙河路帥臣仍許以久任之意庶幾不致疑貳
稍竢定疊徐爲後圖茲今日之上策也又奏陝
西利害今日所繫國體甚重若一觸事機必貽
後悔如張中孚等未見向背趙彬又係曲端門
客本一書生其人尤爲桀黠望留聖慮公力疾
造朝丞相秦檜被旨同參政孫近李光到寓所
問疾得請扶病東歸除少傅致仕薨年六十九
贈太師追封秦國公謚忠穆子五人抗摭極搢
攜孫八人曾孫十人

南軒先生張子名栻字敬夫廣漢人丞相魏國公浚之子也高宗南渡浚與呂頤浩平苗傅劉正彥有大功以樞密使宣撫川陝敗於富平繼督師江淮以用呂祉失酈瓊等軍晚歲以右相視師江淮朝眷特重會孝宗受禪慨然有討賊恢復中原之志命栻以右承務郎直祕閣充宣撫都督機宜文字栻早從南嶽胡仁仲先生問學得河南程氏論經奧旨玩索講評踐行體驗十餘年間充實光大皆可設施見於行事而魏

公以身任天下安危許國之心皓首不渝栻在
幕府温清之餘内贊密謀外參庶務其所綜畫
老於班列者皆自以爲不及嘗以軍事入奏始
得見上即進言曰陛下上念宗社之讎耻下閔
中原之塗炭惕然於中而思有以振之臣謂此
心之發即天理之所存也誠願益加省察而稽
古親賢以自輔焉無使其或少息也則不惟今
日之功可以必成而千古因循之弊亦庶乎其
可革矣上異其言盖於是始定君臣之契已而

忠獻公去位用事者遂罷兵講和金人乘其隙
縱兵淮甸中外大震而廟堂猶主和議至勑諸
將毋得以兵向敵時忠獻公已即世公不勝君
親之念甫畢藏事即拜疏言吾與金人乃不共
戴天之讎向來朝廷雖亦嘗興縞素之師然玉
帛之使未嘗不行乎其間是講和之念未忘於
胷中而至誠惻怛之心無以感格乎天人之際
此所以事屢敗而功不成也今雖重爲羣邪所
誤以蹙國召寇然亦安知非天欲以是開聖心

哉謂宜深察此理使吾胸中了然無纖芥之惑然後明詔中外公行賞罰以快軍民之憤則人心悅士氣充而虜不難却矣繼今以往益堅此志誓不言和專務自强雖折不撓使此心純一貫徹上下則遲以歲月亦何功之不成哉疏入不報後六年以補郡臨遣見上首進明大義正人心之說明年召還上問曰卿知虜中事乎對曰虜中之事臣雖不知然境中之事則知之詳矣竊見比年諸道水旱民貧日甚而國家兵弱

財匱官吏誕謾不足倚仗正使彼實可圖臣懼
我之未足以圖彼也今日但當下哀痛之詔明
復讎之義顯絶虜人不與通使然後脩德立政
用賢養民選將帥練甲兵通内脩外攘進戰退
守以爲一事且必治其實而不爲虚文則必勝
之形隱然可見雖有淺陋畏怯之人亦且奮躍
而爭先矣上嘉歎面諭嘗以卿爲講官時還朝
未朞歲而召對至六七公感上非常之遇知無
不言大抵皆脩身務學畏天卹民抑權倖屏讒

諫之意至論復讎之義則反復推明所以爲名實之辨者益詳於是宰相近倖益憚公合中外之力以排之而公去國矣蓋公自是退居三年更歷兩鎮雖不復得聞國論而蚤夜孜孜反身脩德愛民討軍以俟國家扶義正名之舉尤極懇至天子嘗賜手書褒其忠實將復大用之而公已病病亟且死猶手疏勸上以親君子遠小人信任防一已之偏好惡公天下之理以清四海克固丕圖若眷眷不能忘者寫畢緘付府僚

驛上之有頃而絶公爲人坦蕩明白表裏洞然
諸理既精信道又篤其樂於聞過而勇於徙義
則又奮厲明决無毫髮滯吝意以至疾病垂死
而口不絶吟於天理人欲之間則平日可知也
常有言曰學莫先於義利之辨義也者本心之
所當爲而不能自已非有所爲而爲之者也一
有所爲而後爲之則皆人欲之私而非天理之
所存矣嗚呼至哉言也其亦可謂廣前聖之所
未發而同於性善養氣之功者歟公在建康幹

父謀國之暇嘗遊城南天禧寺竹間愛其清邃掃室讀書名曰南軒後人因建祠焉朱文公贊曰擴仁義之端至於可以彌六合謹善利之判至於可以析秋豪拳拳乎其致主之切汲汲乎其幹父之勞仡仡乎其任道之勇卓卓乎其立心之高知之者識其春風沂水之樂不知者以爲湖海一世之豪彼其揚休山立之姿既與其不可傳者死矣觀於此者尚有以卜其見伊吕而失蕭曹也耶嘉定八年賜謚曰宣景定二年

正月從祀大成殿

治行　十三卷之下

史崇字伯勤家世杜陵東漢建武中累遷右將軍青冀二州刺史加驃騎將軍封溧陽縣侯天下既寧詔遣公侯皆就封崇褰帷溢政求民之瘼治尚寬簡不威而化畋漁相遜桑梓成陰年七十九贈司空使持節徐兗二州刺史諡曰壯侯子孫因家溧陽遂爲縣人矣世濟美里俗呼崇爲史祖廟貌至今存焉子顗字叔升襲爵年七十諡曰文顗子茅字德英元初三年襲爵除

尚書遷侍中轉鎮西將軍雍州牧宰治得宜寬猛相濟聲譽播於歌詠年六十七謚曰頃孝子洽字君普襲爵除河内太守轉司隷校尉雍州刺史羽儀當世骨鯁一時年八十一謚曰戴洽子澤字素廣襲爵除左郎將轉上郡太守遷御史大夫正色立朝貴戚歛手年七十一謚曰節澤子鉉字安鼎建元四年襲爵改封蘭山侯遷冀州刺史崇本抑末章程具舉年八十五謚曰康鉉子藻字睿文精究庶事明察枉直下無謗

言史嵩字仁基崇之裔孫仕吴爲平越中郎將
蒼梧鬱林二郡太守封撫陵侯崇裔孫又有曰
懿者吴征南將軍隴西太守曰奭者晉冠軍將
軍北中郎將五兵尚書從吴歸晉本國大中正
零陵郡公曰韶者交州屬國都尉陽羨侯曰楚
者晉建安太守安吉伯曰晃者晉輕車將軍南
蠻校尉長沙太守曰璜者晉蒼梧太守曰隱者
晉尚書侍御史曰淵者晉尚書左民郎江陽太
守秭縣侯曰諒者晉琅邪王府主簿平蘇峻祖

約有功封常安侯曰琬者晉散騎常侍輕車將軍都亭侯曰陵者晉左中郎將御史中丞豫章太守曰援者晉輕車將軍西中郎將史光字伯朗崇裔孫仕晉中書侍郎遷侍中皆稱其職光子雅字叔安晉散騎常侍中書令陳留太守雅子輝字季明晉積射將軍輝子疇字伯倫晉豫章太守疇子憲字景法晉主侍以殊榮再不應命制書責誚起爲尚書左民郎轉建安太守興利除害舉善黜惡朝廷嘉之封山陰縣侯在郡

卒年七十二贈江州刺史史宜亦崇之裔以溧
陽人知溧陽縣事蓋楊吴天復二年也被牒云
溧陽洛橋鎮遏使知茶鹽榷麴務銀青光祿大
夫檢校刑部尚書兼御史大夫上柱國史宜譽
馳鄉里才達變通禦邊徼以多能緝兵戎而有
術加以洞詳稼穡善撫蒸黎賦輿深見其否藏
宗簿窮知其利病以久無宰[illegible][illegible]招携俾分兼
領之榮庶養新歸之俗儻閭井政别議酬勞差
兼知溧陽縣事

潘乾字元卓陳國長平人楚太傅潘崇之末緒也察廉除溧陽長布政優優令儀令色矜孤顛耆重義輕利推泮宮之教反失拾之禮詳見校官碑

岑仲休者文本孫爲溧水令時兄羲遷金壇令翔爲長洲令皆有治績宰相宗楚客語巡察御史毋遺江東三岑後至商州刺史按岑君德政碑云名植字德茂亦文本孫爲潤州句容令達時事明政理戶口滋田疇闢優制加朝散大夫上柱國及遣使分行江東道黜陟使源乾雅舉之於是邑丞魏巨以下暨民立碑雍州錄事張景毓文

蘇頌字子容泉州晉江人仁厚恭謹喜慍不形

於色自書契以來經史九流百家之說至於圖緯陰陽五行律呂星官算法山經本草無所不通嘗議學校欲博士分經課試諸生以行藝爲陞俊之路議貢舉欲先行實而後文藝去封彌謄録之法使有司參考其素行之自州縣始庶幾復鄉貢里選之遺範論者韙之慶曆三年知江寧縣建業丞李氏後版籍賦輿無法每有發斂府移追擾吏係縲於道頌曰此令職也府何與焉每因治訴旁問鄰里丁産多寡悉得其詳

一日召鄉老更定戶籍民有自占不實者必曰汝家尚有某丁某產何不自言相顧而驚無敢隱者一縣以爲神明又爲剗革蠹弊更設條教簡而易行諸縣取以爲法他日諸令長造門領縣民拜庭下謝曰此曹獲免追逮皆公之賜也民有忿爭者至誠諭以鄉黨宜相親善意若以小忿而失歡心一旦緩急將何賴焉往往謝去或至半道思其言而歸縣以大治時監司王鼎王綽楊紘皆於部書少所許可觀頌施設曰非

吾所及後相哲宗爲時名臣

明道先生程子諱顥字伯淳其先河南人年十五六時奉父太中公（諱珦）之命師事濂溪周先生聞其論道遂厭科舉業慨然有求道之志明於庶物察於人倫辨異端似是之（非）開百代未明之惑秦漢而下未有臻斯理也謂孟子沒而聖學不傳以興斯文爲己任進將覺斯人退將明之書不幸早世皆未及也其辨析精微稍見於世者學者之所傳爾先生自弱冠應詔中進士

第再調主江寧府上元縣簿上元田稅不均比他邑尤甚蓋近府美田爲貴家富室以厚價薄其稅而買之小民苟一時之利久則不勝其弊先生爲令畫法民不知擾而一邑大均其始富者不便多爲浮論欲擢止其事既而無一人敢不服者會令罷去先生攝邑事上元劇邑訴訟日不下二百爲政者疲於省覽先生處之有方不閱月民訟遂簡江圩稻田賴陂塘以溉盛夏塘堤大决計非千夫不可塞法當言之府府禀

於漕司然後計功調役非月餘不能興作先生曰比如是苗槁久矣民將何食救民獲罪所不辭也遂發民塞之歲則大熟江寧當水運之衝舟卒病者則留之爲營以處曰小營子歲不下數百人至者輙死先生察其由蓋計留然後請於府給券乃得食比有司文具餓已數日先生白漕司給米貯營中至者即與之食自是生全者太半措置於纖微之間而人已受賜先生嘗云一命之士苟存心於愛物於人必有所濟仁

宗登遐遺制官吏成服三日而除三日之朝府尹率郡官將釋服先生進曰三日除服遺詔所命莫敢違也請盡今日若朝而除之所服止二日耳尹怒不從先生曰公自除之其非至夜不敢釋也一府相視無敢除者茅山有龍池其龍如蜴蜥而五色祥符中中使取二龍至中途中使奏一龍飛空而去自昔嚴奉以爲神物先生嘗捕而脯之使人不惑其始至邑見人持竿道旁以黏飛鳥取其竿折之教之使勿爲及罷官

艤舟郊外有數人共語自主簿折黏竿鄉民于
弟不敢畜禽鳥先生爲政治惡以寬厲煩而裕
當法令繁密之際未嘗從衆爲應文逃責之事
人皆病於拘礙而先生處之綽然衆憂以爲甚
難而先生爲之沛然雖當倉卒不動聲色方監
司競爲嚴急之時其待先生率皆寬厚施設之
際有所賴焉先生所爲綱條法度人可効而爲
也至其道之而從動之而和不求物而物應夫
施信而民信則人不可及也自上元移澤州晉

城令尋以呂公著薦擢太子中允權監察御史裏行神宗素知先生名斯[illegible]所前後進說甚多大要以正心窒欲求賢育材爲先不飾辭辯獨以誠意感動人主嘗言人主當防未萌之欲神宗俯身拱手曰當爲卿戒之時王荊公安石日益信用先生每進見必爲神宗陳君道以至誠仁愛爲本未嘗及功利荊公寖行其說先生意多不合事出必論列數月之間章數十上尤極論者輔臣不同心小臣與大計興利之臣日

進尚德之風寖衰荆公與先生雖道不同而嘗謂先生忠信先生每與論事心平氣和荆公多爲之動而言路好直者必欲力攻取勝由是與言者爲敵先生言旣不行懇求外補神宗猶重其去上章及面請至十數不許遂闔門待罪神宗命執政除以監司復上章曰請罪獲遷刑賞混矣累請得罷尋與外任雖在小官賢士大夫視其進退以卜興衰哲宗卽位召爲宗正寺丞未行以疾終年五十有四士大夫識與不識莫

不哀傷子三人端慤端懿端本元豐八年十月
葬伊川先塋太師潞國公文彦愽題其墓曰大
宋明道先生程君伯淳之墓晦庵先生徽國文
公朱熹贊曰揚休山立玉色金聲元氣之會渾
然天成瑞日祥雲和風甘雨龍德正中厥施斯
普嘉定中賜謚曰純淳祐初詔曰明道初元天
於河南篤生大賢是似顔子故任承議郎宗正
寺丞謚純程顥德性粹甚天理渾然由明而誠
有過化存神之妙自體達用有綏來動和之功

使得相於熈寧蒼生之福未艾朕每追惜之然誦其遺書如有用我期月而可真足以開萬世之太平也爰躋從祀仍錫追封以示褒崇可特封河南伯元統元年

制加封豫國公弟伊陽伯顥洛國公

劉珙字共父建安人宋靖康忠臣劉韐之孫知興元府子羽之子韐帥真定有威名後為宣撫副使與守禦事東京陷死于金營子羽佐張魏公浚宣撫川陝浚坐失地喪師奪官子羽亦被

責安置白州賴吳玠以兩鎮節贖罪乃免珙登
第補官紹興末年金人渝盟珙由吏部員外郎
充起居舍人權直學士院用兵詔檄一出其手
詞氣激烈讀者感勵孝宗淳熙二年除建康留
守值歲大旱首奏倚閣三等戶夏稅分遣官吏
行田蠲租出官錢糴米數萬斛借發常平米十
餘萬石助賑飢民令州縣勿徵舊逋又奏禁上
流郡縣稅米遏糴違者劾治之商賈輻湊谷價
以平闔境數十萬人無一人捐瘠者鄰境州郡

亦賴以濟孝宗降詔奬諭再任以致仕去卒謚忠肅官民思之立祠繪祀（詳見祠祀志中）珙在任始建明道先生祠朱文公撰記文公師屛山先生子翬乃子羽弟□珙以下忠孝之傳世不乏賢而中興以來□吏以珙爲稱首（孝宗曰前宰執治郡往往不以職事爲念陳卿在福州劉珙在建康於職事極留意治狀著聞未可換易龔茂良等曰二人治郡事事皆有條理誠如陛下所言又以破嶺南寇李全功推賞孝宗曰近時儒者多高談無實用卿則不然能爲朝廷了事誠可賞也）

真德秀字景元建寧人也少年中進士第召試

博學宏辭科歸建陽盡讀朱文公諸書發揮天理人心之妙蓋有及門而不盡得者誠意實德見者心服嘉定六年癸酉奉詔使金會大兵攻圍燕京中原大亂不得達而回明年德秀上書請絕金人歲幣畧謂女真徙巢于汴乃吾國之至憂蓋大國之圖滅女真猶獵師之志在得鹿鹿之所走獵必從之既能越三關之阻以攻燕豈不能絕黃河一帶之水以趨汴臣恐秋風一生梁宋之郊已爲戰場令當乗女真之將亡而亟圖自立之策乎抑幸其未亡而姑爲自安之計乎夫用忠賢修政事屈羣策收衆心者自立之本也訓兵戎擇將帥繕城池飭戍守者自立之具也以忍恥和戎爲福以息兵忘戰爲常積安邊之金繒飭行人之玉帛女

真尚存則用之於女真強敵更生則用之於強敵此苟安之計也陛下以自立爲規模則國勢日張人心日奮雖強敵驟興不能爲我患陛下以苟安爲志向則國勢日削人心日媮雖弱虜僅存不能無外憂矣尋除江東計度轉運副使八年兩淛江東西旱蝗建康尤甚凡濟人之政皆以身當其勞合本道義倉及轉般米數十萬斛而厚其積因戶部罷夏稅之請以蠲其征取郡縣官及寓公之賢以覈其實大家勿勸分貧者糴乏者濟已甚者輦粟賜之病者載藥與之本之以河北救災之議行之以青州之政櫛風沐雨遍走

二郡不足則開寄納倉出官錢糴之吳中又不足則以翰苑㯒中金益之不忍留都之不及則發私財以賑贍之訖事民益急則轉糶爲濟賴以全活者數十萬計廣德守（魏峴）附會時好劾教授林庠德秀引咎以白其冤禱雨白鷺洲其應如響是歲以稔告捐金粟建明道書院設教一本於二程由是士知講學時金人遷汴漸有南窺江漢之謀錢象祖史彌遠等相繼秉政邉帥任董居誼賈涉李大東輩朝廷上下應文苟安

德秀深憂之於驛遞附奏推本寧皇之仁一以仁祖而群臣般樂怠傲不興政宣者十事求謂天下之勢猶長江大河上流決潰下流必無獨寧之理今荆淮以北數百里間干戈搶攘戎馬雜襲正如熊咆虎鬬僅在藩垣之外而或者乃曰無預吾事彼其中心實不謂然姑欲架漏目前擺取名器爵祿而去至於宗社生靈之憂則使陛下獨當之耳彼群臣爲一身計可也陛下爲人子孫任九廟之托柰何付安危於度外乎語意剴切上爲感動其後守泉南帥豫章長沙三山惠民平盜尤多善政外夷讋服天下唯恐其不入相更化立朝發明大學得失與盛衰治亂存亡之義上爲詔讀校

文入奏歡然接納將舉國聽之而公薨矣自濂溪而下六君子扶持道統者皆未得顯位于時惟公續斯道之脉晚始嚮用世皆以堯舜君民望之命參大政而不及拜君子有以知宋祚之不長矣今其著書立言存於世者羽翼考亭與其書並傳卒贈大師謚文忠

陸子遹者會稽山陰人放翁務觀之子弱冠登第所至涖政有能名嘉定十一年知溧陽縣事始至即興學校以明教化鋤強梗以植善良審

聽斷䘏鰥寡先是溧陽民多奉白雲宗教雄據阡陌豪奪民業不與差徭貧下之民有赴訴者輙連結賄吏不行或反爲所誣俗又好禱祠大興淫祀病者不事醫藥惟日延巫覡于家手刃鷄鴈之屬加盤水以降鬼神雜經距踴取飲食啗之有頃妄曰吾得請於神矣以是誑民牢不可解子適召其徒諭之曰有我則無汝今奉天子命司人民社稷三鬼何爲者亂吾政賊吾赤子則下令悉毀廟之自聖僭王者奪白雲宗所

擾民業悉歸其主有田者當役與齊民均正妖巫翁惑之罪縣境肅然舊習爲之丕變冤和買虛額之弊謹差役推排之籍召縣尉巡檢與之面約自邑分鄉自鄉分都自都分保凡當役者貧富高下悉覈其產之虛實序其次第吏莫能欺又以農隙創新官署至於郵傳橋道無不整飭去任而民思之至今言溧陽前政之美者必稱子遹云

馬光祖號裕齋婺州金華人祖之純號野亭慶

元間以承議郎主管江東轉運司文字麃平公正有金陵百詠詩後五十餘年當寶祐甲寅而光祖以中奉大夫守司農卿總領淮西江東軍馬錢粮權江東轉運使明年以寶章閣直學士太中大夫沿江制置使江東安撫使節制和州無爲安慶三郡屯田使兼知建康府事初光祖弱冠登第爲臨江之新喻縣簿已有能名及宰饒之餘干獲登西山真文忠公之門一見許以國士爲作心經政經夜氣箴裕齋詩及遺以文

章正宗西山既居政府乃加薦拔遂躋清要光
祖亦自奮勵期無負西山之教所至以異績聞
知建康始上即以常例公用器皿錢二十萬緡
支犒軍民減租稅除秋苗斛面令人户自槩收
養鰥寡孤疾無告之人招兵置寨給錢助諸軍
婚嫁所屬諸縣折稅例收絲綿紬帛倚閣除免
以數萬計興學校禮賢才辟召僚屬皆極一時
之選戊午春除端明殿學士荆湖制置大使知
江陵府去而民思之不已理宗聞令以資政殿

學士再知建康士女相慶光祖益思寬養民力興廢起壞知無不爲蠲除前政逋負錢百餘萬緡魚利稅課悉罷減予民修建明道南軒書院及上元縣學撙節費用創建平糴倉貯米十五萬石又爲庫貯糴本二百餘萬緡補其折閱其米夏糶冬糴糶常減於市價以利小民通判一員提督倉門題云人人飽喫昇州飯世世常存老守心其兼沿江節制修飭武備上至安慶池州下達海口招兵買馬防扼要害邊賴以安三任始終九十二年民愛

之如父母敬之如神明屢以老乞休致朝廷不許光祖爲政寬猛適宜事存大體景定庚申大兵旣退賈似道行打筭法欲以汚諸閫臣時趙葵以宣撫使□兵江西委建康打筭光祖用參議汪立信言陰□□自爲計且力爲辨析葵得無害他帥若向士璧杜庶皆庾死獄中累及妻子辛酉壬戌間似道用劉良貴吳勢卿陳堯道曹孝慶合奏公田之法囬買官田一千萬畝淛西大擾貧民失業州縣一時迎合止欲買數之

多元租六七斗者皆作一石秋成之際元額有虧則取足田主或田有磽瘠佃有頑惡皆從元主責換其禍尤慘光祖移書賈相乞不以公田及江東必欲行之罷光祖乃可尋召赴行在除臨安府尹賑濟飢民彈治權豪京邑大治咸淳甲子再以沿江制置大使江東安撫大使行宫留守兼知府事所修繕營剏視前增多郡民爲建生祠六所己巳三月除樞密使兼參知政事時襄陽被圍邊報日亟公入朝被劾即以疾乞

還而建康自吳芈改除後黄萬石趙溍繼之皆
碌碌無遠慮奇略大兵自武昌順流而下沿江
諸將望風降遁無堅壁者光祖卒謚莊敏其行
事詳具諸志及宋年表

儒林

賀循字彥先其先慶普漢世傳禮世所謂慶氏學族高祖純博學有重名漢安帝時爲侍中避安帝父諱改爲賀氏曾祖齊仕吳爲名將祖景滅賊校尉父邵爲孫皓中書令被誅循少嬰家難流放海隅吳平乃還本郡操尚高厲童齔不羣言行進止必以禮讓國相丁義請爲五官掾刺史嵇喜舉秀才除陽羡武康令各有政教然無援於朝久不進序著作郎陸機上疏薦之召

補太子舍人趙王倫簒位轉侍御史辭疾去職除南中郎長史不就會賊李辰起兵江夏征鎮皆望塵奔走辰、帥石水略有楊州遂會稽相張景以前寧遠護軍程超代之以其長史宰與領山陰令前南平内史王矩吴興内史顧祕前秀才周玘等唱義傳檄州郡討賊循亦合衆應之水大將抗寵有衆數千屯郡講堂循移檄於寵爲陳逆順寵遂遁走超與皆降一郡悉平循迎景還郡即謝遣兵士杜門不豫功賞及陳敏之亂詐稱詔書以循爲丹楊内史循辭以脚疾手不制筆又服寒食散露髮袒身示不可用敏不敢逼是時州内豪傑皆見維縶或有老疾就加秩命惟循與吴郡朱誕不豫其事及敏破征東將軍周馥上循會稽相尋除吴國内史公車徵賢良皆不就元帝爲安東將軍復上循爲吴國内史東海王越命爲參軍徵拜博士並不起及帝遷鎮東大將軍以軍司顧榮卒引循代之循稱疾篤牋疏十餘上帝遺之書曰前者顧

公臨朝深賴髙筭元凱既登巢許獲逸今道之云亡邦國殄悴羣望顒顒實在君侯望必屈臨以副傾遲循猶不起及帝承制復以爲軍諮祭酒循稱疾敦逼不得已乃轝疾至帝親幸其舟因諮以政道循羸疾不堪拜認乃就加朝服賜第一區車馬牀帳衣褥等物循辭讓一無所受時廷尉張闓住在小市將奪左右近宅以廣其居乃私作都門早閉晏開人多患之訟於州府皆不見省會循出至破岡連名詣循質之循曰見張廷尉當爲言及之闓聞而遽毁其門詣循致謝其爲世所敬服如此愍帝即位徵爲宗正元帝在鎮又

褒爲侍中道嶮不行以討華軼功將封鄉侯循自以卧疾私門固讓不受建武初爲中書令加散騎常侍又以老疾固辭改拜太常常侍如故循以九卿舊不加官又疾患不宜無處惟拜太常朝廷疑滯皆諮之輙依禮經對爲當世儒宗其後帝以循清貧下令曰循冰清玉潔行爲俗表位處上卿而居身服物周形而已屋室財庇風雨孤近造其廬以爲慨然其賜六尺牀薦席褥并錢二十萬以表至德暢孤意焉循又讓不

許不得已留之初不服用及帝踐位以循行太子太傅太常如故循自以枕疾廢頓臣節不脩累表固讓帝不許命皇太子親往拜焉循有羸疾而恭於接對諮斷賓客疾漸篤表乞骸骨上還印綬受左光祿大夫開府儀同三司帝臨軒遣使持節加印綬循雖口不能言指麾左右推去章服車駕親幸執手流涕太子親臨者三往還皆拜儒者以爲榮太興二年卒時年六十帝素服舉哀哭之慟贈司空謚曰穆循博覽羣書

尤精禮傳雅有知人之鑒拔同郡楊方於卑陋
卒成名於世子隰康帝時官至臨海太守方字
公回補高梁太守在郡積年著五經鉤沉更撰
吴越春秋并雜文筆皆行於世
劉瓛字子珪沛郡相人晉冊楊尹惔六世孫也
篤志好學博通訓義年五歲聞舅孔熙先讀管
寗傳欣然欲讀舅更爲說之精意聽受曰此可
及也宋大明四年舉秀才除奉朝請不就兄弟
三人共處蓬室怡然自樂習業不廢教授常數

十人丹楊尹袁粲於後堂夜集聞而請之指聽事前古梛樹謂瓛曰人謂此是劉尹時樹每想高風今復見卿清德可謂不衰矣薦爲祕書郎不見用後拜安成王撫軍行參軍坐事免瓛素無官情自此不復仕袁粲誅瓛微服往哭并致賻助齊高帝踐祚召瓛入華林園談語問以政道答曰政存孝經宋氏所以亡陛下所以得之是也帝咨嗟曰儒者之言可寶萬世又謂瓛曰吾應天革命物議以爲何如瓛曰陛下戒前軌

之失加之以寬厚雖危可安若循其覆轍雖安必危及出帝謂司徒褚彥回曰方直乃耳學士故自過人勑瓛使數入而瓛自非詔見未嘗到宮門上欲用瓛爲中書郎使吏部尚書何戢喻旨瓛笑曰平生無榮進意後以母老闕養拜彭城會稽郡丞學徒從之者轉衆除步兵校尉不拜瓛姿狀纖小儒業冠於當時都下士子貴游莫不下席受業當世推其大儒以比古之曹鄭性謙率不以高名自居詣人唯一門生持胡牀

隨後主人未通便坐門待荅住在檀橋尾屋數間上皆穿漏學徒敬慕不敢指斥呼爲青溪竟陵王子良親往脩謁十年表武帝爲瓛立館以城西楊烈橋故主第給之生徒皆賀瓛曰此華宇豈吾宅邪幸可詔作講堂猶恐見害也未及徙居遇疾卒瓛有至性祖母病疽經年手持膏藥漬指爲爛母孔氏甚嚴明謂親戚曰阿稱便是今世曾子稱瓛小名也年四十餘未有婚對建元中高帝與司徒褚彦回爲瓛娶王氏女王

氏穿壁挂履土落孔氏牀上孔氏不恱鸑即出
其妻及居毋憂住墓下不出廬足爲之屐杖不
能起此山常有鸑鷟鳥鸑在山三年不敢來服
釋還家此鳥乃至梁武帝少時嘗從受業天監
元年下詔爲鸑立碑謚貞簡先生所著文集行於世

雷次宗字仲倫豫章南昌人居廬山篤志好學
尤明三禮毛詩隱退不受徵辟宋元嘉十五年
徵至都開館於鷄籠山聚徒教授置生百餘人
會稽朱膺之潁川庾蔚之並以儒學總監諸生

時國子學未立上留意藝文使丹楊尹何尚之立玄學太子率更令何承天立史學司徒參軍謝玄立文學凡四學並建車駕數至次宗館資給甚厚久之還廬山公卿以下並設祖道後又徵詣都爲築室鍾山西巖下謂之招隱館使爲皇太子諸王講經次宗不入公門使自華林東門入延賢堂就業二十五年卒於鍾山子肅之頗傳其業

伏曼容字公儀平昌安丘人晉著作郎滔之曾

孫也曼容早孤與母兄客居南海少篤好學聚徒教授自業爲驃騎行參軍宋明帝好周易嘗集朝臣於清暑殿講曼容美風采帝以方嵇叔夜使吴人陸探微畫叔夜像賜之爲尚書外兵郎嘗與袁粲罷朝相會言玄理時論以爲一臺二絶昇明末爲輔國長史南海太守作貪泉銘齊建元中爲太子率更令侍講拜中散大夫曼容宅在瓦官寺東施高座於聽事有賓客輙升高座爲講説生徒嘗數十百人梁臺建召拜司

徒司馬出爲臨海太守天監元年卒官年八十

二曼容善音律射馭風角醫筭莫不閑了爲周

易毛詩喪服集解老莊論語義詳見史傳

隱逸

嚴光字子陵一名遵會稽餘姚人也少有高名與光武同遊學及光武即位乃變名姓隱身不見嘗結廬溧水上（十道四蕃志太平寰宇志皆云溧水縣東南十五里有東廬山有水源三嚴子陵嘗結廬於此）帝思其賢令以物色訪之後齊國上言有一男子披羊裘釣澤中帝疑其光備安車玄纁遣使聘之三反而後至舍於北軍給牀褥太官朝夕進膳司徒侯霸與光素舊遣使奉書使人因謂光曰公聞先生至區區欲即

詣造迫於典司是以不獲顧因日暮自屈語言
光不荅口授書曰君房足下位至鼎足甚善懷
仁輔義天下悦阿諛順旨要領絶霸得封奏之
帝笑曰狂奴故態也車駕即日幸其館光卧不
起帝即其卧所撫光腹曰咄咄子陵不可相助
爲理邪光眠不應良久乃張目熟視曰昔唐堯
著德巢父洗耳士固有志何至相迫乎帝曰子
陵我竟不能下汝邪於是升輿歎息而去復引
光入論道舊故相對累日共偃卧光以足加帝

腹上明日太史奏客星犯御座甚急帝笑曰朕故人嚴子陵共卧耳除爲諫議大夫不屈乃耕於富春山後人名其釣處爲嚴陵瀨建武十七年復特徵不至年八十終於家帝傷惜之詔下郡縣賜錢百萬穀千斛溧水乃初隱處富春乃歸隱處

曾勝字叔時代郡人也少有才操爲佐著作郎元康初遷建康令到官著正天論嘗歲日望氣知將來多故便稱疾去官中書令張華遣子勸其更仕再徵博士舉中書郎皆不就

郭文字文舉河内軹人也少愛山水尚嘉遁常遊名山歷華陰觀石室洛陽陷入吳興餘杭大辟山中倚木於樹苫覆其上而居焉時猛獸爲暴文獨宿十餘年竟無所患恒著鹿裘葛巾採竹葉木實貿鹽米自供人或賤價取之亦即與之過有猛獸殺鹿於文菴側文以語人人賣得錢分文文曰若須自取何以相語又有一獸向文張口文爲探去其鯁骨而去明旦致一鹿於室前每有寄宿者文爲之汲水無勸色餘杭縣

令顧颺與葛洪造之颺使致韋袴褶文不納颺使置室中乃至爛於戶內竟不服用王導爲相使迎至京師於西園築臺置之今永壽宮爲古冶城有舊太乙殿基山上有敎阜即其處朝士咸共觀之文頹然箕踞傍若無人溫嶠嘗問曰人皆有六親相娛先生弃之何也文曰遭世亂耳又問飢而思食壯而思室自然之性先生獨無情乎文曰情由憶生不憶則無情又曰先生獨處窮山若疾遭命不爲鳥鳥食乎文曰埋藏者亦爲螻蟻所食又曰猛獸

害人先生獨不畏乎文曰人無害獸之心獸豈有傷人之意又曰苟時有不寧身不得安今將用先生以濟時若何文曰山草之人安能佐時永昌中大疫文亦病王導遺藥文曰命不在藥天壽時也居冶城七年一旦忽求還山導不聽乃逃歸臨安及蘇峻作逆而臨安獨全人以爲知機自此不復語但舉手指麾及病篤臨安令萬寵候之問先生可得幾日文三舉手果十五日而終既葬於座下有木數片反覆書之上曰

金雄記下曰金雌詩詩著地爛毁不識金雄記言將來事多有驗也

史虚白字畏名世家齊魯嘗隱嵩少間中原喪亂與韓熙載皆歸江南時南唐烈祖徐知誥輔吳方任用宋齊丘虚白數爲烈祖言中原方横流獨江淮豐阜兵食俱足當長驅以定大業毋失事幾爲他日悔與齊丘意不合乃謝病去南遊九江至落星灣家焉常乘雙犢版轅掛酒壺車上山童總角負一琴一酒瓢以從往來廬山

絕意世事保大初元宗召見訪以國事對曰草野之人漁釣而已安知國家大計賜宴便殿醉溺于殿陛元宗曰眞隱者也賜田五頃放還山

大傳云元宗南遷次蠡澤廬白鶴袁藜杖迎謁道旁元宗駐驆勞問曰處士居山亦嘗有賦乎曰近得谿居詩一聯使誦之曰風雨揭却屋渾家醉不知元宗變色厚賜粟帛上樽酒徐鉉高越謂之曰先生高不可屈盍使二子仕乎廬白曰野人有子賢則立功業以道事明主愚則負薪捕麋以養其母僕未嘗介意也不敢以累公鉉越嫗歎卒年六十八將終謂其子曰官賜吾美酒飲之畧盡尚留一榼吾死置藜杖及此酒於棺中四時勿用祭享無益死者吾亦不歆乎皆從之孫温宋天聖中仕爲虞部員外郎獻廬白文集仁宗愛之追號廬白沖靖先生

耆舊

紀瞻字思遠丹楊秣陵人也祖亮吴尚書令父陟光禄大夫瞻少以方直知名吴平徙家歷陽郡察孝廉不行舉秀才尚書郎永康初州又舉寒素大司馬辟東閤祭酒其年除鄢陵公國相不之官明年左降松滋侯相太安中棄官歸家與顧榮等共誅陳敏召拜尚書郎與榮同赴洛在塗共論易太極瞻曰昔庖犧畫八卦陰陽之理盡矣文王仲尼係其遺業三聖相承共同一致稱易準天無復其餘也天天清地平兩儀交泰四時推移日月輝其間自然之數雖經諸聖

孰知其始吾子云曚昧未分豈其迷乎聖人人也安得混沌之初能藏其身於未分之内老氏先天之言此蓋歷誕之說非易者之意也亦謂吾子神通體解所不應疑意者直謂太極極盡之彝言其理極無復外形外形既極而生兩儀王氏指向可謂近之古人舉至極以爲驗謂二儀生於此非復謂有父母若必有父母非天地其孰在縈遂止至徐州聞亂曰甚不行會刺史裴盾得東海王越書若縈等顧望以軍禮發遣乃與縈及陸玩等各解船棄車牛一日一夜行三百里得還揚州元帝爲安東將軍引爲軍諮祭酒轉鎮東長史帝親幸瞻宅與之同乘而歸以討周馥華軼功封都鄉侯石

勸入寇加揚威將軍都督京口以南至蕪湖諸軍事勸退除會稽内史時有詐作大將軍府符收諸暨令瞻覺其詐便破檻出之訊問使者果伏罪遷丞相軍諮祭酒論討陳敏功封臨湘縣侯西臺除侍中不就及長安不守與王導俱入勸進帝不許瞻曰二帝失御神器去晉于今二載陛下膺籙受圖特天所授而欲逆天時違人事失地利三者一去雖復傾匡於將來豈得救祖宗之危急哉且今五都燔爇宗廟無主劉淵

竊弄神器於西北而陛下方欲高讓於東南此所謂揖讓而救火也帝猶不許使殿中將軍韓績徹去御座瞻叱績曰帝坐上應星宿敢動者斬帝爲之改容及帝踐位拜侍中轉尚書上疏諫諍多所匡益久疾不堪朝請除尚書右僕射稱病篤還第不許時郗鑒據鄒山屢爲石勒等所侵逼瞻以鑒有將相之材恐朝 廷棄而不恤上疏請徵之明帝嘗獨引瞻於廣室慨然憂天下曰社稷之臣無復十人如何因屈指曰君便

其一瞻辭讓帝曰方欲與君善語復云何崇謙讓邪瞻才兼文武朝廷稱其忠亮雅正轉領軍將軍六軍敬憚之加散騎常侍王敦之逆帝使謂瞻曰卿雖病但爲朕卧護六軍所益多矣賜布千匹瞻不以歸家分賞將士賊平自表還家不許拜驃騎將軍常侍止家爲府卒年七十二册贈開府儀同三司謚曰穆御史持節監護喪事論討王含功追封華容子降先爵二等封次子一人亭侯瞻性靜默少交遊好讀書或手自

抄寫凡所著述詩賦牋表數十篇無解音樂立宅烏衣巷館宇崇嚴慎行愛士老而彌篤尚書閔鴻太常薛兼廣州太守河南褚沉給事中宣城章遼歷陽太守沛國武嘏並與瞻素疎咸籍其高義臨終託後於瞻瞻悉營護其家爲起居宅同於骨肉少與陸機兄弟親善機死瞻卹其家嫁機女資送同於所生長子景早卒景子友嗣官至廷尉景弟鑒太子庶子大將軍從事中郎先瞻卒

王諒字幼成丹楊人少有幹略爲王敦所擢參其府事稍遷武昌太守初新昌太守梁碩專威交阯迎立陶咸爲刺史咸卒敦以王機爲刺史碩發兵距機自領交阯太守迎前刺史脩則子湛行州事永興三年敦以諒爲交州刺史謂曰脩湛梁碩皆國賊也卿至便收斬之諒既到境湛退還九真廣州刺史陶侃遣人誘湛來詣諒所諒執之碩時在坐曰湛故州將之子有罪可遣不足殺也諒曰是君義故無豫我事即斬之

碩怒而出諒使客刺之弟克碩遂率衆圍諒於龍編陶侃遣軍救之未至而諒敗碩逼諒奪其節諒固執不與斷諒右臂諒正色曰死且不畏臂斷何有十餘日憤恚而卒碩據交州凶暴尋爲侃所討誅

陶璜字世英冄揚秣陵人父基吳交州刺史璜仕吳歷顯位孫皓時交阯太守孫諝貪暴爲百姓所患會察戰鄧荀至擅調孔雀三千頭遣送秣陵既苦遠役咸思爲亂郡吏呂興殺諝及荀

以郡附晉武帝拜興安南將軍交阯太守尋爲其功曹李統所殺更以建寧爨谷爲交阯太守谷又死更遣巴西馬融代之融病卒南中監軍霍弋又遣犍爲楊稷代融與將軍毛炅九真太守董元牙門孟幹孟通李松王業爨能等自蜀出交阯破吳軍于古城斬大都督脩則交州刺史劉俊吳遣虞汜爲監軍薛珝爲威南將軍大都督璜爲蒼梧太守拒稷戰于分水璜敗退保合浦亡其二將珝怒謂璜曰若自表討賊而喪

二帥其責安在璜曰下官不得行意諸軍不相順故致敗耳珝欲還璜夜以數百兵襲董元獲寶物船載而歸珝乃謝之以璜領交州爲前部督璜從海道徑至交阯將戰璜疑斷牆内有伏兵列長戟於其後兵纔接元僞退璜追之伏兵果出長戟逆之大破元等以前所得寶船上錦物數千匹遺扶嚴賊帥梁奇奇將萬餘人助璜元有勇將解系同在城内璜誘其弟象使爲書與系又使象乘璜軺車鼓吹導從而行元等

曰象尚若此系必有去志乃就殺之瑯璜遂陷交阯吳因用璜爲交州刺史璜有謀策周窮好施能得人心滕脩數討南賊不能制璜曰南岸仰吾鹽鐵斷勿與市皆壞爲田器如此二年可一戰滅也脩從之果破賊初霍弋之遣稷旻等與之誓曰若賊圍城未百日而降者家屬誅過百日救兵不至吾受其罪稷等守未百日糧盡乞降璜不許給其糧使守諸將並諫璜曰霍弋已死不能救稷等必矣可須其日滿然後受降

使彼得無罪我受有義內訓百姓外懷鄰國不
亦可乎稷等期訖糧盡救兵不至乃納之皓以
璝爲使持節都督交州軍事前將軍交州牧武
平九德新昌土地阻險夷獠勁悍歷世不賓璝
征討開置三郡及九真屬國三十餘縣徵璝爲
武昌都督以合浦太守脩允代之交土人請留
璝以千數於是遣還皓既降晉手書遣璝息融
勑璝歸順璝泣數日遣使送印綬詣洛陽帝詔
復本職封宛陵侯改冠軍將軍在南三十年威

恩著于殊俗及卒舉州號哭如喪慈親子威領交州刺史在職甚得百姓心三年卒威弟淑子綏後並爲交州自基至綏四世爲交州者五人璜弟濬吳鎮南大將軍荆州牧濬弟抗太子中庶子濬子湮字恭之湮弟猷字恭豫並有名湮至臨海太守黄門侍郎猷宣城内史王導右軍長史湮子馥于湖令爲韓晃所殺贈廬江太守抗子回自有傳

陶回丹楊人也王敦命爲參軍轉州別駕敦死

司徒王導引爲從事中郎遷司馬蘇峻之役回
與孔坦言於導請早出兵守江口峻將至回復
謂庾亮曰峻知石頭有重戍不敢直下必向小
丹楊南道步來宜伏兵要之可一戰而擒亮不
從峻果由小丹楊經秣陵迷失道逢郡人執以
爲鄉導夜行無部分亮聞之深悔不從回言尋
王師敗績回還本縣收合義軍得千餘人與陶
侃溫嶠等并力攻峻又別破韓晃以功封康樂
伯時大賊新平綱維弛廢言從王導以回有器

幹擢比軍中候俄轉中護軍久之遷征虜將軍吳興太守時人饑穀貴三吳尤甚詔欲聽相鬻賣以拯一時之急田上䟽曰當今天下不普荒儉唯獨東土穀價偏貴便相鬻賣聲必遠流比賊聞此將窺疆埸如愚臣意不如開倉廩以賑之乃不待報輒便開倉及割府郡軍資數萬斛米以救乏絶由是一境獲全既而下詔并勑會稽吳郡依田賑恤二郡賴之在郡四年徵拜領軍將軍加散騎常侍征虜將軍如故田性雅正

不憚疆禦丹楊尹桓景佞事王導會熒惑守南斗經旬導語田曰南斗楊州分而熒惑守之吾當遜位以厭此謫田曰公以明德作相輔弼聖主當親忠貞遠邪佞而與桓景造膝熒惑何由退舍導深愧之以疾辭職不許徙護軍將軍常侍領軍如故未拜卒年五十一謚曰威四子汪嗣爵位至輔國將軍宣城内史陋冠軍將軍隱少府無忌光祿勲兄弟咸有幹用

張闓字敬緒丹楊人吳輔吳將軍昭之曾孫也

少孤有志操太常薛兼言闓才幹貞固當今之良器元帝引爲安東參軍甚加禮遇轉丞相從事中郎以母憂去職既葬帝強起之拜給事黃門侍郎領本郡大中正以佐翼勳賜爵丹楊縣侯遷侍中出補晉陵内史在郡甚有威惠所部四縣並以旱失田闓乃築曲阿新豐塘溉田八百餘頃每歲豐稔 葛洪爲其頌以擅興造免官後公卿爲之言曰張闓興陂溉田可謂益國而反被黜使臣下難復爲善帝感悟下詔曰丹楊

侯闓昔以勞役部人免官雖從吏議猶未淹其忠節之志也倉廩國之大本宜得其才今以闓爲大司農闓陳黜免始爾不可便居九列疏奏不許帝晏駕爲大匠卿營建平陵事畢遷尚書蘇峻之役闓與王導俱入宮侍衛峻使闓持節權督東軍王導潛與闓謀密宣太后詔於三吳令速起義軍陶侃等至假闓節行征虜將軍與振威將軍陶回共督丹楊義軍闓到晉陵盡運四部穀以給郗鑒又與蔡謨虞潭王舒等招集

義兵討峻峻平以尚書加散騎常侍賜爵宜陽伯遷廷尉以疾解職拜金紫光禄大夫卒年六十四子混嗣閶戩表文議傳於世

樂道融丹楊人少有大志好學不倦與朋友信每約已而務周急有國士之風爲王敦參軍敦將反使告甘卓卓以爲不可遲留不赴敦遣道融召之道融雖爲敦佐忿其逆節因說卓曰主上躬統萬機非專任劉隗今慮七國之禍故割湘州以削諸侯而王氏擅權日久卒見分政便

謂被奪敦背恩肆逆舉兵伐主國家待君至厚
今若同之豈不負義生爲逆臣死爲愚鬼君當
僞許應命而馳襲武昌敦衆聞之必不戰自散
大勳可就矣卓大然之乃與巴東監軍柳純等
露檄陳敦過逆率所統致討又遣齎表詣臺卓
年老多疑待諸方同進軍至豬口敦聞大懼使
卓兄子卬求和令卓旋軍主簿鄧騫與道融諫
曰將軍起義兵而中廢爲敗軍之將竊爲將軍
不取且士卒各求其利一旦西還欲其無叛恐

不可得卓不從道融晝夜涕泣諫説憂憤而死
未幾卓果爲其下所殺
劉係宗 丹楊人少便書畫爲宋竟陵王誕子景
粹侍書誕舉兵廣陵城内皆死勑沈慶之赦係
宗以爲東宫侍書泰始中爲主書以寒官累遷
勳品元徽初奉朝請兼中書通事舍人員外郎
封始興南亭侯 帶秣陵令齊高帝廢蒼梧王呼
正直舍人虞整醉不能起係宗歡喜奉勑高帝
曰今天地重開是卿盡力之日使寫處分分勑

令及四方書疏主書十人書吏二十人配之事
皆稱旨高帝即位除龍驤將軍建康令永明初
爲右軍將軍汜邑太守兼中書通事舍人毋喪
起復本職宿衛兵東討遣係宗隨軍慰勞遍至
遭賊郡縣百姓被驅逼者悉無所問上欲脩白
下城難於動役係宗啓謫役在東人丁隨唐寓
之爲逆者從之後車駕出講武履行白下城曰
劉係宗爲國家得此一城永明中魏使書常令
係宗題荅祕書局皆隸之再爲少府寧朔將軍

宣城太守係宗久在朝省閑於職事武帝常云學士輩不堪經國唯大讀書耳經國一劉係宗足矣沈約王融數百人於事何用其重吏事如此建武二年卒官

紀少瑜 字幼瑒丹楊秣陵人本姓吴養于紀氏因而命族早孤有志節常慕王安期之爲人年十三能屬文賦京華樂王僧孺見而賞之曰此子才藻新拔方有高名常夢陸倕以一束青鏤管筆授之云我餘此筆猶可用卿自擇其善者

其文因此頻進年十九遊太學博士東海鮑皦
雅相欽悅時皦有疾請少瑜代講少瑜旣妙玄
言善談吐辯捷如流爲晉安國中尉侍宣城王
讀當陽公爲郢州以爲功曹參軍轉輕車限内
記室坐事免大同七年爲東宮學士邵陵王在
郢啓求學士武帝以少瑜充行少瑜善容貌工
槀草吏部尚書到漑嘗曰此人有大才而無貴
仕將援之會漑去職後除武陵王記室參軍卒

陶子鏘字海育丹楊秣陵人父延尚書比部郎

兄尚宋末爲倖臣所怨被繫子鏘公私緣訴流
血稽顙行路嗟傷逢謝超宗下車相訪回詣建
康令勞彥遠曰豈忍見人昆季如此而不留心
勞感之兄乃得釋母終居喪盡禮與范雲隣雲
每聞其哭聲必動容改色欲相申薦會雲卒初
子鏘母嗜蓴母没後常以供奠梁武義師初至
此年冬營蓴不得子鏘痛恨慟哭而絶久之乃
蘇遂長斷蓴味

陶季直秣陵人 祖愍祖宋廣州刺史父景仁中

散大夫季直早慧愍祖愛異之嘗以四函銀列
置於前令諸孫各取季直時甫四歲獨不取人
問其故季直曰若有賜當先父伯不應度及諸
孫是故不敢愍祖益奇之五歲喪母哀若成人
初母未病於外染衣卒後家人始贖季直抱之
號慟聞者莫不酸感及長好學淡於榮利起家
桂陽王國侍郎北中郎鎮西行參軍並不起時
人號曰聘君父憂服闋爲丹陽後軍主簿領郡
功曹出爲望蔡令以病免時劉秉袁粲以齊高

帝權勢日盛將圖之秉素重季直欲與之定策季直以表劉儒者必致顛殞固辭不赴俄而秉敗齊初爲尚書比部郎時褚彥回爲尚書令與季直素善頻以爲司空司徒主簿委以府事彥回卒請爲立碑終始營護甚有吏節時人美之遷太尉記室參軍出爲冠軍司馬東莞太守還除散騎侍郎領左衛司馬轉鎮西諮議參軍明帝作相誅鋤異己季直不能阿意出爲輔國長史北海太守遷驃騎諮議參軍尚書左丞出爲

建安太守政尚清靜百姓便之還爲中書侍郎遷遊擊將軍兼廷尉梁臺建遷給事黃門侍郎常稱仕至二千石始願畢矣無爲久預人間事乃辭疾還鄉里天監初就家拜太中大夫高祖曰梁有天下遂不見此人卒年七十五季直素清苦又屏居十餘載及死家徒四壁子孫無以殯斂聞者莫不傷其志焉作京都記傳于世

丁咸序秣陵人耽儒學進脩士業授衡陽判官太守賢之

淳于量字思明其先濟北人世居建業父文成仕梁爲梁州刺史量偉姿容有幹略便弓馬以軍功封晉縣男侯景陷臺城元帝承制以爲巴州刺史景西攻巴州與王僧辯并力拒景大敗之擒其將任約宋子仙景平封謝沐縣侯出爲都督桂陽刺史陳受禪進位中撫軍大將軍華皎叛爲征南大將軍西討大都督平皎并降周將元定等以功授侍中中軍大將軍開府儀同三司進封醴陵縣公出爲南徐州刺史進號征

此大字六作大將軍遷車騎將軍都督南兗州刺史薨贈司空

張松建康人兄悌坐罪當死松及弟景各欲代其死縣以讞上武帝以爲孝義特降其死

史務滋溧陽人先爲溧陽侯累吏勞遷司賓卿天授元年九月進拜納言武后革命詔務滋等十人分行天下雅州刺史劉行實兄弟爲侍御史來子詢誣其反詔務滋與來俊臣雜治俊臣言務滋與囚善掩其反狀后命俊臣幷治遂自

殺

沈恪丹陽人永定初爲宣猛將軍陳霸先謀篡使中書舍人劉師知引恪勒兵入宮衛送梁主如別宮恪排闥見霸先叩頭謝曰恪身經事蕭氏今日不忍見此分受命耳决不奉命霸先嘉其意不復逼更以盪主王僧志代之晉書張禕者吳郡人恭帝爲琅邪王以禕爲郎中令及帝踐祚劉裕以禕帝之故吏素所親信封藥酒一甖付禕密令酖帝禕歎曰酖君而求生何面目視息世間哉不如死也自飲之死與恪皆義士故附見之

許淹句容人多識廣聞精詁訓與魏模公孫羅

大六五十五

皆以博學名家

劉鄴字漢藩句容人父三復以善文章知名少孤母病廢三復丐粟以養李德裕爲浙西觀察使奇其文表爲掌書記德裕三領浙西及劒南未嘗不從會昌時位宰相擢三復刑部侍郎弘文館學士鄴六七歲能屬辭德裕憐之使與子共師學德裕既斥鄴無所依去客江湖間陝虢高元裕表爲推官又辟鎮國幕府咸通初擢左拾遺召爲翰林學士賜進士第歷中書舍人遷

承旨鄭傷德裕以朋黨抱誣死海上令狐綯久當國更數赦不爲還官爵至懿宗立綯去位鄭乃伸其寃復德裕故官世高其義後與崔流皆同中書門下平章事

許叔牙字延基句容人貞觀時遷晉王府參軍事弘文館直學士於詩禮尤邃獻詩纂義十篇御史大夫高智周見之曰欲明詩者宜先讀此子子儒字文舉高宗時爲奉常博士長壽中歷天官侍郎弘文館學士封潁川縣男

張常洧字巨川句容人高祖伯卿曾祖元紹並

抗志不仕祖處靜烏程令父瑋建州司戶常淯瑋第四子也建中四年父歿廬墓三年墓側產瑞芝十二莖太守樊泌表奏旌表大和六年姪孫公珽亦以孝聞時賢謂張氏孝傳三世可華俗矣公珽兄孫瑑以經學著

徐鉉字鼎臣廣陵人十歲能屬文與韓熙載齊名江南謂之韓徐仕南唐爲翰林學士御史大夫吏部尚書今攝山棲霞寺西來賢亭即其居也宋師圍金陵煜遣鉉朝京師求緩兵太祖以禮遣之後隨煜至京師太祖責之鉉對曰臣仕江南國亡不能死

臣之罪也不當罔眞也太祖歎曰忠臣也以爲
太子率更令太平興國初直學士院從征太原
加給事中出爲左散騎常侍坐事貶黜卒年七
十六李穆嘗使江南見鉉及其弟鍇文章歎曰
二陸不能及也鍇仕江南爲內史舍人而卒鉉
好李斯小篆尤得其妙隸書亦工尺牘爲士大
夫所得皆珍藏之有集三十卷又有質疑論稽
神錄行於世

李華字君儀溧陽人父沒居喪毀瘠盡哀母老

得疾廢于牀華憂懼置家事不問專意奉養衣不解帶者十餘年尤篤於友愛內外無間言有田十餘頃歲水旱誓不一言減縣官租穀翔貴亟發廩平價食其一方虛甑待炊者日以千計大觀政和間蝗數害稼群飛下其田輙去不食年八十六卒子朝正字治表性剛直不茍勢利游太學登第歷勑令所删定官知溧水縣有異政民詣府舉留葉夢得薦於朝賜對轉一官賜銀緋從民所欲命還溧水陛辭乞易所得章服

封毋從之秩蒲除太府寺簿再除勑令所删定官俄除戶部郎改右司權戶部侍郎奉祠知平江府卒年六十官至朝奉大夫

王安石其先撫州臨川人父楚國公益字舜良登第仕至尚書都官員外郎通判江寧府年四十六卒官因家金陵七子安仁安道安石安國安世安禮安上安仁皇祐元年中進士第舉賢良授宣州司戶參軍卒安石字介甫慶曆二年中進士第累遷知制誥相神宗先再知江寧府

最後力告老拜鎮南軍節度使同中書門下平章事判江寧府納節改左僕射觀文殿大學士集禧觀使居金陵封荆國公加司空除安上提點江東路刑獄公事命移治所於金陵以慰之其見重如此甍謚曰文封舒王此舊有祠堂安石二子雱封臨川伯雱子棣字儀仲顯謨閣學士右中大夫開德府路經略安撫使建炎三年金人攻澶淵死於城守詔贈資政殿大學士雱第旁旁生桐桐生璹珏安國字平甫有文名當

遊騎至歷陽導請出討之加大司馬假黃鉞中
外諸軍事置左右長史司馬給布萬疋賊退解
大司馬復轉中外大都督進位太傅又拜丞相
依漢制罷司徒官以幷之冊曰朕夙罹不造肆
陟帝位未堪多難禍亂旁興公文貫九功武經
七德外緝四海內齊八政天地以平人神以和
業同伊尹道隆姬旦仰思唐虞登庸雋乂申命
羣官允釐庶績朕思憑高謨弘濟遠猷維稽古
建爾于上公永爲晉輔往踐厥職敬敷道訓以

亮天工不亦休哉公其戒之咸和五年薨時年六十四帝舉哀朝堂三日遣大鴻臚持節監護喪事賵襚之禮一依漢博陸侯及安平獻王故事及葬給九游轀輬車黃屋左纛前後羽葆鼓吹虎賁班劒百人中興名臣莫與爲比謚曰文獻祠以太牢六子悅恬洽恊劭薈唐史武后就王綝求羲之書奏曰十世從祖羲之書四十餘番太宗求之先臣悉上送今所存惟一軸幷上十一世祖導十世祖洽九世祖珣八世祖曇首七世祖僧綽六世祖仲寶五世祖騫高祖規曾祖褒幷九世從祖獻之等九二十八人書共十篇后御武成殿編示羣臣詔中書舍人崔融序其閥閱號寶

章集復以賜綝子方慶

其先自冄陽徙雍咸陽

謝安字安石少有重名初辟司徒府除著作佐郎並以疾辭寓居會稽與王羲之及高陽許詢桑門支遁游處出則漁弋山水入則言詠屬文無處世意年四十餘征西大將軍桓温請爲司馬將發新亭朝士咸送中丞高崧戲之曰卿屢違朝旨高臥東山諸人每相與言安石不肯出將如蒼生何蒼生今亦將如卿何會弟萬病卒安求歸除吳興太守在官無當時譽去後爲人

大三一六

所思徵拜侍中遷吏部尚書中護軍簡文帝疾篤温上疏薦安宜受顧命及帝崩温入赴山陵止新亭大陳兵衛將移晉室呼安及王坦之欲於坐害之坦之甚懼問計於安安神色不變曰晉祚存亡在此一行既見温坦之流汗沾衣倒執手版安從容就席坐定謂温曰安聞諸侯有道守在四鄰明公何須壁後置人邪温笑曰正自不能不爾遂笑語移日坦之初與安齊名至是方知其劣温威振内外人情噂𠴨互生同異

除端明殿學士同知三省樞密院事尋參知政事出爲江南西路安撫大使知洪州卒田在孫孫間父琮携家人上冢乳母負田登舟忽失手墮水不能救是夕舟次秦淮江口聞隣舟兒啼聲頻類叩鄰舟果得之舟人言夜見江上火光若列甲仗數百人守衛者舟近皆散不見獨火光明滅得是兒溧水志李世家中山宋末名㙜者登第知名當世今進士名樞名懋者皆㙜孫居城中

俞臬字祗若溧水人中上舍釋褐第一人初授承事郎祕書正字轉起居舍人給事中極論丞相蔡京不合出知潤州改襄陽府廉門寺有田千頃牛千頭僧饒於財無戒行臬乃奏改禪院

賜額分其田半爲官田歲收租萬斛以助軍儲一年召赴闕言官吏苟且成風不肯予奪公事蓋慮不當將來罪有所歸及百姓訴縣不當公事本州不與予奪復送本縣依條施行訴州不當公事監司不與予奪復送本州依條施行且百姓冤抑強有力者能自訴于縣訴于州訴于監司亦不過送本縣依條施行貧窮孤弱之人冤抑雖甚何從申愬切慮上干陰陽之和又言外方最要切者監司守令願戒諭三省謹擇監

司俾表率州縣天下幸甚上嘉其言賜對衣金帶再試給事中除御史中丞翰林學士知制誥兵部尚書在朝知必盡言上每嘉納多所匡正蔡京復以臬多忤意奏出知河陽改開德府章屢上責授常州團練副使太平州安置政和八年復除顯謨閣待制知潭州以母病陳乞就近便改知建康府到任轉朝奉大夫述古殿直學士未幾致仕子孫後多顯官梓臬作俞氏釋褐題名記其祖考始儲六經以詔昆裔越五十年然後有解褐而歸者自天聖訖今九十人非朝廷樂育之效與故

丞相岐公嘗以十榜傳家爲美褒諷其詩而說之因追念先澤刻石以垂訓學者勿嬉勿隨克踵舊武以忠義報國蓋振家聲則視此無媿矣諸科如良佐良弼瑊珏仲翁徹褒續迎次胁布次喬皆俞氏云

秦檜字會之江寧人登進士第相高宗與金講和以病同子熺致仕二孫塤堪乞改差在外宮觀檜進封建康郡王少傅熺贈少師封福國公致仕塤堪並提舉江州太平興國宮後檜追封申王謚忠獻孫鉅死節別有傳兄梓字楚材自江寧居溧陽使高麗還登進士第歷知台秀袁

太平常湖六州除翰林學士出知宣州民詣闕請留進職再任再移湖州告老贈光禄大夫子熇孫城皆篤學世其家業

魏良臣字道弼溧水崇教鄉南塘人負資瑰偉少游郡學歸毋病已亟良臣刲股爲糜以進下咽即安閭里稱孝宣和三年登進士第初擬册徒尉詣闕投匭函伸太學陳東寃天下高其義調嚴州壽昌令以縣最聞召對除敕令删定官遷吏部郎官金人犯高郵擇使講和上曰魏良

臣頗有氣節宜往使還舊相去國廷議不恊丐
祠歸閑廢累年上念之除禮部郎官遷左右司
檢正秦檜當國欲畀以言職力辭適金人敗盟
擢吏部侍郎奉使兀术擁精鋭以懼之良臣從
容不懾反復審辯迄定初議後參大政出衣冠
之因歸巒癉之寃起淹抑斥姦田脩軍政罷冗
官節浮費晚歷知紹興宣潭洪四郡卒年六十
九贈光禄大夫建康郡開國侯食邑千三百户
食實封二百户謚敏肅

潘祺字長吉溧陽人好學尚氣節遊太學知名與陳諫議東爲友陳欲獻書闕下過祺謀可否祺曰祺親老不能與子俱子不可不勉陳意遂决祺性至孝父疾革露章請于帝願减己筭益父壽父疾果瘳僉以爲孝誠所感登第調宣州司户卒年三十八里人痛惜之

吳思道金陵人以詩爲蘇軾劉安世諸人監賞官至團練使宣和末亟挂冠去責授武節大夫致仕詩思益超拔後寓新安野服蕭然如雲水

人其高逸如此

王綸郡人紹興五年登第仕至參知政事三十一年以資政殿大學士知府兼安撫等使府治西廳建晝錦堂詳見慶元志

唐文濟金陵人性冲澹以琴爲娱太宗朝待詔上曰古琴五絃文武增爲七絃朕欲令蔡裔增琴爲九絃可乎文濟曰不可五絃有遺音而益以二今無所闕上怒叱出遂增之文濟終守前說上嘉其有終令賜緋

錢戳溧陽人居父憂有少年數人來曰而父在京師適我金數百萬戳欲償之兄弟有難色且令舉其要戳獨曰大人與人交信厚彼必不我欺且彼謂吾父貸宿鏹吾拒以無左驗辭雖直非孝子待親之道卒與之家爲瘠不悔元夕家人出觀燈隣不肖子潛入其家將爲盜戳知之呼前諭曰爾良家何爲乃至是取一白金合子與之使速去終不語人其子時斂始生有烏鵲銜青銅五銖錢一置庭中香案上識者知其陰

德之證以時敏恩贈奉直大夫時敏字端脩早穎悟讀書一覽即成誦屬文敏速氣岸軒豁勇於爲義年十八以明經貢辟雍擢上舍第縣大理寺丞遷祕書丞除駕部郎充奉迎兩宮扈從禮儀使司屬官改兵部郎檢察郊祀大禮儀仗遷右司郎兼權右史充禮部貢院參詳官又兼外制拜權工部侍郎俄權兵部侍郎除敷文閣待制奉祠告老卒年六十八贈正議大夫

周材字元英溧陽人質重氣和退然似不能

言七歲能屬文鄉試第一登第繇大理司直擢普安郡王府教授歷遷校書郎著作郎兼教授除起居舍人刑部侍郎使金還拜中書舍人直學士院兼實録院修撰兼侍講知常州奉祠孝宗登極以舊學召對便殿留奉内祠兼侍講復爲中書舍人遷給事中直學士院母憂服闋屢詔不起以龍圖閣直學士奉祠告老卒年七十二官至朝議大夫

閻彦昭字德甫世家建康之江寧徙居溧陽性

斂悟善治繁劇輕財尚義自浙西帥司機宜監
六部門遷太府寺丞除倉部郎奉使淮東參議
淛東江西帥幕除兩淛運判奉祠乾道九年卒
年七十九官至右奉直大夫子晃昴晟晃子一
德歷江陰建昌二軍及泰眞二州太守累官宗
正寺簿

刁衎昇州人初仕南唐直清輝閣閣中外章疏
江南平李昉扈蒙在翰林勉衎出仕因獻聖德
頌于朝乃復故官七年不遷恬澹夷雅太平興

國七年上疏言淫刑酷法非律文所載者望詔
天下悉禁止之上覽疏甚悦
秦傳序江寧人也淳化五年賊攻陷嘉戎瀘渝
涪忠萬開八州時傳序爲開州監軍力戰而死
上降詔嘉奬其子亶泝峽求其父尸至夔州船
覆溺死人謂父死於忠子死於孝奏至上嗟惻
久之録傳序次子煦爲殿直賜錢十萬
邵必丹陽人博學有雅望慶曆六年差爲編修
唐書官必言史出衆手非是卒辭之

朱存金陵人嘗讀吳大帝而下六朝書具詳歷代興亡成敗之迹南唐時作覽古詩二百章章四句前志多引爲証云

朱舜庸建康人好古博雅編金陵事積二十年自里巷口傳至仙佛之書無不研綜春容大帙餘數萬言慶元中留守吳琚得其編爲之訂證銓次目曰續建康志

吳柔勝字勝之溧水永寧鄉茅城人登淳熙八年進士第調宣城都昌尉巴陵主簿華亭下砂

鹽場官授嘉興教授浙西使者黄灝委以荒政賴全活者衆韓侂胄用事注贛縣尉時黨論沸騰柔勝爲人指目訕笑恬不爲意獨與寓官吏部揚萬講學義理提點刑獄司辟爲屬獲盜當改官柔勝曰豈忍以人命慱官諸監司交委任之丐祠歸家嘉定初召除主管尚書刑工部架閣文字授國子正當輪對時大風雷太廟鴟尾壞柔勝所進皆廷臣不敢斥言者遷慱士時年六十乞通判建康府邊郡擇守授司農丞知隨

州隨經兵火茅葦彌望不及中州一下縣柔勝
治之罷科斂寬逋負獎忠義褒死節隨人大悅
相慶隨及棗陽舊無城敵至直犯安陸漢陽東
及蘄黄南至鄂州興國柔勝爲築守既而金人
大入圍棗陽三月不克而退諸郡賴之就兼提
點京西刑獄改知池州未幾除湖北轉運判官
兼知鄂州値饑以精勤于事活人萬餘或議其
用是干譽柔勝屢求罷改知太平州鄂人泣留
之治太平一年有惠政柔勝素戒止足上章請

老除祕閣修撰主官觀卒贈太師謚正肅子源泳淵潛淵字選父登嘉定七年進士第淳祐九年以端明殿大學士太中大夫沿江制置等使知府十年詔以淵立山寨耕屯備竭忠勤特除資政殿學士仍與執政恩例進封金陵侯十一年詔以淵興利除害所列二十五事究心軍民特轉兩官賜錦綉堂忠勤樓大字尋進爵爲公十二年陞大學士除福建安撫使知福州改知平江府爲發運使未幾論罷淵所至好籍沒豪

横惠濟貧弱立義莊事見各志潛字毅父嘉定十年舉進士第一人相理宗封許國公爲賈似道所排貶循州尋薨事見宋史

秦憙者其先自南泉從居秣陵五世孫澤字金壇秩消徒居溧陽洮湖南憙其後也爲人長者歲收萬餘斛租鄉民輸粟每令自行槩因是而稱爲秦自量當熙寧元豐閒頻歲饑饉作糜粥以飼往來之人計升斗以給乏絕之家所全活甚衆霞山有廟居民好祀憙憫其妄殺牲畜

因改廟爲佛宇今號曰塔院崇寧二年蔣靜傳
其事見縣志

王端朝字季羔本澶淵人過江愛溧陽風土因
家焉少以該洽聞年十八舉建康第一後薦太
學又爲第一登第再中博學宏詞科歷太學録
祕書省正字江東帥司機宜除宗正丞提舉兩
浙市舶知永州乾道二年卒年四十四

劉岑字季高本吳興人遷居溧陽博學愛士有
古君子風登第擢著作郎再使金通判興國軍

除湖北運判辟川陝隨軍轉運使除金部郎累
遷權戶侍出知太平池州移鎮江府除刑部侍
郎遷吏部侍郎知信州責單州團練副使全州
安置在全五年移建昌軍居住又歷九年紹興
乙亥冬自便復官奉祠起知泰州移揚州溫州
除戶部侍郎車駕親征除御營隨軍都轉運使
奉祠告老除徽猷閣直學士乾道三年卒年八
十一官至左朝散大夫先世葬爲程之杼山故
號杼山居士熙寧中曾祖述字孝叔爲御史知

雜以忤荆公出知江州司馬温公折簡與孝叔有道勝名立之語杼山既居溧陽乃以道勝名其堂

崔敦禮與弟敦詩本通州静海人同登紹興庚辰第愛溧陽山水買田築居（池上有讀書堂扁曰雙桂）敦禮字仲由歷江寧尉平江府教授江東撫幹諸王宫大小學教授敦詩字大雅性端厚議論疏通知大體博覽彊記繇祕書省正字除翰林權直崇政殿説書權給事中家難服闋除樞密編修

官著作郎權吏部郎官又兼崇政殿說書進國子司業直學士院拜中書舍人加侍講直學士院卒贈中大夫

李處全字粹伯徐州豐縣人邯戰公淑之曾孫遷居溧陽慕劉杼山之為人文章閎肆詩體兼衆長字畫遒麗登第繇宗正寺簿遷太常丞知沅州提舉湖北茶塩除祕書丞兼禮部郎遷殿中侍御史遂除侍御史毋憂去朝奉祠後知袁州處州移贛州未赴改舒州卒於任年五十九

官至朝議大夫姪柄字子權知無爲軍舒州卒年四十二亦有聲稱云

潘彙征字泰初寓居溧陽記問該洽宗濂洛先儒之學四薦三魁登嘉定甲戌第廷對剴切漫塘劉宰嘉其志不茍求學行才猷兼備深器重之時杜丞相範爲湖州録參漫塘併薦于朝得宰崑山繁昌有能名而範後爲相彙征自號鶴山狷叟云

王雲起字霖仲號友山荆國王文公弟安上八

世孫治春秋學任澧州路儒學教授嘗爲湖廣行省考試官士論服其鑒裁翰林學士草廬吳公澂石塘胡長孺皆嘗序其詩文吳序云宋三百年文章歐曾二蘇各名一世而荊國王文公爲之最何也才識學行俱優也弟平父子元澤亦卓爾不羣英哲萃於一門出於一時噫難乎其繼矣文公季弟純父之遠孫雲起字霖仲胷懷坦坦如青天白日無掩蔽無腌曖言論挺挺如迅雷烈風無阿倚無留藏其徵於文也亦然韓子云昭晰者無疑優游者有餘霖中盡是也平父元澤之後而復見斯人乎王氏其世有人矣哉彼深險也而辭易直鄙狹也而辭宏敞輕媚也而辭勁峭穢濁也而辭清整若是而爲文皆表裏不相背爭不知其可也胡序云長孺被徵館集賢之三年霖中亦徵同會數十日去實至元二十有

六年也始至即求還山宰相留之不可欲用爲
教授江南一郡又不可遂行後十年見宰相杭
州延禮不逮京師時出輒與絶乃過長孺語移
晝漏十刻又後十有四年爲宗晦書院山長歲
蒲自溫集杭留六十日特時會語出所著宂林
漫稾相示長孺聆且閱焉其言出入載籍而不
拘其詩疏通動蕩而不滯其文條達敷暢而不
流追記異時霖仲初自建業到京師才二十有
五長身疎髭面目光皙如畫氣盛志強若飛鶴
游魚凌厲青冥之上縱横泠淵之間見貴富如
將以糞漫洟已疾走不肯一顧自杭歸建業方
以詩書授徒第子取縣教諭書院山長爲之大
作詩文及再爲山長歸道杭而留也貌嚴體癯
須鬟盡白雖志氣未衰而視在京師固已灑然
異矣使霖仲在京師如在建業祿祿從庸衆人
後積日月得官受祿爲貴富人已久然舍經術
詩文從事乎其他則又安得漫稾四編之多也
邪非徒多也假之歲年頗有不騤騤類荆國也

哉其爲澧州教甚宜其官宋狀元本爲譔遺愛碣改將仕郎旌德縣主簿不赴以疾終于家姪垕今居蔣山墳菴集王氏家譜甚詳覈云

楊剛中字志行其先處之松陽人曾大父遂仕宋知黃陂縣徙家建康父公溥鄉貢進士公幼穎敏力學家貧竭力養親或躬井臼之勞與兄敏中同居雍睦内外無間言

行臺移治建康任官者皆

國初名臣咸敬公學行折節賔禮不翕翕趨附

也省辟主江寧縣學學正得徽州路儒
學教授丁外艱服闋除平江路教授未赴擢福
建閩海道肅政廉訪司管勾承發架閣庫兼照
磨至則獨處公署行李蕭然扁所居齋曰霜月
御史行部至必加禮貌僉憲僚寀與之言必稱先
生會行科舉江西行省聘公與故翰林學士草
廬吳公澂偕主文衡所取拔皆知名奇士有以
不及貢額爲言者公謂國家以科目取士選貴
精審不宜以碌碌者充數聞者是之遷江東廉

訪司照磨復校文江浙行省得士尤多秩滿風
憲舉守令授衛輝路録事不赴改文林郎江浙
等處儒學提舉修舉學政省憲欽異丞相脫歡
公薦於
朝召爲翰林待制承務郎兼編脩官赴官月餘
謝病去晚自宣城挈家還居建康鄉人子弟詣
門質疑誨誘不倦著易通徵說詩講義若干卷
卒年七十四其甥進士李桓述行狀御史中丞
張公夢臣撰碑門人雷東義刊霜月齋集見趙魯公王侍御張中丞序文

僊釋

三茅君兄弟三人長諱盈字叔申咸陽南關人高祖諱濛字初成一字本初深識玄遠知周衰不仕諸侯乃師北郭北阿鬼谷先生長往華山道成以秦始皇三十年九月庚子乘龍白日昇天時邑童謠曰神僊得者茅初成駕龍上昇入太清時下玄洲戲赤城繼世而往在我盈帝若學之臘嘉平始皇聞之詢諸父老具對曰此僊人之謠勸帝求長生之術於是始皇忻然有尋

僊之志因改臘曰嘉平盈弟固字季偉衷字思和皆生漢景帝中元間盈天漢四年道成至元帝初元五年來江左句曲之山哀帝元壽二年乘雲而去是爲大司命君固至孝元時拜執金吾卿衷宣帝地節四年拜上郡太守五更大夫並解任從兄脩學俱得爲僊固爲定籙真君衷爲保命僊君詳見茅山志

葛僊公 名玄字孝先本姓諸葛遠祖征江漢次丹陽之句容因止而嘆曰獨身在此何諸之有

遂單姓葛玄有僊術甞從吳主至溧洲還遇大風百官船皆敗沒玄船亦沉吳主使人求玄久見玄出水上衣履不濕而有酒色既而言曰從子胥飲酒耳玄性好酒甞飲醉卧門前陂水中竟日醒乃止帝重之爲於方山立洞玄觀後傳白日舉今方山猶有玄煮藥鐺及藥臼在

葛洪字稚川丹楊句容人祖系吳大鴻臚父悌仕晉爲邵陵太守洪少好學家貧躬自伐薪以貨紙墨夜輙寫書誦習遂以儒學知名爲人木

訥不好榮利閉門却掃未嘗交游於餘杭見何幼道郭文舉目擊而已各無所言時或尋書問義不遠數千里崎嶇冐涉期於必得遂究覽典籍尤好神僊道養之法從祖玄吳時學道得僊號葛僊公以其煉丹祕術授弟子鄭隱洪就隱學悉得其法後又師事南海太守上黨鮑玄玄亦內學逆占將來見洪深重之以女妻洪洪傳玄業兼綜練醫術凡所著撰皆精覈是非而文章富贍太安中石冰作亂吳興太守顧祕爲義

軍都督與周比等起兵討之檄洪爲將兵都尉攻冰別率殺之遷伏波將軍冰平洪不論功賞徑至洛陽欲搜求異書以廣其學見天下已亂欲避地南土乃參廣州刺史嵇含軍事及含遇害遂停南土征鎮檄命一無所就後還鄉里元帝爲丞相辟爲掾以平賊功賜爵關内侯咸和初司徒導召補州主簿轉司徒掾遷諮議參軍干寶薦洪才堪國史選爲散騎常侍領大著作洪固辭不就聞交趾出丹求爲勾漏令帝以洪

資高不許洪曰非欲爲榮以有丹耳帝從之遂將子姪俱行至廣州刺史鄧嶽留不聽去洪乃止羅浮山鍊丹嶽表補東莞太守辭不就乃以洪兄子望爲記室參軍在山積年優游閑養著書凡內外一百一十六篇自號抱朴子因以名書其餘所著碑誄詩賦百卷移檄章表叄十卷神僊良吏隱逸集異等傳各十卷又抄五經史漢百家之言方伎雜事三百一十卷金匱藥方一百卷肘後要急方四卷後忽與嶽疏云當遠

行尋師剋期便發嶽得蹤狼狽往別而洪坐至日中兀然若瞌而卒嶽至遂不及見時年八十一視其顏色如生體亦柔軟舉尸入棺甚輕如空衣世以爲尸解得僊云

許邁字叔玄一名映丹楊句容人家世士族而邁少恬靜不慕仕進未弱冠嘗造郭璞璞爲之筮遇泰上六爻發璞謂曰君元吉自天宜學道時南海太守鮑靚隱跡潛遁人莫之知邁乃往候之探其至要父母尚存未忍遠親謂餘杭懸

霤山近延陵之茅山是洞庭西門潛通五嶽陳安世茅季偉常所游處於是立精舍於懸霤而徃來茅嶺之洞室放絶世務以尋僊館朔望時節還家定省而已父母既終乃遣婦孫氏還家攜其同志徧游名山永和二年移入臨安西山登巗茹芝眇爾自得有終焉之志改名玄字遠遊與婦書告别又著詩十二首論神僊事王羲之造之未甞不彌日忘歸相與爲世外交自後莫測所終實録始簡文爲會稽王時有三子俱夭及道生廢後獻王早世諸姬絶孕

十年無子令卜者扈謙筮之曰後房有一女當育二貴男其一終盛晋室時徐貴人有寵無子帝從容問邁曰臣好山水本無道術斯事豈所能判願陛下從扈謙之言以存廣接之道帝然之數年令善相者遍召諸愛妾示之皆云非其人時李后在織坊中形長黑色宫人皆謂之崑崙既至相者驚曰此其人也因召侍寢后常夢兩龍枕膝日月入懷生烈宗及會稽文孝王寀陳江總寺碑言攝山南瞻舊落顧睇鎮戍之塢北望荒村扈謙卜筮之宅則謙乃攝山人也

陶弘景字通明丹陽秣陵人祖隆王府參軍父貞孝昌令弘景以宋孝建三年丙申歲夏至日生幼有異操年四五歲常以荻爲筆畫灰中學書至十歲得葛洪神僊傳晝夜研尋便有養生

之志謂人曰仰青雲覩白日不覺爲遠矣父爲妾所害弘景終身不娶及長身長七尺七寸神儀明秀讀書萬餘卷一事不知以爲深耻善琴棊工草隸未弱冠齊高帝引爲諸王侍讀除奉朝請雖在朱門閑影不交外物唯以披閲爲務朝儀故事多所取焉家貧求宰縣不遂永明十年脱朝服挂神武門上表辭禄詔許之賜以束帛救所在月給茯苓五斤白蜜三斤以供服餌及發公卿祖之征虜亭供帳甚盛車馬填咽咸

云宇齋以來未有斯事於是止于句容之句曲山立館自號華陽陶隱居沈約爲東陽郡守高其志節累書要之不𧗽永元初更築三層樓弘景處上弟子居中賓客僅至其下與物遂絶唯一家僮得至其所本便馬善射晚皆不爲唯聽吹笙而已特愛松風庭院皆植松每聞其響欣然爲樂有時獨游泉石望見者以爲僊人性尚奇異顧惜光景老而彌篤尤明陰陽五行風角星筭山川地理方圓產物醫術本草帝代年歷

以算推知按本傳弘景算漢熹平三年丁丑冬至加時在日中而天實以乙亥冬至加時在夜半凡差三十八刻是漢歷後天二日十二刻也又以歷代皆取其先妣母后配饗地祇以爲神理宜然碩學通儒咸所不悟深慕張良爲人云古賢無比齊末爲歌曰水丑木爲梁字及梁武兵至新林遣弟子戴猛之假道奉表嘗造渾天象高三尺許地居中央天轉而地不動以機動之悉與天相會云脩道所須非止史官用之齊末議禪代弘景引圖讖數處皆成梁字武帝既早與之遊及即位後恩禮愈篤書問冠蓋相望每得其書燒香虔受帝使造年歷至己巳歲而加朱點實太

清三年也是年侯景陷臺城帝崩國家每有吉凶征討大事無不前以諮詢月中常有數信時人謂爲山中宰相二宮及公王貴要參候相繼贈遺多不納受天監四年移居積金東澗自隱處四十許年逾八十而有壯容僊書云眼方者壽千歲弘景末年一眼有時而方簡文欽其風素召至後堂以葛巾進見與談論數日而去甚敬異之無疾自知應逝逆剋亡日爲告逝詩大同二年卒時年八十五顔色不變屈伸如常香氣累日氛

氳滿山弘景旣得神符祕訣以爲神丹可成而苦無藥物帝給黃金朱砂曾青雄黃等後合飛丹色如霜雪服之體輕及帝服飛丹有驗益敬重之嘗畫作兩牛一牛散牧水草之間一牛著金籠頭有人執繩以杖驅之武帝笑曰此人無所不作欲効曳尾之龜豈有可致之理曾夢佛授菩提記名爲勝力菩薩乃詣鄮縣阿育王塔自誓受五大戒天監中獻丹於武帝中大通初又獻二刀其一名善勝一名成勝並爲嘉寶詔贈太中大夫謚曰貞白先生不娶無子從兄以子松喬嗣所著學苑百卷孝經論語集註帝代年曆本草集註効驗方肘後百一方古今州郡記圖像集要及玉匱記七曜新舊術疏占候今本草方書獨行於

世弘景逆知梁祚覆没制詩云夷甫任散誕平叔坐論空豈悟昭陽殿遂作單于宮詩祕在篋裹化後門人方稍出之大同末士人競談玄理不習武事後侯景篡果在昭陽殿

楊義和名義句容人幼而通靈與二許結神明之交博學工書爲公府令興寧乙丑衆真降所居後乘雲駕鶴仙去云義以經誥傳許邁弟穆穆傳子翽小字玉斧

桓闓事陶隱居於茅山華陽館執爨日常脩默朝之道後乘白鶴翀舉又有李明長官避世不仕隱居句曲欝岡山冊成升玄洲今舊迹存焉

王遠知系本琅邪父曇選爲陳揚州刺史母書

寐夢鳳集其身因有娠浮屠寶誌謂曇選曰生子當爲世方士遠知少警敏多通書傳事陶弘景傳其術爲道士又從臧兢游陳後主聞其名召入重陽殿辯論超詣甚見咨挹隋煬帝爲晉王鎮揚州使人邀見少選髮白俄復鬒帝懼遣之後幸涿郡召遠知見臨朔宮帝執弟子禮咨質僊事詔京師作玉清玄壇以處之及幸揚州遠知謂帝不宜遠京國不省高祖尚微遠知密語天命武德中平王世充秦王與房玄齡微服

過之遠知未識迎語曰中有聖人非王乎乃諡以實遠知曰王異日必爲太平天子願自愛太宗立欲官之苦辭貞觀九年詔即茅山爲觀居之忽謂其弟子潘師正曰吾少也有累不得上天今署少室僊伯吾將行即沐浴加冠衣若寢者遂卒或言壽蓋百二十六歲云遺命子紹業曰爾年六十五見天子七十見女君調露中紹業表其言高宗召見嗟賞追贈遠知太中大夫謚升真先生武后時復召見皆如其年又贈金

紫光禄大夫天授中改諡升玄見唐史時有徐則隱天台山亦爲煬帝所禮唐有潘師正司馬承禎吳筠李含光隱茅山宋有朱自英劉混康皆遇知世主自魏元君以道術傳楊羲由許穆陸脩靜陶弘景以下皆名宗師今四十六傳見茅山志

丘濬字道源黟縣人天聖中登進士第因讀易悟損益二卦自此能通數知未來興廢早歲游華陽洞求爲句容令秩滿以詩寄茅山道友曰鳴鳳相邀覽德輝松蘿從此與心違孤峯萬仞月正照古屋數間人未歸欲助唐虞開有道深慚茅許勸忘機明朝又引輕帆去紫朮年年空

自肥歷官至殿中丞嘗語家人曰吾壽終九九後在池州一日起盥沐索筆爲春草詩詩畢端坐而逝年八十一及殮衣空衆謂尸解太守縢甫爲記其事葬于九華山後數年有黄衣人持濬書抵滁州家人啓封人忽不見書言吾本預僊籍以推步象數謫爲秦山主宰云按句容縣志景祐中濬以衛尉寺丞知縣事濬明天文有占星臺

寶誌者不知何許人有於宋太始中見之出入鍾山往來都邑年已五六十矣齊宋之交稍

顯靈跡被髮徒跣語嘿不倫或被錦袍飲啖同於凡俗恒以鏡銅剪刀鑷屬挂杖負之而趍或徵索酒肴或累日不食預言未兆識他心智一旦中分身易所遠近驚赴所居噂〻喈齊武帝忿其惑衆收付建康獄旦日咸見游行市里既而檢校猶在獄中其夜又語獄吏門外有兩輿食金鉢盛飯汝可取之果是文惠太子及竟陵王子良所供養縣令吕文顯以啓武帝帝乃迎入華林園少時忽重著三布帽亦不知從何得俄

而帝崩文惠太子豫章文獻王相繼卒齊亦於
此季矣靈味寺沙門釋寶亮欲以納被衲之未
及有言寶誌忽來牽被而去蔡仲熊嘗問仕何
所至了自不荅直觧杖頭左索繩擲與之初莫
能諭後仲熊官至尚書左丞方知言驗梁武帝
尤深敬事嘗問年祚遠近荅元嘉元嘉帝欣然
以爲享祚倍宋文之年雖剃鬚髮而常冠下裙
謂納袍故俗呼爲誌公好爲讖記所爲誌公符
是也高麗聞之遣使齎緜帽供養天監十三年

卒將死忽移寺金剛像出置戶外語人云菩薩當去旬日無疾而終王鎬嘗至莊嚴寺誌遇之與交言歡飲至亡救命鎬爲碑蓋先覺也高僧傳云寶誌本姓朱氏金城人少出家止江東道林寺脩習禪業嘗於臺城對梁武帝喫鱠昭明諸子皆侍側武帝曰朕不知味二十餘年師何爲爾誌乃吐出小魚依然鱗尾帝深異之今秣陵尚有鱠殘魚也天監五年冬旱雩祭備至而未雨忽上啓云願於光華殿講勝鬘經請雨即使沙門講勝鬘經竟夜便大雨天監十三年無疾而終葬于鍾山獨龍之阜仍於墓所立開善寺敕陸倕製銘於塚内王鎬勒碑文於寺門宋大中祥符五年詔於龍圖閣取太平興國中舒州所獲誌公石以示輔

臣上作詩紀其事又作贊目曰神告帝繞石仍加謚誌公曰真覺遣知制誥陳堯咨詣蔣山致告其後又加謚道林真覺令天下公私無得斥誌公名高宗紹興中加謚慈應今天曆戊辰加號道林真覺慧感慈應普濟禪師案金城在蔣山北世傳朱氏汲井聞鷹巢中兒啼而得寶公云

帛尸黎密西域師子國王子以國讓弟爲沙門晉永嘉中到中土止於太市王丞相導一見奇之以爲吾之徒也塔寺記云尸黎密寺宋曰高

座在石子岡尸黎密常行頭陀卒於梅岡晉元帝於冢邊立寺因號高座高座道人不作漢語或問此意簡文曰以簡應對之繁

杯渡者不知姓名常乘木杯渡水往來京師多在延賢寺神異不可備記宋元嘉三年入東行至赤山死還葬覆舟山

法度黄龍人齊時遊金陵明僧紹隱居攝山待以師友及亡捨所居爲棲霞寺

菩提達磨自西域達南海廣州梁武帝詔赴京

師車駕爲出郊迎之延居内殿時帝崇信釋典
常捨身爲奴寶誌雲光諸師以神異講說見重
達磨意不與之同乃棄去居河南嵩山以所傳
佛衣鉢授弟子慧可爲南來第一祖云

趙僧巖 北海人寥廓無常人不能測所友劉明
善爲青州欲舉爲秀才大驚拂衣去後忽爲沙
門栖遲山谷常以一壺自隨一旦謂弟子曰吾
今夕當死壺中大錢一千以通九泉之路蠟燭
一挺以照七尺之尸至夜而亡時人以爲知命

藏法師梁開善寺僧初與何胤遇於秦望山後還都卒於鍾山卒之日胤在吳中波若寺見一僧授以香爐奩并函書云發自揚都呈何居士言訖失所在函中乃莊嚴論世中未有訪之香爐乃藏公所常用者

融禪師俗姓韋本潤州延陵大族年十九通經史從茅山炅法師落髮出家入牛頭山幽棲寺北巖之石室脩道虎鹿馴伏數有靈異唐貞觀中四祖信禪師傳達磨心印在蘄州雙峯知融

可以傳道遂來山中授以法要後寺僧日多輒
自往南丹陽負米相去八十里負米石有八斗
供三百人食住建初寺卒葬雞籠山號一代祖
師其寺與山遂號祖堂云

木平和尚不知何許人南唐保大初徵至闕下
傾都瞻禮闐咽里巷金帛之施日積數萬常出
入宮禁中他日從上登百尺樓上曰新建此樓
制度佳否木平曰尤宜望火上初不喻其旨居
數載木平卒淮甸大擾自壽陽置烽候以應龍

安山旦夕上多登覽以瞻動靜又上最鍾愛慶王王方幼學上問壽命幾何木平曰郎君聰明哲智預知六十年事壽當七十是歲疾終年十七蓋反語以對也世說木平初見後主李煜拄木瓶杖頭煜出欵不見問曰和尚何在木平引瓶自蔽詭曰某在此澡浴煜拜之木平曰陛下見群臣勿言某在瓶中浴煜笑曰和尚見人亦勿道吾拜汝後爲建寺宮側本名木瓶寺蓋類誌公持刀鑷尺拂之意云

酒禿姓高氏駢族子棄家祝髮慱極群書善講說而脫略跌宕無日不醉後主召講華嚴梵行一品賚金帛甚厚即日盡送酒家日夜劇飲醉

則從小兒數十浩歌道中歌曰酒禿酒禿何榮何辱但見衣冠成古丘不見江河變陵谷一日醉死石子岡

按慶元志唐有鍾山曇璀禪師顧氏吳郡人初謁融禪師悟大旨晦跡鍾山南唐清涼院休復悟空禪師王氏比海人告寂國主爲建塔又清涼院法眼文益禪師魯氏餘杭人周顯德五年告寂國主於江寧丹陽鄉造塔即無相院塔也嘗於宮中觀牡丹賦詩有云髮從今日白花是去年紅何須待零落然後始知空比夢瑣言以爲後主時事非也又有牛頭智威禪師法持禪師毗陵芙蓉山大毓禪師金陵清涼明禪師金陵奉先深禪師金陵龍光院澄禪師金陵鍾山章義禪師道欽禪師金陵報慈道場文遂導師金陵報恩元則禪師金陵淨德道場達觀禪師金陵清涼法燈禪師金陵報恩法安慧濟禪師昇州奉先寺淨照禪

師並見傳燈
録今不詳載

方伎

漢李南字孝山丹陽句容人少篤學明於風角和帝永元中太守馬稜坐盜賊事被徵當詣廷尉吏民不寧南特通謁賀稜意有恨謂曰太守不德今當即罪而君反相賀邪南曰旦有善風明日中時應有吉問故來稱慶旦日稜延望景晏以爲無徵至晡乃有驛使齎詔書原停稜事南問其遲留之狀使者曰向度宛陵浦里航馬踠足是以不得速稜乃服焉後舉有道辟公府

病不行終於家南女亦曉家術爲由拳縣人妻晨詣爨室卒有暴風婦便上堂從姑求歸辭二親姑不許乃跪而泣曰家世傳術疾風卒起先吹竈突及井此禍爲婦女主爨者妾將亡之應因著其亡日乃聽還家如期病卒

陳訓字道元歷陽人少好祕學天文筭歷陰陽占候無不畢綜尤善風角孫皓以爲奉禁都尉使占候皓政嚴酷訓知其必敗而不敢言時錢唐湖開或言天下當太平青蓋入洛陽皓以問

訓訓曰臣止能望氣不能達湖之開塞退而告
其友曰青盖入洛將有輿櫬銜璧之事非吉祥
也尋而吳亡訓隨例内徙拜諫議大夫俄去職
還鄉時甘卓方貴訓相其目名眄刀又目有赤
脉自外而入不出十年必有兵死不領兵則可
以免卓果爲王敦所害王導多病每自憂以問
訓訓曰公耳竪垂肩必壽亦大貴子孫當興於
江東訓年八十餘卒

戴洋字國流吳興長城人善風角好道術妙解

占候卜數吳末爲臺吏知吳將亡託病不仕及吳平還鄉里揚州刺史嘗問吉凶於洋荅曰癸亥入南斗八月有暴水九月當有客軍西南來如期果大水而石冰作亂冰既據揚州洋謂人曰視賊雲氣四月當破果然陳眕問洋曰人言江南有貴人死顧彥先周宣佩當是不洋曰顧不及臘周不見來年八月榮果以十二月十七日卒十九日臘玘以明年七月晦亡王導遇病召洋問之洋曰君侯本命在申金爲上使之主

而於申上石頭立冶火光照天此爲金火相爍水火相煎以故受害耳導即移居東府病遂差鎮東從事中郎張闓舉洋爲丞相令史時司馬颺爲烏程令將赴職洋曰君宜深愼下吏颺後果坐吏免官其言奇驗類此元帝登祚亦洋擇日也

郭璞字景純河閒聞喜人好經術博學有高才而訥於言論詞賦爲中興之冠好古文奇字妙於陰陽筭曆雖京房管輅不能過也王導引參

巳軍事帝與導令璞筮皆奇應帝深重之璞因
天人休咎之徵輒上疏論時政遷尚書郎數言
便冝多所匡益明帝在東宫與温嶠庾亮有布
衣之好璞亦以才學見重埒於嶠亮後王敦起
璞爲記室參軍敦之謀逆也嶠亮使璞筮之璞
對不决嶠亮復令占巳之吉凶璞曰大吉嶠等
退相謂曰璞對不了是不敢有言或天奪敦魄
今吾等與國家共舉大事而璞云大吉是爲舉
事必有成也於是勸帝討敦初璞每言殺我者

山宗至是果有姓崇者構璞於敦敦將舉兵使璞筮璞曰無成敦固疑璞之勸嶠亮又聞卦凶乃問璞曰卿更筮吾壽幾何荅曰思向卦明公起事禍必不久若住武昌壽不可測敦大怒曰卿壽幾何曰命盡今日日中敦怒收璞詣南岡斬之璞臨出謂行刑者欲何之曰南岡頭璞曰必在雙栢樹下既至果然復云此樹應有大鵲巢衆索之不得璞更令尋覔果於枝間得一大鵲巢密葉蔽之初璞中興初行經越城間遇一

人呼問姓名因以袴褶遺之其人辭不受璞曰但取後自當知其人遂受而去至是果此人行刑時年四十九敦時屯兵姑孰南岡當在今太平路境前志謂璞死於武昌非也及敦平追贈弘農太守璞撰前後筮驗六十餘事名洞林又抄京費諸家要最更撰新林十篇卜韻一篇註釋爾雅別爲音義圖譜又註三蒼方言穆天子傳山海經及楚辭子虛上林賦數十萬言皆傳於世子驁臨賀太守璞有墓見古迹志

郭文伯字德秀濮陽太守熈曾孫也熈好黄老

隱於秦望山有道士授以扁鵲鏡經曰君子孫當以道術救世當得二千石因精心學之遂名震海內子秋夫彌工其術仕至射陽令世傳嘗爲鬼針腰痛秋夫生道度叔嚮皆精其業道度仕宋文帝朝位蘭陵太守道度生文伯叔嚮生嗣伯文伯兼有學行倜儻不屈於公卿不以醫自業爲效與嗣伯相埒孝武路太后病衆醫不識文伯診之曰此石博小腸耳乃爲水劑消石湯病即愈除鄱陽王常侍明帝宮人患腰痛牽

心每至輒氣欲絶衆醫以爲肉癥文伯曰此髮癥以油投之即吐得物如髮稍引之長三尺頭已成蛇能動挂門上適盡一髮而已病都差子雄傳家業位奉朝請能清言多爲貴游所善事母孝母終毀瘠幾至自滅俄而兄亡扶杖臨喪撫膺一慟遂絶嗣伯字叔紹亦有孝行善清言位至貟郎諸府佐直閤將軍房伯玉服五石散十許劑無益更患冷夏日常複衣嗣伯診之曰卿伏熱應須以水發之非冬月不可至十一月

氷雪大盛令二人夾捉伯玉解衣坐石取冷水從頭澆之盡二十斛伯玉口噤氣絶家人啼哭請止嗣伯遣人執杖防閤敢有諫者撾之又盡水百斛伯玉始能動而見背上彭彭有氣俄而起坐曰熱不可忍乞冷飲嗣伯以水與之一飲一升病都差自爾恒發熱冬月猶單褌衫體更肥壯常有嫗人患滯冷積年不差嗣伯爲診之曰此尸注也當取死人枕煮服之於是往古冢中取枕枕已一邊腐缺服之即差後秣陵人張

景年十五腹脹面黃衆醫不能療以問嗣伯嗣伯曰此石蚘耳極難療當得死人枕服依語煑枕以湯投之得大利并蚘蟲頭堅如石五升病即差後沈僧翼患眼痛又多見鬼物以問嗣伯嗣伯曰邪氣入肝可覔死人枕煑服之竟可埋枕於故處如其言又愈王晏問之曰三病不同皆用死人枕而俱差何也答曰尸注者鬼氣伏而未起故令人沉滯得死人枕投之魂氣飛越不得復附體故尸注可差石蚘者久蚘也醫療

既僻蚘中轉堅世間藥不能遣所以須鬼物驅之然後可散故令煮死人枕也夫邪氣入肝故使眼痛而見魍魎應須邪物以鉤之故用死人枕氣因枕去故令埋於冢間也嘗春月出南籬門戲聞笆屋中有呻吟聲嗣伯曰此病甚重更二日不療必死乃往視見一老姥稱體痛而處處有䵟黑無數嗣伯還煮斗餘湯送令服之服訖痛勢愈甚跳投床者無數須臾所䵟處皆拔出釘長寸許以膏塗諸瘡口三日而復云此名

釘疽也時有薛伯宗善徙癰疽公孫泰患背伯宗爲氣封之徙置齋前柳樹上明旦癰消樹邊便起一瘤如拳稍稍長二十餘日瘤大膿爛出黄赤汁斗餘樹爲之痿損文伯之孫之才後顯於北齊

吴廷紹爲南唐太醫令烈祖食飴喉中噎國醫皆莫能愈廷紹尚未知名獨謂當進楮實湯一服疾失去馮延巳苦腦中痛廷紹密詰厨人知延巳平日嗜食山雞鷓鴣廷紹投以甘豆湯亦

愈群醫默識之他日取用皆不驗或扣之曰噫因甘起故以楮實湯治之山雞鷓鴣皆食烏頭半夏故以甘豆湯解其毒耳聞者大服

耕刺巫者溧陽麓橋人能以異法治骨骾淳熙九年長巷村人王四食鵝遭骾三日不能下飲食且死遣子持錢詣巫即於竈内取灰篩布地上炷香焚紙錢誦呪召神結印次以蒿筒作小犂狀耕灰中云骨甚深凡耕至一再筒中忽微有聲巫傾注水盌間乃鵝翅骨也麓橋距長巷

四十里王氏子至家父平復已半日矣其病之淺者一犂即愈事見夷堅志戚氏云今陶吳鎮有能此術者謂之耕刺大抵如上所云但其巫先要親人某日食某物被體狀然後行法耕之耕既得骨仍以裹香紙一幅付親人使焚于家呪水一盂令被體者飲之計其時多是耕時痛稍輕飲水後全平復此蓋祝由之驗者攝氣運神須其親人則易爲感通以見天地間焉往而非一氣之流行一心之運用也其術雖小可以喻大故著之爲傳云

譚紫霄泉州人幼爲道士先是有道士陳守元者斸地得木札數十貯銅盎中皆漢張道陵符篆朱墨如新紫霄得盡通之遂自言得道陵天

心正法劾鬼魅治疾病多劾廬山僧闢路有大石堅不可鑱紫霄索杯水噀之工施鑱應手如粉後主聞其名召見賜官不受開寶初年百餘歲隱化于廬山棲隱洞之道舘葬之日有祥雲白鶴盤遶後言天心法者皆祖紫霄

術士王生金陵人瞽而善聽聲丁晉公謂守金陵王生潛聽其馬蹄聲曰參政月中必召拜相果如其言後真宗晏駕謂充山陵使王生來京師俾聽馬蹄聲曰有西行之兆諸子責曰爾知

相公充山陵使故有是説或密問之曰蹄西去而無回聲後果罷相分司西京繼貶崖州

李士寧道人蓬州人先得塗氏所藏軒轅山鏡洞見遠近蔡君謨以道自任聞先生之名望風惡之君謨一夕夢爲虎所逼有一人救之虎既去與之坐曰公貴人也但頭骨不正手爲按之曰骨已正矣夢覺頭尚痛翌日士寧謁君謨謂曰夜夢頗驚惶否君謨愕然視其狀乃夢中逐虎正骨者遂異之後出守閩中士寧經由謁君

謨君謨說久患目疾不愈昨夜夢龍樹菩薩豈有先告之驗乎士寧即於袖中出畫本視之一如夢中所見者既而瞠目視君謨須臾兩目豁然明快參政張方平任兩制時士寧出入門下時論以爲方平且大拜士寧以詩別云異時復與公相見正是江南二月天其後久無爰立之說忽除知江寧士寧自茅山來謁即仲春也他驗類此甚多蓋服氣煉形之久蓋爲幻者爾

蔡槐號月湖饒州德興人歸附後僑居建康少

日讀書卓犖不羈好相人之術然不妄許可至
元二十三年與傳學士立等偕召至京師
詔問朕壽幾何對曰仁者壽
陛下壽及八旬時春宮未建嘗
賜見便殿俾定
儲君於諸
皇孫中對曰其位太子龍鳳之姿天日之表他
日必爲太平
天子後七年

登極即
成廟也久之大臣有爲姦利者請問休咎槐拒
不往見他日見於
朝辭色甚怒槐爲言曰相公能憂國愛民自可
享耆順之福何問之有然亦懼其讒問授集賢
學士辭不拜乞歸田里從之
救復其家稅役隱居鍾山不復有仕進意臺省
以下官恒以
上意歲時詣門存問數年時相果敗元貞改元

復召不赴以疾終于家初與槐同召者傳學士立亦德興人學士善康節數術言事巧發奇中世傳其術得於同召者前宋進士啟復復得之建昌南城人廖應淮應淮幼不讀書好異端之學及風角鳥占之術游俠江湖不遇年三十客臨安跪丁大全丞相誤國狀大全中以法配漢陽軍應淮何校出都門所至說易數禍福無不中多得錢與監人醢飽抵漢陽遇蜀道士杜可大於漢江濵謂曰子非廖某耶余待子久矣自邵堯夫以先天學授王天悅悅死葬未百年而吳曦叛盗掘其塚得皇極書躰要一篇內外觀象數十篇無名公手澤俱存余賄盗得之今餘五十年以數當授子爲之禱郡將脫軍籍館諸道室盡教以數冢中書筭由聲音起應淮神鑒警敏一聞萬了道士指畫未到嘿應淮先意逆悟居年餘告別道士又教之隱宣歙間如其言如是者十年著玄玄集曆髓星野指南等書數十萬言自號守一翁冥寧子

遇劍安裕於弋陽將教之安裕且歡讀中庸懸淮怒拂袖行再之臨安獻賀道士街樓寓焉書市大行數夜沽酒痛飲嘗大叫曰天非宋天地非宋地矣語泄賈似道使闖其醒扣之應淮曰其年某月地髮徧白浙水西是其祥矣至咸淳八年夏四月八日果然似道使以微祥應來扣應淮曰某某年樊陷襄降某年長江飛渡某年宋亡似道畏惡甚然以地髮驗故不加罪應淮嘗謁殿院曾淵子索酒酒酣歌曰禽聲兮啾啾草色兮幽幽風慱灼兮火怒泉㱿㱿兮血流屋將焚兮燕呢喃以未已鼎漸沸兮蟲婆娑其不休歸去來兮不歸兮焉求歌罷坐中朝士十數輩留然以爲誕曾酷信之應淮又謂太學生熊晞望曰吾端居層樓俯瞰通衢闤風中戎馬百萬來人寃作哭聲某年宮車晏駕某年似道殛死某年妃后皇子幼主親王卿相南北走噓吸事耳公在此奚爲又謂進士尹應許曰吾數中甲戌年無殿試丙子年無科舉柰何自是朝大夫都

人士至戒門以絕而識與不識皆望之却走矣唯國子簿吳浚進士啟復顧從受易應淮諾嘗字呼浚曰允文某年月日汝即刑于禁所汝知之乎浚禮遇少衰凡參江閫幕議莫能竟其業惟復執弟子禮一逾時即以道士所授冢中書及自著十餘萬言一舉而授復焉癸酉甲戌間宋事日棘沿江失守曾淵子銜似道命詢世運如何應淮如昨不對俄攢眉曰殺氣向移泉潮惠去余不知死所矣言訖慟哭亦哭頃之應淮適朝野物色莫能得杭人神之宋亡後四年病死夔州學年五十二無子一義女從及嫁仍夔子云夔嗚呼自甲子歲彗星出郴謝枋得校文建康已痛哭流涕言之而臨安君臣溺於宴安方且夸張太平惡聞逆耳其勢必至於淪胥顛覆有不待智術而後知也然應淮由筭數逆處興衰禍福如身所親歷可謂精於藝者矣以其關涉江左治亂故并著之云

列女

貞義女史氏溧陽人吳王僚五年伍子胥去楚自鄭奔吳史記云槀載出昭關關在今和州含山縣北十八里東至溧陽甚近中道而疾乞食溧陽值女子擊緜於瀨水筥中有飯子胥跪而乞餐女子飯之子胥餐已欲去謂女子曰掩子壼漿無令其露女子嘆曰嗟乎妾獨與母居三十年自守貞明不願從適何宜饋飯而與丈夫越虧禮義妾不忍也子行矣子胥行反顧女子已自沉於水其後闔閭十年子胥

破楚入郢還過溧陽瀨水之上長嘆息曰吾嘗飢乞食於女子女子飯我遂自沉而亡欲報以百金而不知其家乃投金水中而去有頃一老嫗悲泣而來或問曰何泣之悲乎曰吾女往年擊緜於此遇一窮途君子而輒飯之恐事泄自沉於水後知其爲伍君也今聞伍君來不得其償自傷女之虛死故悲耳人曰子胥欲報以百金不知其家投金水中而去矣嫗遂取金以歸李白有記及詩見景定志

賢母習氏者吳丹陽太守李衡之妻也衡本襄陽兵家子漢末入吳爲武昌渡長閘羊衜有知人之鑒往干之衜曰多事之世尚書郎才也時校事郎吕壹操弄權柄大臣目之莫敢言者衜曰此非李衡無以困壹遂薦之爲郎太祖引見喜之衡乃口陳吕壹奸短數千言太祖有媿色後數月壹事發誅衡大見顯用累遷諸葛恪府司馬恪誅守丹陽太守時景帝爲琅邪王在郡家人遥放衡數以法繩之習氏常諫不可衡不

從尋而帝立衡憂懼謂妻曰不用卿言至此今奔魏何如妻曰不可君本庶人先帝賞拔過量既作無禮而復逆自猜嫌逃叛求活北歸復何面目見士大夫乎且琅邪王素好善慕名方欲自顯於天下終不以私嫌殺君明矣君可自因詣獄表陳前失請罪如此必當逆見優饒非但直活而已衡從其言果免於罪衡欲爲子孫儲業妻輒不聽曰財聚則禍生以禍遺子孫豈賢者所爲衡遂不言後密使家人於江陵龍陽洲

上作宅種甘橘千樹臨死勑兒曰汝母每惡吾治家故窮如此然吾州置有千頭木奴不責汝衣食歲上絹一疋當足用耳衡亡後兒以白母母曰此當是種甘橘也汝父每欲積財吾嘗以爲患不許十八年來失十戶客不言所之當是汝父有此故也恒見汝父稱太史公言江陵千樹橘可比封侯吾荅云人患無德不患不富貴若貴而能貧方好耳用此何爲今無乃是耶子訪得之襄陽有習家池在城南十里蓋郡世家

袁粲母王氏太尉長史誕之女粲幼孤伯叔並當世榮顯而粲飢寒不足王以績紡供朝夕後粲仵於孝武坐囚母候乘輿出負塼扣頭流血塼碎傷目自此粲與人語有誤道眇目者輒涕泣彌日嘗疾母憂念晝寢夢粲父語曰愍孫無憂將爲國家器不患沈沒但恐富貴終當傾滅耳愍孫者粲小字也及粲貴重母恒懼其及禍戒以所夢父言粲故自挹損遇遷官常固讓不拜母亡後粲以討蕭道成不克死於石頭城中

按宋史粲爲尚書令領丹陽尹齊方革命粲以身受顧託圖舉兵事敗謂其子最曰本知一木不能止大廈之崩但以名義至此耳最時年十七叫抱父乞先死兵士人人隕涕粲曰我不失忠臣汝不失孝子復何恨乎百姓謠曰可憐石頭城寧爲袁粲死不作褚淵生淵先以粲謀告道成故粲敗及禍云

鄭獻英者齊垣曇深之妻也曇深爲臨城令罷歸得錢十萬買宅奉兄退無私蓄劉楷爲交州請於王儉與曇深同行未至州而卒獻英時年二十子文凝始生甚有容德仍隨楷到鎮晝夜紡織傍無親援居一年私裝就緒乃告楷求還

楷大驚曰去鄉萬里固非孀婦所濟不許鄭曰垣氏覊魂不反而其孤藐幼妾若一同灰壤則何面目以見先姑因大悲泣楷慘然許之厚爲旌送鄭間關危險至鄉葬畢乃曰可以下見先姑矣時文凝年甫四歲親教經禮訓以義方州里稱美

王僧辯母魏氏不知何許人姓安和善於綏接家門内外莫不懷之僧辯以事下獄母流涕徒行將入謝罪元帝不與相見時貞惠世子有寵

母諳閫自陳無訓涕泗嗚咽衆並矜之及僧辯免坐母深相責厲辭色俱嚴雖剋復舊都功蓋宇内每自謙損不以富貴驕物朝野稱之謂爲明哲婦人及亡甚見愍悼且以僧辯勳重故喪禮加焉命侍中謁者監護喪事謚曰貞敬太夫人靈柩將歸建康又遣謁者至舟渚吊祭

謝疊山妻李氏饒州安仁縣儒家女也疊山名枋得開慶巳未大兵分道攻江南圍長沙武昌掠龍興東南大擾時枋得以進士調官家居不

忍視其國之危卒鄧傳二社壯士二千餘人舉
義李氏悉家資奩産助軍朝廷嘉之擢枋得兵
部架閣景定甲子秋七月彗星出柳北兵聚襄
鄧間爲諜叵測時賈似道擅朝方括田責官蒙
蔽視聽枋得校文宣城及建康漕闈發策十問
言權奸誤國趙氏必亡似道怒構以罪貶興國
軍咸淳癸酉襄樊失守沿江諸武帥怒朝廷慰
置失宜望風降附似道軍敗於丁家洲陳宜中
當國起諸儒臣爲帥守驅内地耕民授兵以戰

敗亡相繼枋得爲江東制置使募兵援饒州戰於安仁敗績又敗於信州軍潰棄家入閩李夫人與其子爲大兵所執囚建康宣撫司獄中監守者逼以非義李自度不能終拒旣詭辭眷即自經死廣海旣平留承旨夢炎程侍御文海交薦枋得學行辭不應召至元戊子魏參政天祐執拘北行至燕絶不飲食遂死夫婦皆守義不辱與文丞相天祥相類李夫人死或云在揚州行省時宣撫宣慰二司轄江東諸路相繼皆置

小二十九

司建康云夫人姪存有學行跋金谿吳節婦黃
氏教子詩敘夫人死時事詳覈足徵

劉文興者其先不知何許人宋末隸建康兵籍娶王氏細柳坊民家女至元乙亥馬步軍副總管沿江制司都統徐王榮及翁都統以諸軍數萬人納欵軍各分隸諸萬户與蒙古漢軍相雜號新附軍十三年大兵追二王畧定福建諸路漳州守臣黄佺通判楊丙以城迎降文興從其奕萬户賈將軍戍漳以累戰功又知文墨議論得爲萬户府知事十七年八月望日畲峒陳吊

眼率其衆襲陷漳州叙招討傳全官軍死者十
八九文興亦力戰死王氏爲賊所執逼污之紿
曰我不幸至此豈敢愛身願收葬吾夫持服百
日然後惟命賊義而許之時死者枕籍縱横王
行哭辨識累日得其夫亂屍中積薪焚之火既
熾即躍投其中以死大德初漳州路始上其事
帥省疑之下路府體覈得其從卒李某二人與
言文興及王氏死節時在傍知見狀十一年省
以聞於

朝下禮部議部請訪王氏族里旌其門閭收恤其宗親仍以事付史館皇慶二年建康路以省檄至訪求得王氏家細柳坊營中有姑適人畀居已老同母第一人住揚州爲酒家傭有司文移往復無有以爲意者而闞氏故起小兵絶無姻屬江浙省不得其族里則用溧守言表其故營曰烈女坊又二十一年爲至順癸酉溧士民并以文興之死爲請會左司郎中張侯士弘爲吏部侍郎力以其事言於

朝乃宠封文興英毅侯王氏貞烈夫人賜廟額曰雙節藝文監丞揭公傒斯爲記而集慶坊里未有所表異焉

揭監丞碑畧云天下綰符杖節擁萬夫之衆鎮千里之地者不知其幾一旦四方有急
天子之命未及于境已閉閤稱疾者有矣委衆而去者有矣當是時變起倉卒使闔文興第守籌書期會之常負妻子踰垣而辟人亦孰得而議之而臨難忌身見危授命蒙究感蹈白刃奮萬死不顧之勇死而不悔者何則禍亂作於前忠義激於內不暇擇地而死也至於王氏决死生於俄頃不辱其身烈丈夫有弗逮矣故君子曰人皆死於危二人獨死於安以皆有苟免之道而不由也然微張侯畜綱常之重英毅必不侯貞烈之封亦不及二人之死亦豈欲求廟食冀褒寵要譽於天下哉誠不忍棄君臣夫婦之

小二七十五

義焉耳傳全閭門死難有司之請朝廷之議皆不及者武臣死事國有常恩云

節婦余氏者溧水州銀林市人淳熙十年鄉惡少景佐欲汚之至於持刃逼脅余氏義不辱甘受白刃知縣王衎鞫勘具案解府嘉其正潔改市爲節婦里旌表門閭仍給賜錢米酒帛及免本戶三年應干官租

劉母郝氏者晉山人年十三適觀察使劉虎之孫應麒十五年而應麒以疾亡子鏜鉉尚幼郝誓不易志養祖姑王氏姑郝氏克盡婦道教其

子皆有成立始觀察自廬州梁縣徙居建康甞統師拒北兵濠之五河中矢洞腹達背十餘年瘡潰而死死時妻王氏年始二十餘守志不出戶庭者五十二年其子祐爲監稅官僅弱冠死死時妻郝氏年二十一守志如姑王氏之行者五十三年及應麒妻郝氏尤勵婦操事二姑四十餘年皆以壽終郝今尚康強就養於子諸孫皆讀書向仕時謂劉氏三世貞節郡府以其事聞憲察具有文移聞者咸嗟異云

節婦李氏者太原人年十五適里人楊弘弘生不茹葷嗜典籍通國語尤閑弓馬金亡不仕年三十二而死死時囑李曰吾二親老子幼後事託汝辛養吾親百年後汝適人吾亦瞑目九泉李大慟以死自誓未幾弘卒二親年皆九十餘以喪子哭失明李時年二十九子二人長仲舉年方齠齔次仲通始脫襁褓仰事俯育之責皆萃[illegible]李居喪不湯沐不茹葷旦暮哭臨哀動閭里家素貧晝奉舅姑夜績麻枲治繇爾竭力以

供甘旨親黨或以年少無所依微言相感動者李輒哭應曰人之所以爲人以有信義也今舅姑高年命在朝夕亡夫囑我以養而不能卒遺我以孤幼而不能使之成立信義安在若然者生無以見天日死無以見吾夫於地下自是非禮之言相戒以絶舅姑嘗念我子雖蚤世而新婦孝養不替每仰天祝曰願新婦享我之年子孫昌盛還受所養後舅姑各以壽終仲舉爲南臺掾日奉李氏過江居金陵以子恩封正平縣

君弘贈奉議大夫冀寧路治中正平縣子李卒
年八十三延祐間郡府上其志節
朝命下西京宣慰司其家建旌表
見居門閭仲舉後爲福建江西兩道廉訪司經
歷知福清州致仕卒年七十七仲通以子貴贈
承務郎河中府判官卒年八十三孫四人默子
淵湖州録事司判官熈子明三臺御史歷宣政
院判漢中僉事奉政大夫御史臺都事杰子俊
海南湖北江西三道廉司知事烈子承經筵檢

討福建廉司經歷曾孫十人皆駸駸仕進推本其家慶所自謂非其上世厚德貞信之報其可哉

李成妻周氏 府城北門民籍年二十七喪夫家貧守節奉姑方氏盡孝天曆二年部擬旌表門閭

劉英傑妻吳氏 府城北隅柴街儒家宋吳知縣季申之女年二十三喪夫子慶孫端中皆在襁褓誓不他適紡績以養舅姑教子皆爲儒年七

十餘元統三年部擬旌表門閭復其家差役

張宜妻周氏府城真武廟街人年二十二喪夫守志十載一子復喪孫二人皆幼子婦樊氏奉姑亦守節不嫁周氏年七十餘大德十一年部擬旌表門閭復本家差役

王元壽妻楊氏淮西人元壽祖福故宋殿帥贈少師平海軍節度使卒於開慶己未葬江寧縣新亭鄉之黄墓岡福爲將累有戰功嘗於府城機行街建節樓藏理宗御書忠勤字扁生子應

龍應虎應麟皆爲武官至元乙亥應龍以帶御器械知滁州以城歸附授本州安撫使爲統制蒙亨所殺子元壽時爲沿江制置司計議官亦死於難妻楊氏年三十歲守節不嫁教其子招孫建孫長立仕官招孫終沵水州知州建孫任龍興路富州判官楊氏以子恩封上元縣君大德五年部擬旌表門閭

劉祐妻馬氏山東人寓居府城西隅清化坊年二十九喪夫終身績絍以養舅姑年五十餘至

元五年部擬旌表門閭

曹裕興母王氏句容人夫亡守節子幼家貧事姑盡孝皇慶元年部擬旌表門閭

節婦容國夫人薩法禮于闐氏江淮等處行中書省平章政事阿里別之女贈榮祿大夫大司徒上柱國容國公帖木兒普化之妻治書侍御史阿魯忽都之母大德丙午歲帖木兒普化任建康廬州饒州牧馬戸達魯花赤卒於溧水夫人年二十九居喪執禮以儉率下其家能完居

金陵新志卷之十四

摭遺

戰國策范環對楚懷王曰且王嘗用召滑於越昧之難越亂故楚南察瀨湖而野江東鮑氏注云察猶治也楚有而治之以江之東為野此言楚亂有唐昧之難而能得越地以召滑亂之也然鮑註瀨湖乃以為南陽之屬殆非也南陽未嘗屬越又與江東全不相近正謂溧陽之瀨水明矣

漢溧陽長潘乾元卓校官碑靈帝光和四年所立時歲在辛酉杜少陵所謂骨立通神者蓋此類也（詳見碑碣）石淪於固城湖中紹興十三年溧水縣尉喻中遠得之輦置聽事之側蓋相距九百六十二年矣時時見光采弓兵宿直或以褻衣頓於趺上必夢大龜逐而齧之乾道戊子有官告院吏出職爲尉顧碑字多闕蝕以爲無用且厭人之求呼隸史曹彥與謀將沉之宅後廢沼內一寓客素好古聞其說往詰止之邑宰陳容

之爲從諸縣圃作屋覆焉至辛卯歲金陵守作
文一篇欲識石陰遣匠來甫鐫兩字遭碎屑激
入目旋易他匠皆然竟不能施工出洪遵夷堅志守蓋唐瑑
孫鍾權之祖也家富春早失父與母居性至孝
遭歲荒儉以種瓜自業忽有三少年詣鍾乞瓜
鍾厚待之三人曰此山下善可葬當出天子君
望山下百步許顧見我等去即可葬處也鍾去
三四十步便返顧見三人竝成白鶴飛去鍾記
之後葬其地地在縣城東冢上常有光怪雲氣

五色上屬於天及堅母孕堅夢腸出繞吳閶門以告鄰母曰此夢安知非吉祥也按溧水志上方寺基在縣西二十里唐開元十二年置南唐僧惠海作十主齋記立石大觀二年以石送府故老云寺即孫鍾種瓜地也其鄉見名思鶴可證知縣史彌鞏作羊左廟等十調笑樂府孫鍾瓜井有曰孫鍾元是栽瓜圃客至嘗瓜因其所不應司命降從天至今人指設瓜處皆謂在此與寰録不同姑存其說

孫策爲許貢客[illegible]昭所刺傷面治瘡方差取鏡照面見所殺道士于吉在其中顧而不見如是再三因擲鏡大叫瘡裂須臾而死

孫權與曹操相持於濡須權乘大船來觀曹公軍曹公使弓弩亂發箭着其船船偏重將覆乃廻船復以一面受箭箭勻船平乃廻魏書

孫權使將軍衛温等下海求亶夷二洲洲在海中長老傳云秦皇遣方士徐福將童男女數千人入海求蓬萊神山及仙藥遇風皆止此洲不還世相承有數萬家時有會稽東鄉人行海遇風至夷洲其亶洲絕遠不可得到温等得夷洲數千人而還

張溫使蜀諸葛亮見而嘆曰江東菰蘆中生此
奇才
孫峻害諸葛恪并使無難督施寬上取其弟融
融不之知忽聞兵至猶豫不決先是公安有靈
鼉鳴時謠曰白鼉鳴龜背平南郡城中可長生
守死不去義無成及此融果刮金印龜服之而
死
吳録術人姚光自言火仙帝焚之火滅光坐灰
中手持素書一卷帝看之不識初在武昌日徵

方士會稽介象者爲立第給御帳號爲介君帝每從學閉形法前後所言皆驗帝曾問象鱠魚何者爲上象曰鯔魚帝曰海中魚不可卒得且言近者象曰易得因埳地灌水其中鈎之得鯔以爲鱠仍請使往蜀市薑爲虀初作鱠而去欲了而還使者言於蜀見張溫溫因附家書而歸吳廢帝亮暑月遊西苑食青梅使黃門至中藏取蜜黃門先恨藏吏乃取鼠糞投蜜中言藏吏不謹帝即呼吏吏持容瓶入帝問曰既盖之日

有掩覆無緣有此黄門非有恨於爾耶吏叩頭曰彼嘗從臣求官席席有數臣不敢與帝曰必此也黄門不伏侍中刁玄張邠請收黄門與藏吏付獄帝曰易知耳令破鼠糞糞中猶燥帝大笑謂玄邠曰若先在蜜中中外俱濕今乃燥是黄門所爲也黄門懼即自首伏法

吴少帝時全主譖殺其妹朱主埋於石子崗後主欲改葬之塚壙相亞不可識别而宫人頗有識主亡時衣服乃使兩巫各侍一處以伺其靈

使察戰監之不得相近久之二巫各見一女年
可三十餘上著青錦束頭紫白袷裳丹綈絲屨
從石子岡上半岡而以手抑膝長息小住須臾
進一塚上便止徘徊奄然不見二巫不謀而言
同遂開塚衣服與所言同
吴使光禄大夫紀陟使魏司馬昭問來時吴主
如何對曰來時皇帝臨軒百寮陪位曰彼戍備
幾何答曰自西陵至江都五千七百里昭曰道
里甚遠難爲堅固答曰疆界雖遠而其險要必

爭之地不過數四猶人有八尺之體靡不受患至於防護風寒亦數處耳昭善之厚禮遣還

建鄴有鬼目草生工人黃狗家依緣棗樹長丈餘莖廣四寸厚三分又有買菜生工人吳平家高四尺厚三分如枇杷形上圓徑一尺八寸下莖廣五寸兩邊生葉綠色東觀案圖名鬼目草爲芝草買菜爲平慮草遂以爲瑞封狗爲侍芝郎平爲平慮郎皆銀印青綬案干寶傳黃狗者吳以土運承漢後故初有黃龍之瑞及其末年而有鬼目之妖託黃狗之家黃稱不以而貴賤懸殊即其天道精

讖之應也

臨海松陽人柳榮從張悌出師至揚荷橋榮忽病死船中二日時軍已上岸未及埋忽大呌言人縛軍師人縛軍師二聲遂活人問之榮言上天北斗下見人縛張悌意中驚愕乃大呼何云縛軍師門人怒榮叱逐去之遂活其日悌死榮至晉元帝初猶在

王濬將發吳造船於蜀建平太守吾彥覺之表請增兵爲備皓不從彥乃輒爲鐵鎖斷江路及

晉師臨境沿江諸城望風降附或見攻拔彥壐守攻之不下晉軍退舍禮之及皓亡始降晉武帝拜爲金城太守帝嘗從容問薛瑩孫皓所以亡瑩對曰皓爲君昵近小人刑罰妄加大臣大將無所親信人人憂恐各不自安敗亡之釁由此而作帝復問彥荅曰吳主英俊宰輔賢明帝笑曰何爲亡彥曰天禄永終曆數有屬所以爲陛下擒此盖天時豈人事也張華在坐謂彥曰始爲名將積有歲年蔑爾無聞竊所惑矣彥曰

陛下知我而卿不聞帝甚嘉之位至長秋卿吳錄
晉王濟嘗與武帝棊時濟伸脚在局下因問孫
皓曰聞君生剥人面皮何也皓曰人臣無禮於
其君者則剥之武子大慙遽縮脚又嘗侍宴武
帝曰聞君善歌令唱汝歌皓應聲曰昔與汝爲
隣今爲汝作臣勸汝一盃酒願汝壽千春
大帝黄武年中魏軍大舉文帝自至廣陵臨江
朝廷危懼乃召術人趙達筮之達布筭曰吳衰
在庚子今賊無能爲帝問庚子遠近曰後五十

八年帝歎曰朕憂當身不及子孫也後五十八年皓果亡國吳志達本河南人少好奇異用思精密知東南有王氣可以避難遂脫身渡江治九宮一筭之術究其微旨是以應機立成對問若神計飛蝗射隱伏無不中効謂太史丞公孫滕曰吾先人得此術欲圖為帝王師至予三世不過太史郎滕求其法達曰今已亡矣及太祖即位令達筭在位幾年達曰漢高建元十二年陛下倍之帝大喜後果如言嘗謂知星者曰我不出戶牖以知天道足下晝夜暴露望氣不亦勞乎帝每問其法終不言及死聞有書發棺求之竟無所得時皇象字休明善書中國不及嚴武子字子卿善圍棊人莫與對宋壽能占夢十不失一曹不興善畫妙動神明與大祖蓋屏風誤落筆點因為蠅帝以為生蠅舉手彈之孤城鄭嫗能相人知吉凶吳範占風氣劉惇明天官太一此八人世謂之八絕

吳自景帝立災祥頗衆永安二年三月有異童子年可六七歲着青衣來從羣兒戲諸兒畏問之荅曰我熒惑星將有告爾曰三公鉏司馬如言訖昇天去漸遠若疋練自後五年蜀亡六年晉興未幾吳爲司馬氏所滅

王敦在湖陰謀舉逆明帝密知之自乘巴滇駿馬微行至于湖陰察敦營壘而出敦時晝卧夢日繞其營驚起曰此必黃鬚鮮卑奴來也晉書帝母荀氏代州人帝狀類外家鬚黃故敦謂之黃鬚鮮卑奴也使五騎追之帝已

馳還見逆旅賣飯嫗以七寶鞭與之曰後有騎來以此示也俄而敦追騎至問嫗嫗曰去已遠矣因以鞭示之五騎傳翫稽留遂久又見馬糞冷晉書帝以水灌糞令冷以爲信而止帝僅獲免今太平南有翫鞭亭敦既得志暴慢愈甚諸方貢獻多入已府兄含既兇戾黨成不軌初敦始病也夢白犬自天而下嚙之又夢刀協乘軺車導從瞋目叱左右執之意惡而死

蘇峻反祈鍾山神許盡朱鬣紫騎馬碧盖朱絡車後郗鑒入援亦祈鍾山山神謂鑒曰蘇峻爲逆人神所憤當與蔣子文共誅鋤之峻亦祈我

豈可助之爲虐今以疏相示及案收而疏見

干寶字令升新蔡人少勤學中宗即位以領國史累遷散騎常侍脩晉紀上自宣帝迄于建興凡五十三年成二十卷辭簡理要直而能婉世稱良史初父亡有所幸婢母忌之乃殉葬後十餘年母喪開冢合葬殉婢仍活取嫁之因問幽冥考校吉凶悉驗遂著搜神記三十卷將示劉惔惔曰御可謂鬼之董狐也 三十國春秋云是年中令蘇韶卒卒後韶從弟節見韶乘馬晝日而行著黑介幘黃綵單衣節問曰兄何由來韶曰欲改葬節因

問幽冥之事韶曰死者爲鬼俱行天地之中在人間而不與生者接顔回卜商今見爲脩文郎死之與生略無有異死居生實此有異爾節曰死者何故不復歸其尸乎對曰譬若斷兄一臂以投地就剥削之於兄有患否死者棄骸亦如此也節曰厚葬美墳死者樂乎韶曰何樂之有節曰若然兄何故欲改葬韶曰述生時意耳言終而不見

何充性好釋典脩佛寺供沙門以至貧乏阮裕嘗戲之曰卿志大宇宙勇邁終古充問其故裕曰我圖數千户郡尚未能得卿圖作佛不亦大乎時郗愔及弟曇奉天師道而充與弟準崇信釋氏謝萬譏云二何佞於佛二郗諂於道

許詢徵司徒緣不就乃策杖披裘隱于永興西山憑樹構堂蕭然自致至今此地名爲蕭山遂捨永興山陰二宅爲寺家財珍異悉皆是給既成啓奏孝宗詔曰山陰舊宅爲祗洹寺永興新居爲崇化寺詢仍於崇化寺造四層塔物産既罄猶欠露盤相輪一朝風雨相輪等自備時所訪問乃是剡縣飛來既而移皐屯之巖常與沙門支遁及謝安石王羲之等同遊往來至今皐屯呼爲許玄度巖也許玄度集道字道林常隱剡東山不遊人事好養鷹

馬而不乘敵人或譏之道曰貧道愛其神駿卒後戴安道嘗經其墓嘆曰德音未遠而拱木已積興神理綿綿不與氣運俱盡爾

塔寺記今興嚴寺即謝尚宅也南直竹格巷臨秦淮在今縣城東南一里二百步尚嘗夢其父告之曰西南有氣至衝人必死勿當其鋒家無一全汝宜脩福建塔寺可禳之若未暇立寺可杖頭刻作塔形見有氣來可擬之尚悟懼遂刻小塔施杖頭恒置左右後果有異氣遥見西南從天而下始如車輪漸彌大直衝尚家尚以杖

頭指之氣便田散閭門獲全氣所經覔數里無復子遺遂於永和四年捨宅造寺名莊嚴寺宋大明中路太后於宣陽門外太社西藥園造莊嚴寺改此爲謝鎮西寺至陳大建元年寺爲延火所燒後五年豫州刺史程文秀更加脩復孝宣帝降勑改名興嚴寺實錄

謝奕爲桓温府司馬温尚南康公主主妬忌温甚憚之經年不入其室奕嘗以酒逼温温逃酒入主門奕遂升温廳事更命酒引一直兵共飲

謂之曰失一老兵得一老兵亦何恠也公主謂
溫曰君若無狂司馬我何由得相見
京師每歲除日行儺今所謂逐除也結黨連羣
通夜達曉家至門到責其送迎孫興公嘗著戲
爲儺至桓宣武家宣武覺其應對不凡推問之
乃興公案禮儺逐厲鬼也論語云鄉人儺朝服
立於阼階注云儺驅逐疫鬼也亦呼爲野雩戲
今俗謂儺爲野胡並訛言耳實録
晉太宗見讖云晉祚盡昌明及孝武帝在孕李

太后夢神人曰汝生子男必昌明爲字及產東方始明名之太宗後悟泣曰昌明在爾耶

桓溫初廢海西公無害殷涓曹秀庾倩等及太宗崩入拜山陵左右覺其有異或云臣不敢既登車失色顧謂從者曰向見先帝因問涓形狀荅曰肥短溫曰向見亦在側歸遂懼而爲疾晉書

桓溫伐蜀行見諸葛亮八陣圖指謂左右曰此常山蛇勢也蜀書八陣圖諸葛武侯所作在魚復平沙上皆聚細石爲八陣行列相去各三丈許在今夔州白帝城下江水次每至冬月水小行人沿江踐踏毀散殆盡至夏五

六月間淤潦淹没其圖復如故
及冬水退次亭宛然寔靈異也

桓溫移鎮姑孰自以雄武專朝窺窬非望或卧對親僚曰爲爾寂寂將爲文景所笑既而撫枕起曰既不能流芳後代不足復遺臭萬載耶時遠方一比丘尼有道術至姑孰求浴溫竊窺之尼倮身先以刀破腹次斷兩足溫見惡之浴竟問尼尼曰君若作天子亦當如是魯曾經行王敦墓望曰可人可人其心跡若是

王坦之初與沙門竺法師甚厚每共論幽明報

應便要先死死者當報其事後經歲師忽來云貧
道已死罪福皆不虛唯當勤脩道德以升濟神
明爾言訖不見坦之尋亦病卒臨終與謝安桓
冲書言不及私唯憂國家之事朝野痛惜之
桓冲溫第也有武幹溫甚異之初父亡後兄弟
並少家貧母患須羊以解無由得之溫乃以冲
質羊羊主不欲爲質乃言曰幸爲養買德郎買
德郎冲小字也及爲江州刺史厚報之
劉驎之往在南平陽岐村刺史桓冲將造之值

驎之在樹採桑冲遣通驎之驎之曰使君忘其
陋賤猥賜光臨請先詣家君冲因詣其父父命
驎之於內取濁酒蔬菹冲令人代驎之斟酌其
父辭曰若使官人非野民之意冲為盡歡而去
驎之常賑窮濟急以身親其事村民感焉遠村
有一獨嫗病將死謂人曰誰當埋我唯有劉長
史耳驎之往看自為治棺殯之侍中張玄奉詔
至江陵經陽岐村見一人持生魚半籠來造船
寄作鱠及維舟取之問姓名即驎之也玄素聞

名甚加禮重歸之飡罷即返竟弗留焉

桑門釋道安與習鑿齒初相見道安曰彌天釋道安鑿齒曰四海習鑿齒時人以爲佳對桓溫覬覦非望鑿齒在郡著漢晉春秋以裁正之起漢光武終晉愍帝紀五十四卷以爲三國之時蜀以宗室爲正魏武雖受漢禪晉尚爲篡逆至文帝平蜀乃爲漢亡而晉始興焉引世祖諱炎興而爲禪授明天心不可以勢力彊也鑿齒尋以脚疾廢居里巷苻堅陷襄陽與道安俱獲於

秦秦主與語大悅賜遺甚厚又以其蹇疾與征鎮書曰昔晉氏平吳利在二陸今破漢南獲士裁一人有半爾苻堅敗歸襄陽襄鄧反正朝廷欲徵鑿齒使典國史未行會卒晉書鑿齒爲桓溫西曹主簿時溫有大志既平蜀召蜀人知天文者至夜執其手問國祚脩短荅曰世祀方永溫疑其難言乃飾辭云如君言豈獨吾福乃蒼生之幸然今日之語自可令盡必有小小厄運亦宜說之星人曰太微紫微文昌三宮氣候如此必無憂虞五十年外不論耳溫不悅乃止異日送絹一疋錢五千與之星人馳詣鑿齒曰家在益州被命遠下今受旨自裁無由致其骸骨緣君仁厚乞爲標碣棺木耳鑿齒問其故星人曰賜絹一疋令僕自裁恵錢五千以買棺耳鑿齒曰君幾誤死君

嘗聞千知星宿有被不覆之義乎以此絹戲君以錢供道中資是聽君去耳星人大喜明日便詣温別温問去意乃以鑿齒言荅温笑曰鑿齒憂君誤死君定是誤活然徒三十年看儒書不如一詣習主簿

晉孝武帝遊於清暑殿有一人黄衣自號天泉池神名淋岑君謂帝曰若見善待當福祐之帝恇恐投以佩刀神怒曰君爲不道將使知之因不見遂聞鼓鞞之響而去帝乃請大沙門爲齋夜轉誦見一臂長三丈來摸經案甚怪之後帝與宮妓泛龍舟飲宴於池有慢神色乃見形攀

龍舟沉帝遂溺死與今本紀不同尋考其實則暴崩清暑非繆也圖經

諸葛長民富貴時多有異每臥夜中輒驚起跳踉與人相敵毛脩之閤其故長民曰見一物甚黑而有毛脚不分明奇健非我無以制之又屋中柱及椽桷閒悉見有蛇頭令人以刀懸斫應刃隱藏隨復却出又擣衣杵相與語如人聲不可解又於壁中見巨手長七八尺臂大數圍令斫之豁然不見未幾被誅

王子年著讖云帝諱昌明運當極特申一期延其息諸馬渡江百年中當值卯金折其鋒至安帝果爲劉氏所代自東晉子孫相承四代十一帝起戊寅終己未凡一百二年並都臺城之建康宫始元帝過江稱晉王置宗廟使郭璞筮之云享二百年自元帝稱晉王元年丁丑歲至禪宋之年庚申歲實一百四年而丁丑尚繼於西晉庚申終入于宋唯一百二年郭言二百蓋倒其言爾

宋武帝微時躬於丹徒業農及受命後耨耜之
具頗有存者皆命藏之留於後及文帝幸舊宫
見而問焉左右以實對帝有慚色有近侍進曰
大舜躬耕歷山伯禹親事土木陛下不覩列聖
之遺物何以知稼穡之艱難何以知先帝之至
德乎及孝武大明中壞上所居治室於其處起
玉燭殿與羣臣觀之牀頭有土障壁上挂葛燈
籠麻繩拂侍中袁顗稱上儉素之德武帝不荅
獨言曰田舍翁得此已過矣

宋元嘉九年詔有司盱眙表王彭所居曰通靈里蠲復二世彭幼喪母後父亡將營葬值天旱遠汲以泥塼泣號勤悴一旦大霧霧歇於磚竈前有水如池得以周用窆訖歸助者或亡其斧返求之至向水所則積旱揚塵塵有雉浴鄉人異焉

宋王仲德在北爲慕容垂所逐濟水暴至不知所如有白狼來對仲德號訖厲水度仲德隨之獲免又曾夜行澤中失道每有炬火照路後貴

圖白狼祀之
宋明帝六年立總明觀徵學士充之置東觀祭酒訪舉各一人舉士二十人分爲儒道文史陰陽五部學言陰陽者遂無其人
明帝末年好鬼神多忌諱言語文書有禍敗凶喪及疑似言應迴避者數百千品犯者必加罪戮改騧馬字爲馬傍作瓜以騧似禍字故又嘗以南苑借張永云給三百年期滿更啓復命閟曰永不以爲少乎他事類此宣陽門人謂之白

門上以爲不祥甚諱之尚書左丞江謐嘗誤犯
上變色曰白汝家門謐頓首謝罪久之方釋
宋顔竣字士遜轉吏部尚書留心選舉後謝莊
代竣領選竣容貌嚴毅莊風姿甚美賓客諠訴
常徼笑荅之時人語曰顔竣嗔而與人官謝莊
笑而不與人官
朱脩之守滑臺爲魏所圍累月糧盡外援不至
遂陷没初母聞脩之被圍常悲憂忽一旦乳汁
驚出母號慟告家人曰我年老非復有乳今如

此見必没矣後聞脩之果以此日陷没拓拔敬嘉其守節以爲侍中後奔鮮卑馮弘於黄龍拓拔燾伐弘有説弘令脩之歸求救者乃發使隨脩之泛海未至東萊遇猛風船失柂海師慮向海北垂長索船乃正仰望見飛鳥知去岸近尋至東萊郡

宗慤隨檀和之破林邑王范陽邁傾國來逆以具裝被象慤以師子威服百獸乃製其形與象相拒象見果驚奔敗賊衆潰遂尅林邑收其珍

異皆是未名之寶金銀各六萬兩

蕭思話初在青州嘗用銅斗覆在藥廚下忽於斗下得二死雀思話歎曰斗覆而雙雀殞其不祥乎既而被繫

謝莊字希逸爲赤鸚鵡賦袁淑見而嘆曰江東無我卿當獨秀我若無卿亦一時之傑也孝武嘗問顔延之曰謝希逸月賦何如延之荅曰美則美矣但莊始知隔千里兮共明月帝召莊以延之荅語莊莊應聲荅曰延之曾作秋胡詩始

知生爲父離別没爲長不歸帝撫掌竟日
殷孝祖入援建康遷冠軍將軍督前鋒諸軍事
先有諸葛亮筩袖鎧鐵帽二十五石弩射之不
能入上悉以賜之
薛安都嘗夢仰頭視天正見天門開謂左右曰
天門開乃中興之象及魯爽叛上遣安都率步
騎擾歷陽追爽至小峴刺爽斬之爽世號驍勇
生習戰陣咸言萬人敵安都單騎直入斬之而
返時人云關羽斬顏良不之過也進爵爲侯

袁粲字景倩少有風操著妙德先生傳以續嵇康高士傳其文略曰有妙德先生陳國人也嘗謂人曰昔有一國國中有一水號曰狂泉國人飲此水無不狂惟國君穿井而汲獨得無恙國人既並狂反謂國主之不狂爲狂於是聚謀共執國主療其狂疾火艾針藥莫不畢具國主不任其苦於是到泉所酌水飲之飲畢便狂君臣大小其狂若一衆乃懽然我既不狂難以獨立比亦欲試飲此水矣

宋時郡縣田祿以苙種爲斷此前去官者則一年秩祿皆入後人此後去官者則一年秩祿皆入前人始自元嘉不改此科計月分祿既長之嘗爲武昌太守去郡代人未至以苙種前一日解印綬去

戴顒逵之子也有巧思自漢世始有佛像形制未工顒特善其事宋世子鑄丈六銅像於瓦官寺既成時議面恨瘦工人不能改顒曰非面瘦臂胛肥耳及減臂胛患即除無不歎服

王弘之性好釣上虞江有一處名三石頭弘之嘗垂綸於此經過者不識之或問漁師得魚賣不弘之曰亦自不得得亦不賣日夕載魚入上虞郭經親故門各留一兩頭置門内而去

齊高帝性節儉即位後身不御精細之物主衣中有玉使硶之凡有異物皆毁之後宫欄檻以銅爲飾者皆改用鐵内殿鈒黄紗帳宫人着紫皮履每曰使我治天下十年當使黄金與土同價欲以身率天下移變風俗也

齊鬱林王昭業即位改元隆昌其秋見廢立海陵王昭文冬十月爲明帝所弑改元建武先是沙門寶志住東宮常從平昌門入忽云門限上血汚人衣褰裳走過俄而載帝屍自此門出頸血流于門限史臣曰郭璞稱永昌之凶二日之象而隆昌之號亦同焉案漢靈帝中平六年四月崩辨太子十歲即位改元光熹張讓段珪誅後改爲昭寧董卓輔政改爲永漢卓廢帝爲弘農王一百七十日鴆之九月立靈帝子協却號中平一年四號也晉惠帝太平二年長沙王反事敗成都王穎改元永安穎奔河間王復改元永興一歲三號也隆昌延興建武亦三號故知喪亂之軌適千載而必同之矣

王敬則東起兵高祖疾篤朝廷倉卒東昏侯使人上屋望見虜亭失火謂敬則至急裝欲走或有告敬則者敬則曰檀公三十六策走是上策汝父子唯應急走耳蓋諺云檀道濟避虜也

崔祖思隨青州刺史垣護之入堯廟廟有蘇侯像偶坐護之曰唐堯聖人而與雜神爲列祖思曰使君若清蕩此坐則是堯廟重去四凶之伍也遂相與除雜神

垣榮祖少學騎馬及射或謂之曰武事可畏何

不學書榮祖曰曹操上馬橫槊下馬談論此於天下可不負飲食矣君輩無自全之伎何異犬羊乎累遷寧國將軍東海太守榮祖善彈登西樓見海鵠羣翔謂左右當生取之於是彈其兩翅毛脫盡墜地無傷養毛生後飛去其妙如此

虞玩之仕宋官至左丞見齊太祖躡屐造席太祖取屐視之訛黑斜銳蒵斷以芒接之問曰御此屐已幾載玩之曰三十一年矣初拜征北行佐所買貧士未辦易之太祖善之因賜新屐不

受曰着精日久弊不可捎所以不當殊賜
謝超宗靈運之孫父鳳嘗作殷淑儀誄宋孝武
見歎曰超宗殊有鳳毛出爲太祖長史坐公事
免自詣東府門通謝其日風寒慘厲太祖謂四
坐曰此客至使人不衣自煖矣超宗既坐飲酒
數甌辭氣橫出太祖對之甚懽太祖即位轉黃
門侍郎在直省常醉上忽召見語及北方事超
宗曰虜動來二十年佛出亦無柰何以失儀出
爲南郡王司馬後以怨望免官禁錮司徒褚淵

送湘州刺史王僧虔閤道壞墜水僕射王儉牛驚跣下車超宗撫掌笑曰落水三公墜車僕射前後言誚布在朝野及淵出水沾濕超宗又笑曰有天道焉天所不容有地道焉地所不受投畀河伯河伯不用淵大怒曰寒士不遜超宗曰不能賣袁粲焉得免寒士

陸澄字彥淵少好學行坐眠臥手不釋卷竟陵王子良得古器小口方腹而底平可容七八勝以問澄澄曰此名服匿昔單于以賜蘇武子良

復細視器底有字髣髴可識如澄所說以老疾轉光祿大夫卒年七十世稱碩學讀易三年不解文義欲撰宋書竟不成王儉戲之曰陸公書厨也

張融嘗泛海至交州於海中遇風終無懼色方詠曰乾魚自可還其本鄉肉脯復何爲者哉又作海賦還示顧愷之曰此賦可超玄虛但恨不道鹽耳融立取筆注之曰漉沙構白熬波出素積雪中春飛霜暑路此四句後足也融嘗與王

僧虔書曰融天地之逸民也進不辨貴退不知
賤兀然造化忽若草木每自歎曰不恨我不見
古人恨古人不見我善草隸書自號其能太祖
尤善之見融常笑曰此人不可無一不可有二
與何戩善嘗往詣戩爲從者誤通尚書劉澄宅
融入門乃曰非是至戶外望澄又曰非是既造
席熟視澄良久曰都不是乃出其爲異如此遷
司徒從事中郎謁告東出世祖問所住止曰臣
陸居無屋舟居無水上問融從兄緒緒曰融近

東出未有居處權牽小船於岸上住上大笑
周顒字彦倫於鍾山西立隱舍休沐則歸之清
貧寡欲終日長蔬雖有妻子獨處山舍甚機辯
王儉謂顒曰卿山中何所食顒曰赤米白鹽綠
葵紫蓼文惠太子問顒菜食何味最勝顒曰春
初早韭秋末晚菘
謝鳳子超宗嘗候王僧虔仍往東齋詣其子慈
慈正學書超宗曰卿書何如虔公慈曰我不及
有如鷄之比鳳超宗狼狽而退

陸惠曉字叔明晉太尉玩之玄孫清介正直不雜交遊劉璡行至吳謂人曰吾聞張融與惠曉並宅其間有水必應異味遂命駕往酌而飲之曰飲此水則鄙吝之萌盡矣惠曉後遷竟陵王長史或謂曰長史貴重不宜妄自謙退荅曰我性惡人無禮不欲以無禮處人又曰貴人不可卿而賤者乃可卿人生何用立輕重於懷抱終身常呼人官位

王融嘗詣王僧祐遇沈昭畧素未相識昭略顧

所謂主人曰是何年少馳殊不平謂曰余出於扶桑入於濛谷照耀天下何人不知而卿有此問昭略曰不知許事且食蛤蜊融曰方以類聚物以群分君長東隅居然應嗜此族其高自標致如此

齊明帝末年東陽女子婁逞變服詐稱丈夫粗知圍棊解文義徧遊公卿門仕至揚州議曹從事事方泄明帝令東還始作婦人服歎曰有如此伎還爲老姥豈不惜哉此人妖也陰而欲爲

陽事不果故泄王敬則蕭遥光陳顯達崔慧景舉兵之應也遥光未敗前一夕人夢群虵緣城四出明日各共說之咸以爲異

齊衡陽王鈞常手細字書五經一部爲一卷置之巾箱中侍讀賀玠問曰殿下家有墳素何湏此蠅頭細書別藏巾箱答曰巾箱五經檢閲且易一更手寫則永不忘諸王聞而爭效之爲巾箱五經自此始

宋武帝平關中得姚興指南車有外形而無機軸每行使人於内轉之昇明中齊太祖輔政使

祖沖之追脩古法沖之改造銅機運轉不窮而司方如一自馬均已來未始有也宋元嘉已後用何承天所製曆比古十一家爲密沖之以爲尚疎乃更造新法永明年中爲竟陵王子良造欹器獻之與周廟不異性解鍾律博塞當時爲獨絕諸葛亮有木牛流馬沖之別造一器不因風水施機自運不勞人力

宋孝武時青州人發古冢得銘曰青州世子東海女郎帝問學士鮑昭徐爰等皆不能悉賈淵

荅曰此司馬越女嫁荀晞兒驗訪果如其言先是譜學未有名家淵三世傳學十八州士族譜合一百帙七百餘卷該覽精悉世莫比之建武中遷長水校尉卒撰氏族要狀及人名書盡行於世永明中王儉亦有百家譜

虞愿爲晉安太守郡出蚺蛇膽可爲藥有餉愿蛇愿放之二十餘里一夜蛇還歸牀下復送四十里經宿復至故處愿令人更送遲明乃復歸如此再三説者以爲仁義之心所致

梁武帝普通元年置大愛敬寺西南去縣十八里爲太祖文皇帝造大通四年又造一丈六尺旃檀像量之剩二尺成丈八尺形次衣文及手足叚重量又剩一尺五分至大通五年寺主僧洽重量又剩七寸即是長二丈矣大同四年移入大殿勑主書吴文罷更量又剩五寸凡五度量即長二丈七寸豈非精誠所感耶精金若人神氣故異

曹景宗大破魏軍於鍾離封竟陵公拜侍中爲人性躁不能沉默出行常欲褰車帷幔左右輒

諫以位望重人所具瞻不宜如此景宗謂所親曰我昔在鄉里騎快馬如龍與少年輩數十騎馳騁拓弓作霹靂怒發箭如餓鴟叫平澤中逐麞鹿數肋射之渴飲血飢食肉覺耳後風生鼻頭火出此樂使人忘死不知老之將至今來揚州作貴人動靜不得路行欲開車幔小人輒言須閑置向車中如三日新婦悒悒使人無氣

夏侯詳未貴時荆州城局參軍吉士瞻因浚萬人伎庫火防池得金革鉤隱起文曰錫汝金鉤

既公曰侯士瞻妻詳之兄女乃竊與詳詳喜佩之及武帝革命詳果封侯而士瞻不錫茅土

范雲與梁高祖常同宿顧暠舍暠妻產子有鬼在外曰此中有王有相雲起謂帝曰王當仰屬相以見歸後果然

宋如周有才學而面狹長梁宣帝嘗戲之曰卿何爲謗法華經如周踧踖自陳不謗帝又言之如周不悟而出告蔡大寶大寶知其旨笑曰君嘗不謗餘經止應不信法華法華云聞經隨喜

面不狹長如周乃悟

陳王固琅琊人性信佛法嘗禪坐誦經又妙於玄言使聘魏國宴饗請殺一羊羊於固前跪足而拜又宴昆明池魏以固南人嗜魚大設罟於水中固以佛法呪之一無所獲

陳司空吳明徹幼孤性至孝年十四感墳塋未脩家貧未辦乃勤力耕種遇大旱苗稼焦枯明徹哀憤每至田中號哭仰天告愬居數日有田廻者云苗已更生明徹往果如所言至秋大

穫足充葬用有尹生善占墓謂其兄曰君家葬日必有乘白馬逐鹿者來經墓所是最小孝子大貴之徵也至時果然有應

馬樞鄗人少好學六歲能誦孝經論語老子及長博極經史尤善佛經及周易老子義梁邵陵王綸引爲學士留書二萬卷與之嘗喟然嘆曰吾聞貴爵位者以巢由爲桎梏愛山林者以伊呂爲管庫束名實則芻芥柱下之言翫清虛則粃糠席上之論稽之篤論亦各從其所好乃隱

茅山有終焉之志陳天嘉中徵度支尚書辭不至每王公大人有饋餉辭不獲免者十分受一屬世亂所居盜賊不及依託者數百家皆得全樞目精洞黄能視闇中物常有白鸛一雙巢其庭樹馴狎檐廡年八十六卒撰道覺論行於世

徐陵使魏魏人館宴之日甚熱主客魏收謂陵曰今日之熱當由徐公陵荅曰昔王肅至此爲魏始制禮儀今僕來聘使卿復知寒暑收大慙

陳後主嘗自夢黄衣圍城有血霑階至卧床頭

而火起又有狐入其床下捕之不見以爲妖精後主乃自賣身於佛寺爲奴以禳之又於郭内大皇寺造七層塔未畢功而火從中起飛向石頭城燒人家無數常使人採木於湘州栰下至牛渚磯没水中既而漁人見栰浮於海上乃起齊雲觀未就國人歌曰齊雲觀賊來無際畔始北齊末諸省官人皆稱省主未幾而滅陳末朝官亦稱省主識者以爲省主主將見省之兆也陳高祖即位日其夜奉朝請史普直宿省中夢

有人自天而下導從數十人至太極前殿北面執策策金字曰陳氏五帝三十四年又後主在東宮有婦人突入唱曰畢畢國國主主尋而不見又嘗有一足鳥集於殿庭以觜畫地成文曰獨足上高臺茂草化爲灰欲知我家處朱門向水開解者以爲獨足蓋指後主獨行無衆茂草言荒穢也隋承火運草得火故爲灰矣及後主至長安與其家屬館於都水臺所謂上高臺當水開者其言皆驗

南史東昏妃潘玉兒有國色武帝將留之王茂曰亡齊者此物留之恐貽外議帝乃出之軍主田安啓求爲婦玉兒泣曰昔時見遇時主今豈下匹非類死而後已義不受辱乃縊而死

仙者李盤白溧陽人西晉初築室高遼山之西陲煉丹丹成以九井藏之得王蕳芝一本類白蓮花養一虎飼以藥苗清水不血食謂之仁虎峯頂作一亭名會仙元康元年八月十五日清晨輕雲縹緲異香紛郁太極仙翁入洞天仙俱

會于亭乃服冊玉皇遣朱衣使者賫玉冊詔補
吳越仙任盤白老鬢鬙然而紺髮盤頂因以盤
白爲嘉號仍以名山事載于碑或曰名盤栢云
許堅南唐人嗜魚炙火上不去鱗腸食每和巾
帶入溪澗浴坐乾風日中衣服黲氣人惡之多
夢中吟詩宿下山雲泉精舍僧出白字韻請留
詩與僧對榻熟睡至晚起出詩有古池香泛荷
花白之句見詩話太虛觀有堅放魚池舊傳堅
放食魚全骨化生魚云又題幽棲觀云仙翁上

昇去丹井連晴壑山色接天台湖光照寥廓玉洞絶無人老檜猶棲鶴我欲泛靈槎他時冲碧落又雲泉寺呂司法題詩云許老求仙杳不還好詩長在碧蘿間唐人錯寫雲泉寺只合題爲小蔣山注曰寺在下山許堅隱居之地重巒喬木邑人號蔣山見溧陽志又見祈澤寺註

廬絳寓居翔鸞坊避熱病彌日晝寢夢一婦人被真珠衣持蔗一本令絳盡食歌菩薩蠻一曲送之食畢而寤病亦瘳矣其詞曰玉京人去秋

蕭索晝簾鵲起梧桐落欹枕悄無言月臨殘夢圓孤衾成暗泣睡起羅衣濕眉黛遠山攢芭蕉生暮寒絳後立功仕至節度留後南唐立起兵匡復不克而死

睦昭符金陵人保大中常州刺史州當吳越之衝屢交兵城邑荒殘昭符爲政寬簡招納逋亡未幾遂富實一日坐聽事雷雨暴至電光如金蛇繞案吏卒皆震仆昭符不懾撫案叱之雷電遽散及舉案惟得鐵索重百斤昭符亦不變色徐命舉索納庫中

洪内翰邁嘗言古今忠臣義士其名載于史冊者萬世不朽然有不幸而泯没無傳者南唐後主時有淮人李雄當王師弔伐出守西偏不遇其敵雄以國城重圍不忍端坐遂東下以救之陣于溧陽與王師遇父子俱殁諸子不從行者亦死他所死者凡八人李氏亡訖不霑褒贈其事僅見於吴唐拾遺録頃嘗有旨合九朝國史爲一書他日史官爲列之於李煜傳庶足以慰斯人於泉下 容齋續筆按宋史李雄作張雄

南唐將亡數年前修昇元寺殿掘得石記視之詩也其辭曰莫問江南事江南事可憑抱鷄昇寶位趂犬出金陵子建居南極安仁秉夜燈東隣嬌小女騎虎踏河氷宋師以甲戌渡江後主實以丁酉年生曹彬爲大將列栅城南爲子建也潘美爲副將城陷恐有伏兵命卒縱火即安仁也錢俶以戊寅年入朝盡獻浙右之地皇朝類苑

南唐將亡前數年宮中人採薔薇水染生帛一夕忘收爲濃露所漬色倍鮮翠因令染坊染碧

必經宿露之號爲天水碧宮中競服之識者以爲天水趙之望也開寶中新修營一石記凡數百字隸書從頭云從他痛從他痛如此連寫至末云不爲石子盡更書千萬箇從他痛從他痛不知其讖也未幾宋師渡江云

陳喬仕江南爲門下侍郎掌機密後主之稱疾不朝喬預其謀及宋師問罪誓以固守時張洎爲喬之副嘗言於後主曰社稷失守二臣死之城陷喬將死後主執其手曰當與我同北歸喬

曰臣死之即陛下保無恙但歸咎於臣爲陛下建不朝之謀斯計之上也掣其手去視事廳内語二僕曰共縊殺我二僕不忍解所服金帶與之遂自經後主求喬不得或謂張泊曰此詰北軍矣喬既死從吏撤扉瘞之明年朝廷嘉其忠詔改葬其屍如生而不僵鬚髮欝然初求屍不得人或見一丈夫衣黄半臂舉手障影自南廊過掘得屍以右手加額上如所覩者

魏泰筆録云幼聞祖母集慶郡夫人言江南有

國日有縣令鍾離君與鄰縣令許君結姻鍾離女將出適買一婢從嫁一日婢執箕帚行治地至堂前熟視地之窊處惻然泣下鍾離君適見怪問之婢泣曰幼時我家父於此穴地為毬窩道我戲劇歲久矣而窊處未改也鍾離驚曰而父何人婢曰我父乃兩政前縣令也身死家破我遂落民間而更賣為婢鍾離君遽呼牙儈問之復質於老吏具得其實是時許令子納采有日鍾離君遽以書抵許令曰吾買婢得前令之

女吾特憐而悲之義不可久辱當以吾女之奩篚先求婿以嫁前令之女更俟一年別爲吾女營辦嫁資以歸君子可乎許君答書曰遽伯玉恥獨爲君子君何自專仁義願以前人之女配吾子、然後君別求良與以嫁君女於是前令之女卒歸許氏祖母語畢歎曰此等事前輩之所常行今則不復見矣余時尚幼恨不記二令之名姑書其事亦足以激天下之義矣

宋高宗爲康王時靖康初避金兵走甚急忽有

白馬莫知從來康王乘馳千里夜宿村市馬不
復見黎明復來越數日康王渡海自明越海之
杭渡錢塘江甫登岸馬復在前王策之至晚不
見徧尋之乃土地廟所塑白馬尚復微暖流汗
康王即位行下臨安建白馬廟歲差官祭之
建炎南渡百僚倉皇渡江舟人乘時射利停橈
水中每渡一人必須金一兩然後登船是時葉
宗諤爲將作監逃難至江滸而實不携一錢徬
徨無措忽覩婦人于其側美而艷語葉云事有

適可者妾亦欲渡江有金釵二隻各重一兩宜濟二人而涉水非女子所習公幸負我以趨葉從之且擧二釵以示篙師肯首令前婦人伏于葉之背而行甫扣船舷失手婦人墜水而没葉獨得逃生悵然以登南岸葉後以直龍圖閣帥建康其家影堂中設位云揚子江頭無姓名婦人豈鬼神託此以全其命乎許彥周揮麈録

溧陽豪民吳璋以財横鄉曲非特外人畏之其家子弟亦甚嚴憚每坐堂上則無敢過其前必

先究辟窺伺其不在方敢入弟十九郎者因窺隙見金紫人向堂立後有服朱綠數人少長儼列驚異之疾走入門乃無所覩私喜以為家慶未久既而瑋以不法為邑丞龔盗所治至於竄流遠方弟亦連坐黥徙袁州家貲皆估籍劉侍郎岑賀其室居緣是為請袁守免其弟歸因得服役門下適劉當歲除享祀偶於辟隙窺之金朱綠袍悦然曩日所見者始以語人夷堅志

洪輯居溧陽縣西寺事觀音甚敬幼子佛護病

痰喘醫不能治凡五晝夜不乳食證危甚呼醫
杜生診視之杜曰三歲兒抱疾如此雖盧扁復
生無如之何矣輯但憂泣辦凶具而生母以嘗
失孫愁悴尤切輯益窘懼投哀請禱于觀音至
中夜妾夢一婦人自後門入告曰何不令服人
參胡桃湯覺以語輯洒然悟曰是兒必活此蓋
大士垂教耳急取新羅參寸許胡桃肉一枚不
暇剥刮煎湯灌兒一蜆殼許喘即定再進遂得
睡明日以湯浸去胡桃皮取淨肉入藥與服喘

復作乃只如昨夕法治之信宿有瘳此藥不載於方書蓋人參定喘帶皮胡桃則斂肺也夷堅志

聖湯延祥溫湯元亭金陵屬邑溧水溧陽舊多蠱毒丞相韓滉之爲浙西觀察也欲更其俗絶其源終不可得時有僧住竹林寺每絹一疋易藥一圓遠近中蠱者多獲全濟值滉小女有惡疾浴於鎮之溫泉即愈乃盡捨女之妝奩造浮圖廟於湯之右謀名僧以蔵寺事有以竹林市藥僧應之滉欣然迎置且求其藥方久之僧始

獻於是其法流布仍刋石于二縣之市唐末喪
亂石不復存而温湯之寺至今在焉鎮之大族
夏氏世傳其法藥以温湯爲名誌其所自也温
湯元方五月初桃皮末二錢生用盤蝥末一錢先以麥麩炒去
翅足大戟末二錢生用右三味以米泔淀爲圓如棗核
形如中一切蠱毒食前用米泔下一圓[illegible]時
於净室中切忌婦人孝子猫犬見崇寧間住持
僧智淳得其方於府帥曾氏家云
南唐李後主獵青龍山一牝狙觸網見主雨淚

猶額屢指其腹王戒虞人保守之是夕誕二子還幸大理寺親録囚徒一大辟婦以孕在獄未幾産二子煜感牝狙之事罪止於流其山去城東二十五里

溧水州東南二十五里有烏鯉廟昔民有女感黑龍於田野歸而有娠産一鯉魚投於水中復能變化隨母所出入後乘雲而去母亡每春時必來墳所鄉人因立廟祠焉

開寶七年金陵苑囿中鹿忽一旦人語牧者叱

之麑亦叱牧者曰明年今日汝等俱作鬼物苑囿荒涼焉能拘我明年宋師渡江牧者俱死鬬敵苑囿亦廢矣

裴長史新羅國人忘其名後主朝行建州長史開寶八年宋師攻金陵未下建州守查元方知長史善伎術遣赴金陵五月路由歙州長史託疾不行密告刺史龔慎儀監軍輸鎬曰有狀託以附奏言金陵事者五一金陵立春節後出災謚寧無事二潤州城九月當陷三朱令贇舟師

氣候不過池州四江州血氣影從城明年春末夏
初血塗原野五大朝明年十月有大喪徵皆驗
其言

李珣字温叔都官外郎之幼女也八歲能作詩
適江夏人王常同泛舟射利江湖間妻徹爲江
州清風亭記常方歎美珣曰未之盡也何不云
好山緑水萬里有盡處清風明月千古無老時
一日舉其文於徹徹卒用其言爲破題不久常
死珣溺舟於三山磯下後三日尸忽出於水中

士人畏之爲立廟熙寧中都山張芝過廟作三絶焚於廟中一云風軟潮生江水平遥峯隱隱浸寒青自從香骨沉波底獨我爲詩呼爾靈二云軋軋櫓聲離遠浦瀟瀟帆影落寒漸慇懃灑酒陳佳果將此深心慰寂寥三云江阿初晴遠岸低心因啼鳥陡思歸爾如會我題詩意魂夢相求一處飛既夜一青衣召云娘子奉侯久矣芝曰娘子爲誰青衣曰早來獻詩與誰耶芝乃悟見一婦人謂芝曰早來佳章欲託以憂寐是或不眞其不能盡所懷故求面見妾溺此時水官令賦詩及校九江會源録一夕而畢水官大悦令江神出其尸顯其靈

今有祠在此血食於人謝子之詩意所不敢當答以詩詩見前志芝見詩歎賞久之俄出白金二百星贈芝曰煩礲一石載妾前事亦有奉報芝之受其金送芝之出幄則已五鼓矣芝之後因循不爲立石舟再過三山磯下幾至傾覆是夕又夢其女深詬責之事見翰林名談

晉元帝渡江隨帝有王離妻季氏者洛陽人將洛陽舊火南渡自言受道於祖母王氏傳此火并有遺書二十七卷臨終使行此火勿令斷絕

火色甚赤異於餘火有靈驗四方病者將此火煮藥及炙諸病皆愈轉相妖惑官司禁不能止及季氏卒火亦經時而滅人號其所居爲聖火巷在今縣東南三里禪衆寺直南出御街齊武帝末年匈奴中謠言云赤火南流喪南國於是匈奴始規爲寇帝方憂之是歲果有沙門從北來賫此火至火色赤於常火而微云可治疾貴賤爭取之多得其驗二十餘日京師咸云聖火詔使吏澆滅之而民亦有竊藏者治病先齋戒

以火灸桃板七炷而疾愈吳興丘國賓竊還鄉邑邑人楊道慶虛疾二十年形容骨立依法灸板一炷即痊是月武帝崩建康實錄注

京師寺記興寧中瓦官寺初置僧衆設會請朝賢鳴刹注䟽其時士大夫無有過十萬者顧愷之字長康直打刹注一百萬長康素貧時以爲大言後寺成僧請勾䟽長康曰宜備一壁遂閉戶往來一百餘日畫維摩一軀工畢將欲點眸子謂寺僧曰第一日開見者責施十萬第二日

開可五萬第三日可任例責施及開戶光明照
寺施者填塞俄而果百萬錢也

蘇魏公題維摩像云顧生首創
維摩詰像有清羸示病之容隱几忘言之狀陸
探微張僧繇效之終不能及至唐寺廢杜牧之
爲池州刺史道過金陵歎其將圮募工搨寫十
餘本遺好事者其一乃汝陰太守其人也不能
携去至今置於州廨丞相臨淄公鎮潁日嘗語
從事饒石以記其始末嘉祐壬寅予領郡事暇
日數取以觀之案長康晉人故所畫服飾器用
皆當時所尚其意態位致非常畫之比也杜本
已爲後人竊取今所存者蓋再經臨搨矣而氣
象超遠髣髴如見當時之人物已可愛也况牧
之所傳乎况長
康之真跡乎

梁張僧繇於金陵安樂寺畫四龍不點睛每云

點之則飛去人以爲妄誕因請點之須臾破壁二龍乘雲上天未點睛者故在初吳曹不興圖青溪龍僧繇見而鄙之乃廣其象於龍泉亭其畫留在祕閣時未之重至太清中震龍泉亭遂失其壁方知神妙又天皇寺明帝所置也内有栢堂僧繇畫盧舍那佛及仲尼十哲帝恠問釋門内如何畫孔聖僧繇曰後當賴此爾及後代滅佛法焚天下寺塔獨以殿有宣尼像乃不令毁實録大同三年置一乘寺西北去縣六里邵陵王綸造在丹陽縣之左隅郡舊開東門門

對寺梁末賊起遂延燒至陳尚書令江總捨書堂于寺今之堂是也寺門遍畫凹凸花代稱張僧繇手跡其花乃天竺遺法朱及青緑所成遠望眼暈如凹凸就視即平世咸異之名凹凸寺

又宣金陵人工畫花竹翎毛孤標雅致別是風規敗草荒榛尤長野趣又有昇州厲昭慶工佛像尤長於觀音句容郝澄以丹青自樂周文規能畫鬼神冕服車器人物昇元中命圖南莊最爲精絶江寧沙門巨然畫烟嵐晚景當時稱絶建康蔡潤善畫舟船及江湖水勢曹仲元工畫佛道鬼神竺夢松工畫人物女子宮殿臺閣顧

德謙工畫人物劉道士工畫佛道鬼神圖畫見聞志
西清詩話曰自古文人雖在艱危困踣之中不
忘於述作盡性之所嗜雖鼎鑊在前不恤也況
下於此者乎後主在圍城中猶書長短句未就
而城破所謂櫻桃落盡春歸去蝶翻金粉雙飛
子規啼月小樓西曲欄珠箔惆悵卷金泥門巷
寂寥人去後望殘烟柳低迷嘗見殘藁點染晦
昧心方危窘意不在書耳
宋朝事實云周廣順中江南伏龜山圯得石函

長二尺八寸中有銘云維天監十四年秋八月葬寶公于此按寶公傳葬蔣山豈蔣山自有伏龜山乎

申漸高者南唐優人金陵建國之初軍儲未實關市之利斂率尤繁農商苦之而莫達於上時屬近甸亢旱日久禱祈無應上他日舉觴苑中宣示宰臣曰近京三五十里外皆報雨足獨京城不雨何也得非獄市之間寃枉未伸乎諸相未及對漸高歷陛而進曰雨懼抽稅不敢入城

上悟翌日下詔停一切額外稅信宿之間膏澤告足故知優旃漆城耶律尾衣不爲虚矣烈祖曲宴便殿引鴆觥賜周本本疑不飲佯醉別引一卮均酒之半跪捧而進曰願陛下千萬歲陛下若不飲此酒非君臣同心同德之謂也臣不敢奉詔上色變無言者久之左右皆相顧流汗漸高有機智者竊諭其意乃乗恢諧盡併两盞飲之内金盃懐中趨出上密使親信持藥詣私第解之已不及矣漸高腦潰而卒

南唐元宗嗣位之初春秋鼎盛留心内寵宴私擊鞠略無虛日常乘醉命樂工楊花飛奏水調詞進酒花飛唯歌南朝天子好風流一句如是者數四上既悟覆盃大懌厚賜金帛以旌敢言上曰使孫陳二主得此一句固不當有銜璧之辱也翊日罷諸歡宴留心庶事圖閩吊楚幾致治平

元宗暑月賜嚴李二相曲宴北苑中有老牛方息大樹之陰上命樂工詠之伶人王感化首進

一詞曰寗戚已聞鞭扣角田單亦用火焚身困臥斜陽噍枯草近來問喘更無人南唐近事

李冠子善吹中管妙絶當代上饒郡公甞聞於元宗上甚欲召對屬淮甸多故盤桓朞月戎務日繁竟不獲見出關日李建勲贈一絶云韻如古澗長流水怨似秋枝欲斷蟬可惜人間容易聽新聲不到御樓前南唐書作李冠云冠既不遇周顯德中北遊梁宋每醉輙登市樓長嘯後不知所終

南唐鄧匡圖爲海州刺史有野客潘扆謁之鄧不甚禮遇館於外廐一日命潘觀獵近郊鄧妻詣廐中覘扆棲泊之所弊榻竟席竹籠而已籠中有錫彈丸二枚其他一無所有艾夜扆從籠歸啓籠之際忽爲歎駭之聲且曰定爲婦人所觸幸吾朝來攝其光鋩不爾斷婦人頸久矣國人異之乃聞于鄧鄧詰其由室家具以實告鄧頗驚異遂召潘升堂屏左右曰先生其有劒術乎潘曰素所習之鄧曰願先生陳其所妙使其

挟月一覲可乎潘曰何不可也明日公當齋戒三日擇近郊平廣之地可試吾術鄧如其約至期命潘聯鑣而出至城東其始潘自懷袖中出二錫彈丸置掌中俄有氣兩條如白虹之狀徽徽出指端須臾上接於天若風雨之聲當空而轉又繞鄧之頸左盤右旋千餘匝其勢奔掣其聲錚摐錚霆電迅雷無以加也鄧擾鞍危坐喪精褫魄雨汗浹體莫知己身之所從乃稽首祈謝曰先生神術固己知矣幸攝其威靈無相見

怖潘笑舉一手二白氣復貫掌中若雲霧之下收食間復爲二彈丸矣鄧自此禮遇彌厚表薦於烈祖納焉其後欲傳之於人一夕夢其師怒衮擅泄靈術傳非其人陰奪其法既寤不復能劒矣尋病終于紫極宫臨終上言乞桐棺葬於近地後當尸解上從之使中貴人護葬于金波園至保大中元宗命親信發塚觀之骸骨尚在迄無異焉天地間金氣至剛遇貞陽則毁此亦可以理推

南唐書耿先生者父雲軍大校耿少爲女道士

玉貌烏爪常著碧霞帔自稱北大先生始因宋齊丘進見宮婢持糞帚謂元宗曰此物可惜勿令棄之取置鐺中烹煉良久皆成白金嘗遇雪擁鑪爇金盆貯雪令宮人握雪成鋌投火中徐舉出之皆成白金指痕猶在又能燭麥粒成圓珠光彩粲然奪真大食國進龍腦油元宗祕愛耿視之曰此未爲佳者以夾縑囊貯白龍腦數斤懸之有頃瀝液如注香味逾於所進遂得幸於元宗有娠將産之夕雷雨震雹及霽娠已

失矣又之宫中忽失元敬宋太后所在耿亦隱去凡月餘中外大駭有告者云在都城外二十里方山寶華宫元宗亟命齊王景遂往迎太后見與數道士方酣飲乃迎還宫道士皆誅死耿亦不復得入宫中然猶往來江淮後不知所終

金陵好事家至今猶有耿先生寫眞云

南唐書嗚呼南唐褊國短世無大淫虐徒以寖衰而亡要其最可爲後世監者酷好浮屠也初烈祖居建業大築其居窮極土木之工作無遮

大齋七會有僧自身毒中印土來以貝葉旁行及所謂舍利者爲贊烈祖召僧智玄譯其書并圖寫製諭李長者像班之境内然烈祖未甚惑後其徒爲姦利多出國人則寖已成俗矣及其末年溧水天興寺桑生木人長六寸如僧狀右袒而左跪衣裓皆備其色如純漆可鑑謂之須菩提縣掇置龕中以仁壽節日來獻烈祖驚異迎置宫中奉事甚謹其徒因夸以爲感應按譙氏五行書王有大喪不三月烈祖殂及元宗後

主好之遂篤幸臣徐遊專主齋祠事群臣和附恐後宮中造寺十餘出金錢募民及道士爲僧都城僧至萬人悉取給縣官後主退朝與后著僧伽帽服袈裟課誦佛經拜跪稽顙至爲瘤贅手常屈指作佛印僧尼犯姦淫命禮佛百而捨之奏死刑日適遇其齋則於宮中佛前然燈以達旦爲驗謂之命燈未旦而滅則論如律不然率貸死富人賂宦官竊續膏油往往獲免上下狂惑不恤政事有諫者輙被罪歙州進士汪渙

上封事言梁武惑浮屠而亡陛下所知也柰何效之後主雖擢渙爲校書郎終不能用其言開寶初有北僧號小長老自言慕化而至多持珍寶怪物賂貴要爲助朝夕入論天宮地獄果報之説後主大悦謂之一佛出世服飾皆鏤金綘羅後主疑其非法荅曰陛下不讀華嚴經安知佛富貴因説後主多造塔像以耗其帑庾又請於牛頭山造寺千餘閒聚徒千人日給盛饌有食不能盡者明旦再具謂之折倒盖故造不祥

語以揺人心及王師渡江即其寺爲營又有北
僧立石塔於采石磯草衣藿食後主及國人施
遺之皆拒不取及王師下池州繫浮橋於石塔
然後知其爲間也金陵受圍後主召小長老求
助對曰北兵雖强豈能當我佛力登城一麾外
兵暫退自是圍城中皆誦救苦菩薩未幾梯衝
環城矢石如雨蒼皇復召小長老稱疾不至始
悟其姦鴆殺之群僧懼併坐誅乃共乞擐甲出
鬬死國難後主曰教法可毀乎弗許云

至元甲戌冬十二月宋師大敗於陽邏堡制置趙溍領兵廵江諮議官李應龍充總統軍馬隨司行江上應龍即趙葵參謀官李虎之子十二月二十五日潰軍百餘人搶刼建康市物人心不安蓋以二十四日趙制置李諮議同兵船下江上遠見一哨船載一紅襖老子順流而下趙船軍兵喝問之不荅再曰如不說即放箭其舟人荅曰夏相公來也官軍大驚請入使船三人對泣夏曰二公何不回建康老夫今回廬州去

也北兵勢不可當建康乃降將家鄉當防之三公泣下既別夏小舟徑入廬州小港此時窺伺軍人逃歸當夜點軍不及數李諮議謂趙制使曰不如且歸建康鎮撫之即出何如二十六日二公歸以逃歸倡亂之軍咸正典刑民間稍定張燈守歲喻以和議無成鼓樂喧天過明年正月初二日二公再出於龍灣置司矣見張佑倩福華錄註

宋末江南忽有童謠云江南若破百鴈來過初不諭其旨至元乙亥丞相淮安忠武王統大兵

渡江乃應其讖伯顏百鴈音相近也

宋初馬亮四知昇州前後凡十一年末年馬光祖亦三知建康府通十二年年之甲子亦相出入去任休致皆以己巳二公皆有遺愛在民恩數亦相埒此事之不偶然者

宋得天下於柴氏以老母幼君其亡也亦然宋之興也年號顯德其亡也幼君名由顯改元德祐曹彬下江南以開寶乙亥及建康歸附亦以乙亥兀朮之屠建康惟阿罕大王戢兵禁殺郡

人爲之立廟見祠觀志曹南王名阿剌罕歸附初行
省建康今祠於郡封國又與曹彬姓同彬王爵
立廟郡中得失興亡之故蓋亦有數存乎其間
矣顯德事見福華錄
天禧寺阿育王塔世傳爲阿育王葬佛爪髮舍
利八萬四千塔之一梁書所載晉簡文時劉薩
阿及梁高祖開掘得見俱有光明神異其髙悝
所得金像隋文帝移入長安能自轉動向陽自
世俗觀之可謂異矣殊不知太陰太陽之精氣

凝而成物隨所繫著多現光怪人之精想所注皆能變動氣之精明純粹者在天爲日月星辰在地爲金石珠玉在飛走草木之類凡其多壽者皆爲精氣之聚況人靈於物爲聖賢仙佛者所禀既異又能充其至大至剛之體以與天地同壽者乎春秋之末吳隨會稽獲防風氏之骨專車蔡京修第得古所葬瓦棺棺中骨股體皆具其人非能有所養者皆以禀賦之異而能不朽況於爲佛者乎宋慶曆甲申昇州開寶寺塔

穴掘所瘞舍利入内傳有光恠諫官余靖上疏非之謂不足致福可矣謂不能爲光恠亦不可蓋理之常無足異者近至順年間重脩舍利塔亦有天花飛雨祥光如練者數日云

按實録晉高悝得金像送長干寺後有西域胡僧五人來詣悝曰昔於天竺得阿育王所造像來過鄴下值胡冦亂埋像於河邊尋失所在五人嘗一夜夢像語吾出江東爲高悝所得悝乃送五僧至寺諸僧見像歔欷流淚像便放光燿燭殿宇又乞棺寺僧恵遂欲模寫像形寺主僧慮虧損金色謂遂曰若能請像放光回身西向乃可相許也遂使懇拜謂之其像即轉座放光西向當便模之又銅許趺上先有外國書莫有識者後有三藏求那跋摩識云是阿育王爲第四女所造也及梁朝

物除市側數百家以廣寺域堂殿樓閣頗極輪奐其圖諸經變相並是張僧繇運丹青之功爲其冠絕陳亡寺内殿宇悉皆焚燼今見有石塔三層高一丈二尺下闊七尺形狀殊特非人功焉鳥雀不敢棲息西京記光福坊大興寺殿内有阿育王金像歷宋齊梁陳數有奇異陳國亡忽面自西向雖止之還爾隋文帝載入長安内中供養後移置此寺寺衆以殿大像小不可當陽置之於北面明日乃自轉正陽衆咸驚異復置北面明還復轉南面衆乃懺謝不復更動又靖安坊崇敬寺有石像一軀高五尺製作麤惡甚有靈驗傳云是阿育王第四女所造其女貌醜嘗自慨恨多作佛像及成皆類如此千數乃至誠祈禱忽感佛見形更造諸像相好方具其父使鬼神遍散諸像於天下此石像是其一也

溧水州花山節婦者游山鄉人姓名不傳至元

丙子間爲大兵虜至崇賢鄉碑亭橋嚙指滴血於橋柱上題詩畢即投水而死後人以花山節婦名之里士濮梅山記其詩曰君王有難妾當從棄子離夫被虜來遥望花山何處是存亡兩地亦哀哉見本州志

句容唐秀才起巖住潘家村嘗爲人言大德丙午有溧陽士人挈妻寓館其村値歲荒學徒解散貧甚夫婦以績綱給食一日其夫携綱出賣不復還家妻餒守空房中士有利其姿色者頗

爲給食居旬餘欲逼私之婦正色曰我非如是人也其人謂歲荒如此汝夫已餓死不還汝不從我我不供給汝亦餓死耳婦荅曰餓死與病死等耳我寧餓死不忍以非禮辱吾身其人絶去婦閉戸盎嚴彌日隣左共開視之則餓死矣惜不記其姓氏以補貞節傳之缺丁復仲容説

合州人文復之字逵實治易王會龍榜第三名及第授閬州掌書記累官至湖北提刑以起居舍人召每切齒時相丁大全所爲與人言我見

上必極言其姦邪大全覽之止不得見令俟再
命改刑部郎官不起乞祠祿授朝散大夫直煥
章閣主管成都府玉局觀欲還蜀道經建康時
邊事日亟同年馬　齋守郡留不聽行遂寓郡
之修文坊馬家巷歸附初廉左丞希憲宣撫江
東欽其名待如師友欲以宋官薦之仕力辭不
應以經史自娛終其身郡之琳宮佛宇多其文
章子揆宋工部架閣遵父志亦不仕云
陳鉞字宜之太平當塗人宋咸淳辛未第三人

稱對鯁直切中時弊賈似道當國欲其依附百
計牢籠舊例登科上表謝恩作啓見宰執狀元
張鎮孫請公同作啓毅然不從曰天子親擢上
第宰臣何以謝爲賈聞之不說授鎮巢軍判官
辟建康閫幕因家焉至元乙亥丁内艱因無降
名元帥唆都令有司根捕甚急鉞衰服詣轅門
長揖不拜陳忠孝大義元帥嘉歎許從便居住
後攝府學教授不受月俸託疾以歸所作詩文
書甲子稱慈湖民牧菴姚公持憲江東聞其以

道自守屛車騎詣門因請寓宿翌日以詩報謝姚答韻叙同宗之誼以姚與陳俱爲舜後故詩曰况我田齊亂同出原不訴公優於禮學事繼母至孝學者稱爲慈湖先生卒年五十四有文集藏于家其子孫附儒學籍

梁隆吉名棟其先相州人祖琛父定皆仕金金亡歸宋自鄂遷鎮江隆吉弱冠領漕薦戊辰龍飛牓登第除寳應簿丁父憂再調錢唐仁和尉辟入帥幕聲名張甚甲戌後流離兵間宋亡歸

臨安不復肯仕弟中砥名桂爲茅山道士隆吉依焉至元庚寅遭詩禍臺府諸達官共救解之自是名益聞江東人士從學甚衆卒年六十四葬城南鳳臺西鄉 性嗜吟詠而不存藁或問之答曰吾詩堪傳人將有腹藁在焉用自彰白爲其子及門人裒集得若干首世多傳誦觀其詩可以得其平生大節矣 集有登大茅峯云杖藜絕頂窮追尋青山世世路争嶇嶔碧雲遮斷天外眼春風吹老人間心大君上天寶劒化小龍入海明珠沉無人更守玄帝鼎有客欲問秦皇金巔崖誰念受辛苦古洞未易潛幽深神光不破幽暗惱山鬼空作離騷吟我未俯仰一

慷慨山川良昔人民今安得長松撑日月華陽世界收層陰長嘯一聲下山去草木爲我留清音他時詞多感諷此不及載

劉虎字伯林盧州梁縣人父以上五世同居孝友雍穆公起農家隷軍籍四明趙善湘來帥淮西一見偉之留帳下嘉定十五年金人犯安豐請爲援師先鋒連戰買鷄山陳村漕口斬首六百級獲蕭張二統軍及千户謀克十三人以獻寶慶二年累功爲鎮江府防江軍淮備將賊紅納襖擾山陽從戍楊州以偏師敗之于顧澤三

年縣海道湖淮戰盱眙漣海間大小捷三十有七於劉伶臺手射貫銀甲冑者應弦而仆實沒拐曳統軍云特旨補進勇副尉靖安水軍正將紹定四年從吳英復淮安復鹽城有功五年紅賊畧平惟金將納合買住擄盱眙城跨泗爲橋度衆柵龜山表裏相援公以淮陰水軍統制提所部進擊乘風便出賊不意夜奪浮橋焚其駕橋之舟百有九十斬萬戶李松掩龜山之寨壘而鏟削之還師攻泗州自三月至于九月捷無

盧日禽萬戶劉山兒三十人梟僞酋揚總領龐
萬戶于舟次納合買住以城降行賞居第一擢
鎮江副都統制任責措置邊面仍總轄淮陰水
陸軍馬端平元年趙丞相葵制置淮東遣公與
趙司令楷將舟師徇地漣水軍國安納欵率汲
君立張山王義深等郊迎便宜知軍事以汲君
立攝總管部戰艦二百徇東海縣降之進徇海
州君立降虜也易之公亟以師次于北張店夜
檄周岊岊驚曰公至矣頓兵城下岊乃降是歲

經理河南知應天府節制水陸軍馬屯据衝要
北兵三闖穀熟不克而遁明年遷許浦水軍都
統制淳祐元年戍眞州大閫才之俾參兵謀總
制在城軍馬廼以孟義扼江口而身治城守北
哨驟至背城而陳以孟義部戰艦選鋭將間道
斫營俘獲甚衆敵懼引去明年加帶御器械統
兵戍濠州時察罕擁兵攻濠別遣阿朮魯由渦
潁入淮水陸並進公師於五河率勇士奮前拒
戰秉風縱火槍火礮火箭火蒺藜焚之北兵敗

績南北兩岸口相枕藉會划車弩發公中矢洞腹達背悶絶復甦指授諸將方略意氣彌厲敵不能支乃遁追禽阿朮魯等十將捷聞賜金百兩落階超轉和州防禦使改鎭江都統制兼知淮安三年察罕擁衆圍壽春朝命往援敵已截渦口路公轉戰而上會騎帥呂宣使文德提兵至援師大振自三月至于五月晝耀兵夜斫營戰百餘合焚其壁壘遂解重圍凱奏理宗命賜金帶金綫袍進利州觀察使明年召除帶御器

械拜合肥郡侯七年樞使督視趙相葵辟諮議
官任責鎮江江面八年除知和州和城圮于雨
修築一新是役也當暑者尨工聞晡未休猝單騎
至役所取大胾俾部役者自餁之餁熟良苦則
語之曰汝端坐終日獨不念役者之惔焚乎杖
之命自今日役不過午郡大旱請于制府囬糴
屯田穀之儲于郡者損直以振民捐郡西北湖
利縱飢民於廣袤六七十里内食魚鰕芰藕之
産轉徙者舍其上全活以數萬計請祠提舉建

康府崇禧觀十年擢知安慶府事時安慶僑治
揚湝敵方掠蘄及境公屢出奇擊却之寶祐元
年知泰州繕城浚隍恒若敵至會箭毒發自忖
非藥石所能及也力請于大閫而歸卒于金陵
私第年五十有三兄海從弟師勇師雄師賢皆
以善騎射爲名將師勇以德祐乙亥與常州守
姚訔通判陳炤統制官王安節共守毗陵其冬
城破訔炤安節皆力戰死城中無一降者師勇
以四騎潰圍東出中道其子墜馬師勇曰安有

大將之子而墜馬者斫其首繫鞍上馳去後三十餘年吳下休休庵一老僧病死遺篋繫梁上封識甚嚴衆發視之惟鐵衣寶劍各一并其文字有劉師勇名相傳師勇自常州馳至臨安又轉徙至厓山宋亡乃晦跡浮圖氏云以上見馮去非所作神道碑師勇事見陳炤小傳

王鑑字仲明世居安豐軍霍丘縣之張村曾祖詔好善樂施有田數頃置莊名曰布施專濟族黨里閭之貧者邑人德之祖莘閤門宣贊舍人

知光州事父焕母陳氏公幼警敏精騎射年十五從伯父之彦戍邊既而代爲正陽忠勇軍正將陞訓練官又陞淮僃將嘉定六年攻潁上縣夜半斬關入以一箭斃其將擢本軍統領八年正月金人犯正陽公迎戰北門外單騎衝陣爲虜鈎鐐所及傷臂墜馬射大酋中之奪其馬以歸語統制張振曰今日之事惟有死耳連日血戰殺獲甚衆敵愕然相謂正陽紙城鐵人謀欲退會安撫使豐有俊遣建康統制張斌來援至

劉備淵未戰而潰虜增兵急攻振戰死而城不破十三年金人以重兵再犯正陽公預設伏淮岸大戰禽其將孔醜兒等中原人來歸者相屬十五年金人大舉入冦公領兵要擊敗之于陳村累遷淮西路兵馬鈐轄李全謀逆盱眙賊張惠等皆叛以紅爲號公往來禽討畧定紹定三年李全犯揚州江淮大使司檄公從趙提刑葵往救全衆數十萬掘壕栽鹿角聯亘三城公乗其始至出破敵橋迎擊之任守西門無日不戰

賊識公旗幟曰淮西硬軍也四年正月十四日安撫使趙范戒朝食期十五日出兵大戰葵曰非王都統不可約公摘兵以往公擐甲待旦躍馬至北門或以非地分勸公徐行公以策揮之曰同舟遇風何地分爲全適宴北使於平山堂意以驕我公單騎直前相拒纔數百步厲聲呼逆賊李全爾在山東號賊李三歸宋作節度使背義孤恩天地不容今日當死我手全怒奔馮來戰約一時許塵埃漲天范葵遣郡刀手斷全

賊路金爲公所敗偕十餘騎西走至新塘墮水中公追至左右射全與其黨皆死獲全本身衣甲銀笠子金字圖鞍馬等餘衆宵遁捷聞特轉十官授左武大夫復州團練使秉勝復泰州破紅賊餘黨復楚州權知州事尋除鎮江諸軍都統制趙制置奏以公名震山東命駐軍淮安是年明禋加恩轉和州防禦使端平元年鄭清之入相遣趙范趙葵等諸道進取五月公自揚州由天長招泗越淮建大將鼓旗水陸並進過睢

口喜曰舟行數百里無礙成功必矣六月二十六日抵邳州分兵斷徐州之援獲兵船弓弩甚衆邳州城稍堅公貽書守將高按台示以逆順諸酋喜求酒與五十罇夜半勒兵自城西南角入按台與其衆驚遁追獲知州王亨同知王潑口總領閻守道鎮撫高求等一千餘級乗勝進攻徐州守將闊闊不花棄城走捷聞朝論中變命公囬邳州就知州事措置捍守公築城起樓櫓引蓼湖水以灌城壕疊沂河堤以堰壕水散

金帛納降附郅民大悦六月召還除左驍衛大將軍兼權侍衛步軍司戎事轉福州觀察使提兵援襄不及救光州敵望風遁去爲殿帥韓昱所讒提舉建康府崇禧觀嘉熙元年除江東路總管權知黄州公馳赴鎮日爲戰守之備十一月十八日北兵大至行省口温不花粘合重山視黄州城易之親驅八都魯推鵝車洞弁遮箭牌分道攻擂直犯清淮門以砲飛擊女墻又煎人油以物盛貯繫於火箭聚燒城樓夜半城塌

七十餘丈公意氣自若指麾士衆搠築月城與大城等栽迷蒐柵二十四層重棰排柣極萬人坑布硬軍占守敵蟻附登城城中盆火牛草燒火山斷歸路椎牛饗士一上一勦晝夜殺獲不可勝計敵又以舟師趍赤壁磯下欲窺壽昌公先遣兵扼三江口中流要擊奪兵船五十餘艘二年正月五日敵兵乘雪夜遁自攻圍至解五十八日諸軍出關追擊以大捷聞特授利州觀察使王管侍衛馬軍行司公事兼知黄州以母

老乞就養金陵是夏除無建康諸軍都統制與淮西制置杜杲同共措置捍禦陛侍衛馬軍司都虞候公至廬州巡視城池與戰禦之具駭然白杲請亟加增葺杲曰今年敵兵不來公曰人情叵測君獨不聞有備無患乎乃下令諸將分責守地審受敵去處築墻浚壕起串樓硬棚工未畢兩料而北將察罕忒没解儕盞圖端等衆數十萬至城下矣時諸將士多舊部曲熟公號令制司復優給錢米士皆感悅殊死鬭敵北兵

於南門外立砲壅薪草塞壕為十七壩攻金雞
嘴舒城門兩處最急公親行城命砲對擊頭捕
排柒內築月城串樓上用柳枝厚泥重覆又以
皮船載小砲循壕上下施擊所募土豪義士七
千人皆精勇日鬪夜刼敵不能休一日營中喑
啞有舁屍北去者蓋為火砲擊死一大將時東
南風大起公麾軍乘勢用火箭焚燒壩上烟燄
漲天敵不能當十月五日解圍北去以功除武
康軍承宣使侍衛馬軍副都指揮使三年十三月

無都督行府諮議官總統兩淮策應軍馬與呂
安撫文德大破敵衆於濡須壩追回所擄人畜
四年三月丁母憂起復知濠州至郡脩守備斬
巨木十萬有奇分布排棨淳祐元年察罕再攻
城不克嘆曰濠州一座木城子不可犯也是年
調舟師合許浦劉都統虎於五河敗敵之前鋒
遣長子環衛烈鄧總管進於渦口截敵歸路俱
捷公抗章乞終制不允三年正月差知廬州會
子烈遇敵戰沒力辭不許以平招信軍亂除樞

客都承旨淮西安撫副使調兵城壽州察罕兵數十萬奄至城下公遣弟鎔監鄭進耿春等軍突圍送兵粮入城敵尋退遁捷聞除淮西安撫使轉兩官五年差知鄂州改真州淮安皆有政績五年充京湖宣撫大使司諮議官是秋任責防江下流解泰州圍破北將塔察兒兵於城下開慶元年九月北兵渡滸黃州詔趣淮閫發兵公曰此臣子捐軀報國之日也拜疏即行總統兩淮軍馬應援鄂漢十月十五日進兵木鵝洲

戰陽邏洑下十一月三日戰滸黃州泊沙河鄂
園尋解景定元年除左金吾衛上將軍依舊知
眞州任滿寓居金陵築室謝公東山下有泉石
竹木之勝咸淳元年九月得疾有大星隕於第
西南數日卒年八十二先期乞致仕除寧武軍
節度使封廬江郡開國侯加食邑五百戸食實
封二百戸遺表上特贈太尉公御軍嚴整屯滁
州日有光州武定馬軍二人割民稻苗載焉上
者立命斬之主兵者祈免亦杖脊而去出入邊

閫踰四十年所薦拔麾下士皆至大官康寧壽
考以功名終近世亦鮮其比矣詳見林子宗行
狀及參政馬光祖所作神道碑云
阮思聰字仲謀光州固始縣人祖瓊宋武略大
夫光州諸軍都統制父興武功大夫淮西南路
馬步軍都統制累贈安遠軍承宣使公幼孤年
十三固始陷扶母夫人陳氏依安撫使呂文德
於廬州未弱冠膂力絶人善騎射喜讀左氏春
秋及兵家書呂奇之以甥之女馬氏妻之積戰

功累官淮西制帳都統寶祐初從文德招捕西南夷領所部先驅戒勑兵士秋毫不犯夷人悅服至犵狑犵狫羅斯鬼國刻石紀功而還遷武功大夫忠州刺史御前諸軍都統制鄂州駐劄開慶元年北師圍合州之釣魚山文德命公率兵往援之戰于黄平及温陽銅鑼等峽所向有功合圍解領所部兵歸舟次洞庭口時北師圍鄂諸造橋於白洋口渡兵分別將領册師截岳之上流公兵爲所邀遂入于湖北舟追甚急公

坐車船中令左右伺之報曰將及矣以一矢斃
其將餘舟莫敢進翌日撫勞士卒令各具長薪
至夕爇之聞鼓聲而動舟兩傍繫舟而去其底
皆出湖鳴鼓軍士各持烈炬執兵者呼譟爭奮
火光燭天時西南風甚急與北舟相接北兵競
登爭舟皆墜于水或攀舟者以刃斷之莫敢枝
梧順流至于武昌時賈似道呂文德皆屯漢陽
不知蜀耗公至始知退師之詳鄂圍未解賈呂
聞之問計於公公曰橋可斷也乃擇日具戰艦

勵將士備爐炭乘風熾火直擣白洋口橋所率温和等力戰一舉而焚之延及北寨舟粮無遺左肩中流矢血流至踵弗覺也及北師既歸似道召入相公與孫虎臣劉雄飛等以兵送之至咸寧縣蘋草坪與北餘兵數千相遇公令軍士先備柳棒短兵既接以棒棒之北軍退走似道語人曰吾知戰矣若隔籠鬪鷄寔景定元年三月三日也特轉右武大夫吉州團練使知黄州軍州事賜蒲圻田五十頃賞鄂之功也始來居

建康景定四年轉拱衛大夫蘄州防禦使左武衛大將軍知復州軍州事弋陽郡開國伯州有譁民持郡中短長脅守太守至必以民間陰事來告公命拘于獄使吏入誘其情久乃言曰前太守至某以豕羊牛禱神以祈訟勝今聞阮公神明欲以人代牲故敗公杖之黥爲兵役以脩城月餘而死咸淳四年擢福州觀察使右環衛大將軍帶御器械兼淮西南路安撫使知蘄州軍州事弋陽郡開國侯出師圍襄公遣人持書詰似

道曰鹿門山襄陽之咽喉也朝廷宜急遣重兵守之否則援路絶矣似道不聽遣范文虎救襄思聰哂曰文虎富貴家子令走馬擊毬可耳既而兵敗鹿門果失守咸淳八年授清遠軍承宣使右金吾衛上將軍弋陽郡開國公宋制承宣使上無官者謂之落階即節度留後也自建炎南渡左右金吾衛將軍多爲武階所帶官入朝供斯職者惟李顯忠高達及思聰三人而已供職賜金帶二並異恩也公言於似道曰北兵圍

襄四年輓輸供給亦已疲矣諜者云彼中父死子代贅婿承户役中原虚弊可知誠能選兵三萬人由海道以擣青齊彼必回軍自救則襄圍解矣似道不聽欲以爲四川制置大使辭不行十一月遣視沿江城壁即路以本官知池州歲餘以病去官德祐元年授招信軍節度使似道開督府辟公爲叅謀官遣持書見丞相淮安忠武王於池州議和不成歸至魯港師潰公歸建康權馬司徐王榮都統翁某昇制置司已下印

鑰來告曰大兵且至趙制置已去城中惟節使官高望救一城之命公曰我宋臣子也受宋恩厚不敢以城獻王燊等知不可強乃止至元十八年七月二日病亟家人見神人長丈餘被甲立聽事前時列星燦然俄而大雨震雷一聲而公逝矣公受知于武忠呂公文德最深樞密趙公葵節使王公鑑皆加器重慷慨有大志雖向武多智而心好仁治軍二十餘年未嘗妄戮一人爲郡處事務在平恕所至民皆德之篤於親

義內外待公而食者三百家嫁孤女十餘人素
有知人之鑒薦李珏于朝牛臯其部將也張世
傑之初歸宋也又未知名公召與語奇之薦于
荆閫呂公文德時給有功將士官誥有張世傑
者死即以其誥畀之階此歷官後竟著忠節云
思聰卒未及立碑以上事跡其子起僑所
述自劉麃以下俟參考宋史附入列傳
慈湖黃震度宗朝爲翰林檢閱繳申楊簡張虙
吳從龍事跡云從龍以紹定四年逆全之變提
舉軍爲先鋒策應轉戰無前賊益兵圍之數重

不幸所乘馬中流矢遂爲賊禽賊載其名旗使僞稱援兵紿泰州開城從龍至城下大呼曰建康右軍統制具從龍馬傷被執非降賊者揚州初不破泰州可死守賊不勝忿怒刃交下猶罵賊不絶口竟寸臠以死先皇帝矜之詔爲立廟官其後方逆全猖獗時維揚閉守未知爲計但紿得泰州城一開即賊之窟穴多而揚州孤事未可知從龍從容就義以一死爲國忠謀視解揚事殆過之又非尋常死節者比若不爲之立

傳何以勵臣子之節云云從龍事前志不載姑附於此

趙定毋金陵人多通詩書常聚生徒數十人張帷講説儒碩登門質疑必引與之坐開發奥義咸出意表景德二年子定登第授海陵從事訓曰無飾虚以沽名無事佞以奉上處内在盡禮居外在活民定遵奉無失見石徂徠胥惠録

岷山脉盡於建康其分支爲天目舊稱金陵地肺言其沉浮軒輕疑不獨三茅福地爲然前代都此濤水常入石頭殺人今去江甚遠與臨平湖開塞相應智者當有以辯焉

金陵新志卷之十五

論辨

諸國論

機本吳人居秦淮晉滅吳乃作辨亡二論幷述其祖遜父抗之功業

陸機二論

上篇曰昔漢氏失御姦臣竊命禍基京畿毒徧宇內皇綱弛頽王室遂卑於是群雄鋒駷義兵四合吳武烈皇帝慷慨下國電發荊南權略紛紜忠勇霸世威稜則夷羿震盪兵交則醜虜授鉞遂掃清宗祊蒸禋皇祖于時雲興之將帶州炎起之師跨邑哮闞之群風驅熊羆之族霧合雖兵以義動同盟戮力然皆苞藏禍心阻兵怙亂或師無謀律喪威稔寇忠規武節未有如此其著者也武烈既沒長沙桓王逸才命世弱冠秀發招攬遺老與之述業神兵東驅奮寡犯

毅攻無堅城之將戰無交鋒之勇誅叛柔服而江外底定飭脩師則威德翕赫賓禮名賢而張公爲之雄交御豪俊而周瑜爲之傑彼二君子皆弘敏而多奇雅達而聰哲故同方者以類附等契者以氣集江東蓋多士矣將北伐諸華誅鉏干紀旋皇輿於夷庚反帝坐於紫闥挾天子以令諸侯清天步而歸舊物戎車既次羣凶側目大業未就中世而殞用集我大皇帝以奇蹤襲逸軌叡心因令圖從政咨於故實播憲稽乎遺風而加之以篤敬申之以節儉疇諮俊茂好謀善斷東帛旅於丘園旌命交乎塗巷故豪彥尋聲而響臻志士晞光而景騖異人輻湊猛士如林於是張公爲師傅周瑜陸公魯肅呂蒙之儔入爲心腹出作股肱甘寧凌統程普賀齊朱桓朱然之徒奮其威韓當潘璋黃蓋蔣欽周泰之屬宣其力風雅則諸葛瑾張承步騭以名聲光國政事則顧雍潘濬呂範呂岱以器任幹職奇偉則虞翻陸績張惇以風義舉政奉使則趙

咨沈珩以敏達延譽術數則吴範赵達以機祥協德董襲陳武殺身以衛主駱統劉基強諫以補過謀無遺諷舉不失策故遂割據山川跨制荆吴而與天下爭衡矣魏氏嘗藉戰勝之威率百萬之師浮鄧塞之舟下漢陰之衆羽楫萬計龍躍順流銳師千旅虎步原隰謨臣盈室武將連衡喟然有吞江滸之志壹宇宙之氣而周瑜驅我偏師黜之赤壁喪旗亂轍僅而獲免收迹遠遁漢王亦憑帝王之號帥巴漢之人乘危騁變結壘千里志報關羽之敗圖收湘西之地而我陸公亦挫之西陵覆師敗績困而後濟絕命永安續以濡須之寇臨川摧銳蓬籠之戰孑輪不反由是二邦之將喪氣挫鋒勢衂財匱而吴然坐乘其弊故魏人請好漢氏乞盟遂躋天號鼎跱而立西界庸益之郊北裂淮漢之涘東苞百越之地南括群蠻之表於是講八代之禮蒐三王之樂告類上帝拱揖群后武臣毅卒循江而守長棘勁鎩望焱而奮庶尹盡規於上黎元

展業于下化恊殊裔風行遐圻乃俾一介行人撫循外域巨象遞駿擾於外閑明珠瑋寶耀於內府珍瑰重迹而至奇玩應響而赴輶軒騁於南荒衝輣息於朔野黎庶免干戈之患戎馬無晨服之虞而帝業固矣大皇既沒幼主涖朝姦回肆虐景皇聿興慶修遺憲政無大闕守文之良主也降及歸命之初典刑未滅故老猶存大司馬陸公以文武熙朝左丞相陸凱以謇諤盡規而施績范慎以威重顯丁奉鍾離斐以武毅稱孟宗丁固之徒爲公卿樓玄賀邵之屬掌機事元首雖病股肱猶良爰逮末葉群公既喪然後黔首有瓦解之患皇家有土崩之釁曆命應化而微王師躡運而發卒散於陣衆奔於邑城池無藩籬之固山川無溝阜之勢非有工輸雲梯之械智伯灌激之害楚子築室之圍燕人濟西之隊軍未浹辰而社稷夷矣雖忠臣孤憤烈士死節將奚救哉夫曹劉之將非一世所選向時之師無曩日之衆戰守之道抑有前符險阻

之利俄然未改而成敗貿理古今詭趣何哉彼此之化殊授任之才異也

下篇曰

三方之王也魏人據中夏漢氏有岷益吳制荊揚而掩有交廣曹氏雖功濟諸華虐亦深矣其人怨劉翁因險以飾智功已薄矣其俗陋夫吳桓王基之以武太祖成之以德聰明叡達懿度弘遠矣其求賢如弗及卹人如稚子接士盡盛德之容親仁罄丹府之愛拔呂蒙於戎行試潘濬於係虜推誠信士不恤人之我欺量才授器不患權之我偪執鞭鞠躬以重陸公之威悉委武衛以濟周瑜之師卑宮菲食豐功臣之賞披懷虛己納謨士之筭故魯肅一面而自託士燮蒙險而效命高張公之德而省游田之娛賢諸葛之言而割情欲之歡感陸公之規而除刑法之煩奇劉基之議而作三爵之誓屏氣跼蹐以伺子明之疾分滋損甘以育凌統之孤登壇慷慨歸魯子之功削投惡言信子瑜之節是以忠臣競盡其謨志士咸得肆力洪規遠略固不厭夫

區區若也故百官荀合庶務未遑初都建鄴群臣請脩禮秩天子辭而弗許曰天下其謂朕向宮室輿服蓋憮如也爰及中葉天人之分既定故百度之缺粗脩雖醲化懿綱未齒乎上代抑其體國經邦之具亦足以爲政矣地方幾萬里帶甲將百萬其野沃其兵練其器利其財豐東負滄海西阻險塞長江制其區宇峻山帶其封域國家之利未巨有弘於茲者也借使守之以道御之有術敦率遺典勤人謹政脩定策守常險則可以長世永年未有危亡之患也或曰吴蜀脣齒之國也夫蜀滅吴亡理則然矣夫蜀蓋藩援之與國而非吴人之存亡也其郊境之接重山積險陸無長轂之徑川拒流迅水有驚波之艱雖有鋭師百萬啓行不過千夫舳艫千里前驅不過百艦故劉氏之伐陸公喻之長蛇其勢然也昔蜀之初亡朝臣異謀或欲積石以險其流或欲機械以禦其變天子總群議而諮之大司馬陸公公以四瀆天地之所以節宣其氣

圖無可遏之理而機械則彼我所共彼若棄長
技以就所短即荊楚而爭舟檝之用豈天贊我
也將謹守峽口以待擒耳逮步闡入亂憑實城
以延強寇資重幣以誘群蠻于時邦之衆雲
翔電發懸旌江介築壘遵渚衿帶要害以止吳
人之西巳漢舟師泝江東下陸公偏師三萬北
據東坑深溝高壘按甲養威反虜踠迹待戮而
不敢北窺生路強寇敗績宵遁喪師太半分命
銳師五千西禦水軍東西同捷獻俘萬計信哉
賢人之謀豈欺我哉自是烽燧罕驚封域寡虞
陸公沒而潛謀兆吳釁深而六師駭夫太康之
役衆未盛乎曩日之師廣州之亂禍有愈乎向
時之難而邦家顛覆宗廟爲墟嗚呼人之云亡
邦國殄瘁不其然歟易曰湯武革命順乎天或
曰亂不極則治不形言帝王之因天時也古人
有言曰天時不如地利易曰王侯設險以守其
國言爲國之恃險也又曰地利不如人和在德
不在險言守險之在人也吳之興也參而由焉

孫卿所謂合其參者也及其亡也恃險而已又孫卿所謂舍其參者也夫四州之萌非無衆也大江以南非乏俊也山川之險易守也勁利之器易用也先政之策易脩也功不興而禍遘何哉所以用之者失也故先王達經國之長規審存亡之至數謙已以安百姓敦惠以致人和寛冲以誘俊乂之謀慈和以結士庶之愛是以其安也則黎元與之同慶及其危也則兆庶與之共患安與衆同慶則其危不可得也危與下同患則其難不足卹也夫然故能保其社稷而固其土宇麥秀無悲殷之思黍離無愍周之感矣

皇甫湜作東晉正閏論

曰王者受命于天作主於人必大一統明所受授所以正天下之位一天下之心舜傳堯禹傳之於舜以德禪者也桀放于湯紂殺于武以時合者也秦滅二周兼六國以力成者也漢除秦社稷以義取者也故自堯以降或以德或以時

或以力或以義承授如貫始終可明雖殊厥迹皆得其正以及魏取於漢晉得於魏史冊既載彰明可知百王既通行萬代無異辭矣惠帝無道群胡亂華晉之南遷實曰元帝與夫祖乙之圯耿盤庚之從亳幽王之滅戲平王之避戎有異乎哉而拓跋氏種實匈奴來自幽代襲有先王之桑梓自爲中國之位號謂之滅邪晉實未改謂之禪邪已無所傳而昔之著書者有帝元今之爲錄者皆閏晉可謂失之遠矣或曰元之所據中國也對曰所以爲中國者以禮義也所以爲夷狄者無禮義也非繫於地杞用夷禮杞即夷矣子欲居九夷夷不陋矣沐紂之化殷士爲頑人矣因戎之遷伊川爲陸渾矣非繫於地也晉之南渡人物攸歸禮樂咸在流風善政史實存焉魏氏恣其暴強虛此中夏斬伐之地雞犬無餘驅士女爲肉籬委之戕殺指衣冠爲芻狗逞其屠刈種落繁熾歷年滋多此而帝之則天下之士有蹈海而死天下之人必登山而餓忍

大七
食其粟而立其朝哉至于孝文始用夏變夷而易姓更法將無及矣且授受無所謂之何哉又曰周繼元隋繼周國家之興實繼隋氏子謂是何對曰晉爲宋宋爲齊齊爲梁江陵之滅則爲周矣陳氏自樹而奪無容於言况隋蕭江南一天下而授之于我故推而上我受之隋隋得之周周取之梁推梁而上以至于堯舜得天統矣陳篡於南元閏於北其不昭昭乎其不昭昭乎

呂祖謙十論吳論

孫權起於江東拓境荆楚北圖襄陽西圖巴蜀而不得北敵曹操西敵劉備二人皆天下英雄所用將帥亦一時之傑權左右勝之而後能定其國及權國既定曹公已死不敢繼世中原有可圖之釁權之名將死喪且盡權亦老矣世人謂權之所以爲固者東南之地所以爲強者東南之兵此大不然夫東南之地天下至弱而孫氏之地又爲六朝寡弱獨權守之而固東南之兵天下至弱而孫氏之兵又爲六朝寡弱獨權用之而強

長江而上達於江陵轉江陵之南陀於巫峽上下千里可航而渡者凡幾可陀而守者凡幾道路坦然非有潼關劍門之阻也自廣陵而渡京口自歷陽而渡采石自邾城而渡武昌易若反手江陵破則上流無結草之固濡須破則江上不知所以爲計地之形勢可謂弱矣權之兵衆皆江南舟子綿力薄才之人區區捃拾盜賊驅獵山越以實行伍兵亦可謂弱矣然權用之如此之固且強何也蓋權之所以自立者有謀而已不獨用其臣之謀而又自出其謀內以謀用衆外以謀應敵所以地狹兵少處天下之至弱而抗衡中原成三分之勢者歟始權之初立曹操下荊州移書吳會舉國震駭權聞魯肅之言翻然而悟聞周瑜之議奮然而起一舉而走曹操存劉備基王伯之業此用周瑜魯肅之謀也及劉備借荊州而不反關羽頡頏於上流權謂養驕羽使北吞許洛全有江漢回舟東下誰能禦之欲圖之懼曹操之乘其弊也乘羽北逼許

洛曹公以朝命見招權乃上牋擊羽以自効使呂蒙陸遜一襲而得之全有荆楚西閉劉備於三峽北釋曹公之患以安江東此用呂蒙陸遜之謀也方曹丕已禪漢天下憤怒切齒之時權知劉備必報關羽恐曹氏擒其後也乃於是時釋其憤切之心而稱臣於魏受其爵封擊備而走之此權之謀也及魏責任子而權不遣西患未解而北患復起權之計宜乎窮也權知劉備以復漢爲名而曹操篡位之罪甚於殺關羽備亦欲結己爲與國而專意北圖於是遣使講和以中備之欲遂得息肩於西而專意於北拒魏而退之此權之謀也方曹操之反自烏林憤權而東征謂權恃水以自固故以舟師卜合肥權若拒之於江南則曹公水軍入江權軍不戰自潰矣故逆拒之於濡須使操雖水軍無所施步騎雖多瀕阻江洳春水方生義無所用操嘆息而退此又權之謀也操既還自他人觀之大則追軍遂北小則自足稱雄今權不然反請降於

操蓋權料操之內憂尚多北有未定之河北西有未復之關中操欲伐之而慮東南之變非定不往也故稱降以少厭其意而安之使操不復顧東南而盡力西北已得於其間益繕戰守之備以待其再來北權之謀也方曹丕之責任子不得而南征也權見丕不知兵不如其父而老臣宿將亦不盡力如操之時始却之於濡須而再來權之意以謂丕不知兵非使之深入疲竭上下之力則不止非使之臨江而反則丕必不休故開而致之瀕江而不與之戰挑之而又不應使之力盡而自還又小發以警之魏自是不復敢南出此又權之謀也權又以爲兵久不用則士氣鈍疆埸久安則人心逸且使敵人要然積以歲月坐以成資非計之得也故兩諭淮南之將致而擊之所虜獲足以自資而敵人之資又爲之破壞此亦權之謀也權又以謂所用多南兵便於舟楫短於陸戰故用兵未嘗一日捨舟楫而乘勝逐北亦不肯遠水以逐利雖有

大舉長驅之計亦不敢行以僥一時之幸故曹休敗而不敢追殺札獻言而不敢用此亦權之謀也權之受封吴王也盡恭以受其爵命使其國中知已爲百姓屈也與邢貞爲盟陰以怒其群下方且爲進取之計而自卑屈如此此亦權之謀也故權之爲國自奮亦用謀自屈亦用謀勝亦用謀負亦用謀動無非謀也故能以一江爲阻而與曹劉爲敵然權起非仗義徒知以割據爲雄不能興漢室以傾天下之心使當漢末大亂權能招徠中原之士廣募西北之兵繕馬步之銳挾舟楫而用之鼓行北出水陸並進孰能當之哉當曹丕之立也權又能求漢室子孫而輔之出師問罪劉備必亦連衡而掎角中原之士挾思漢之民必有起而應我者矣權不知出此徒自尊於崎嶇蠻夷山海之間故雖力屬計謀詭詐然基業僅足以終其身而無足以遺子孫僅足以保其國而不足以爭衡天下惜哉然使權不爲計謀以自立則雖其身不能終也

況子孫乎其國不能保也況天下乎何以言之權沒未幾諸葛恪一用之而僅勝再用之而大敗孫綝用之又敗江淮之間惴惴而已上流藉陸抗之賢挾以重兵僅能支襄陽一面抗死則亦惴惴然矣藉使孫皓不爲暴虐亦豈能久存也哉後世不察權以計謀自立而區區欲効權之畫江爲守是不察夫形勢甲兵之最弱也古人唯陸抗知此抗言於孫皓曰長江浚川限帶封域乃守國之常事非智者之所先審抗此言則當時之形勢爲不足言而所謂智者所先則有道也抗可謂善論孫氏形勢者矣

晉論上

東晉之始形勢與吳相若然吳北不能過淮而東晉時得中原之地吳旋爲晉滅而晉更石勒苻堅之強終不能破其君臣人材去吳遠甚而其固如此者晉以中原正統所繫天下以爲共主故也以正統所係天下共主而百餘年不能平天下雪讎恥恢復舊物晉之

君臣斯可罪矣詩美宣王曰内脩政事外攘夷狄齊威公晉文公越王勾踐皆國中已治然後征伐今夫晉室南遷士大夫襲中朝之舊賢者以遊談自逸而 者以放誕爲娛廢政陵遲風俗大壞故威權兵柄奸人得竊而取之小則跋扈大則篡奪士大夫雖有以事業自任者亦以政事不脩財匱力乏而不得盡其志可勝惜哉易曰君子藏器於身待時而動何不利之有夫政事已脩任屬賢將而待可爲之時時而進焉則無不成矣晉既内無政事外乏之任屬又非其人雖有中原可勝之時而我無以赴之雖赴之而敗矣故褚裒北伐蔡謨曰今日之事必非時賢所辨殷浩之再舉北伐王羲之曰區區江左固已寒心力爭武功非所當作又曰雖有可喜之會内求諸已而所憂乃重於所喜由是觀之晉之政事不脩任屬非其人雖有中原可乘之時亦無能爲也然謨之言大抵謂任屬非其人故曰非上聖與英雄自餘莫若度德量力義之

之言大抵謂根本不固故曰保淮非復所及長江以外羈縻而已三君雖相當時之失然盡如二君所言則東晉未有復中原雪讎一恥之期端坐江左以待衰弱滅亡而已此知其一而不知其二也夫東晉之初其強弱何如三國之吳蜀當時有志之士尚能欲自強而不肯休諸葛亮諸葛恪之語最然亦知其一而不知其二也亮之言曰先帝知臣伐賊材弱敵強然不伐賊王業亦亡惟坐而待亡孰與伐之孔明之治蜀可謂有政蜀之任孔明可謂得人然未有可乘之時恪之言曰今所以敵曹氏者以操兵衆於今適盡司馬懿已死其子幼弱未能用計智之士今伐之是其危會恪之言知可乘之時而不知所恃之政而自量其材與夫所用之人也是故孔明無成而恪卒以敗觀蔡謨王羲之與諸葛亮恪之論正相反而各得一偏世之人好與作者必以孔明亢遜之言爲先而安偷惰者必以蔡謨王羲之之言爲是酌厥中而論之藏器於

身待時而動內脩政而外攘夷狄聖經之言不可易也後世亦曰事貴乘釁又曰上策莫如自治蓋急急自治政事既修恢復之備已具事會之來不患無也一旦覬釁而動將無往而不利矣若內雖有自治之名而無自治之實徒爲空言玩日引歲端坐而守而待賊虜之自滅非愚之所敢知也苟不相時先事妄發小者無功大者覆敗一旦機會之來事力已竭不能復應東晉之事如此者多矣

晉論中

孟子曰入無法家拂士出無敵國外患者國常亡夫無敵國外患者謂國安可也乃曰常亡何哉蓋既無法家拂士又敵患不至則君驕臣縱入於危亡而不自知東晉之末是也晉之始也敵國雲擾强臣寧制上下惴恐如處積薪之上而火然者故君無驕泰之失而臣下自以危亡爲憂是以內雖王敦蘇峻反叛相尋桓溫擅權廢立外則石氏之兵三至江上符堅淝水之役江東幾至不保然當時人主恐懼於上而王導溫嶠陶侃

謝安謝元之徒足以盡其力故至危而復安將亡而復存也及一溫既死符堅復亡上流諸鎮皆受朝廷號令非有間者跋扈之人也姚氏自守於關西慕容相踐於河北非有向日邊境之憂也君臣上下自以江東之業爲萬世之安心滿意足孝武漸生奢侈於上道子之徒竊威柄於下謝安謝玄至以功名自疑矣安玄既死其政愈壞甚於已危將亡之時泯泯靡靡不自知也已而君臣兄弟之間爭權植黨上流之患復開不待外敵之強而國遂亡矣聖人於無寸之時而爲持盈守成之戒可不信夫況東晉雖恥未復遷以無事自處不其愚哉

晉論下

杜牧謂宋武不得河北故隋爲王宋爲伯愚謂不然并吞海內之形勢關中爲重河北次之關中者周秦漢用之河北者光武用之皆用之以取天下也曹操石勒以河北取關中苻堅以關中取河北三人者皆吞海內十有八九而不能并東晉之後元魏以河北取關中後周以關中

取河北隋唐以關中取天下以此論之用關中并天下者五而不得者二用河北并天下者一而不能若三則關中爲重河北次之頋不信乎宋武帝非獨不得河北暫有關中而已何甞得之哉宋武起於布衣身經百戰戰勝攻取髣髴曹操司馬懿而下不可比也舉東南至弱之兵練而用之踐西北至強之虜前無橫陣旁無堅敵逆河而上開關而入之用之如建瓴破竹之易可謂奇矣然得關中而不守翻然東歸失百二之地於反掌暮年慷慨登壽陽城樓北望流涕而已可不悲哉愚謂宋武之失關中其罪有三一則好殺伐而不得中原之心二則急窺神器而不能快中原之憤三則倚南兵而不能用中原之人夫宋武下廣固欲盡坑其父老韓範力諫猶誅王公以下三千人遂入其孥前賢論之以謂舉事曾符姚之不如有智勇而無仁義豈不當哉其一失也宋武帝之不爲晉室藩輔天下所知也然輔晉而行能伏大義使中原知

爲晉璽百年之憤天下其孰能議之其子亦不
失天下今急爲篡奪大業不終曹操猶能曰天
命有在吾爲周文王終身輔漢而不取宋武識
慮不及操遠矣其失二也宋武之北伐魏主以
問崔浩浩嘗策之以爲必克而不能久裕之取
燕取秦西北之人未嘗據連城擧大衆來附之
者裕獨用南人轉戰山河之間徃返萬里使裕
收燕之後選用燕之豪傑廣募壯勇以傾三秦
得秦之後選用秦之賢傑廣募壯勇以傾河北
分爵裂土以功名與衆共之攻伐元魏則中原
盡得矣東歸慕容之餘燼西剪赫連之遺種以
裕之智勇王鎮惡檀傳朱沈之徒爲爪牙而謝
晦之徒主謀議何爲而不成裕之施爲既已不
能選用燕秦賢傑廣募壯勇而區區用遠客之
南兵縱無所練之士卒南兵獨用己敗不可支
其失三也蓋南北異宜攻守異便南兵不可專
用有三雖勇而輕一也利險不利易易困難久
二也易亂難整三也項羽之破趙一以當百高

祖征黥布張良戒毋與楚人爭鋒然羽布皆為
高祖以持重困之此雖勇而輕也吳王濞之反
有田將軍者請急據洛陽曰漢車騎入梁楚之
郊則事敗此利險而不利易也吳楚屯聚數月
無食而潰裕軍至長安已謳歌思歸此易困而
難乂也裕軍至長安日暴市肆此易亂而難整
也裕既無中原之衆欲以南兵守關中人無智
愚皆知不可也裕之東歸世以謂劉穆之死急
於篡取愚以謂正以南兵不能守關耳裕見巳
所行事已失中原之情欲全軍共歸則惜關中
不忍棄之欲不歸而守則南人思歸既甚將潰
而歸矣裕之首領未可保也況關中乎數十年
之得一朝失之古今所惜然則後之欲恢
復者得中原之郡縣可不以裕為深戒哉

宋論 宋文帝以河南之地為宋武帝舊物故竭
國家之力掃國中之兵而取之卒無尺寸
之功史稱文帝之敗坐以中旨指授方畧而江
南白丁輕進易退以愚言論之文帝不用老將

舊人而多用少年新進使專任屬尤恐不免於敗況從中以制之乎鋒鏑交於原野而決機於九重之中機會乘於斯須而定計於千里之外使到彥之輩御精兵亦不能成功況江南白丁乎然江南之兵亦非弱也武帝破燕破秦破魏則皆南兵也何武帝用之而强文帝用之而弱也南兵不可專用豈無北方之人可號召而用之乎蓋武帝失之於前而文帝失之於後也自古東南北伐者有二道東則水路由淮而泗由泗而河西則陸路越漢而洛由洛而秦自晉南遷褚裒殷浩桓溫謝玄皆獨由一路以進至於武帝則水陸齊舉故能成功今文帝專獨用南兵而專恃水戰舟楫之利雖嘗使薛安都等盡力於關陝而孤軍無援形勢不接此三者文帝之所以敗也使文帝得賢將而任之屯於淮外委以經畧不獨用南兵而號召中原之衆不獨恃舟楫而脩車馬之利則雖未能堅守河南亦不至於一敗而失千里之地再敗而胡馬飲江

也文帝脩政事爲六朝之賢主而措置之謬如此可不戒哉

齊論上

天下之情艱難則勤承平則惰勤者雖弱小而奮惰者雖盛大而衰夫元魏以夷狄之強據中原之地士馬精健上下習兵而喜戰道武以來戰勝攻取未嘗少挫幾并天下然至孝文之時議舉兵伐齊而在廷之臣皆以爲不可雖驅之以威莫肯行也與聞者習戰之俗何其相反哉蓋自道武没更以母后幼主持政群臣皆生長安佚非復昔日馬上之士也稍脩朝廷宮室之美非復昔日穹廬遷徙之俗也金錢玉帛府庫充溢非復昔日計牛馬錐刀之利也美衣甘食冬溫夏涼非復昔日習饑餓之勞也高談徐步可以致大官取卿相非復昔日競戰國攻取之勳也故雖夷狄而流爲承平無事矣夫以中國禮義維持而承平無事日久猶且以驕淫致亂況夷狄上下無禮義之維持稍稍無事則志氣滿矣制度修矣子女盛矣土木

興矣此蓋以夷狄天資驕滛之性而入中國紛華之域必至於此此慕容符姚所以不能久也元魏居於雲中未甚變其俗習然猶上下猒兵畏戰國主親在行間而不肯前至於遷洛之後其國衰矣切譬之夷狄鷙鳥也去其利爪而傅以鳳鳥之羽則無德可昭無威可畏取死於虞羅必矣然元魏既衰之後宋氏多事齊氏享國日淺梁武謬於攻取待元魏至於國分爲二然後自斃苟使南朝有英武之主智謀之士蓄開拓之備而伺其隙則元魏豈能據有中原如是之久也哉

齊論下

齊氏享國日淺雖無境外之功而彊場之間亦無失矣大祖初立魏以劉昶爲主入寇高宗之簒魏又入寇皆有以爲辭矣然是時魏之入寇無他奇策而齊禦之者亦無高計勝負相當魏不能渡淮南定漢沔齊之大鎮無傷焉齊亦不能追擊魏全軍而反然魏得沔北數城齊不能復取也齊之君臣度未足以開拓故亦不敢深爲報復之計待其通

使於我然後歸其俘而納之亦許之是者也然夷狄無常和好不久高祖與之講和五年而以明帝篡立爲辭分道入寇夫魏孝文豈專爲名義者哉求土地之獲而已使齊氏自通好以來邊備不脩一旦變起國中未靖外難又至豈不殆哉夷狄和好之不可恃自兩漢以來然矣

梁論上

陳慶之以東南之兵數千入中原胡馬強盛之地大小數十戰未嘗少挫遂入洛陽六朝征伐之功未有若是之快者也然卒以敗歸理亦宜然何以言之夫孤軍獨進不能成功自古以然當時梁武使諸道並進乘魏人上下崩離之際分取郡縣河南之地必可取也慶之既至洛陽縱士卒暴市里此豈弔伐之師乎當時能整軍陣宣布梁德耶不樂爾朱氏之人而用之改立魏主則河南之地雖不叛圖必當爲附庸之國矣南人善戰伐而少馬慶之能鑒北兵於平原曠野使挾騎而用胡可敵哉自入敵地務廣騎兵使不樂南之人與南人善射

叅用之縱不能守洛陽之地多得騎軍猶足以歸壯國勢且安得有嵩陽嵩陽之敗哉然慶之與元顥更相猜忌則廣兵之計顥必不行以此觀之慶之進退專之可也顥之成敗不可任也恤顥之成敗而不恤軍旅之衆寡非計之善者也夫慶之固奇才未易議也著其所不及以俟有慶之之才者試觀焉

梁論下

梁之亡也以侯景武帝納景得禍也速受禍也重元帝僅能滅景而卒不能振其國家悲夫昔馮亭以上黨輸趙平原欲受之趙豹曰聖人甚禍無故之利太史公曰利令智昏武帝之納侯景是也夫景自以猜疑不容於高氏反覆南來既非吾兵威之所加又非吾馳說之所下忽以三十州數千里之地來歸斯可謂無故之利矣武帝思慮朝臣諫說非不詳矣始疑而卒納之可謂利令智昏矣趙之與梁得地無異而受禍相似趙以長平之師幾至國亡梁致臺城之陷亦至於亡國是禍又甚於趙也趙有強秦之敵權之以致

禍梁氏既無強秦之敵而獨一侯景已足以致亂是又出於趙之下也然則在武帝勿受可乎曰方高氏宇文制東西魏與鼎立三分地廣兵強若勝如之何勿受受之有道乎曰景之初叛先降西魏二人已覺其詐于謹則請加爵位而勿遣兵王思政則請因而進取乃使思政與李綽遣趙貴赴之故已制其肘腋矣已而思政入潁川逐景出之則已傾巢穴矣而又召景入朝則伐其姦謀矣景既不入朝思政遂據景七州十二鎮之地是魏因納景不血刃而取千餘里之地武帝施設羅網畧無西魏之一二何爲而可納武帝既信其姦詐而以羊鴉仁應接鴉仁非景敵也不足以制景一失也又信朱异捨鄱陽王範而以淵明爲帥卒有寒山之敗致軍折於外景益無所憚二失也景之地不得尺寸既失景地何用於景不殺則發之可也又豢養於邊陲三失也方景之未來而貳於宇文說辭自辯不能逆折其情則曲意爲詔以安之既而奔亡

入境不能制畜遂捨鈐鍵而縱之盜據邊疆則又從而與之跋扈不遜則又虛辭而説之高氏以淵明爲間則文不能推大信於景而欺之謀反已露則又不能逆擊而討之梁之失也如此其所施之方略所用之將帥與西魏何相萬萬也故非獨不得景天寸之地而又不得景絲毫之力而受丘山之禍由梁武所用非其人而[illegible]置失其宜故也夫無故之利無時無之方畧[illegible]置尚鑑茲哉

陳論

陳之形勢不足道也視吳又無江陵自峽口至海盡江而已使孫權復生且不能守況叔寶之昏昏乎蓋自晉以來習於水戰以江自恃初不知我能渡敵亦能渡河足恃哉以愚觀之江若大河之比耳大河猶有悍湍之虞若江則順風登舟一瞬可濟雖有京口釆石潯陽武昌巴陵號爲控扼豈秦關劍閣之比哉守江之計必得淮南以爲戰地荆楚控扼上流又有

舟師戰於江中然後可粗安孫權之拒曹操東晉之拒符堅宋之拒魏太武齊之拒魏孝文是也若曰亡淮南荆襄而獨憑恃共流以爲大險豈不可笑也今陳既失淮南又失江陵吴阻長江又有南郡一旦王渾之師入自淮南杜預之師入自襄陽王濬之師從江而下沿江鎮戍不能禦也陳阻長江又失荆州一旦賀若弼出淮南秦王後出荆襄楊素之師泛江而下沿江鎮戍能禦而不能陸迍盖無淮南襄陽則自廣陵至於峽口皆可渡吴陳三世之後亡國已幸矣唐末楊行密據有江淮既死而李昇取之建都金陵以孫權自處方其有淮南諸郡則闚步高視東攻二浙西取湖南南取閩越南方莫强焉及淮南爲周世宗所取則自君以至於亡亦失淮南則不能守江南之明驗也王羲之云保淮非所及則不如保江蓋見吴之能守而未見蕭陳與南唐不可守者也後之智計君子既有見焉謹勿割棄荆淮而爲守江之論也

奏議

宋李綱奏幸建康在立志以成中興之功

臣伏覩車駕以仲春令辰發軔吳門臨幸建康斷自宸衷不貳不疑慨然有恢復土宇掃清中原拯濟烝黎勘定禍亂克翦大憝刑恥復仇之志天下臣子莫不望風跂踵抃蹈踊躍願少須臾無死以觀中興之功誠甚盛之舉也臣竊觀自古建功立事扶持社稷之臣未嘗不以立志爲先由包胥鬬伍員有覆楚之言則曰我必存之其後哭秦庭以乞師卒如其志張柬之語武氏於荆南江中其後卒復唐祚垂祀三百一夫發念其烈如此而況以聖明之資爲萬乘之主乎高祖之志見於不肯鬱鬱久居漢中而與韓信論定三秦之策光武之志見於披輿地圖於信都城樓上與鄧禹論天下大計此皆志定於前功成於後初似落落難合而卒能建大功立大名定大

業功施於當年名垂於後世載在典册不可誣也恭惟皇帝陛下天錫勇智運屬艱難遵養時晦之久應機立斷憣然又圖恩欲撥亂興衰光復祖宗之大業故熙紹大師以臨江表捨去吴越而幸建康漸爲北伐之計志慮規模可謂宏遠矣臣願陛下益廣聖志充而行之與神爲謀日新其德勿以去冬驟勝而自怠勿以目前粗定而自安允可以致中興之治者無不爲允可以害中興之功者無不去有所規畫措置必以天下爲度必以施於長久可傳於後世爲法則中興不難致矣夫中興之於用兵只是一事要以脩政事信賞刑明是非别邪正招徠人材鼓作士氣愛惜民力順導姦心爲先數者既脩則士奮於朝農安於野穀粟充盈財用不匱將帥輯睦士卒樂戰用兵其有不勝者哉方今黠虜雖強不仁不義專務變詐暴虐以脅制天下神怒人憤莫之與親自古豈有如此而能久立國者正如隆寒洞陰沍寒層冰十里陽和既回應

時銷釋此理之必至無足怪也昔范蠡説越王勾踐以持盈者與天定傾者與人節事者與地勾踐用之國以富強然又必以人事與天時相参然後乃能成功遂以報吴臣竊觀國家去歲諸路豐穰今春雨暘調適又將豐歲是在我者得天時矣正當脩人事以應之以我之無釁待彼之有釁則戡亂定功役不再籍夫何遠之有臣以固陋自靖康以來與聞國論獨持戰守之策不敢以和議為然今十有二年矣孤危寡與屢遭謗誣仰賴聖明曲加照察脱身九死之濱今得承乏待罪方面恭聞戎輅臨駐江干將大有為以成戡定之烈欣幸之情倍萬常品顧雖衰病尚庶幾未填溝壑間獲觀陛下恢復中原攄憤千古志願畢矣

宋汪藻奏分張俊軍策應建康

臣昨自三月末得之傳聞云金人在建康築城為度夏計臣雖幸其不然然心竊憂之以為中國困於腥膻而得少休息者正

賴其不能觸熱故常已寒方至未暑先歸吾於半年間汲汲措畫猶每歲奔命不暇今若縱其度夏則長為巢穴無所忌憚不知朝廷何以技梧泊到行在聞韓世忠列戰艦江中遮其歸路日有所獲且言金人窮蹙之狀臣竊欣幸以為三月所傳蓋誕妄耳續觀黃倫録韓世忠捷奏又以為朝夕必可掃除今近二十日矣其耗寂然議者頗疑世忠奏狀未必皆實兼數日人自常潤來者皆云虜於蔣山兩花臺兩處各劄大寨抱城開河兩道以護之及穴山作小洞子以為逃暑之地陸增城壘水造戰船而采石金人已渡復回者纍纍不絶今且五月矣比常年去已月餘乃反去而復回其欲留建康明甚如此則與三月所傳又似符合臣聞金人動設詭詐尤喜為窮蹙之狀以疑我師我師墮其計中者前後非一今安知其本不為度夏計而陽為窮蹙者特以疑誤我師邪建康為東南咽侯國之門戶也天下轉輸朝廷號令未有不由此而通

者若金人果據此爲巢穴則東南饋餉遂絕如人扼其咽喉守其門戶果得高枕而臥乎不知羣臣日至上前亦嘗有反復及此者否豈遂以爲無事而所當講者承平之先務乎抑揣陛下非所樂聞而不以聞也不惟是而已人既扼我咽喉守我門戶則群盜亦將視我緩急以爲我向背國家果有力能使之退聽屏息乎況又有意外之憂所難言者不得不慮臣愚以爲此事所係非細廟常[illegible]若救焚拯溺然朝夕在念及五六月間我[illegible][illegible][illegible]之時會諸將與韓世忠一舉掃除非特[illegible][illegible][illegible]之患將使懲創終身不敢復南其利害豈[illegible][illegible]萬哉雖聞近遣張俊提兵過江節制浙西[illegible]馬迤邐前去以爲策應此固陛下長筭也不知張俊果能爲陛下有慨然立功之意乎臣愚欲乞專差得力使臣數人齎陛下宸翰星夜兼程自襄鄧荊湖以來迎張俊軍令分數萬人順流而下仍於上流自計置糧斛以自隨彼張俊軍既皆新人必精銳可用且敵

人見上流之師突然而至莫知其數必破膽奔潰此制勝一奇也如其不然八九月間氣候稍涼彼得其時矣幾會一失雖悔何追伏望睿慈不以臣言爲愚輕忽此事特加采納不勝幸甚

辨攷

景定志丹陽辨

丹陽之辨有三一辨其字二辨其地三辨其治按西漢地理志字從楊東漢郡國志字從陽自晉至唐見於史傳者或爲楊或爲陽無定字也江南地志云郡國有赭山其山丹赤寰宇記云赭山亦名丹山唐天寶中改爲絳巖山丹陽之義出此山臨平胡湖亦以丹陽名今此山在溧水句容兩縣之間以此證之則丹爲山名山南爲陽故曰丹陽字從陽者爲是晉地理志於丹楊郡之丹楊縣註云山多赤柳以此證之丹楊即赤柳之異名字從楊者爲是二字各有所據世或疑之切謂古史多通用如豫章名郡取義於木而字不從

稽會稽名郡取義會計而字或從鄮豈容以今字之拘而疑古字之通哉况柳之赤山之丹未必不互相因也丹山之有丹楊則因木取義宜也丹楊山之南曰丹陽因方取義亦宜也二字之通毋庸深辨而地則不可不辨耳蓋地之名丹陽者不一周成王封熊繹於丹陽乃荆楚之所始其地在荆州不在揚州唐地理志丹州咸寧郡有府五丹陽居其一此在關內道古雍州之域亦不在揚州也史記楚懷王與秦戰于丹陽司馬貞索隱云此丹陽在漢中則又屬梁益之州而非揚州也秦置鄣郡有縣曰丹陽漢改故鄣爲丹陽郡此實隸揚州孫吳析溧陽以北六縣爲丹陽治建業亦隸揚州自東晉以至于唐丹陽郡有分有合而皆隸揚州其名偶與荆雍梁益之丹陽同而其地實異蓋九州之域自禹而分不可紊也如秭歸縣有丹陽城枝江縣有丹陽聚地皆屬荆北史中有封丹陽侯者數人地皆在雍於此無辨則丹陽見於史傳者多

前之以彼爲此者未必知其訛今之書此遺彼者未必不疑其畧矣丹陽之地名不一固所當辨而丹陽之屬揚州者其治不一或者猶有疑焉漢志云丹陽郡治宛陵盖今之寧國府也杜佑通典云以丹陽郡隸潤州盖今之鎮江府也吳寶鼎中嘗割丹陽附吳興盖今之安吉州也人多惑於三說遂疑丹陽之不在建業殊不知丹陽之名本出建業而郡治寓於宛陵者暫爾自建安以來丹陽郡治常在建業常以宰輔諸王爲尹隋以前未嘗改也夫置丹陽治建業者孫權也剖丹陽附吳興者孫皓也平吳以後復吳興所有之丹陽歸于建鄴者晉也平陳以後廢丹陽郡而置溧水縣者隋開皇也廢蔣州而復置丹陽郡者隋大業也以江寧溧水復置丹陽縣者唐武德也嘗考潤州類集曰今之潤境舉非丹陽地而唐以丹陽名郡何也盖唐天寶以前唯有潤州未有昇州是時潤所領縣六江寧句容在焉二縣乃丹陽故地天寶初改州爲

郡因以名之迨至德二載始割出二縣增以溧水溧陽建爲昇州而丹陽之名遂存於潤杜佑通典以天寶以前州縣爲定、故載潤而闕昇後之作方志者曾不審此往往只據佑所書而在秦在漢皆繫於二郡之間誤矣又云漢元封二年改鄣爲丹陽其城在今江寧府東南八里即漢丹楊太守及晉丹楊尹之所治隋平陳廢之平其城以爲田大業初復置唐武德九年又廢之以其縣隸潤州天寶元年始改潤州爲丹陽郡又改曲阿爲丹陽縣皆非兩漢六朝之丹陽也又嘗考諸縣治漢丹陽郡統縣十七秣陵句容丹陽溧陽江乘隸焉晉丹陽郡統縣十一建鄴江寧丹陽溧陽江乘句容秣陵皆隸焉隋丹陽郡統縣三江寧溧水隸焉其丹陽名縣於潤境者亦唐天寶以後也非兩漢六朝之舊也咸氏曰丹陽史記作陽從阜漢志書郡從木書縣從阜東漢吳齊三志唐通典並從阜晉宋唐三志並從木自餘或從阜或從木今志從史記從

阜爲定今按戚氏志以此地有荆山小丹陽瀨
淵固城引班固漢志爲証疑楚始封在此而不
在荆州枝詩商頌罙荆楚在國南鄉左傳載齊
桓公責楚之辭曰楚貢包茅不入王祭不供無
以縮酒寡人是徵昭王南征而不復寡人是問
蓋楚封荆州故應貢包茅漢水近南郡枝江故
并以昭王事責楚其不服者楚始封地狹未及
漢也楚人之辭亦曰君處北海寡人處南海若
以楚封在今建鄴之丹陽則自江泝流至漢水
三千餘里桓公不應以荆州事責之其時上距
熊繹始封才三百五十餘年不容大誤至此如
謂熊繹子孫嘗改封於南郡枝江則成王至昭
王數十年耳何以即改封也班固居西非如太
史公徧歷江淮作書未成而誅其妹曹大家代
足成之所著地理不能無謬是以但知丹楊郡
之後嘗屬楚而不知其非熊繹始封之丹陽但
知文王自丹陽徙郢而不計其自滅漢東諸姬
楚地既廣乃自南郡枝江徙而漸北也戚氏舍

左傳史記而信之過矣其他佐驗尤多楚非封此甚明其名丹楊或取義於山於木與枝江之丹陽偶同靈王伐吳築城瀬渚或徙丹陽之人居此然亦未嘗有丹陽之名今鄧州淅陽縣有丹水在漢江北即秦人戰楚之地不屬梁益州餘地名丹陽甚多景定志所辨不易之論也

景定志揚州辨

或問禹貢揚州之域北距淮東南距海不專在建鄴也宋揚州治廣陵不復隸建鄴今以揚州刺史及州牧入建康志何哉曰自漢以來揚州無常治或徙壽春或從曲阿或徙歷陽皆暫爾而治建鄴之時獨多漢末揚州之地南屬吳者十四郡而揚州治建鄴合肥以北屬魏而揚州治壽春晉平吳以後從壽春之揚州合治建鄴至元帝渡江都揚州統丹陽等郡宋以揚州為王畿六朝都建鄴時若揚州牧若刺史皆以大臣諸王兼領治所皆在建鄴隋開皇初雖嘗徙治江都而大業隋廢唐武德二年置揚州東南道行臺治江寧

三年以江寧溧水二縣置揚州六年又以延陵句容隸揚州以地言之皆建鄴也雖武德九年嘗徙治江都而貞觀七年復治江寧矣則隋唐之間揚州常治建鄴而徙江都者亦暫爾至于五代僞吳揚行密雖以江都爲揚州而金陵實爲別都至僞唐又自廣陵而遷治金陵矣若以今之揚州言之則廣陵一郡之名耳若無關於建鄴以古揚州言之則禹貢九州之一之總名建鄴乃其州之鉅鎮而治所多在焉今於六朝表中書揚州之事從古也本朝表中不書揚州之事從今也是不可以不辨

景定志金陵辨

金陵何爲而名也考之前史楚威王時以其地有王氣埋金以鎮之故曰金陵又曰地接金壇其山產金故名於是因山立號置金陵邑至秦始皇時望氣者言其地有天子氣又埋金寶於山以厭之昔有一碣在靖安道間題爲埋金碑其文曰不在山

前不在山後不在山南不在山北有人獲得富了一國耆老指爲秦時古碑近年遂爲好事者取去是金陵之名始於楚秦千數百年于此矣前輩固嘗疑之蓋謂寶劒在地氣射牛斗光怪燭天其下有寶熊商嬴政方惡其地氣之異而欲消去之乃復埋金寶於其地是益其氣也安得爲知乎及見靖安道間埋金碑之語然後知熊商嬴政知術相襲以愚黔首而千數百年無能發其詐者地有王氣楚秦所忌故將鑿山以泄其氣也役其人以鑿山則人未必從於是借埋金之說以致鑿山之人曰山有金也曰吾嘗埋金於山也人皆有求金於山之心則豈不愛其鑿山之力求不獲則鑿不已不待驅而從也又設爲山前山後山南山北之語以惑之神其有金之地將以眩其求金之人藍人知其地之有金而莫知其金之所在則遍山而求之遍山而鑿之金未有獲而山之氣泄矣求金之人皆無所得而楚秦之君求世山氣之謀遂矣則是

埋金之說所以爲驅人鑿山之術豈真理金也哉吁能然商嬴政將以愚黔首適自愚耳山融川結天地之氣爲之豈區區智術所能變之哉惟脩德足以承天命惟施仁足以固人心惟行帝王之道足以消姦雄之變聖賢以理御氣大抵然也不是之務而求以人力勝地氣後以智術致人力能然商終無救於楚之滅嬴政終無救於秦之亡豈非甚愚也哉當時言天子氣以五百年爲期自是四百九十年而晉元帝渡江建都金陵適符其數商與政如之何哉故著斯辨以發金陵之詐而袪黔首之惑云[redacted]今按此辨理金之妄固當然碑辭淺露不類秦時刻文惜唐以後好事者爲之耳姑存以備參考

景定志越臺辨

越城者建康作古之城勾踐范蠡之所營也越臺者越城之故址也考之史傳無異辭矣越而楚楚而秦秦而漢漢而吳晉宋齊梁陳攻守于此者西則石頭

南則越城皆智者之所必據劉濞於此壁條侯溫嶠於此破王含劉裕於此拒盧循蕭懿於此拒慧景蕭衍於此也王茂皆越城越臺也郡國志云越城在縣南六里實録云越城在淮水南一里半祥符圖經云越城在秣陵縣長干里宮苑記云范蠡築城在瓦棺寺南金陵事跡云南門外有越臺與天禧寺相對今府城之南江寧尉廨之後軍寨之間臺猶存也訪古者每興感焉近世詩人有作越臺曲者乃爲說曰越女嫁江南國主爲妃以其地卑濕運越土築此臺以居焉見此詩者併爲一談牢不可破若使其考古必知誤矣越臺曲云玉顔如花越王女自小嬌癡不歌舞嫁作江南國主妃日日思歸淚如雨江南江北梅子黃潮頭夜漲秦淮江江邊雨多地卑濕旋築高臺匀曉粧千艘命載越中土喜見越人仍越語人生脚踏鄉土難無復歸心越中去高臺何易傾曲池亦復平越姬一去向千載不見此臺空有名六朝事類周紫芝邦彦

詩也

江南古稱江左亦稱江右

案吳澥宇內辨云金陵居長江下流據金陵而言則江南居左四瀆之流皆自西來天下之形勢亦然以中原而言則江南之地居右故前史兩稱之

唐潤州亦曰金陵

唐張氏行役記言甘露寺在金陵山上趙璘因話錄言李勉初至金陵於李錡坐上屢讚招隱寺標致二事皆在潤州則唐人謂京口亦曰金陵杜牧集有金陵女秋娘詩白居易集有賜金陵將士敕書皆京口事也

金陵新志卷終

右金陵新志首圖考終論辯共壹拾伍